로스쿨교육 1위*

해커스로스쿨

KB094048

합격생을 만드는 **해커스로스쿨 전문 시스템**

해커스로스쿨 스타강사
최신 인강 제공

로스쿨 시험 전문
학원 강의 실시간 업로드

해커스로스쿨
전문 교재

로스쿨 시험 전문
스타강사 커리큘럼 제공

여러분의 합격을 응원하는 **해커스로스쿨의 특별 혜택**

2024~2016 면접 기출문제 해설 &보충자료

EPMP2420EVWL4475

본 교재에 수록된 기출문제 해설&보충자료의
QR코드를 카메라로 스캔 ▶
인증창에 위 인증번호 입력 후 이용

* 1회 인증 시 24시간 동안 추가 인증 없이 사용 가능

해커스로스쿨 LEET 면접 단과강의 5% 할인쿠폰

67F58349K640C000

해커스로스쿨(lawschool.Hackers.com) 접속 후 로그인 ▶
우측 퀵메뉴 내 [쿠폰/수강권 등록] 클릭 ▶
위 쿠폰번호 입력 후 이용

* 쿠폰 등록 후 7일간 사용 가능(ID당 1회에 한해 등록 가능)
* 3만원 미만 단과강의, 첨삭 포함 강의에는 사용 불가

* [로스쿨교육 1위 해커스로스쿨] 주간동아 선정 2023 한국브랜드만족지수 교육(온·오프라인 로스쿨) 부문 1위

해커스

김종수
로스쿨 면접

200주제

2권 | 심화&실전모의편

해커스

이 책의 **목차**

이 책의 **목차**

이 책의 목차

3권 기출 & 자소서편

Part 6 | 2024~2016 면접 기출문제

Part 7 | 합격하는 자기소개서

Part 3
심화 시사이슈

096 개념 **국가의 시장 개입: 공매도 규제**

2024 충남대/충북대·2020 서울대/한양대 기출

1. 기본 개념

(1) 국가와 시장

국민주권 시대가 시작되면서 국민은 자신에게 필요한 수단을 재규정하고 역할을 맡기기로 결정했다. 하나는 국가이고, 하나는 시장이다. 국민에게 있어서 국가는 공적인 역할을 하는 것이고, 시장은 사적인 역할을 수행한다.

먼저, 주권자인 국민은 자신의 자유와 권리를 안정적으로 보장받고자 국가를 형성했다. 국민은 선거 등을 통해 국가에 민주적 정당성을 부여하고 기본권을 보장받는다. 만약 이 목적을 위해 설립된 국가가 자신의 역할을 제대로 수행하지 못하면 선거를 통해 교체한다. 오히려 국가가 주권자인 국민의 기본권을 침해한다면 저항권을 통해 교체하기도 한다. 국가의 역할은 국민의 기본권 보장이므로 국민 모두에게 필요하나 시장이 공급할 수 없는 재화와 서비스를 제공한다. 대표적인 예로 안보와 치안이 있고, 상수도와 하수도가 있다. 안보와 치안은 군과 경찰을 통해 달성되고, 상수도와 하수도는 국민의 기본적 생활을 위해, 모든 국민에게 꼭 필요한 것이지만 시장이 공급할 수 없다. 국가는 모든 국민에게 기본적으로 필요하나 시장이 공급하지 못하는 재화와 서비스를 공급한다.

다음으로, 국민은 시장과 기업에 영업의 자유 등을 보장해줌으로써 효율성을 달성하고자 한다. 국민이 직접 자기 생활에 필요한 모든 재화와 서비스를 만들어내어 사용하는 것은 대단히 비효율적이다. 국민은 각자의 발상과 능력에 따라 재화와 서비스를 자유롭게 생산해내고 다른 국민에게 이를 자유롭게 판매하는 분업 체계를 성립시켰다. 결국 개인의 자유로운 경제활동이 이루어지는 장이 시장이 된다. 따라서 시장의 목적은 효율성이 될 수밖에 없기 때문에 자유로운 시장활동의 결과가 비효율적인 경우 목적에 반하여 규제 대상이 될 수 있다. 대표적인 예로 독점 규제가 있다.

(2) 경제·산업정책

민주주의 국가가 성립한 이후로, 경제와 산업은 국가의 중요 관심사가 되었다. 산업혁명 이후로 국력은 국민총생산과 유사한 것이 되었다. 그럴 수밖에 없는 것이 산업생산력은 국민의 경제력이고 국민이 곧 국가인 민주국가에서 일국이 총동원할 수 있는 능력, 즉 전쟁 수행능력과 유사하기 때문이다.

산업혁명이 시작된 영국이 세계의 패권을 잡았고, 이후 과학기술을 발전시킨 프랑스가 영국과 각축을 벌였으며, 산업생산력이 높아진 독일이 세계대전을 일으켜 패권 경쟁을 했고, 메이지유신으로 산업생산력이 높아진 일본이 추축국이 되었다. 결국 철강 등 중화학공업의 대량 생산이 가능했던 소련과 미국이 냉전체제의 대립국이 되었고, 신산업의 발전을 끊임없이 추동한 미국이 유일의 패권국가가 되었다. 현재에는 AI, 5G 등의 신산업에서 패권을 잡아 미국을 뛰어넘으려는 중국이 미국의 경제제재를 받아 주춤한 상황이다.

이러한 역사를 보았을 때 경제·산업정책은 국가의 발전을 좌우할 뿐만 아니라 국민의 생활 안정성을 결정짓는 요소라 할 수 있다.

(3) 3원적 관계

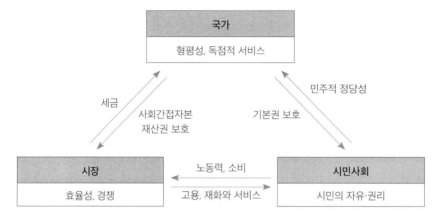

경제·산업정책은 국민의 자유와 권리의 안정적 보장과 확대를 목적으로 한다. 민주주의 국가의 주인은 국민 그 자신이기 때문에 국가의 목적은 곧 국민이 되어야 하기 때문이다.

국민은 주권자로서 국가를 구성하여 자신의 주권을 위임한다. 국민은 국가, 즉 정부에 민주적 정당성을 부여하고 기본권을 안정적으로 보장받는다. 국민은 생업이 있기 때문에 기본권의 보장과 같은 공적 역할을 담당할 공적 기관이 필요하기 때문이다. 이를 위해 국가는 국민에게 사회간접자본과 같은 인프라를 제공하고 치안, 국방, 복지 등과 같은 공적 서비스를 제공한다. 이는 전 국민에게 동질한 재화와 서비스를 규모의 경제를 통해 실현하는 효과가 있다. 예를 들어, 고속도로 건설에 1조 원이 소요된다고 하자. 국가는 건설계획을 수립하고 건설을 수행하며 세금이나 국채 등을 통해 건설비용을 계산 및 집행하고 이후에 고속도로 유지, 보수를 담당한다. 1조 원이라는 어마어마한 비용이 소요되지만, 이를 전 국민 5천만 명으로 나누면 1인당 비용은 2만 원에 불과하다. 상수도나 하수도, 대규모의 국가행정시스템 등도 모든 사람에게 필요한 것을 국가가 일괄적으로 생산, 유지, 보수함으로써 전 국민의 안정적 생활이 가능하다. 국방과 치안 등도 마찬가지가 된다.

국민은 사적으로 필요한 재화와 서비스를 공급받기를 원한다. 개개인은 자신의 선호에 따라 필요한 재화나 서비스를 소비하기를 원한다. 이러한 사적 재화와 서비스는 기업이 담당한다. 기업은 이윤을 추구하는 존재로 소비자의 선호를 발견하고 이 선호에 해당하는 재화와 서비스를 생산하는 공급자가 된다. 공급자인 기업은 어떤 재화와 서비스를 어떻게 제공할 것인지 자유롭게 영업활동을 영위하고 그에 대한 책임을 진다. 자신이 기획한 재화와 서비스가 소비자의 선호를 만족시켜 선택을 받으면 이윤을 얻겠지만, 선택받지 못하면 파산하게 된다.

Part 1
Part 2
Part 3
Part 4
Part 5
Part 6
Part 7

해커스 김중수 모스쿨 명정 200주제

(4) 시장실패

시장실패는 효율적인 자원 배분을 목적으로 하는 시장이 그 목적을 실현하지 못하는 것을 말한다. 시장실패의 주요 원인은 불완전경쟁, 공공재, 외부성 등을 들 수 있다.

첫째, 시장이 효율적 자원 배분을 달성하려면 완전경쟁시장이 전제되어야 한다. 독점이나 과점시장에서는 자원배분이 비효율적이므로 시장실패가 나타난다. 현실에서 완전경쟁이 이루어지는 사례는 지극히 드물고 대부분의 시장은 독과점화되어 있는 상황이다.

둘째, 공공재(public goods)란 국방서비스, 공원 혹은 도로처럼 여러 사람이 공동으로 소비하기 위해 생산된 재화나 서비스를 말한다. 공공재는 다음과 같은 두 가지 특성 때문에 시장실패를 일으킨다. 첫 번째 특성은 비경합성(non-rivalry)이다. 이는 한 사람이 그것을 소비한다 해서 다른 사람이 소비할 기회가 줄어들지 않는다는 말이다. 두 번째 특성은 배제불가능성(non-exclusiveness)이다. 대가를 치르지 않는 사람이라도 소비에서 배제할 수 없다는 말이다. 공공재가 갖는 이 두 성격 때문에 공공재에 양(+)의 가격을 매기는 것이 가능하지도 않고 바람직하지도 않게 된다. 시장기능은 가격을 통해서만 발휘될 수 있기 때문에 이와 같은 상황은 시장실패를 가져오는 원인이 된다.

셋째, 어떤 사람의 행동이 제3자에게 의도하지 않은 혜택이나 손해를 가져다주면서 이에 대해 대가를 받지도 지불하지도 않을 때 외부성(externality)이 생긴다고 말한다. 차를 운전하고 다니는 사람이 배기가스를 방출해 주위 사람들에게 의도하지 않은 손해를 끼치는 것이 그 좋은 예다. 대가를 주고받지 않으므로 시장의 테두리 밖에서 일어난다고 보아 외부성이라는 이름을 붙였다. 외부성은 생산과정에 일어날 수도 있고 소비과정에서 일어날 수도 있다. 외부성은 해로운 것, 이로운 것도 있을 수 있으며, 이를 각각 부정적 외부효과, 긍정적 외부효과라 한다. 부정적 외부효과의 대표적인 사례는 공장 가동 시 발생하는 유독가스를 배출하는 것 등이 있고, 긍정적 외부효과의 사례로는 양봉업자가 벌을 기르는 과정에서 인근 과수원의 수분이 잘 일어나 과일 수확량이 증대되는 것을 들 수 있다. 외부성이 존재하기 때문에 자원배분이 비효율적으로 되는 대표적인 사례가 바로 환경오염 문제다. 오염물질을 방출하는 사람이나 기업은 남에게 손해를 끼치면서도 이에 대해 아무런 대가를 지불하지 않는다. 따라서 오염물질을 방출하는 측의 관점에서 보면 그와 같은 행위에 아무런 비용이 따르지 않는 것처럼 보이게 된다. 그렇기 때문에 공기나 물을 오염시키는 물질을 마구 버리는 현상이 일어나는 것이다. 만약 그들이 오염물질을 방출하는 행위에 대해 어떤 대가를 치러야 한다면 훨씬 더 조심해서 버리게 될 것이 분명하다.

(5) 정부실패 혹은 국가실패

정부실패란, 정부가 시장실패를 교정하기 위해 개입하였음에도 이를 달성하지 못하거나 심지어 악화시킨 경우를 말한다. 시장이 실패할 수 있는 것처럼 정부도 실패할 가능성이 있다. 정부가 선의를 가지고 시장에 개입했다고 하더라도 반드시 좋은 결과가 나온다는 보장은 없다.

정부실패를 해결하기 위해서는 다음과 같은 방법이 있다.

첫째, 제도 개혁이 있다. 현실을 보면 제도상의 결함이 비효율성을 낳은 원인이 되는 사례가 상당히 많다. 예를 들어 관료 조직의 비대화, 역할 분담의 불명확성, 상호견제기능의 미비 등 제도적인 측면에서의 문제 때문에 비효율성이 초래되는 경우를 자주 본다. 이 경우라면 제도의 개혁을 통해 획기적인 개선을 기대해볼 수 있다. 그러나 현실에서는 여러 이해당사자들의 개입으로 인해 제도 개혁이 말처럼 쉽게 이루어질 수 없는 경우가 많다.

둘째, 적절한 유인을 설계하고 제공함으로써 해결할 수 있다. 정부의 업무는 보통 성과를 평가할 수 있는 명백한 기준이 존재하지 않는 경우가 많다. 관료들이 어떤 뚜렷한 목표의식을 갖고 행정업무에 종사하는 것이 아니기 때문에 효율성을 발휘하기 힘든 것이다. 또한 각 관료의 성과를 개별적으로 평가하기 힘들어 열심히 일하더라도 돌아오는 보상이 별로 크지 않다는 문제도 있다. 관료들이 자발적으로 열심히 일하게끔 유도하기 위해서는 열성적인 노력에 대해 후한 상을 주고 태만한 자세를 가차 없이 벌하는 유인 구조를 도입해야 한다. 그러나 한편으로는 공무원의 노력을 포상하기 위해서는 포상기준이 있어야 하는데, 이윤 추구를 목적으로 하는 기업과 다르게 정부의 목적은 공익이라는 추상적인 가치이기 때문에 객관적인 기준을 설정하기 어렵다는 문제점도 있다.

셋째, 경쟁 구조의 도입이 있다. 정부 부문의 비효율성은 경쟁이 존재하지 않는다는 사실에 그 상당한 이유가 있다. 경쟁에서 오는 압력을 느끼지 않기 때문에 방만한 운영을 하게 될 가능성이 높은 것이다. 따라서 다른 부처와의, 또는 민간 부문과의 경쟁체제를 도입함으로써 효율적인 운영을 하도록 유도하는 것이 필요하다.

2. 읽기 자료

정부의 시장 개입[1]

공매도 규제[2]

1)

정부의 시장 개입

2)

공매도 규제

답변 준비 시간 15분 | 답변 시간 10분

※ 다음 제시문을 읽고, 문제에 답하시오.

> 공매도란 자신이 소유하지 않은 자산을 매도하는 행위인데, 통상적으로 유가증권이 그 대상이 된다. 장래 더 낮은 가격으로 매수하여 인도할 수 있다는 예상에 따라 그 차익을 얻으려는 거래라고 볼 수 있다. 이는 크게 차입 공매도와 무차입 공매도로 구분할 수 있다. 전자는 장래의 이행을 위해 미리 자산을 빌려 놓는 경우로서 후자에 비하여 상대적으로 이행의 가능성이 높으므로 각국이 이를 일정한 범위 내에서 허용한다. 공매도가 시장에서 수행하는 순기능을 고려할 필요가 있기 때문이다. 반면에 후자는 시장남용적 행위에 악용될 여지가 있고 차입조차 하지 않은 경우이므로 불이행의 가능성이 크다고 보아 이를 엄격히 금지한다.
>
> 금융위원회는 2023년 11월, 불법 무차입 공매도가 시장의 공정한 가격 형성을 저해할 우려가 있다면서 공매도 금지에 대한 한시적 조치를 의결했다. 그리고 2024년 6월, 공매도 금지 조치를 2025년 3월까지 연장했다.

Q1. 국가는 시장과의 관계에서 다음 중 어떤 역할을 해야 하는지 논하시오.
① 국가는 시장의 자율성을 보장하기 위해 시장경제에 개입하지 말아야 한다.
② 국가가 시장경제에 개입하여 복지정책을 강화해야 한다.

Q2. 국가가 시장에 개입했을 때 발생할 수 있는 문제점 혹은 부작용은 어떤 것들이 있는지 제시하고, 이러한 문제점에도 불구하고 국가가 시장에 개입해야 하는지 논하시오.

Q3. 제시문의 공매도 규제에 대해, 시장의 자율성을 저해하므로 정부가 규제해서는 안 된다는 입장과 경제주체 보호를 위해 국가가 개입해야 한다는 입장이 대립한다. 이 중에서 자신의 견해를 정하여 논하시오.

Q1. 모범답변

　국가는 국민의 생존과 행복을 보장하기 위해 시장경제에 적정한 선으로 개입하여 복지정책을 강화해야 합니다. 국가의 존재 목적은 국민의 생명과 신체를 보호하고 국민이 행복할 수 있도록 그 기반을 제공하는 것이기 때문입니다.

　시장경제는 이윤 추구를 그 목적으로 하기 때문에 시장 자율성을 인정해 주기를 원합니다. 그러나 무조건적 자유는 방종이나 다름없듯 시장의 자율성이 지나치면 독과점과 양극화로 이어질 수 있습니다. 미국처럼 1%의 상위계층이 3/4 이상의 부를 독식하는 것은 하위계층의 생존을 위협할뿐더러 지나친 사회갈등으로 이어질 가능성이 큽니다. 하위계층 국민들의 생명과 신체가 위협당하는 위험과 극단적 사회갈등으로 인한 사회 붕괴 가능성을 막기 위해 국가는 시장경제에 개입하여야 합니다.

　국가 발전을 위해 국가는 시장경제에 개입하여야 합니다. 고소득층의 소비는 국가경제 발전의 시작점이 될 수는 있으나, 지속적인 경제 발전을 위해서는 저소득층의 소비도 함께 늘어나야 합니다. 저소득층의 소득이 늘어나야 소비의 승수효과가 커지고 고소득층의 부도 함께 증가하게 되기 때문입니다. 그러나 저소득층은 소득이 적어 소비여력이 없습니다. 저소득층의 소비여력 감소는 국가경제에 악영향을 주게 됩니다. 이에 대해 국가가 복지정책을 펼친다면 하위계층과 중산층의 가처분소득이 늘어나게 됩니다. 소비여력이 거의 없었던 하위계층은 복지정책으로 인해 생계 유지를 위한 소비가 가능하게 되고 소비성향이 클 수밖에 없어 거의 대부분의 소득을 소비하게 됩니다. 중산층은 국가의 복지정책으로 인해 국가가 대량으로 공급하는 의료, 교육서비스를 받을 수 있게 되므로, 소득 자체가 늘어나지는 않으나 의료와 교육에서 감소한 소비로 인해 가처분소득이 늘어나는 상대적 효과가 발생합니다. 하위계층과 중산층의 인구가 절대적으로 많다는 점을 고려할 때, 막대한 소비 증가가 발생하게 됩니다. 이처럼 복지정책을 통해 국가 전체적으로 소비가 활성화될 수 있습니다. 이와 같은 분수효과로 인해 소비가 활성화되면 상위계층의 부 역시 증가할 수 있습니다. 예를 들어 코로나19로 인해 경제 위축이 발생했을 때 선진국을 중심으로 현금 지원을 확대했고 이는 소비 활성화와 고소득층의 소득 증가로 이어진 바 있습니다. 따라서 국가는 시장경제에 개입할 수 있습니다.

Q2. 모범답변

국가가 시장에 개입하면 부작용으로 비효율성이 발생하는 정부실패가 발생할 수 있습니다. 시장실패란 자유 경쟁을 통해 달성되어야 한 시장의 효율성이 달성되지 못했을 때를 말하며, 정부실패는 정부가 시장실패를 해결하기 위해 개입하였음에도 불구하고 그 문제를 해결하지 못하거나 더 악화시켰을 경우를 말합니다. 국가의 과도한 경제 개입, 규제로 인해 시장의 경쟁이 저해되고 그 결과 시장의 목적인 효율성이 떨어지는 것입니다.

정부실패의 우려에도 불구하고 정부의 적정한 시장 개입은 반드시 필요합니다. 시장실패로 인해 발생한 문제를 교정하기 위해 국가가 시장에 개입하는 것이므로, 정부실패가 우려된다고 하여 국민의 경제적 고통을 방치할 수는 없습니다. 국가가 시장에 개입하여 오히려 시장실패를 교정하였던 경우가 있습니다. 대표적으로 미국의 대공황을 해결한 수요진작정책이었던 프랭클린 루스벨트의 뉴딜정책이 바로 그것입니다. 노벨 경제학상 수상자인 조지프 스티글리츠는, 정부 규제는 우리의 시스템이 보다 원활하게 작동하도록, 다시 말해 경쟁을 보장하고, 힘의 남용을 막고, 스스로를 보호할 능력이 없는 사람들을 보호하기 위해 고안된 규칙이라고 했습니다. 따라서 국가가 시장에 개입한다고 하여 반드시 정부실패가 발생하는 것은 아닙니다.

과도한 국가규제가 정부실패로 이어지기 때문에 국가의 규제는 국민의 생존과 행복을 위한 역할로 한정되어야 합니다. 복지정책의 경우를 보아도 생존 자체가 문제되는 경우 지원할 필요가 있으나, 생존이 직접적으로 문제되지 않는 경우 직업 재교육을 제공하는 등의 방법으로 효율성을 저해하지 않는 복지정책을 추진해야 합니다.

Q3. 모범답변

[공매도 규제 반대 입장]

공매도는 시장의 효율성을 위해 규제해서는 안 됩니다. 공매도는 시장의 효율성을 높이는 기능을 갖고 있는데, 대표적으로 시장 유동성 공급, 시장의 가격 발견, 투자자의 위험관리 기능을 수행합니다. 공매도를 전면금지하면 공매도의 순기능이 발현될 수 없어 시장의 효율성에 악영향을 미칠 것입니다. 첫째, 공매도는 침체되어 있는 시장에 매도 물량의 일부를 차지하여 시장에 유동성을 공급함으로써 시장 거래량을 늘리는 효과가 있습니다. 둘째, 시장의 가격 발견 기능이 있습니다. 부정적인 정보가 있을 때 가격이 떨어질 것을 예상한 경제주체는 공매도를 선택하게 됩니다. 공매도가 늘어난다는 것은 아직 시장가격에 반영되지 않은 부정적인 정보가 있다는 신호를 시장 참여 주체에게 주는 것입니다. 시장가격과 내재가치 사이에 괴리가 있을 경우 시장의 자원 배분이 왜곡되는 부작용이 발생하는데 공매도는 과도하게 높은 주식 가격을 적정한 수준으로 낮춰 시장의 효율성을 실현할 수 있습니다. 이처럼 공매도는 시장의 부정적인 정보를 신속하게 가격에 반영하여 가격의 효율성을 높이는 기능을 수행합니다. 셋째, 공매도는 투자자의 위험관리 기능이 있습니다. 공매도를 이용하면 다양한 금융투자상품 거래 시 발생 가능한 손실을 회피할 수 있습니다.

물론, 공매도의 특성상 미공개중요정보 이용 행위, 시세조종 행위와 같은 불공정거래행위로 이어질 가능성이 있습니다. 그러나 이는 공매도 자체를 금지할 것이 아니라 불공정거래행위를 적발하고 처벌해야 할 문제입니다. 위와 같은 불공정거래행위는 공매도를 금지한다고 해서 근절될 수 없는 것이기 때문입니다.

[공매도 규제 찬성 입장]

공매도는 시장의 효율성을 저해하므로 규제해야 합니다. 결제 불이행의 위험성이 크고, 공매도로 인해 과도한 주가 하락이 발생하거나 변동성 확대로 인한 개별종목의 공정가격 형성에 악영향을 줄 수 있으며, 시세조종 등과 같은 불공정거래행위가 발생할 가능성이 높기 때문입니다. 첫째, 공매도는 소유하지 않은 증권을 매도하는 것이기 때문에 결제 불이행의 위험성이 큽니다. 실제로 우풍상호신용금고가 특정회사의 유통물량 28만 6천 주보다 많은 34만 주를 무차입 공매도한 후에 결제를 이행하지 못한 사례가 있습니다. 둘째, 특정한 상황에서 공매도가 집중되면 주가 하락이 가속화하거나 변동성이 심화되어 공정가격 형성에 악영향을 줄 수 있습니다. 시장이 불안정하거나 급변하는 상황에서 공매도가 특정 종목에 집중되면 주가 하락이 본래 가치보다 가속화될 수 있습니다. 그리고 공매도로 인해 변동성이 확대되면 다른 종목까지 영향을 미치게 될 수 있습니다. 이처럼 공매도로 인해 시장의 공정한 가격 형성을 저해하게 될 수 있습니다. 셋째, 시세조종과 같은 불공정거래행위로 이어질 수 있습니다. 공매도는 자신이 소유하지 않은 유가증권을 거래할 수 있기 때문에 타인과 공모해 낮은 가격으로 거래를 체결하거나 공매도임을 밝히지 않고 낮은 가격의 매도 주문을 제출해 가격 하락을 유도하는 행위가 가능합니다. 결국 공매도는 기업의 가치에 대한 불안감을 지나치게 증폭시켜 시장의 혼란을 야기함으로써 시장의 효율성을 훼손할 수 있습니다.

해커스 김종수 토스클 면접 200주제

1. 기본 개념

(1) 고전 경제학파(시장주의)

시장의 기능과 중요성을 옹호하는 자본주의 입장이다. 이들의 입장은 두 가지 의문에 기초를 두고 있다. 하나는 개인적 이익을 추구하는 것이 사회적 질서와 번영과 양립할 수 있는가에 대한 것이고, 다른 하나는 사익 추구가 공익 달성과 양립할 수 있다면 어떠한 방법으로 가능할 수 있는가에 대한 것이었다.

이 두 가지 의문은 애덤 스미스(A. Smith)에 의해 풀리게 되었는데, 이것이 바로 '보이지 않는 손'의 원리이다. 개인은 자신의 이익을 위해 최선을 다하면 되고, 그 노력은 시장에서 보이지 않는 손에 의해 공익과 수렴하게 된다는 명제를 만들어냈던 것이다. 즉 '시장'은 인간의 이기심을 사익과 공익의 조화로 수렴시키는 장이므로 경제에 있어 필수적인 것으로, 그 작동원리를 '보이지 않는 손'이라고 설명한다. 애덤 스미스는 개인이 사회의 이익을 목적으로 행동한 것이 아니라 자기 자신의 이익을 추구하기만 해도 결과적으로 사회의 이익이 달성된다고 보았다. 그렇다면 공익적 목적을 실현하기 위해 국가가 시장에 간섭하고 통제할 이유가 없으며, 오히려 개인의 이익을 추구하려는 자유인 영업의 자유를 인정하는 것이 사회 전체의 효용을 증대시키는 것이 된다.

고전 경제학파, 즉 시장주의자는 공급과 수요는 일치하므로 초과 공급이 발생하지 않는다고 한다.[3] 개인이 저축을 늘리면 이자율이 떨어지고, 이자율이 떨어지면 기업의 투자가 늘어나고, 이로 인해 고용이 증가하여 노동자들의 소비여력이 늘어나 수요가 증가한다. 또한 소비가 줄어들면 상품가격이 내려가 다시 수요가 늘 것이다.

고전 경제학파에 따르면, 시장은 그 자체로 균형을 찾아갈 수 있는 힘을 지니고 있다고 한다. 이러한 시장질서에 국가가 개입하면 가격결정 메커니즘이 왜곡되어 자원이 비효율적으로 배분된다. 따라서 고전 경제학파는 국가의 시장 개입에 대해 비판적이다.

시장주의자들에 따르면 경제에 대한 국가의 통제는 바람직하지 못한 것이고, 시장주의자들은 국가가 경제 영역에 가급적 간섭하지 않는 것이 좋다는 자유방임주의를 주장한다. 물론 1930년대 들어 대공황 이후 시장의 불완전성을 보완하기 위해 국가통제의 필요성이 강력하게 제기되었고 국가의 경제 개입이 이루어지기도 했지만, 70년대 이후 '신자유주의'라는 이름으로 자유방임주의는 다시 힘을 얻게 되었다.

(2) 케인스주의(수정자본주의)

케인스는 시장주의자들의 가정, 즉 시장은 그 자체로 균형을 찾아가는 힘이 있다는 것에 의문을 가졌다. 장기적으로 볼 때 시장이 균형을 찾아가는 힘이 있는 것은 사실이나, 이것이 단기적으로 혹은 모든 상황에서 작동한다고 볼 수 없다고 보았다.

케인스는 저축이 늘고 소비가 감소하더라도 시장주의자들의 예상대로 임금이 감소하지 않을 수 있다는 점에 착안했다. 현실에는 노동조합이 있어 이들의 반대로 임금이 쉽사리 내려가지 않는다고 하였다. 또한 현실에 다수 존재하는 독과점 기업은 소비가 줄어도 상품가격을 내리지 않는다. 따라서 수요가 늘어나지 않으므로 상품초과공급이 발생한다. 상품초과공급현상은 임금과 가격의 경직성으로 인해 쉽게 해소되지 않는다. 따라서 이러한 상품초과공급현상이 일정기간 지속되면 공황이 발생한다.

[3]
이를 세이의 법칙(Say's law)이라 한다. 세이의 법칙은, '공급은 스스로 수요를 창출한다(Supply creates its own demand)'는 의미이다. 고전경제학파는 경제전체적으로 봤을 때 공급이 이루어지면 그만큼의 수요가 자연적으로 생겨나므로 유효수요 부족에 따른 공급과잉이 발생하지 않는다고 한다.

시장은 민간 주체, 즉 기업이나 가계의 자율적 활동이므로 국가가 상품초과공급현상 해소를 위해 소비를 강요할 수 없다. 따라서 케인스는 국가가 정부재정을 통해 수요증대정책을 인위적으로 펼쳐 시장의 불안정성을 해소해야 한다고 한다. 즉, 케인스는 국가가 경제에 개입하여 수요증대정책을 펼쳐야 한다고 주장한다.

(3) 재정정책

재정정책은 정부가 재정수지를 변동시키는 정책을 의미한다. 일반적으로 정부는 경기가 확장되는 상황에서는 세율을 높이고 정부지출을 줄여서 재정 흑자를 유도한다. 이를 통해 경기가 과열되는 것을 억제한다. 반면, 경기가 축소되는 상황에서는 세율을 낮추고 정부지출을 늘려서 재정 적자를 유도한다. 이를 통해 경기를 활성화한다. 재정정책은 통화정책에 비해 정책 집행까지는 시간이 걸리지만 집행이 되면 즉각적으로 효과가 발생한다. 또 특정 분야에 예산을 집행함으로써 직접적인 지원이 가능하다는 특징이 있다.

재정정책의 대표적인 사례는 뉴딜정책이다. 존 메이너드 케인스가 국가경제에서 정부 역할을 강조하면서, 미국의 대공황을 극복하기 위해 루스벨트의 뉴딜정책이 시행되었다. 재정정책의 목표는 완전고용의 실현과 높고 안정적인 경제성장률, 임금 및 물가의 안정이다.

재정정책은 케인스주의자들이 선호하는 방식이라 알려져 있다. 정부지출을 변화시킴으로써 유효수요를 창출하고 이에 따라 경기 안정화를 달성하는 방식이기 때문이다.

(4) 통화정책

통화정책은 중앙은행이 시중 통화량과 이자율을 조정함으로써 완전 고용, 물가 안정, 국제 수지의 향상, 경제 성장 촉진 등을 달성하려는 국가정책이다. 예를 들어, 기준 금리를 올리면 투자가 줄어들고 소비가 줄어들어 경기가 위축된다. 반면 기준 금리를 내리면 투자가 늘어나고 소비가 늘어나 경기가 활성화된다.

통화정책은 은행이나 금융기관 등을 통해 간접적으로 경기에 영향을 미치기 때문에 집행 후 효과 발생까지 시차가 존재한다. 또 재정정책은 특정 분야에 예산을 배분하는 형식으로 직접 지원이 가능하나, 통화정책은 경기 전체에 영향을 미치는 일반적 지원방식이다.

통화정책은 시장주의자들이 선호하는 방식이라 알려져 있다. 정부가 직접 특정 산업에 지원하거나 하는 방식이 아니라 예측가능한 수준의 간접적 경기 안정화 방식이기 때문이다.

2. 읽기 자료

존 메이너드 케인스, <고용, 이자, 화폐의 일반이론>, 필맥

⏰ 답변 준비 시간 15분 | 답변 시간 10분

※ 다음 제시문을 읽고, 문제에 답하시오.

(가) 유효수요란, 한 기업의 수요를 결정짓는 개별가계의 소비활동과 또 다른 기업의 투자활동을 합쳐 실질적으로 구매 가능한 수요량을 말한다. 상대적으로 고전학파는 늘 수요와 공급이 일치하는 지점에서 형성되는 수요량을 중요하게 여겼지만 이러한 균형점은 단지 이상일 뿐 반드시 유효수요와 일치하지 않을 수도 있다.

유효수요는 절대소득에 의해 결정되는 변수로 개별제품의 공급조건보다는 개별가계의 실질소득에 더 큰 영향을 받는다. 한 가계의 소득 가운데 저축을 제외한 소비성향이 일정하다고 가정한다면 유효수요의 증가는 기업의 경영성과를 개선하고 일자리를 만들어줄 수 있다. 결론적으로 고전학파는 생산이 수요를 창조한다고 주장했지만 일반적인 경제 상황에서는 수요가 생산을 창조한다고 보는 것이 더 적절하다.

유효수요를 더 많이 창출하기 위해서는 무엇보다도 국민들은 소비를 증대시키고 저축이 자연스럽게 투자로 연결될 수 있도록 장기적인 성향을 가지고 저축을 해야 한다. 그러나 사람들의 마음속에는 기본적으로 자유로운 화폐소비가 가능한 유동성을 선호한다. 유동성이란, 화폐를 보관하는 방법 가운데 가장 빠른 시간에 현금으로 바꿀 수 있는 방법을 말한다. 가장 유동성이 좋은 보관 방법은 자신의 지갑 안에 화폐를 보관하는 것이고, 가장 나쁜 방법은 토지를 구입해 토지문서를 집에 보관하는 것이다. 이런 경우 돈이 필요할 때 전자는 바로 지갑에서 꺼내면 되지만 후자는 토지를 팔아서 장만해야 하기 때문에 그만큼 필요한 돈을 즉각적으로 장만하기가 어렵고 위험요인도 많다.

만약 경제 상황에 대한 장기적인 판단이 어려워 불확실성이 높아졌다면 많은 사람은 본능적으로 유동성을 확보하려고 할 것이다. 심지어 경기가 더욱더 안 좋다면 사람들은 단기예금과 같이 곧바로 현금으로 찾을 수 있는 보관방법을 선호할 것이다. 또한 경제공황 상태로 은행 파산마저 예상된다면 결국 모든 돈은 개인금고 안에만 머물러 새로운 투자처로 흐르지 못하게 된다. 개인금고 안에 보관된 돈은 투자를 유발시키지도 않고 소비를 촉진시키지도 않는다. 따라서 유효수요는 더욱더 크게 감소하게 된다.

수요를 발생시키는 요인 가운데 하나인 기업의 투자가 활성화되지 못한다면 경제는 곧 더욱 나빠지게 될 것이다. 그 후 기업들이 하나둘씩 망하면서 실업자는 더 늘어나게 되고 결국 사람들의 미래에 대한 나쁜 기대가 점차 현실화되면서 경제는 더욱더 수렁에 빠지게 된다.

이러한 경제 상황에서 과연 정부는 무엇을 할 수 있는가? 우선 정부는 모든 경제 주체 가운데 가장 신용도가 높은 주체이므로 투자에 필요한 자금을 쉽게 모을 수 있다. 또한 이렇게 모은 돈으로 사업을 할 경우 안정적인 일자리를 제공할 수 있다. 무엇보다도 정부가 나서서 일을 하면 사람들이 갖고 있던 미래에 대한 걱정이 점점 사라지게 될 것이다. 즉 총체적인 경제 위기에 부딪혔을 때 정부정책과 투자는 경제에 대한 믿음을 심어줄 수 있다.

만일 어떤 국가에서 투자량을 조정할 수 있다면 완전고용 시점까지 필요한 실질소득을 올릴 수 있다. 만약 투자가 과열되어 완전고용을 넘으면 진정 인플레이션이 시작되고 더 이상의 소득 증가는 순전히 화폐적인 것, 즉 인플레이션적인 것이 된다. 이러한 경우에 정부는 투자가 너무나 위축되어 있는 상태 즉 완전고용 이하 시점에서는 정부가 투자를 늘려서 인위적으로 경기를 활성화시킨다면 대부분의 거시경제 문제는 사라질 것이다. 그러나 이러한 정부 개입은 어디까지나 이상일 뿐이다. 왜냐하면 민간 투자량을 결정하는 민간 자본의 미래 예상수익이 본래 불안정한 성질을 가지고 있기 때문에 정부가 민간 기업의 투자를 조정하는 것은 불가능하다.

하지만 정부가 추진하는 재정투자는 조정이 가능하다. 민간 투자는 불안정하기 때문에 정부는 민간 투자량의 변동의 영향을 공공투자로 상쇄시킬 수 있다. 즉 민간 투자가 저조할 때는 국가에 의한 투자를 확대하고 민간 투자가 과열현상을 보일 때는 국가에 의한 투자를 축소시켜 적절한 수준에서 경기를 유지시켜야 한다.

(나) 1928년과 1929년의 강세시장에 종지부를 찍은 1929년 10월의 주식시장 붕괴는 그 극적인 성격 때문에 대공황의 시발이자 주요한 직접적 원인으로 간주되곤 한다. 그러나 어느 쪽도 진실이 아니다. 경기가 정점에 이른 것은 붕괴 몇 달 전인 1929년 중반이었다. 경기와 이와 같이 빨리 정점에 이른 것은, 부분적으로는 '투기(speculation)'를 억제하기 위한 연방준비은행의 다소 긴축적인 통화정책 때문인데, 이러한 간접적 방식으로 주식시장은 경기수축을 야기하는 데 일익을 담당했을지도 모른다. 주식시장의 붕괴는 거꾸로 업계의 신뢰와 개인들의 지출 의욕에 일종의 간접적 영향을 미침으로써 경기의 동향을 압박하는 효과를 발휘했다. 그러나 이러한 효과들 자체로는 경제활동의 붕괴를 가져올 수 없었다. 기껏해야 미국 역사상 경제성장을 잠시 중단시키곤 했던 통상의 가벼운 경기후퇴보다는 조금 더 길고 심한 경기수축 정도를 야기하는 데 그쳤을 것이고, 그로 말미암아 실제 일어난 것과 같은 일대 파국이 벌어지지는 않았을 것이다.

경기수축이 있었어도 첫해에는 그 후의 경과를 특징짓게 될 특이한 양상들은 전혀 나타나지 않았다. 경제하락의 양상은 대부분의 경기수축의 첫해에 나타나는 것보다 훨씬 더 심각한 수준이었는데, 아마도 주식시장의 붕괴에 1928년 중반 이후부터 유지되어온 이례적인 긴축통화상태까지 겹친 데 따른 반응이었을 것이다. 그러나 질적으로 다른 특징은 나타나지 않았으며, 커다란 재난으로 비화될 징조도 없었다. 선후관계와 인과관계를 혼동하는 소박한 추론이 아니라면 1930년의 9월이나 10월 당시 그대로의 경제상황에서, 이후 수년에 걸친 계속적이고도 급격한 경기하락을 불가피하게 하거나 그 가능성을 고도로 높일 만한 요인은 그 어디에서도 찾아볼 수 없다. 지금에 와서 생각해 보면, 연방준비은행은 이미 그때까지 해왔던 것과는 다르게 행동해야만 했다는 것이 분명해진다. 즉, 1929년 8월부터 1930년 10월까지 통화량이 거의 3% 가까이 감소하도록 내버려두지 말았어야 했다. 이 시기의 3%에 달하는 통화량 감소는 꽤 심각한 경기 수축 시기에 보이는 특징이다.

1930년 10월 이전에는 유동성 위기의 어떠한 징조도 없었고, 은행에 대한 신뢰의 손상도 없었다. 그 이후부터 경제는 되풀이되는 유동성 위기에 시달리게 되었다. 파상적인 은행파산은 잠시 잦아드는 듯하다가, 몇몇 극적인 파산과 다른 사건들로 인하여 은행제도에 대한 추가적 신뢰 손상과 일련의 예금이탈 사태가 빚어지자 재개되었다. 이 사태는 전적으로 은행파산 때문만이 아니라 은행파산이 통화량에 미치는 영향 때문에도 중요했다.

우리의 은행제도처럼 부분적 지급준비금을 보유하는 은행제도에서는 은행이 당연히 예금액만큼의 현금(혹은 이에 준하는 것)을 보유하고 있는 것은 아니다. 이 때문에 '예금'이라는 말은 오해의 소지가 많은 용어이다. 만약 현금 1달러를 은행에 예금할 때, 은행은 그중 15 내지 20퍼센트만 보유하고 나머지는 다른 창구를 통하여 대출할 것이다. 대출을 받은 사람은 다시 이를 같은 은행이나 다른 은행에 예금할 수 있으며, 이러한 과정은 계속 되풀이된다. 그 결과 은행은 보유하고 있는 현금 1달러당 수 달러에 이르는 예금반환채무를 지게 된다. 그러므로 대중이 예금으로 보유하려는 돈의 비중이 크면 클수록 일정량의 현금에 대한 총통화량(현금과 예금의 합계)은 더 커진다. 따라서 예금주들 측의 '내 돈 찾기' 시도가 팽배하면, 추가적인 현금이 창출될 수 있는 방법과 은행들이 현금을 보유할 수 있는 방법이 없는 한 총통화량이 감소할 것은 불을 보듯 뻔하다. 그렇지 않으면 은행은 자기 은행 예금주들의 요구에 응하는 과정에서 단기 융자의 상환을 요구하거나 투자증권을 매각하거나 다른 은행에 예금한 돈을 찾아감으로써 다른 은행에 압박을 가하게 될 것이다. 이러한 악순환을 그대로 방치한다면, 현금을 보유하려는 은행들의 시도가 증권가격을 끌어내리고 그런 상황만 아니었다면 경영상태가 양호했을 은행을 지급불능상태에 빠뜨리고, 예금주들의 신뢰를 흔들고, 다시 같은 과정을 반복함으로써 악순환은 점점 더 커지게 될 것이다.

Q1. (가)와 (나)를 각각 요약하시오.

Q2. (가)와 (나) 각각의 관점에서, 1929년 대공황이 일어난 원인과 그 대책을 논하시오.

Q3. 정부의 역할에 대한 (가)와 (나)의 관점을 그 차이점을 중심으로 논하시오.

Q4. 위 논의의 논리적 연장선상에서 코로나19와 같은 전염병의 유행으로 인한 팬데믹 상황에서 경제침체가 발생했을 때 이 문제를 해결하기 위한 해결책을 제시하고, 그 해결책이 어떻게 경제침체 문제를 해결할 수 있는지 논하시오.

Q1. 모범답변

(가)에 따르면, 정부는 재정투자를 통해 시장경제에 개입해 유효수요를 증가시켜 경기활성화를 해야 합니다. 이를 통해 국민생활의 안정을 도모할 수 있기 때문입니다.

(나)에 따르면, 국가는 예측가능한 통화량을 공급함으로써 경제주체들이 이에 대한 신뢰를 갖도록 해야 합니다. 특히 경제후퇴기에는 통화를 적절히 증가시켜 공황을 예방하고 경제를 안정화시킬 수 있습니다.

Q2. 모범답변

(가)는 유효수요 부족을, (나)는 통화량 부족을 대공황의 원인으로 보고 있습니다. (가)는 재정투자 확대를, (나)는 예측가능한 통화공급을 공황의 대책으로 들고 있습니다.

(가)에 따르면, 유효수요는 가계의 소비활동과 기업의 투자활동을 합쳐 실질적으로 구매 가능한 수요량을 말하는데, 저축이 투자로 이어진다면 유효수요를 늘려 경제가 안정적으로 성장할 수 있습니다. 그러나 저축 중 일부는 유동성 선호로 인해 투자로 이어지지 않습니다. 특히 경제상황의 불확실성이 커지면 사람들은 유동성 확보를 위해 단기예금이나 현금보유를 선호하게 되고, 현금보유 선호는 소비와 투자를 유발시키지 못해 유효수요는 크게 감소할 수밖에 없습니다. 또한 기업의 투자 감소로 유효수요는 줄어들게 됩니다. 유효수요의 감소로 인해 기업들은 파산하고, 실업자는 더 늘어나게 되어 유효수요는 더욱 크게 감소하기 때문에 악순환이 더욱 심화되어 대공황이 더 심각해집니다. 따라서 유효수요를 증가시켜야 기업의 투자가 늘어나고 고용이 확대되고 개인의 소비가 활성화되어 대공황을 해결할 수 있습니다. 그러나 경기후퇴기에 민간기업의 투자는 불안정하고 정부가 조절할 수 없으나, 정부는 직접 재정투자를 조정할 수 있으므로 유효수요를 증가시킬 수 있습니다. 따라서 정부의 재정투자를 통해 유효수요를 증가시켜 경기활성화를 도모할 수 있습니다.

반면 (나)에 따르면, 대공황의 원인은 통화량 부족이며, 그 해결방안은 예측가능한 통화 공급입니다. 1928년 이후 투기억제를 위한 미연방준비은행이 취한 긴축적인 통화정책으로 통화량이 감소했습니다. 이에 적정한 통화량이 공급되지 않아 유동성 불안으로 현금에 대한 수요가 자극되었습니다. 예금주들이 현금을 요구하자 은행은 융자상환, 투자증권 매각, 타 은행 예금인출 등의 조치를 취할 수밖에 없었고, 이로 인해 증권 가격 하락과 은행의 지급불능사태가 이어졌습니다. 이는 다시 예금주들의 은행에 대한 신뢰를 흔들어 예금이탈사태, 소위 뱅크런이 일어나게 되었습니다. 이와 같은 과정을 반복하여 대공황이 발생했습니다. 따라서 국가는 예측가능한 통화량을 공급함으로써 경제주체들이 이에 대한 신뢰를 갖도록 해야 합니다. 특히 중앙은행의 통화정책을 법률과 같은 형태로 규정하여 통화량을 경제주체들과 시장이 예측할 수 있도록 해 시장의 신뢰를 얻어야 합니다. 그렇다면 대공황을 예방할 수 있습니다.

Q3. 모범답변

정부의 역할에 대해, (가)는 정부가 시장에 개입하여야 한다고 보는 반면, (나)는 정부는 시장에 개입해서는 안 된다고 보는 차이점이 있습니다.

(가)는 정부가 재정투자를 통해 국민생활의 안정이라는 목적을 위해 유효수요를 증가시키는 방법으로 시장경제에 개입해야 합니다. 유효수요의 부족으로 인해 경제 불확실성이 커지면 개인과 기업은 소비와 투자를 줄이기 때문에 더욱더 큰 경기 하락과 불확실성에 직면할 수 있습니다. 따라서 정부가 재정투자를 통해 유효수요를 일부 늘려 개인과 기업의 소비와 투자 여력을 일정 정도 만들어야 합니다.

반면, (나)는 정부가 예측가능한 행동을 하여 경제주체의 신뢰를 얻어야 하며 시장경제에 개입해서는 안 된다고 주장합니다. 경제주체의 정부정책과 통화정책에 대한 예측을 정부가 특정한 목적을 실현하기 위해 함부로 깨서는 안 됩니다. 정부는 시장경제의 자율성을 보장하여야 하고 정부정책에 대한 신뢰를 주어야 하며, 시장경제에 개입해서는 안 됩니다.

Q4. 모범답변

코로나19와 같은 전염병 유행으로 인한 팬데믹 상황의 문제점은 예측할 수 없는 전염병으로 인해 소비자와 기업의 소비심리가 위축되어 경제침체가 발생하고 국가경제를 위축시키고 있다는 점입니다. 코로나19로 인한 경제 충격의 본질은, 전염병에 대한 경제 주체들의 심리적 불안입니다. 따라서 국가가 시장에 개입하여 적극적으로 민간주체의 심리적 불안을 제거하고 해소해야 합니다.

먼저, 국가는 철저한 방역을 실시해야 합니다. 방역을 강화하여 경제주체들이 전염병 확산으로 인한 심리적 불안을 최소화해야 합니다. 방역은 개인이나 기업 등 민간주체 차원에서 불가능하기 때문에 국가가 일관되고 전문적인 전염병 관리 대책을 국가 차원에서 시행해야 심리적 불안을 해소하고 신뢰를 줄 수 있습니다.

국민의 신뢰를 확보하기 위해 국가대응전략을 수립하고 일관된 정책 실행이 필요합니다. 국가는 강력한 방역 대책을 세우고 실행해야 하며 의료기관과 방역기관의 유기적 공조가 필요합니다. 또한 치료제 개발을 독려하고 치료제를 확보해야 하며 생산설비 확보, 치료제 배분계획 등을 준비해야 합니다. 국가의 대응전략이 전문적이고 일관되게 수립되고 실행되고 있음을 국민에게 홍보하여 국민의 불안감을 해소해야 합니다. 예측하지 못한 전염병이라 하더라도 국가의 통제하에 관리되고 있다는 신뢰를 주어 국민의 심리적 불안감을 낮춘다면 경제 충격을 완화할 수 있을 것입니다.

둘째로, 민간주체의 심리적 불안으로 인해 유효수요가 부족한 상황이므로 정부가 재정투자를 통해 유효수요를 일부 증가시켜야 합니다. 전염병 감염 우려로 인해, 일반 국민의 외출이 적어지고 가계 소비가 줄어들면, 소규모 자영업자의 소득이 줄어들어 생계에 위협이 됩니다. 한편 가계의 소비가 줄어들면 기업의 투자가 줄어들어 고용이 감소하게 됩니다. 고용의 감소는 가계의 소득에 악영향을 주게 됩니다. 이러한 악영향은 가계와 기업에 다시 악순환되어 경기 하락과 불확실성의 증대로 이어지게 됩니다. 따라서 유효수요의 감소로 인해 발생하는 경기 하락을 해결하기 위해 정부가 재정투자를 통해 유효수요를 증가시켜 가계와 기업의 소비, 투자 여력을 만들어야 합니다.

대표적 사례로, 재난지원금을 지급하여 민간의 소비여력을 창출하는 방법이 있습니다. 이는 일정기간 내에 지원금을 사용하도록 강제하여 민간의 소비를 창출해내고 이를 통해 기업의 투자를 유도하는 방식입니다. 가계의 소비가 늘어나면 기업의 투자가 늘어나 고용의 감소를 막을 수 있고 가계의 소득이 다시 줄어드는 악순환을 막을 수 있습니다. 따라서 유효수요의 감소폭을 줄여 경기 하락이 심각해지는 것을 막고 국민생활의 안정을 도모할 수 있습니다.

098 개념 | 성장정책과 분배정책

2021 동아대 기출

1. 기본 개념

(1) 성장중심주의

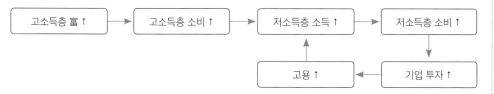

성장중심주의는 先성장 後분배의 논리를 강조하는 입장이다. 성장을 추구하면 고소득층이 증가하고 저소득층에도 富가 확산됨으로써 분배 문제가 자연스럽게 해결된다고 한다. 이처럼 고소득층의 富가 저소득층으로 확산되는 것을 적하(滴下)효과, 낙수효과(trickle-down effect)라 한다. 즉 성장이 이루어지면 분배는 저절로 해결된다는 것이다. 그러나 분배를 강조할 경우 개인의 성취동기가 저하되어 경제 발전에 역행할 수 있다고 한다. 성장중심주의 견해에 따르면, 아르헨티나가 선진국 진입을 앞두고 몰락한 것은 지나친 분배정책 때문이었다고 한다.

그러나 성장중심주의의 입장에 따를 경우, 지속적인 참여가 문제될 수 있다. 즉 성장이 지속되기 위해서는 다수의 참여와 성취동기가 필요한데 과연 개인의 지속적 참여가 계속될 수 있는지가 문제된다. 또한 현실적으로 고소득층의 부가 저소득층으로 저절로 확산된다는 전제가 문제될 수 있다. '소득의 자동적 분산', 즉 적하효과는 한계가 있다는 지적이 그것이다. 성장중심주의에 따라 실제로 고소득층에 대한 세금과 대기업에 대한 법인세 감면을 했다. 예상되는 효과는 고소득층의 소비, 대기업의 투자와 고용 증가였으나, 실제로는 고소득층과 저소득층의 불평등 확대와 대기업의 사내 유보금 증가와 고용 감소로 이어졌다.

(2) 분배중심주의

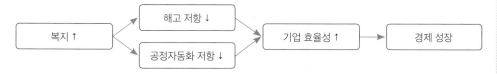

先분배 後성장의 논리를 강조하는 입장이다. 소득분배를 정당하고 형평성 있게 하면 경제는 저절로 성장한다고 한다. 즉 고른 분배가 경제 성장의 원동력이라는 것이다. 노동자들이 정당한 보상을 받지 못하면 노동 생산성이 떨어지고 노동자의 불만이 쌓이게 되면 정치적 불안이 찾아올뿐더러 성장의 원동력을 상실하게 된다.[4] 북유럽 국가들은 분배와 복지 정책을 우선시함으로써 부를 지속적으로 누리고 있다.

그러나 경제 성장을 위해서는 지속적인 투자가 필수적으로 필요한데, 분배 문제에만 집착할 경우 투자 감소 문제가 나타날 수 있다. 그리고 분배의 몫에 지나치게 주의를 기울이다보면 국제 경쟁에서 경쟁력 상실로 이어질 수 있게 된다.

[4]
허쉬먼의 터널 효과: 경제 발전 초기에는 소득불평등을 어느 정도 허용하지만, 경제가 발전한 뒤에도 소득분배가 제대로 되지 않으면 빈부격차가 심화되고 정치·사회적 불안으로 이어져 경제 성장의 원동력을 잃게 된다는 것이다.

(3) 성장과 분배의 관계

성장과 분배가 같은 방향으로 움직이는 경우가 있다. 예를 들어 분배가 매우 불공평하고 사회가 극도로 분열되어 있는 상황에서는 분배를 개선하여 사회를 안정시키는 것이 성장에 도움이 된다. 또한 오랫동안 정체되어 있던 경제가 지속적인 성장궤도에 진입하여 중·저소득 계층도 고임금을 지급하는 안정적인 일자리를 쉽게 가질 수 있는 단계에 도달할 경우 성장으로 인하여 분배가 개선될 수 있다.

그러나 성장과 분배가 반대 방향으로 움직이는 경우도 있다. 과도한 재분배 정책이 성장을 둔화시키는 경우가 그러하다. 정부가 재분배를 위해 개인과 기업에 지나치게 무거운 조세를 부담 지울 경우 사람들은 열심히 일하기보다 정부의 보조에 기대어 살기를 원하고, 그로 인해 노동과 투자가 줄어들어 성장이 둔화될 수 있다. 이를 복지병 혹은 유럽병이라 하는 경우가 많다.

(4) 성장과 분배의 조화

성장과 분배에 있어 어느 것을 우선할 것인가는 매우 어려운 문제이다. 그러나 성장과 분배는 별개의 문제가 아니다. 성장과 분배 중 한쪽의 논리만 강조할 경우 각각 한계가 있기 때문이다. 그러므로 이들을 어떻게 조화시킬 것인가가 중요하다. 성장이 없으면 나눠 가질 富가 없어 분배를 생각할 수 없다. 그러나 분배와 연결되지 않은 성장은 성장을 위한 성장에 그칠 뿐 국민의 삶의 질의 개선과 전체 국민의 복지로 이어질 수 없다. 성장과 분배는 상호 보완적인 관계로 보아야 한다. 성장과 분배의 개선을 위해서는 성장 촉진을 통해 분배를 개선하는 방향이 있을 수 있고, 재분배 강화를 통해 성장을 촉진시키는 방향이 있을 수 있다. 이에 대한 국민적 합의가 필요하다.

2. 읽기 자료

최병천, <좋은 불평등>, 메디치
분배정책과 경쟁정책[5]
분배정책 대안[6]

5)

분배정책과 경쟁정책

6)

분배정책 대안

⏱ 답변 준비 시간 15분 | 답변 시간 10분

※ 다음 QR코드를 촬영하면 연결되는 제시문을 읽고, 문제에 답하시오.

> 올해 1분기 한국 가계의 소득 편차가 더 커지며 최상위 계층의 소득이 최하위 계층 소득의
> 10배를 넘었다. 최상위 계층의 소득 증가율(6.0%)이 최하위 계층 증가율(3.2%)의 두 배 가까이
> 되어 소득 양극화가 심화되었다.
>
>
>
> 소득 양극화

Q1. 소득 양극화는 어떤 사회문제를 초래하는지 논하시오.

Q2. 우리 사회는 성장과 분배에 대한 논쟁 중이다. 성장우선주의자들은 현재 상황에서 분배를 우선하면
성장 동력을 잃어 분배할 것도 없을 것이라면서 분배가 경제 성장을 저해한다고 한다. 성장우선주의
자들의 주장에 대한 자신의 견해를 논하시오.

Q3. 소득 재분배를 하려면 재원이 필요하므로 과세가 전제된다. 소득 재분배를 위한 과세는 성장 기반을
약화시킨다는 주장이 있다. 이에 대한 자신의 견해를 논하시오.

Q4. 소득 재분배 정책의 기대효과와 문제점, 해결방안을 논하시오.

Q1. 모범답변

양극화는 사회갈등을 심화시킬 수 있습니다. 가난한 사람들은 자녀에게 충분한 교육을 시킬 수 없어 자녀의 교육 수준이 낮을 수밖에 없습니다. 이로 인해 그 자녀도 가난의 굴레를 벗어날 수 없게 될 가능성이 큽니다. 양극화는 계층 간 이동을 방해해 하위 계층의 불만을 가중시킬 수 있습니다. 이로 인해 사회갈등이 심화되고, 갈등 비용이 커져 사회 발전에 해를 줄 수 있습니다.

Q2. 모범답변

경제 성장이 중요한 것은 분명합니다. 그러나 분배가 경제 성장을 방해한다는 주장은 타당하지 않습니다. 경제 성장을 통해서만 분배가 가능하다는 논리가 오히려 사회불안을 심화시킬 수 있습니다. 성장을 통해 파이만 키우고 분배가 안 되면 상대적 박탈감이 커져 사회불안이 심화될 수 있습니다. 우리나라는 경제 성장에 치우친 나머지 분배를 등한시해왔습니다. 그런데 '더 기다려라, 좀 더 성장 후 분배하자'라는 말은 기한 없는 약속입니다. '국민소득 1만 달러 시대가 되면 분배하자', '국민소득 2만 달러 시대가 되면 분배하자'라는 구호가 지켜진 적은 한 번도 없습니다. 이미 우리나라는 1인당 국민소득 4만 달러에 가까워졌습니다. 그러나 아직까지도 분배정책이 시행된 바는 없습니다. 이와 같은 성장 일변도 정책은 국가경제 규모의 양적 성장은 달성했으나, 소득과 자산 양극화를 낳았고 저소득층의 생활 기반은 붕괴되고 있습니다. 상대적 박탈감이 점점 커지고 미래가 보이지 않는 상황에서 더 기다리라는 주장은 타당하지 않습니다. 더 나아가 우리나라의 경제규모가 커지면서 성장률이 점차 선진국의 수준으로 수렴하면서 성장률이 낮은 상태로 장기 지속되는 현상이 나타날 것이라 예견되고 있습니다. 그렇다면 성장을 통해 분배를 달성한다는 논리 자체가 성립할 수 없게 됩니다.

또한 분배는 오히려 경제 성장을 달성할 수 있습니다. 케임브리지대학 장하준 교수의 설명에 따르면, 분배를 우선시하여 국가가 국민의 기본적 생활을 보장할 경우 두 가지 측면에서 분배를 통해 성장을 유도할 수 있습니다. 첫 번째, 글로벌 경기 위축으로 인해 구조조정이 필요한 경우 복지정책이 마련되어 있다면 노동자들이 구조조정에 대한 반발이 줄어들 수 있습니다. 기본적 생활이 보장되기 때문에 구조조정을 받아들이기가 쉽고, 그 기간 동안 국가가 제공하는 직업 재교육을 받아 노동숙련도를 높일 수 있습니다. 그리고 글로벌 경기가 회복되었을 때 재교육을 받은 숙련 노동자를 재고용할 수 있습니다. 이를 통해 생산성을 높여 성장을 달성할 수 있습니다. 두 번째, 공정자동화에 대한 반발을 줄일 수 있습니다. 공정자동화는 노동자의 일자리를 대체하므로 노동자의 반발이 심합니다. 그러나 국가가 기본적 생활을 가능하게 하여 반발을 줄이고, 공정자동화와 관련한 직업 재교육을 받게 할 수 있습니다. 그 결과 공정자동화가 실현되고 공정자동화와 관련된 재교육받은 숙련 노동자를 제시간에 확보할 수 있습니다. 따라서 분배를 통해 성장을 달성할 수 있으므로 분배가 경제 성장을 저해한다는 주장은 이유 없습니다.

다만, 경제 성장이 지속적으로 일어나는 것은 분배에도 도움이 됩니다. 불평등이 나쁜 것은 아닙니다. 국민경제가 성장하면서 불평등이 발생하는 것은 필연적인 것이고 분배에도 도움이 됩니다. 그러나 국민경제가 축소되면서 불평등이 증가하는 것은 억제되어야 합니다. 따라서 경제 성장을 지상과제로 여기고 성장 일변도의 정책을 펼칠 것이 아니라 성장과 분배의 균형이 필요합니다.

Q3. 모범답변

소득 재분배를 위한 과세는 저소득자의 인간다운 생활을 할 권리를 보호하고, 사회 갈등을 완화하기 위해 불가피한 면이 있습니다. 스웨덴처럼 소득 재분배가 잘 이루어져 노동자들의 생활이 안정된 나라가 경제 안정성과 성장성이 모두 좋습니다. 따라서 소득 재분배가 기업 활동에 위축을 주어 경제 발전을 해친다는 주장은 타당하지 않습니다.

소득 재분배는 오히려 성장 기반을 강화할 수 있습니다. 예를 들어, 스웨덴은 1980년대 조선업으로 호황을 누리다가 2000년 조선에 사용하던 스웨덴 말뫼 지역의 골리앗 크레인을 우리나라에 단돈 1달러에 매각해야 했습니다. 그러나 스웨덴은 강력한 소득 재분배를 바탕으로 노동자들의 생활이 안정되어 있어 산업 붕괴라는 급격한 변화에 대비할 수 있는 기반이 있었습니다. 말뫼 지역은 현재 신재생에너지·IT·BT 중심의 친환경 생태도시로 변화하여 유럽에서 대표적인 친환경 '에코시티'로 자리 잡았습니다. 또 하나의 사례로 핀란드는 세계 휴대폰 시장 70%를 점유했던 거대기업 노키아가 몰락한 이후 오히려 다양한 스타트업 기업이 창업을 하여 더 탄탄한 경제구조를 갖게 되었습니다. 노키아에서 나온 IT 인재들은 당장의 생존과 생활을 걱정하지 않아도 되기 때문에 창업에 적극적으로 나설 수 있었기 때문입니다. 이처럼 소득 재분배는 오히려 성장 기반을 장기적으로 강화할 수 있습니다.

Q4. 모범답변

소득 재분배 정책을 통해 국민의 행복도를 높일 수 있다는 기대효과가 있습니다. 국민의 기본소득이 생계유지를 위한 최저선 이하일 경우 소득이 행복을 결정짓는 요소가 됩니다. 우리나라의 1970년대 이전이 이 시기에 해당합니다. 그러나 국민소득이 일정 선 이상, 보통 국민소득 1만 달러 이상일 경우 소득이 행복을 결정짓지 않으며 사회적 관계나 자아 발견과 실현 등이 행복에 결정적인 요인이 됩니다. 우리나라는 1990년대 후반 1인당 국민소득 1만 달러를 넘어섰고 이때부터 여가와 행복에 대한 관심이 커지기 시작했습니다. 현재는 1인당 국민소득이 4만 달러 수준에 달하고 있습니다. 따라서 국가가 소득 재분배 정책을 통해 저소득층의 생계를 보장하고, 고소득층의 사회적 관계 확보와 평생교육 등을 통한 자아실현의 방법을 제공하여 국민 전체의 행복을 증진시킬 수 있습니다.

소득 재분배 정책으로 인한 노동자의 근로의욕 저하가 문제점으로 제시될 수 있습니다. 저소득자에 대한 직접적 급부 제공도 필요하나, 직접적 급부 제공은 노동자의 근로의욕 저하를 낳을 수 있습니다. 최저생계가 달성되지 않는 저소득층에게는 직접적 급부를 제공하여 생계를 유지할 수 있도록 하여야 합니다. 그러나 그 이상의 소득계층, 이른바 차상위계층에게는 근로의욕을 고취하여 스스로 노력하여 소득활동을 하도록 하여야 합니다. 이를 위해 저소득층의 노동력의 질을 높이기 위한 교육 투자를 할 필요가 있습니다. 예를 들어, 재취업 교육을 받는 등의 노력을 하였고 취업 시도를 하고 있는 경우에 경제적 지원을 한다거나, 근로장려세제[7]와 같이 저소득 근로자에게 생계비를 보조하는 세제를 도입하는 것이 대표적인 방법이 될 수 있습니다.

2024 강원대/제주대 기출

1. 기본 개념

(1) 자본주의

자본주의는 사유재산제와 계약의 자유를 기초로 하는 경제체제를 말한다. 자본주의는 개인들은 자기이익을 극대화하려는 이기적 욕망을 가지고 있다는 전제에서 출발한다. 개인들이 추구하는 자기이익 극대화는 가장 효율적인 생산, 분배를 가능하게 하며, 그 혜택은 다시금 개인에게 돌아간다. 따라서 자본주의는 사유재산제와 자유로운 시장, 가격 메커니즘에 의한 조정 등을 그 특징으로 한다.

자본주의의 한계는 자기파괴적 속성과 국가 개입의 필요성이 있다는 점이다. 시장경제하에서 생산자는 소비가 아니라 판매를 위해 생산한다. 따라서 생산과 소비가 일치하는 것은 우연에 불과하며, 자본주의에서 경기변동(호황과 불황)은 피할 수 없다. 이를 욕망의 이중적 불일치라 한다. 이에 대해 스티글리츠[8]는, 자본주의는 경쟁적 균형상황에서도 비효율적 자원 배분이 나타난다고 하였다. 시장경제가 효율적이려면 여러 조건이 필요하다. 그 조건이란 완전한 정보, 규모수익 체증이 없으며, 외부효과가 없어야 한다는 것 등을 말한다. 그러나 현실에서는 이러한 조건이 충족되지 않는다. 따라서 국가의 개입을 통한 교정이 필요하다.

시장은 본질적으로 자기파괴적이다. 자본주의에서 모든 기업은 자신의 이윤을 극대화하고자 행동하며, 그 궁극적 방향은 독점이다. 독점은 시장의 효율성을 보장해주는 조건인 공정하고 자유로운 경쟁을 소멸시킨다. 이처럼 순수한 자본주의에서는 시장의 자기파괴가 나타날 수밖에 없기에 이를 막기 위해서는 국가의 개입이 필요하다.

(2) 사회주의

사회주의는 생산수단의 사회화를 근간으로 하는 경제체제이다.

사회주의는 생시몽(Saint-Simon), 오웬(Robert Owen), 푸리에(F. M. Charles Fourier) 등의 '공상적 사회주의'에서 시작되었다. 공상적 사회주의는 초기 자본주의가 가져온 극심한 빈부격차에 대한 대응으로 나타나 생산수단을 사회화(공동소유)하는 공동체를 제안하였다.

마르크스[9]와 엥겔스[10]는 공상적 사회주의자들의 순진한 생각을 비판하면서 '과학적 사회주의'를 정립하였다. 마르크스는 개인의 자아실현과 권리의식 발현이라는 근대의 성과가 부르주아 계급에만 한정되는 현실에 대해 그 성과를 사회 전체로 확대해야 한다고 보았다. 따라서 사회를 근대적·합리적으로 개조하기 위해 전 세계 노동자 계급이 단결하여 세계를 변혁해야 한다고 주장하였다.

사회주의의 문제점은 다음과 같다.

먼저, 사회주의적 인간상의 문제이다. 사회주의는 공동체를 우선적으로 고려하는 인간상을 전제로 한다. 그러나 현실의 인간은 보통 합리적·이기적이며 무임승차하려는 속성을 지니고 있다. 따라서 사회의 모든 정보를 알고 있는 계획자를 상정하더라도 그 계획자가 사회의 이익을 위해, 시민의 복지를 위해 행동할 것인지는 보장할 수 없다. 오히려 자신의 이익을 위해 사회의 이익을 희생할 수도 있다. 더불어 완전한 정보를 지닌 계획자는 현실에 존재하지 않는다. 시민의 측면에서도 각 개인은 자신의 필요를 감춤으로써 자신의 이익을 극대화하려고 할 것이며, 이로 인해 자원배분의 효율성은 달성될 수 없다.

[8]
스티글리츠(Joseph E. Stiglitz, 1943~): 재무경제학·정보경제학 등의 분야에서 업적을 남긴 미국의 경제학자. 어느 한쪽만 정보를 알고 상대방은 이를 알지 못할 때 발생하는 정보의 불균형을 해소하는 방안을 연구하여 정보경제학이라는 현대 경제학의 새로운 영역을 개척한 공로로 애커로프·스펜스와 함께 2001년 노벨 경제학상을 받았다.

[9]
마르크스(Karl Heinrich Marx, 1818~1883): 독일의 경제학자·정치학자. 헤겔의 영향을 받아 무신론적 급진 자유주의자가 되었다. 엥겔스와 경제학 연구를 하며 집필한 저서 <독일 이데올로기>에서 유물사관을 정립하였으며, <공산당 선언>을 발표하여 각국의 혁명에 불을 지폈다. <경제학 비판>, <자본론> 등의 저서를 남겼다.

[10]
엥겔스(Friedrich Engels, 1820~1895): 독일의 사회주의자로 마르크스와 공동 집필한 <독일 이데올로기>에서 유물사관을 제시하여 마르크스주의의 철학적 기초를 확립하였다. 마르크스의 이론적·실천적 활동을 경제적으로 지원하였으며 마르크스주의 보급에 노력하였다.

또한 사회현상은 복잡성을 지닌다. 카오스 이론이나 프랙탈[11] 이론이 의미하듯이 사회현상은 불확실하고 예측가능성이 낮다. 특히 복잡한 그물망과 같은 관계에서는 이론적인 계산이 가능하더라도 현실적으로는 균형을 달성할 수 없다. 예를 들어, 계획경제하에서 빈번하게 나타난 각종 생필품 부족 사태를 생각해보자. 아무리 예측을 잘하더라도 갑작스러운 기후 변동 등으로 인한 비누 부족이나 치약, 식량 부족 등은 예상할 수 없다. 물론 이것은 시장경제체제에서도 마찬가지이다. 그러나 계획경제체제하에서는 생산수단(자본)이 사회(국가)의 것으로 국유화되어 있기 때문에 변화에 대응하기 어려워 시장경제체제보다 수요-공급의 불균형이 쉽사리 해소되지 않는다.

(3) 자본주의와 사회주의의 관계

정통파 경제학자들이 주장하는 것은 무조건적인 자유방임주의는 아니다. 애덤 스미스는 인간의 이기심은 무제한적인 자기이익의 극대화를 의미하는 것이 아니라 사회 구성원들의 공감을 받는 이기적인 행동만이 인정된다고 하였다. 인간의 이기심이 결코 방종을 의미하는 것은 아니다. 애덤 스미스에게 뿌리를 두고 있는 이들은 합리적이고 윤리적인 인간이 구성원인 사회를 기준으로 하여 '보이지 않는 손'의 원리를 주장한 것이다. 따라서 그러한 사회적 여건이 만들어지지 않는다면 언제든지 보다 강력한 힘의 통제가 필요하다는 것이 그들의 생각이다.

자본주의 체제가 완벽한 시스템이 아니기에 마르크스주의자들의 주장은 여전히 많은 시사점을 줄 수 있다. 생산력은 과거와 비교도 안 될 만큼 엄청나게 성장했는데, 왜 여전히 극빈자들이 넘쳐나고 있는지, 부익부 빈익빈 현상은 날로 갈수록 심화되는지에 대해서 마르크스주의는 여전히 많은 점을 지적해 주고 있는 것이다.

(4) 재분배정책

국가가 불평등을 줄이기 위해 시행하는 경제정책을 의미한다. 전적으로 시장 원리에 따라 소득 분배를 할 경우 소득불평등이 심해져 사회불안으로 이어질 수 있다. 정부는 이를 막기 위해 조세제도, 정부지출, 사회보험 등의 정책 수단을 사용한다.

(5) 재분배정책의 대표적 사례

고소득자나 자산이 많은 사람에게 더 높은 세율을 적용하는 누진세 제도, 사치품에 적용되는 특별소비세가 대표적인 재분배 조세정책이다. 저소득층에게 직접적으로 지원되는 생계 지원 보조금, 경제적 자활을 위한 사회복지비가 대표적인 재분배 정부지출이다. 국민연금이나 의료보험, 산재보험, 실업보험은 재분배를 위한 사회보험의 대표적 사례이다.

2. 읽기 자료

폴 크루그먼, <미래를 말하다>, 한국경제연구원북스

11)
프랙탈(fractal): 작은 구조가 전체 구조와 비슷한 형태로 끝없이 되풀이되는 구조를 말한다. 즉, 프랙탈은 부분과 전체가 똑같은 모양을 하고 있다는 '자기 유사성' 개념을 기하학적으로 푼 것으로, 단순한 구조가 끊임없이 반복되면서 복잡하고 묘한 전체 구조를 만드는 것이다.

Part 1
Part 2
Part 3
Part 4
Part 5
Part 6
Part 7

해커스 김종수 토스풀 면접 200주제

⏱ 답변 준비 시간 15분 | 답변 시간 15분

※ 다음 제시문과 QR코드를 촬영하면 연결되는 제시문을 읽고, 문제에 답하시오.

(가) [A] 어떤 사람으로부터든 그의 재산을 그의 동의 없이 취할 수 없다. 재산의 보존이 정부의 목적이고 오직 그 목적을 위해서 인간은 사회에 들어간다. 만약 그렇지 않다면 사람들은 그들이 사회에 가입한 목적인 재산을, 사회에 가입함으로써 잃게 되는 셈이 된다. 그러므로 사회에서 재산을 가지고 있는 사람들은 공동체의 법에 의해서 그들의 것인 재물에 대해서 권리를 가지게 되는데 이를 소유권이라 하며, 어느 누구도 그들의 동의 없이 소유권을 침해할 수 없다.

[B] 국가를 다스리는 자는 백성이나 토지가 적은 것을 근심하지 말고 분배가 균등하지 못한 것을 근심하며, 나라가 가난한 것을 근심하지 말고 나라가 평안하지 못한 것을 근심해야 한다. 재물이 고르게 분배되면 가난한 자가 없어지고, 상하가 화합을 이루면 백성이나 토지가 적은 것이 문제되지 않으며, 국가가 평안하면 망하지 않는다.

(나) 당신이 인생에서 어려운 시기를 보내고 있거나 당신의 삶 전부가 어려웠다면, 미국인보다는 프랑스인인 것이 분명히 나을 것이다. 프랑스에서는 직장을 잃거나 전보다 못한 직장에 취업한 경우, 의료보험을 잃을까 걱정할 필요가 없다. 의료보험은 정부에서 제공하기 때문이다. 당신이 장기간 직장을 구하지 못하더라도 정부는 당신에게 먹을 것과 거처를 제공해 준다. 당신이 자녀를 키우느라 재정적인 어려움을 겪는다면 국가에서 별도로 돈이 나오고 보육센터의 도움도 받을 수 있다. 편안한 삶이 보장되는 것은 아니지만 당신의 가족 구성원이, 그중에서도 특히 당신의 자녀가 아주 심한 경제적 어려움을 경험하게 되지는 않을 것이다.

반대로 당신의 삶이 아주 잘 풀린다면 프랑스인일 경우 더 불리하다. 프랑스는 소득세율이 미국보다 다소 높고, 원천징수, 특히 형식적으로는 고용주가 내는 부분이지만 실제로는 임금에서 제해지는 금액이 훨씬 높다. 또한 생활비도 많이 드는데 이는 프랑스에 있는 판매세의 한 종류인 부가세가 높기 때문이다. 소득이 많은 사람들이 지게 되는 이런 부담은 그들이 받을 수 있는, 정부가 제공하는 의료보험과 다른 혜택으로도 완전히 상쇄되지는 않는다. 따라서 일반적으로 중상류층 이상의 보수(고용주가 내는 원천징수를 포함)를 받는 프랑스인은 비슷한 보수를 받는 미국인보다 구매력이 상당히 낮은 편이다.

즉 프랑스는 시장영역 밖에서의 정책이 광범위하게 적용되어 부유한 사람들을 괴롭혀 가난한 사람들을 도움으로써 불평등을 줄인다. 프랑스는 서방국가들 중 이런 식의 조치를 취하는 대표적인 비영어권 국가다. 그리고 다른 영어권 국가들조차 시장영역 밖에서 소득불평등을 줄이기 위해 미국보다 더 많은 노력을 기울인다.

(다) 조 바이든 대통령은 부유층과 대기업의 세금을 올려 서민을 지원하겠다고 하고, 도널드 트럼프 전 대통령은 감세 조치를 더 적극적으로 추진해 경기를 부양하겠다는 입장을 보이고 있다.

부자-대기업 증세

Q1. 제시문 (나)의 프랑스의 정책의 핵심내용을 설명하시오.

Q2. 제시문 (가)의 A, B 각각의 입장에 따라 (나)의 프랑스의 정책이 타당한지를 각각 평가하시오.

Q3. 제시문 (다)를 참고하여, 우리나라 역시 부자 증세를 해야 하는지 자신의 견해를 정하여 논하시오.

Part 1

Part 2

Part 3

Part 4

Part 5

Part 6

Part 7

해커스 김종수 토스클 면접 200주제

Q1. 모범답변

　(나)의 프랑스는 조세 정책을 통해 소득불평등을 완화하고 있습니다. 프랑스의 고소득자는 소득세 등이 높아 미국의 동일 고소득자보다는 불리합니다. 미국의 고소득자는 상대적으로 적은 소득세를 내기 때문에 프랑스의 고소득자에 비해 가처분소득이 큽니다. 그러나 프랑스의 저소득자는 정부에서 의료보험, 최소생계를 보장해 주어 미국의 저소득자보다 경제적 어려움이 적습니다. 미국의 저소득자는 의료보험이나 최소생계 보장 등이 프랑스의 저소득자보다 적기 때문에 경제적 어려움이 상대적으로 큰 편입니다. 결국 미국은 고소득자와 저소득자의 소득 격차가 크고, 프랑스는 적습니다. 따라서 프랑스는 미국에 비해 소득불평등이 심하지 않습니다.

Q2. 모범답변

　A는 개인이 정부를 만들고 그 명령에 복종하는 이유는 자신의 재산을 보호하기 위함이라고 합니다. 따라서 정부는 재산의 보호가 그 본래 목적이므로 정부가 개인의 동의 없이 세금을 거두어서는 안 된다고 주장합니다. 이 입장에 따르면 (나)의 프랑스의 조세 정책은 타당하지 않다고 평가할 것입니다. A는 소유권자의 동의 없이 국가가 재산의 일부를 취하는 것은 소유권 침해라고 주장합니다. (나)의 프랑스는 조세정책을 통해 고소득자에게 높은 세율을 부과하여 재원을 확보하고, 이 재원을 통해 저소득자의 의료보험과 최소생계를 보호하는 적극적인 역할을 하고 있습니다. 프랑스의 소득재분배 조세정책은, 국가가 고소득자의 재산의 일부를 취하는 것이므로, 고소득자의 동의가 없다면 고소득자에 대한 소유권을 침해하는 것입니다. 고소득자는 높은 세율에 동의하지 않을 가능성이 높습니다. 실제로 프랑스의 고소득층이 소득세율을 높이는 것에 반발해 공개적으로 이민을 가겠다고 선언하고 이민을 간 사례가 있습니다. 따라서 A는 고소득자의 동의 없는 (나)의 프랑스의 정책은 소유권을 부당하게 침해한 것으로서 타당하지 않다고 평가할 것입니다.

　B는 사회가 평안하려면 재물이 고르게 분배되어 가난한 자가 없어야 한다고 하였습니다. 고른 분배를 해서 사회 갈등이 줄어들면 국가의 안정을 도모할 수 있다고 합니다. 이 입장에서 프랑스의 조세 정책은 타당하다고 평가할 것입니다. B는 백성의 수입이 고르면 가난함이 없고 갈등이 줄어들어 국가를 안정적으로 유지할 수 있다고 주장합니다. (나)의 프랑스는 미국에 비해 고소득자의 세율이 높아 이를 재원으로 하여 저소득자에게 재분배정책을 펼치고 있습니다. 그 결과 저소득자는 최소생계가 보장되고 의료보험이 제공되어 가처분 소득이 늘어나는 실질적 효과가 있습니다. 동일한 소득이라 하더라도 프랑스의 저소득자는 미국의 저소득자에 비해 가처분소득이 더 많습니다. 따라서 프랑스의 소득재분배 조세정책으로 인해 저소득자도 생계를 안정적으로 유지할 수 있습니다. 이로 인해 고소득자와 저소득자 간의 사회갈등이 완화되어 국가가 안정적으로 유지될 수 있습니다. 따라서 B는 사회갈등을 완화하므로 프랑스의 정책은 타당하다고 평가할 것입니다.

Q3. 모범답변

[부자 증세 허용]

부자 증세는 타당합니다. 사회불평등을 해소하고, 개인의 재산권을 실질적으로 보호할 수 있기 때문입니다.

사회불평등의 해소를 위해 부자 증세는 타당합니다. 전세계의 부유한 국가는 안정적인 민주주의 사회체제와 사회적 신뢰, 사회간접자본 등의 사회 인프라를 갖고 있습니다. 안정적인 민주주의 체제하에서 개인의 노력은 안정적으로 보호받을 수 있고, 상호신뢰라는 사회적 자본을 기반으로 경제활동이 원활하게 일어날 수 있고, 개인의 힘으로 창출할 수 없는 사회 인프라를 이용하여 경제적 활력이 커지는 것입니다. 이러한 점에서 부자의 재산은 순수하게 그 자신의 선택과 노력으로 발생한다고 할 수 없습니다. 예를 들어, 아무리 능력이 뛰어난 자가 있다고 하더라도 신분제 국가에서 낮은 신분으로 태어났다면 혹은 전쟁으로 인해 사회 인프라가 파괴된 상태에 놓여 있다면 부자가 되는 것은 물론 생존 자체가 위협될 것입니다. 사회불평등이 만연하면, 부자와 빈자 간의 갈등이 심해지고 사회적 신뢰가 줄어들어 한 국가의 국민이라는 정체성과 동질성이 약화됩니다. 이는 공동체 의식과 시민 의식의 저하로 이어져 민주주의가 약화되는 문제로 이어집니다. 부자 증세를 통해 사회 인프라를 확충하여 빈자의 생존권과 도전할 기회를 보장하면 부자와 빈자의 갈등이 줄어들 것이고 공동체 의식의 저하를 막을 수 있습니다. 따라서 부자 증세는 타당합니다.

개인의 재산권을 실질적으로 보호하기 때문에 부자 증세는 타당합니다. 부자에게 세금을 높게 부과하는 것은 개인의 재산권에 대한 과도한 제한이라는 반론이 제기될 수 있습니다. 그러나 부자의 재산이 안정적으로 유지되고 증가하기 위해서는 사회 전체의 소비가 안정적으로 유지되고 증가해야 합니다. 사회 불평등이 심각해지면 사회 절대다수인 빈자의 소비가 감소합니다. 사회 절대다수의 소비가 감소하면 국가경제가 위축됩니다. 국가경제의 위축은, 부자의 생산물이 팔리지 않게 되는 결과로 이어질 것이고, 부자의 부동산 등과 같은 자산 가격의 하락으로 이어지게 됩니다. 이렇게 된다면 부자의 재산이 감소해 오히려 재산권의 실질적 침해가 발생하게 됩니다. 부자 증세를 통해 빈자의 소비가 유지될 수 있도록 한다면, 부자의 재산권이 실질적으로 보장되는 결과로 이어질 수 있습니다. 따라서 부자 증세는 타당합니다.

[부자 증세 불허]

부자 증세는 타당하지 않습니다. 개인의 재산권을 과도하게 제한하고, 경제 활력을 저해하여 빈자에 실질적 도움이 되지 않기 때문입니다.

개인의 재산권을 과도하게 제한하므로 부자 증세는 타당하지 않습니다. 개인은 노력 여부와 정도를 스스로 자유롭게 선택하여 재산이라는 결과를 달성합니다. 이러한 자유의 실현에 있어서 타인의 자유에 대한 직접적 해악을 주지 않는 한, 이 자유와 그 결과는 국가로부터 보장받아야 합니다. 부자는 자신의 자유를 실현한 결과 부를 얻었습니다. 부자가 절도, 강도 등의 타인의 자유에 대한 직접적 해악을 입힌 결과로 부를 얻은 것이 아니기 때문에 부자의 재산은 권리로써 보호받아야 합니다. 그러나 부자 증세는 사회 다수가 원하는 불평등의 해소라는 사회적 목적을 실현하기 위해 수적으로 소수일 수밖에 없는 부자의 재산권을 제한하려는 것입니다. 이는 민주주의라는 명목으로 개인의 자유를 제한하려는 시도이며, 개인의 재산권 제한을 위한 정당한 사유라 할 수 없습니다. 따라서 부자 증세는 타당하지 않습니다.

빈자에게 실질적 도움이 되지 않으므로 부자 증세는 타당하지 않습니다. 부자 증세를 통한 재원으로 빈자를 지원할 수 있다는 반론이 제기될 수 있습니다. 그러나 부자 증세는 빈자에게 실질적 도움이 된다고 할 수 없습니다. 부자의 세금이 늘어나면 부자는 가처분소득이 줄어들어 소비와 투자를 줄이게 될 것입니다. 부자의 소비는 호텔의 서비스나 요트 등과 같이 노동력을 필요 이상으로 요구하는 사치재의 성격을 갖고 있는 경우가 많습니다. 부자의 소비 감소는 빈자의 일자리 감소와 소득 감소로 이어집니다. 부자 증세를 통한 재원으로 빈자를 지원할 경우 1회성 지원이 되거나 빈자의 안정적 생활에 도움이 되지 않습니다. 그러나 부자의 소비 증가를 통한 빈자의 일자리 확보는 전문성과 안정적인 소득 보장 효과가 있습니다. 따라서 부자 증세는 타당하지 않습니다.

 **100 개념** | **포지티브 규제와 네거티브 규제**

1. 기본 개념

(1) 포지티브 규제(positive regulation)

포지티브 규제는 사회에 긍정적인 기능을 할 것이라 기대되는 것만을 허용하고 그 외의 것은 금지하는 규제방식이다. 포지티브 규제는 사회와 국가가 개인보다 더 현명한 결정을 할 것이기 때문에 개인은 사회와 국가의 결정을 따르는 것이 좋다는 규제 형식이다. 이 규제 형식은 일본이나 한국, 싱가포르 등 발전국가 모델에서 주로 사용하는 방식인데, 국가가 주도하여 발전 방향을 설정하고 이에 따라 규제를 형성하는 방식이다. 개인의 창의성이 억제되는 부작용이 있는 반면, 사회와 국가가 정한 목표를 신속하고 효율적으로 실현할 수 있다는 장점이 있다.

(2) 네거티브 규제(negative regulation)

네거티브 규제는 개인의 자유를 최대한 보장하는 규제방식이다. 금지되는 것만을 규정하고 그 외의 것은 허용하는 것이 원칙이다. 개인은 자유롭게 자신의 판단하에 스스로 결정하고 이에 대해 책임을 지게 된다. 개인의 자유로운 선택의 결과가 문제를 발생시킨다면 이는 개인의 책임이 된다. 그러나 개인의 자유를 극단적으로 보장할 경우 생명이나 신체에 대한 위해가 발생하는 등 타인의 자유에 직접적인 해악이 발생할 수도 있다. 따라서 타인의 자유에 직접적 해악이 발생할 수 있는 경우에 한하여서만 개인의 자유를 제한한다. 개인의 창의성이 증진되고 자유로운 경쟁이 발생하는 결과 공리가 증진되는 장점이 있는 반면, 예상하지 못한 사회적 문제가 발생할 우려가 있다는 단점이 있다.

2. 읽기 자료

잠수정사고[12]

규제완화[13]

네거티브 규제[14]

[12]

잠수정 사고

[13]

규제완화

[14]

네거티브 규제

⏱ 답변 준비 시간 20분 | 답변 시간 20분

※ 다음 제시문을 읽고, 문제에 답하시오.

국가가 시장을 규제하는 방식으로, 포지티브 규제와 네거티브 규제가 있다. 포지티브 규제는 사회에 긍정적인 기능을 할 것이라 기대되는 것만을 허용하고 그 외의 것은 금지하는 규제방식인 반면, 네거티브 규제는 금지되는 것만을 규정하고 그 외의 것은 허용하는 방식이다.

<사례 1>

최근 개나 고양이 이외에도 파충류나 야생 포유류 등 다양한 동물을 키우는 사람이 늘고 있다. 그러나 관련법률은 국제적 멸종 위기종에 해당하는 동물을 개인이 키우는 것을 금지할 뿐이다. 국제적 멸종 위기종에 대한 규제는 멸종 위기에 처한 야생동식물종의 국제거래에 관한 협약, 소위 워싱턴 협약에 의해 금지되고 있다. 우리나라 역시 이에 가입되어 있으며, 호랑이, 고릴라, 표범, 재규어, 듀공 등이 대표적인 멸종 위기종에 해당하는 동물이다.

그러나 국제적 멸종 위기종 외의 동물을 개인이 키우거나 거래하는 것에는 별도의 규제가 없다. 이로 인해 멸종 위기종에 해당하지 않는 뱀, 거북이, 악어, 북극여우 등과 같은 야생동물이 인터넷에서 제한 없이 거래되고 있는 실정이다.

이에 동물보호단체 P는 이에 대한 규제가 필요하다고 강력하게 주장하고 있다. 개인이 충분한 정보나 지식 없이 야생동물을 키우게 되면 공중보건에 문제가 발생할 수 있고, 질병이나 상해의 위험성이 있을 뿐만 아니라 생태계 교란이 발생할 수도 있다는 것이다. 또한 동물의 건강이나 복지에도 악영향을 줄 수 있다. 외국 사례를 볼 때, 키우던 뱀으로부터 공격을 받아 사망한 사건이 발생한 경우도 있다. 그렇기 때문에 동물보호단체 P는 보건 당국이 지정한 동물만을 개인이 반려동물로 키울 수 있도록 법으로 규제해야 한다고 주장한다.

<사례 2>

스타트업인 Q는 주차공유서비스 사업을 시작하려고 한다. 이 주차공유서비스는 스마트폰을 통해 이용자가 있는 곳에서 가까운 주차장의 위치와 주차 가능 여부, 주차 요금을 알려 준다. Q는 이 서비스가 도심지의 주차난 해소에 기여한다고 주장하는데, 사람들이 잘 몰라서 현재 활용되지 않는 주차공간을 다른 사람이 사용 가능하도록 하기 때문이라는 것이다. 예를 들어, 도심지 주택 옆의 공터 등과 같은 사유지를 이 서비스에 등록해둘 경우 사유지 소유자는 추가 수입을 얻을 수 있고 이용자는 싼 가격에 도심지에 가까운 곳에 주차할 수 있다. Q는 주차공유서비스 사업을 시작하기 위해 관할 지방자치단체에 사업허가를 신청했다. 그러나 담당 공무원은 관련법에는 주차공유를 금지하는 규정도 없지만 이를 허용하는 규정도 없으므로, 기존의 조례를 개정하여 법령상 근거를 마련하지 않는 한 사업을 허가해 줄 수 없다고 하였다. Q는 사업을 시작하기 위해 관할 지방자치단체에 조례를 개정해줄 것을 수차례 요구했으나, 조례 개정은 몇 년이 지나도록 진행되지 않고 있다. Q는 스타트업 기업이 새로운 상품이나 서비스를 개발해도 각종 규제로 인해 사업을 시작하고 시장에 진출하기가 어렵다고 말한다.

Q1. 포지티브 규제방식과 네거티브 규제방식의 장단점을 추론하여 각각 제시하시오.

Q2. 포지티브 규제와 네거티브 규제 각각의 입장에서 <사례 1>에서 반려동물 규제를 논하시오.

Q3. 포지티브 규제와 네거티브 규제 각각의 입장에서 <사례 2>에서 주차공유서비스 허용을 논하시오.

Q4. 4차 산업혁명이 일어나면서 기업의 과학기술 개발과 산업 변화가 국가의 예상과 대응보다 더 빨라지고 있다. 4차 산업혁명 시대의 시장에 대한 규제는 어떠한 것이어야 하는지 논하시오.

Q5. 우리나라의 경우 각종 규제로 인해 외국이나 우리나라 스타트업 기업의 신규 서비스가 시작되지 못하거나 시작되더라도 확대되지 못하는 상황이다. 예를 들어, 차량 공유서비스인 '타다'가 시작되었다가 법률 리스크로 인해 중단된 것이 대표적이다. 공유경제의 활성화를 위해 국가의 규제가 어떻게 변화해야 하는지 해결책을 제시하시오. 그리고 자신의 해결책이 가진 문제점을 완화할 수 있는 방안을 함께 논하시오.

Q6. 국가의 규제가 공유경제를 활성화하는 방향으로 전환된다면, 예상하지 못한 문제가 발생할 경우 소비자의 피해가 발생하고 국민의 자유와 권리 훼손이 문제될 수 있다. 그럼에도 불구하고 규제를 전환해야 하는지 자신의 견해를 논하시오.

Q1. 모범답변

　포지티브 규제는 사회와 국가가 개인보다 더 현명한 결정을 할 것이기 때문에 개인은 사회와 국가의 결정을 따르는 것이 좋다는 생각에서 기인하는 규제 형식입니다. 이 규제 형식은 일본이나 한국, 싱가포르 등 발전국가 모델에서 주로 사용하는 방식인데, 국가가 주도하여 발전 방향을 설정하고 이에 따라 규제를 형성하는 방식입니다. 포지티브 규제는 개인의 창의성이 억제되는 부작용이 있는 반면, 사회와 국가가 정한 목표를 신속하고 효율적으로 실현할 수 있다는 장점이 있습니다. 반면, 네거티브 규제는 개인의 자유를 최대한 보장하는 규제 형식입니다. 개인은 자유롭게 자신의 판단하에 스스로 결정하고 이에 대해 책임을 지게 됩니다. 개인의 자유로운 선택의 결과가 문제를 발생시킨다면 이는 개인의 책임이 됩니다. 그러나 개인의 자유를 극단적으로 보장할 경우 타인의 생명이나 신체에 대한 위해가 발생하는 등 타인의 자유에 직접적인 해악이 발생할 수도 있습니다. 따라서 타인의 자유에 직접적 해악이 발생할 수 있는 경우에 한하여서만 개인의 자유를 제한하는 것입니다. 네거티브 규제방식은 개인의 창의성이 증진되고 자유로운 경쟁이 발생하는 결과 공리가 증진되는 장점이 있는 반면, 예상하지 못한 사회적 문제가 발생할 우려가 있다는 단점이 있습니다.

Q2. 모범답변

　포지티브 규제의 입장은 <사례 1>의 상황에서 개, 고양이 등 안전성이 입증된 동물만을 반려동물로 지정하여 허용하고 그 외의 동물은 키울 수 없도록 금지할 것입니다. 개인이 반려동물을 자유롭게 선택하도록 한다면 그로 인해 발생할 다양한 사회문제가 우려됩니다. 안전성이 입증되지 않은 반려동물로 인해 국민의 안전이 위협당할 수 있는 경우가 대표적인 문제점이고, 공중보건 위해, 질병 및 상해 위험, 생태계 위협 등도 문제가 됩니다. 사회문제를 예방하기 위해 개인의 반려동물을 선택할 자유를 일부 제한할 수 있습니다. 예를 들어, 반려동물로 키우던 해외 유입 동물이 우리나라 생태계에 유입되어 교란 종이 되거나 피해를 입힌 경우가 있습니다. 얼마 전에는 북미 지역에 서식하는 늑대거북이 우리나라 하천에서 발견되었습니다. 늑대거북은 몸집이 최대 50kg에 달할 정도로 크고 치악력이 강해 사람의 손가락이나 발가락이 잘리는 등의 큰 부상을 입힐 수 있습니다. 심지어 악어가 우리나라 하천에서 서식한다는 정황도 나타나고 있는 지경입니다. 따라서 반려동물을 키울 자유보다 사회적 피해 예방이 더 중요합니다.

　네거티브 규제의 입장은 <사례 1>의 상황에서 위험성 있는 동물만을 금지하고 그 외의 동물을 자유롭게 키우도록 허용할 것입니다. 어떤 동물을 자신의 반려동물로 선택할 것인지는 개인의 자유에 해당합니다. 어떤 개인이 선택한 반려동물이 타인이 보기에 혐오스러울 수 있으나, 타인이 혐오하지 않는 반려동물을 키워야 할 의무가 있다고 볼 수 없습니다. 어떤 동물이 자신에게 기쁨을 주고 키우고 싶은지는 개인이 스스로 판단하여 선택하고 개인은 이에 대해 책임져야 합니다. 그러나 이러한 개인의 선택이 타인의 자유에 직접적인 해악을 준다면 규제해야 합니다. 예를 들어, 개인이 독사나 독충, 맹수 등을 반려동물로 선택하여 이로 인해 타인의 생명에 직접적 해악을 준다면 이는 규제할 수 있습니다. 따라서 독사, 독충, 맹수 등의 생명에 직접적 위해가 되는 동물은 금지하고 나머지 동물은 허용해야 합니다. 단, 개인이 반려동물로 인한 문제점 등을 충분히 예측하고 책임질 수 있도록 하기 위해 반려동물에 대한 교육, 정보 제공 등을 활성화해야 합니다.

Q3. 모범답변

포지티브 규제의 입장은 <사례 2>의 상황에서 스타트업 Q의 주차공유서비스를 허용하지 않을 것입니다. 포지티브 규제는 안전성 등이 입증된 재화와 서비스만 허용하고 그 외의 것은 금지하는 것입니다. 스타트업 Q의 주차공유서비스는 혁신성은 인정되나 안전성 등이 충분히 입증되지 않아 법적 허용을 받지 못한 상황입니다. 따라서 사회문제를 일으키지 않을 것이라는 입증이 충분하지 않기 때문에 허용할 수 없습니다.

네거티브 규제의 입장은 <사례 2>의 상황에서 스타트업 Q의 주차공유서비스를 허용할 것입니다. 기업은 소비자의 선호를 발견하고 이를 충족하는 서비스를 함으로써 이윤을 얻게 됩니다. 만약 기업이 소비자의 선호를 적절히 발견하여 서비스를 제공하여, 소비자의 선택을 받게 되면 그 결과로 이익이 발생합니다. 만약 기업이 소비자의 선호가 없거나 적은 서비스를 제공한다면 소비자의 선택을 받을 수 없어 파산하는 등의 손해를 입게 됩니다. 기업은 영업의 자유를 실현함으로써 그에 대한 책임으로 이윤 혹은 손해를 보게 되는 것입니다. 따라서 주차공유서비스 과정에서 문제가 발생한다면 소비자의 외면을 받아 Q는 파산할 수도 있기 때문에 스스로 문제를 해결하기 위해 노력할 것임이 분명합니다. 그러나 기업이 영업의 자유의 주체라 하더라도 그 자유의 결과로 타인에 대한 직접적 해악이 발생한다면 그 자유는 제한될 수 있습니다. 예를 들어 기업이 영업의 자유를 실현하여 유휴주차공간을 제공하는 서비스를 시작하였다고 하더라도 그 결과가 교통사고나 범죄 등으로 이어져 소비자의 생명과 신체의 안전에 해악을 주는 것이라면 해당 서비스를 규제할 수 있습니다. 따라서 네거티브 규제에 의하면, 주차공유서비스로 인해 개인정보가 유출되어 범죄가 일어난다거나 교통사고의 발생 우려가 있다거나 하는 등의 직접적 해악의 가능성에 관한 사항은 금지하고 나머지 주차공유서비스는 허용하게 될 것입니다.

Q4. 모범답변

4차 산업혁명 시대의 시장에 대한 규제는, 원칙적인 금지 외의 것들은 시장의 자율규제 방식으로 변화해야 할 것입니다. 정보화 사회에서 과학기술의 개발 주체는 기업과 민간영역입니다. 4차 산업혁명은 기존에 상상할 수 없었던 변화를 가져오기 때문에 기존의 산업과 전혀 다른 양상을 보여 예측할 수 없는 경우가 많아서 국가의 규제 대상이 되지 않거나 규제 여부에 대한 판단이 매우 어렵습니다. 따라서 민간에서 새로운 과학기술 등을 이용해 새로운 재화나 서비스를 시작할 때 국가의 규제 여부와 정도를 허가받을 수 없습니다. 그렇기 때문에 기존의 산업 규제 방법을 획기적으로 전환해야 할 필요성이 있습니다. 그러나 그렇다고 하여 아무 제약 없이 기업이 이윤을 추구할 수 있다면 다수의 소비자와 국민에게 예측불가능한 피해가 발생할 수 있습니다.

다수의 소비자와 국민을 보호하기 위해 원칙적으로 금지되는 것들을 명확하게 규정하는 네거티브 규제를 행해야 합니다. 생명과 신체에 위협이 되고, 개인정보 유출 등으로 인해 개인정보자기결정권이 침해되는 등의 재화와 서비스는 금지되어야 합니다. 단, 이를 금지할 때에도 금지되는 재화의 종류나 서비스업종 등의 내용적인 측면이 아닌 형식적이고 절차적인 형태로 금지해야 합니다. 그 외의 재화와 서비스는 기업 자율규제로 하여 산업 발전을 도모함이 타당합니다. 그러나 자유에는 책임이 따르기 때문에 만약 기업 자율규제가 이익을 위해 스스로 규제를 완화해 소비자와 국민에게 피해를 입혔다면 그에 대한 책임을 지울 수 있어야 합니다. 이를 위해 국가는 소비자와 국민의 보호, 사법제도의 정비 등을 통해 국민을 보호해야 합니다.

Part 1
Part 2
Part 3
Part 4
Part 5
Part 6
Part 7

해커스 김종수 로스쿨 면접 200주제

Q5. 모범답변

공유경제의 활성화를 위해서는 국가 규제를 포지티브 규제에서 네거티브 규제로 바꾸어야 합니다. 우리나라는 국민의 보호를 위해 국가가 포지티브 규제를 하고 있습니다. 포지티브 규제란 허용되는 사업이나 품목에 대해 영업의 자유를 누리는 것입니다. 즉, 경제활동을 하기 위해서는 먼저 법과 제도가 정해져야 합니다. 이전에 없었던, 이제 막 나타난 공유경제 등의 혁신 경제는 아무도 발전방향을 모르는 것입니다. 그렇다면 법과 제도가 정해질 수 없고 혁신 경제 자체가 불법이 되어 규제 대상이 되는 것입니다. 따라서 국가의 규제를 네거티브 규제로 전환하여 금지되는 것 외에는 모두 가능한 것으로 허용해야 혁신적인 경제가 성립될 수 있습니다.

그러나 지금 모든 법체계를 네거티브 규제로 바꾸는 것은 오랜 시간이 걸리는 일이기 때문에 그 오랜 시간 동안 포지티브 규제를 유지한다면 우리나라는 공유경제에서 배제되고 4차 산업혁명의 발전방향을 따라가지 못할 수도 있습니다. 따라서 법제화되기 전의 공유경제서비스에 대해 정부가 네거티브 행정규제를 하는 방법이 현실적 방안일 것입니다. 즉 공유경제서비스에 관한 법이 없을 경우 정부가 일단 행정규제에 있어서 허용하되 예외적으로 금지하는 방법을 사용할 수 있습니다. 예를 들어, 우리나라는 이를 위해 규제 샌드박스 제도와 같은 형태의 행정규제방안을 시행하고 있습니다. 특히 이 경우 공무원의 책임을 면책해주는 것이 가장 중요합니다. 만약 공유경제서비스와 관련한 문제가 발생했을 때 행정규제를 담당하는 공무원에게 행정규제를 하지 않은 책임을 지운다면 행정규제는 다시금 포지티브 규제로 돌아설 수밖에 없습니다.

또한 규제에 있어서 민간업체와 정부의 협력이 필요합니다. 공유경제서비스의 경우 평판정보를 중심으로 한 신뢰 시스템이 핵심이기 때문에 자율규제가 가능합니다. 이 과정에서 정부행정이 필요한 부분과 금지할 항목 등이 무엇인지를 민간업체와 협력하여야 합니다. 이 협력 역시 정부가 중심이 되는 경우 포지티브 규제나 다를 바가 없기 때문에 민간이 중심이 되고 정부는 예외적으로 금지되는 것에 대한 명확한 규제사항을 제시하는 등의 역할만을 담당하는 것이 적절합니다.

Q6. 모범답변

지금까지 국가가 국민의 자유와 권리를 지키기 위해 포지티브 규제를 해왔으나, 앞으로의 사회는 네거티브 규제가 중심이 되어야 국민의 자유와 권리를 지킬 수 있으므로 규제를 전환하는 것이 타당합니다. 3차 산업혁명 시기까지는 국가가 정부조직과 전문가 등을 통해 어떤 재화의 생산이나 서비스가 국민에게 미칠 영향을 예측할 수 있었습니다. 그러나 4차 산업혁명이 시작되고 과학기술의 발달과 사회의 변화를 예측할 수 없게 된 현재의 상황을 감안한다면 네거티브 규제가 타당합니다. 물론 국가가 국민의 자유와 권리에 악영향을 미칠 수 있는 재화나 서비스를 규제하지 말자는 것이 아니라 명백하게 악영향을 미칠 수 있는 것만 원천적으로 금지하여야 한다는 것입니다. 그 외의 재화나 서비스의 경우에는 민간의 자율규제에 맡기는 것이 타당합니다. 그리고 자유에는 책임이 따르는 만큼 자율규제로 인해 소비자와 국민에게 피해가 발생한 경우 국가는 해당 기업에 책임을 명확하게 하고 국민의 피해 보상을 돕는 역할 등을 해야 할 것입니다. 이를 위해 징벌적 손해배상의 도입과 같은 방법을 고려할 수 있습니다.

2024 충남대·2022 시립대·2020 부산대/시립대·2019 원광대/전남대/전북대 기출

1. 기본 개념

(1) 공유경제

소비자가 가진 물건, 정보, 공간, 서비스 등과 같은 자원을 다른 경제주체와 공유해 새로운 가치를 창출하는 경제방식으로, 하버드대학의 로렌스 레식 교수가 만들어낸 새로운 경제적 개념이다. 글로벌 경제 위기로 많은 사람들이 유휴자산, 즉 쓰지 않는 물건이나 본인의 시간, 노동력 등을 다른 사람들과 공유할 의지를 갖게 되었고 정보통신기술을 활용해 수익활동을 시작하게 되었다.

(2) 특성

전통적인 자본주의 경제는 소유와 생산 기반이다. 그러나 공유경제는 기존의 유휴자원을 정보통신기술과 결합해 다른 사람이 이용하거나 접근할 수 있는 경제활동이다. 또한 공유경제의 비즈니스 모델은 온라인 플랫폼을 기반으로 개인 간 공유자원의 거래를 중개하고 거래 성사에 따른 중개수수료 혹은 플랫폼 이용료를 받는 형태의 수익 구조를 갖고 있다.

2. 읽기 자료

알렉산드리아 래브넬, <공유경제는 공유하지 않는다>, 롤러코스터

공유경제 법적 과제[15]

공유경제 헌법적 문제[16]

[15]

공유경제 법적 과제

[16]

공유경제 헌법적 문제

※ 다음 제시문을 읽고, 문제에 답하시오.

> (가) 공유경제란, 소비자가 가진 물건, 정보, 공간, 서비스 등과 같은 자원을 다른 경제주체와 공유해 새로운 가치를 창출하는 경제방식이다. 대표적인 예로 차량 공유서비스인 우버, 주거 공유서비스인 에어비앤비, 사무실 공유서비스인 위워크가 있다.
>
> 그러나 공동체가 같이 생산하고 같이 나누고 소비하는 방식의 경제활동은 인류역사와 함께 해온 것이 사실이다. 대표적인 예로 우리나라는 마을 단위로 공동농기구창고를 만들어 함께 사용하거나 농번기에 품앗이를 하는 등으로 작은 단위의 공유경제가 기능하고 있었다.
>
> (나) 공유자원이란 공기, 하천, 호수, 늪, 공공 토지 등과 같은 자연자원과 항만, 도로 등과 같이 공공의 목적으로 축조된 사회간접자본을 일컫는다. 공유자원은 사회 전체에 속하며, 모든 개인에게 필요하고 이용도 가능하다. 공유자원을 이용함으로써 발생하는 비용은 사회 전체가 부담하게 된다. 그런데 공유자원은 남용되는 경향이 있기 때문에, 공유자원의 이용으로 각 개인이 얻는 편익(便益)이 종종 사회 전체가 부담해야 할 비용을 웃돈다. 하딘(Garrett Hardin)은 이러한 현상을 공유지(共有地)의 비극이라고 불렀다. 먼저 한 마을의 농부들이 소를 자유롭게 키울 수 있는 제한된 넓이의 목초 공유지가 있다고 가정하자. 농부들이 방목하는 소의 숫자가 증가함에 따라 문제가 발생한다. 방목하는 소들이 일정 수준을 넘어서면, 풀이 다시 자라는 속도에 비해서 풀이 소모되는 속도가 더 빠르기 때문에 공유지는 점점 더 황폐해질 것이다. 만약 사용할 수 있는 목초의 양을 할당하고 그것을 강제할 수 있는 농부들 간의 합의된 정책이 없다면, 목초가 없어지기 전에 자신의 이익을 최대로 높이려는 농부들의 욕구 때문에 공유지의 황폐화는 시간문제이다.

Q1. 기존의 단순 공유와 공유경제의 결정적 차이는 무엇인지 논하시오.

Q2. 우리나라는 공동농기구창고, 품앗이 등과 같이 공동체 구성원이 재화와 서비스를 공유해왔다. 그런데 왜 이것이 작은 집단에서만 가능했고 현재의 공유경제와 같은 형태로 발전하지 못했는지 그 원인을 논하시오.

Q3. 어떤 재화나 서비스를 공유한다는 것은 제시문 (나)의 공유지의 비극으로 귀결될 가능성이 매우 크다. 그럼에도 불구하고 최근의 흐름을 볼 때 공유경제는 이 문제에서 꽤 자유로운 듯하다. 공유경제가 공유지의 비극 문제를 극복할 수 있는 이유를 논하시오.

 **101 해설** **공유경제**

Q1. 모범답변

기존의 단순 공유와 공유경제의 결정적 차이점은 정보통신기술의 발달이 기반이 되었다는 점입니다. 공유경제는 자원이나 서비스를 필요로 하면서 사용하고자 하는 이용자와 이를 가지고 있으며 제공할 의사가 있는 제공자를 신속하고 정확하게 연결하여 오프라인 시장에서 발생하는 높은 거래비용을 모바일 디바이스와 초고속 인터넷으로 현저하게 낮은 가격으로 감소시킴으로써 가능합니다. 즉 기존의 소유 경제는 서비스 제공자와 이용자를 연결할 방법이 없거나 어려워 공유하기보다 각자가 소유하는 것을 선택한 반면, 공유경제는 소유가 아니라 공유를 기반으로 하는 것입니다. 그래서 이를 두고 협력소비 혹은 협력경제라고도 합니다.

Q2. 모범답변

단순 공유가 공유경제로 발전하지 못한 이유는 신뢰의 문제가 있기 때문입니다. 작은 규모의 사회에서만 공유가 가능한 것은 신뢰가 기반이 되어야 하기 때문입니다. 공유경제는 기본적으로 자신의 것을 나누어 쓰는 것이기 때문에 상대방을 신뢰할 수 없다면 공유 자체가 불가능합니다. 그렇기 때문에 재화와 서비스의 공유는 가족이나 씨족 등과 같이 신뢰할 수 있는 집단을 중심으로 가능했습니다. 따라서 작은 집단에서 공유하는 방식의 경제생활을 했다고 하더라도 이를 공유경제라는 형태로 모르는 사람 사이의 경제생활로 확대하기 어렵습니다.

Q3. 모범답변

소셜 네트워크에 의한 연결의 질적, 양적 변화가 공유지의 비극 문제를 극복할 수 있도록 하였습니다.

인류의 역사는 연결을 확대해 온 과정이라 할 수 있습니다. 예를 들어, 1차 산업혁명은 이동수단과 생산수단의 발전, 즉 증기기관과 기계 생산을 통해 인쇄술이 발전해 연결이 증대되었고, 2차 산업혁명은 전기, 전자 기술의 확대로 텔레비전과 라디오가 발전해 지구촌이 연결되기 시작했습니다. 3차 산업혁명은 인터넷을 기반으로 하는 연결 사회가 출현했고, 4차 산업혁명은 사람과 사물과 공간이 연결되어 모든 것들에 대한 정보가 생성되고 수집되어 공유되고 활용되는 초연결시대가 될 것입니다.

4차 산업혁명 시대로 접어들면서, 모바일과 인터넷을 기반으로 하는 ICT 기술의 발전으로 서비스 제공자와 이용자의 연결이 가능합니다. 공유는 연결 없이는 원천적으로 불가능하며 이 연결된 사람들 사이의 신뢰가 바탕이 되어야 실현될 수 있습니다. 그런데 소셜 네트워크는 연결된 사람들 간의 평판을 정보화하여 네트워크 참여자에게 제공할 수 있습니다. 가족이나 씨족 단위의 공유가 공유경제로 확대될 수 있는 이유는 전 세계적 규모의 소셜 네트워크가 평판정보를 통해 신뢰를 구축해 주기 때문입니다. 예를 들어, 에어비앤비는 일반 가정집을 숙소가 필요한 사람과 연결하는데 숙소 제공자와 숙소 이용자 모두의 평가를 받고 이를 공개하고 있습니다. 숙소를 찾는 사람들은 이러한 공개된 정보를 통해 숙소의 상태나 친절도 등을 신뢰하는 것이고, 숙소를 제공하는 사람들은 숙소 이용자들의 그동안의 이용정보 등을 확인하고 이를 신뢰하는 것입니다. 양측의 정보를 공개하여 서로 확인할 수 있도록 함으로써 신뢰를 구축하는 것이 공유경제의 핵심이 되는 것입니다.

2022 서강대/시립대/전북대/충북대·2021 건국대/영남대 기출

1. 기본 개념

(1) 온라인 플랫폼

인터넷을 통해 두 개 이상의 독립된 사용자 그룹의 상호작용을 촉진하는 디지털 서비스를 말한다. 온라인 플랫폼은 네트워크 효과가 중요한데, 이는 특정상품에 대한 어떤 사람의 수요가 다른 사람들의 수요에 영향을 받는 효과를 의미한다. 일반적으로 한 시장에서 선점된 기술이나 제품들을 선택하게 되는 것을 말하기도 한다. 예를 들어, 마이크로소프트의 파워포인트를 사용하는 사람이 많은 경우, 사용자들은 내가 만든 파일이 다른 사람에게도 사용되어야 하기 때문에 호환성 등을 고려할 때 타사의 프로그램을 사용하기보다 파워포인트를 구매해서 사용하게 된다. 이를 잠금효과(Lock-in effect)라 한다. 결국 초기 사용자의 수가 압도적인 점유율과 독점으로 이어지게 된다.

(2) 온라인 플랫폼 독점 규제[17]

온라인 플랫폼은 기존의 소비자 효용 중심, 가격 중심의 독점 규제법안으로는 규제가 불가능하다. 우리나라의 공정거래위원회에 해당하는 미국 FTC의 최연소 위원장으로 2021년 리나 칸이 임명되었다. 리나 칸은 2017년 예일대 로스쿨 재학 중 '아마존의 반독점 역설'이라는 논문을 발표했다. 칸은 이 논문에서 아마존이 가격을 낮춰 경쟁자를 몰아내는 것을 약탈적 가격 책정이라 했다. 이 낮은 가격으로 인해 소비자 효용을 증대시킨다는 점에서 독점금지법의 규제를 받지 않는 것이다. 그러나 칸은 아마존의 약탈적 가격이 단기적으로는 소비자들에게 이익이 되지만, 상품의 질과 다양성 등을 저해하기 때문에 장기적으로는 이익이 되지 않는다고 해석했다.

2. 읽기 자료

팀 우, <빅니스>, 소소의책
미국플랫폼 반독점법안[18]
플랫폼 규제[19]
플랫폼 자율규제[20]
플랫폼 규제 법안[21]

17)

아마존의 반독점 역설

18)

미국플랫폼 반독점법안

19)

플랫폼 규제

20)

플랫폼 자율규제

21)

플랫폼 규제 법안

⏱ 답변 준비 시간 15분 | 답변 시간 15분

※ 다음 QR코드를 촬영하면 연결되는 제시문을 읽고, 문제에 답하시오.

공정위는 주요 플랫폼 서비스의 독과점 문제로 시장 경쟁 회복과 소비자 보호가 시급한 과제임을 강조했다. 디지털·플랫폼 경제로의 전환이 경쟁정책과 당국에 복잡한 도전을 안겨주고 있다고 밝혔다.

플랫폼 시장

Q1. 최근 카카오, 배달의 민족 등 온라인 플랫폼 기업이 급속하게 성장하고 있다. 이들 플랫폼 기업에 대한 정부 규제를 찬성하는 입장의 논거를 제시한 후 이를 논증하시오.

Q2. 플랫폼 기업에 대한 정부 규제를 반대하는 입장의 논거를 제시한 후 이를 논증하시오.

Q3. 플랫폼 기업에 대한 정부 규제에 대한 자신의 입장을 정하여 논하시오.

Q4. 현재 배달업계는 2개의 기업이 전체 시장의 90% 이상을 독과점하고 있는 상황이다. 이에 지방자치단체마다 공공배달앱을 만들고 있다. 이에 대해 건전한 시장질서를 위해 필요한 조치라는 입장과 이미 형성된 시장질서에 대한 정부의 부당한 개입이라는 입장이 대립하고 있다. 지방자치단체의 공공배달앱 개발에 대한 자신의 견해를 논하시오.

Q5. 자신의 견해에 대해 예상되는 반론을 제시하고 재반론하시오.

Part 1
Part 2
Part 3
Part 4
Part 5
Part 6
Part 7

Q1. 모범답변

플랫폼 기업에 대한 정부 규제를 찬성하는 입장에서는, 소비자와 노동자 보호, 공정한 시장질서의 보호에 기여할 수 있다는 논거를 제시할 것입니다.

먼저 소비자와 노동자의 보호를 위해 플랫폼 기업에 대한 정부 규제는 타당합니다. 플랫폼 기업의 경우 잠금효과가 있기 때문에 사용자가 많아질수록 독점 가능성이 커지고 독점의 효과가 지속되게 됩니다. 일부 플랫폼 기업이 해당 사업을 독점할 경우 수수료나 결제비용과 같은 측면에서 과도한 수수료 인상이 이루어져 소비자의 피해가 가중될 수 있습니다. 또한 플랫폼 기업에서 일하는 노동자와 관련하여 문제가 발생합니다. 플랫폼 기업은 노동자를 직접 고용하지 않기 때문에 노동자의 사고 등 문제가 발생하더라도 플랫폼 기업은 이에 대해 책임지지 않습니다. 특히 플랫폼 기업에서 일하고자 하는 노동자는 언제나 노동을 제공할 준비를 하고 있다가 플랫폼 기업의 중개에 따라 즉각적으로 노동력을 제공해야 합니다. 이로 인해 노동자의 노동권에 대한 문제가 상시적으로 발생할 수 있습니다. 따라서 플랫폼 기업에 대한 규제를 통해 소비자와 노동자의 권리를 보호해야 합니다.

공정한 시장질서의 보호를 위해 플랫폼 기업에 대한 정부 규제는 타당합니다. 온라인 플랫폼 기업은 시장을 선점한 기업이 소비자의 정보를 얻게 되고 이를 바탕으로 유리한 고지를 점령하여 독점적 지위가 강화되는 특성이 있습니다. 소비자 빅데이터를 얻을 수 없는 중소업체나 신규업체는 시장에 진출할 기회 자체가 제한될 수 있습니다. 이처럼 기업 간의 자유경쟁이 제한되고 공정한 시장질서가 훼손될 경우, 기업은 기술 개발이나 소비자 선호의 충족을 위해 노력할 유인이 사라지게 됩니다. 따라서 공정한 시장질서의 보호를 위해 플랫폼 기업에 대한 정부 규제는 타당합니다.

Q2. 모범답변

플랫폼 기업에 대한 정부 규제를 반대하는 입장에서는, 국가 발전의 저해, 기업의 영업의 자유 침해라는 논거를 제시할 것입니다.

국가 발전을 저해하므로, 플랫폼 기업에 대한 정부 규제는 타당하지 않습니다. 국가 발전을 위해서는 첨단산업에 대한 투자와 창의성 보호가 필수적입니다. 플랫폼 기업은 정보통신기술과 결합한 새로운 산업이며 세계적으로 각광받는 산업이므로 국가경제 발전에 꼭 필요합니다. 전통적인 제조업 등과 비교했을 때, 페이스북, 구글, 애플, 넷플릭스 등의 플랫폼 기업이 세계적인 기업이 되는 데 소요된 시간을 보면 대단히 빠르게 매출 규모를 키웠다는 점을 알 수 있습니다. 특히 ICT 기술의 특성상 잠금효과, 즉 사용자가 많은 서비스를 사용하려는 유인이 대단히 크고 해당 서비스를 사용하는 소비자가 이탈하지 않는 경향성이 크기 때문에 대규모 사용자의 유입과 빠른 성장이 요구됩니다. 우리나라는 적극성을 갖고 있는 소비자와 ICT 기업, 네트워크 기업, 반도체 기업 등이 밀집한 특성이 있어 플랫폼 기업의 성장을 위한 기반이 충분합니다. 이에 반해 국가의 규제는 플랫폼 기업의 시장 진입과 빠른 성장을 저해하는 요소로 작동합니다. 따라서 플랫폼 기업에 대한 국가의 규제는 국가경제 발전을 저해할 수 있으므로 타당하지 않습니다.

기업은 영업의 자유의 주체로 자유로운 경쟁을 통해 자기 이윤을 추구합니다. 그러나 기업이 영업의 자유를 행사할 수 있게 한 목적은 국민의 선호 달성을 위한 효율적 자원 배분이므로, 기업이 이윤을 추구하는 과정에서 국민의 자유와 권리를 명백하게 훼손하거나 효율적 자원 배분을 저해하는 경우 기업의 영업의 자유를 제한할 수 있습니다. 플랫폼 기업은 소비자인 국민의 선호를 발견하고 이를 재화나 서비스의 형태로 제공할 것을 선택합니다. 한 예로, '타다' 등과 같은 카풀 서비스 제공업체를 들 수 있습니다. 현재 택시 등의 운송 서비스를 원하는 소비자의 수요와 택시나 버스의 운송서비스 공급이 달라 소비자의 선호가 충분히 충족되지 않고 있습니다. 예를 들어, 늦은 밤에 이동하고자 하는 수요는 많으나 공급이 적다면 택시의 숫자와 관계없이 소비자의 수요가 충족되지 않을 수 있습니다. 카풀 업체들은 이러한 수요와 공급이 분리되어 충족되지 못하고 있는 소비자의 수요를 발견하고 이를 충족하는 서비스를 제공함으로써 자기 이윤을 추구하고자 합니다. 이 과정에서 이동권과 같은 국민의 자유와 권리가 보장될 뿐만 아니라, 자동차가 사용되지 않는 시간을 줄이는 효율적 자원 배분이 가능합니다. 만약 플랫폼 기업이 소비자의 효용을 증대시키지 못해 소비자의 선택을 받지 못한다면, 재정 상황이 악화되고 끝내 파산하는 등으로 책임을 지게 됩니다. 플랫폼 기업이 국민의 자유와 권리를 침해하지도 않았고 효율적 자원 배분을 저해한 것이 아닌데도 사회적인 우려가 있다는 이유로 국가가 규제하는 것은 기업의 영업의 자유를 과도하게 제한하는 것입니다. 따라서 플랫폼 기업에 대한 규제는 타당하지 않습니다.

Q3. 모범답변

플랫폼 기업에 대한 정부 규제는 소비자와 노동자 보호, 공정한 시장질서의 보호에 기여할 수 있으므로 타당합니다.

물론 이에 대해 기업의 영업의 자유에 대한 과도한 제한이라는 반론이 제기될 수 있습니다. 그러나 플랫폼 기업에 대한 정부의 규제는 기업의 영업의 자유에 대한 정당한 제한이라 할 수 있습니다. 기업의 영업의 자유는 무제한적 자유가 아니라 자원의 효율적 배분과 이로 인한 국민의 효용 증대라는 목적 실현에 기여한다는 전제하에 인정되는 것입니다. 그렇기 때문에 세계 모든 국가는 독점을 규제하는 것입니다. 독과점은 자원의 효율적 배분과 국민의 효용을 저해하기 때문입니다. 플랫폼 기업은 잠금 효과와 소비자 빅데이터의 누적, 기업 자본의 축적으로 인해 독점적 영향력을 발휘합니다. 소비자 역시 플랫폼 독점기업보다 다른 소규모 업체나 신규업체가 편리하고 경쟁력 있는 서비스를 제공하기 어렵기 때문에 독과점이 자연적으로 해소되기 어렵습니다. 예를 들어, 지방자치단체의 공공자전거 공유 서비스가 중단된 후, 카카오에서 독점적 지위를 이용해 이용료를 급격하게 상승시켜 소비자의 피해가 발생한 바 있습니다. 따라서 플랫폼 기업에 대한 정부 규제는 기업의 영업의 자유에 대한 과도한 제한이라 할 수 없습니다.

Q4. 모범답변

지방자치단체의 공공배달앱 개발은 타당합니다. 소비자 보호가 가능하며, 기업의 영업의 자유를 실질적으로 보장할 수 있으며, 공공복리를 증진시키기 때문입니다. 소비자 보호를 위해 지방자치단체의 공공배달앱 개발은 타당합니다. 국민은 주권자로서 자신의 자유와 권리를 안정적으로 보장받고자 국가를 설립했습니다. 또한 국민은 주권자로서 자유시장경제체제를 통해 효율적인 경제생활을 영위하고자 기업의 영업의 자유를 인정하였습니다. 국민은 시장경제체제에서 공급자이면서 소비자인 것입니다. 그런데 현대사회에서 기업의 역할이 커지면서 기업과 소비자 간의 정보의 비대칭성과 실제 힘의 비대칭성이 커지고 있는 상황입니다. 이에 따라 주권자의 위임을 받은 국가가 기업과 국민 간의 비대칭성을 해소함으로써 시장거래의 최말단에 있는 소비자이자 다수 국민을 보호해야 할 필요성이 더욱 커지고 있습니다. O2O 기반의 배달앱은 플랫폼 산업의 특성상 독과점 형태로 운영되고 있기 때문에 소비자의 피해가 발생할 가능성이 높아지고 있습니다. 소비자의 선택권이 제한되고 이로 인한 소비자 피해는 독과점 플랫폼 사업자의 이익으로 전환되는 것입니다. 따라서 지방자치단체가 공공배달앱을 개발하여 소비자의 선택권을 넓히고 자유경쟁체제를 확대해 기업과 소비자의 비대칭성을 줄이고자 시도하는 것은 타당합니다.

기업의 영업의 자유를 실질적으로 보장하기 위해 지방자치단체의 공공배달앱 개발은 타당합니다. 기업은 영업의 자유를 통해 자유롭게 경쟁하고 이익 혹은 손해라는 책임을 지게 됩니다. 그러나 현재 배달앱은 독과점 상태로 자유로운 경쟁이 존재하지 않습니다. 독과점 배달앱은 그 자체로 이익을 보장받고 있는 상태나 다름없고, 소규모 배달앱은 경쟁 자체를 시도할 기회 자체가 박탈되고 있는 것이 현실입니다. 지방자치단체의 공공배달앱은 시장 자체에 국가나 지방정부, 공공기관이 뛰어드는 것이 아니라 소규모 영세 배달앱들이 독과점 배달앱과 자유로운 경쟁을 할 수 있도록 기회를 보장하는 것입니다. 소비자들이 공공배달앱을 사용하도록 강제한 것도 아니고, 공공배달앱이 소비자들에게 편리함을 주지 못한다면 독과점 배달앱을 사용할 것이 자명하기 때문입니다. 따라서 공공배달앱은 기업이 자유롭게 경쟁할 수 있도록 기회를 보장하는 것에 해당하므로 기업의 영업의 자유를 실질적으로 보장할 수 있습니다.

공공복리 증진을 위해 지방자치단체의 공공배달앱 개발은 타당합니다. 이미 A사와 B사의 시장점유율이 97%에 달하는 상황에서 신규 배달앱 업체의 진입과 성장은 불가능하다고 할 수 있습니다. 코로나19 상황에서 배달앱이 성장했고 앞으로도 1인 가구 등의 증가로 인해 배달앱의 사용은 증가할 수밖에 없으므로, 2개의 독과점 업체가 수수료를 올린다고 하더라도 개별 소상공인과 소비자는 다른 업체를 사용하기 어렵습니다. 개별적으로 해결할 수 없는 이 상황에서 지방자치단체가 수수료가 낮은 배달앱을 지원하는 방법을 통해 개별 소상공인과 소비자의 선택 가능성을 넓혀준다면 신규업체의 시장 진입이 가능해지고 독과점업체와 경쟁할 수 있는 기반이 될 수 있습니다. 이는 독과점업체의 수수료 인하를 유도하고 신규진입업체의 다양한 서비스를 통해 소비자 편익이 증대되는 효과로 이어지게 되어 공공복리 증대에 기여할 수 있습니다.

Q5. 모범답변

국가의 시장경제 개입으로 인한 시장경제질서 훼손을 우려하는 반론이 제기될 수 있습니다. 그러나 공공배달앱은 독과점 배달앱의 수수료를 강제하거나 영업 정지를 하는 등으로 국가나 지방정부가 시장에 직접 개입한 것이 아닙니다. 독과점 배달앱과 같은 자본력을 갖추지 못한 소규모 배달앱이 경쟁의 기회를 가질 수 있도록 지방자치단체나 국가가 플랫폼을 제공하는 것에 불과하기 때문입니다. 국가와 지방정부는 그 대신 선량한 사용자로서 적정한 수수료나 소비자 보호 방안 등을 실현하고자 하는 것입니다. 이는 마치 정부 물품을 조달할 때 나라장터를 구축해 적정한 기술력을 갖춘 중소기업의 제품을 우선 구매하도록 하고 다양한 기업들이 경쟁의 기회를 가질 수 있도록 하는 것과 유사합니다. 따라서 공공배달앱은 공정거래의 기준을 제시하고 이에 동의한 업체들이 자유롭게 경쟁할 수 있는 플랫폼의 기능을 하는 것이지, 국가가 시장경제에 대한 규제나 개입을 하는 것이라 볼 수 없으므로 이 반론은 타당하지 않습니다.

103 개념 | 지식재산권

2019 아주대/연세대 기출

1. 기본 개념

(1) 지식

지식은 인류의 안정적 생존과 발전을 보장하는 것이다. 인간은 동물보다 육체적으로 약하고 능력도 부족하다. 그러나 인간은 생각하는 능력을 가지고 있어 도구를 만들고 협력하여 동물보다 강력한 힘을 발휘할 수 있게 되었다. 인간은 언어를 통해 지식을 전승하고 누적할 수 있는데, 이를 말로 전달하고 기억에 의존하던 것에서, 문자를 발명하여 점토판에 새기거나 돌에 새기거나 나무판에 기록하여 오류 없이 전승하게 되면서 더 큰 발전을 이루게 되었다. 결국 지식은 인간과 동물을 구별하는 기준이라 할 수 있고 인류의 생존과 발전에 직결되는 것이다.

(2) 지식재산의 특성

무형의 지식재산은 유형의 산업재산과 큰 차이점이 있다. 지식은 단 하나를 만들어낼 때까지 거의 대부분의 비용이 들어가고 그 이후의 추가 생산비용은 극히 미미하다는 것이다. 이러한 두 가지 특성에서 지식재산권에 대한 견해 차이가 발생한다. 단 하나의 지식을 만들어내는 데 거의 대부분의 비용이 들어간다는 특성에서 지식재산권의 보호를 강화해야 한다는 입장이 도출된다. 그 이후의 추가 생산비용이 극히 미미하다는 특성에서 지식재산권의 보호를 완화해야 한다는 입장이 도출된다.

예를 들어, 작곡과 작사를 직접 하는 가수 A가 노래를 한 곡 만든다고 하자. 노래 한 곡이 만들어질 때까지 A의 노력이 다 들어가야 한다. 노래를 반절만 만든다거나 가사 없이 발표한다거나 할 수는 없다. 그러나 일단 A의 노래 한 곡이 만들어지면, 다른 사람들이 이 노래를 추가로 듣는 것은 매우 쉽다. 노래 음원 파일을 단순히 복사하고 붙여넣기 하면 되기 때문이다. 개인의 창작 노력이 노래 한 곡에 모두 소요되는 것이다. 그러나 사회의 많은 사람들이 매우 손쉬운 방법으로 이 노래를 들을 수도 있다.

지식은 일단 처음에 만들어지는 것에는 창작자 개개인의 대단히 큰 노력이 들어간다. 그러나 다른 사람이 이를 모방하는 것은 매우 손쉽고 널리 모방할 수 있다. 따라서 누구나 창작의 노력은 기울이지 않으면서 모방하려는 유인을 갖고 있다. 무임승차의 유인이 크기 때문에 지식을 창작하는 자의 노력과 비용을 사회적으로 보호하지 않으면 누구나 모방하려 할 것이다.

2. 쟁점과 논거

찬성론: 창작의욕 고취	반대론: 공익 증진
[창작자의 창작의욕 고취] 지식재산권을 인정하지 않는다면 새로운 작품이나 기술을 만들어내기 위해 노력하지 않는다. 작품이나 기술을 처음 만들어내기 위해서는 많은 시간과 노력이 필요한데, 이러한 비용을 상회하는 이익을 얻을 수 있어야 새로운 것을 만들어내기 위해 노력하게 된다.	**[사회 발전 저해]** 지식재산권의 대상이 되는 기술이나 예술품은 누가 사용한다고 해서 다른 사람의 이용이 제한되는 것이 아니다. 오히려 이를 사회 전체가 이용할 수 있게 하여 사회적 이익을 극대화시킬 수 있다. 이를 제한하는 것은 사회적 이익을 저해하는 조치이다.
[장기적 사회발전] 지식재산권을 통해 자신의 권리를 보호받기 위해서는 우선적으로 자신이 창안한 것을 공개하고 기록으로 남겨야 한다. 그래야만 보호 대상을 정확하게 확인할 수 있기 때문이다. 보호기간이 종료된 후에는 이렇게 공개된 내용을 널리 활용할 수 있으며, 종료기간이 끝나기 전이라도 공개된 내용을 근간으로 이를 발전시킨 기술이나 작품을 만들어 지속적인 성장이 가능하게 된다.	**[사회갈등 심화]** 지식재산권을 인정하게 되면 경제력이 있는 계층은 새로운 지식과 기술을 활용해 더 많은 경제적 부를 창출할 수 있게 된다. 하지만 경제력이 떨어지는 계층은 이러한 부의 창출이 불가능하고, 이는 계층 간 격차로 나타나게 된다. 이와 같은 계층 간 격차는 사회갈등으로 격화될 우려가 있다.
[우수 인재의 해외유출 방지] 글로벌 사회에서는 거주이전의 자유가 실질적으로 보장된다. 새로운 기술과 작품을 만들 능력이 있는 자는 지식재산권을 보장하는 국가와 보장하지 않은 국가 중 전자를 선택할 수밖에 없다. 자신의 노력을 정당하게 보장하는 사회에서 자신의 이익을 최대화하려 할 것이기 때문이다.	**[창작의욕 저해]** 대부분의 기술 발명은 인류의 공동자산인 기존기술과 지식을 바탕으로 한다. 지식재산권 보호를 강화하면, 기존의 지적 기술과 완전히 다른 방식을 생각해내야 하기 때문에 창작자는 기존의 창작물을 바탕으로 하여 새로운 것을 창작하기 어려워진다. 따라서 완전히 다른 방식을 생각해내는 정도의 노력을 보상할 가치가 있는 것 외에는 창작하지 않을 것이어서 창작자의 의욕을 저해한다.

3. 읽기 자료

2011도10872[22]

지식재산권의 헌법적 의미[23]

지식재산권 보호[24]

[22]

2011도10872

[23]

지식재산권의 헌법적 의미

[24]

지식재산권 보호

 **103 문제** **지식재산권**

답변 준비 시간 10분 | 답변 시간 10분

※ 다음 QR코드를 촬영하면 연결되는 제시문을 읽고, 문제에 답하시오.

고 교수는 디즈니가 캐릭터 라이선스를 통해 수익을 창출하며 영화는 마케팅 수단에 불과하다
고 했다. 또한, 제조업의 비용 부담 증가와 대외적 리스크로 국내 기업들도 무형자산을 활용해 성
장하는 방식으로 전환해야 한다고 강조했다.

지식재산

Q1. 지식재산권의 보호를 강화해야 한다는 입장에 대해 2개 이상의 논거를 제시하여 논하시오.

Q2. 지식재산권의 보호를 완화해야 한다는 입장에 대해 2개 이상의 논거를 제시하여 논하시오.

Q3. 위 입장 중 지식재산권의 보호에 대한 자신의 입장을 정하고 이를 논변하시오.

Q4. 자신이 선택한 입장에 대해 예상되는 반론을 제시하고 이에 대해 재반론하시오.

Q1. 모범답변

지식재산권의 보호를 강화해야 한다는 입장에서는, 창작자의 창작의욕 보호와 지속적인 발전이라는 논거를 제시할 것입니다.

창작자의 창작의욕을 보호하기 위해 지식재산권의 보호를 강화해야 합니다. 창작자는 자유로운 주체로 무엇을 창작할 것인지 자신의 가치관에 따라 노력을 기울여 창작물을 만들어냅니다. 새로운 창작물[25], 기술 등을 개발하기 위해서는 유무형의 노력이 필요합니다. 그러나 이를 모방하는 것은 창작의 노력에 비하면 매우 쉽습니다. 창작자가 막대한 유무형의 노력을 기울여 창작물을 완성하더라도 창작의 대가가 충분하지 않다면 이를 예측한 창작자는 처음부터 창작을 하지 않는 선택을 할 것입니다. 창작자가 많은 시간을 들여 노력했음에도 불구하고 누구나 간단히 이를 모방할 수 있고 모방해도 된다면 창작자로서는 굳이 그 노력을 기울일 필요가 없기 때문입니다. 그렇다면 많은 노력을 기울여 창작을 하려는 사람은 없고, 모든 사람은 손쉽게 모방만 하려 할 것입니다. 높은 창작비용을 감당할 수 없다면 창작자들이 창작을 스스로 포기하고 결국은 새로운 창작물이 나타나지 않게 될 것입니다. 따라서 지식재산권의 보호는 강화되어야 합니다.

사회적 약자 보호를 위해 지식재산권 보호를 강화해야 합니다. 지식재산권을 보호하여 창작자의 창작의욕이 고취되면 다양한 창작물과 과학기술의 개발, 다양한 상품이 개발될 수 있습니다. 막대한 이윤을 노린 창작자들의 경쟁으로 더 좋은 제품이 더 낮은 가격으로 더 많은 소비자에게 공급할 수 있는 기술이 창출되는 것입니다. 예를 들어, 자동차의 경우 지식재산권으로 보호되는 관련기술의 개발이 매우 활발하고 경쟁이 치열해 소비자 편익이 증대되고 있습니다. 자동차의 연비는 갈수록 높아지고 있으며 이전 세대의 자동차에서는 고급차에만 들어가던 안전장비 등이 보급용 자동차에도 기본적으로 장착되고 있습니다. 이처럼 지식재산권의 보호는 단기적으로는 지식재산권 관련비용을 지불할 수 있는 고소득층에게 유리한 것으로 보이지만, 장기적으로는 저소득층 등 사회적 약자의 고용을 활성화시키고 소비자 편익을 증대시키는 효과가 있습니다.

사회의 지속적 발전을 위해 지식재산권의 보호를 강화해야 합니다. 지식 정보는 사회 발전의 핵심이 됩니다. 인류는 지식 정보를 공개하고 기록하고 누적하여 후세에 전승함으로써 발전해왔습니다. 이러한 지식 정보가 창작자 개인에게 한정되어 사라진다면 사회의 발전을 지속적으로 달성할 수 없습니다. 지식재산권의 보호를 강화하면 창작자는 자신의 권리를 보호받기 위해서는 우선적으로 자신이 창안한 것을 공개하고 기록으로 남기게 됩니다. 지식재산권을 보호받기 위해서는 무엇을 보호할 것인지 정확하게 사회에 알려야 하기 때문입니다. 지식재산은 실체가 없는 경우가 많기 때문에 기록물로 남겨져 있어야만 사회적으로 이용할 수 있습니다. 대표적으로 고려시대 고려자기를 만드는 방법이 기록물로 남겨져 있지 않아 제조기술이 실전된 것을 보아도 이를 확인할 수 있습니다. 지식재산권의 보호기간이 종료된 후에는 이렇게 공개된 내용을 널리 활용할 수 있으며, 종료기간이 끝나기 전이라도 공개된 내용을 근간으로 이를 발전시킨 기술이나 작품을 만들 수 있게 됩니다. 종료기간이 끝나기 전이라도 공개된 내용을 근간으로 하여 이와는 다른 방법을 고안할 수 있어 사회에 다양한 창작물이 사회구성원의 다양한 수요를 충족시켜 사회발전을 추동할 수 있습니다. 따라서 사회의 지속적 발전을 도모할 수 있으므로 지식재산권의 보호를 강화해야 합니다.

[25]
저작권법은 제2조 제1호에서 저작물을 '인간의 사상 또는 감정을 표현한 창작물'이라고 정의하는 한편, 제7조에서 보호받지 못하는 저작물로서 헌법·법률·조약·명령·조례 및 규칙(제1호), 국가 또는 지방자치단체의 고시·공고·훈령 그 밖에 이와 유사한 것(제2호), 법원의 판결·결정·명령 및 심판이나 행정심판절차 그 밖에 이와 유사한 절차에 의한 의결·결정 등(제3호), 국가 또는 지방자치단체가 작성한 것으로서 제1호 내지 제3호에 규정된 것의 편집물 또는 번역물(제4호), 사실의 전달에 불과한 시사보도(제5호)를 열거하고 있을 뿐이다. 따라서 저작권법의 보호대상이 되는 저작물이라 함은 위 열거된 보호받지 못하는 저작물에 속하지 아니하면서도 인간의 정신적 노력에 의하여 얻어진 사상 또는 감정을 말, 문자, 음, 색 등에 의하여 구체적으로 외부에 표현한 것으로서 '창작적인 표현형식'을 담고 있으면 족하고, 그 표현되어 있는 내용 즉 사상 또는 감정 그 자체의 윤리성 여하는 문제 되지 아니한다고 할 것이므로, 설령 그 내용 중에 부도덕하거나 위법한 부분이 포함되어 있다 하더라도 저작권법상 저작물로 보호된다고 할 것이다. (대법원 2015.6.11. 선고 2011도10872 판결)

Q2. 모범답변

　지식재산권의 보호를 완화해야 한다는 입장에서는, 사회 발전과 실질적인 창작 의욕 고취를 논거로 제시할 것입니다.

　사회 발전을 위해 지식재산권의 보호를 완화해야 합니다. 지식은 인류가 누적해온 인류 공동의 자산을 학습한 공동체 구성원이 다른 사회 구성원의 자극에 의해 창출해낸 결과물입니다. 이에 대해 만유인력의 법칙을 발견한 뉴턴은 자신의 지적 업적은 모두 거인의 어깨 위에 서 있었던 덕분이라고 말한 바 있습니다. 지식재산이란 인류 공동의 자산을 바탕으로 사회의 지적 자극이 창작자의 노력과 만나서 만들어진 것입니다. 특히 지식재산권의 대상이 되는 기술이나 예술품은 누가 사용한다고 해서 다른 사람의 이용이 제한되는 것이 아닙니다. 그렇기 때문에 지식은 많은 사람들이 사용하더라도 비용은 늘어나지 않고 이익이 커지게 됩니다. 지식 정보를 사회 전체가 이용할 수 있도록 하면 사회적 이익이 극대화됩니다. 따라서 사회 발전을 도모하기 위해 지식재산권의 보호를 완화해야 합니다.

　창작자의 창작의욕을 실질적으로 보호하기 위해 지식재산권의 보호를 완화해야 합니다. 지식과 기술의 발명은 그 자체로 독립적이지 않고 인류 공동의 자산인 지식과 기존 기술을 바탕으로 합니다. 예를 들어, 컴퓨터가 발명되기 위해서는 그 이전에 진법과 수학, 전자공학의 기초가 닦여 있어야 가능한 것이지 한 명의 천재가 그 모든 것을 한꺼번에 뛰어넘어 컴퓨터만 만들어낼 수는 없습니다. 지식재산권을 보호한다는 것은 한 창작자가 만들어낸 방식을 노력의 결과로 인정하고 다른 방식으로 창작할 것을 요구하는 것입니다. 그러나 지식은 그 특성상 다른 지식과 결합, 변형, 융합되어 새로운 지식이 될 수 있습니다. 그러므로 지식재산권 보호를 강화하면, 기존의 지적 기술과 완전히 다른 방식을 생각해내야 하기 때문에 창작자는 기존의 창작물을 바탕으로 하여 새로운 것을 창작하기 어려워집니다. 따라서 창작자는 완전히 다른 방식을 생각해내어야 하는 비용을 보상해줄 수 있을 정도의 가치가 있는 것 외에는 창작을 하려 하지 않습니다. 반면, 지식재산권의 보호를 완화하면 창작자의 창작비용이 줄어들어 창작자의 의욕이 증대될 수 있습니다. 그 결과 더욱 다양한 지적 창작물이 창출될 수 있을 것입니다. 따라서 창작자의 의욕을 실질적으로 보장할 수 있으므로 지식재산권의 보호를 완화해야 합니다.

Q3. 모범답변

　지식재산권의 보호를 강화해야 합니다. 창작자의 창작의욕을 고취하고, 지속적인 사회 발전을 도모하고, 인재의 유출을 막을 수 있기 때문입니다.

　인재의 유출을 막을 수 있기 때문에 지식재산권의 보호를 강화해야 합니다. 현대사회는 거주 이전의 자유가 전 세계적으로 확대되고 글로벌 스탠다드가 작동하여 인재는 세계 어느 국가로든 이민이 가능합니다. 새로운 과학기술이나 창작물을 창작할 수 있는 인재는 자신의 노력을 보장받고 싶어 합니다. 인재는 지식재산권의 보호가 강화되어 있는 국가와 지식재산권의 보호가 완화된 국가 중 지식재산권의 보호가 강화되어 있는 국가를 선택할 것입니다. 그리고 국가는 자신의 이익을 극대화하고자 하는 자발적인 선택을 막을 수 없습니다. 그렇다면 우리나라의 입장에서 볼 때, 인재를 잃어 우리나라의 발전 가능성이 저해될 뿐만 아니라, 지식의 특성상 변형·결합·융합이 되어 새로운 지식이 창출되는데 새로운 지식 창출 가능성이 적어지고, 해외로 이주한 인재가 창작한 과학기술이나 창작물을 사용하기 위해 외국에 비용을 지불해야 하는 부담이 커지게 됩니다. 따라서 인재의 유출을 막아 지속적인 국가 발전 가능성을 확보하기 위해 지식재산권의 보호를 강화해야 합니다.

Q4. 모범답변

물론 이에 대해 지식재산권 보호의 강화로 인해 사회갈등이 발생할 수 있다는 우려가 있습니다. 경제력이 있는 계층은 새로운 지식과 기술을 활용해 더 많은 경제적 부를 창출할 수 있게 되는 반면, 경제력이 떨어지는 계층은 이러한 부의 창출이 불가능하여 계층 간 격차와 사회갈등으로 이어질 것이라는 반론이 제기될 수 있습니다. 그러나 이는 충분히 보완할 수 있는 방법이 있으며, 지식재산이 충분히 창작되고 있는 상황에서 발생하는 문제입니다. 지식과 기술은 인간의 지적 능력을 사용하는 것이므로 새로운 창작물의 창작을 유도하고 사회갈등을 완화하기 위해 교육을 강화해야 합니다. 기존의 자본 격차가 지식재산의 격차로 이어지지 않게 하기 위한 사회적 노력이 중요합니다. 또한 소수자를 위한 지적 기술 등은 사회적으로 개발을 유도해야 합니다. 국책 연구소나 대학 연구소 등에 국가가 보조금을 지급하거나 사회적 부담을 하는 것은 바로 이러한 이유에서 기인하는 것입니다. 따라서 이 반론은 예상되는 문제점을 해결하기 위한 사회적 노력이 필요한 것이지, 지식재산권의 보호를 완화하여 해결할 일이 아닙니다.

2019 중앙대 기출

1. 기본 개념

(1) 코스의 정리

코스는 영국의 경제학자이며, 1991년 노벨 경제학상을 수상하였다. 코스는 1960년《The Problem of Social Cost》라는 논문에서 시장실패가 발생하더라도 당사자들 간의 자발적 협상이 쉽게 이루어질 수 있다면 정부의 개입이 불필요하다는 이론을 제안했다. 이에 더해 개인들 간의 협상 결과와 관계없이 국민소득에는 영향이 없다는 것을 증명해서 거래비용이라는 새로운 개념을 도입했다.

(2) 시장실패의 새로운 해결방안

코스의 거래비용 연구 이전에는 시장실패의 해결방안으로 국가의 개입이 유일한 방안이라 여겼다. 그러나 코스의 정리로 인해 거래비용이 충분히 적다면 자발적인 거래에 참여하는 방안으로도 시장실패를 해결할 수 있다는 새로운 접근방법이 나오게 되었다.

2. 읽기 자료

배출권거래제도[26]

26)

배출권거래제도

🕐 답변 준비 시간 20분 | 답변 시간 20분

※ 다음 제시문을 읽고, 문제에 답하시오.

> (가) 어떤 공장에서 매연 배출로 인근에 사는 주민들 50명의 세탁물에 피해를 주는 경우를 생각해
> 보자. 이때 주민에게 주는 피해액은 연 100만 원이고, 매연배출방지설비를 공장에 설치하는
> 데 드는 비용은 연 70만 원이라고 가정하자. 그렇다면 사회적 관점에서 볼 때, 이 공해문제 해
> 결을 위한 가장 효율적 방법은 매연배출방지설비를 설치하는 것이다.[27]
> 코스(Coase)에 따르면 거래비용이 없는 경우, 매연배출방지설비 비용을 국민 또는 공장 어느
> 측이 부담해도 사회 전체적으로는 자원배분의 효율적 결과는 같다. 그러나 주민대표와 공장
> 측이 협상에 드는 거래비용이 연 80만 원이 든다고 가정해보자. 이 경우, 주민들에게 쾌적한
> 환경에서 살 권리를 인정하는 정책(A법)을 시행한다고 가정해보자. A법의 경우, 공장 측이 매
> 연을 배출하면 국민은 쾌적한 환경에 살 권리에 따라 이를 침해한 공장 측에 손해배상을 청구
> 하면 된다. B법은 공장 측에게 공해배출권을 인정하는 정책이다.
>
> (나) 창작자의 저작권을 인정하고, 저작물을 이용할 때마다 저작권자의 허락을 받고, 이용료를 내
> 도록 하는 제도가 규정된 저작권법이 제정되었다. 甲은 노래방 체인사업을 하는 자인데, 모든
> 노래 저작권자의 허락을 받기 위한 협상과정에서 시간과 비용이 너무 많이 들어 노래방 사업
> 을 포기할 수밖에 없었다.
>
> (다) A는 아파트 아래층, B는 아파트 위층에 산다. B가 여름철 전기요금을 줄이기 위해 미니 태양
> 광발전기를 설치하였다. B는 이로 인해 전기요금을 크게 감면받았다. 그러나 A는 이로 인해
> 큰 피해를 보았는데, 여름철에 건물 외벽을 따라 상승하는 뜨거운 공기가, B가 설치한 미니
> 태양광 발전기에 막혀 B의 아래층에 사는 A의 집 창문으로 들어가는 상황이 되었기 때문이
> 다. 이로 인해 A는 한여름에도 창문을 열 수 없고, 에어컨을 계속 가동할 수밖에 없어 A의 전
> 기요금이 크게 상승하였을 뿐만 아니라 A는 에어컨의 인위적인 바람 자체를 좋아하지도 않
> 는다. A는 B에게 태양광발전기 제거를 요구했고, B는 우선 A에게 사과를 한 뒤 동네 커피숍
> 에서 만나 협상을 하기로 하였다.

Q1. (가)의 상황에서 국회가 A법을 제정했을 때와 B법을 제정했을 때 결과가 어떻게 다른지 각각 논하고, 어떤 법을 제정하는 것이 타당한지 자신의 견해를 논하시오.

Q2. (가)의 상황에서 만약 거래비용이 없다고 가정할 경우, A법과 B법 각각에 따른 해결책은 무엇인지 논하시오.

Q3. (가)의 상황에서 거래비용이 0일 때와 거래비용이 80만 원일 때, 국가가 해결하는 방법상의 차이는 무엇인가?

Q4. (나)의 甲이 합리적 경제주체로서 노래방 사업을 포기할 수밖에 없는 이유를 설명하시오.

Q5. (나)의 문제 해결방안을 논하시오.

Q6. (다)의 경우, (가)의 코스의 정리에 따르면 어떤 결과가 나타나겠는가?

[27)]
박세일, <법경제학>, 박영사, p.75

Q1. 모범답변

A법을 제정하면 주민의 환경권이 인정되므로 주민들은 공장과 협상, 교섭하지 않으려 할 것입니다. 왜냐하면, 공장 측은 손해배상 청구를 당한 경우 100만 원의 배상을 해야 하므로 매연배출방지시설을 설치하려고 할 것입니다. 국민들은 이러한 사정을 알기 때문에 협상비용을 부담하면서까지 협상을 하지 않으려 할 것입니다. 따라서 국민들은 매연 배출로 피해를 입으면 손해배상을 청구할 수 있음을 알려 공장에 매연배출방지시설을 설치하도록 요구할 것입니다. 공장 측은 손해배상액 100만 원보다 매연배출방지시설 비용 70만 원이 적으므로 방지시설을 설치하는 선택을 할 것입니다.

그러나 B법을 제정하여 주민들이 거래를 한다면 공해방지시설비 70만 원과 거래비용 80만 원이 들어 모두 150만 원이 소요됩니다. 주민들로서는 150만 원의 비용을 부담하기보다는 오히려 공해배출로 인한 100만 원의 손해를 보는 것이 오히려 이익입니다. 따라서 주민들은 매연배출방지시설을 설치하려 하지 않을 것입니다. 그리고 공장 측은 매연배출권이 있으므로 매연배출방지시설을 설치하지 않을 것입니다. 따라서 B법을 제정하면 매연배출방지시설은 설치되지 않을 것입니다.

국회는 A법을 제정해야 합니다. 거래비용으로 인해 국민의 피해와 자원의 비효율성이 발생할 것이기 때문입니다. A법을 제정할 경우, 공장 측의 부담으로 매연배출방지시설이 설치될 것입니다. 그러나 B법을 제정할 경우, 매연배출방지시설이 설치되지 않을 것입니다. A법을 제정하면 사회적으로 부담해야 할 비용은 매연배출방지시설비용 70만 원이나, B법을 제정하면 사회적으로 부담해야 할 비용은 매연배출로 인한 주민 피해 100만 원이 됩니다. 따라서 B법을 제정할 경우 자원의 비효율성이 발생합니다.

Q2. 모범답변

거래비용이 없다고 가정할 경우, A법에 따르면 주민이 환경권을 가지게 되어 공장 측에 매연배출방지시설 설치를 요구할 것입니다. 이 경우 공장 측은 국민으로부터 손해배상을 청구 당하면 연 100만 원의 배상을 해야 하므로, 70만 원을 들여 공장이 매연배출방지시설을 설치할 것입니다.

그러나 거래비용이 없다면 B법에 따라 공장이 공해배출권을 가지게 되고 주민은 공장 측에 매연배출방지시설 설치를 요구할 수 없습니다. 공장이 매연을 배출할 경우, 주민들은 100만 원의 피해를 입고 주민들이 매연배출방지시설을 설치하면 70만 원을 부담하게 됩니다. 따라서 주민들은 100만 원의 피해를 입는 것보다 70만 원의 비용을 들이는 것이 더 이익이기 때문에 주민들이 자신의 비용을 들여 매연배출방지시설을 설치할 것입니다.

Q3. 모범답변

거래비용이 0일 경우에는 국가는 이해당사자들 간의 권리관계를 명확히 해두고, 문제해결은 당사자들이 시장에서 자율적 거래를 통해 문제를 해결하도록 해야 합니다. 왜냐하면 국가의 개입은 정부실패에 따른 비용이 발생하기 때문입니다. 그러나 거래비용이 80만 원으로 존재할 경우, 국가의 명령에 따라 문제를 해결하는 것이 오히려 거래비용을 줄일 수 있습니다.

Q4. 모범답변

　이용자가 저작물을 이용할 때 거래비용이 너무 큰 경우, 저작물의 이용이 제한되어 사회의 비효율성을 초래합니다. 이 문제에서 거래비용으로 인해 지식재산권의 이용 자체가 불가능한 상태에 빠져 비효율성이 초래되었습니다. 만약 저작물을 입력, 출력, 이용할 때마다 모든 저작권자로부터 허락을 받고 이용료를 협상하는 것은 현실적으로 어려울 뿐만 아니라 지극히 비효율적인 절차가 될 수밖에 없습니다.

Q5. 모범답변

　(나)의 문제를 해결하기 위해 거래비용을 낮출 방안이 필요합니다. 거래비용을 낮추는 방법으로 국가의 강제, 시장의 거래, 자발적 해결이 있을 수 있으나, 시장의 거래와 자발적 해결방법은 거래비용의 문제로 인해 논의의 시작조차 어려운 것이 현실입니다. 그렇기 때문에 국가의 강제라는 해결방안이 남게 됩니다.

　국가의 강제 방식은 국가가 저작물의 이용권한과 각종 비용, 이익을 일률적으로 정하여 이를 위반하는 자를 처벌하는 방식입니다. 예를 들어 국가가 노래 한 곡당 지급할 이용료, 노래의 저작권자인 가수와 작곡가, 작사가, 실연주자 등에게 이용료의 배분비율을 정하는 것입니다.

　그러나 국가의 강제는 개인의 자율성을 훼손하고 주변상황의 변화와 특수성을 반영하지 못하는 문제가 있습니다. 따라서 거래비용을 줄이면서 개별주체의 자율성을 존중하는 해결방안을 도출해야 합니다.

　이러한 해결방안으로, 노래 저작권단체에 한 곡을 이용할 때마다 일정한 이용료를 내도록 하고, 저작권자단체가 각 노래의 저작권자에게 저작권 이용료를 지급하는 제도를 도입하는 것이 바람직합니다. 막대한 거래비용을 소요하는 복잡한 협상절차에 의존하지 않고 판매총액 등에 비례한 일정한 이용료를 사전에 설립된 저작권자 단체에 지급하기만 하면 어떤 저작물이든 자유롭게 이용할 수 있도록 하는 법정이용허락제도가 도입되어야 합니다. 법정이용허락제도를 통해 개인이 창출한 창작물에 대한 노력과 이익을 보장하고, 사회가 창작된 지식을 다양하게 활용하도록 하여 사회 전체의 이익을 증대시킬 수 있습니다. 이를 위해 국가는 지적 창작물에 대한 권리를 인정하고 보호하며, 저작권자와 이용자를 각각 단체나 협회를 구성하도록 하여 이 집단끼리 계약을 진행하도록 관리·감독하는 역할을 해야 합니다. 높은 거래비용으로 인해 거래 자체가 일어나지 않을 수 있는 상황에서 국가는 이 거래비용을 낮추는 제도의 설계자, 감시자의 역할을 행함이 타당합니다.

Q6. 모범답변

　B의 아파트에 설치된 미니 태양광발전기는 B의 소유이기 때문에 B에게 권리가 있습니다. 현재 이로 인해 부정적인 외부효과가 발생하여 A에게 손실이 발생하고 있습니다.

　B에게 권리가 있으므로, A는 B의 자발적 철거를 유도해야 합니다. 따라서 A는 B에게 미니 태양광발전기 설치비용과 감면된 전기요금을 지불할 수 있습니다.

　이 경우, 거래비용이 낮기 때문에 자발적인 문제 해결이 가능한 것인데 A와 B는 거래비용이 동네 커피숍에서 만나는 시간적, 금전적 비용 정도가 소요될 뿐입니다.

1. 기본 개념

(1) 지식재산의 특성

지식재산은 무형의 재산이라는 특징이 있다. 이러한 특성으로 인해 창작자의 노력이 무시되기 쉽고, 모방자의 모방 의욕이 크다. 이에 더해 시장이 형성되기 위해서는 개인 차원에서 감당할 수 없는 막대한 거래비용이 소요된다는 문제점이 있다. 예를 들어, 음반 시장의 경우 노래 한 곡을 작사, 작곡하기 위해 창작자의 노력이 들어가지만, 이를 이용하려는 이용자가 창작자에게 이용료를 지불하는 것도 어렵다. 창작자가 누구인지, 이용자가 비용을 어떻게 지불해야 할 것인지, 지불해야 할 적정한 비용과 권리자의 수익 배분 비율은 어떻게 할 것인지 등등의 권리 시스템 구축이 필요하기 때문이다.

(2) 지식재산과 거래비용의 사례: 구글북스

2004년 말 구글(Google)은 프랑크푸르트 도서전에서 새로운 도서용 검색 엔진 '구글 프린트(Google Print)'를 소개하였다. '구글 프린트'는 이후 '구글 북서치', 현재는 '구글북스'로 서비스 영역과 서비스명을 바꾸었다. 책과 같은 저작물은 콘텐츠가 인쇄되어 있는 종이 자체가 중요하지 않고 해당 콘텐츠가 핵심이기 때문에, 기존의 저작물인 종이로 인쇄된 책을 스캔하여 전자적인 콘텐츠로 제공할 수 있다고 생각한 것이다. 이에 따라 구글은 종이책을 절단하는 등으로 손상시키지 않으면서도 책의 내용을 빠르게 스캔하고 오류를 보정할 수 있는 장비를 설계, 제작, 운용하여 디지털 도서관 서비스를 시작하고자 했다. 이 서비스가 시작된다면, 도서관들은 소장 도서의 보관과 색인의 어려움을 해소할 수 있으며, 이용자들은 인터넷을 통해 전 세계 도서관에 소장된 정보에 제한 없이 접근할 수 있을 것으로 기대되었다.

그러나 저작권이 해결되지 않아 구글의 디지털도서관 도전은 실패했다. 디지털 도서관을 만드는 비용보다 저작권 문제를 해결하는 비용이 더 막대하게 소요되는 문제가 발생한 것이다. 예를 들어, 미국 코넬대학 도서관에서는 343개의 논문을 디지털화하기 위해 이용허락을 얻는 비용으로 5만 달러를 사용했으나, 여전히 대상 논문의 58%는 저작권자를 확인할 수 없었다.

다만, 구글은 이 도전으로 방대한 콘텐츠를 보유하게 되었고, 이 데이터들은 구글 번역과 인간의 자연어를 처리하는 시스템인 대규모 언어모델(Large language model, LLM)의 기반이 되었다. 특히 대규모 언어모델은 생성형 AI와 관련하여 유명해졌고, 대표적인 서비스로 구글의 BERT와 PaLM, 오픈AI와 마이크로소프트의 ChatGPT, 메타(페이스북)의 LLaMA 등이 있다.[28]

2. 읽기 자료

고아저작물 이용[29]

28)

권리자불명 활용 방안

29)

고아저작물 이용

😀 답변 준비 시간 20분 | 답변 시간 10분

※ 다음 제시문을 읽고 문제에 답하시오.

각국 정부는 사업자들의 반경쟁적 행위, 예컨대 담합, 지배력 남용, 기업결합 등 경쟁을 제한하는 행위를 법으로 규제하고 있다. 그런데 모든 반경쟁적 행위를 규제하는 것은 아니다. 경쟁을 저해하거나 파괴하는 위법한 행위만을 규제한다. 규제당국이 어떤 기업의 행위가 반경쟁적이라는 점을 증명하였더라도, 피고 회사들이 자신의 행위가 경쟁을 저해하는 것이 아니거나 합리적인 이유가 있다는 점을 증명하면 위법하지 않고 규제를 면하게 된다. 다음은 미국에서 반경쟁적 행위는 인정되지만 그것이 위법한지 여부가 문제되었던 사건들이다.

A: 서부 개척시대를 지나 19세기 후반 이후 미국에서 장거리 수송 시장은 철도가 독점하고 있었다. 하지만 기술의 발전으로 20세기 중반부터 승용차와 트럭이 보급되고 전국에 고속도로가 거미줄처럼 건설되면서 도로를 이용하는 대형트럭들이 경쟁력을 갖게 되었다. 시간이 지날수록 트럭회사들은 점점 기차가 운송하던 화물을 더 많이 운송하게 되었고, 철도회사들은 그만큼 더 많은 화물을 뺏기지 않기 위해 필사적으로 노력하고 있었다. 이러한 시기에 미국 동부 펜실베니아 주에서 트럭 공정화법(Fair Truck Bill)이라는 법안이 제안되었다. 이 법안의 주요 내용은 펜실베니아 주의 도로에서 트럭들이 보다 많은 화물을 실을 수 있도록 하는 것이었다. 당연히 트럭에게 유리하고 경쟁자인 철도에게는 불리한 내용이었다. 펜실베니아 주 철도 사업자들과 협회는 이 법안의 통과를 저지하기 위해 똘똘 뭉쳐 강력한 로비를 벌였다. 결국 펜실베니아 주지사는 위 법안에 대해 거부권을 행사하였고 입법은 저지되었다. 참을 수 없었던 트럭 사업자들은 고심 끝에 철도 사업자들과 협회를 제소하였다. 그러나 연방대법원은 위법성을 부정하였다. 법원의 판단에는 로비가 원칙적으로 유권자인 이익집단의 주장을 입법자인 국회의원들에게 알릴 수 있는 수단이라는 성격이 반영되었다.

B: 음악 저작권자들은 자신의 음악이 방송되거나 공연될 때 이를 허락해주는 대가로 저작권료를 받을 수 있다. 하지만 문제는 누가 어디에서 얼마나 자신의 음악을 방송하거나 공연하는지 알 수 없다는 것이다. 이러한 문제를 해결하기 위하여 음악 저작권자들은 자신의 저작권을 일정한 기관에 신탁하고, 그 기관이 음악의 방송, 공연, 횟수를 파악하여 저작권료를 받아 저작권자들에게 전달하도록 했다. 1970년대 미국에는 이러한 일을 하는 업체가 두 군데(ASCAP와 BMI)가 있었다. 이들 신탁업체에 가입한 음악 저작권자의 수는 각각 2만 명이 넘었다. 이들에게 사용료를 내고 음악을 이용하는 주요 고객은 방송사들이었다. 그런데 주요 고객 중 하나였던 CBS는 이들 음악 저작권 신탁업체들이 보유하고 있는 음악의 저작권을 '통째로' 판매한다는 점을 문제 삼았다. 저작권 신탁업체들은 수많은 음악들을 모아 한꺼번에 저작권을 팔면서 어떤 음악인지 구별하지 않고 방송 횟수 등에만 비례하여 일정한 저작권을 일괄 징수하였다. CBS는 이 두 신탁업체를 제소하면서 이런 판매방식이 개별 저작권자들이 모든 음악에 대하여 저작권료를 담합한 것과 같다고 주장하였다. 그러나 연방대법원은 위법성을 부정하였다. 시장의 현실적 상황상 어쩔 수 없다는 점을 고려한 것이었다.

Q1. A사건에서 당신이 피고인 철도회사의 입장이라면 무엇을 주장하여 자신의 입장을 대변하겠는가?

Q2. A사건과 관련하여, 기득권을 지키기 위해 사업자들이 담합하여 새로운 사업자들의 영업을 못하게 하는 것과 새로운 사업자들이 영업을 어렵게 하는 법안의 통과를 위해 담합하여 로비하는 것은 무엇이 다르다고 보는가?

Q3. B사건이 A와 다른 가장 큰 차이점은 무엇이라고 보는가?

Q4. B사건에서 당신이 피고인 신탁업체의 입장이라면 무엇을 주장하여 자신의 입장을 대변하겠는가?

Q5. B사건 판결의 결론은 컴퓨터와 인터넷, AI 등 기술이 획기적으로 발달한 21세기 현대에도 똑같이 적용될 수 있는가?

Part 1
Part 2
Part 3
Part 4
Part 5
Part 6
Part 7

해커스 김종수 교소홀 면접 200주제

Q1. 모범답변

　제가 A사건에서 철도회사의 입장이라면, 철도회사의 로비가 경쟁을 저해하는 것이 아니라는 점을 주장할 것입니다.

　먼저, 철도회사의 로비는 경쟁을 저해하는 것이 아니라 오히려 경쟁을 촉진하는 것입니다. 과거에 철도가 장거리 수송을 독점하고 있었으나, 기술 발전으로 인해 대형트럭의 경쟁력이 상승했고 이미 철도 운송량의 상당부분이 이미 대형트럭으로 전환된 상황입니다. 이러한 추세에서 트럭공정화법이 제정되어 트럭들이 더 많은 화물을 실을 수 있게 허용된다면 철도 수송량은 줄어들 수밖에 없습니다. 철도의 경우, 철로를 신설하고 유지하고 보수하는 비용이 고정비용으로 막대하게 들어갑니다. 이러한 상황에서 트럭공정화법으로 인해 트럭 수송량이 더욱 늘어나게 된다면 철도 화물이 줄어들게 될 것입니다. 철도의 특징상 한꺼번에 많은 화물을 수송할 때 규모의 경제가 실현되어 운송비가 낮아지는 효과가 있습니다. 그런데 철도 화물수송량이 너무 크게 줄어들면 운송비가 높아지게 되고, 이로 인해 많은 화주들이 철도 수송을 꺼리게 될 것이며, 이는 운송비 증가와 철도 수송량 감소라는 악순환으로 이어지게 될 것입니다. 결국 장거리 수송 방법으로 철도는 사라지고 대형트럭만이 남게 되어 독점적 운송 시스템으로 귀결될 수 있습니다. 따라서 철도회사의 로비는, 경쟁을 저해하는 것이 아니라 장거리 수송 시장의 경쟁을 촉진하는 것이므로 타당합니다.

Q2. 모범답변

　경쟁의 저해 여부에 차이가 있습니다. 기득권을 지키기 위해 사업자들이 담합해 새로운 사업자들이 영업을 못 하게 하는 것은 경쟁을 거부하는 것입니다. 그러나 새로운 사업자들이 영업을 어렵게 하는 법안의 통과를 위해 담합하고 로비하는 것은 경쟁을 거부하는 것은 아닙니다. 사업자들 간의 자유로운 경쟁은 소비자의 후생 증대로 이어지기 때문에, 경쟁을 거부하고 담합하는 것은 소비자 후생 감소와 국민 피해가 일어나므로 규제해야 합니다. 그러나 새로운 사업자들이 영업을 어렵게 하는 법안의 로비는 기존 사업자와 새로운 사업자가 모두 로비할 수 있으므로 이 역시 경쟁의 일종이 될 수 있습니다. 게다가 소비자와 국민에게 어떤 효용이 있으며 어떤 피해가 발생할 것인지 공개적으로 논의할 수 있으므로 국가 발전을 기대할 수도 있습니다. 따라서 경쟁의 저해 여부에 차이가 있습니다.

Q3. 모범답변

　B사건이 A와 다른 가장 큰 차이점은 지식재산권의 특수성입니다. B사건의 경우, 지식재산권의 영역으로 거래비용으로 인해 시장 자체가 성립하지 않을 수 있다는 특수성이 있습니다. 이 경우 거래비용을 줄일 수 있는 방법을 찾아야 합니다.

Q4. 모범답변

제가 B사건에서 신탁업체의 입장이라면, 저작권을 통째로 팔 수밖에 없는 합리적 이유가 있다는 점을 주장할 것입니다.

합리성이란, 목적에 부합하는 수단을 선택해야 한다는 것입니다. 신탁업체가 저작물의 사용을 개별적으로 파악해야 한다면 저작권의 자유로운 이용 자체가 불가능해지기 때문에 목적을 실현할 수 없게 될 것입니다. 신탁업체에 가입한 음악 저작권자가 총 4만 명이 넘는 상황에서 방송사들이 어떤 음악을 얼마나 이용했는지 파악하는 것은 1970년대의 기술력으로는 현실적으로 불가능합니다. 저작권은 현실적으로 거래비용이 존재합니다. 만약 CBS의 주장처럼 음악의 저작권을 개별적으로 파악하여 징수해야 한다면, 엄청난 거래비용이 들 것입니다. 예를 들어, 음악 한 곡에는 가수, 작곡가, 작사가, 실연주자 등 다수의 저작권자가 권리를 갖고 있습니다. 그리고 이 음악을 방송할 경우, 어떤 용도로 사용했는지 얼마나 사용했는지 전곡을 사용했는지 일부만 사용했는지 등에 따라 모두 사용료가 다를 수밖에 없습니다. 이러한 상황에서 신탁업체가 방송사가 사용한 음악에 대해 일일이 개별 저작권자들의 권리를 판단해 징수를 해야 한다면, 막대한 거래비용에 비해 이익이 너무 적어 사업 자체가 성립할 수 없게 될 것입니다. 그렇다면 방송사는 저작권에 대한 비용 지불을 개별 저작권자에게 직접 지급해야 할 것이고, 4만여 명의 저작권자에게 일일이 연락하고 계약을 맺은 후 음악을 사용해야만 합니다. 그렇다면 음악 시장은 성립할 수 없게 되어, 저작권자도 방송사도 신탁업체도 이익이 되지 않아 사회적 피해가 더욱 커질 것입니다. 따라서 저작권을 통째로 판매한 신탁업체는 합리적 이유가 있으므로 위법하다고 할 수 없습니다.

Q5. 모범답변

B사건 판결의 결론은 21세기 현대에는 적용될 수 없습니다. 컴퓨터와 인터넷, AI를 이용해 저작권의 사용 여부와 저작권자의 권리 비율 등을 명확하게 구별할 수 있기 때문입니다. B사건 판결은 막대한 거래비용으로 인해 저작권을 통째로 판매하는 것이 불가피하게 허용된 것입니다. 그러나 현대사회는 컴퓨팅 기술을 이용한 고도의 정보화가 진행되었고, 통신기술이 발달해 이를 이해관계자 모두가 실시간으로 공유할 수 있을 뿐만 아니라, AI를 이용해 오류와 거래비용의 최소화가 가능합니다. 따라서 현대에는 성립할 수 없으며 개별 저작권자의 음악 각각에 대해 사용료를 징수해야 합니다.

Part 1
Part 2
Part 3
Part 4
Part 5
Part 6
Part 7

해커스 김종수 로스쿨 면접 200주제

1. 기본 개념

(1) 강제실시

공공이익을 위해 일정한 조건하에서 특허권자의 허락 없이 특허제품의 제조를 인정하는 제도를 말한다. 지식재산권자의 허락 없이 강제로 특허를 사용할 수 있도록 하는 특허의 배타적 권리에 대한 제약의 일종으로, 세계무역기구(WTO) '무역관련지식재산권협정(TRIPs)'에 규정되어 있는 내용이다.

(2) 병행수입

국내 독점 판매권을 갖고 있는 공식 수입업체가 아닌 일반 수입업자가 다른 유통경로를 거쳐 국내로 들여오는 것을 말한다. 지식재산권의 경우, 예를 들어 특허권이 있는 약에 대해 지식재산권을 인정하지 않는 인도, 브라질 등에서 이를 카피한 복제약을 들여오는 것을 의미한다.

(3) TRIPs(Agreement on Trade-Related Aspects of Intellectual Property Rights)

TRIPs는 특허권, 의장권, 상표권, 저작권 등 소위 지식재산권에 대한 최초의 다자간규범을 말한다. 국제적인 지식재산권보호 강화문제가 대두됨에 따라 지식재산권이 1986년부터 시작된 우루과이라운드(UR) 다자간협상의 한 가지 의제로 채택되었으며, 1994년 출범한 WTO의 부속협정으로 채택되었다. TRIPs 협정은 총 7부, 73개 조로 구성되어 있으며, 지식재산권의 국제적인 보호를 강화하고 침해에 대한 구제수단을 명기했다.

(4) 관련조항

> **TRIPs 30조** Members may provide limited exceptions to the exclusive rights conferred by a patent, provided that such exceptions do not unreasonably conflict with a normal exploitation of the patent and do not unreasonably prejudice the legitimate interests of the patent owner, taking account of the legitimate interests of third parties.
>
> **31조** Where the law of a Member allows for other use of the subject matter of a patent without the authorization of the right holder, including use by the government or third parties authorized by the government, the following provisions shall be respected: (b) such use may only be permitted if, prior to such use, the proposed user has made efforts to obtain authorization from the right holder on reasonable commercial terms and conditions and that such efforts have not been successful within a reasonable period of time. This requirement may be waived by a Member in the case of a national emergency or other circumstances of extreme urgency or in cases of public non-commercial use. In situations of national emergency or other circumstances of extreme urgency, the right holder shall, nevertheless, be notified as soon as reasonably practicable. In the case of public non-commercial use, where the government or contractor, without making a patent search, knows or has demonstrable grounds to know that a valid patent is or will be used by or for the government, the right holder shall be informed promptly.

2. 쟁점과 논거: 국가위기상황에서 강제실시 시행 찬반론

찬성론: 사회의 유지·존속	반대론: 지식재산권 보호
[사회의 유지·존속] 사회의 유지·존속을 위해서는 국민의 생명 보호라는 가치를 최우선시하여 전염병의 유행을 막아야 한다. 강제실시를 통해 많은 수량의 약품을 확보할 수 있고, 이렇게 확보된 약품을 국민에게 보급하여 질병을 예방 또는 치료해 국민의 생명을 보호할 수 있다.	**[개발자의 지식재산권 보호]** 개발자는 많은 시간과 노력, 비용을 들여 지식재산을 개발했다. 이 과정에서 성공도 실패도 가능한데, 실패할 경우 그 책임은 모두 개발자에게 귀속된다. 성공한 개발자의 자유와 노력을 지식재산권으로 보호하여야 한다. 강제실시는 이를 침해하며 일회성으로 그치는 것이 아니라 다른 필요가 있을 경우 반복될 수 있다는 우려가 있어 개발자의 개발의욕 저하를 불러온다.
[사회적 불평등 예방] 국민의 생명 보호가 사회적 가치라면 모든 사회 구성원은 이 가치 앞에서 동등하게 대우받아야 한다. 그런데 지식 재산권으로 인해 비싼 신약 가격이 위기상황에서 더 상승한다면, 부유층은 생명을 구할 수 있지만 빈곤층은 생명을 잃게 된다. 강제실시를 통해 재산에 따라 생명이 결정되지 않도록 해야 한다.	**[사회 발전 저해]** 지식재산권의 목적은 개발자의 노력을 이익으로 보상하여 개발의욕을 고취하고, 이를 통해 사회를 발전시키는 데 있다. 그런데 강제실시와 같은 지식재산권을 무효화하는 조치가 빈번해지면, 다른 분야의 개발자들 역시 사회적 목적을 위한 재산권 제한이 가능하기 때문에 노력할 유인이 줄어들어 다양한 지식이 창출되지 못한다.
[개발자의 지식재산권에 대한 실질적 보호] 지식재산권은 사회가 인정하는 제도이기 때문에 사회가 붕괴된다면 아무 의미가 없다. 강제실시는 사회적 문제를 시급하게 해결하고 문제 해결 후에 지식재산권자의 이익을 보상한다. 따라서 강제실시는 지식재산권 자체를 박탈하지 않고 사후정산을 통해 오히려 개발자의 이익을 보존해 준다.	**[국익 저해]** 국가위기상황을 이유로 강제실시를 통해 지식재산권을 무효화하면, 타국에서 우리의 지식재산을 보호받지 못하게 된다. 또한 지금 당장의 위기는 해결할 수 있겠지만, 차후의 위기에서는 신약을 공급받지 못하게 된다.

3. 읽기 자료

의약품특허 강제 실시[30]

특허강제실시의 기원[31]

30)

의약품특허 강제 실시

31)

특허강제실시의 기원

※ 다음 제시문을 읽고, 문제에 답하시오.

> (가) A제약회사는 난치병 치료에 탁월한 효능이 있는 신약을 출시하였다. 그러나 이 신약 가격이 너무 높아 난치병 환자들이 약을 구입하기 힘들다. 그래서 시민단체는 이 신약에 대해 정부가 강제실시를 해야 한다고 주장한다. 강제실시는 공공이익을 위해 일정한 조건하에서 특허권자의 허락 없이 특허제품의 제조를 인정하는 제도로, 세계무역기구(WTO) '무역관련지식재산권협정(TRIPs)'에 규정되어 있는 내용이다.
> 시민단체는 강제실시를 허용해야 하는 이유를 다음과 같이 제시했다. "특허권은 자본의 전유물일 수는 없으며, 특허를 받았다고 하더라도 민중의 생명과 관련된 긴박한 경우에는 국제적으로도 특허에 대한 '강제실시'를 허용하고 있다. 이 신약에 대해서도 강제실시를 실시하라는 것은 지금까지의 일관된 요구였다. 이러한 요구를 무시하고 특허를 빌미로 민중의 건강권을 침해하는 것이 사회적으로 결코 용인되어서는 안 된다." 이에 대해 A제약사 측은 엄청난 자본을 투자한 끝에 간신히 얻은 특허권을 부정하는 것은 재산권 침해라고 한다.
>
> (나) 세계적으로 코로나19가 유행 중이고 우리나라도 이로 인해 고통받고 있다. 이러한 상황에서 다국적 제약회사인 A제약사의 신약인 B가 코로나19의 치료 회복기간을 30% 단축할 수 있다는 임상결과가 나왔다. 그리고 현 상황에서 B는 임상결과가 입증된 유일한 치료제이다. 우리나라 정부는 코로나19가 대확산될 가능성에 대비하고자 B를 확보하려 하지만 신약의 생산량이 충분하지 않고 모든 국가들이 구매를 타진하는 상황이라 보유량 확보가 어려운 상황이다. 이에 우리나라 정부는 강제실시를 검토 중이다.
>
> (다) 코로나19가 확산될 때, 특히 개발도상국 국민의 생명이 위협받았다. 미국 등 선진국은 코로나19 관련 방역물품이나 백신 등을 우선적으로 확보하고 자국민의 투약분을 최대화하기 위해 타국 반출량을 강력하게 통제했다. 그리고 백신을 개발한 선진국 제약회사들의 특허권을 강력하게 보장해주었다. 그 결과 백신을 개발한 화이자, 모더나 등의 제약회사는 막대한 이익을 얻었다. 이에 국경없는의사회는 코로나 치료제와 백신에 대해 특허권을 중지해야 한다고 밝혔다. 반면 제약 업계는 신약 개발을 위해 거액의 돈과 많은 시간이 투자되었으므로 이윤을 창출할 권리가 있다고 밝혔다.

Q1. (가)의 상황에서 당국은 변호사인 당신에게 강제실시 허용 여부에 대한 문의를 해왔다. 어떻게 답하겠는가?

Q2. (나)의 상황에서 당국은 변호사인 당신에게 강제실시에 대한 자문을 구했다. 이 경우 B에 대한 강제실시를 해야 할 것인지 자신의 견해를 논하시오.

Q3. 병행수입은 국내 독점 판매권을 갖고 있는 공식 수입업체가 아닌 일반 수입업자가 다른 유통경로를 거쳐 국내로 들여오는 것을 말하는데, 약품의 경우 특허권이 있는 약에 대해 지식재산권을 인정하지 않는 인도, 브라질 등에서 이를 카피한 복제약을 들여오는 것을 의미한다. (나)의 상황에서 B에 대한 병행수입을 허용할 수 있는지 자신의 견해를 논하시오.

Q4. (나)의 상황에서 강제실시를 통해 치료제인 B를 확보하더라도 모든 국민에게 충분히 공급할 상황이 아니라고 하자. 국가적으로 강제실시를 시행하여 확보한 치료제이기 때문에 민간에 판매할 수는 없다. 국가에서 기준을 정해 우선순위에 따라 B를 배급할 수밖에 없는데, 그 우선순위는 어떻게 정해야 할 것인지 논하시오.

Q5. (다)의 상황에서 국경없는의사회의 의견을 '정의' 혹은 '공정성'에 의거하여 서술하시오.

Q6. (다)의 상황에서 제약회사의 의견을 '정의' 혹은 '공정성'에 의거하여 서술하시오.

Q7. (다)의 상황에서 저소득국가의 국민과 신약 개발 회사의 입장이 충돌하고 있다. 이에 대해 고려할 사항을 서술하시오.

Part 1
Part 2
Part 3
Part 4
Part 5
Part 6
Part 7

Q1. 모범답변

　　강제실시를 해서는 안 됩니다. A제약사 측의 특허권 침해문제로 손해배상청구 등이 제기될 우려가 있습니다. 특히 중요한 것은 우리나라 제약사의 특허권 침해도 동일하게 문제될 수 있다는 점입니다. 우리나라는 현재 복제약, 신약 개발과 같은 바이오산업에 투자가 늘어나고 있으며 글로벌시장에 신약을 출시하고 있는 상황입니다. 이런 상황에서 급박한 상황이 아님에도 불구하고 강제실시를 행한다면 우리나라 제약사의 신약도 타국에서 강제실시의 대상이 될 수 있습니다.

　　정부는 A제약사 측에 신약 가격이 너무 높아 부당하고 대체상품이 없는 반경쟁적 상황이라 강제실시를 고려할 수 있다고 하면서 신약 가격을 낮추도록 요구해야 합니다. 특히 국민들의 압력이 심하고 난치병 환자들의 생명을 보호하기 위한 긴급상황이므로 강제실시를 진지하게 고려할 수밖에 없는 상황이라는 것을 주지시켜 A제약사가 자발적으로 신약 가격을 낮출 수 있도록 유도해야 합니다.

　　강제실시는 보충적으로 사용해야 할 조치로, 국가가 문제를 해결할 수 없는 상황에서 실시할 수 있는 예외적인 조치입니다. 난치병이 국민의 생명과 직결되는 것은 확실하나, 갑자기 긴급한 상황이 된 것도 아니고 국가가 해결할 수 없는 것도 아닙니다. 따라서 강제실시의 요건을 만족하지 못하기 때문에 강제실시를 허용할 수 없습니다. 정부는 A제약사에 신약 가격 인하를 요구하면서, 난치병 환자에 대한 신약 처방에 대해 국민건강보험을 적용함으로써 이를 해결해야 합니다.

Q2. 모범답변

　　국민의 생명 보호를 위해 B에 대한 강제실시를 인정해야 합니다. 강제실시는 특허권자의 동의 없이 B를 생산하는 것이기 때문에 개발자인 A제약사의 특허권을 제약합니다. 그러나 강제실시를 통해 실현할 수 있는 공익인 국민의 생명 보호라는 가치가 B의 특허권자인 A제약사가 받는 불이익보다 크므로 강제실시를 해야 합니다. 무역관련지식재산권협정(TRIPs)에서는 국가비상사태나 긴급한 상황에 공공의 비영리적 목적을 위한 경우 강제실시를 허용하고 있습니다. 코로나19는 전 세계적인 팬더믹을 일으킬 가능성이 높고 우리나라 역시 그 위험성을 대비해야 하므로, 현재 유일한 치료제인 B를 사전에 충분한 양으로 확보해야 할 긴급한 상황이 존재한다고 볼 수 있습니다. 따라서 코로나19의 치료제인 B에 대하여 강제실시를 허용해야 합니다. 다만 특허권자인 A제약사의 특허권을 고려하여 국가 차원에서 A제약사에 적정한 특허료를 사후에 지불해야 할 것입니다.

Q3. 모범답변

병행수입은 팬데믹이 직접적으로 우려되는 매우 예외적인 상황일 경우, 필요량에서 우리나라 제약회사가 생산가능한 분량을 제외한 분량에 한하여 허용해야 합니다. 특허권을 인정하지 않는 나라에서 생산된 B를 수입하는 병행수입은 특허권을 인정하는 우리 법제에 적합하지 않습니다. 병행수입 허용은 자칫하면 우리나라가 특허권을 부정하는 국가라는 이미지를 국제사회에 줄 우려가 있습니다. 이로 인한 국가적 불이익을 고려하면 병행수입은 가급적 자제해야 할 것입니다. 따라서 병행수입보다는 우리나라가 통제할 수 있는 강제실시를 통해 B를 확보해야 합니다. 다만 우리나라 제약회사가 충분한 B를 생산할 능력이 없어 국민의 생명이 위험한 상황이라면 국민의 생명 보호를 위해 병행수입도 예외적으로 허용할 수 있습니다. 지식재산권보다 국민의 생명 보호를 우선해야 하기 때문입니다. 그러나 이 경우에도 강제실시로 달성되지 않는 수량에 한하여 병행수입을 해야 할 것입니다.

Q4. 모범답변

1순위로, 전염병에 실제로 걸린 환자들에게 지급해야 합니다. 국민의 생명 보호를 위해 강제실시나 병행수입까지 고려한 만큼 전염병으로 인해 생명의 위협을 겪고 있는 국민들에게 최우선적으로 지급해야 합니다.

2순위로, 전염병의 방역과 치료를 담당하고 있는 의료진과 방역당국에 먼저 지급해야 합니다. 국민의 보건권을 지키기 위해 생명의 위협을 받고 있는 의료진과 방역당국에 최우선순위로 먼저 지급해야만 효과적인 치료와 방역이 가능할 것입니다.

3순위로, 방역을 위한 이동 제한이나 검문을 할 군인과 경찰에게 지급해야 합니다. 전염이 확대되어 팬데믹이 발생할 경우에 대비해 치안을 담당할 군인과 경찰에 지급하여 사회의 혼란을 막아야 합니다.

4순위로, 유아와 아동, 노인 등 노약자에게 지급하여야 합니다. 사회는 질병에 취약한 자를 먼저 보호해야 합니다. 사회가 위험에 빠졌을 때 사회적 약자를 먼저 보호하지 않는다면 사회가 유지·존속될 수 없습니다. 코로나19의 경우 감염 시 중장년층은 사망에 이르는 경우가 드물지만 노년층은 사망에 이를 수 있어 노년층에 대한 지급이 먼저 이루어져야 할 것입니다.

Q5. 모범답변

국경없는의사회는 생명 보호를 위해 특허권을 중지해야 한다고 볼 것입니다. 생명은 기본적인 인권으로 보편적으로 달성되어야 할 가치이고, 누구나 생명을 보호받을 공정한 기회를 보장받아야 합니다. 생명은 인권의 기초로 가장 중요한 권리입니다. 코로나19는 선진국 국민과 개발도상국 국민을 가리지 않고 모든 생명을 위협합니다. 코로나19로 인한 피해는 세계 모든 국가가 동일하나, 백신 개발 이후에는 사회복지가 약하고 의료기반이 부족한 개발도상국에서 인명 피해가 집중되고 있는 실정입니다. 만약 코로나19와 같은 팬데믹 상황에서 특허권을 계속해서 보호하려 한다면 백신은 생명과 직결되어 있기 때문에 가격을 높이더라도 구매할 수밖에 없습니다. 그렇다면 고가의 백신을 살 수 있는 고소득층과 선진국은 생명을 구할 수 있고, 저소득층과 개발도상국은 생명을 구할 수 없어, 보편적 가치인 생명의 가치가 차등적이 되는 것입니다. 이는 결코 정의로운 결과라 할 수 없습니다. 따라서 특허권을 중지하여 보편적 인권인 생명이 부에 따라 차등이 발생하지 않도록 해야 합니다.

Part 1
Part 2
Part 3
Part 4
Part 5
Part 6
Part 7

해커스 김종수 토스클 면접 200주제

Q6. 모범답변

　　제약회사는 개발자의 지식재산권 보호를 통한 창작자의 의욕 고취를 위해 특허권을 보호받아야 한다고 주장할 것입니다. 코로나19와 같은 예측할 수 없는 재난을 극복하고 수많은 사람들의 생명을 보호하려면 지식수준이 높아져야 합니다. 창작자 개인은 무엇을 창작할 것인지 자신의 가치관에 따라 노력을 기울여 창작물을 만들어냅니다. 창작물의 독창성과 진보성이 있어야만 지식재산권을 인정받을 수 있으므로 창작자는 많은 비용과 노력을 기울일 수밖에 없습니다. 제약 업계는 신약 개발을 위해 신약 후보 물질의 발굴, 안정성 검사, 임상실험과 같은 신약 개발 과정에서 거액의 자금과 다수의 고급인력, 시간을 투자하였습니다. 특히 코로나19 백신은 mRNA 기술과 같은 최신기술이 적용되어 개발자와 기업은 더 큰 불확실성에서 백신을 개발한 것입니다. 지식재산권 보호를 중지할 경우 개발자와 기업의 노력과 비용을 회수할 수 없게 됩니다. 그렇다면 코로나19의 대유행을 예측할 수 없었던 것처럼 또다시 예측불가능한 대규모 감염병이 유행했을 때를 대비한 백신 개발의 유인이 낮아질 수밖에 없습니다. 그뿐만 아니라 최신기술이 적용된 코로나19 백신의 경우 제조공정상의 사소한 문제만으로도 효능을 보장하기 어려운 것이 사실입니다. 예를 들어 독일의 비온텍과 미국 화이자가 공동개발한 mRNA 백신의 경우, 바이러스의 유전정보만 알고 있으면 설계와 생산이 빠르게 이루어질 수 있으나 생산공정 유지와 생산 관리가 어렵고 매우 낮은 온도에서 진동이 없는 상태로 유통과 보관이 이루어져야 한다는 문제가 있습니다. 지식재산권 보호를 중지한다면 충분한 이윤을 얻을 수 없어 생산을 위한 시설 투자와 생산 공정 관리가 취약해질 수 있습니다. 그렇다면 생명을 구할 코로나19 백신의 효능이 저하되거나 더 강력한 백신을 개발할 유인이 줄어들어 인권 보호를 실질적으로 달성할 수 없을 것입니다. 이처럼 엄청난 비용이 들어가는 신약 개발에서 제약회사의 권리를 보호하지 않는다면 누구나 큰 노력이 들어가는 창작 대신 손쉬운 모방을 선택할 것입니다. 이는 각자에게 올바른 몫을 주어야 한다는 정의에 반하는 결과가 될 것이고, 새로운 창작물이 나오지 않아 재난을 극복하기 위한 지식수준의 향상은 불가능할 것입니다. 따라서 제약회사의 지식재산권을 보호해야 합니다.

Q7. _{모범답변}

저소득국가의 국민은 생명을 보호받아야 하나, 가난하기 때문에 돈을 지불할 능력이 부족합니다. 신약 개발 회사는 지식재산권을 보장받아 자신이 들인 노력과 비용을 보전받을 권리가 있습니다.

먼저, 제약회사가 가격을 낮출 수 있도록 조치해야 합니다. 저소득국가를 대상으로 하여 낮은 가격으로 신약을 판매하는 경우, 추가판매의 이익이라는 인센티브가 있도록 제도를 설계해야 합니다. 신약과 같은 지적 상품의 경우 한계생산비용이 대단히 낮다는 특징이 있습니다. 제약회사의 입장에서도 한계생산비용을 넘는 가격을 받을 수만 있다면 이익이 됩니다. 다만, 저소득국가에 판매하는 상품과 고소득국가에 판매하는 상품이 동일하므로 밀수 등으로 이익을 얻으려는 유인이 존재할 수밖에 없습니다. 예를 들어, 백신의 생산과 유통에 들어가는 최소비용이 1만 원이라 할 때, 제약회사의 입장에서는 1만 원보다 약간만 높은 가격을 설정하더라도 이익이 됩니다. 그러나 선진국의 백신 판매가격이 10만 원이라 할 때, 개발도상국의 판매가격에 구입하고 선진국에서 밀수로 판매하면 9만 원의 이익이 발생합니다. 따라서 고소득국가와 저소득국가의 판매가격을 차등화하는 것에 합의가 있어야 하고, 국제적으로 국가적으로 밀수를 막는 노력을 통해 제약회사가 저소득국가에 낮은 가격으로 판매하는 것을 독려해야 합니다.

그러나 이러한 방법으로도 제약회사가 저소득국가에 신약을 판매하지 않는다면, 저소득국가의 국민의 생명 보호를 위한 목적으로 일시적인 강제실시를 시행함이 타당합니다. 지식재산권의 보호를 일시적으로 정지시킴으로써 보편적 인권인 생명의 보호를 우선적으로 시행하여야 합니다. 그리고 이후 팬데믹 상황이 완화되는 것에 따라 사후 정산을 통해 지식재산권 관련 비용을 지불해야 합니다. 이를 통해 개발자의 의욕 고취와 제약회사의 영업의 자유를 보상해야 합니다.

2022 영남대/이화여대/인하대/전북대·2021 인하대·2020 동아대/영남대/인하대
2019 경북대/경희대/부산대/인하대/제주대/한국외대 기출

1. 기본 개념

(1) AI

지능이 필요한 업무를 기계에 시키고자 하는 노력, 기술을 말한다. 즉 기계로 하여금 보고, 듣고, 언어를 사용하여 소통하며, 필요한 정보를 획득하고, 문제를 해결하기 위하여 의사결정을 하며, 계획을 수립하고, 추론을 거쳐 상황을 파악하고, 새로운 사실을 배우고, 알고 있던 지식을 수정하고 보완하여 성능을 스스로 개선할 수 있는 능력을 갖게 하는 것이다. 여기에서 기계라는 것은 컴퓨터를 말한다. 이는 컴퓨터가 보편기계이기 때문에 만들어질 때부터 무엇을 할 것인지 결정되어 있는 것이 아니라 사용자가 무엇을 시킬 것인가로 그 용도가 결정되기 때문이다.

(2) 알고리즘

컴퓨터는 한 번에 하나의 명령만을 수행한다. 동시에 여러 작업을 수행하는 것처럼 보이는 병렬처리 컴퓨터는 여러 컴퓨터를 묶은 것이다. 컴퓨터를 이용해 문제를 해결하기 위해서는 컴퓨터가 해야 할 일을 차근차근 하나씩 지시해주어야 한다. 문제해결을 위한 단계적 방법을 알고리즘이라 한다. 결국 알고리즘은 문제를 해결하는 우리의 생각을 절차적으로 표현한 것이다. 이를 컴퓨터가 수행하면 생각이 자동화되는 것이다.

2. 읽기 자료

김진형, <AI, 최강의 수업>, 매일경제신문사
인공지능 법제 동향[32]
인공지능 사법적 쟁점[33]
EU의회의 인공지능법안[34]
인공지능법 제정안[35]

[32]

인공지능 법제 동향

[33]

인공지능 사법적 쟁점

[34]

EU의회의 인공지능법안

[35]

인공지능법 제정안

😈 답변 준비 시간 20분 | 답변 시간 15분

※ 다음 제시문을 읽고, 문제에 답하시오.

> (가) AI는 유년기의 인간과 마찬가지로 많은 정보를 누적시키고 이를 바탕으로 판단을 내린 후 그 결과를 피드백하여 학습한다. 이에 따르면 AI는 인간에게 해를 입히는 '나쁜 AI'로 성장할 수 도 있고, 인간을 돕는 '착한 AI'가 될 수도 있다.
>
> (나) 2016년 5월, EU 의회는 로봇 관련 보고서에서 AI를 갖춘 로봇에게 전자인간(Electronic Person)이라는 자격을 부여해서 권리와 의무를 부과하고, 로봇을 고용한 자에게 별도의 로봇 관련 세금을 부과할 것을 주장했다.
>
> (다) AI의 발전을 가장 잘 확인할 수 있는 것이 자율주행자동차이다. 미국도로교통안전국(NHT-SA)의 기준에 따르면 자율주행자동차 기술단계는 4단계이다. 1단계는 특정 기능의 자동화 단 계인 선택적 능동제어 단계이다. 현재 사용되는 차선이탈경보장치나 크루즈 컨트롤 등의 기 능이 1단계 기능이다. 2단계는 테슬라의 오토파일럿처럼 기존의 자율주행 기술들이 통합되어 기능하는 통합적 능동제어 단계로, 운전자들의 시선은 전방을 유지시키지만 운전대와 페달 을 이용하지 않아도 된다. 3단계는 차량이 교통신호와 도로 흐름을 인식해 운전자가 독서 등 다른 활동을 할 수 있고 특정 상황에서만 운전자의 개입이 필요한 제한적 자율주행 단계이다. 개발단계에서는 구글의 자율주행차, 상용화한 것으로는 아우디의 신형 A8이 자율주행 3단계 에 해당한다. 최고등급인 4단계는 모든 상황에서 운전자의 개입이 필요 없는 완전 자율주행 단계이다.

Q1. (가)에서 AI가 인간에게 해를 입히지 않도록 하려면 어떤 방안이 필요할 것인지 논하시오.

Q2. (나)에서 EU가 전자인간 자격을 부여한 이유는 무엇이라고 생각하는가?

Q3. (다)에서 자율주행자동차가 도로를 주행하게 된다면 교통상황은 어떻게 될 것인지 논하시오.

Q4. (다)의 자율주행자동차가 도로 주행 중 사고가 발생한다면 그 책임은 누구에게 있는지 논하시오. 자신 이 선택한 책임 주체 외의 다른 주체에게 책임을 부여할 수 있는지도 함께 논하시오.

Q1. 모범답변

현명한 인간이라 하더라도 실수 가능성이 있듯이 '착한 AI'도 치명적 실수로 인해 인간에게 해를 입힐 수 있습니다. 또한 범죄와 같이 타인에게 해악을 입히는 선택을 하는 인간이 있듯이 '나쁜 AI'로 인해 인간이 해를 입는 경우도 있을 수 있습니다.

먼저, '착한 AI'를 유도하기 위해서는 AI의 자율성에 대한 수준을 결정해야 합니다. AI가 자율성을 지니지 않는다면 인간이 결정하고 통제하기 때문에 사용하는 인간이 책임을 지게 됩니다. 그러나 AI가 인간과 무관하게 자율적으로 결정하게 한다면 AI 자체가 인간에게 선한 결정을 할 수 있도록 해야 합니다. 이를 위해서 AI 자체가 인간에게 해가 되지 않는 논리 구조를 갖추도록 AI를 설계해야 합니다. AI 연구개발자에 대한 윤리 규정과 법적 제재를 통해 이러한 논리 구조가 설계 단계에서 반드시 반영되도록 해야 합니다.

둘째, AI의 실수로 인해 인간이 해를 입는 경우를 막기 위해서는, 최종결정권을 인간에게 주도록 하는 방안을 제시할 수 있습니다. AI가 스스로 의사 결정을 하는 단계가 많아지면 자율성의 수준이 높아지는 것이고, 인간의 기대와 통제에서 벗어날 확률이 높아져 사고로 이어질 가능성도 커집니다. 따라서 최종결정권을 인간에게 주어 AI의 관찰, 판단, 결심이 행동으로 이어지는 마지막 단계에서 이를 통제할 수 있어야 합니다. 예를 들어 스티븐 호킹이나 일론 머스크는 AI를 멈출 수 있는 킬 스위치(Kill Switch)가 필요하다고 주장했으며, 구글은 인간이 수동으로 AI를 멈출 수 있는 'Big Red Button'을 적용하겠다고 했습니다.

마지막으로, AI에 대한 법적 규제를 사회적으로 합의해야 합니다. AI는 산업적으로 큰 이익을 가져다줄 가능성이 높고 인간 생활 전반에 큰 영향력을 줄 것입니다. 그만큼 산업 주도권을 놓고 기업별로 국가별로 기술 표준화를 선점하려 하는 경향도 큽니다. 즉, 이익을 위해 인간에게 해가 될 수 있는 산업 규제가 허용될 가능성 또한 크다고 할 수 있습니다. 따라서 인간을 위한 규제가 될 수 있도록 사회 전반의 폭넓은 논의가 꼭 필요합니다.

Q2. 모범답변

로봇에게 전자인간이라는 자격을 부여하는 것은 AI가 갖고 있는 자율성에 일종의 법인격을 부여하여 자유에 따른 책임을 지우기 위함입니다. 서양의 근대에 가내 수공업을 바탕으로 하던 경제체제가 기업화하면서 기업에 영업의 자유를 인정하는 법인(法人) 제도가 출현했습니다. 이는 인간이 곧 이윤을 추구하는 주체가 되는 1인 기업이나 가족 기업에서 벗어나 투자자와 기업 운영자, 노동자가 분리되는 형태의 거대 기업이 출현했기 때문입니다. 기업 자체가 인간이 아님에도 불구하고 이윤을 자유롭게 추구하는 것에서 비롯된 것입니다. 이와 마찬가지로 AI와 로봇이 자율성을 갖게 된다면 일종의 인격을 부여하고 그에 따른 자유와 함께 책임도 부여해야 하기 때문입니다.

로봇 관련 세금을 부과하는 이유는 AI와 로봇으로 인해 인간 노동자의 대규모 실업이 문제될 수 있기 때문입니다. 산업혁명 시대에 가내 수공업에서 소위 포드 시스템이 도입되면서 대규모 실업과 함께 노동자의 삶의 질 하락이 발생한 바 있습니다. 산업혁명 시대에 발생한 대규모 실업을 해결하기 위해 사회복지제도가 필요했고, 이를 위한 재원을 마련하기 위해 영업의 자유를 누릴 수 있는 가상의 주체인 법인을 인정하고 법인에 대한 세금을 부과하였습니다. 이와 마찬가지로 AI와 로봇을 이익 창출을 위한 자본으로 보아 자본에 대한 이익을 환수하는 일종의 자본세를 제안한 것이라 할 수 있습니다. 그리고 이 자본세를, 인간의 기본적 생활을 보장하는 사회보장제도 운영을 위한 재원으로 활용하겠다는 발상입니다.

Q3. 모범답변

자율주행자동차가 상용화되어 도로를 주행하게 되면, 첫 번째로 교통사고가 줄어들 것입니다. 교통사고의 원인 중 95%는 인간의 과실입니다. 인간은 전방주시 태만, 안전수칙 준수 위반(차간 간격 위반, 과속, 신호 위반), 음주운전, 졸음운전 등의 과실을 저지르는 반면, 자율주행자동차는 과실이 없을 것이므로 교통사고는 줄어들 것입니다.

두 번째로 교통상황 개선이 가능할 것입니다. 인간은 운전을 할 때 끊임없이 차선 변경 등을 하여 유령정체 등을 일으키는 경우가 많습니다. 그러나 자율주행자동차는 다른 차량과 통신 등을 통해 주변의 교통상황을 모두 살피면서 운전을 하게 되므로 교통상황이 개선될 것입니다. 그리고 자율주행자동차가 공유경제와 결합될 가능성이 높아 교통량이 더 줄어들 것이라 예측됩니다. 이에 따라 자원 낭비가 줄어들고 자원의 효율적 이용이 가능합니다.

Q4. 모범답변

자율주행자동차가 자율주행기능으로 도로 주행 중 사고가 발생한 경우 그 책임은 자동차 회사에 있다고 보아야 합니다. 자율주행자동차의 운전의 주체는 자동차입니다. 따라서 자동차를 운전한 주체인 자동차, 그리고 이를 제조한 회사에 그 책임이 있습니다. 자율주행자동차와 같이 고도의 과학적 기술이 내재된 기계장치의 경우 일반 국민이 이를 확인할 수 없고 단지 그 회사의 기술력을 신뢰하여 구입하고 운행기능을 사용한 것이므로 자율주행자동차 구매자와 소유자에게 책임이 없습니다. 이는 마치 택시에 탑승한 승객에게 교통사고의 책임이 없는 것과 마찬가지입니다. 따라서 자율주행자동차의 주행 중 사고는 자동차회사에 책임이 있습니다.

물론 자율주행 소프트웨어를 개발한 회사에도 책임이 일부 존재합니다. 그러나 이에 대한 책임 소재는 자율주행자동차 회사와 소프트웨어 회사 간에 다투어야 할 문제입니다. 자율주행자동차 회사는 자사의 자동차에 가장 잘 결합될 수 있는 소프트웨어 회사를 선택하고 계약하여 완성 자동차를 소비자에게 판매한 것입니다. 따라서 자동차 회사가 소비자에 대해 책임을 지는 것이 타당하고, 소프트웨어 회사는 자동차 회사와의 관계에서 구상(求償)을 하는 등으로 책임을 지게 될 것입니다.

2024 충남대·2022 이화여대 기출

1. 기본 개념

(1) 자율살상무기

자율살상무기, 자율무기체계(autonomous weapon system)는 통합 정보 및 사전 프로그램 통제 하에 독자적으로 목표를 선택하여 공격할 수 있는 무기체계를 의미한다. 드론의 경우, 인간이 직접 탑승하지 않은 무기를 원격지에서 인간이 조종하고 무기 사용과 목표물 공격을 결정하기 때문에 자율살상무기가 아니다. 자율살상무기는 AI와 결합하여 무기체계가 독자적으로 무기 사용 여부를 결정한다는 점에서 기존의 무기와 차이가 있다.

(2) 자율살상무기 도입 효과와 문제점

자율살상무기는 압도적인 효율성이 있다. 소수의 전문인원이 자율살상무기를 운용함으로써 다수의 인간 전투원 없이 전투와 전쟁을 수행할 수 없다. 전투에 투입되는 인원은 국민이자 군인으로서 비록 국가의 명령이기는 하나 인간의 생명을 위협하는 전투 임무를 수행하게 된다. 자율살상무기는 군인의 생명과 신체에 대한 직접적 위협을 제거하는 효과가 있다.

국민의 생명 보호라는 효과와 압도적인 효율성은 인명경시와 손쉽게 전쟁으로 돌입할 수 있다는 문제점으로 연결된다. 정치인이 전쟁을 결정할 때, 국민의 생명 손실을 감수할 만큼의 전쟁 정당화 사유가 있어야 하는데, 자율살상무기는 국민의 인명 피해가 적기 때문에 국가의 전쟁 결정이 손쉬워질 것이라는 우려가 제기된다. 마이클 샌델은 모병제 국가인 미국이 징병제를 택한 국가에 비해 전쟁 결정이 손쉽다는 문제를 제기하였고, 블랙워터와 같은 전쟁수행기업을 통해 전투원을 민영화하고 외부화하여 더 손쉬운 전쟁 결정으로 이어진다고 비판한 바 있다.

2. 읽기 자료

자율무기의 적법성[36]
자율무기체계[37]

36)

자율무기의 적법성

37)

자율무기체계

답변 준비 시간 15분 | 답변 시간 10분

※ 다음 QR코드를 촬영하면 연결되는 제시문을 읽고, 문제에 답하시오.

> (가) 인공지능과 로봇 기술이 발전하면서 기존에 인간이 접근할 수 없었던 심해, 화산, 우주 등 위험한 영역에서 자율적 임무 수행이 가능하게 되었다. 이에 따라 화산 지역, 핵 발전소 내부 등과 같은 인간이 활동할 수 없는 곳에서 지능형 로봇이 사용될 수 있다.
>
>
>
> 지능형 로봇
>
> (나) 자율살상무기가 개발되어 전쟁 수행의 효율성이 높아지고 있다. 자율살상무기로 인해 사상자 수가 줄어들고 군사비용을 절감할 수 있어 경제적이다. 또 감정적인 결정을 하지 않기 때문에 과도한 살상이나 반인도적인 전쟁을 예방할 수 있기도 하다.
>
>
>
> 전장 로봇

Q1. 제시문 (가)는 인공지능을 적극적으로 활용해야 한다고 주장한다. 이에 대해 제기될 수 있는 반론을 제시하시오.

Q2. 제시문 (나)는 자율살상무기를 도입해야 한다고 주장한다. 도입을 주장하는 핵심적인 근거를 제시하고, 이 주장에 대해 제기될 수 있는 반론을 제시하시오.

Q3. 전투용 로봇의 도입이 논의되고 있다. 전투용 로봇은 AI와 결합해 전투 목적의 자율살상무기를 말하는 것이다. 전투용 로봇의 개발과 사용을 허용해야 하는지 여부에 대해 자신의 입장을 정하여 논하시오.

Q4. 제시문 (나)에서 제시한 반론에 대한 해결방안을 제안하시오.

Q1. 모범답변

제시문 (가)는 인공지능 로봇이 인간이 접근 불가능한 영역의 접근과 문제 해결이 가능하다고 주장합니다.

그러나 인간이 접근 불가능한 영역에 대해 인공지능 로봇이 판단하고 선택하여 결정하기 때문에 돌발적인 상황에서 문제가 발생할 수 있다는 점에서 반론을 제기할 수 있습니다. 인공지능 로봇은 빅데이터를 기반으로 하여 어떤 상황에서 어떤 행동을 하는 것이 가장 좋은 결과를 내는 것인지 확률값을 계산하여 행동을 결정합니다. 이러한 귀납적 판단의 경우, 돌발적인 상황에서 기존에 데이터가 없이 의사 결정을 해야 한다면 더 큰 문제를 야기할 수 있습니다. 특히 인공지능 로봇이 심해, 화산, 우주와 같은 기존 데이터가 없거나 적은 상황에서 연구 혹은 행동해야 하기 때문에 이 문제는 더욱 심대한 문제로 이어질 수 있습니다.

Q2. 모범답변

제시문 (나)는 인간 보호에 기여하기 때문에 자율살상무기를 도입해야 한다고 주장합니다.

그러나 이에 대해 자율살상무기의 도입이 인간 보호에 역행할 수 있다는 반론이 가능합니다. 인공지능은 왜 그러한 결정이 내려졌는지 알 수 없는 블랙박스 구조를 기반으로 합니다. 인공지능의 의사결정은 빅데이터를 기반으로 하여 확률을 계산한 결과물인데 단지 그 결과가 현재 데이터 하에서 가장 좋은 결과임을 의미할 뿐 왜 그러한 결정이 내려졌는지 그 과정과 이유를 설명할 수 없습니다. 예를 들어, 자율살상무기가 한 마을의 민간인을 모두 사살하는 결정을 내려 그 임무를 실행했다면 우리는 이것이 전쟁 수행에서 가장 좋은 결과라고 받아들여야만 합니다. 그러한 결과를 도출해 낸 이유를 알 수 없으나, 마을 주민 중 일부가 테러리스트이고 테러리스트의 특정사건으로 인해 모든 주민이 무장시위를 하게 되어 아군에 큰 손실을 일으킬 가능성이 매우 높았기 때문에 결국 모든 마을 주민을 사살하는 것이 아군의 인명 손실을 예방하는 유일한 방법이라 가정할 수 있습니다. 그러나 이는 아직 발생하지도 않은 가능성을 줄이기 위한 수단으로 인간을 대하는 것이기 때문에 인간의 존엄성을 침해하는 것입니다. 심지어 이러한 의사결정과정의 결과물인지도 알 수 없습니다. 이처럼 자율살상무기는 인간 보호가 아닌 인간을 수단화하는 것일 수 있다는 점에서 반론할 수 있습니다.

Q3. 모범답변

전투용 로봇의 개발과 사용을 허용해야 합니다. 국가안보를 실현하고, 국민의 생명을 안정적으로 보호할 수 있기 때문입니다.

국가안보를 위해 전투용 로봇의 개발과 사용을 허용해야 합니다. 국가안보는 국민의 생명과 신체를 보호하기 위해 필수적인 가치임이 분명하고 국가는 이를 실현할 의무가 있습니다. 현재 전쟁의 양상이 변화하고 있으며 민간기술의 군사화로 인해 비대칭 전력이 국가안보를 위협하는 상황입니다. 예를 들어, 2019년 예멘 반군이 드론을 사용해 사우디아라비아의 국영석유기업인 아람코의 핵심시설을 파괴해 사우디아라비아의 석유 수출량이 절반으로 떨어지는 사태가 발생했습니다. 민간 기술을 적용하여 대당 2천만 원 정도의 드론 몇 대를 동원함으로써 국가핵심시설을 타격해 마비시킬 수 있음이 밝혀진 것입니다. 민간기술의 군사화로 인해 발생하는 국가안보의 위협에 대응하기 위해서는 인간보다 더 빠르게 반응하고 24시간 활동 가능한 전투용 로봇 등과 같은 군사기술의 획기적 전환이 필요합니다. 특히 우리나라는 북한과 군사적 대치 중인 상황이며 국경선을 마주하고 있기 때문에 더욱 그 필요성이 큽니다. 실제로 군사분계선에서 각종 경비시설과 인력의 눈을 피해 북한 군인이 월남하는 등의 사건이 일어난 바 있습니다. 만약 이것이 월남이 아니라 군사적 도발이었다면 국가안보에 큰 타격이 되었을 것입니다. 따라서 전투용 로봇을 적극 개발하고 사용함으로써 국가안보를 실현해야 합니다.

국민의 생명을 안정적으로 보호할 수 있으므로 전투용 로봇의 개발과 사용을 허용해야 합니다. 국가안보의 목적은 국민의 생명 보호입니다. 국민개병제를 택한 우리나라는 국민이 군인으로 복무하고 있습니다. 국가는 국가안보를 실현하기 위해 군인을 전투 목적으로 운용하지만 한편으로는 국민인 군인의 희생을 최소화해야 할 의무 또한 있는 것입니다. 전투용 로봇을 개발하고 사용하면 위험 상황에서 군인의 희생을 줄일 수 있습니다. 예를 들어, 미국 해병대는 참호에 숨어 있는 적을 제거하기 위해 군인을 진입시키지 않고 중화기를 장착한 4족 보행 로봇을 보내어 먼저 참호 속의 적을 제압한 후에 군인이 이동하는 전술을 실험하고 있습니다. 이처럼 군인의 생명을 안정적으로 보호할 수 있고 국민의 희생을 감소시킬 수 있으므로 전투용 로봇의 개발과 사용이 허용되어야 합니다.

Q4. 모범답변

자율살상무기로 인한 인간의 수단화를 막기 위해 자율살상무기를 국제적으로 규제하는 해결방안을 제시할 수 있습니다. 기업에 의한 AI 사용 등과 같은 국내적 상황하에서는 AI 알고리즘의 투명한 공개를 통해 해결 가능합니다.

그러나 전쟁은 국가 간의 무력 투사 행위이고 국가안보를 위한 행위 혹은 전쟁 승리를 위한 주권적 행위입니다. 국가안보와 직결된 군사적 사항에 대해 알고리즘의 투명한 공개를 요구하기는 현실적으로 어렵습니다. 이러한 점에서 자율살상무기는 국제적 규제를 통해 해결하는 것이 적절합니다. 핵무기의 관리, 통제가 국제적 규제에 의해 이루어지듯이 자율살상무기 역시 개별국가 수준이 아니라 국제적 규제를 통해 해결해야 합니다.

109 개념 AI 창작물의 권리 주체

1. 기본 개념

(1) 인공지능 저작물

2020년 발의된 저작권법 일부개정안의 규정에 따르면, 인공지능 저작물의 개념은 다음과 같다. 외부환경을 스스로 인식하고 상황을 판단하여 자율적으로 동작하는 기계장치 또는 소프트웨어, 즉 인공지능에 의하여 제작된 창작물을 말한다. 이 규정의 의미는 인간이 창작한 것만 저작물이 될 수 있다고 보았던 기존 저작권법의 원칙에 대한 예외가 마련되어 인공지능이 제작한 것도 저작물이 될 수 있다는 것이다.

(2) 저작물 성립요건

창작물로서 저작권을 인정받기 위해서는 첫째 창작성이 있어야 하고, 둘째 인간의 사상과 감정을 표현한 것이어야 한다.

먼저, 창작성은 남의 것을 단순 모방한 것이 아니라 창작자의 독자적 사상이나 감정이 표현된 것이면 충분하다. 인공지능이 과연 독자적 사상이나 감정을 표현할 수 있는지 판단이 문제된다.

둘째, 사상과 감정의 표현이 있다. 이 역시 철학적이나 심리학적인 의미가 있어야 하는 정도가 아니라 단순한 생각이나 기분 정도라도 충분하다. 인공지능의 저작물에 인간의 생각이나 기분이 인정될 수 있는지가 문제된다.

2. 읽기 자료

AI와 법[38]
AI 창작물 법적쟁점[39]
AI 창작물 저작권[40]
AI 창작과 저작권 딜레마[41]

38)

AI와 법

39)

AI 창작물 법적쟁점

40)

AI 창작물 저작권

41)

AI 창작과 저작권 딜레마

⏱ 답변 준비 시간 10분 | 답변 시간 10분

※ 다음 QR코드를 촬영하면 연결되는 제시문을 읽고, 문제에 답하시오.

> 재판부는 인도네시아 원숭이가 찍은 '셀카'의 저작권은 사진작가에게 있으며, 동물에게 저작권이 없다고 판결했다. 동물보호단체의 압박으로 사진작가가 일부 저작권을 포기하려 했으나 법원이 이를 막았다.

원숭이 셀카

Q1. 제시문의 내용과 같이 인도네시아의 한 섬에서 나루토라고 불리는 원숭이가 사진작가 데이빗 슬레이터의 사진기를 빼앗아 자기 모습을 촬영했다. 원숭이 나루토는 수백 장의 셀카를 찍었고 이 중 일부는 작품으로 손색이 없을 정도로 찍혀 데이빗 슬레이터는 이 사진을 실은 사진집을 발간했다. 이에 대해 '동물의 윤리적 취급을 옹호하는 모임(PETA)'은 이 사진의 작가는 원숭이인 나루토이며 저작권 또한 나루토에게 귀속되어야 한다고 주장했다. PETA의 주장을 논거를 제시하여 옹호하시오.

Q2. 원숭이인 나루토를 작가로 인정할 수 없고, 저작권 또한 인정할 수 없다는 입장을 논거를 제시하여 옹호하시오.

Q3. 인공지능 로봇이 렘브란트의 작품 364점의 화풍을 분석해 초상화를 새롭게 그렸다. 위 논의의 연장선상에서 그림을 그린 인공지능 로봇을 작가로 인정할 수 있는지, 그리고 인공지능 로봇이 그린 작품의 저작권을 인정할 수 있는지, 저작권을 인정할 수 있다면 저작권의 주체는 누구인지 논하시오.

Q1. 모범답변

사진을 찍은 것은 데이빗 슬레이터가 아니라 원숭이 나루토이기 때문입니다. 데이빗의 사진기를 사용하기는 하였으나, 사진을 찍은 것은 원숭이 나루토가 분명합니다. 또한 원숭이 나루토는 여러 장의 사진을 찍으면서 사진기 사용방법을 익히고 자신의 모습이 잘 나오도록 여러 번 수정하면서 사진을 찍었기 때문에 창작의 과정이 있었다고 볼 수 있습니다. 결국 원숭이인 나루토가 사진을 찍은 것이 분명하고 의미가 있는 사진을 찍기 위해 노력한 것이 분명하기 때문에 사진의 작가는 원숭이인 나루토이며 저작권 역시 나루토가 가져야 합니다. 다만, 원숭이인 나루토가 저작권을 행사할 수는 없으므로 동물단체 등이 이를 대신 행사하여 원숭이들의 환경 개선을 위해 사용함이 타당합니다.

Q2. 모범답변

원숭이 나루토의 촬영행위는 작가의 창작활동으로 볼 수 없기 때문입니다. 원숭이인 나루토가 사진을 촬영한 것 자체는 사실이나, 이는 데이빗 슬레이터의 촬영행위를 단순히 모방한 것에 불과합니다. 나루토의 촬영행위는 창작자로서 사상이나 감정을 표현한 것이 아니고 모방행위로 발생한 많은 결과물 중 하나가 마치 창작자의 작품인 것처럼 보인 것에 불과합니다. 나루토가 수백 장의 사진을 찍었고 그중에 우연히 한 장의 사진이 의미를 갖고 있는 것처럼 보인 것에 불과할 뿐이지 사상이나 감정의 표현으로서의 창작물은 아닙니다. 따라서 원숭이 나루토를 작가로 볼 수 없으며, 저작권 또한 인정할 수 없습니다.

Q3. 모범답변

초상화를 그린 인공지능 로봇을 작가로 인정할 수 없습니다. 그러나 인공지능 로봇이 그린 작품의 저작권은 인정할 수 있으며, 저작권의 주체는 인공지능 알고리즘을 설계한 개발자 혹은 기업에 있습니다.

먼저, 초상화를 그린 인공지능 로봇을 작가로 인정할 수 없습니다. 창작 표현은 사상이나 감정을 자기 방식으로 드러낼 수 있어야 하는데, 인공지능 로봇에게는 사상이나 감정이 없기 때문입니다. 위의 그림을 예로 들면, 인공지능 로봇이 새로운 창작물을 내놓았다고 인정하기 위해서는 사상이나 감정의 결과물이어야 합니다. 그러나 인공지능 로봇은 단순히 렘브란트의 작품을 분석해 도출된 화풍을 모방해서 그린 것뿐이지 그것이 사상이나 감정을 드러낸 것이라 할 수는 없습니다. 특히 인공지능은 이미 있는 사실들을 최대한 모아서 빅데이터화하고 이를 통해 예측을 내놓는 것이므로, 사상이나 감정의 자유로운 발현이나 선택을 한 것이 아니라 사실의 연장선상에 있는 것에 불과합니다. 따라서 이 초상화는 창작 표현이라 할 수 없고 인공지능 로봇을 작가로 인정할 수 없습니다.

그러나 인공지능이 그린 작품의 저작권은 인정할 수 있으며, 저작권의 주체는 인공지능 알고리즘 개발자입니다. 인공지능이 그린 작품은 개발자가 설계한 알고리즘의 결과물입니다. 알고리즘 개발자가 직접 그림을 그리는 것은 아니지만, 그림을 그릴 수 있도록 설계한 알고리즘은 개발자의 사상과 감정의 표현물이며 그러한 목적으로 한 노력의 결과물입니다. 예를 들어, 컴퓨터 게임의 배경 그래픽이나 지도는 인공지능 알고리즘에 의해 그때그때 만들어집니다. 컴퓨터 게임의 배경은 미리 모든 것을 그려둔 것을 보여주는 것이 아니라 시점이나 상황에 따라 배경이 만들어지도록 알고리즘을 설계합니다. 빛이나 바람 등의 방향과 세기 등을 고려해서 어떻게 배경이 보이게 될 것이고 그림자가 어떻게 생길 것인지를 계산하는 알고리즘을 설계해서 그 계산의 결과를 실시간으로 보여주는 것입니다. 게임을 설계한 개발자는 구체적인 배경과 지도를 일일이 그린 것은 아니지만 배경과 지도가 형성되도록 알고리즘을 설계한 것이므로 게임의 배경과 지도에 대한 저작권은 알고리즘 설계자에 귀속됩니다. 따라서 알고리즘을 설계한 개발자의 저작권을 인정할 수 있습니다.

Part 1

Part 2

Part 3

Part 4

Part 5

Part 6

Part 7

해커스 김종수 포스콜 명점 200주제

1. 기본 개념

(1) 자율주행자동차

자율주행시스템이 장착되어 운전자의 주도적 물리적 개입에 의한 차량의 지배와 주행상황의 장악 없이도 운행 가능한 자동차를 말한다. 자율주행시스템은 운전자의 지속적이고 적극적 물리적인 제어 없이 자동차가 교통상황을 스스로 인지하고 판단하여 가감속, 제동 또는 조향장치를 제어하는 기능 및 장치라고 정의된다.

(2) 운전자

운전자는 결국 운행의 책임을 지게 된다. 부분자율주행자동차의 운전석에 착석하여 자율주행자동차를 주행조작하는 자 또는 완전자율주행자동차의 운전자 주행모드에서 차량을 제어하는 자로 정의할 수 있다. 그러나 이는 자율주행의 레벨에 따라 달라지게 된다. 현행의 반자율주행차, 즉 속도 제어나 차선 변경 정도를 하고 있는 상태에서는 인간 운전자가 운전석에서 차량을 통제하고 반자율주행시스템이 이를 보조한다고 보기 때문에 인간 운전자가 운행의 책임을 진다. 그러나 자율주행자동차가 상용화된다면 제조사도 운전자에 포함되어야 한다. 이를 구체적으로 살펴보면 자율주행시스템의 공급 및 업그레이드를 담당하는 자율주행시스템 제조사, 기존 비자율주행자동차에도 장착이 가능한 자율주행 플랫폼 공급자, 그리고 자율주행자동차 제조사가 모두 포함된다. 또한 자율주행자동차는 주변 교통상황 정보를 사물통신기술을 통해 전달받아 이에 근거해 주행 진로 등을 결정하기 때문에 차량 사물통신(V2X) 및 인공지능 기술의 융합을 고려하여 도로교통정보 제공자도 이에 포함되는 것이 적절하다.

(3) 자동차보험

자동차의 운행은 항상 사고의 위험을 수반하기 때문에 손해배상을 보장하는 보험 가입이 의무화되어 있다. 자율주행자동차의 경우, 보유자가 보험에 가입해야 한다는 견해와 제조사가 보험에 가입해야 한다는 견해가 있다. 반자율주행자동차의 경우에는 보유자인 운전자가 보험에 가입해야 한다. 완전자율주행자동차의 경우 제조사에도 배상책임이 부여될 수밖에 없기 때문에 제조사 역시 보험에 가입해야 한다.

2. 읽기 자료

안드레아스 헤르만 외, <자율주행>, 한빛비즈
자율주행차 사고 책임[42]
자율주행차 법률안[43]
자율주행차 상용화[44]
AI 민사책임[45]
AI 민사법적 책임[46]

42)

자율주행차 사고 책임

43)

자율주행차 법률안

44)

자율주행차 상용화

45)

AI 민사책임

46)

AI 민사법적 책임

⏱ 답변 준비 시간 20분 | 답변 시간 20분

※ 다음 제시문을 읽고, 문제에 답하시오.

(가) 어느 개인이든 다수의 사람들이든 성년의 다른 사람에게, 그 사람이 자신의 삶에 관련된 이익을 위해 행하기로 결정한 것을 하지 말라고 말하는 것은 정당하지 않다. 자신의 복리에 가장 관심 있는 사람은 그 자신이다. 어떤 다른 사람이 그에 대해 가질 수 있는 관심은 강한 개인적 애착을 가진 경우를 제외하고는 그 자신이 가지는 관심에 비하면 사소하다. 사회가 그 사람 개인에게 가지는 관심은, 타인에게 행하는 그의 행동과 관련된 것을 제외하면 미미하고 전적으로 간접적인 반면, 가장 평범한 남자나 여자라도 자신의 감정 및 상황과 관련해서는 다른 누가 소유할 수 있는 것보다 무한히 더 우월한 지식 수단을 가지고 있다. 그 사람 자신에게만 관련되는 일에서 그의 판단과 목적을 좌우하려는 사회의 간섭은, 전적으로 잘못된 것일 수 있다는 일반적 추정에 기초해 있음에 틀림없다. 또 그 일반적 추정이 설혹 옳다고 하더라도, 그것이 개별적 경우에 적용될 때, 그러한 경우의 정황에 대해 단순한 외부 관찰자보다 더 잘 알지도 못하는 사람들에 의해 어쩌면 잘못 적용될 수도 있다. 따라서 개성은 인간사의 이 영역, 곧 자신에게만 관련되는 영역에서 그 적절한 활동 무대를 가진다. 인간 상호 간에 이루어지는 행동에서는, 일반적 규범들이 대부분 준수되어 사람들이 무엇을 기대해야 할지를 알 수 있게 하는 것이 필요하다. 그러나 각자 자신의 관심사에서는, 그의 개인적 자발성이 자유롭게 발휘될 권리가 있다. 그의 판단을 도우려는 배려, 그의 의지를 강화하려는 권고가 타인들에 의해 그에게 제공될 수 있고, 심지어 그에게 강요될 수도 있다. 그러나 그 자신이 최후의 재판관이다. 그가 충고와 경고에 반해 저지를 수 있는 모든 오류는, 타인들이 그에게 그들이 생각하는 그의 이익을 강제하는 해악보다 훨씬 더 가볍다.

(나) 죄수의 딜레마(prisoner's dilemma; PD)의 상황은 다음과 같다. 두 명의 사건 용의자는 체포되어 서로 다른 취조실에서 격리되어 심문을 받기에 서로 간의 의사소통은 불가능하다. 이들은 자백 여부에 따라 다음의 선택이 가능하다.

1. 둘 중 하나가 배신해 죄를 자백하면 자백한 사람은 즉시 풀어주고 나머지 한 명이 10년을 복역해야 한다.

2. 둘 모두 서로를 배신하여 죄를 자백하면 둘 모두 2년을 복역한다.

3. 둘 모두 죄를 자백하지 않으면 둘 모두 6개월을 복역한다.

- 죄수 A의 선택: 죄수 B가 침묵할 것으로 생각되는 경우 자백이 유리하다. 죄수 B가 자백할 것으로 생각되는 경우 자백이 유리하다. 따라서 죄수 A는 죄수 B가 어떤 선택을 하든지 자백을 선택한다.

- 죄수 B의 선택: 죄수 A와 동일한 상황이므로, 죄수 A가 어떤 선택을 하든지 자백이 유리하다.

- 균형: 죄수 A, B는 모두 자백을 선택하고 각각 2년씩 복역한다.

이 게임의 죄수는 상대방의 결과는 고려하지 않고 자신의 이익만을 최대화한다는 가정하에 움직이게 된다. 이때 언제나 협동보다는 배신을 통해 더 많은 이익을 얻으므로 모든 참가자가 배신을 택하는 상태가 내쉬균형이 된다. 참가자 입장에서는 상대방의 선택에 상관없이 배신을 하는 쪽이 언제나 이익이므로 합리적인 참가자라면 배신을 택한다. 결국 둘 모두 2년을 복역하게 되어 둘 모두 배신하지 않고 6개월을 복역하는 것보다 나쁜 결과를 낳게 된다.

그러나 의사소통이 단절된 상태에서는 상대방을 신뢰할 수 없다. 죄수 A는 죄수 B가 어떤 선택을 할 것인지 알 수 없고, 죄수 B 역시 마찬가지이기 때문이다. 결국 이 불신의 결과 자신의 이익을 극대화하고자 하는 합리적 선택이 자신과 사회 모두에 불이익이 되는 결과로 이어지게 된다. 이러한 죄수의 딜레마 상황에서는 사회적 이익과 개인적 이익의 극대화를 위해 국가의 강제력 행사가 해결방안의 하나일 수 있다.

(다) 유령정체라는 것이 있다. 많은 운전자들은 이상한 경험을 한다. 고속도로를 한참 쌩쌩 달리다가 특별한 이유 없이 도로가 갑자기 꽉 막혀 도무지 움직이지 않다가 다시 뻥 뚫리는 것이 바로 그것이다.

교통사고가 난 것도 아니고, 다른 어떤 이유도 없는데 갑자기 차량이 정체되는 것이다. 이를 유령정체라 한다. 캐나다와 미국의 공동연구팀은 블랙박스 영상을 통해 유령정체를 연구했다. 이들은 차량 정체가 유독 심한 2차로 고속도로에서 운전자들이 어떻게 행동하는지 분석했다.

그 결과 많은 운전자들이 자신이 차로를 바꿔 다른 차들을 앞서간 것보다 옆 차로에서 자기를 앞질러 간 차들이 더 많다고 인식하는 것으로 확인됐다. 운전자들이 꽉 막힌 도로에서는 소통이 원활할 때보다 옆 차로를 바라보는 시간이 더 많기 때문이다. 도로에서 운전자가 차선을 바꾸며 다른 차를 추월할 때는 속도를 순간적으로 높여야 하기 때문에 몇 대의 차를 추월했는지 정확히 알지 못한다. 반면 다른 차가 내 차를 추월할 때는 상대편의 차 속도가 더 빠르고 시야의 앞쪽에 있기 때문에 내 차는 다른 차들보다 더 느리고 뒤처진다고 생각하게 되는 원리이다.

이에 더해 손실혐오 심리가 더해진다. 손실혐오는 행동경제학의 창시자인 대니얼 카너먼이 연구한 개념으로, 손실혐오 심리는 이득과 손실이 동일하더라도 사람들은 자신이 손해 본 것에 대해 더 심각하게 생각한다는 것이다. 몇몇 사람의 손실혐오 심리로 인해 누군가가 차선을 바꾸면 뒤에 있는 차들은 연쇄적으로 브레이크를 밟게 되기 때문에 꼬리의 가장 마지막에 있는 차량은 급제동을 해야 하는 사태에 직면하게 되는 것이다. 예를 들어, 실제로 정체가 없는 2차선 도로에서 1차로를 달리던 자동차 A가 2차로로 갑자기 차로를 바꾸었다고 하자. 2차로를 달리던 자동차 B는 끼어든 자동차 A와 충돌을 피하기 위해 속도를 줄이게 된다. 그러면 자동차 B 뒤에 있던 자동차 C도 속도를 줄이게 된다. 이때 자동차 C가 앞서가기 위해 1차선으로 갑자기 차로 변경을 하면 1차로를 달리던 자동차 D가 속도를 줄이게 된다. 자동차 D의 뒤에 있던 자동차 E도 속도를 줄이게 된다. 결국 1차로와 2차로 모두 꼬리의 마지막 차량들은 급제동을 해야 하는 사태로 이어진다. 차로 변경과 감속이 반복되는 과정이 동시다발적으로 일어나면서 해당 도로는 엄청난 교통체증이 발생한다. 이것이 유령정체가 순식간에 발생하는 이유이다.

(라) 자율주행차는 시간 활용 및 절약에 도움을 준다. 대도시에 사는 사람들은 교통 상황에 따라 일과를 계획해야 한다. 출퇴근하는 사람들이 차량 정체로 인해 차 안에서 낭비하는 시간은 미국에서만 해마다 약 69억 시간에 이른다. 이들은 가다 서기를 반복하는 교통 상황에서 남는 시간을 활용하지도 못한다. 법에 따라 전방을 주시해야 하기 때문이다. 이런 일에서 운전자를 해방시키면 자유시간이 생긴다. 운전자는 이렇게 생긴 시간에 편히 쉬거나 이야기를 나누거나 일을 할 수 있을 것이다.

자동차가 다른 자동차 및 기반시설과 연결되면 서로의 속도와 경로가 조율되기 때문에 차량 흐름이 개선된다. 이런 식의 통제가 이루어지면 교통 정체 없이 훨씬 많은 차가 도로를 이용할 수 있을 것이다. 자율주행차를 도입하면 도로의 수용량이 최대 500% 늘어날 수 있다는 연구 결과도 있다. 자율주행차는 내연기관이 되었든 전기 드라이브가 되었든 구동장치와 관계없이 환경오염을 감소시킬 것이다. 미국에서 현재 자동차 연비는 연료 1리터당 12.8km인데, 자동화의 단계가 올라갈수록 연비는 크게 향상된다. 자율주행차는 에너지를 절약하도록 프로그래밍할 수도 있고, 다른 자동차나 교통신호등과의 정보 교환을 통해 급제동이나 급가속을 피할 수 있다. 또 개개의 차량이 에너지 소비를 최소화할 수 있는 경로를 선택할 수 있다.

하지만 자율주행차 시대가 도래하면 차량의 수가 훨씬 늘어날 것으로 예상된다. 도심지나 마지막 구간에서 택시 역할을 할 자율주행차가 대량으로 운행될 것이고, 기존에 차를 잘 이용하지 못하던 사람들, 즉 어린이, 노인, 장애인 등의 차량 이용이 늘 것이기 때문이다. 미국에서만 해도 이런 사람이 급증하고 있다. 예를 들어 매일 약 8,000명의 베이비붐 세대가 65세를 맞이한다. 또한 자율주행차가 생활, 수면, 업무공간의 역할을 하도록 발전할 것이기 때문에 사람들이 도로에서 보내는 시간이 늘어날 것이다. 이러한 전망들 중에 어떤 현상이 더 우세할지는 여전히 논쟁 중이다. 하지만 여러 연구 결과를 보면, 주행 효율 개선으로 인한 긍정적 영향이 교통수단 이용이 늘면서 생기는 부정적 영향을 상쇄할 것으로 예상된다.

Q1. 제시문 (가)와 (나)를 각각 요약하시오.

Q2. 제시문 (나)에서 죄수의 딜레마를 해결할 방안 두 가지를 도출하시오.

Q3. 제시문 (다)에서는 유령정체의 원인을 다양하게 제시하고 있다. 이로부터 추론할 수 있는 유령정체 현상의 근본원인을 제시하시오.

Q4. 제시문 (라)는 자율주행차를 도입할 경우 도로를 주행하는 차량이 늘어날 것이라 예상하는가 혹은 줄어들 것이라 예상하는가? 또한 도로의 정체는 줄어들 것이라 예상하는가 혹은 늘어날 것이라 예상하는가?

Q5. 자율주행차가, 도로를 주행하는 차량이 늘어나지만 도로의 정체를 줄이는 변화를 일으킬 수 있는 이유는 무엇인지 제시하고 어떻게 정체 문제가 해결될 수 있는지 논하시오. 그리고 이것이 가능하기 위한 조건을 추론하여 제시하시오.

Q1. 모범답변

(가)는 개인에게 자유와 개성을 보장해야 한다고 주장합니다. 이를 통해 사회의 이익을 극대화할 수 있기 때문입니다. 개인은 자신의 이익을 가장 잘 알고 있는 주체이므로, 개인에게 자유를 보장하면 개인들은 자신의 이익을 극대화하기 위해 노력할 것입니다. 그 결과 개인들의 이익의 합인 사회의 이익 역시 극대화될 수밖에 없습니다.

반면, (나)는 개인의 자유를 제한할 수 있다고 주장합니다. 개인의 자유 보장이 곧 사회의 이익 극대화로 이어지지 않을 수 있기 때문입니다. 죄수의 딜레마 상황에서는 개인에게 자유를 보장하더라도 사회적 이익이 극대화되지 않을 수 있습니다.

Q2. 모범답변

(나)에서 죄수의 딜레마를 해결할 수 있는 두 가지 방법은, 국가가 강제하는 방법과 주체 간의 의사소통을 활성화하는 방법이 있습니다.

먼저, 국가의 강제력 행사를 통해 죄수의 딜레마를 해결할 수 있습니다. 서로를 신뢰할 수 없어 최악의 선택을 하는 두 주체에게 제3자에 해당하는 국가가 두 주체 모두의 이익을 증진시킬 수 있는 선택을 강제함으로써 사회적 이익을 극대화할 수 있습니다.

둘째, 주체 간의 의사소통을 활성화하여 죄수의 딜레마를 해결할 수 있습니다. 죄수의 딜레마는 서로를 신뢰할 수 없어 발생하는 문제입니다. 따라서 서로가 배신하지 않을 것임을 의사소통을 통해 신뢰할 수 있다면 국가의 강제력 행사 없이도 죄수의 딜레마를 해결할 수 있습니다.

Q3. 모범답변

(다)의 유령정체의 원인은 개별 운전자의 비합리성 때문입니다. 개별 운전자는 자신의 이익, 즉 목적지에 일찍 도착하고자 합니다. 이 과정에서 개별 운전자는 자신보다 옆 차선의 차량이 더 빨리 가고 있다는 심리적인 착오로 인해 차선을 변경할 유인을 갖게 됩니다. 특정 차량이 차선을 변경할 경우 차선 변경한 차량의 뒤에서 주행하는 차량은 감속하게 되고 해당 차선의 모든 차량이 연쇄적으로 감속하게 되어 정체가 발생합니다. 차선을 변경한 차량이 특별히 빨리 갈 수 없음에도 불구하고, 단지 한 차량이 차선을 변경한 것만으로도 전체 차량의 정체가 발생할 수 있습니다. 이는 개별 차량은 합리적인 선택을 했다고 생각하나 해당 차량 운전자의 이익도 사회적 이익도 달성하지 못하는 결과를 초래합니다. 이는 도로와 차선을 늘린다고 하여 해결될 수 있는 문제가 아닙니다.

Q4. 모범답변

(라)는 자율주행차를 도입하면 도로를 주행하는 차량은 늘어날 것이라 예상합니다. 항공이나 철도 등 장거리 이동의 말단에서 단거리 이동으로 이어지는 택시 역할의 자율주행차가 증가할 것이고, 어린이나 노인, 장애인 등과 같은 기존에 자동차를 이용하지 못했던 이용자가 자율주행차를 이용하게 될 것이기 때문입니다.

또한 도로의 정체는 줄어들 것이라 예상합니다. 도로를 주행하는 차량은 늘어날 것이지만, 차량의 흐름이 개선되어 현재보다 최대 5배의 차량이 도로를 주행할 수 있을 것이라고 기대하고 있습니다. 주행차량이 현재의 5배에 달하지 않는다면 도로의 정체는 현재보다 줄어들 것이라 예상할 수 있습니다. 그러나 자율주행차는 운전자가 필요 없으므로 공유경제화되어 도로를 주행하는 차량이 늘어나더라도 현재보다 5배 이상의 자동차가 도로를 주행할 것이라 보기 어렵습니다. 따라서 도로의 정체는 줄어들 것입니다.

Q5. 모범답변

자율주행차가, 도로를 주행하는 차량은 늘어나지만 도로의 정체는 줄어드는 변화를 일으킬 수 있는 이유는, 인간과 달리 자율주행차는 서로 통신을 하여 정보를 공유하는 등으로 의사소통을 하기 때문입니다. (다)의 유령정체와 같이 인간 운전자는 자신의 상황만을 알고 있을 뿐 도로 전체의 상황과 다른 주행차량의 상황을 알지 못합니다. 그러나 자율주행차는 다른 자동차와 교통기반시설과 서로 통신을 하면서 정보를 공유하기 때문에 최적의 차량 흐름을 만들어낼 수 있습니다.

그리고 이것이 기능하기 위한 조건으로는 자율주행차가 실용화된 단계에서 인간 운전자의 운전이 금지되어야 합니다. 도로를 주행 중인 자율주행차는 서로 정보를 공유하면서 각각의 차량들이 전체적인 차량 흐름을 원활하게 하기 위해 움직이게 됩니다. 그러나 인간 운전자는 자신의 생각과 판단에 따라 자유롭게 자신의 차량만을 움직이게 되기 때문에, 다른 자동차와 자율주행차가 이를 예측할 수 없고 그 판단을 신뢰할 수 없습니다. 따라서 인간 운전자의 운전을 금지해야만 도로 정체를 줄일 수 있습니다.

2024 제주대·2021 제주대·2020 영남대/한국외대 기출

1. 기본 개념

(1) 제3의 물결

인류의 발전을 이끈 혁명은 앨빈 토플러에 따르면 크게 3개의 물결이 있다.

제1의 물결은 농업혁명이다. 인류는 농경 기술을 익혀 신석기 이래로 식량을 재배해서 자급자족하게 되었다. 그 결과 문자, 도시, 건축, 국가체계 등의 문화 발전이 가능했다. 농업혁명으로 어민이나 수렵채집인은 농민이 되었고, 이 시기에 가장 중요한 자산은 토지였다.

제2의 물결은 산업혁명이다. 증기기관의 발명으로 공업 생산이 급격하게 증가했다. 농민은 공장 노동자로 변모했고, 공업 생산의 에너지원인 석탄, 석유 등의 중요도가 높아졌다. 에너지의 효율적 사용과 자원의 집약을 위해 공장이 밀집하고 사람들이 모여들어 대도시가 형성되었다. 이 시기의 중요한 자산은 자본이다.

제3의 물결은 정보혁명이다. 컴퓨터를 사용한 정보화와 인터넷을 이용한 네트워크화는 인간이 지식을 형성하고 정보를 교류하는 것을 획기적으로 확대시켰다. 이 시기의 중요한 자산은 지식과 정보이다. 지식과 정보를 많이 소유한 자가 더 많은 부를 누릴 수 있는 사회가 되고 있다.

(2) 이전의 산업혁명

1차 산업혁명은 기계혁명이다. 1760년대 영국에서 일어난 증기기관과 방직기의 발명이 대표적인 사례이다. 농경시대에 중국은 넓은 토지와 많은 인구를 통해 1인당 GDP가 영국보다 훨씬 높았다. 그러나 영국에서 증기기관이 발명되면서 산업혁명이 일어났고 중국과 영국의 1인당 GDP는 역전되었다. 그 결과 영국은 '해가 지지 않는 나라'인 대영제국으로 발돋움하였다.

2차 산업혁명은 전기혁명이다. 1870년대부터 독일과 프랑스, 미국의 생산력이 비약적으로 발전한 것을 의미한다. 2차 산업혁명은 에디슨과 테슬라의 전기 발명과 보급, 포드와 테일러의 과학적 관리법으로 인한 산업생산력의 확대와 직결된다. 전기의 발명과 석유화학산업의 출현, 대규모 조선업, 철강 산업의 발전이 2차 산업혁명의 대표적 사례이다. 특히 2차 산업혁명의 결과로 인해 인류는 최초로 물질적 부를 사회 대다수의 사람들이 누릴 수 있는 사회를 이룩했고, 중산층이 폭발적으로 증가했다.

3차 산업혁명은 컴퓨터의 등장과 인터넷의 확산이 일으킨 정보화혁명을 의미한다. 세계 전체를 아우를 수 있는 연결망이 확립되었고 이것이 전자적으로 가상공간화되었다는 특징이 있다.

(3) 4차 산업혁명

4차 산업혁명은 정보기술로 인해 자동화의 연결이 극대화된 초연결과 초지능이 가능한 사회이다. AI와 빅데이터기술을 기반으로 해서 사물과 사물, 인간과 사물, 인간과 인간이 연결되어 기존산업과 신사업이 혁신적으로 변화할 것이다. 기존의 제조업이 ICT와 결합하여 스마트 팩토리가 된다. 4차 산업혁명이 앞의 산업혁명들과 구분되는 차이점은 각자의 영역이 무너지고 모든 것이 융합된다는 점인데, 예를 들어 자동차 업체가 헬스, 의료, 소셜미디어 등과 결합하게 된다. 전통적인 제조업이었던 자동차가 AI와 빅데이터를 기반으로 자율주행을 하게 될 것이고 차에 탄 사람은 운전 외의 다른 활동을 할 수 있기 때문이다.

2. 읽기 자료

4차 산업혁명과 형법[47]

해커스 김종수 토스클 맞법 200주제

47)

4차 산업혁명과 형법

답변 준비 시간 20분 | 답변 시간 20분

※ 다음 QR코드를 촬영하면 연결되는 제시문을 읽고, 문제에 답하시오.

> 산업혁명은 영국에서 시작된 기술 혁신과 제조공정 전환으로 인류 발전에 기여했지만, 노동 조건 악화와 사회적 갈등도 초래했다. 오늘날 디지털 혁명은 ICT기술과 스마트폰의 보급으로 새로운 패러다임을 형성하고 있다.
>
>
>
> 4차 산업의 기원

Q1. 1차, 2차, 3차 산업혁명의 의미를 각각 설명하고, 앞선 산업혁명들과 4차 산업혁명의 차이점이 무엇인지 논하시오.

Q2. 4차 산업혁명으로 인해 일자리가 감소할 것이라는 비관적 전망이 나오고 있다. 반면 4차 산업혁명과 관련된 일자리가 오히려 증가할 것이므로 일자리 감소가 심각하지 않을 것이라는 낙관적 전망 또한 있다. 지원자는 낙관적 전망과 비관적 전망 중 어느 것이 타당하다고 생각하는지 논리적으로 답변하시오.

Q3. 1차 산업혁명은 영국의 광산에서 석탄을 캐면서 쏟아져 나오는 지하수를 퍼내던 노동자들의 임금이 상승하면서 증기기관이 발명되어 시작된 것이다. 노동자들은 광산에서 고되게 지하수를 퍼낼 필요가 없게 되었으나, 증기기관에 자신의 일자리를 잃게 되었다. 그 결과가 바로 러다이트 운동이다. 마르크스는 러다이트 운동을 벌이는 자들, 즉 실업자들로 인해 사회주의 혁명이 일어나게 될 것이라 예언했다. 그러나 마르크스의 예언과는 달리 사회주의 혁명이 완성되지도 않았고 더 이상 러다이트 운동이 힘을 얻지도 못했다. 서구사회는 대규모 실업문제를 어떻게 해결했는지 제시하시오.

Q4. 2차, 3차 산업혁명은 선진국과 개발도상국의 격차를 줄인 측면이 있다. 4차 산업혁명은 앞선 산업혁명과 동일하게 선진국과 개발도상국의 격차를 줄일 것인가, 혹은 그 격차는 커질 것이라고 생각하는가? 자신의 추론을 논변하시오.

Q5. 우리나라는 4차 산업혁명에 대응하기 위해 코딩교육이 필요하다는 판단으로 현재 초중등교육과정에 코딩교육을 하고 있다. 이는 타당한가?

Q6. 4차 산업혁명에서 뒤처진다면 도태될 것임에 분명하다. 반대로 4차 산업혁명에 잘 대응하면 선진국의 대열에 들어서고 대응하지 못한 국가와의 격차는 매우 커질 것이다. 우리나라는 4차 산업혁명 시대에 대응하기 위해 어떤 국가전략이 필요할 것인지 답변하시오.

Q7. 4차 산업혁명에 대응하기 위한 대책은 결국 큰 재원(財源)을 필요로 한다. 이 재원을 어떻게 확보할 수 있을지 논하시오.

Q8. 4차 산업혁명 시대에는 로봇세가 필요하다는 견해가 있다. 로봇세를 부과해야 하는 이유는 무엇인지 논하시오.

Part 1
Part 2
Part 3
Part 4
Part 5
Part 6
Part 7

해커스 **김중수 토스공 면접** 200주제

Q1. 모범답변

1차 산업혁명은 기계혁명이라 할 수 있는데, 1760년대 영국에서 일어난 증기기관과 방직기의 발명으로 대표됩니다. 1차 산업혁명은 당시 중국과 영국의 1인당 GDP를 역전시켜 영국을 '해가 지지 않는 나라'인 대영제국으로 발돋움시킬 수 있게 해주었습니다.

2차 산업혁명은 전기혁명이라 할 수 있고, 1870년대부터 독일과 프랑스, 미국의 생산력이 비약적으로 발전한 것을 의미합니다. 2차 산업혁명은 에디슨과 테슬라의 전기 발명과 보급, 포드와 테일러의 과학적 관리법으로 인한 산업생산력의 확대를 말합니다. 전기의 발명과 석유화학산업의 출현, 대규모 조선업, 철강 산업의 발전이 2차 산업혁명의 대표적 사례입니다. 특히 2차 산업혁명의 결과로 인해 인류는 최초로 물질적 부를 사회 대다수의 사람들이 누릴 수 있는 사회를 이룩할 수 있었습니다.

3차 산업혁명은 컴퓨터의 등장과 인터넷의 확산이 일으킨 정보화혁명을 의미합니다. 정보화혁명은 앞선 1차, 2차 산업혁명과 달리 인류의 삶을 크게 변화시킬 수는 없었습니다. 그러나 세계 전체를 아우를 수 있는 연결망이 확립되었고 이것이 전자적으로 가상공간화되었다는 특징이 있습니다.

4차 산업혁명은 정보기술로 인해 자동화의 연결이 극대화된 초연결과 초지능이 가능한 사회라 할 수 있습니다. AI와 빅데이터기술을 기반으로 해서 사물과 사물, 인간과 사물, 인간과 인간이 연결되어 기존산업과 신사업이 혁신적으로 변화하는 것입니다. 이를 쉽게 말하면 제조업과 ICT가 결합되어 스마트 팩토리가 출현하는 것입니다. 4차 산업혁명이 앞의 산업혁명들과 구분되는 차이점은 각자의 영역이 무너지고 모든 것이 융합된다는 것입니다. 예를 들어 자동차 업체가 헬스, 의료, 소셜미디어 등과 결합하게 됩니다. 전통적인 제조업이었던 자동차가 AI와 빅데이터를 기반으로 자율주행을 하게 될 것이고 차에 탄 사람은 운전 외의 다른 활동을 할 수 있기 때문입니다.

Q2. 모범답변

4차 산업혁명으로 인해 일자리가 감소할 것이라는 비관적 전망이 타당합니다. 만약 4차 산업혁명으로 인해 노동력이 더 필요하다면 이는 기술적 혁명이라 부를 수 없고 기술적 퇴보라 봐야 하기 때문입니다. 4차 산업혁명은 생산량이 동일하다면 투입되는 노동량이 줄어들고 1인당 자본량은 증가하게 됩니다. 대표적인 사례로 2차 산업혁명 이전에는 실업이라는 단어 자체가 있을 수 없었을 것입니다. 모든 인간이 노동에 투입되더라도 물질적 풍요를 달성할 수 없었기 때문입니다. 따라서 4차 산업혁명은 꼭 필요 노동량을 감소시킬 수밖에 없고 일자리는 감소하게 될 것입니다.

Q3. 모범답변

서구사회는 대규모 실업문제를 사회구조 개선을 통해 해결하였습니다. 이는 크게 세 가지 구조 개선이라 볼 수 있습니다. 일자리 분담, 서비스업의 등장, 실업보험이 바로 그것입니다. 먼저, 일자리 분담은 아동노동을 금지시키고 8시간 노동제를 확립하여 달성하였습니다. 이를 통해 한정된 일자리를 많은 사람에게 분담할 수 있었습니다. 둘째로, 서비스업이 등장하였습니다. 인류는 이전까지 식사를 가족이나 친족 외의 다른 사람에게 의존한 적이 거의 없습니다. 그러나 타인에게 서비스를 제공하는 직업이 나타나면서 일자리가 증가하는 효과가 발생하였습니다. 마지막으로, 실업보험을 도입하여 실업자의 생존과 인간다운 삶을 보장하였습니다.

Q4. 모범답변

4차 산업혁명은 선진국과 개발도상국의 격차를 키울 것이라 예상합니다. 2차, 3차 산업혁명 시대의 경우 소품종 대량생산을 중심으로 하기 때문에 단순반복작업과 같은 고강도 노동은 인건비가 싼 개발도상국에서 담당하는 경우가 많습니다. 자동차 한 대를 만들더라도 전 세계의 노동자의 협력을 거쳐 만들게 되는 것입니다. 개발도상국의 노동자는 임금을 받으며 선진국으로 도약할 수 있는 자본을 축적하고, 선진국의 기술이 투입된 공장에서 일하면서 선진기술이 체득되며 이전됩니다. 대표적인 사례로 중국은 선진국 기업의 공장과 생산을 대신하며 익히게 된 기술을 바탕으로 선진국과 기술격차를 줄여나가고 있습니다.

그러나 4차 산업혁명은 리쇼어링을 수반합니다. 리쇼어링(reshoring)이란, 저렴한 인건비 때문에 해외에 진출한 국내제조기업 공장을 다시 자국으로 옮기는 정책을 말합니다. 이는 미국 트럼프 대통령의 정책이기도 합니다. 제조업체가 국외로 나갈 필요가 없기 때문에 국내에 공장을 만드는 것이 더 이익이기 때문입니다. 대표적인 사례로 독일 스포츠업체인 아디다스는 20년 만에 독일 내에 스피드 팩토리라는 신발 제조 공장을 세웠습니다. 4차 산업혁명의 기반이 되는 최첨단 기술이 동원된 공장설비, ICT 기술, 디자이너, 빅데이터가 모두 독일 국내에 있기 때문에 국내에 공장을 세우는 것이 훨씬 효율적이기 때문입니다. 운동화 50만 켤레를 생산하는 공장에서 실제 운동화는 3D 프린터로 성형하는 것이므로 제조업임에도 불구하고 직원은 10명 정도에 불과하기 때문에 굳이 인건비를 줄이려 노력할 필요가 없습니다. 따라서 선진국은 공장을 자국에 세울 것이기 때문에 개발도상국은 자본 축적의 기회와 선진기술의 이전 기회를 얻을 수 없게 되어 선진국과 개발도상국의 격차는 커질 수밖에 없습니다.

Q5. 모범답변

4차 산업혁명에 대응하기 위해 코딩교육을 국가적으로 시행하는 것은 타당하지 않습니다. 90년대에 3차 산업혁명인 정보화혁명이 일어나면서 우리나라는 학교에서 프로그램 코딩교육을 했습니다. 그러나 그 결과로 우리나라가 3차 산업혁명에서 성공적으로 대응했다고 평가할 수는 없습니다. 코딩교육을 한다고 해서 빅데이터 활용능력이나 제조업에 ICT를 접목할 수 있는 것은 아닐 것입니다. 차라리 4차 산업혁명의 핵심이 되는 기술에 흥미를 가질 수 있도록 유도하는 것이 타당하다고 생각합니다. 예를 들어, 개인적으로 구입하기 어려운 VR과 AR, 드론, 3D 프린터 등을 학교에서 학생들에게 제공하고, 이를 어떻게 자유롭게 활용할 것인지는 학생들에게 맡겨두는 것이 좋을 것입니다. 특히 4차 산업혁명은 창의력이 중요하기 때문에 학교교육으로 코딩을 의무화하는 것만으로는 창의적 발상이 되지 않는다는 점을 고려한다면 코딩교육은 큰 효과가 없을 것입니다. 국가와 사회는 학생들이 창의성을 발휘할 수 있는 기반을 충분히 마련해주고 이들이 필요로 할 때 필요한 교육을 제공할 수 있는 교육 인프라를 준비하고 다양한 사회구성원과 접촉하고 교류하여 창의성이 증진될 수 있도록 관용적인 교육제도를 확립하는 것이 타당합니다.

Q6. 모범답변

　4차 산업혁명에 유리한 국가는 탄탄한 제조업 기반과 ICT를 보유한 기반 위에 빅데이터를 집적 가능하며, 사회통합이 가능한 민주적 절차가 확립된 국가입니다. 우리나라는 다행히도 세 가지 요소에서 강력한 기반을 갖추고 있습니다. 제조업 기반과 ICT에 강점이 있고, 정보통신기술에 익숙한 국민들이 도시에 집중되어 있어 효율적인 빅데이터 집적이 가능합니다. 그러나 산업구조 변화에 대응할 민주적 절차가 확립되어 있지 않다는 문제가 있습니다. 따라서 이에 대한 국가전략이 필요합니다.

　산업구조의 급격하고 근본적인 변화는 필연적으로 실업 등의 문제를 발생시킵니다. 예를 들어 우버와 같은 공유경제의 활성화는 기존의 택시 업종 종사자의 실업으로 연결됩니다. 이때 기존 업종 종사자의 반발을 사회통합으로 연결할 민주적 절차가 확립되어야 합니다. 사회통합의 의미는 모든 사람의 의사를 모두 반영하는 것이 아니라 오히려 실업을 인정하고 그 대책을 세우는 데 있습니다. 미래 산업은 공유경제로 변화해 갈 것임을 사회적으로 설득하고, 이로 인해 실업 등의 피해를 어떻게 대응할 것인지 제도를 제시하고 재원을 마련해야 합니다. 기본소득이나 최저임금의 인상, 사회적 재교육제도의 활성화 등의 정책이 충분한 재원을 바탕으로 실현되어야 합니다.

Q7. 모범답변

　4차 산업혁명에 대응하기 위한 재원은 로봇세를 신설하여 확보할 수 있습니다. 산업혁명 전에는 크게 토지세, 소득세, 인두세라는 세 가지 세금이 부과되었습니다. 그러나 1차 산업혁명과 2차 산업혁명 후에 아동노동의 금지를 위한 보통교육제도의 확립과 실업보험 등의 운영을 위해 재원이 필요했습니다. 이 재원을 위한 세금이 바로 법인세의 신설이었습니다. 법인세는 산업혁명을 가능하게 한 기계가 설치된 공장에 부과되는 세금입니다. 이와 유사하게 4차 산업혁명은 제조업과 ICT가 결합되어 빅데이터 기반의 로봇이 이익의 원천이 되기 때문에 이 로봇에 세금을 부과해 재원을 마련함이 타당합니다.

Q8. 모범답변

　사회의 안정적 유지를 위해 로봇세 부과는 타당합니다. 인간은 자신의 자유와 권리, 생존을 위한 경제생활의 안정성을 확보하기 위해 국가와 사회를 구성하였습니다. 국가와 사회가 구성원의 안정적인 생활을 보장하려면 각종 인프라와 사회제도의 운영을 위한 자금으로 세금을 납부하고 사용합니다. 4차 산업혁명으로 인해 AI와 로봇이 결합되어 스마트 팩토리가 가능해졌고 인간의 노동력은 최소한으로 사용하고 생산력은 극대화된 상태가 나타나게 되었습니다. 따라서 생산력은 커졌으나 고용은 줄어들어 가계의 소득이 줄어들고 소비가 불가능한 상태에 빠져 기업이 파산하는 악순환이 발생할 수 있습니다. 가계의 소득 감소로 인한 소비 감소의 문제는 역사적으로 대공황과 유사한 상태라 할 수 있습니다. 이때 로봇세를 통해 기본소득을 지급하는 등으로 가계의 소득을 일정정도 보장하여 소비가 가능하게 하여야 합니다. 이처럼 사회의 안정적 유지를 위해 로봇세를 부과하는 것은 타당합니다.

 **112 개념** 　개인정보 데이터 활용

2022 서울대 기출

1. 기본 개념

(1) 개인정보 활용

　디지털 경제의 핵심은 데이터일 수밖에 없다. 인공지능이 성립하기 위해서는 대량의 데이터, 즉 빅데이터가 필수적이기 때문이다. 이러한 빅데이터는 결국 일반 시민의 데이터가 누적된 결과물이다. 디지털 경제에서는 다수 시민의 다양한 데이터가 수집되고 가공되고 활용되어 디지털 기업의 이익으로 재탄생하게 된다. 심지어 디지털 경제의 상품은 일국 내에 머무르지 않고 전 세계로 퍼진다. 예를 들어, 아마존, 구글, 페이스북의 상품을 사용하는 데 물리적 국경은 아무 의미가 없다.

(2) EU의 일반 개인정보 보호법(The EU General Data Protection Regulation; GDPR)

　EU는 자국민의 데이터가 구글, 페이스북, 아마존 등 외국기업으로 아무 제한 없이 이전되는 개인정보 역외 이전을 원칙적으로 금지한다. 데이터 주권을 지키겠다는 선언이다. 단, 해당 기업이 GDPR이 요구하는 안전조치를 준수하거나 국가 차원의 적정성 결정을 받은 경우에 한하여 추가적 조치 없이 개인정보 역외 이전이 가능하다.

　EU의 GDPR은 개인정보 보호 위반에 대한 심각한 규정 위반 사례가 드러날 경우 직전 회계연도 전 세계 매출액 4% 또는 2천만 유로(약 270억 원) 중 큰 금액을 상한으로 하는 과징금을 부과한다. 2019년 구글은 GDPR 위반으로 5,000만 유로(한화 640억 원)의 과징금 처분을 받았다.

2. 읽기 자료

　GDPR 투명성원칙[48]

　GDPR 입법과제[49]

　보건의료 데이터[50]

[48]

GDPR 투명성원칙

[49]

GDPR 입법과제

[50]

보건의료 데이터

해커스 김종수 토스홀 맥점 200주제

☺ 답변 준비 시간 10분 | 답변 시간 10분

※ 다음 QR코드를 촬영하면 연결되는 제시문을 읽고, 문제에 답하시오.

> 데이터산업 활성화를 위해 도입된 데이터 3법(개인정보보호법, 정보통신망법, 신용정보법)이 유명무실해질 위기에 처했다. 이는 데이터 3법의 핵심인 가명정보의 처리와 관련된 판결이다.
>
>
>
> 데이터 3법

Q1. 4차 산업혁명 시대에 개인정보 데이터를 적극적으로 활용하여 경쟁력을 강화해야 한다는 입장의 논거를 제시하고 이를 논변하시오.

Q2. 4차 산업혁명 시대에 대응하여 개인정보 보호를 강화해야 한다는 입장의 논거를 제시하고 이를 논변하시오.

Q3. 개인정보 보호에 대한 자신의 입장을 논변하고, 선택한 입장의 문제점을 제시한 후, 그에 대한 보완책을 논하시오.

Q1. 모범답변

　국가 발전을 위해 개인정보 데이터를 적극적으로 활용해야 합니다. 4차 산업혁명 시대에 대응하기 위해서는 AI의 기반이 되는 빅데이터가 필수적입니다. 다양한 정보가 생성, 결합, 융합되어 새로운 산업의 기반이 되기 때문입니다. 예를 들어, 이미 소비자의 클릭 건수와 연령대별 구매 정보, 카드 결제 내역 등을 결합해 소비자의 선호에 맞는 상품을 추천하는 서비스 등이 이미 시작되었고 더 정교해지고 있는 상황입니다. 그러나 우리나라는 미국이나 중국, EU에 비해 인구가 적고, 영어 사용권 국가가 아니기 때문에 다양하고 많은 정보를 얻기가 어렵습니다. 그렇다면 적은 인구에서 더 많은 정보를 효과적으로 사용할 수 있어야 4차 산업혁명의 기반이 되는 방대한 데이터를 구축할 수 있습니다. 따라서 국가 발전을 도모하기 위해 개인정보 데이터를 적극적으로 활용해야 합니다.

　공공복리의 증대를 위해 개인정보 데이터를 적극적으로 활용해야 합니다. 기업은 영업의 자유의 주체로 특정한 재화나 서비스를 생산·공급하고, 소비자는 자신의 선호에 따라 자신이 원하는 재화나 서비스를 자유롭게 선택합니다. 이처럼 공급과 수요에 따라 기업과 소비자 두 주체의 자유로운 결정에 따라 기업의 이익과 손해, 성장과 몰락이 결정되고 이는 순수하게 소비자의 자유로운 선택의 결과가 됩니다. 기업이 개인정보 데이터를 적극적으로 활용하여 서비스를 공급한다면, 소비자는 스스로 판단해 자신의 편익이 증대된다면 해당 서비스를 사용할 것이고 그렇지 않다고 판단한다면 사용하지 않을 것입니다. 이미 다수 소비자들은 개인정보의 중요성을 깨닫고 있으며 이에 따라 서비스의 사용 여부를 결정하고 있습니다. 또한 기업이 공급하는 개인정보 데이터를 사용하는 서비스가 소비자가 원하지 않는 것이거나 소비자에게 피해가 된다면 소비자는 해당 기업의 서비스를 사용하지 않을 것입니다. 궁극적으로 개인정보 활용을 인정한다면, 소비자의 편의를 증대시키는 기업서비스가 경쟁에서 생존함으로써 소비자의 편의 증대와 기업의 이익 증대라는 공공복리가 실현될 것입니다. 따라서 공공복리 증대를 위해 개인정보 데이터를 적극적으로 활용해야 합니다.

Q2. 모범답변

　개인정보 보호 강화는 자기정보통제권 측면에서 타당합니다. 자기정보통제권이란 자신과 관련한 정보에 대한 생성·이용·삭제·폐기 등에 관련한 최종 결정권은 자신이 가져야 한다는 것입니다. 현대 정보화 사회에서는 물리세계와 사이버세계가 밀접하게 연결되어 정보가 개인의 자유와 권리에 영향을 미칩니다. 대면이 가능한 물리세계와 달리 사이버세계는 개인 정보가 곧 자기 자신으로 의제됩니다. 예를 들어 특정인의 주민등록번호를 알고 있다면 금융·범죄 사실 기록 등의 조회·사용이 가능하며 이 정보는 자신의 자유와 권리에 직접적인 영향을 미칠 수 있습니다. 따라서 현대사회에서 자기정보는 곧 자신의 자유와 권리에 직접적 영향을 미치기 때문에 보호의 필요성이 큽니다.

　기업의 영업의 자유를 실질적으로 보호하기 위해 개인정보 보호를 강화해야 합니다. 기업은 영업의 자유의 주체로 자유롭게 이익을 추구하고 그에 대한 책임을 지는 경제주체입니다. 그러나 각 기업은 자신의 이익을 추구한 결과 사회적으로 피해를 발생시키는 죄수의 딜레마 상황에 빠질 수도 있습니다. 각 기업은 급변하는 시장환경에 대응하고자 경쟁적으로 소비자의 데이터를 사용해 자사의 이익을 추구할 것입니다. 그 결과 개인정보의 대규모 유출과 사회적 피해가 발생할 수 있고 실제 사례도 존재합니

해커스 **김종수 토스클 멘탈** 200주제

다. 이 경우 소비자 다수는 해당 기업의 서비스에서 이탈하거나 피해 보상을 위한 소송을 제기하는 등으로 대응하기 때문에 기업에 피해가 발생합니다. 기업의 영업의 자유는 결국 기업의 장기적 이익 추구를 목적으로 하기 때문에 개인정보 보호를 강화하는 것이 기업의 진정한 의사라 볼 수 있습니다. 그러나 여타 기업이 개인정보 보호를 강화하지 않는데 특정기업만 개인정보 보호를 강화하는 것은 자사의 이익만 감소하는 것이 되기 때문에 개별기업으로서는 개인정보 보호를 강화하는 선택을 하지 않을 것입니다. 따라서 사회적으로 개인정보 보호를 강화하도록 규제하는 것이 기업의 영업의 자유를 실질적으로 보장하는 것입니다.

Q3. 모범답변

개인정보 보호를 강화해야 합니다. 개인정보는 개인의 자기정보통제권의 측면과 기업의 영업의 자유 측면에서도 중요합니다. 이에 더해 공공복리 증진을 도모할 수 있기 때문에 개인정보 보호를 강화해야 합니다.

공공복리 증진을 위해 개인정보 보호를 강화해야 합니다. 현대 사회는 개인정보가 디지털화되어 있고 이것이 클라우드와 빅데이터, AI로 연결되는 구조를 갖고 있습니다. 디지털화된 정보의 특성상 개인정보가 네트워크에 유출될 경우 이를 완전히 삭제하는 등 이전 상태로 돌이키는 것은 불가능하기 때문에 피해가 발생할 경우 비가역적인 피해가 영구적으로 지속됩니다. 특히 우리나라의 경우 스마트폰과 인터넷 사용인구는 국가 전체 인구라 봐도 될 정도인 데다가 각종 디지털 서비스가 증가하고 있는 현실, 신기술 사용에 적극적인 국민 성향 등을 볼 때 국민 전체가 개인정보 유출의 잠재적 피해자라 봐도 무방할 정도입니다. 이처럼 국민 전체에 비가역적인 피해가 발생하는 것을 예방하여 공공복리를 증진하기 위해 개인정보 보호를 강화해야 합니다.

그러나 개인정보 보호의 강화는 빅데이터 구축과 4차 산업혁명 시대의 산업 발전을 저해할 수 있다는 문제점이 있습니다.

이에 대한 보완책으로서 개인정보 보호가 강화된 형태의 공공데이터 활용방안을 제시할 수 있습니다. 개인정보를 활용하되 개인이 특정되지 않도록 가공한 공공데이터를 사용하는 것입니다. 그리고 이러한 공공데이터를 전 국민에게 개방해 특정 기업만 데이터 플랫폼으로 인한 독점 이익을 누리지 않도록 할 수 있습니다. 그러나 공공데이터 활용방안 역시 개인정보 그 자체를 필요로 한다는 점은 부인할 수 없습니다. 따라서 개인정보 침해 예방을 위한 대책이 필요합니다. 개인정보가 유출될 경우 끊임없이 복제되는 디지털 정보의 특성상 비가역적인 피해가 발생하기 때문에 예방대책이 필수적입니다. 또한 빅데이터와 AI의 전문가는 국가가 아니라 기업이기 때문에 기업이 스스로 예방할 수 있도록 하는 유인 설계가 필수적입니다. 예를 들어 EU의 GDPR은 개인정보 보호 위반에 대한 심각한 규정 위반 사례가 드러날 경우 직전 회계연도 전 세계 매출액 4% 또는 2천만 유로(약 270억 원) 중 큰 금액을 상한으로 하는 과징금을 부과합니다. 이러한 예방대책을 시행함으로써 기업들이 빅데이터와 AI를 이용하면서도 자체적으로 개인정보 보호를 할 수 있도록 하는 유인 설계가 필요합니다.

Chapter 03 | 복지정책

113 개념 보편복지와 선별복지

2021 충남대·2020 연세대·2019 경북대/영남대 기출

1. 기본 개념

(1) 기본권 간의 관계

사회적 기본권은 실질적 평등을, 자유권적 기본권은 자유를 주로 하는 점에서 대립관계에 있다. 그러나 헌법의 이념을 인간의 존엄성 존중과 자유로운 인격의 발현으로 본다면, 사회적 기본권은 자유권적 기본권을 실효적인 것으로 만드는 수단이기 때문에 상호 보완적 관계에 있다.

구분	자유권적 기본권	사회적 기본권
이념	• 개인주의적·자유주의적 세계관을 기초로 하는 시민국가	• 단체주의적 사회실현을 위한 사회국가
주체	• 인간	• 국민
성질	• 소극적·방어적·전 국가적·초국가적 권리 • 인간의 권리	• 적극적 권리 • 실정법상 권리
권리 내용	• 국가의 개입·간섭 배제	• 국가의 급부 요구
기본권의 효력	• 강한 대국가적 효력 • 대사인적 효력	• 약한 대국가적 효력 • 예외적 대사인적 효력
법률유보	• 기본권 제한적 법률유보	• 기본권 구체화적 법률유보
제한 기준	• 국가안전보장 • 질서유지 • 공공복리	• 국가안전보장 • 질서유지 • 공공복리 X 　(인간다운 생활을 할 권리 실현 = 공공복리의 증대)

(2) 사회적 기본권의 내용

사회적 기본권에는 인간다운 생활을 할 권리, 교육을 받을 권리, 근로의 권리, 노동 3권, 환경권, 보건권, 혼인의 자유와 모성을 보호받을 권리 등이 있다.

복지정책에서 가장 중요하고 우선하는 것은 인간다운 생활을 할 권리이다. 이는 인간의 존엄성에 상응하는 급부를 국가에 청구할 수 있는 권리이다. 물질적인 최저생활만을 포함한다는 견해와 문화적인 최저생활도 포함한다는 견해가 대립한다. 개인의 능력으로 인간다운 생활을 충족시킬 수 없는 자는 국가에 이에 필요한 급부를 청구할 권리를 가진다. 이에는 사회보장수급권, 생활무능력자의 생활보호청구권, 국민기초생활보장법이 있다.

국가의 사회보장제도는 자유의 증대를 위한 것이어야 하며, 자유의 대가로서 의미를 가지면 사회국가 실현의 방법적 한계를 일탈한 것이다. 인간다운 생활을 할 권리는 국가의 재정능력, 국가안전보장 등에 의해 제한을 받는다.

(3) 보편복지

사회복지 급여가 사회적 권리로서 모든 사람에게 주어져야 한다는 원리이다. 사회적 급여에서 개인의 소득, 재산의 수준과 무관하게 해당 급여의 지급대상자 전원에게 지급하는 할당원리이다. 행정의 효율성과 사회통합을 그 가치로 한다.

(4) 선별복지

급여는 개인의 욕구에 기초해 주어져야 한다는 원리이다. 이때 개인의 욕구는 소득조사에 의해 판별되는 것이다. 이런 의미에서 선별복지는 주로 소득 수준을 고려해 저소득층에 자원을 집중시키는 할당원리를 의미한다. 욕구가 더 큰 빈곤층에게 더 큰 자원을 배분할 수 있는 효율적 수단임을 강조한다.

(5) 이론적 배경

자유지상주의(노직)	자유주의(롤스)	공동체주의(샌델)
선별 복지	선별-보편 복지	보편 복지
개인의 자유	개인의 진정한 자유	공동체 가치
옳고 그른 가치의 배제 <아나키에서 유토피아로>	우연에 의한 개인의 자유 제한 <정의론>	공동체의 가치들 중 하나가 자유 <돈으로 살 수 없는 것들>
재산 ↑ 결과에 대한 예측 ↑ 노력할 유인과 동기	동일한 재산 ↑ ⓐ 적은 노력, ⓑ 많은 노력 ↑ ⓐ 행운, ⓑ 불운	사회적 가치 ↓ 개인의 자유

2. 읽기 자료

한국에서의 복지국가[51]

51)

한국에서의 복지국가

113 문제 | 보편복지와 선별복지

답변 준비 시간 10분 | 답변 시간 10분

※ 다음 제시문과 QR코드를 촬영하면 연결되는 제시문을 읽고, 문제에 답하시오.

(가) 한 아파트는 단지 내 헬스장 운영비를 보유주택의 면적에 따라 분담하는데, 이에 대해 '헬스장을 이용하지 않는 주민이 헬스장 운영비를 왜 내야 하느냐'라는 문제가 발생하였다. 다음은 이 문제에 대한 주민 A, B, C, D의 의견이다.

A: 아파트 내에는 헬스장을 이용하지 않는 주민들도 있다. 노인정이나 어린이 놀이터 등 이용하지도 않는 사람들이 비용을 지불하게 되는 경우가 있는데 이는 부당하다. 따라서 헬스장을 이용하는 주민들만 비용을 지불하게끔 해야 한다.

B: 헬스장 운영비를 주민 모두가 부담하게 되면, 시설을 마구잡이로 사용할 것이다. 헬스장을 사용할 주민들만 비용을 지불하게 해야 이러한 문제를 막을 수 있을 것이다.

C: 아파트 내의 공유 헬스장이므로 모든 주민이 운영비를 분담해 운영하는 것이 맞다.

D: 이용주민만 비용을 낸다면, 헬스장을 이용하는 주민들만 걸러내기 위한 노력이 필요할 것이다. 이러한 노력은 쓸모없는 시간과 비용을 초래한다.

(나) 자유민주주의는 자본주의와 민주주의를 결합으로 정의하며, 대표적인 나라는 미국이다. 반면, 사회주의와 민주주의의 결합으로 정의하는 사회민주주의를 대표하는 나라는 스웨덴이다.

자유민주주의 선별복지

Q1. 제시문 (가)의 A~D의 주장의 타당성을 각각 검토하시오.

Q2. 제시문 (가)의 아파트 헬스장과 본질적으로 비슷한 사례를 말하시오.

Q3. 복지정책의 방향에 대해 선별복지와 보편복지, 크게 두 방향의 논쟁이 지속되고 있다. 제시문 (나)를 참고하여 선별복지를 해야 한다는 입장의 효과와 문제점을 논하시오.

Q4. 보편복지를 해야 한다는 입장의 효과와 문제점을 논하시오.

Q5. 초등학교와 중학교는 의무교육과정이기 때문에 교육비용은 국가가 부담한다. 그런데 초중등학교 수업이 오후과정까지 진행될 때 오후수업을 국가가 의무로 강제했으므로 학생들에게 급식을 제공해야 한다는 주장이 있다. 현재 우리나라는 지방자치단체별로 조례에 따라 무상급식 여부가 결정되고 있다. 의무교육에 대하여 무상급식을 전면시행해야 한다는 입장에서는 어떤 논거를 제시할지 논하시오.

Q6. 의무교육에 대한 무상급식을 전면시행해서는 안 된다는 입장에서는 어떤 논거를 제시할지 논하시오.

Q1. 모범답변

A의 경우, 이용자가 비용을 지불해야 한다는 주장입니다. 시설 이용으로 인한 편익을 누리는 자가 편익에 해당하는 비용을 지불해야 한다는 입장입니다.

B의 경우, 헬스장 유지보수비용의 증가를 막기 위해 이용자가 비용을 지불해야 한다는 주장입니다. 시설 이용으로 인한 편익은 이용자가 누리되 시설 유지보수비용은 주민 모두가 함께 부담한다면, 이용자 개인으로서는 편익은 크게 인식하는 반면 비용은 적게 인식하기 때문에 공유지의 비극과 같이 고갈이나 전멸의 문제가 발생할 수 있기 때문입니다.

C의 경우, 모든 주민이 공용으로 사용하는 시설이므로 운영비용을 분담해서 지불해야 한다고 주장합니다. 공적 시설물은 사용 여부와 관계없이 공공의 비용으로 충당하는 것이 타당하다는 입장입니다.

D의 경우, 이용자를 선별하는 비용이 불필요하게 추가될 수 있으니 비효율적 비용 증가를 막기 위해 모든 주민이 운영비용을 분담해서 지불해야 한다고 주장합니다. 주민 중 이용자를 선별하기 위해 들이는 비용은 주민의 복지 증진과 같은 편익과 관련이 없는 불필요한 비용입니다. 이 비용을 추가적으로 지불하지 말고 모든 주민이 분담하는 것이 더 효율적이라는 입장입니다.

Q2. 모범답변

공적 시설물의 이용자가 이용요금을 지불해야 한다는 점에서 고속도로 이용요금 지불과 본질적으로 비슷하다고 생각합니다. 독일의 경우 고속도로를 공적 시설물로 보아 전 국민이 무료로 이용하고 유지보수비용 또한 세금으로 지출합니다. 반면 우리나라의 경우 고속도로를 이용하는 자가 이용요금을 지불하고 유지보수비용을 이용요금을 통해 충당합니다. 이는 더 나아가 공적 시설물과 공적 서비스를 포함하는 국민 복지에 있어서 선별복지와 보편복지 논쟁과 밀접한 관련이 있습니다.

Q3. 모범답변

선별복지는 경제적 부담 능력이 없는 사람을 선별하여 복지 수혜자로 하며 그 복지 비용의 일부 내지 전액을 국가 또는 공공 재원에서 지출하는 복지 제도를 의미합니다. 선별복지는 최소한의 생계 유지를 위한 기본적 복지를 제공하고 그 이상의 복지는 스스로 노력하여 달성하도록 개인의 의욕을 고취하려는 의도를 갖고 있습니다. 최소한의 정도 이상의 복지는 개인의 일할 의욕을 떨어뜨려 경제 활력을 저해합니다.

선별복지에 따르면, 인간 생활에 최소의 필요 재화와 서비스를 구매할 소득이 없는 자들을 규정하고, 이에 해당하는 사람들은 정해진 절차에 따라 자신이 그 규정에 해당한다는 것을 입증해 그 혜택을 받을 자격을 획득합니다. 복지 수혜자가 한정적이기 때문에 보편복지에 비해 적은 재정으로 운영할 수 있어 적은 비용으로 큰 효과를 낼 수 있는 효율적 제도라는 효과가 있습니다.

그러나 선별복지는 복지 수혜 자격 입증 절차에서 실제로는 복지가 필요함에도 불구하고 복지수혜 자격을 서류로 입증 불가능할 경우 혜택을 받지 못하는 복지 사각이 발생할 가능성이 크고, 복지수혜자 자격 부여 절차가 복잡해 행정비용이 낭비된다는 문제점이 있습니다.

Q4. 모범답변

보편복지란, 사회 구성원 누구나 필요에 따라 서비스를 받게 하고 능력에 따라 정해진 비용을 부담하는 복지 제도를 말합니다. 보편복지는 국민 모두는 인간으로서 누려야 할 권리를 재산과 관계없이 누릴 수 있어야 한다는 관점에서 비롯됩니다. 이에 따르면 인간이라면 응당 누려야 할 권리를 사회와 국가는 제공해야 하고 이를 바탕으로 개인의 노력이 더해져야 한다고 합니다.

보편복지는 인권에 기반을 둔 이상적 복지 제도이며, 전 국민을 대상으로 하는 규모의 경제를 실현할 수 있어 어차피 지불해야 하는 사회적 비용을 절약할 수 있다는 효과가 있습니다.

그러나 자유로운 경쟁을 저해할 수 있어 개인의 의욕 고취와 창의력을 저해할 수 있으며, 국가의 방만한 관리 가능성과 비효율성 문제에서 자유로울 수 없다는 문제점이 있습니다.

Q5. 모범답변

의무교육에 대하여 무상급식을 시행해야 한다는 입장에서는 국민의 교육받을 권리를 보장해야 한다는 논거를 제시할 것입니다. 국민은 국가의 주인으로서 국가의사 결정에 적극적으로 참여할 권리가 있습니다. 이를 실질적으로 실현하기 위해서는 이성적 판단능력이 전제되어야 하므로 의무교육을 국민의 권리로 인정하고 있습니다. 초등학교와 중학교 교육과정은 의무교육으로 모든 국민이 주권자로서 보장받아야 할 권리입니다. 교육을 통해 국민이 국가의 주인으로서 필요한 의사결정을 하기 위한 이성적 판단능력을 갖추어야 하기 때문입니다. 이를 의무교육으로 규정하여 국가가 교육을 실시하고 있는 것입니다. 그런데 국가가 의무교육을 행함에 있어서 국민의 이성적 판단능력 확보를 위해 특정시간 이상의 교육이 필요하며 이로 인해 오후수업 실시가 불가피한 상황입니다. 그렇다면 수업뿐만 아니라 그에 부수되는 준비물, 식사 등이 국가의 의무에 포함된다고 보아야 합니다. 이는 마치 국가안보를 위해 국민이 병역의 의무를 행할 때, 국가가 일반병사의 총기류와 피복, 식사 등을 의무적으로 지급해야 하는 것과 동일합니다. 따라서 의무교육에 대한 급식은 국가의 의무에 해당하며 모든 학생에 대해 전면시행되어야 합니다.

Q6. 모범답변

의무교육에 대한 무상급식을 전면시행해서는 안 된다는 입장에서는 국민의 교육받을 권리를 보장해야 한다는 논거를 제시할 것입니다. 국민은 주권자로서 교육을 받을 권리가 있습니다. 국민이 국가의 주인으로서 필요한 의사결정을 하기 위한 이성적 판단능력을 갖추어야 하기 때문에 이에 필요한 것을 의무교육으로 규정하여 국가가 교육을 실시하고 있는 것입니다. 그런데 국가가 의무교육을 행함에 있어서 교육예산 역시 국민의 세금으로 이루어지기 때문에 한정적인 교육예산을 최대한 효율적으로 사용해야 합니다. 가정형편이 어려운 학생들에게 무상급식을 실시하는 것에 반대할 국민은 없습니다. 그러나 한정된 교육예산의 많은 부분을 무상급식에 사용하면 우수교사 양성, 기자재 및 시설 확보 등 다른 영역에 사용할 교육예산이 줄게 됩니다. 결국 한정된 교육예산의 배분이 적절하지 않아 교육환경이 악화될 수 있습니다. 이는 전체적인 교육의 질이 저하되는 결과로 이어져 국민의 교육받을 권리를 저해하는 것이 됩니다. 따라서 의무교육에 대한 무상급식을 전면시행해서는 안 되며, 선별적으로 형편이 어려운 학생에게만 무상급식을 부분시행해야 합니다.

2024 전북대 기출

1. 기본 개념

(1) 기본소득

기본소득이란, 국가 또는 지방자치단체가 모든 구성원 개인에게 조건 없이 정기적으로 지급하는 소득을 말한다. 기본소득은 기존의 최소소득 보장제도와 세 가지 차이점이 있다. 첫째, 기본소득은 가구가 아니라 개인에게 지급된다. 둘째, 다른 소득 여부와 관계없이 지급된다. 셋째, 취업의 의지가 있다거나 노동을 했다는 증명이 필요 없다.

(2) 기본소득 도입 기대효과[52]

긍정적 효과는 다음과 같다. 첫 번째, 복지 사각지대 해소이다. 두 번째, 근로 유인을 높일 수 있다. 세 번째, 복지 관리비용 절감이다. 네 번째, 빈부격차 감소이다. 다섯 번째, 낙인효과 방지 등이다.

부정적 효과는 다음과 같다. 첫 번째, 근로의욕 상실이다. 두 번째, 복지제도 축소이다. 세 번째, 세금 부담 증가이다. 네 번째, 일자리 감소 가속화이다.

52)

기본소득 도입

2. 쟁점과 논거

찬성론: 사회 유지·존속	반대론: 개인의 자유 침해
[사회 유지·존속] 사회가 유지·존속되기 위해서는 사회의 공유된 필수가치가 보호되어야 한다. 만약 이 필수가치가 침해된다면 사회는 붕괴할 것이다. 현대사회는 심화되는 불평등으로 인해 공유된 필수가치인 평등이 침해되고 있다. 모든 국민에게 기본소득이 지급되면, 불평등이 완화되고 사회 유지·존속에 기여할 것이다.	**[개인의 자유 침해]** 개인은 스스로 노력하여 얻은 소득과 재산에 대한 권리가 있다. 그리고 이 권리는 개인의 동의 없이 침해될 수 없다. 전 국민에게 기본소득을 지급하려면 고소득층이 더 많은 세금을 부담해야 한다. 고소득층의 동의 없는 기본소득은 개인의 자유를 침해하는 것으로 타당하지 않다.
[사회갈등 예방] 불평등의 심화는 계층 간의 갈등을 심화시키고 사회를 불안정하게 한다. 기본소득이 지급된다면, 저소득층은 생계가 보장되어 안정된 삶을 살 수 있으므로 사회에 대한 불만이 줄어든다. 고소득층 역시도 기본소득으로 인한 저소득층의 소비 증가로 인해 소득 자체가 증가하므로 세금 저항이 줄어든다. 따라서 기본소득으로 인해 사회갈등이 완화된다.	**[평등원칙 위배]** 평등원칙은 합리적 이유 없이 같은 것을 다르게 대하지 말라는 원칙이다. 이미 고소득층은 응능부담의 원칙에 따라 더 높은 세율에 따라 많은 세금을 납부하고 있다. 기본소득으로 인해 더 많은 세금을 내는 것은 동일한 국민을 부의 정도에 따라 다르게 대우하는 것이다. 이는 평등원칙에 위배된다.
[개인의 자유에 대한 실질적 보호] 현대사회의 개인은 진정으로 자신이 하고 싶은 일을 하는 것이 아니라, 어떤 부모에게서 태어났는지 본인이 돈을 벌 수 있는 재능을 타고났는지 등의 우연적 요소에 의해 자유가 제한되고 있다. 기본소득이 지급되면, 모든 개인은 생계 압박이 사라져 진정으로 자신이 하고 싶은 일이 무엇인지 판단하고 실행할 수 있다.	**[국가발전 저해]** 기본소득으로 인해 일할 의욕 저하와 경제의 활력이 떨어져 국민경제에 타격이 올 것이다. 특히 현대사회는 변화가 빠르기 때문에 새로운 산업영역에 도전하는 창업자가 필요한데, 기본소득을 위한 높은 세율은 투자의욕과 일할 의욕 저하를 불러올 것이다. 그 결과 타 국가에 비해 새로운 산업 발전에 뒤처져 국가발전을 저해할 것이다.

3. 읽기 자료

기본소득 복지법제 검토[53]

기본소득 복지법제 검토

해커스 **김종수 모스쿨 면접** 200주제

답변 준비 시간 10분 | 답변 시간 10분

※ 다음 제시문을 읽고, 문제에 답하시오.

> (가) 기본소득이란, 국가 또는 지방자치단체가 모든 구성원 개인에게 조건 없이 정기적으로 지급하는 소득을 말한다. 기본소득은 기존의 최소소득 보장제도와 세 가지 차이점이 있다. 첫째, 기본소득은 가구가 아니라 개인에게 지급된다. 둘째, 다른 소득 여부와 관계없이 지급된다. 셋째, 취업의 의지가 있다거나 노동을 했다는 증명이 필요 없다.
>
> (나) (1) 만약 기본소득을 자산과 소득 그리고 노동활동 여부와 관계없이 지급한다면, 자신의 현재 임금 수준이 기본소득 수준과 유사한 사람들은 일을 하려 하기보다 기본소득을 받아 편히 살려고 할 것이다. 기본소득으로 인해 일할 의욕이 급속도로 저하될 것이라는 우려가 현실화된다.
>
> (2) 기본소득을 지급하려면 천문학적 재원이 소요될 것이고 이로 인해 국가부도 사태에 직면할 것이다. 국민 1인당 월 20만 원의 기본소득을 지급한다고 할 때, 소요되는 예산은 연간 120조 원에 달한다. 우리나라의 국가예산이 650조 원 수준임을 감안할 때 이는 불가능에 가깝다.
>
> (3) 기본소득을 지급하면, 현재의 사회보험과 공공부조 제도를 폐지해야 한다. 이 경우 이미 사회보험과 공공부조의 혜택을 받고 있는 저소득층의 반발이 예상된다. 그에 더해 복지 부문의 공공 일자리가 줄어들어 해고가 늘어나게 될 것이다.

Q1. (가)의 연장선상에서, 국가가 모든 국민에게 기본소득을 보장하고 이를 최대한 빨리 시행해야 한다는 주장이 있다. 이 주장에 대한 자신의 견해를 논하시오.

Q2. 개인의 자유를 중요하게 여기는 자유주의 입장에서는 일할 의욕과 동기를 중시한다. 이 입장에서 기본소득제를 정당화하시오.

Q3. (다)의 (1)의 주장에 대한 자신의 입장을 논하시오.

Q4. (다)의 (2)의 주장에 대한 자신의 입장을 논하시오.

Q5. (다)의 (3)의 주장에 대한 자신의 입장을 논하시오.

Q1. 모범답변

기본소득 도입은 타당하지 않습니다. 현실적인 재원 문제로 인해 국민의 부담이 너무 크기 때문입니다. 기본소득을 보장하는 것은 인간의 존엄성을 보장한다는 점에서 우리 사회가 나아갈 길이라 할 수 있습니다. 인간은 그 자체로 목적으로 대해야 하고 수단이 되어서는 안 됩니다. 그런데 현실적으로는 사회불평등과 경제적인 문제로 인해 여러 문제가 발생하고 있습니다. 황금만능주의와 같은 인간과 돈의 가치전도현상이 이를 대표적으로 보여주는 문제점입니다. 기본소득을 보장한다면, 개인이 부유한 가정에서 태어났는지, 혹은 어떤 재능을 갖고 태어났는지 등의 우연적 상황이 자신의 인생에 미치는 영향력을 최소화할 수 있습니다. 따라서 우리 사회가 앞으로 지향해야 할 목표라 할 수 있습니다. 그러나 현실적으로 볼 때 기본소득을 지급하기 위해서는 천문학적인 재원이 필요합니다. 우리나라 인구를 5천만 명으로 계산했을 때, 1인당 기본소득을 100만 원만 지급한다고 하더라도 50조 원이 소요됩니다. 우리나라의 국가예산이 2024년 기준 약 657조 원이고 국방예산이 약 60조 원인 것을 감안할 때, 국방예산 정도의 금액이 기본소득제 도입을 위해 전액 대체되어야 하므로 현실적으로 실현이 어렵습니다.

그러나 조건부 기본소득제도를 도입하고 운용하는 것부터 시작하여 점차 확대해나가는 방법은 가능할 것입니다. 조건부 기본소득이란, 특정한 조건을 부여하여 기본소득을 시행하는 것입니다. 예를 들어 국민의 합의를 통해 기본소득을 200만 원으로 정했다면, 소득이 100만 원인 A는 국가로부터 100만 원을 지급받아 총액 200만 원을 보장받는 것입니다. 이처럼 국민이 모두 인간으로서 기본적인 생활을 할 수 있도록 보장할 수 있습니다. 2024년 국가예산 657조 원 중 보건·복지·노동예산이 약 242조 원에 달한다는 점을 보았을 때 기본소득의 일부 도입과 이후 확대는 가능할 것이라 판단할 수 있습니다.

기본소득을 도입해야 하는 시점은, 우리의 예상보다 가까운 근미래일 것이라 생각합니다. 현대과학기술을 감안할 때, 사무자동화와 대규모 로봇 도입, 인공지능화로 인해 대규모 실업이 발생할 것입니다. 그러나 소요되는 노동력이 줄어들더라도, 자동화의 효율성이 발휘되어 최소한 현재의 생산력이 유지되거나 오히려 더 커질 가능성이 높습니다. 따라서 이를 대비할 필요가 있으며 그 대책으로서 기본소득을 도입할 수 있습니다. 그리고 지방자치단체 차원에서 기본소득에 대한 실험을 하여 기본소득제를 전 국가적으로 시행하기 전에 발생할 문제점을 점검하고 보완하는 노력을 하는 것도 현실적으로 좋은 방법이 될 수 있을 것입니다. 특히 코로나19로 인해 사업장이 폐쇄되고 물류가 멈추고 가계소비가 위축된 상황에서 가계별로 일시적인 재난지원금이 지급되어 소비를 자극하고 경제활성화에 도움이 된 것을 볼 때 상시적이고 장기적인 기본소득의 효과가 더 클 것이라는 점은 충분히 검증되었다고 생각합니다.

Q2. 모범답변

　자유주의는 개인의 자유를 가장 중요한 가치로 여기고, 특히 현대 자본주의 사회에서 개인의 자유를 보장하기 위해서는 안정적 생존이 보장되어야 한다는 입장을 갖고 있습니다. 현재 법체계는 근대의 산업혁명과 그로 인한 일자리의 감소를 반영하여 형성되어 있습니다. 근대 산업혁명으로 인해 줄어든 일자리를 아동노동의 금지, 서비스업의 새로운 일자리 보장, 실업보험제도를 통해 생존을 위한 소득을 보장하고 있는 것입니다. 그런데 정보혁명과 4차 산업혁명으로 인해 기존의 법체계를 통해서는 개인의 자유를 안정적으로 보장할 수 없어 개인의 자유를 안정적으로 보장할 수 있는 방법에 대한 새로운 논의가 진행되고 있습니다. 그렇기 때문에 기본소득은 개인의 자유의 기반이 되는 논의에 해당합니다. 따라서 기본소득제는 노동의욕의 감소로 인한 국가경제의 위축이라는 결과를 초래한다고 볼 수 없습니다. 오히려 이보다는 개인이 생계를 유지하기 위해 자신의 진정한 의사에 반해 어쩔 수 없이 일을 하기 때문에 노동의욕이 일어나지 않는다고 보는 것입니다. 따라서 기본소득을 보장하면 개인의 생계가 보장되어 자신이 진정으로 하고자 하는 일을 선택할 수 있습니다. 따라서 기본소득제를 통해 일할 의욕과 동기의 유발과 다양성의 확보가 가능하다는 효과를 노리고 자유주의 입장에서 논의되고 있습니다.

Q3. 모범답변

　물론 그러한 문제도 발생할 수 있습니다. 그러나 2016년 4월, 독일의 여론조사기관인 달라이가 EU의 28개국, 500개 도시의 1만 명을 대상으로 실시한 여론조사 결과에 따르면, 기본소득이 직업 선택에 영향을 주지 않을 것이라는 답변이 34%였고 일을 그만둔다는 답변은 4%에 불과했습니다.

　기본소득을 지급하면 오히려 일할 의욕이 더 커질 수도 있을 것입니다. 기본소득을 지급하면, 현재 소득이 극도로 적어 소비여력 자체가 없는 저소득층의 소비여력이 발생합니다. 특히 저소득층은 한계소비성향이 높고 필수재를 소비하기 때문에 내수경제에 큰 도움이 됩니다. 이로 인해 경제가 활성화될 것이고 기본소득 수준에 있는 사람들도 일할 의욕을 갖고 일하게 되면 더 큰 소득을 얻을 가능성이 커지게 됩니다. 따라서 일할 의욕의 저하라는 문제점을 최소화할 수 있을 것입니다.[54]

Q4. 모범답변

　기본소득을 지급한다고 하여 국가부도 사태에 직면할 것이라 할 수 없습니다. 현재 우리나라의 예산안을 보면 2024년 기준 총예산 657조 원 중 보건·복지·고용예산은 약 242조 원에 달하여 국가예산의 1/3이 넘는 수준입니다. 만약 전 국민에게 기본소득이 지급된다면 개개인에게 지급되는 각종 수당이나 기타 보조금 등이 기본소득으로 합산되어 일괄지급됩니다. 그렇다면 현재의 선별복지 체제에서 사용되는 복지관리비용이 줄어들 여지가 큽니다. 이처럼 각종 비용이 줄어드는 효과가 있을 것입니다.[55]

　또한 기본소득 도입으로 기대되는 내수경제 활성화 효과로 인하여 세수 자체가 늘어날 수 있습니다. 늘어난 세수를 바탕으로 기본소득이 지급되는 선순환을 기대할 수 있기 때문에 국가부도사태에 직면할 것이 당연하다고 보기는 어렵습니다.

54)
두 번째, 근로 유인이다. 덴마크의 경우 두 자녀를 거느린 편부모 가정이 실직 상태일 때 지급받을 수 있는 실업급여는 연간 3만 1,709유로(4,150만 원)이고, 최저임금은 연간 3만 유로(3,930만 원)로 실업급여와 저소득 근로자의 임금과의 격차가 크지 않다. 이로 인해 덴마크, 핀란드 등에서는 저임금 근로보다 실업급여를 선택하는 실업자가 많아 사회적인 문제가 되고 있다. 따라서 실업급여를 폐지하고 모든 사람에게 기본소득을 지급한다면, 보다 높은 소득을 얻기 위해 근로를 선택하게 하는 효과를 기대할 수 있다. (김은표, <이슈와 논점>, 제1148호, 2016.4.8.)

55)
현대의 사회보장제도는 공적부조, 사회보험, 수당 등으로 다양하고 복잡하게 구성되어 있으며, 대상자를 선별해야 하는 자산 조사 등은 많은 관리비용을 발생시키고 있다. 이에 다양하고 복잡하게 구성된 사회보장제도를 기본소득으로 통합하고 간소화한다면 관리 비용을 절감할 수 있을 것이다. (김은표, <이슈와 논점>, 제1148호, 2016.4.8.)

기본소득제의 도입과 시행이 반드시 현재의 사회보험과 공공부조 제도의 폐지로 이어지는 것은 아닙니다. 물론 기본소득 자체를 기존의 소득 이전 시스템 전체의 폐지와 동일시하는 극단적 기본소득에 대한 주장도 존재합니다. 그러나 기본소득은 점진적으로 도입될 수밖에 없으므로 현재의 사회보험과 공공부조의 폐지와 동일하지 않으며 오히려 병존하는 형태가 될 가능성이 매우 높습니다.

먼저, 저소득층은 현재 상황에서 얻는 것보다 기본소득 지급으로 인해 얻는 이익이 클 것이므로 반발하지 않을 것입니다. 기본소득은 무조건적인 소득의 하한선을 제공하자는 것입니다. 예를 들어 최저임금제의 혜택과 국민연금, 국민건강보험이 별도로 제공되는 것이 아닌 것이나 마찬가지입니다. 저소득층은 소득의 하한선은 기본소득으로 보장받고 그에 더해 사회보험과 공공부조의 혜택을 받게 되므로 반발하지 않을 것입니다.

둘째로, 복지 분야의 공공 일자리가 줄어들지 않을 것입니다. 기본소득의 도입은 조세와 소득 이전 시스템을 크게 단순화하고 선별복지와 관련된 관료비용을 줄이는 효과가 있습니다. 그러나 기본소득을 시행하고 정착시키기 위해서는 전 국가적인 작업이 복잡하게 진행되어야 하기 때문에 이를 위해 전문적 능력이 요구됩니다. 따라서 복지 분야의 공공 일자리가 줄어드는 것은 먼 미래의 일로 장기인력계획 등을 통해 충분히 해결할 수 있습니다.

2024 서울시립대/영남대/한국외대·2020 아주대·2019 원광대/전북대 기출

1. 기본 개념

(1) 출생률

출생률은 일정한 기간에 태어난 사람의 수가 전체 인구에 대하여 차지하는 비율을 의미한다. 통상 1년간의 출생 수를 그 해의 연앙(年央)인구(대개 7월 1일의 인구) 1,000에 대한 비율로 나타내며, 이것을 보통출생률 또는 조출생률(粗出生率)이라고 한다.

$$출생률(보통출생률) = \frac{1년간\ 태어난\ 인구수}{전체인구} \times 1,000$$

그러나 보통출생률의 분모가 되는 인구 중에는 출생과 관계가 없는 어린이나 노인, 미혼의 연령층 인구가 포함되어 있으므로, 그 나라의 출산능력과 직접적 관련성이 떨어진다. 따라서 출생의 실질적인 정도를 파악하기 위해서는 임신가능연령(15 ~ 49세)의 여자인구와 배우자가 있는 여자인구에 대한 출생 수의 비율을 산정한다. 이를 특별출생률이라 한다.

$$특별출생률 = \frac{1년간\ 신생아\ 수}{가임여성인구} \times 1,000$$

(2) 사망률

사망률은 일정한 기간에 사망한 사람의 수가 전체 인구에 대하여 차지하는 비율을 의미한다. 보통 1년간의 사망자 수를 그 해의 인구 1,000에 대한 비율로 나타내는 경우가 많다.

$$사망률(보통사망률) = \frac{1년간\ 사망자\ 수}{전체인구} \times 1,000$$

(3) 인구문제와 출생률, 사망률의 관계

인구의 증가와 감소는 출생률, 사망률과 직접적 관계가 있다. 출생률이 사망률보다 높다면 인구는 증가할 것이다. 반대로 사망률이 출생률보다 높다면 인구는 감소한다. 예를 들어 전쟁이나 기근이 발생하면 사망률이 출생률보다 높아지게 되어 인구는 감소하게 된다. 반대로 의학의 발전이나 상하수도 시설의 확충 등은 영아 사망률을 낮추는 효과가 있으므로 인구를 증가시키는 원인이 된다.

경제 발전에 따른 인구 성장 과정을 출생률과 사망률에 따라 4단계로 구분한다.

단계	출생률	사망률	인구성장	특징
1단계	높음	높음	안정적	인구증감 거의 없음
2단계	높음	낮음	급증	영양상태 개선, 의학 발달 등으로 인해 사망률 감소
3단계	사망률보다 낮음	낮음	증가 둔화	여성의 사회활동 증가, 평균결혼연령 증가 등으로 인해 출생률 감소
4단계	낮음	낮음	정체	인구증감은 없으나 고령화 진행

(4) 인구성장에 대한 관점

비관론은 다음과 같다. 첫째, 자원 고갈 문제가 있다. 인구의 급격한 성장은 보다 많은 자원 소비로 이어지게 된다. 인구 증가는 한정된 자원의 소비를 더 크게 증가시켜 자원을 고갈시키게 된다. 둘째, 식량 자원의 부족 문제가 있다. 인구 증가로 인한 자원 고갈 문제 중에서도 식량 문제는 특히 심각하다. 이미 세계적으로 애그플레이션[56]이 대두되고 있는 실정이다. 식량자원의 증산 속도가 인구 증가 속도에 뒤질 경우 대규모 기근이 나타날 수 있다. 셋째, 환경오염과 생태계 파괴가 우려된다. 인구 증가는 자원 소비로 이어지고, 이는 환경오염으로 귀결된다. 인구가 증가하면 그만큼 쓰레기가 늘어난다. 대표적인 예로 최근의 물 부족 사태를 들 수 있다. 인구 증가로 인한 물 소비량 증가는 생활폐수, 공업폐수 증가로 이어지고, 인간이 쓸 수 있는 깨끗한 물 부족문제로 심화된다. 환경오염 문제는 생태계 파괴를 야기하여 2차, 3차 피해를 일으킨다. 넷째, 사회 갈등이 심화될 것이다. 가용자원의 부족, 환경오염은 결국 사회갈등을 심화시킨다. 한정된 자원을 두고 갈등, 분쟁이 일어나게 되며 최악의 경우 전쟁으로 비화될 수도 있다. 예를 들어 아프리카에서는 우물이나 물웅덩이를 두고 부족 간 분쟁이 일어나고 있다. 국가적 단위로는 나일강을 둘러싸고 이집트와 에티오피아, 수단의 분쟁이 계속되고 있다는 점에서 이를 확인할 수 있다.

낙관론은 다음과 같다. 첫째, 과학기술의 발달이 촉진된다. 인구 증가는 경쟁을 촉발시키고, 사회진화론자들이 말한 것처럼 과학기술의 발전을 불러온다. 이러한 과학 기술의 발전은 한정된 자원에서 더 많은 생산을 가능하게 한다. 예를 들어 근대화 시기 암모니아를 이용한 화학 비료의 발명은 대규모 식량 증산을 가능하게 하였다. 둘째, 식량 분배를 통한 기근 해결이 가능하다. 현재 전 지구적 식량 생산량은 전 세계 인구를 먹여 살릴 수 있을 만큼 충분하다. 그러나 곡물 가격 유지를 위한 생산량 조절 등으로 인해 그 분배가 적절하지 않을 뿐이다. 전 지구적인 공조체제를 마련하여 식량이 남는 북유럽, 북미의 식량 생산량을 아프리카 등에 분배할 수 있다면 식량 부족 문제를 해결할 수 있다. 셋째, 인구증가속도가 둔화될 것이다. 각국 정부가 산아제한정책 등을 펼친 결과 전 세계 인구의 증가속도가 둔화되고 있다. 강력한 산아제한정책을 펼치고 있는 중국을 비롯하여 인구증가속도가 높은 아시아 국가들의 산아제한정책과 경제성장으로 인한 출산율 저하 등으로 인해 인구증가속도가 상당히 둔화되고 있다. 이러한 증가세의 둔화로 인해 과학기술 개발을 위한 시간적 문제를 상당부분 완화할 수 있다.

2. 읽기 자료

극단적 인구구조[57]

저출산과 가족정책[58]

초저출산 극복 연구[59]

56)
애그플레이션: 농업(Agriculture)과 인플레이션(Inflation)의 합성어로, 농산물 가격이 오르면서 전체 물가도 영향을 받아 인상되는 현상을 말한다. 밀, 옥수수, 콩 등 국제 곡물 값이 급등하면서 국내 식료품 값이 줄줄이 따라 올라 국제 유가를 비롯한 에너지 가격의 상승 못지않게 경제에 큰 부담을 주고 있다. 이러한 곡물 값 급등의 주요 원인은 식용, 사료용, 에너지용의 세 가지 용도로 곡물이 사용되면서 곡물 수요는 커지고 있는데 곡물 공급이 그에 따르지 못하는 심각한 수급 불균형이 발생했기 때문이다.

57)

극단적 인구구조

58)

저출산과 가족정책

59)

초저출산 극복 연구

⏱ 답변 준비 시간 20분 | 답변 시간 20분

※ 다음 QR코드를 촬영하면 연결되는 제시문을 읽고, 문제에 답하시오.

(가) 정부는 인구전략기획부를 신설하여 저출산·고령화 정책을 총괄하고, 관련 업무를 보건복지부와 기획재정부에서 이관받아 인구 정책 및 중장기 전략을 수립하도록 했다.

인구전략기획부

(나) 헝가리는 2019년부터 2030년까지 출산율을 2.1명으로 높이기 위해 파격적인 정책을 도입했다. 이에는 소득세 면제, 무이자 대출, 대출 탕감 등이 포함된다.

헝가리 저출산 정책

(다) 정부는 결혼자금에 대한 증여세 공제 한도를 5,000만 원에서 1억 5,000만 원으로 늘리고, 저소득층 자녀장려금 기준을 4,000만 원에서 7,000만 원으로 상향 조정하여 지원을 확대한다.

결혼자금 증여세 공제

Q1. 우리나라는 출산율이 낮아 앞으로 경제활동인구가 급격하게 줄어들 것으로 예상된다. 우리나라의 합계출산율[60]은 2015년 1.24명에서 2019년에는 0.92명까지 감소했으며, 2022년 0.78명, 2023년 0.72명을 기록해 OECD 주요국가 중 최저 수준이다. 2020년에는 출생 27만 명에 사망 30만 명으로 인구조사 이래 최초로 인구의 자연감소가 발생했다. 2022년에는 출생아 수 7만 명 이하가 되었다. 저출산이 야기할 수 있는 문제점, 저출산 문제의 원인을 제시하시오.

Q2. 저출산 문제의 해결방안을 논하시오.

Q3. 저출산 문제에 대한 대책으로 외국인 귀화를 용이하게 해야 한다는 주장이 있다. 그러나 비록 적은 수라 하더라도 외국인 귀화가 늘어나면 이로 인해 발생하는 문화갈등, 인종갈등 등의 문제가 있을 것이다. 이 문제점에 대한 해결책을 제시하시오.

Q4. 제시문 (나)의 헝가리 사례와 같이 저출산 문제를 해결하기 위한 방안으로, 아이를 낳는 모든 가구에 1억 원을 한도로 주택대출을 낮은 이자율로 지원하는 정책을 시행하려 한다. 출산장려금제도에 대한 자신의 견해를 논하시오.

Q5. 정부는 저출산을 해결하기 위해 결혼을 장려해야 한다는 판단 하에, 결혼비용 부담을 줄일 수 있도록 결혼자금에 한해 증여세 공제 한도를 높이기로 했다. 결혼자금 증여세 공제 한도 확대에 대한 자신의 견해를 논하시오.

Part 1
Part 2
Part 3
Part 4
Part 5
Part 6
Part 7

해커스 **김종수 토스콜 면접** 200주제

60)
합계출산율(Total Fertility Rate): 가임여성(15~49세) 1명이 평생 동안 낳을 것으로 예상되는 평균 출생아 수를 나타낸 지표로서 출산력 수준을 나타내는 국제적 지표이다.

Q1. 모범답변

저출산은 국가경쟁력의 약화로 이어질 수 있다는 문제가 있습니다. 저출산은 장래 인구구조가 노인층이 비대해지고 젊은 층이 적어지는 불균형으로 이어집니다. 경제활동인구가 적어지고, 많은 노인을 부양해야 할 젊은 층의 부담이 현격히 증대될 뿐만 아니라 이로 인해 젊은 층의 소비여력이 줄어들어 기업이 파산하는 등 국가가 점점 침체되는 악순환의 시작이 된다는 문제점이 있습니다.[61]

현재의 저출산 문제는 무엇보다도 초혼 연령이 늦어지는 데 원인이 있습니다. 젊은이들이 이른 혼인이 자신의 인생에 도움이 되지 않는다고 합리적인 판단을 하고 있습니다. 혼인은 일자리 문제와 경제상황, 미래에 대한 기대 등과 밀접한 관련이 있기 때문에 저출산 문제를 해결하기 위해서는 목적에 맞춰 설계된 다양한 정책을 유연하게 추진해야 합니다.

또 저출산 문제의 원인 중 하나는 혼인 외의 출생이 인정되지 않기 때문입니다. 2014년 기준 우리나라의 혼외자 출생률은 1.9%인 반면, 프랑스는 56.7%에 달합니다. OECD 27개국의 평균 혼외자 출생률은 40.5%에 달하는데, 이는 동거 비율이 높고 혼외자에 대한 사회적 편견과 차별이 없기 때문입니다.[62] 우리나라의 경우 혼인 외의 관계에 대한 사회적 편견이 심하고 특히 혼외자에 대한 편견과 차별이 크다는 점이 문제가 됩니다.

Q2. 모범답변

먼저 주거복지정책을 펼쳐야 합니다. 우리나라의 주택가격과 전월세 상승으로 인해 젊은이들이 살 집을 구하기 매우 어렵습니다. 공공임대주택 활성화와 함께 전월세 대책이 필요합니다. 예를 들어, 결혼을 한 신혼부부에게 목돈 부담이 없는 공공임대주택을 제공하고, 출산을 할 경우 더 넓은 공공임대주택을 제공하고 임대기간을 더 늘려준다면 혼인과 출산을 선택하는 것이 더 합리적이라고 인식하게 될 것입니다.

교육·의료정책의 변화가 필요합니다. 교육과 의료의 부담은 개인과 가정이 지는 것이 아니라 사회가 부담한다는 인식 전환이 필수적입니다. 프랑스의 경우 유럽에서 출산율이 가장 높은데, 그 원동력은 교육과 의료의 부담을 사회가 전적으로 부담하고 있는 것에 있습니다.

여성정책을 펼쳐야 합니다. 여성의 사회적 지위와 가정 내 지위의 평등 처우를 개선해야 합니다. 먼저, 여성의 취업비율이 높아져 출산에 따른 임금 손실 등이 저출산의 원인으로 작용하고 있습니다. 여성의 육아 휴직을 실질적으로 가능하게 하고, 이로 인한 불평등을 적극적으로 시정해야 합니다. 여성의 능력 개발과 재취업을 위한 재교육 지원도 좋은 방법이 될 것입니다.[63] 둘째, 가정 내의 성평등 수준을 높여야 합니다. 남성의 가사노동과 자녀돌봄이 활발해져야 합니다. 이를 위해 성평등에 대한 교육 강화와 부모 모두의 육아휴직 보장 등이 필요합니다.

수도권 집중현상을 완화해야 합니다. 우리나라 인구는 수도권에 밀집되어 인구밀도와 인구편중이 너무 심합니다. 이로 인해 서울과 지방의 인프라 격차가 커지고 인구 밀집과 인구 편중이 더 심각해지는 악순환이 일어납니다. 이처럼 서울과 수도권의 밀집도가 올라가게 되면 경쟁의 심화로 인해 출산과 양육 대신 생존에 더 집중하게 되어 출산율이 떨어지는 현상이 발생합니다. 이를 해결하기 위해 지방 분권과 지방 인프라 구축이 필요합니다. 지방권의 자원을 효율적으로 이용하기 위한 메가시티 구축도 한 방안이 될 수 있을 것입니다.

61)

노동시장과 초저출산

62)
통계청·통계개발원, <KOSTAT 통계플러스>, 2018년 가을호

63)
저출산 보완대책은 다자녀출산을 유인할 동력이 될 만한 세부정책들의 개발을 포함해야 한다. 현실적으로 육아휴직을 사용할 수 있는 직업이 한정돼 있는 현실, 양(兩)부모가 있는 가족을 전제로 시행되는 '아빠의 달'에서 소외될 수 있는 한부모가족 등을 고려하여 보편적으로 활용할 수 있는 영아보육과 초등학교 방과 후 교육의 수준을 높이는 것을 검토할 수 있다. 더불어 다자녀 출산을 결정할 수 있을 만큼의 현실성 있는 유인책을 제시할 수 있어야 할 것이다. 가령, 2015년 기준 셋째아로 출산한 아동이 37,109명인 상황에서 셋째아 출산가정에 1억씩을 지원(소요예산은 3조 7,109억)하는 수준이라면 다자녀출산가족에 대한 유인이 될 가능성이 클 것이다. (조주은, <저출산 위기 극복을 위한 보완대책의 문제점과 개선방안>, 이슈와 논점 제1208호, 국회입법조사처)

또한 혼인 외 관계에 대한 사회적 인정이 필요합니다. 프랑스의 시민연대계약(PACS: Pacte civil de solidarité)과 같은 느슨한 가족결합제도를 도입해서 인정하는 방안을 고민해야 합니다. 팍스는 프랑스가 동성 커플에게도 법적인 지위를 인정하기 위해 1999년 도입한 제도인데, 세액공제 등 결혼한 부부와 동일한 수준의 혜택을 보장받고, 계약을 체결하고 해지할 때 법적으로 기록이 남지 않습니다. 2001년 1만 6,589건이었던 팍스 커플 수는 2017년 19만 3,950건으로 늘었습니다. 팍스는 법적 규제를 받는 결혼과 달리 법적 제약을 받지 않는 가족제도입니다. 프랑스 역시 우리나라와 마찬가지로 결혼해서 이혼을 하게 되면 위자료나 재산 분할 등 그 부담이 만만치 않고, 특히 남성은 여성이 재혼하기 전까지 생활비나 양육비 등 월급의 반 이상을 지불해야 되므로 결혼을 꺼리는 경향이 큽니다. 그래서 동거와 결혼의 중간 형태인 팍스를 선호하는데, 팍스는 두 사람이 살다가 서로 뜻이 안 맞아 헤어지고 싶으면 둘 중 한 명이 팍스 해지를 원하는 서류를 행정관청에 제출하면 되기 때문입니다. 다만, 팍스 관계에서 자녀가 생기더라도 이 자녀에 대한 지원은 국가가 전적으로 행합니다. 자녀에 대한 국가 지원이 있더라도 친권자인 부모가 누구인지를 따지는 우리나라와 달리, 프랑스는 친권자와 관계없이 아이에게 국가의 지원이 직접 행해지기 때문입니다. 이처럼 우리나라 역시 결혼에 대한 관점을 다양하게 하고, 출생한 자녀에 대한 지원을 '부모의 자녀'가 아닌 '대한민국의 아이'로 직접 국가가 수행하는 형태의 변화가 필요합니다.

마지막으로 외국인의 귀화를 용이하게 하는 국적법 개정이 필요하다고 생각합니다. 중국이나 인도 등 인구가 많은 국가의 인재들을 적극 귀화시키는 정책이 필요합니다. 현재 국적법은 일반 귀화요건을 국내에 5년 이상 주소가 있을 것 등으로 규정하여 귀화가 매우 까다롭습니다.[64] 법개정을 통해 귀화 장려 정책을 시행해야 합니다. 그러나 외국인 귀화로 인구를 증가시키는 것은 한계가 있습니다. 흔히 10년 전까지만 해도 중국 조선족 동포들이 귀화할 것이라 생각했으나, 중국의 경제가 빠르게 성장하고 있어 문화가 확연히 다른 우리나라에 귀화하기를 원하지 않습니다. 해외선진국도 마찬가지인데 자국민의 생활수준이 높고 경제가 발전하는 국가에 이민을 원하지 해당국가의 경제가 불투명한 경우에는 이민을 하려 하지 않습니다. 따라서 무엇보다도 우리나라의 저출산 문제를 해결하는 데 초점을 두고 귀화 장려정책은 부가적인 방법이 되어야 합니다.

Q3. 모범답변

문화 갈등과 인종 갈등의 문제가 분명히 발생할 것입니다. 지금도 베트남, 필리핀 여성과 우리나라 남성 간에 태어난 코시안들의 교육과 차별문제가 발생하고 있습니다.

먼저, 사회적·제도적 연구와 제도 개선이 필요합니다. 우리나라는 타국에 비하면 인종갈등, 문화갈등을 많이 겪지는 않았습니다. 미국은 인종갈등, 문화갈등을 많이 경험한 나라입니다. 일단 미국의 인종갈등, 문화갈등의 사례, 판례나 법의 문제해결기준과 절차, 그리고 긍정적·부정적 역할 등을 연구하여 갈등 완화, 갈등 해소의 기준과 절차를 마련해야 합니다.

또한 의식 개선과 교육제도 개선이 이루어져야 합니다. 우리나라가 단일민족임을 자랑스럽게 교육하는 내용부터 없애야 합니다. 우리나라가 다민족, 다인종 사회가 될 수밖에 없음을 교육해야 합니다. 다른 문화와 인종을 존중하고 자연스럽게 수용하는 정신을 키우도록 교육해야 합니다.

64)
국적법 제5조(일반귀화 요건) 외국인이 귀화허가를 받기 위해서는 제6조나 제7조에 해당하는 경우 외에는 다음 각호의 요건을 갖추어야 한다.
1. 5년 이상 계속하여 대한민국에 주소가 있을 것
1의2. 대한민국에서 영주할 수 있는 체류자격을 가지고 있을 것
2. 대한민국의 「민법」상 성년일 것
3. 법령을 준수하는 등 법무부령으로 정하는 품행 단정의 요건을 갖출 것
4. 자신의 자산(資産)이나 기능(技能)에 의하거나 생계를 같이하는 가족에 의존하여 생계를 유지할 능력이 있을 것
5. 국어능력과 대한민국의 풍습에 대한 이해 등 대한민국 국민으로서의 기본 소양(素養)을 갖추고 있을 것
6. 귀화를 허가하는 것이 국가안전보장·질서유지 또는 공공복리를 해치지 아니한다고 법무부장관이 인정할 것

Q4. 모범답변

　출산장려금 지급정책은 타당합니다. 저출산 문제 해결에 기여할 수 있기 때문입니다. 저출산 문제는 국가의 존립과 직접적으로 연결되며, 특정시기를 놓치면 문제 해결 자체가 근본적으로 불가능할 수 있습니다. 예를 들어, 현재 우리나라의 출산율은 0.7명대에 이르고 있는데 출산율의 하락이 가속화되고 있는 상황입니다. 일본의 경우, 우리나라보다 출산율이 높은 상황임에도 불구하고 저출산 해결을 전담할 어린이가정청을 신설[65]하고 연 35조 원에 달하는 저출산대책 예산을 집행할 예정입니다. 특히 출산은 개인의 자유로운 선택으로 이를 강제할 수 없기 때문에 결혼을 했거나 결혼을 할 예정인 부부의 출산 의지를 갖도록 해야 합니다. 이를 위해서는 부부가 자녀를 출산할 수 있는 환경을 만들어야 하는데, 그 중 가장 기본적인 것이 가족이 살아갈 주택 문제라 할 수 있습니다. 부부가 자녀와 함께 살 수 있는 주택 문제는 결국 주택 구입자금 혹은 주택 거주자금 마련이 시작점이 됩니다. 최대 1억 원을 주택 대출로 출산장려 혜택으로 지급할 경우, 국가는 낮은 이자율의 부담만을 지는 것이므로 동일한 예산으로 최대한 많은 국민들에게 혜택을 줄 수 있습니다. 또 자녀를 출산하고자 하는 부부들의 부담을 낮출 수 있습니다. 물론, 취업난이나 내 집 마련의 어려움 등의 근본적 원인의 해결도 중요할 것임은 분명합니다. 그러나 이는 주택 대출과 같이 빠른 지급과 해결이 가능한 문제부터 시급하게 해결하고, 이후에 근본적 원인을 다각도로 분석해 시행해나가면 될 것입니다. 이는 마치 응급실에 실려 온 환자에게 증상에 대응하는 대증(對症)치료를 먼저 해서 시급한 문제를 해결하고, 이후에 근본적인 원인을 찾아 해결하는 응급치료와도 유사합니다. 따라서 출산장려금 지급정책은 타당합니다.

Q5. 모범답변

　사회 정의의 실현을 위해, 결혼자금에 대한 증여세 공제 확대는 타당하지 않습니다. 사회 정의는 각자에게 올바른 몫을 주는 것이고, 우리 사회는 자신이 자유롭게 노력한 결과에 대한 응분의 대가를 각자의 올바른 몫으로 인정합니다. 그런데 결혼자금에 대한 증여세 공제를 확대하는 것은 부모에게서 자녀에게로 부(富)가 이전되는 것을 우리 사회가 허용하겠다는 것입니다. 그렇다면 부유한 부모를 둔 자녀는 합법적으로 부모세대의 부를 이전받아 더 부유한 삶을 살 수 있게 될 것이고, 반대로 가난한 부모를 둔 자녀는 더 어려운 삶을 살게 될 것입니다. 부모의 부는 자녀세대의 자유로운 노력의 결과가 아니라 단지 우연에 불과합니다. 그런데 이미 성장과정에서 우연적 요인에 따른 불평등이 존재하고 있는데, 성인이 된 이후에도 우연적 요인이 결혼에도 영향을 미치게 되는 것입니다. 자녀 1인당 최대 1억 5천만 원의 증여가 세금 없이 가능하다면, 결혼으로 인해 양측 부모에게 증여를 받는다면 최대 3억 원의 증여가 가능합니다. 이 자금은 일반적으로 주택자금으로 쓰일 가능성이 큰데, 결혼 초기에 3억 원의 자산 격차는 시간이 흐를수록 더 큰 격차가 되어 불평등을 가속화시키게 될 것입니다. 물론, 청년들이 결혼을 위한 주택자금 부족 등의 문제가 있고, 이로 인해 저출산 문제가 있어 해결해야 한다는 점은 인정할 수 있습니다. 그러나 이는 결혼자금에 대한 증여세 공제 확대를 통해 해결할 일이 아니라, 국가가 주택정책과 저출산대책 등을 통해 해결할 일입니다. 따라서 사회정의의 실현을 위해 결혼자금에 대한 증여세 공제 확대는 타당하지 않습니다.

65)

일본 어린이가정청

116 개념 고령화와 노인문제

2021 인하대·2020 인하대·2019 건국대/원광대 기출

1. 기본 개념

(1) 초(超) 스피드로 인구 고령화 사회에 진입

세계적으로 인구 고령화가 가속화되고 있다. 과거에는 고령화 사회를 "15~64세의 인구에 대한 65세 이상 인구 비율이 7%를 초과하는 것"으로 정의했다. 그러나 최근에는 '노년 인구 비율(전체 인구에 대한 65세 이상 인구의 비율)'이 기준이 되는 경우가 보통이다. 즉 노년 인구 비율이 7%를 넘으면 '고령화 사회 (aging society)', 그 두 배인 14%를 넘으면 '고령 사회(aged society)', 그리고 20%를 넘으면 '초고령 사회(highly aged society)'라고 정의한다.

현 단계에서 우리나라의 고령화 수준은 선진국에 비하여 상대적으로 낮은 편이다. 그러나 다음의 <표>에서 보듯 우리나라 고령화의 속도는 세계에서도 그 유래를 찾아보기 어려울 정도로 매우 빠르다.

<표: 고령화 진전의 국제 비교>[66]

구분	도달연도			증가 소요 연수	
	7%	14%	20%	7% → 14%	14% → 20%
한국	2000	2019	2026	19	7
일본	1970	1994	2006	24	12
프랑스	1864	1979	2020	115	41
독일	1932	1972	2012	40	40
영국	1929	1976	2021	47	45
이탈리아	1927	1988	2007	61	19
미국	1942	2013	2028	71	15

비교적 고령화 속도가 빠르다는 일본의 경우도 1970년에 고령화 사회에 진입한 이후 24년 만인 1994년에 고령 사회에 진입했는데, 우리는 겨우 19년 만에 그러한 수준으로 변화하는 것이다.

그렇다면 고령화의 원인은 무엇인가? 고령화를 야기한 가장 중요한 첫 번째 원인은 인구 전환 때문이다. '다산다사(多産多死)'로부터 '다산소사(多産小死)'로의 전환 과정에서는 부모 세대보다 자녀 세대가 상대적으로 많아지기 때문에 총인구의 평균 연령은 낮아지는 것이 보통이다. 이에 반해 '다산소사'에서 '소산소사(小産小死)'로 전환되는 시기에는 부모 세대의 인구가 자녀 세대의 인구보다 많아지므로 총인구의 평균 연령은 상승한다. 따라서 인구 고령화 현상은 사회가 근대화를 달성하고 인구 전환을 경험하게 되면 필연적으로 나타나는 현상이다.

두 번째 원인도 역시 인구 전환에 의한 것으로 출산 자녀 수의 감소가 그 원인이다. 이는 네덜란드의 인구학자 반 드 카(Van de Kaa)가 말한 '제2의 인구 전환', 즉 만혼화(晚婚化), 비혼화(非婚化)로 인한 출산율의 급격한 축소 때문이다.

66)
UN, <The Sex and Age Distribution of World Population>, 일본국립사회보장·인구문제연구소, <인구통계자료집>(2000), 통계청 <장래 인구추계 보도자료>(2001)에서 재인용

(2) 고령화의 사회·경제적 파급 효과

고령층은 젊은 생산 계층에 비해 소비 계층이므로 고령화가 진전되면 저축률이 감소하고, 노동력 부족 현상이 초래되어 경제 성장률이 감소된다. 또한 연금 재정의 악화는 현역 세대의 보험료 인상과 연금 수급자의 급여 인하로 이어지고, 그로 인한 소비의 감소 경향은 다시 경제 성장률 감소로 이어져 악순환 구조가 발생할 수 있다.

그러나 인구 고령화가 곧바로 경제 악순환 구조를 야기할 것이라고 단정하기는 어렵다. 우선 저축률 저하와 노동력 부족으로 말미암은 경제 성장률 저하 및 연금 재정의 악화가 예상된다. 그러나 후기 산업사회에서는 장기적으로 투자 수요도 감소하므로 저축률이 떨어진다고 해도 저축 부족 현상이 나타날 것이라고 단언하기 어렵다.

둘째, 고령자 및 여성 인구 등에 대한 고용 차별을 없애거나 육아 시설을 확충하는 등 유휴 노동력을 풀가동할 수 있는 제도적 장치를 정비하여 그들의 노동력 활용률을 높여갈 수 있다면 인구 고령화로 인한 노동력 부족 현상도 극복할 수 있다.

셋째, 인구 고령화로 인한 연금 재정 악화 문제는 심각하다. 우리나라의 경우 보건복지부의 최근 추계에 따르면 국민연금기금은 2036년에 적자 전환, 2047년에 연금 재정의 완전 고갈이 예상된다. 그간의 '저(低)부담, 고(高)급여'가 가져온 결과이다. 이에 국민연금발전위원회는 '고부담, 저급여' 방향으로 개혁을 추진하려 하지만, 과연 그 같은 개혁안을 국민이 수용할 수 있겠느냐는 문제가 남아 있다.

넷째, 기존의 근무 연수에 따라 임금이 증가하는 임금 지불 형태인 '연공급 제도'에 입각한 기업의 고용 관행이 변화할 것이다. 인구 고령화로 경제 성장이 감속되면 그간의 안정적 고정 고용 관행이 유연적 고용 관행으로 전환될 것이다.

결국 인구 고령화로 인한 문제를 극복할 수 있는가 여부는 그 사회의 변혁 가능성, 즉 각종 구조 개혁을 할 수 있는가에 달려 있다. 사회보장의 틀을 바꾸어 나가는 노력, 가령 고령자 의료 서비스 문제 개선이라든가 연금 재정 악화의 주원인인 '저부담, 고급여' 체계에 대한 국민의 공감대 확보를 위한 정부적 차원의 대안 개발과 같은 것이 중요하다. 이러한 제반 문제들은 공공 부문의 성격을 띠고 있으므로 개별 민간 차원에서의 접근은 한계가 있기 때문이다.

2. 읽기 자료

고령화와 노인복지[67]
고령화와 노인빈곤[68]

[67]

고령화와 노인복지

[68]

고령화와 노인빈곤

116 문제　고령화와 노인문제

⏱ 답변 준비 시간 10분 | 답변 시간 10분

※ 다음 QR코드를 촬영하면 연결되는 제시문을 읽고, 문제에 답하시오.

> 대한민국의 65세 이상 노인 인구가 1,000만 명을 돌파할 것으로 보이며, 내년 초에는 전체 인구의 20%를 차지할 예정이다. 이는 초고령화 사회로의 급속한 진입을 의미한다.
>
>
>
> 노인문제

Q1. 고령화 사회의 문제점을 제시하고, 고령화 대책을 제시하시오.

Q2. 일본의 경우 노인빈곤 문제가 심각하다. 고령화가 빠르게 진행되는 우리나라도 일본과 같은 문제가 곧 찾아올 것이라 예상되고 있다. 노인빈곤이 야기하는 문제점을 다각도에서 제시하시오.

Q3. 노인빈곤에 대한 대책을 제시하시오.

해커스 김종수 토스클 면접 200주제

Q1. 모범답변

고령화 사회는 경제활동인구 비중이 줄어들어 국가의 수입이 감소합니다. 고령층은 소비 계층이기 때문에 생산계층인 젊은이들에 비해 저축률이 낮고, 고령층이 많아지면 노동력 부족으로 인해 경제 성장률이 감소됩니다. 또 연금 생활자가 많아 연금 재정이 악화되어 현세대의 보험료 인상, 연금 수급자의 급여 인하가 발생할 것입니다. 이는 다시금 소비의 감소 경향으로 이어지고 경제 성장률이 또다시 낮아져 악순환이 발생합니다. 이처럼 노인부양비용과 국민연금 지출, 국민건강보험 지출이 증가함으로써, 사회적 지출은 증가하나 세수는 감소할 것입니다. 이로 인한 경기 침체, 국가재정적자 문제가 발생할 것입니다.

고령화 대책으로서, 정년 연장을 제시할 수 있습니다. 정년을 연장하면 국가의 세수도 늘고 연금수혜자가 감소하므로 사회적 부담을 완화할 수 있습니다. 한 연구결과에 따르면 국민연금 수혜자를 8% 줄이면 고령화가 국민생산 대비 공적 부채비율에 미치는 효과를 중화시킬 수 있다고 합니다.[69] 현재의 정년 연령은 평균수명이 현재보다 적고 의료체계가 빈약해 노인의 건강상태가 좋지 않던 과거 시대에 정해진 것입니다. 이를 현재 상황에 맞게 현실화할 필요가 있습니다. 게다가 우리나라는 노인복지가 빈약해 정년이 빠를 경우 늘어난 평균수명을 고려할 때 노인들의 빈곤문제가 장기적으로 지속될 수 있습니다.

고연령 근로자들의 경제활동 참가를 증진시키기 위한 유인책을 시행해야 합니다. 이를 위해 국민연금 지급 개시 시점과 공무원의 퇴직연령을 늦추는 법안을 마련해야 합니다. 기업에는 퇴직연령을 높이도록 권장하고, 퇴직연령을 늦추는 기업에 대한 인센티브 제공, 임금피크제, 고연령 노동자가 일하기 위한 환경 만들기 지원 등을 해야 합니다. 또한 여성의 경제활동 참가율을 높여 고령자 비율의 증가에 따른 경제활동인구의 감소를 보완할 수 있습니다.

Q2. 모범답변

노인빈곤으로 인하여 부모와 자녀 세대가 함께 파산하는 사회적 문제가 발생할 수 있습니다. 우리나라는 사회복지제도가 생긴 지 얼마 되지 않아 노인세대가 노후 준비가 되어 있지 않은 경우가 대다수입니다. 따라서 노인세대의 의료비와 요양비, 생활비는 결국 가족이 부담해야 합니다. 현재 젊은 세대의 실질임금이 감소하고 있는 실정을 고려할 때, 가족이 부담해야 할 부양의무는 더 클 수밖에 없습니다.

둘째로, 사회적 가치의 붕괴나 훼손이 초래될 수 있습니다. 노인빈곤으로 인해 부모와 자녀 세대가 함께 파산하는 문제가 발생하면 '노인은 짐이 된다'는 의식이 퍼질 수 있고, 오래 산 노인이 존경받지 못하는 인식의 변화는 생명 윤리에 대한 훼손으로 이어질 수 있습니다.

세 번째로, 젊은 층의 소비가 침체될 수 있습니다. 위와 같은 문제들이 발생하는 사회에서 젊은이들은 자신의 노후를 걱정할 수밖에 없습니다. 따라서 이러한 문제를 벗어나고자 필사적으로 저축에 매달릴 가능성이 높습니다. 일본의 예를 보면, 젊은 층에서 이른바 달관(사토리)세대가 나타나고 있는데 결혼이나 연애, 소비 등에도 관심이 없는 현상이 나타나고 있습니다. 미래에 노인빈곤상태에 직면하는 것을 예방하고자 소비욕구 등을 스스로 억제하게 되므로 젊은 층의 소비가 위축될 수 있습니다.

[69]
안주현·홍성현, <인구의 고령화-경제현안과 도전받는 정책>

마지막으로, 저출산의 가속화가 야기될 수 있습니다. 육아에는 많은 비용이 들고, 특히 우리나라의 경우 교육비가 많이 들기 때문에 저축을 할 수 있는 여력이 육아에 사용된다고 인식할 수 있습니다. 자녀가 부모를 부양한다는 전통사회의 가치가 성립하지 않기 때문에 부모는 육아, 양육, 노후 대비를 동시에 해야 합니다. 노후 대비를 위한 노후 자산의 감소를 막기 위해 출산을 미루거나 포기할 수 있습니다. 우리나라의 경우 출산과 육아, 노후 대비를 개인의 전적인 부담으로 떠넘기고 있기 때문에 개인으로서는 자신의 안정적 생존을 위해 출산과 육아를 포기하는 것이 합리적입니다. 따라서 노인 빈곤은 저출산 문제를 가속화시킬 수 있습니다.

Q3. 모범답변

먼저 연금제도 개혁이 필요합니다. 현재 우리나라는 가족이 부양할 것을 전제로 한 연금제도를 운영하고 있습니다. 그런데 현대사회는 가족기능이 붕괴하고 있습니다. 이혼이 일반화되었고 1인 가구도 많습니다. 가족의 부양을 전제로 최소한의 생활에 맞춰 설계된 연금으로는 노인빈곤을 막을 수 없습니다.

의료제도 개선이 필요합니다. 노인의 경우 의료기관의 도움이 필요한데, 의료기관 역시 가족의 도움을 전제로 설계되어 간병인 등을 두어 보조하고 있는 상황입니다. 노인 보호는 가족의 역할이 아니라 국가의 역할임을 명확하게 하여 의료정책을 펼쳐야 합니다. 예를 들어, 간병인 없는 병원 등을 확대해야 합니다. 또한 노인질병의 초기 진단과 초기 치료에 정책적 노력을 기울여 문제를 예방하는 노력이 필요합니다.

주거복지를 개선할 필요가 있습니다. 우리나라의 부동산 실태를 볼 때, 소득 중 주거비가 차지하는 비중이 상당히 높습니다. 수입원이 끊어진 노인세대의 경우 주거비의 비중이 더 클 것입니다. 따라서 노인세대를 위한 공공주택을 준비해야 합니다. 단순히 주거만을 제공하는 것에서 그치지 않고, 노인세대가 사회적으로 고립되지 않고 사회적 관계를 충분히 유지해나갈 수 있도록 공공주택 정책과 연계한 지역 네트워크 강화정책 또한 준비해야 할 것입니다.

마지막으로 선별복지에서 보편복지정책으로 인식의 전환이 필요합니다. 선별복지의 경우, 지원자격과 조건을 스스로 알아봐야 하고 이를 직접 신청해야 합니다. 노인세대는 이러한 정보 습득이 어려워 자격이 된다고 하더라도 복지의 혜택을 받지 못할 가능성이 대단히 큽니다. 따라서 보편복지의 형태로 복지정책을 전환하여 누구나 어려움 없이 복지 혜택을 받아 안정적인 생활을 유지할 수 있도록 해야 합니다.[70]

Part 1
Part 2
Part 3
Part 4
Part 5
Part 6
Part 7

해커스 김종수 토스를 면접 200주제

70)
① 고령자에 대한 국민의 인식 개선이 필요하다. ② 고령자의 생활 안정 확보를 위한 사회보장제도가 확립되어야 한다. ③ 고령자의 의욕과 능력을 활용할 방안이 필요하다. ④ 지역자원 활용과 안정적인 지역 사회를 만들어 고령자의 사회적 고립이나 고독사 문제 등을 해결해야 한다. ⑤ 고령자가 안전하고 안심이 되는 생활환경 정비가 필요하다. ⑥ 은퇴 이전에 시작하는 '인생 90세 시대' 준비와 함께 노년기의 경제적 자립이라는 관점에서 현역 시절에 축적해온 자산을 활용한 노년기 생활 준비와 남은 재산이 다음 세대로 원활하게 넘어갈 수 있는 순환 구조가 필요하다. (일본내각회의, <고령사회 대책 대강>, 2012.9.7. 개정판)

2020 충북대·2019 동아대 기출

1. 기본 개념

(1) 국민연금

국가가 운영하는 다양한 사회보장제도 중에서 국민연금은 보험원리에 따라 운영되는 대표적인 사회보험제도이다. 즉, 가입자, 사용자로부터 정률의 보험료를 받고, 이를 재원으로 사회적 위험에 노출되어 소득이 중단되거나 상실될 가능성이 있는 사람들이 다양한 급여를 받을 수 있는 제도이다. 국민연금제도를 통해 제공되는 급여에는 노령으로 인한 근로소득 상실을 보전하기 위한 노령연금, 주소득자의 사망에 따른 소득상실을 보전하기 위한 유족연금, 질병 또는 사고로 인한 장기근로능력 상실에 따른 소득상실을 보전하기 위한 장애연금 등이 있다. 이러한 급여를 지급함으로써 국민의 생활안정과 복지 증진을 목표로 한다. 국민연금은 2023년 기준 1,036조 원의 순자산을 보유하고 있고, 2023년 기금운용수익은 126조 원으로 수익률은 약 14%이다.

(2) 규모

주요 연기금의 기금 운용 규모는 다음과 같다. 2023년을 기준으로 국민연금이 약 1,036조 원, 사학연금은 26조 원, 공무원연금공단은 5조 원, 우정사업본부는 예금과 보험을 합쳐 148조 원이다.

(3) 국민연금의 혜택

국민연금은 국가가 관리하는 보험이기 때문에 사보험에 비해 관리보수와 운영비가 적다. 물가상승분을 반영하는 거의 유일한 보험이다. 특히 노령연금 등의 수급금액에는 압류 등이 불가능하다.

2. 읽기 자료

고령화와 국민연금[71]
국민연금 개혁방안[72]

[71]

고령화와 국민연금

[72]

국민연금 개혁방안

🕐 답변 준비 시간 20분 | 답변 시간 20분

※ 다음 제시문과 QR코드를 촬영하면 연결되는 제시문을 읽고, 문제에 답하시오.

(가) 국민연금 기금은 현재 915조 원에 달하는데, 2040년이 되면 1,755조 원으로 늘어날 것으로 예상된다. 그러나 2041년부터 들어오는 돈보다 나가는 돈이 더 많아 수지 적자가 발생하고 2055년에는 고갈될 것으로 예상된다.

국민연금 고갈

(나) 국민연금관리공단에서 기금운용을 잘못하여 대규모의 적자가 발생하였고, 그 결과 국민연금의 지급불능사태가 우려되는 상황에 처하게 되었다고 가정하자. 이러한 상황에서 사태가 점점 심각해지자 정부는 국무회의에서 국민연금 가입자들의 부담액을 20% 상향조정하는 한편 연금지급 대상자들에 대한 지급액을 10% 감축하기로 결정하였다. 이와 같은 국무회의의 결정사항이 알려지자 현재 국민연금을 지급받아 생활하고 있는 乙은 자신이 연금부담금을 계속 납부하던 당시에 전혀 예상할 수 없었던 소득의 감소가 발생될 뿐만 아니라, 그 원인이 본인의 귀책사유도 아니고, 또 불가항력적인 사유도 아닌 국민연금관리공단의 기금운용의 잘못이라면, 이는 결코 납득할 수 없는 일이라고 주장했다.

Q1. 甲은 23세로 A회사에 근무 중이다. 甲은 국민연금관리공단에서 소득 중 일부를 국민연금으로 징수하자, 미래에 받을 수 없는 국민연금 징수는 재산권 침해일 뿐만 아니라 현재 연금을 수령하는 노년층에 비해 적은 연금을 받는 것은 평등권 침해라고 한다. 따라서 甲은 국민연금 강제가입을 임의가입제도로 바꾸어야 한다고 주장했다. 甲의 주장에 대한 자신의 견해를 논하시오.

Q2. (나)의 乙의 주장은 타당한가? (나)에서 국민연금관리공단의 잘못된 연금 운용이 아니라 연금 급여 수준이 너무 높아 기금이 고갈된 경우, 미래 세대의 연금지급률을 납부한 연금액의 50%로 하여 지급하기로 했다고 가정한다면, 이 대책은 타당한가?

Q3. (나)에서 국민연금법을 개정하여, 연금지급률을 납부한 연금액의 50%로 낮춰 지급하기로 했다고 가정하자. 이는 타당한가?

Q4. (가)를 볼 때, 지금까지는 국민연금을 내는 근로세대보다 국민연금을 수령하는 은퇴세대가 적었으나, 앞으로는 은퇴세대가 더 많아지게 될 것이어서 시점은 특정할 수 없으나 국민연금 적립액이 반드시 고갈되는 시점이 오게 될 것이다. 이에 대한 대책을 논하시오.

Q5. 현재 국민연금의 상한소득과 하한소득이 정해져 있어 국민연금을 더 내고 노후 대비를 더 하고자 하는 사람들도 대비를 충분히 할 수 없으므로 국민연금의 상한소득을 높여야 한다는 주장이 있다. 이 주장에 대한 자신의 견해를 논하시오.

Q6. 국민연금관리공단은 적립된 연기금을 국내주식투자, 해외주식투자, 부동산투자 등에 투자하여 운용하고 있다. 연기금을 주식과 부동산 등에 투자할 경우 손실이 발생할 수 있다. 국민이 노후생활을 대비하기 위해 적립한 연기금을 손실이 발생할 수 있는 주식 등에 투자해서는 안 된다는 주장이 있다. 이 주장에 대해 자신의 견해를 논하시오.

Q7. 국민연금 재원을 잘 활용하면, 국민의 노후생활 안정과 국가경제 활성화를 동시에 도모할 수 있을 것이다. 이러한 방법의 구체적 사례를 제시하시오.

Q1. 모범답변

국민연금 강제가입을 임의가입제도로 바꾸어야 한다는 甲의 주장은 타당하지 않습니다. 국민의 안정된 생활을 보장할 수 없기 때문입니다. 국민연금제도는 국민생활의 안정을 달성하기 위해 특히 퇴직한 노년층과 저소득자의 생활 보장을 목적으로 합니다. 국민생활의 안정은 우리 사회가 추구해야 할 가치로 이는 전 국민이 함께 달성해야 합니다. 국민은 누구나 자기 삶이 안정되게 유지될 것을 원하는데 예측할 수 없는 상황의 변화로 인해 노년의 생활이 극단적으로 불안해지는 것을 원하지는 않을 것입니다. 이를 위해 우리나라의 국민연금제도는 소득이 있는 국민을 대상으로 강제가입하도록 함으로써 개인 차원에서 예측할 수 없는 불확실성을 제거하고 노년생활의 안정을 달성하려는 목적을 갖고 있습니다.

만약 국민연금을 임의가입제도로 전환한다면 고소득자는 국민연금에 가입하려 하지 않을 것입니다. 그렇다면 국민 모두의 안정된 삶이라는 가치를 실현할 수 없습니다. 따라서 임의 가입으로는 국민연금 제도의 목적을 달성할 수 없으므로 타당하지 않습니다.

물론 젊은 세대가 적절한 국민연금을 받을 수 없어 국민연금에 대한 불합리성이 있는 것은 사실입니다. 국민연금 부과에 있어서 불합리한 부분이 있다면 교정할 필요가 있습니다. 그러나 노후 빈곤의 방지를 위해 젊은 세대가 연금의 일부분을 부담할 필요는 있습니다. 오늘날 우리가 향유하고 있는 물질적 기초는 노인세대의 노력과 희생으로 형성되었기 때문입니다. 물론 이로 인해 젊은 세대에게 지나치게 많은 부담을 준다면 국민연금체계를 조정해야 합니다. 그러나 그러한 이유로 연금제도 자체를 부정하거나, 임의가입제도로 바꾸어서는 안 됩니다.

Q2. 모범답변

乙의 주장은 타당합니다. 국민연금의 지급 불능을 막기 위한 연금 삭감의 목적 자체는 정당합니다. 그러나 연금 기금을 잘못 운용하여 생긴 손실을 연금수급자의 부담으로 충당하는 것은 정당성이 없습니다.

50%로 하향한 금액을 지급하기로 한 대책은 타당하지 않습니다. 연금 급여수준이 너무 높게 책정되어 기금이 고갈된 경우, 미래세대의 책임이 없음에도 원금보다 적게 지급하는 것은 국민연금 납부자의 재산권을 과도하게 침해하는 것입니다. 법으로 급여 수준을 정하고, 납부자는 이를 신뢰하여 국민연금을 납부했습니다. 그런데 국가의 잘못으로 법이 정한 급여 수준보다 낮게 연금을 지급한다면 재산권 침해입니다.

Q3. 모범답변

이 역시 타당하지 않습니다. 법을 개정하여 납부한 금액보다 적게 지급한다면 이는 조세와 다를 바 없습니다. 만약 민간보험에서 자사의 약관을 가입 후 시점에서 개정하여 납부한 금액의 50%를 지급한다면 해당 민간보험에 가입할 자가 없을 것이고 법원에 의해 이 조치는 위법하다는 판결을 받을 것입니다. 국가가 국민연금을 강제 가입시키고, 납부한 금액의 50%만을 지급하는 것은 나머지 50%의 개인재산을 국가가 강제로 취득한 것과 다를 바 없습니다. 따라서 이는 개인의 재산권 침해이며 타당하지 않습니다.

Q4. 모범답변

국민연금 적립액이 고갈된다고 하더라도 연금을 지급하는 것은 가능합니다. 이는 국민연금 운용방식을 전환함으로써 가능합니다. 국민연금을 운용하는 방식은 적립식과 부과식이 있는데, 현재 우리나라는 부분적립식을 사용하고 있습니다. 현재는 국민연금 기금을 적립하는 근로세대가 더 많고 연금을 지급받는 은퇴세대가 적어 기금이 늘어나는 상황입니다. 그러나 장래 연금을 지급받는 은퇴세대가 많아지면 기금이 부족해질 것입니다. 유럽의 경우, 부과식을 사용하는데 이는 해마다 은퇴세대에게 지급할 연금액을 정한 후 현재 근로세대가 낸 금액을 모두 은퇴세대에게 지급하는 방식입니다. 이런 방식으로 국민연금을 운영한다면 국민연금이 고갈된다고 하더라도 지급불능에 빠지는 일은 없습니다.

그러나 국민연금의 기금 고갈 시기를 조금이라도 늦추는 것은 필요합니다. 이를 위해 먼저 고려해야 할 것은 출산율을 높이는 정책입니다. 젊은 세대의 수가 줄어들면 국민연금으로 인한 세대 갈등이 커질 수밖에 없고 은퇴한 노년세대의 안정된 노후생활도 어려워집니다. 또한 국민연금을 현 젊은 세대의 주거 안정을 위한 기반으로 사용하는 정책을 고려할 수 있습니다. 그리고 연금기금운영위원회 운용을 통해 수익을 창출할 수 있는 제도를 마련해야 합니다. 마지막으로 주요 선진국 수준으로 보험금률[73]을 높여서 연금재원을 확충할 필요가 있습니다.

Q5. 모범답변

국민연금의 상한소득을 높이는 것은 타당합니다. 현재 우리나라의 국민연금은 노후생활의 기초가 될 뿐이지 노후생활을 충분히 할 수 있을 정도의 연금을 지급하지 못하고 있습니다. 그렇기 때문에 안정적 노후생활과 관련한 부분은 개인별로 각자 대비해야 합니다. 국민연금을 통해 노후생활의 안정성을 확보할 수 있도록 할 필요가 있습니다. 그에 더해 상한소득을 높이게 될 경우 국민연금의 적립금이 커지고 적립금 규모의 확대는 국민연금의 투자 확대로 이어질 수 있습니다. 기금의 운용자유도가 높아지고 자본이 확충되어 규모의 경제가 실현되면 투자 이익 확대에 도움이 될 것이어서 국민연금의 고갈 시기를 늦추고 국민생활의 안정을 도모할 수 있습니다. 그러나 국민연금의 상한소득을 높이는 대신 저소득층의 국민연금 지급액을 높이는 등으로 노후생활의 불평등을 줄이는 노력도 함께 진행되어야 합니다.

Q6. 모범답변

이 주장은 타당하지 않습니다. 국민연금은 국민이 노후생활을 하기 위해 적립한 연기금이지만, 국민은 자신의 노후생활을 위해 이 연기금을 적절한 방법으로 운용해 자신의 부담을 줄여주기를 원하고 있습니다. 특히 국내주식에 대한 국민연금의 투자는 국민의 생활 안정을 위해 꼭 필요합니다. 국민연금은 2023년을 기준으로 약 1,036조 원의 순자산을 보유하고 있습니다. 이를 국내의 우량기업 주식에 투자할 경우 국내기업의 안정적 성장이 가능하고 국민의 일자리가 확보되어 국민연금을 내는 국민이 늘어날 수 있습니다. 특히 국민연금은 개인투자자와 같이 단기적 투자보다는 장기적 투자를 할 수 있기 때문에 우량기업이 안정적인 기업 운영을 하는 데 큰 도움이 됩니다. 또한 해당기업의 성장은 주식가치가 올라가 국민의 노후자산을 늘리는 역할을 하게 됩니다. 실제로 국민연금의 2023년 기금운용수익은 126조 원이고 수익률은 약 14%이며 126조 원의 수익은 4년 이상의 연금 급여 지급이 가능한 금액입니다. 결국 국민연금의 국내 주식 투자는 모든 국민에게 도움이 됩니다. 물론 우량기업의 선택과 자산의 운용 등에 있어서는 신중할 필요가 있을 것이지만 손실이 발생할 수 있는 가능성이 있는 모든 투자가 잘못된 것이라 치부할 수는 없습니다.

73)
우리나라의 보험금률은 소득의 9%이며, 회사에 다니는 근로자의 경우 회사와 절반씩 부담하므로 4.5%이다. 우리나라의 보험금률은 매우 낮은 편인데, 선진국의 보험금률 평균은 소득의 20% 정도로, 영국 25.8%, 독일 18.7%, 일본 17.8% 등이다.

Q7. 모범답변

국민연금이 연기금을 바탕으로 국내 사회간접자본 투자에 나서는 방법도 고려할 수 있습니다. 사회간접자본은 국민의 생활에 꼭 필요하고 경제 활성화를 유도하며 국가경쟁력 향상에도 도움이 됩니다. 그런데 사회간접자본의 건설은 단기적으로 막대한 비용이 들어가는 데 비해 장기적으로 이익을 회수해야 한다는 문제가 있습니다. 국가예산으로 사회간접자본을 마련하기 위해서는 선택과 집중을 할 수밖에 없습니다. 이때 국민연금에 적립된 연기금을 사용할 수 있을 것입니다.

예를 들어, 경부고속도로를 국민연금이 인수하여 통행료 등의 이익을 장기적으로 확보하고, 이 인수금으로 새로운 고속도로 건설에 사용하는 방법 등이 있을 수 있습니다.

또 다른 예로 국민연금이 임대주택을 대규모로 지어 젊은 세대나 무주택세대에게 장기임대하는 방법을 생각해볼 수 있습니다. 국민 개개인의 소득 증가 추세는 굉장히 낮고 주택관련 비용이 가계 지출 비중에서 가장 큰 부분을 차지하고 있습니다. 그렇다면 적은 소득으로도 행복도를 높일 수 있는 방법은 임대주택 공급이 될 수밖에 없습니다. 국민연금의 거대 자본을 이용해 임대주택을 건설해 낮은 임대비용으로 주거 문제를 해결하면 젊은 세대의 가처분 소득이 늘어나는 효과가 발생할 것입니다. 국민의 주거 안정을 달성할 수 있고, 국민연금의 장기적 이익을 확보할 수 있으며, 주거 안정으로 인한 국민 가처분소득의 증가로 소비 활성화, 국가경제의 활성화로 인한 국민연금 연기금의 증가라는 선순환을 달성할 수 있을 것입니다.

Part 1
Part 2
Part 3
Part 4
Part 5
Part 6
Part 7

해커스 김종수 토스플 면접 200주제

 **118 개념** | **건강보험: 외국인 의무가입**

2024 인하대·2022 연세대·2021 건국대 기출

1. 국민건강보험

국민의 질병·부상에 대한 예방·진단·치료·재활과 출산·사망 및 건강증진에 대하여 보험급여를 실시함으로써 국민보건을 향상시키고 사회보장을 증진함을 목적으로 한다.

2. 특징

국내에 거주하는 국민 모두에 대한 강제가입을 통해 국민 상호 간 위험 부담을 연대하여 의료비를 해결한다. 강제가입의 실효성을 확보하기 위해 보험료 납부의 강제성을 부여하고 있다. 사회보험이기 때문에 사회연대를 기초로 하여 소득수준 등 부담능력에 따라 보험료를 차등부과하고, 보험료 부담 수준과 관계없이 의료적 필요에 따라 보험급여를 균등수혜한다.

3. 국가 책임

건강 보장은 사회 보장의 일종이고, 사회 보장은 헌법 제34조 제2항에 규정된 국가의 의무이기 때문에 국가가 책임을 진다. 전체 국민의 건강보험 가입과 보험료 납부 강제를 위하여 국가가 관리한다. 그 관리는 국민건강보험공단에 위임되어 있다.

4. 읽기 자료

이주민 건강보험제도[74]

[74)

이주민 건강보험제도

건강보험: 외국인 의무가입

답변 준비 시간 10분 | 답변 시간 10분

※ 다음 QR코드를 촬영하면 연결되는 제시문을 읽고, 문제에 답하시오.

정부는 재외국민과 외국인의 '무임승차' 논란을 해결하기 위해 피부양자 가입 자격을 강화하기로 했다. 이에 따라 해외에 살다가 잠시 한국에 들어와 건강보험 혜택을 받는 외국인과 재외동포는 앞으로 혜택을 받기 어려워질 전망이다.

외국인 건강보험

Q1. 외국인의 건강보험 가입이 증가하면서, 정부는 외국인의 건강보험 가입이 가능한 국내 체류기간을 3개월에서 6개월로 연장하고, 6개월 이상 체류하는 외국인의 건강보험 가입을 의무화하고, 보험료를 우리나라 지역가입자가 내는 평균 가입료와 동일하게 하는 방안을 도입했다. 일정기간 국내에 체류하는 외국인의 건강보험 지역가입 의무화에 대한 자신의 견해를 논하시오.

Q2. 외국인의 건강보험 지역가입을 의무화함에 있어서 최소체류기간과 보험료 산정방식은 어떻게 해야 할지 논하시오.

해커스 김종수 로스쿨 면접 200주제

Q1. 모범답변

외국인의 건강보험 지역가입을 의무화해야 합니다. 인권 보호와 국민건강의 안정적 보호, 국익 증진을 도모할 수 있기 때문입니다.

먼저, 인권 보호를 위해 외국인의 건강보험 지역가입을 의무화해야 합니다. 인권은 생명과 신체의 자유를 기반으로 하여 실현되기 때문에 건강은 인간이라면 누구에게나 실현되어야 할 가치이며 인권의 핵심이 됩니다. 건강은 국민과 외국인을 가리지 않고 실현되어야 하며 이를 위해 모든 이에게 의무화되어야 합니다. 건강보험은 인권의 일부인 건강을 실현하기 위해 모든 이가 연대하여 부담함으로써 실현됩니다. 이러한 인권의 보장과 연대의무의 실현에서 외국인 역시 연대의무를 실현해야 하므로 건강보험 가입을 의무화함이 타당합니다.

국민건강의 안정적 보호를 위해 외국인의 건강보험 지역가입을 의무화해야 합니다. 국민건강보험은 모든 국민이 자신의 능력에 상응하는 보험료를 납부함으로써 실현되는 체제입니다. 국민 개개인은 건강보험료는 부담하지 않으면서 급여는 받고자 하는 무임승차의 유인을 갖고 있습니다. 따라서 국가가 건강보험 가입을 강제함으로써 무임승차의 유인을 해결하고 국민건강을 안정적으로 달성하는 것입니다. 그런데 외국인은 건강보험료를 납부하지 않거나 소액만을 부담하고, 그로 인한 혜택은 크게 보려하고 있습니다. 현재 1인당 건강보험료는 우리나라 국민이 외국인 지역가입자에 비해 3배의 금액을 부담하고 있으나, 1인당 수령하는 건강보험 급여비는 외국인 지역가입자가 우리 국민의 3배에 달하는 실정입니다. 이처럼 일부 외국인의 부적절한 건강보험 가입과 이용이 늘어나 국민의 부담이 커지게 되면 국민건강을 위해 사용되어야 할 재원이 충분하지 못해 국민건강의 달성이라는 목적을 달성할 수 없게됩니다. 따라서 국민건강 달성을 위한 재원 잠식을 막음으로써 국민건강을 안정적으로 달성하기 위해 외국인의 건강보험 지역가입을 의무화해야 합니다.

국익 증진을 위해 외국인의 건강보험 지역가입을 의무화해야 합니다. 국민건강보험은 규모의 경제를 기반으로 하는 체제입니다. 예를 들어 국민건강보험 가입자가 적을 때에는 어려웠던 고가의 의료기기 구입 지원이, 가입자가 많아지면 고가의 의료기기 구입 지원이 가능해지는 경우가 있을 수 있습니다. 외국인의 건강보험 가입이 의무화되어 가입자가 늘고 보험 재원이 커지면 국민에게도 규모의 경제로 인한 이익이 발생합니다. 이 경우 국민이 외국인의 건강보험 가입에 대해 느끼는 거부감이 줄어드는 부가적인 효과도 있습니다. 그에 더해 외국인에 대한 건강보험 적용으로 인해 인권 보호가 가능해짐으로써 국가 이미지 개선도 가능합니다. 이처럼 국익 증진이 가능하므로 외국인의 건강보험 지역가입을 의무화해야 합니다.

Q2. 모범답변

최소체류기간은 6개월로 함이 적절합니다. 이보다 짧을 경우 건강 문제의 위험보다 건강보험료의 부담이 더 클 수 있습니다. 그리고 이보다 더 길 경우 건강상의 문제 가능성이 커지므로 의무적으로 가입하게 함이 타당합니다. 최소체류기간 6개월에 못 미치는 외국인의 경우 여행자 보험이나 외국인을 대상으로 한 민간보험을 통해 건강상의 문제에 대비하도록 하고, 그 이상의 경우에는 우리나라의 의료기관을 건강보험을 통해 이용하도록 한다면 큰 문제가 없을 것입니다. 특히 3개월 정도로 최소체류기간을 짧게 할 경우, 외국인이 고액의 치료를 받기 위한 용도로 악용될 수 있습니다. 따라서 최소한 6개월 정도로 하여야 합니다.

보험료 산정방식은 건강보험 전체 가입자의 평균 보험료로 선납하게 하는 방법이 타당합니다. 외국인은 우리나라 국민과 달리 소득과 재산의 파악이 어렵기 때문에 적은 보험료를 내게 될 수 있습니다. 우리나라 전체 가입자의 평균 보험료를 선납하게 함으로써 무임승차의 유인과 악용 가능성을 줄일 수 있습니다.

Part 1
Part 2
Part 3
Part 4
Part 5
Part 6
Part 7

 **119 개념** | **ESG 경영**

2022 부산대/한국외대 기출

1. 기본 개념

(1) ESG

ESG는 UN Global Compact에서 제시한 개념이며 'Environmental, Social and Governance'의 약자로 기업 가치와 지속가능성에 영향을 주는 기업의 비재무적인 요소를 의미한다. 지속 가능 경영의 성과는 재무적인 수치나 정보로 수준을 비교하기 어려운 가운데 ESG는 이러한 지속 가능 경영의 성과를 비교 측정하고 평가할 수 있는 공통의 지표이며, 기업 간 비교를 통해 사회적으로 책임 있는 투자가 이루어질 수 있도록 활용된다. ESG는 지속 가능 경영 구현의 수단이 된다. 먼저 환경(E) 측면에서는 기업 경영활동에서 비롯되는 다양한 환경 부감 효과 최소화를 위해 탄소 제로화, 자원 폐기물 관리, 에너지 효율화 등을 추구한다. 둘째, 사회(S) 측면에서는 기업 일원 또는 지역사회 등 기업 이해관계자들 간의 파트너십 형성을 추구한다. 마지막으로 지배구조(G) 측면에서는 경영의 투명성 및 신뢰도, 기업윤리 등을 고려한 경영이다.

(2) EU의 ESG 규제 입법

유럽연합 집행위원회(European Commission)는 지속가능한 성장을 위한 금융의 역할을 통해 지속가능 금융실행계획을 목표로 유럽의 녹색분류체계(EU Taxonomy), 그리고 기관투자자와 운용사들을 목적으로 한 공시규제 개선안 및 탄소 영향평가와 관련한 벤치마크 개발 등의 규제를 발표했다.

(3) K-ESG 지표

2021년 12월 산업통상자원부는 K-ESG 지표를 발표했다.

2. 읽기 자료

ESG 법제화[75]

75)

ESG 법제화

⏱ 답변 준비 시간 15분 | 답변 시간 10분

※ 다음 제시문을 읽고, 문제에 답하시오.

환경, 사회, 기업 지배구조(Environmental, social and corporate governance, ESG)는 기업이나 비즈니스에 대한 투자의 지속 가능성과 사회에 미치는 영향을 측정하는 세 가지 핵심 요소이다. 선진국들은 이미 ESG 관련 법제도 도입에 적극적인 움직임을 보이고 있다. EU는 가장 선제적으로 포괄적 형태의 법·제도를 도입해 왔으며, 특히 정보공시를 의무화하는 법제를 지속적으로 개정하며 정교화하고 있다. 미국의 경우 과거 기업의 경영과실을 바로잡기 위한 분야별 규제법률이 주를 이뤘으나, 최근 포괄적 성격의 ESG 공시단순화법이 추진 중이다. 영국은 2010년 이후 기업지배구조 모범규준의 도입과 더불어 회사법 개정을 통해 기업의 전략보고서에 비재무적 정보를 의무적으로 포함하도록 하고, 이를 위반할 경우 제재 규정을 회사법 내에 포함시키고 있다. 일본의 경우에도 정보공시의무화, ESG 경제효과 측정지표개발 및 기업의 ESG 투자를 위한 인센티브제도 정비에 박차를 가하고 있다.

최근 ESG 경영 지표에 따라 투자가 진행되는 등 국제적 흐름이 형성되고 있는 만큼, ESG 경영 지표를 세부적으로 만들 필요가 있다는 이야기도 나온다. 다만 문제는 ESG 경영과 관련된 뚜렷한 기준이 없다는 점, 그 기준이 애매모호하고 셋 간의 일관성이 부족한 점이라며 대기업들의 경우 여력이 있어 준비를 하고 실행을 하는데, 중소기업은 인력과 비용 때문에 손쉽게 진행하지 못하는 경우가 많다. ESG 경영 지표를 세부적으로 만들어 기준에 부합할 경우 연기금 투자에 우선권을 주는 등의 혜택이 필요하다고 생각한다며 자본시장 선진화의 한 방법이라고 생각한다는 의견이 제시되고 있다.

Q1. ESG 기업 경영의 장점을 다각도로 제시하시오.

Q2. ESG 기업 경영의 단점을 다각도로 제시하시오.

Q3. EU의 ESG 가이드라인이 우리나라와 맞지 않는 측면이 많기 때문에 한국형 K-ESG 가이드라인을 수립해야 한다는 주장이 있다. 이 주장이 타당한지 여부 및 개선방안을 논거를 제시하며 논증하시오.

Q4. 앞서 제시한 ESG 기업 경영의 장단점을 반영하여, 발전방안을 논거를 제시하여 논증하시오.

Q1. 모범답변

ESG 기업 경영의 장점으로, 환경 보호를 통한 국민 보호와 기업의 사회적 책임 실현을 들 수 있습니다.

첫째, 환경 보호와 국민 보호를 실현할 수 있습니다. 환경은 단순히 자원으로서 이용만 하는 대상이 아니라 인간의 삶의 터전이기도 합니다. 지속적인 경제 개발로 인해서 환경 파괴가 일어났고 그 피해가 지구 온난화, 기후 변화 등과 같이 우리에게 되돌아오고 있습니다. 예를 들어, 지구 온난화 등과 같은 기후 이상으로 인해 초강력 태풍과 같은 재난이 발생하고, 생태계의 서식 환경이 바뀌어 질병의 양상이 바뀌는 등 자국민의 생명이 위협받고 있습니다. 또한 환경은 현세대뿐만 아니라 미래 세대의 것이기도 하기 때문에 미래 세대를 위한 현세대의 환경 개선 노력이 필요합니다. 경제 개발의 주체인 기업은 환경을 자원으로 인식하고 이를 바탕으로 이익을 추구하기 때문에 환경 파괴의 유인이 큽니다. 이러한 환경 파괴가 지속될 경우, 현세대의 위험이 가중되고 미래 세대의 삶 자체가 위협받을 것입니다. 따라서 ESG 기업경영은 기업의 환경 파괴와 오염을 규제하는 효과를 발휘해 환경 보호를 실현할 수 있도록 한다는 점에서 장점이 있습니다.

둘째, 소비자와 투자자에게 정보를 제공해 기업의 사회적 책임을 유도할 수 있습니다. 환경 문제의 해결은 우리 모두가 실현해야 할 공동체적 의무라 할 수 있습니다. ESG 기업경영은 소비자와 투자자가 기업의 사회적 책임 유무와 정도에 따라 소비와 투자를 결정하게 함으로써 기업의 사회적 책임을 유도하는 효과가 있습니다.

Q2. 모범답변

ESG 기업 경영의 단점으로, 기업경쟁력의 약화와 기업 간의 불평등 문제를 제시할 수 있습니다.

첫째, 기업의 영업의 자유 침해로 인한 기업 경쟁력 약화 문제가 있습니다. 기업은 자유롭게 영업활동을 하고 영업활동의 결과 소비자에게 피해가 발생한다면 이에 상응하는 정도의 책임을 지는 주체입니다. 갑작스럽게 환경 보호를 위해 ESG 기업경영을 하게 되면서 기업에 현실적인 피해가 많이 발생하고 있습니다. 특히나 우리나라의 경우 제조업이 주력산업이기 때문에 온실가스 배출량이 많은 반면, 친환경 기술은 선진국에 비해 미흡하기 때문에 어려움이 큰 것이 사실입니다. 이러한 상황에서 ESG 지표에 맞추기 위한 기업의 노력은 결국 비용 증가로 이어질 것이며, 모호한 기준 등으로 인해 경영상 위기가 될 수 있고 기업 경쟁력이 약화될 수 있습니다. 예를 들어 노동집약적인 제조업이 발달한 우리나라의 경우 ESG 기준을 곧바로 도입해 노동시간 단축 등을 강제한다면 단시간 내에 상승한 인건비를 감당하지 못해 사실상 기업 운영이 어려워질 수밖에 없습니다.

둘째, 기업 간의 불평등이 초래될 수 있다는 점을 들 수 있습니다. 대기업은 EU 등 ESG 기준을 갖고 있는 국가에 대한 대비가 되어 있기 때문에 충분한 매뉴얼과 ESG에 대응할 고도의 기술, 자본을 보유하고 있습니다. 따라서 ESG 경영을 함에 있어서 빠르게 적응할 수 있을 것입니다. 그러나 중소기업의 경우 기반이 부족하기 때문에 적응이 어려울 수 있습니다. 이러한 상황에서 ESG 평가방안을 도입할 경우 대기업보다 중소기업의 타격이 훨씬 클 것일 것이며, 고용 감소 등의 문제로 이어져 대기업과 중소기업 간의 불평등이 더욱 심화될 위험이 있습니다.

Q3. 모범답변

EU의 ESG 기준을 우리나라에 적용할 경우 우리나라의 현실과 법제에 맞지 않는 문제가 있습니다. 또한 산업구조의 차이가 반영되지 않아 비현실적일 수 있으며, 우리나라 기업의 의견이 반영되지 않을 경우 실효성에도 문제가 있을 것입니다.

이러한 점에서 한국형 K-ESG 가이드라인 수립은 타당합니다. 환경 보호를 통한 국민 보호와 국가발전을 실현할 수 있기 때문입니다.

K-ESG 가이드라인을 수립하여 국가 발전을 도모할 수 있습니다. 환경 보호 정책은 우리나라뿐만 아니라 전 세계적 기조이기 때문에 어떤 기업도 이를 피할 수 없습니다. 환경 보호 정책에 역행하는 기업은 영업활동에 큰 제약을 받을 수밖에 없습니다. 예를 들어, EU는 탄소국경세를 도입하였고 유로6 배기가스 기준을 강화하여 기준 미달인 차량은 판매 자체를 금지시키고 있습니다. 이에 더해 미국의 친환경 인프라 정책이 강화되었고, 기후행동 100+와 같은 투자자들은 환경 보호에 역행하는 기업에 대한 투자를 하지 않습니다.

개별기업은 친환경 기술과 같은 근본적으로 새로운 기술에 투자하려는 유인이 적습니다. 기존의 기술을 더 발전시킬 경우 안정적인 성장이 가능하지만, 근본적으로 새로운 기술은 실패로 인한 비용은 큰 반면 성공 이익은 적어 기업의 미래에 불안정성을 주기 때문입니다. 그러나 친환경 기술에 대한 연구와 투자는 기업의 존립 그 자체를 결정할 수 있습니다. 예를 들어, 백열전구나 형광등을 만들던 기업들은 판매 자체가 금지되어 LED 기술을 개발하지 못한 경우 시장에서 사라지게 되었습니다. 그렇기 때문에 국가는 기업의 새로운 기술 개발을 독려하고 유도하여 세계시장에서 선도적 기업이 될 수 있도록 해야 합니다.

개선방안으로, 국가와 기업의 공동대응이 필요합니다. 현재 기업의 현실적 어려움을 해결할 수 있도록 국가가 기업의 대응을 도와야 합니다. 특히 우리나라는 제조업이 주요 산업을 이루고 있는 국가인데 이런 제조업은 필연적으로 많은 환경오염을 일으킬 수밖에 없기 때문에 여타 선진국과 동등한 정도로 환경오염을 줄인다는 것은 기업에 상당한 부담이 되고 경쟁력을 잃게 만듭니다. 따라서 국가와 기업이 공동으로 대응하여 이에 대응하는 것이 타당합니다. 예를 들어 환경오염 저감기술 개발에 대한 세제 혜택 등의 인센티브를 제공하거나, 신재생에너지와 탄소포집기술 등의 개발에 국책연구소가 참여하거나 산학 협력을 유도하는 등의 노력이 필요합니다.

Q4. 모범답변

발전방안으로는 국가와 기업, 국민의 공동 대응을 제시할 수 있습니다.

환경 보호는 우리나라뿐만 아니라 전 세계적인 아젠다로 우리 모두가 달성해야만 하는 가치입니다. 그러나 우리나라 기업의 경쟁력 또한 동시에 달성해야 할 중요한 가치임에 분명합니다. 따라서 기업, 소비자, 국가 등의 여러 경제 주체들이 모여 ESG 지표의 기준을 명확히 설정할 필요가 있습니다. 국내 전반의 중대한 문제에 공론화위원회가 도입된 것처럼 ESG 지표의 영향을 받을 대표적인 기업, 소비자, 국가 주체들이 모여 공론을 통해 다양한 기준에 대해 논의하고 합의할 필요가 있습니다. 이러한 공론과 합의를 바탕으로 하여, 법률의 규제 방향, 규제 정도, 노동시간, 세제 혜택 등에 대한 구체적인 기준과 적용시점 등을 투명하게 마련해야 합니다. 모든 주체들의 사회적 대타협을 이루어낼 필요가 있습니다.

2022 부산대/한국외대·2020 강원대/아주대/연세대 기출

1. 기본 개념

(1) 기업집단법

경제민주화가 주요 의제가 되면서 기업집단법에 대한 논의가 시작되었다. 기업집단법의 취지는 재벌 총수의 막강한 권한에 비해 그에 상응하는 책임은 지지 않는 현실을 바로잡기 위함이다. 예를 들어, 삼성그룹 내의 금융계열사가 11개인데, 이를 하나로 보고 규율하는 법체계가 없다.

(2) 로젠블룸 판결

1985년 프랑스 대법원의 로젠블룸 판결을 통해 로젠블룸 원칙을 제시했다. 기업집단에서 특정 계열사는 손해를 보더라도 그룹 전체에 시너지 효과가 있다면 그렇게 하는 것이 더 효율적이라는 점에서 허용하는 원칙이다. 그러나 이 원칙을 잘못 적용하면 재벌 총수의 면책수단으로 악용될 것이라는 반론도 존재한다.

2. 읽기 자료

기업진단법 현황과 과제[76]
로젠블룸 원칙[77]
EU 기업집단법[78]

[76)

기업진단법 현황과 과제

[77)

로젠블룸 원칙

[78)

EU 기업집단법

120 문제 | 기업집단법

답변 준비 시간 10분 | 답변 시간 10분

Q1. 재벌의 장단점에 대해 각각 설명하시오.

Q2. 우리나라의 재벌 문제에 대해 유럽의 기업집단이 대안이 될 수 있다는 주장이 있다. 유럽에서는 기업집단을 법적 실체로 보아 콘체른법 등으로 기업집단과 계열사 간의 상호 보조를 법률적으로 인정해 주고 있다. 대표적인 사례로, 벤츠 자동차를 만드는 다임러-벤츠 그룹, 영국 보다폰과 합병해 세계 4위의 거대통신기업이 된 만네스만 등이 있다. 그러나 우리나라나 미국에서는 개별기업들만 법적 실체로 인정해 계열사들이 서로 지원할 경우 불법으로 규정하고 있다. 예를 들어, 삼성전자와 삼성디스플레이는 별도 법인이므로 법률상 서로 지원할 수 없다. 이에 대해 우리나라의 재벌과 같은 기업집단을 법적 실체로 인정하는 기업집단법을 제정하자는 주장이 있다. 기업집단법을 제정했을 때의 장점과 단점은 무엇인가?

Q3. 기업집단법 제정에 대한 자신의 견해를 논하시오.

Q1. 모범답변

재벌은 대규모 자금이 필요한 새로운 사업에 진출하기 쉽다는 장점과 사업다각화를 통한 위험분산의 장점이 있습니다. 재벌은 상호출자를 통해 주요기업을 지배한 주주가 여러 기업을 장악하는 기업 형태입니다. 여러 기업이 자금을 마련해 대규모 자금이 필요한 새로운 사업에 진출하기 쉽습니다. 또한 사업의 다각화로 위험이 분산된다는 장점이 있습니다. 한 기업이 어려움이 있더라도 다른 업종의 기업은 잘 돌아가면 위험이 분산됩니다.

그러나 총수나 그 가족의 잘못된 의사결정이 기업 전체를 위협한다는 단점이 있습니다. 그룹 전체가 마련한 대규모 자금이 신규사업에 투자되어 실패할 경우 그 피해는 그룹 전체에 누적됩니다. 이는 해당 기업에 투자한 주주들과 소비자가 피해를 감수해야 한다는 의미가 됩니다. 따라서 기업이 회사 총수와 가족을 위한 기업이지 주주나 소비자를 위한 기업이 아니라는 것에 문제가 있습니다.

Q2. 모범답변

기업집단법 제정을 통해 재벌의 경영권이 보장되어 장기 투자가 활성화될 수 있다는 장점이 있습니다. 기업집단법은 독립 법인으로 나누어져 있으나 실제로는 하나의 집단처럼 움직이는 기업집단을 실체로 인정하여 상호지원을 인정하는 것입니다. 이러한 상호지원을 통해 개별기업 단위로는 이익과 손해가 발생하더라도 장기적으로 보아 이익이 될 수 있는 투자가 가능하게 됩니다. 예를 들어, 삼성전자와 삼성디스플레이가 삼성그룹이라는 기업집단 안에서 장기적 목표를 갖고 협업을 넘어서 상호지원까지 가능한 것입니다. 이 경우 삼성전자가 스마트폰 개발을 위해 삼성디스플레이에 디스플레이 기술 개발을 요청하고 이를 위한 기술개발자금을 지원할 수 있게 됩니다. 물론 그 반대 경우로, 삼성디스플레이가 개발한 기술을 잘 활용할 수 있도록 삼성전자에 해당기술이 반영된 스마트폰을 만들어달라는 요구를 할 수도 있습니다. 이처럼 별도 독립법인들이 하나의 목표를 위해 집단적으로 움직여 장기적 투자가 가능하다는 장점이 있습니다.

기업집단법은 주주 자본주의를 훼손한다는 단점이 있습니다. 주주 자본주의란 기업의 경영 방향이 주주 가치의 극대화를 추구하는 것을 말합니다. 기업집단법에 의하면 실제로 재벌 등의 그룹을 하나의 실체로 인정하여 계열사들이 독립 법인임에도 불구하고 상호 자금 지원도 가능하게 됩니다. 그런데 이는 독립 법인 주주의 이익을 명백하게 침해하는 것입니다. 예를 들어, 삼성그룹의 삼성전자가 삼성디스플레이에 자금을 지원했다면, 삼성전자의 이익이 삼성디스플레이로 이전된 것이 됩니다. 그렇다면 삼성전자의 주가는 떨어지고, 삼성디스플레이의 주가는 올라갑니다. 그 결과 삼성전자 주주의 이익이 불공정하게 침해된 것에 해당합니다.

Q3. 모범답변

　기업집단법은 국가 발전을 위해 타당합니다. 경제민주화에 있어서 재벌 개혁은 꼭 필요합니다. 그런데 재벌은 오너 일가만의 것이 아니라 수십 년간 우리나라 국민들이 키워온 것이라 볼 수 있습니다. 만약 재벌 개혁이 재벌 그룹의 급속한 해체로 이어진다면 재벌 기업의 장점인 과감한 결단력과 장기적 투자 가능성 등의 효과가 희박해질 수 있습니다. 기업집단법은 재벌 체제의 경제적 효과를 국민에게 귀속되도록 하면서 경제민주화를 달성할 수 있고 이는 국가 발전으로 이어질 수 있습니다.

　불평등의 해소를 위해 기업집단법 제정은 타당합니다. 재벌을 개혁해 기업 그룹을 분리·독립시키게 되면 각 기업의 주주가 될 수 있는 금융자산을 갖고 있는 일부계층만 그 이익을 누릴 수 있게 됩니다. 기업집단법을 통해 재벌의 경영권을 안정시키는 대신, 사회적 대타협을 통해 신산업 투자와 노동권의 보장, 고소득층에 대한 증세 등이 이루어진다면 국민이 키워온 재벌 그룹을 이용해 전 국민의 안정적 복지 기반을 마련할 수 있을 것입니다. 이처럼 기업집단법을 통해 사회 불평등 해소의 기반을 마련할 수 있습니다.

　기업의 책임을 이행하게 할 수 있으므로, 기업집단법을 제정해야 합니다. 독립법인을 악용함으로써 기업이 자신의 책임을 회피하는 경우가 나타나고 있습니다. 대표적인 사례로 미국의 다국적 기업인 유니언카바이드 사건이 있습니다. 1984년 미국계 기업 유니언카바이드의 인도 자회사인 농약 공장에서 맹독성 물질이 유출되어 2만 명이 사망했습니다. 피해 규모가 인도 자회사의 자산보다 컸기 때문에 사망자 가족은 미국의 유니언카바이드 본사를 상대로 국제소송을 제기했습니다. 그러나 미국의 유니언카바이드 본사는, 인도 자회사는 미국 본사와 전혀 관계없는 독립법인이라면서 책임이 없음을 주장했습니다. 물론 미국 본사와 인도 자회사는 법률적으로 독립 법인인 것은 맞습니다. 그러나 인도 자회사는 본사의 경영전략을 충실히 따랐고, 동일한 업무 프로세스를 사용했으며, 인도 자회사의 이익을 미국 본사로 보내는 등 사실상 하나의 기업 안에 있었습니다. 결국 이익은 함께 추구하였으나 책임만 분리한 것입니다. 기업집단법을 제정한다면 기업의 이윤 추구와 함께 책임 역시 함께 이행하도록 할 수 있습니다. 따라서 기업집단법을 제정하여야 합니다.

121 개념   상속세 폐지

2020 강원대/아주대/연세대 기출

1. 기본 개념

(1) 자유지상주의

어떤 개인이 저축을 할 것인지 소비를 할 것인지는 자유롭게 선택할 일이다. 그런데 어떤 사람이 소비 대신 저축을 택했다고 하자. 이 사람은 자산이 형성되어 훗날 상속을 할 수 있게 된다. 그런데 이에 대해 상속세를 부과하는 것은 자유 침해가 된다. 과거에 소비를 한 선택을 한 자의 자유는 보장하고, 과거에 저축을 한 자의 자유는 제한하는 것이 되기 때문이다.

(2) 롤스의 자유주의

상속을 받는 자녀의 입장에서 볼 때, 상속이 가능한 고소득자 부모에게서 태어난 것은 우연에 불과하다. 이는 개인의 자유로운 노력의 결과가 아니라 단지 우연의 결과에 불과하다. 상속세는 개인의 노력이 아닌 우연의 결과에 대한 세금이기 때문에 타당하다. 다만, 상속세를 통해 형성된 재원은 사회적 불운을 가진 자들에게 실질적 기회를 제공하기 위한 목적으로 사용되어야 한다.

2. 쟁점과 논거

찬성론: 개인의 권리	반대론: 사회적 가치
[개인의 재산권 침해] 자녀에게 자신의 재산을 상속하는 것은 재산을 처분하는 방법 중 하나이다. 재산 형성 과정에 문제가 없었고, 상속 과정에서 타인의 재산권을 침해하는 것이 아니라면, 개인의 재산권 행사라는 측면에서 상속세를 부과하는 것은 타당하지 않다.	**[미래 세대의 기회균등 보장]** 공정한 사회는 모든 구성원이 동등한 조건 아래 출발하여 자신이 노력한 만큼의 정당한 보상을 받는 사회이다. 출생 시의 환경은 순전히 우연의 결과로, 재산 상속은 개인의 노력으로 극복 불가능한 격차를 자녀세대에게 물려주는 결과를 낳는다.
[재산 처분의 형평성 침해] 평등이란 동일한 사안에 대해서는 동일한 처분이 내려져야 한다는 것이다. 상속도 재산 처분의 한 형태이다. 소비나 저축, 증여 등 여타 재산 처분 행위에 대해서는 상속세와 같은 고율의 세금을 부과하지 않는다. 동일한 재산 처분행위에 다른 기준을 적용하여 세금을 부과하는 것은 형평성에 어긋나는 조치이다.	**[사회갈등 완화]** 현재 사회는 극심한 양극화 현상으로 인해 계층 간 갈등이 고조되고 있다. 상속세 부과를 통해 자녀 세대의 기회를 균등하게 보장하고, 사회 계층 간 갈등을 완화할 수 있게 된다. 이를 통해 구성원 간의 불신을 줄이고 사회통합이 저해되는 문제를 예방할 수 있다.
[국가경제 발전 저해] 재산권은 자유로운 경제활동의 기반이 되는 조건으로, 재산권이 지켜지지 않는다면 경제활동에 대한 유인이 감소하게 된다. 상속세로 인해 재산권의 침해가 발생한다면 개인의 의욕이 저하되고, 이는 사회 전반의 경제활동에도 영향을 미쳐 국가경제의 발전을 저해한다.	**[개인의 재산권에 대한 실질적 보장]** 재산을 형성하는 과정에서 개인의 노력이 중요한 부분을 차지하는 것은 사실이지만, 온전히 개인의 노력만으로 재산을 형성한 것은 아니다. 사회적 여건과 당시의 시대상 등과 개인의 노력이 결합하여 부를 얻게 된 것이다. 상속세는 개인의 재산 형성에 기여했던 사회적 요소의 정당한 몫을 환원하는 것에 불과하다.

답변 준비 시간 15분 | 답변 시간 10분

※ 다음 QR코드를 촬영하면 연결되는 제시문을 읽고, 문제에 답하시오.

(가) 상속세 최고세율 50%가 30억 원 기준으로 24년간 유지되었고, 강남 아파트 시세가 이를 초과하면서 많은 국민이 상속세 부담을 겪고 있다. 이제 상속세는 일반 개인의 문제로 떠오르고 있다.

상속세

(나) 대통령실과 여권이 상속세 감세 논의를 본격화했으나 실제 상속세 납부자는 전체의 5% 미만이며, 최고세율 50% 적용 대상은 주로 재벌·대기업과 초고액 자산가들이다.

상속세 감면

Q1. 재벌 문제는 50%에 달하는 막대한 상속세로 인해 경영권 승계가 어려워지는 문제와 결부된다. 개인의 자유를 극대화시켜야 한다는 입장의 자유지상주의자는 상속세를 폐지해야 한다고 주장한다. 자유지상주의자의 입장에서 상속세 폐지를 정당화하는 논거를 제시하고 논증하시오.

Q2. 상속세 폐지를 반대하는 입장의 논거를 제시하고 논증하시오.

Q3. 상속세를 폐지하자는 입장에서는 다음과 같이 주장한다. 상속과정에서 납부된 상속세가 국고에 들어갔다가 나오는 것보다 곧바로 기업의 경제 행위에 쓰이는 게 낫다. 정부가 상속세로 세금을 거둬들인다면 이 돈이 기획예산처를 통해 다시 경제활동에 집행되기까지 2~3년이라는 시간이 걸리기 때문에, 지금 재산을 물려줘 그 돈으로 경제적 행위를 하게 하면 돈이 선순환돼 경제에 더 도움이 될 것이다. 이 주장에 대한 자신의 견해를 논하시오.

Q4. 우리나라의 상속세 세율이 너무 높아 창업주가 사망할 경우 2세가 상속세를 내려면 기업의 주식 등을 처분해야 하고 결국 기업경영권을 유지할 수 없어 기업가의 투자 의지가 낮아진다는 주장이 있다. 이 주장에 대한 자신의 견해를 논하시오.

Q1. 모범답변

   자유지상주의 입장에서는 상속세는 개인의 자유를 침해하는 것으로 폐지되어야 합니다. 자유지상주의자는 개인이 자신의 자유를 지키기 위한 목적으로 국가를 형성하였기 때문에 개인의 자유를 보호하기 위한 세금 외의 세금은 정의롭지 않다고 합니다. 개인은 자신이 노력하여 얻은 소득을, 소비할 수도 있었고 상속을 하기 위해 저축하였을 수도 있습니다. 이러한 개인의 자유에 대해 타인의 자유에 직접적 해악을 입힐 것이 예측된다면 그 자유를 제한할 수 있습니다. 그러나 상속을 선택한 개인은 저축을 선택하였을 뿐이지 타인의 자유에 해악을 입힌 것이 아니므로 상속을 선택한 자유를 제한할 수 없습니다. 따라서 상속세 폐지는 상속인의 자유를 과도하게 제한하는 것으로 타당하지 않다고 주장할 것입니다.

Q2. 모범답변

   상속세를 통해 개인의 자유를 진정으로 보호할 수 있으므로, 상속세를 폐지해서는 안 됩니다. 개인은 자기 삶의 주체로 자신의 자유가 가져올 책임을 예측하여 자유롭게 노력 여부를 선택합니다. 사회는 그러한 자유로운 선택의 결과에 대해 권유하고 권장할 뿐 강제해서는 안 됩니다. 피상속인이 고소득의 부모나 조부모로부터 태어난 것은 자신의 자유와 노력의 결과가 아니라 단지 우연에 불과한 것입니다. 이는 피상속인의 자유로운 노력과는 아무 관계가 없으므로 자신의 정당한 몫이라 볼 수 없습니다. 자신의 정당한 몫이 아닌 결과를 사회적으로 불운을 겪고 있는 자들의 불운을 보정하는 용도로 사용할 수 있도록 함이 타당합니다. 따라서 상속세를 유지해야 합니다.

   사회 불평등 문제를 심화시킬 수 있으므로, 상속세를 폐지해서는 안 됩니다. 상속세가 폐지되면 부와 가난이 다음 세대로 세습되어 사회특수계급이 생길 수 있습니다. 양반과 노비제도와 같이 부자와 빈자의 세습제도로 사회이동이 막힐 수 있습니다. 그렇다면 기회균등도 사라지고, 그 결과 정당성도 사라질 것입니다. 그렇다면 사회정의는 사라지고 사회갈등과 상호 증오와 불신만 사회에 남게 될 것입니다. 그러므로 상속세는 유지되어야 합니다.

Q3. 모범답변

   상속세를 내기보다는 경제적 행위를 통해 돈이 선순환하는 것이 더 낫기 때문에 상속세를 폐지해야 한다는 주장은 효율성만을 전적으로 우선시하는 주장으로 타당하지 않습니다. 효율성도 중요하나 공정성도 중요합니다. 자신의 노력으로 일구지 않은 재산을 무상으로 이전받고 세금도 내지 않는다면 공정성이 없습니다. 부자는 대를 이어 부자가 되고, 국가는 효율성 때문에 이를 법적으로 보장해야 한다면 정의로운 사회라고 할 수 없습니다. 설사 상속세 폐지가 국가경제 발전을 위해서 바람직하다고 하더라도 심하게 공정성을 해하므로 타당하지 않습니다.

Q4. 모범답변

 이 주장은 타당하지 않습니다. 일단, 다음 세대가 기업 경영권을 유지해야 한다는 전제 자체가 타당하지 않습니다. 상속세를 낮추어 기업 승계를 유도해야 한다는 주장은 능력과 무관하게 혈통에 따라 경영 지배권을 가져야 한다는 주장입니다. 능력 없는 다음 세대가 경영권을 가진다면 공정성도 없을뿐더러 효율성도 해칠 수 있습니다.

 능력 없는 다음 세대가 경영권을 물려받아 경영상의 차질이 발생하면 주주들의 이익에 반할 수 있습니다. 주식회사의 주인은 주주들입니다. 우리나라 재벌들은 순환출자나 핵심회사 주식을 보유하는 등의 방식을 사용해 적은 주식으로 과도한 지배력을 발휘하고 있습니다. 능력 없는 다음 세대가 경영권을 승계하여 주주들의 이익을 침해할 경우 주주들이 이를 통제할 방법이 없기 때문에 주주의 이익을 침해할 수 있습니다.

 능력 없는 다음 세대가 경영권을 물려받았을 때 국민의 생활에 악영향을 미칠 수 있습니다. 기업의 노동자들은 능력 있는 경영자가 기업을 효율적으로 운영하여 고용을 유지해야만 생계를 안정적으로 유지할 수 있습니다. 그러나 단지 창업자의 자녀라는 우연적 이유만으로 경영능력을 검증받지도 않은 후세대가 기업을 물려받는다면 노동자의 고용과 생계, 생존권이 위협받는 결과로 이어질 수 있습니다. 이뿐만 아니라 국민의 노후생활을 보장하는 국민연금과 퇴직연금 등이 기업에 많은 투자를 하고 있습니다. 경영능력이 없는 다음 세대가 경영권을 물려받아 손실을 볼 경우, 해당기업에 투자한 국민연금과 퇴직연금도 함께 손실을 입게 됩니다. 국민연금과 퇴직연금의 손실은 미래 국민의 노후생활 불안으로 이어질 것입니다. 따라서 능력 없는 다음 세대가 경영권을 물려받아야 한다는 전제는 타당하지 않습니다.

1. 기본 개념

(1) 가업 상속과 증여세 공제 제도

가업상속공제는 기업의 원활한 승계를 지원하고, 이를 통해 경제발전과 고용유지의 효과를 도모하기 위한 제도이다. 피상속인이 생전에 10년 이상 영위한 중소기업 등을 상속인에게 가업(家業)으로 승계한 경우, 상속세를 최대 600억 원까지 공제해서 상속세 부담을 경감시킨다. 생전에 계속 경영한 기간이 10년 이상이면 300억 원, 20년 이상이면 400억 원, 30년 이상이면 600억 원 한도 내의 가업상속재산에 대해 상속세를 내지 않는다. 가업상속공제 요건은 다음과 같다. 승계받을 상속인은 대표 생전에 최소 2년 이상 가업에 종사해야 하며, 상속 후 5년간 가업용 자산의 40% 이상을 처분할 수 없고, 근로자 수나 총급여액이 상속시점보다 90% 미만으로 줄어들어서는 안 된다.

가업승계주식등에 대한 증여세 과세특례 제도가 있다. 가업상속공제는 대표의 사후에 이루어지는 것이라면 증여세 과세특례 제도는 생전에 이루어진다는 차이점이 있다. 대상요건을 만족할 경우, 증여 주식가액 10억 원까지 증여세를 내지 않으며 600억 원까지 10~20%의 낮은 세율로 증여세를 내면 된다. 특례대상 요건은 다음과 같다. 증여자가 증여일에 회사 주식을 40% 이상을 소유하면서 가업을 10년 이상 경영해야 하고 60세 이상이어야 한다. 증여를 받는 자녀는 18세 이상, 증여세신고기한까지 가업에 종사하고 5년 내에 대표이사에 취임해야 한다.

(2) 가업상속공제의 기대효과

가업상속공제제도는 낙수효과를 기대하며 만들어진 제도이다. 낙수효과는 고소득자 혹은 고용창출효과가 큰 대기업에 경제적 혜택을 부여하면, 소비가 진작되어 경제가 활성화되고 고용이 안정적으로 유지되어 모든 국민에게 경제적 혜택이 돌아온다는 의미이다. 이에 의하면 가업상속공제를 하여 가업을 잇고자 하는 기업상속자에게 세제 혜택을 부여하면, 기업을 팔거나 청산하지 않을 것이기 때문에 노동자의 고용이 안정적으로 보장되어 도움이 된다는 것이다.

2. 읽기 자료

가업상속공제제도 변천과정[79]
가업상속공제 개선방향[80]

[79]

가업상속공제제도 변천과정

[80]

가업상속공제 개선방향

⏱ 답변 준비 시간 20분 | 답변 시간 20분

※ 다음 제시문을 읽고, 문제에 답하시오.

(가) 경제학에서는 경제주체들의 행태를 다음과 같이 가정한다. 경제학에서는 경제주체들이 경제적 합리주의를 냉정하게 그리고 일관성 있게 추구한다고 상정한다. 경제학에서 상정하는 이러한 유형의 사람을 경제인(homo economicus)이라고 부른다. 대개 합리적인 소비자는 효용을 극대화하고자 행동하며 합리적인 생산자는 이윤을 극대로 하고자 행동한다고 가정한다.

(나) 코스타리카에 서식하는 흡혈박쥐는 밤이 되면 짐승들을 찾아 몰래 살갗에 작은 상처를 내고 조용히 피를 빨아먹는다. 그러나 대상을 찾지 못하거나 피를 빨기 전에 발각되는 경우가 있기 때문에 배를 곯게 되는 불안정한 생활을 한다. 노련한 박쥐는 10일에 하루 정도 이런 불행을 겪지만, 미숙한 박쥐는 3일에 하루 정도 이런 일이 벌어지기 때문에 연속으로 2일을 굶는 경우도 발생한다. 박쥐는 60시간 이상 피를 먹지 못하면 아사한다.

그러나 흡혈박쥐들은 1일 필요량 이상의 피를 빨아두었다가 잉여분은 토해내서 다른 박쥐에게 줄 수 있다. 과거에 피를 제공한 박쥐는 그 상대로부터 피를 보답받지만, 남은 피를 주지 않은 박쥐는 다음에 피를 얻지 못한다. 박쥐들은 이 규칙을 성실히 준수하는데, 서로 털을 손질해주는 행위가 바로 이 규칙을 강제 이행하는 것으로 파악된다. 흡혈박쥐들이 서로 털을 손질해줄 때 피를 저장하는 위가 있는 배 부위에 특별한 주의를 기울이기 때문이다. 피를 양껏 먹고 불룩해진 배를 다른 박쥐에게 들키지 않는다는 것은 어려운 일이다. 속임수를 쓰는 박쥐는 쉽게 적발된다.

이러한 호혜성의 원칙은 흡혈박쥐에게만 발견되는 것이 아니다. 아프리카의 버벗원숭이도, 산호초에 서식하는 청소어들도, 인간 사회에서도 흔히 발견된다.

<사례 1>

행동경제학은 인간의 선택과 판단에 관한 심리학을 경제에 접목하여 주류 경제학이 설명하지 못하는 영역을 설명하고 있다. 인간의 경제적 행태에 관한 가장 유명하고 중요한 실험이 최후통첩게임(Ultimatum Game)이다. 1982년 독일의 사회학자 베르너 거스(Wermer Guth)가 고안한 이 최후통첩게임은 지난 20년 동안 여러 연구자들의 반복적인 실험으로 확인됐다.

이 게임은 실험에 참가한 두 사람을 제안자와 응답자로 나눈다. 먼저 제안자에게 1만 원을 주고 제안자와 응답자가 나누어 가질 돈의 액수를 정해 제안하도록 한다. 그러면 응답자는 이 제안을 받아들일지 여부를 결정한다. 응답자가 제안을 받아들이면 두 사람이 돈을 나눠 갖고, 응답자가 제안을 거절하면 아무도 돈을 받지 못한다. 예를 들어, 제안자가 1만 원 중 자신이 7천 원을 갖고 응답자에게 3천 원을 받을 것을 제안한다. 만일 응답자가 받아들인다면 두 사람은 각각 7천 원과 3천 원을 갖고 게임은 끝난다. 그러나 응답자가 거절하면 제안자와 응답자 모두 돈을 갖지 못하고 게임이 끝난다.

최후통첩게임에 임하여, 제안자 갑은 응답자인 을에게 다음과 같은 안을 제시하였다. 갑은 9,999원을 갖고 응답자인 을은 1원을 갖는다.

Q1. (가)와 (나)의 차이점을 중심으로 각각 요약하시오.

Q2. 위 문제의 논리적 연장선상에서, (가)와 (나)의 입장에 따른 <사례 1>의 최후통첩게임의 결과를 설명하시오.

Q3. 위 문제의 논리적 연장선상에서, 아래 <사례 2>의 가업상속공제제도 확대정책을 (가)와 (나)의 입장에서 각각 평가하시오.

<사례 2>

    A국은 가업상속제도 확대정책을 두고 논란 중이다. 가업상속공제제도란, 중소기업 등의 원활한 가업(家業) 승계를 지원하기 위해 피상속인이 생전에 10년 이상 운영해 온 중소기업 등을 상속인에게 정상적으로 승계한 경우, 상속공제를 하여 가업승계에 따른 상속세 부담을 경감시켜주고자 하는 제도를 말한다. 이 제도는 기업의 소유권과 경영권을 이전하는 과정에서 최고 50%에 달하는 상속·증여세 부담 때문에 경영권이 위협받는 행위를 방지하기 위해 만들어졌다. A국의 현재 가업상속공제제도는 피상속인이 10년 이상 중소기업을 운영했을 것, 상속인이 상속일 이전 2년 이상 가업에 종사했을 것, 해당 기업의 연 매출 3천억 원 이내일 것을 요건으로 한다.

    A국의 경영계는 이 제도의 요건을 완화하여 확대적용하면, 기업들의 세 부담이 완화되어 경영권이 안정적으로 유지될 것이라 주장하고 있다. 이에 따르면 경영권의 안정적 유지를 통해 기업의 투자 여력이 확보되고 대상기업 노동자들의 안정적 고용이 보장되고 국민 전체의 일자리 확대가 기대되는 경제적 효과가 있을 것이라 한다.

    그러나 A국의 시민단체들은 이 제도를 확대 적용하면 공정성이 심대하게 훼손될 것이라는 점에서 반대하고 있다.

Q1. 모범답변

(가)는 인간이 자신의 이익을 극대화하고자 하는 유인을 갖고 있다고 합니다. 경제학에서는 경제인을 가정하면서, 경제주체들을 자신의 이익을 극대화하고자 하는 주체로 봅니다. 경제인은 타인의 이익과 관계없이 자신의 이익 극대화를 추구하는 합리적 인간입니다.

(나)는 인간이 자신의 이익을 추구하지만 타인의 이익도 함께 고려하는 이타적 존재라고 합니다. 흡혈박쥐 사례를 통해 호혜성의 원칙이 작동하는 것을 제시하고 있습니다. 이에 따르면, 인간 사회가 생성되고 유지, 존속되는 것은 이러한 이타성과 호혜성의 원칙이 작동하고 있기 때문입니다. 호혜성의 원칙에 의하면 자신의 이익도 중요하나 공평성 역시 중요한 결정 요소가 됩니다.

Q2. 모범답변

(가)에 따르면, <사례 1>의 최후통첩게임에서 응답자 을은 제안자 갑의 제안을 받아들일 것입니다. 제안자 갑과 응답자 을은 합리적 경제주체로서 자신의 이익을 극대화하려 하기 때문입니다. 을이 갑의 제안을 거절한다면 을이 얻을 수 있는 이익은 0원입니다. 그러나 을이 갑의 제안을 수용한다면 1원의 이익을 얻을 수 있습니다. 을에게는 0원보다 1원이 더 큰 이익이기 때문에 갑의 이익금액이 얼마나 큰 것인가와 관계없이 을은 갑의 제안을 받아들일 것입니다. 을은 갑의 제안을 거절하는 것보다, 갑의 제안을 받아들여 단 1원이라도 이익을 얻는 것이 자신의 이익을 극대화하는 합리적 선택이기 때문입니다. 따라서 갑은 9,999원을 얻고, 을은 1원의 이익을 얻을 것입니다.

(나)에 따르면, <사례 1>의 최후통첩게임에서 응답자 을은 제안자 갑의 제안을 거부할 것입니다. 응답자 을은 갑의 제안을 받아들이는 것이 자신의 이익이라는 점은 충분히 알고 있습니다. 그러나 을은 갑이 큰 이익을 얻는 것이 단지 제안자의 역할을 우연히 얻게 된 것에서 비롯되었다고 생각할 것입니다. 따라서 을은 갑의 제안이 호혜성의 원칙에 위반되어 불공평하다고 생각하여 거절할 것입니다. 결국 을이 갑의 제안을 거부하게 되므로, 갑과 을 모두 돈을 얻지 못할 것입니다.

Q3. 모범답변

(가)의 입장에 따르면, <사례 2>의 가업상속공제 확대정책은 긍정적으로 평가됩니다. <사례 2>의 가업상속공제 확대정책은 모든 경제주체의 이익을 극대화하는 것입니다. 경영자는 세금 부담이 줄어들기 때문에 이익이 확대되고, 노동자들은 일자리를 안정적으로 보장받을 수 있다는 점에서 이익이 확대됩니다. 그 결과 투자와 고용이 확대되어 국가 경제가 활성화될 수 있기 때문에 국민 다수의 이익 또한 확대됩니다. 따라서 경영자, 노동자, 국민까지 모든 경제주체의 이익이 확대되기 때문에 <사례 2>의 가업상속공제 확대정책은 긍정적으로 평가됩니다.

(나)의 입장에 따르면, <사례 2>의 가업상속공제 확대정책은 부정적으로 평가됩니다. <사례 2>의 가업상속공제 확대정책은 공평성을 저해하는 것입니다. 노동자를 비롯한 사회 구성원들은 가업상속공제 확대로 인해 큰 혜택을 받을 대상자들이 중소기업 경영자의 자녀로 태어났다는 우연에 의해 상속세를 경감받는 것은 불공평하다고 여길 것입니다. 이는 호혜성의 원칙에 명백하게 반하는 것입니다. 따라서 (나)에 따르면 가업상속공제 확대정책은 호혜성의 원칙에 반하고 공평성을 저해하므로 부정적으로 평가될 것입니다.

1. 기본 개념

(1) 광고의 기능

광고는 효율적 시장 형성에 기여한다. 현대성장사회에서는 매일매일 수많은 상품이 쏟아져 나오기 때문에 소비자는 자신이 원하는 상품이 있는지 어느 기업의 제품인지 알기 어렵고, 공급자 역시 소비자에게 자기 제품에 대해 알리기 어렵다. 광고는 상품정보를 제공하여 소비자와 공급자를 연결하는 역할을 한다. 광고는 상품에 대한 정보를 제공하여 효율적 시장 형성에 기여한다.

(2) 광고의 역기능

소비자 피해가 유발될 수 있다. 광고는 상품에 대한 정보를 소비자에게 전달하는 역할을 하는데, 광고의 목적이 기업의 이윤 추구 목적으로 변질되어 과대, 과장 광고가 나타날 수 있다. 과대, 과장 광고로 인해서 단기적으로 소비자는 피해를 보게 되고 공급자는 일시적 초과이윤을 얻을 것이지만, 장기적으로는 공급자 역시 소비자의 외면을 받게 된다.

(3) 광고 심의

광고는 많은 소비자에게 널리 알리기 위한 목적이기 때문에 표현의 자유에 해당하는 것이다. 그러나 한편으로 기업의 이익 추구를 위해 다수의 광고 시청자에게 피해를 줄 수 있다. 따라서 자율적 광고 심의를 통해 부적절한 광고를 규제하고 있다.

2. 쟁점과 논거: 허위·과장광고 규제 찬반론

찬성론: 소비자 권익 보호	반대론: 영업의 자유
[소비자의 알 권리 침해] 소비자는 생산자에 비해 상대적으로 제품의 생산과정이나 제품의 질을 결정하는 요소에 대해 잘 알지 못하는 것이 현실이다. 이러한 정보의 격차를 해소하기 위해서는 생산자인 기업체는 보다 다양하고 정확한 정보를 제공해야 하고, 허위·과장광고는 제한되어야 한다.	**[기업의 영업의 자유]** 기업체가 단기적 이익을 극대화하기 위해 허위·과장광고를 선택하거나, 장기적 측면의 이익을 위해 윤리 경영을 선택하는 것은 순전히 기업이 주체가 되어 결정해야 할 사항이다. 허위·과장광고로 인해 소비자의 생명과 신체에 직접적 위해가 가해지지 않으므로 규제해서는 안 된다.
[소비자의 선택권 침해] 소비자가 합리적으로 판단하고 소비하기 위해서는 제품에 대해 정확하게 파악하고 선택할 수 있어야 한다. 하지만 허위·과장광고는 소비자에게 잘못된 정보를 제공해 소비자의 합리적 선택에 악영향을 미친다.	**[평등원칙 위배]** 기업의 영업의 자유는 모든 기업에 인정된 것이고, 이에 따라 기업은 이윤을 극대화하기 위해 자유롭게 광고라는 표현을 할 수 있다. 동일한 표현의 자유에 대해 창의적 광고와 허위과장광고라는 자의적 기준으로 이를 다르게 취급한다.
[기업의 장기적 이익 저해] 기업이 허위·과장광고를 통해 소비자를 기만하고, 부당한 이익을 얻고 있다는 인식이 확산되면 소비자는 해당 기업체에 대해 신뢰를 쌓을 수 없고, 이는 제품 및 상품을 선택할 때 중요한 요소로 작용하게 된다.	**[소비자 책임]** 소비자 역시 합리적 주체로 기업의 광고를 통해 정보를 얻고 이를 신중하게 판단하여 구매를 결정한다. 구매행위는 기업과 소비자의 자유가 합치된 결과이다.

3. 읽기 자료: 의료법 제56조 제1항 등 위헌소원[81]

(1) 의료광고 사전심의는 사전검열에 해당한다는 위헌의견

헌법 제21조 제1항은 모든 국민은 언론·출판의 자유를 가진다고 규정하여 표현의 자유를 보장하고 있는 바, 의사표현의 자유는 바로 언론·출판의 자유에 속한다. 그러므로 의사표현의 매개체가 의사표현을 위한 수단이라고 전제할 때, 이러한 의사표현의 매개체는 헌법 제21조 제1항이 보장하고 있는 언론·출판의 자유의 보호대상이 된다. 그리고 의사표현·전파의 자유에 있어서 의사표현 또는 전파의 매개체는 어떠한 형태이건 가능하며, 그 제한이 없다(헌재 1993.5.13. 91헌바17). 광고물도 사상·지식·정보 등을 불특정다수인에게 전파하는 것으로서 언론·출판의 자유에 의한 보호를 받는 대상이 됨은 물론이고(헌재 1998.2.27. 96헌바2), 상업적 광고표현 또한 보호 대상이 된다(헌재 2000.3.30. 99헌마143).

언론·출판에 대하여 사전검열이 허용될 경우에는 국민의 예술활동의 독창성과 창의성을 침해하여 정신생활에 미치는 위험이 클 뿐만 아니라, 행정기관이 집권자에게 불리한 내용의 표현을 사전에 억제함으로써, 이른바 관제의견이나 지배자에게 무해한 여론만을 허용하는 결과를 초래할 것이다. 따라서 이러한 사전검열은 절대적으로 금지된다. 그런데 사전검열금지원칙이 모든 형태의 사전적인 규제를 금지하는 것은 아니고, 의사표현의 발표 여부가 오로지 행정권의 허가에 달려있는 사전심사만을 금지한다. 헌법재판소는 헌법이 금지하는 사전검열의 요건으로 첫째, 일반적으로 허가를 받기 위한 표현물의 제출의무가 존재할 것, 둘째, 행정권이 주체가 된 사전심사절차가 존재할 것, 셋째, 허가를 받지 아니한 의사표현을 금지할 것, 넷째, 심사절차를 관철할 수 있는 강제수단이 존재할 것을 제시하고 있다(헌재 1996.10.31. 94헌가6; 헌재 2008.6.26. 2005헌마506 참조).

이 사건 의료광고는 의료행위나 의료서비스의 효능이나 우수성 등에 관한 정보를 널리 알려 의료소비를 촉진하려는 행위로서 상업광고의 성격을 가지고 있지만, 위와 같은 법리에 따르면 헌법 제21조 제1항의 표현의 자유의 보호 대상이 됨은 물론이고, 동조 제2항도 당연히 적용되어 사전검열도 금지된다.

(2) 사전검열에 해당하지 않는다는 재판관 조용호의 반대의견

특히 의료는 고도의 전문적 지식과 기술을 요하고 국민의 건강에 직결되는 것이므로 잘못된 의료정보가 전파되는 것을 방지하여 의료소비자를 보호하기 위해서는 의료광고에 대한 합리적 규제가 필요하다. 허위·과장 광고를 사전에 예방하지 않을 경우 불특정 다수가 신체·건강상 피해를 보는 등 광범위한 해악이 초래될 수 있고, 허위·과장 광고 등에 대해 사후적인 제재를 하더라도 소비자들이 신체·건강상으로 이미 입은 피해는 그 회복이 사실상 불가능할 수 있어서 실효성이 별로 없다는 문제가 있으므로, 잘못된 의료광고 표현에 대한 사전규제는 필수적이다.

한편, 의료광고는 영리 목적의 상업광고로서 사상이나 지식에 관한 정치적·시민적 표현행위 등과 관련이 적고, 이러한 광고를 사전에 심사한다고 하여 예술활동의 독창성과 창의성 등이 침해되거나 표현의 자유 등이 크게 위축되어 집권자의 입맛에 맞는 표현만 허용되는 결과가 될 위험도 작다.

2015헌바75

Part 1
Part 2
Part 3
Part 4
Part 5
Part 6
Part 7

해커스 감종수 모의고사 적정 200주제

답변 준비 시간 20분 | 답변 시간 20분

※ 다음 QR코드를 촬영하면 연결되는 제시문을 읽고, 문제에 답하시오.

세무 플랫폼에서 환급금 조회 결과 환급금이 없거나 납부가 발생해 불만이 커지고 있다. 세무사 회는 과장 광고라고 비판했으나, 해당 플랫폼은 과장이 없다고 부인했다.

과장 광고

Q1. 광고의 사회적, 경제적 효과는 무엇인가?

Q2. 광고의 부정적 효과는 무엇인가?

Q3. 과장된 광고의 경우 과장된 정도에 대한 판단은 어떻게 할 수 있는가?

Q4. 우리나라는 의료광고에 대해 사전심의제도를 두고 있었다. 이에 대해 헌법재판소는 의료광고 사전심의제도는 사전검열에 해당하여 표현의 자유를 위축시키기 때문에 폐지해야 한다고 하였다. 헌법재판소의 입장에 대한 자신의 견해를 논하시오.

Q5. 유럽에서는 성형수술광고를 전면 규제하고 있는 반면, 우리나라는 성형수술광고를 일부 허용하고 있다. 성형수술광고를 전면 규제하는 것에 대한 자신의 견해를 논하시오.

Q6. 병원 이름을 보면 '측츠디슥흐 병원'처럼 이상한 이름이 있는 경우가 많다. 이는 현행법상 질병 명칭을 병원 이름으로 쓸 수 없기에 발생한다. 예를 들어, 간 혹은 디스크와 같은 질환명 등을 사용할 수 없다. 그러나 의사가 전문의 과정을 수료한 경우 병원명에 전문의 수료과목을 간판에 명시할 수 있다. 예를 들어, 정형외과나 내과 등을 간판에 쓸 수 있다. 병원의 이름에 질병의 이름을 사용하는 것에 대해, 환자/의사/보건공무원의 입장에서 각각 근거를 들어 찬성 및 반대 의견을 논하시오.

Q7. 질병명을 병원명에 사용할 수 있도록 허용해야 하는지 자신의 견해를 논하시오.

Q1. 모범답변

광고는 효율적 시장 형성에 기여합니다. 현대성장사회에서는 매일매일 수많은 상품이 쏟아져 나옵니다. 소비자는 이러한 상황에서 자신이 원하는 상품이 실제로 있는지, 그 상품의 질은 어떠한지 파악하기 어렵습니다. 공급자 역시 마찬가지로 수많은 상품 중 자신의 상품이 얼마나 좋은지 소비자에게 알리기 어렵습니다. 광고는 상품정보를 제공하여 소비자와 공급자를 연결하는 역할을 합니다. 소비자는 광고를 통해 자신이 원하는 상품이 시장에 있다는 사실을 발견하고 구매하여 삶의 질을 높일 수 있습니다. 마찬가지로 공급자는 광고를 통해 자신의 상품을 소비자에게 알리고 판매하여 생산비용을 회수하고 더 좋은 상품을 개발할 자본을 축적합니다. 따라서 광고는 상품에 대한 정보를 제공하여 효율적 시장 형성에 기여합니다.

Q2. 모범답변

광고의 부정적 효과는 과대, 과장 광고로 인해 소비자 피해가 유발될 수 있고, 효율적 시장 형성을 저해할 수 있다는 점입니다. 광고는 상품에 대한 정보를 소비자에게 전달하는 역할을 하는데, 광고가 상품에 대한 정보 전달 목적에서 기업의 이윤 추구 목적으로 변질되어 과대, 과장 광고가 나타날 수 있습니다. 과대, 과장 광고로 인해서 단기적으로 소비자는 피해를 보게 되고 공급자는 일시적 초과이윤을 얻습니다. 그러나 장기적으로 소비자는 과대, 과장 광고를 한 공급자의 상품을 외면하게 되어 공급자에게도 불이익이 됩니다. 이러한 과대, 과장광고가 많아지면 소비자는 광고를 믿지 못하게 되어 공급자와 소비자 모두 불이익을 볼 수밖에 없습니다. 이처럼 광고 본연의 목적에서 벗어난 과대, 과장광고는 소비자와 공급자 모두에게 불이익을 줄 수 있다는 문제점이 있습니다.

Q3. 모범답변

과장된 광고를 규제할 경우 과장 정도에 대한 판단은 일반인의 상식 기준에서 명백하게 과장임이 분명한 경우로 한정할 필요가 있습니다. 광고를 통해 정보를 얻고 선택하는 것은 소비자의 영역이기 때문에 명백하게 과장이라 볼 수 없는 경우 공급자에게 과도한 제한이 될 수 있기 때문입니다. 예를 들어 아파트 광고를 할 때, 지하철역에서 도보 5분 거리라고 했을 경우 일반인이 뛰거나 빠르게 걸어서 5분인 경우는 과장광고로 보기 어렵습니다. 다만, 어떤 사람도 15~20분 이내에 도달할 수 없음이 명백한 경우는 과장 광고라 보아야 합니다.

Q4. 모범답변

의료광고 사전심의제도가 사전검열에 해당하여 표현의 자유를 과도하게 위축시킨다고 볼 수 없습니다. 의료광고는 이윤 추구를 목적으로 하는 상업광고이므로 개인의 정치적 의사와 같은 시민권에 해당하지 않고 학문이나 예술 등과 같은 창의성에 해당하지도 않습니다. 따라서 의료광고 사전심의제도로 인해 발생하는 표현의 자유의 침해는 대단히 미미합니다.

반면, 의료는 국민의 생명과 신체에 직결되는 피해를 직접적으로 발생시킬 수 있습니다. 의료행위는 고도의 전문성이 요구되어 전문가와 일반국민 사이에 정보의 비대칭성이 있기 때문에 잘못된 의료정보가 광고를 통해 전파되었을 때 국민의 생명과 신체에 대한 비가역적 피해가 예상됩니다.

그렇다면 의료광고로 인해 발생하는 국민의 생명·신체에 대한 비가역적 피해와 사전심의로 인해 야기되는 표현의 자유를 비교할 때, 사전심의를 통해 국민의 생명·신체와 건강을 보호할 의무를 실현하는 것이 국가의 의무라 할 것입니다. 따라서 헌법재판소의 입장은 타당하지 않습니다.

Q5. 모범답변

성형광고 전면 규제는 타당합니다. 국가는 국민의 생명과 신체에 대한 안정적 보호를 위해 필요한 규제를 해야 합니다. 의료적 수술은 국민의 생명·신체와 밀접한 관련이 있습니다. 그렇기에 생명을 구하기 위해 필수적인 수술의 경우에도 의료진은 환자에게 충분한 의료정보를 제공하고 환자 개인이 수술 여부를 심사숙고하여 스스로 결정하도록 하는 것입니다. 이렇게 현재의 의료 환경에서 최대의 노력을 기울였다고 하더라도 예상치 못한 문제점이 수술 직후에, 혹은 시간이 흐른 후에 밝혀지기도 합니다. 특히 전신마취가 필요한 수술의 경우 의료진조차도 예상하지 못한 의료사고가 발생하기도 합니다. 성형광고는 이러한 개인의 생명·신체의 자유와 관련한 수술임에도 불구하고, 광고의 특성상 장점만을 부각시키게 됩니다. 이를 접한 개인은 의료전문가가 아니기 때문에 정보의 비대칭성으로 인해 수술로 인한 문제점을 제대로 파악하기 어렵습니다. 성형광고를 통해 장점을 인식한 개인은, 수술로 인한 부작용 등의 단점을 상대적으로 가볍게 여길 가능성이 높습니다. 그렇다면 성형광고를 통해 개인이 성형수술을 결심하게 되었다면 이는 심사숙고하여 결정하였다기보다는 제한된 정보를 통해 수술로 인해 발생할 문제점을 정확하게 예측하지 못한 상태에서 결정한 것이라 봄이 타당합니다. 더군다나 이런 문제점은 인체와 관련되어 문제가 발생하더라도 돌이킬 수 없는 비가역적인 문제를 일으키는 경우가 많습니다. 따라서 국민 개인의 생명·신체를 안정적으로 보호하기 위해 성형수술 광고를 전면 규제함이 타당합니다.

Q6. 모범답변

첫째, 환자 입장에서 찬성 의견은 환자의 건강권을 근거로 제시할 것입니다. 환자는 자신의 질병을 치료하기 위해 원하는 병원을 자유롭게 선택할 권리가 있습니다. 병원명에 질병명이 기재된다면 환자는 자신의 질병에 적합한 병원을 찾기 수월해지고 특히 노년층과 같이 정보를 얻기 힘든 환자들의 건강 회복을 위한 의료 접근이 수월해질 것입니다. 따라서 환자의 건강권이 보장됩니다. 환자 입장에서 반대 의견은 환자의 건강권 침해를 근거로 들 것입니다. 환자는 의학 전문가가 아니기 때문에 병원명에 있는 질병명만 보고서 지레짐작하여 해당 병원을 찾아갈 수 있습니다. 이 경우 환자는 자신의 질병을 치료하기 위해 병원이 갖추어야 할 전문능력이 아닌 병원명에 따라 결정할 수 있어 오히려 건강권이 침해될 수 있습니다.

둘째, 의사 입장에서 찬성 의견은 환자의 건강권을 근거로 제시할 것입니다. 병원명에 질병명을 기재하게 되면 병원과 의사의 입장에서는 해당 질병명을 보고 찾아온 환자를 치료해야 하므로, 해당 질병에 대한 전문성을 키워야 합니다. 해당질병에 대한 치료가 잘 될수록 이익을 얻을 것이어서 다양한 진료과목 의사들이 협진을 하거나 해당질병의 전문성이 있는 의사를 영입하는 등으로 전문성을 키우게 됩니다. 따라서 환자의 건강권을 증진할 수 있습니다.

의사 입장에서 반대 의견은, 환자의 건강권 침해라는 근거를 제시할 것입니다. 병원명에 질병명을 기재할 경우, 병원과 의사는 환자가 많은 질병에 집중하게 될 것입니다. 환자가 한정적인 질병은 이윤이 적기 때문에 병원과 의사로서는 관련질병에 대한 치료를 꺼리게 될 것입니다. 예를 들어 척추 디스크 치료를 전문으로 하는 병원은 늘어나는 반면, 신생아 수가 줄어들고 있는 현실에서 산부인과 병원은 줄어들게 될 것입니다. 모든 질병에 대한 의료 서비스가 아닌 특정 질병에 대한 의료 서비스로 전환될 수 있으므로 환자의 건강권을 침해할 수 있습니다.

셋째, 보건공무원의 입장에서 찬성 의견은, 보건행정 효율성의 증진을 근거로 제시할 것입니다. 질병명이 병원명에 들어간다면 해당 병의원이 어떤 질병 치료를 하는지 손쉽게 알 수 있습니다. 이 경우 의료수가 지급 등에 있어서 불필요한 행정력 낭비를 막을 수 있습니다.

보건공무원의 입장에서 반대 의견은, 보건행정 효율성의 저해를 근거로 제시할 것입니다. 보건행정청은 질병명을 명시한 병원이 해당 질병에 대한 전문성을 보유하고 있는지 등을 파악해야 할 것입니다. 전문의의 보유 여부 등과 관계없이 질병명을 병원명에 기재할 수 있다면, 의료 전문가가 아닌 일반 국민의 피해가 가중될 가능성이 높습니다. 보건의료당국은 이러한 정보의 비대칭성으로 인해 발생할 국민의 피해를 막아야 하고 이를 위해 행정력이 과도하게 필요하게 될 것입니다. 이는 보건행정 효율성의 저해로 이어질 수 있습니다.

Q7. 모범답변

질병명을 병원명에 사용하게 해서는 안 됩니다. 국민의 건강권 침해가 발생할 수 있기 때문입니다. 질병명을 병원명에 사용하게 할 경우, 의료시장이 질병 중심으로 변할 것입니다. 환자가 많거나 경제적으로 이익이 되는 특정 질병에 쏠림현상이 발생할 가능성이 높습니다. 이 경우 해당 질병에 전문의가 아닌 의사도 이익을 노리고 영업을 할 수 있게 되고 전문의 교육에 대한 수요가 감소할 수 있습니다. 의료의 특성상 인간의 신체 전반과 질병이 유기적으로 연결되어 있고 하나의 질병에도 여러 원인이 복합적으로 작용할 수 있기 때문에 전문의 과정과 같이 전반적인 전문교육과정이 꼭 필요합니다. 특정 질병 중심으로 의료시장이 형성되면 장기적으로 전문성이 저하되고 의료서비스의 질이 저하되어 국민의 건강권에 대한 피해가 발생하게 됩니다. 따라서 질병명을 병원명에 사용하게 해서는 안 됩니다.

물론 환자들이 자신에게 필요한 병원을 찾기 어렵다는 반론이 제기될 수 있습니다. 그러나 이는 제도적 개선을 통해 해결할 수 있습니다. 현재 의료기관에서는 정형외과, 내과 등으로 진료과목을 명시하고 있습니다. 명시한 진료과목에서 어떤 질병을 다루고 있는지를 널리 알릴 수 있도록 하면 충분합니다. 예를 들어, 포털 사이트나 국민콜센터 등을 통해 해당 질병이 어떤 진료과목에서 치료받을 수 있는지 국민에게 안내하도록 하면 문제를 완화할 수 있습니다.

2024 인하대 기출

1. 기본 개념

(1) 다크패턴 마케팅

EU의 디지털서비스법(Digital Service Act)은 다크패턴을 "서비스 수신자가 자율적이고 정보에 입각한 선택이나 결정을 할 능력을 실질적으로 왜곡하거나 손상시키는 것"이라 정의한다.

OECD는 "일반적으로 온라인 사용자 인터페이스에서 보이는, 소비자가 자신들의 최선의 이익으로 이어지지 않는 선택을 하도록 하는 넓은 범위의 행위를 이르는 말"로 정의한다.

미국의 연방거래위원회(Federal Trade Commission)는 "원래대로라면 이용자가 하지 않았을 선택이나 이용자에게 해가 될 수도 있는 선택을 하도록 이용자를 속이거나 조종하는 디자인 행위"로 정의한다.

우리나라 공정거래위원회는 "온라인 시장에서 사업자의 이익을 위해 소비자의 착각, 실수, 비합리적인 지출 등을 유도하는 상술"이라고 정의하며, 눈속임 상술이라는 표현을 사용했다.

(2) 전자상거래법 개정법률안

전자상거래 등에서의 소비자보호에 관한 법률 제21조의2(온라인 인터페이스 운영에 있어서 금지되는 행위)에서는 숨은 갱신, 순차공개 가격책정, 잘못된 계층구조, 특정옵션 사전선택, 취소·탈퇴 방해, 반복간섭의 6가지 행위를 명시적으로 규율하고 있다.

2. 읽기 자료

다크패턴 개념과 유형[82]
미국의 다크패턴[83]
정보비대칭과 다크패턴[84]

[82]

다크패턴 개념과 유형

[83]

미국의 다크패턴

[84]

정보비대칭과 다크패턴

⏱ 답변 준비 시간 10분 | 답변 시간 10분

※ 다음 QR코드를 촬영하면 연결되는 제시문을 읽고, 문제에 답하시오.

> 유료 멤버십 월회비를 72% 인상하면서 기존 회원들은 멤버십 연장을 두고 고민 중에 있는데, 업체가 소비자가 얼떨결에 인상에 동의하도록 하는 '다크패턴' 마케팅을 사용해 논란이 되고 있다.

다크패턴 마케팅

Q1. 기업의 다크패턴 마케팅을 규제해야 하는지 여부에 대한 자신의 입장을 정하고 2개 이상의 논거를 들어 논하시오.

해커스 김종수 토스풀 면접 200주제

Q1. 모범답변

기업의 다크패턴 마케팅에 대한 사회적 규제가 필요합니다. 소비자를 보호하고, 공정한 거래질서 확립을 위함입니다.

소비자 보호를 위해 기업의 다크패턴 마케팅에 대한 사회적 규제가 필요합니다. 현대소비사회에서는 공급자인 기업에 비해 소비자는 정보의 비대칭성에 놓여 있는 경우가 많습니다. 기업의 다크패턴 마케팅에 의해 소비자는 물품의 구매과정에서 정확한 정보를 근거로 합리적인 선택이나 행위를 할 수 없게 되는 등으로 소비자에 대한 다양한 형태의 기만, 강요, 조작이 이루어져 직간접적으로 소비자 피해가 발생합니다. 유사한 사례로, 보험사 광고에서 빠른 설명과 작은 글씨로 소비자에게 중요한 정보를 알려주지 않는 등으로 소비자 피해를 일으킨 경우가 있습니다. 우리나라 공정거래위원회는 다크패턴을 온라인 시장에서 사업자의 이익을 위해 소비자의 착각이나 실수, 비합리적인 지출 등을 유도하는 눈속임 상술이라 규정하고 있습니다. 기업은 다양한 방법으로 소비자가 합리적인 소비를 하지 못하도록 유도해서 기업의 이익을 달성하려 합니다. 이에 더해 대형 플랫폼 기업은 소비자의 빅데이터를 수집하고 적용하는 것에서 그치지 않고 소비자들의 선호나 선택까지도 지배할 수 있을 정도입니다. 이는 기업이 정당하지 않은 방법으로 소비자의 자유와 권리를 침해하는 것입니다. 따라서 소비자 보호를 위해 다크패턴 마케팅에 대한 사회적 규제가 필요합니다.

공정한 거래질서 확립을 위해 기업의 다크패턴 마케팅에 대한 사회적 규제가 필요합니다. 온라인 거래가 활성화되고 오프라인 매출보다 온라인 매출이 더 커지고 있습니다. 온라인상의 거래에서는 기업이 소비자의 정보를 수집해서 알고리즘에 따라 이미 소비자의 선호를 알고 있는 상태에서 소비자의 물품 구매 과정을 기만하고 강요하고 조작할 가능성이 훨씬 높습니다. 특히 대형 플랫폼 기업들은 자신들이 다양한 방법으로 수집한 방대한 소비자 데이터를 가지고 '데이터 드리븐 마케팅(Data Driven Marketing)', 즉 '고객의 니즈, 동기, 행동에 대한 모든 데이터를 수집하고 분석한 뒤 적용'함으로써 점점 더 강대해지고 있습니다. 소비자 데이터를 이미 보유한 기업의 힘으로 인해 신규 기업은 시장에 진입하고 성장할 수 있는 기회가 제한되고 있습니다. 이와 같은 데이터 집중과 격차는 기업 간의 불공정 거래행위로 이어질 수 있습니다. 대표적인 사례로 쿠팡이나 아마존에 입점하는 기업은 최저가로 납품해야 하고 이 과정에서 원가, 매출 등을 모두 공개해야 하는 등의 불공정 거래행위가 발생한 바 있습니다. 따라서 공정한 거래질서 확립을 위해 기업의 다크패턴 마케팅에 대한 사회적 규제가 필요합니다.

125 개념 | 민영화

2024 원광대 기출

1. 기본 개념

(1) 민영화(privatization)

국가 및 공공단체가 특정기업에 대해 갖는 법적 소유권을 주식매각 등의 방법을 통해 민간부문으로 이전하는 것을 말한다. 넓은 의미에 있어서는 외부계약, 민간의 사회간접자본시설 공급, 공공서비스사업에 대한 민간참여 허용 등을 모두 포함하나, 일반적으로는 외부계약 등과 구분하여 좁은 의미로 사용되고 있다.

(2) 민영개발

민영화의 일종으로, 고속도로, 터널, 다리 등의 사회간접자본 등 사회 인프라의 개발을 민간에 맡기는 방식을 민영개발이라 한다.

2. 읽기 자료

공기업 민영화[85]

독일 민영화 사례[86]

민영화 경제학[87]

85)

공기업 민영화

86)

독일 민영화 사례

87)

민영화 경제학

⏱ 답변 준비 시간 15분 | 답변 시간 15분

※ 다음 제시문을 읽고, 문제에 답하시오.

> (가) 민영화(privatization)란, 국가 및 공공단체가 특정기업에 대해 갖는 법적 소유권을 주식매각 등의 방법을 통해 민간부문으로 이전하는 것을 말한다. 넓은 의미에 있어서는 외부계약, 민간의 사회간접자본시설 공급, 공공서비스사업에 대한 민간참여 허용 등을 모두 포함하나, 일반적으로는 외부계약 등과 구분하여 좁은 의미로 사용되고 있다. 공기업 민영화는 국가에서 운영하던 기업을 민간인이 자율적으로 경영하게 되는 것이다. 민영화의 일종으로, 고속도로, 터널, 다리 등의 사회간접자본 등 사회 인프라의 개발을 민간에 맡기는 방식을 민영개발이라 한다.
>
> (나) A: 민영화의 성공 사례로 영국의 브리티시 텔레콤 사례가 있다. 영국의 통신 분야 민영화의 결과, 브리티시 텔레콤은 최초의 사업 분야였던 유선전화에서 시작해 차츰 사업을 키워나가 무선통신 분야까지 진출했다. 민영화는 시장의 영역을 확대할 수 있다는 장점이 있고, 국민의 선택 다양성 확보에서도 도움이 된다.
>
> B: 민영화의 실패 사례로 독일의 고속도로 민영화 사례가 있다. 고속도로 운영의 효율화를 위해 고속도로 민영화를 진행했으나, 정부와 국민들의 기대와는 달리 고속도로 통행료가 과도하게 인상되었다. 그 결과 저소득층은 고속도로 이용에 큰 부담을 느끼고 실제로도 고속도로 통행이 불가능해지는 경우마저 있었다.

Q1. 제시문 (가)의 민영화와 민영개발의 장점을 다각도에서 논변하시오.

Q2. 제시문 (가)의 민영화와 민영개발의 단점을 다각도에서 논변하시오.

Q3. 제시문 (나)의 A와 B의 의견 중 하나를 선택하여 추가 근거를 들어 반대 측 입장을 설득하시오.

Q4. 자신의 답변의 논리적 연장선상에서 민영화를 위한 조건을 제안하시오.

Q1. 모범답변

민영화와 민영개발의 장점으로는 국민편익의 증대, 세금 재원 활용의 효율성 실현, 민간경제 활성화를 들 수 있습니다.

먼저, 민영화는 국민편익의 증대를 도모할 수 있다는 장점이 있습니다. 최근 개발사업의 경우 대규모 자본과 전문적 기술이 요구되는 경우가 많습니다. 이미 도시개발 등이 이루어진 상태에서 추가적으로 필요한 인프라의 경우 기존 인프라를 저해하지 않고 오히려 함께 기능해야 하는 경우가 많기 때문입니다. 예를 들어, 2개의 지하철 노선이 이미 운용되는 상황에서 새로운 지하철 노선이 함께 건설되어 기능해야 하는 경우, 혹은 이미 포화상태로 운영되는 기존 도로 위에 고가도로를 신설하는 경우 등이 대표적입니다. 이 경우 민영화를 통해 대규모 자본과 전문기술을 가진 기업의 참여를 통해 효율적 인프라 건설이 가능합니다. 이를 통해 국민편익이 증대되는 효과가 달성됩니다.

국민 세금 재원 활용의 효율성을 도모할 수 있다는 장점이 있습니다. 국가는 한정된 자원인 국민의 세금을 효율적으로 사용하여 국민생활의 편의를 증대시켜야 합니다. 그런데 대규모 인프라 투자의 경우 엄청난 재원이 소요되는 경우가 많습니다. 고속도로나 도심터널, 해저터널 등의 인프라 투자는 조 단위의 재원이 소요됩니다. 인프라 투자는 동시다발적으로 진행되고 장기간 재원을 지속적으로 투자해야 하는 특성이 있습니다. 조 단위의 재원을 한꺼번에 투자할 경우 국민의 세 부담이 늘어나고 국민의 세금을 이자 부담으로 소모할 수 있습니다. 그러나 민영화와 민간 투자를 활용하면 국민의 부담을 줄일 수 있고 여러 인프라를 장기간에 걸쳐 국민의 부담을 줄인 상태로 진행할 수 있습니다. 따라서 국민 세 부담을 줄이고 재원 활용의 효율성을 실현할 수 있습니다.

민간경제의 활성화를 통해 국가발전을 도모할 수 있다는 장점이 있습니다. 대규모 인프라 투자는 건설기간도 장기간이지만 인프라의 운영과 유지·보수 등이 더 장기간 소요됩니다. 대규모 인프라 투자를 위한 자금 조달과 장기간의 건설, 인프라의 운영, 유지, 보수 등을 민간기업이 직접 수행함으로써 인프라 사업에 대한 노하우를 획득할 수 있습니다. 특히 우리나라 건설사의 자본과 기술력이 커지고 있어 일본 등이 선점하여 장기간 운영해왔던 동남아시아 등 개발도상국의 해외인프라 사업 등에 진출을 시도하고 있습니다. 해외인프라 사업의 수주를 시도할 때 국내사업의 운영경험 등이 중요 항목이 되므로 우리나라의 민간기업에도 인프라 투자와 운영의 기회를 제공하여 민간경제의 활성화와 국가발전이 가능합니다.

Q2. 모범답변

　　민영화의 단점은 공공성의 훼손 가능성, 국민부담의 증대, 저소득층을 위한 공공서비스의 위축이 발생할 수 있다는 점입니다.

　　먼저, 민영화와 민영개발은 공공성의 훼손 가능성이 존재한다는 단점이 있습니다. 인프라 등의 사회간접자본은 국민을 위한 것으로 공공 목적으로 구축되어야 하는 것이며 공익을 극대화하는 방향으로 운영되어야 합니다. 그런데 민영화는 민간기업이 공공사업에 참여할 기회를 주는 것입니다. 민간기업은 자기 이윤을 추구하기 때문에 공공성을 실현하기보다 자기 이익의 극대화를 추구할 수밖에 없습니다. 또한 운영과정에서도 공익적 목적으로 운영하기보다 기업의 이익을 극대화하려는 방향의 운영이 될 것입니다. 예를 들어, 민간투자를 통해 건설된 천안논산고속도로의 경우, 민간자본사업 운영회사가 제설 장비 등을 제대로 구비하지 않아 갑작스러운 폭설이 발생했을 때 제설작업이 제대로 진행되지 않았고 다중추돌 등의 교통사고가 발생함으로써 국민 피해가 발생한 바 있습니다. 이처럼 민영화는 공공성을 목적으로 하기보다 기업의 이익을 우선시하는 단점이 발생할 수 있습니다.

　　국민의 부담이 오히려 증가할 수 있다는 단점이 있습니다. 민영화는 민간기업의 전문성과 경쟁을 통해 세금을 효율적으로 사용할 수 있다고 하나, 실제 현실에서는 오히려 비효율성이 발생할 수 있습니다. 예를 들어, 1조 원이 소요되는 공공개발사업을 민영화를 통해 민간투자로 운영할 경우 1조 원의 건설비용을 부담한 민간기업은 이에 해당하는 이윤을 통행료를 통해 장기간에 걸쳐 회수하려 할 것입니다. 이를 계산해보면 1조 원의 건설비용과 건설 이자 부담 3백억 원, 운영비용 1천억 원이라 한다면, 공공사업으로 진행했을 때 1조 1천3백억 원이 소요되는 데 반해, 민간개발로 진행하면 1조 1천3백억 원에 더해 민간기업의 이윤까지 더해야 하므로 사용요금이 오르게 되어 국민의 실질적 부담은 오히려 더 커지게 됩니다. 이는 국민의 세금을 사용하지 않았다는 것뿐이지 국민의 부담으로 고스란히 전가되는 것입니다. 따라서 민영화는 오히려 국민의 부담을 증가시킬 수 있다는 단점이 있습니다.

　　저소득층을 위한 공공서비스가 저해될 수 있다는 단점이 있습니다. 공적 인프라는 국민 모두를 위해 건설되고 운영되어야 합니다. 특히 저소득층은 인프라 사용에 있어서 사용요금을 부담하기 어렵기 때문에 국가는 국민 모두의 세금 부담을 통해 국민 모두가 공평하게 인프라를 사용할 수 있도록 합니다. 그러나 민영화를 통해 이를 민간기업에 맡기게 되면, 민간기업은 이윤을 추구하기 때문에 비용 부담을 하지 못하는 저소득층에 대한 서비스에 소극적이 될 수밖에 없습니다. 그뿐만 아니라 민간기업은 공공성이 있으나 이익이 되지 않는 사업에는 관심이 없습니다. 그렇다면 이익이 되는 사업은 민간기업이 가져가 공공의 이익으로 전환되지 못하고, 이익이 되지 않는 사업은 공공의 사업이 되어 국민의 피해가 누적되는 결과로 이어집니다. 이는 결국 이익이 되지 않는 공공사업과 저소득층을 위한 공공사업의 위축으로 이어지게 됩니다. 따라서 민영화는 저소득층을 위한 공공서비스의 저해라는 단점을 발생시킬 수 있습니다.

[A의 입장: 민영화 찬성 입장]

국민편익의 증대, 세금 재원 활용의 효율성 실현, 민간경제 활성화를 위해 민영화를 시행해야 합니다.

먼저, 민영화는 국민편익의 증대를 도모할 수 있습니다. 최근 개발사업의 경우 대규모 자본과 전문적 기술이 요구되는 경우가 많습니다. 이미 도시개발 등이 이루어진 상태에서 추가적으로 필요한 인프라의 경우 기존 인프라를 저해하지 않고 오히려 함께 기능해야 하는 경우가 많기 때문입니다. 예를 들어, 2개의 지하철 노선이 이미 운용되는 상황에서 새로운 지하철 노선이 함께 건설되어 기능해야 하는 경우, 혹은 이미 포화상태로 운영되는 기존 도로 위에 고가도로를 신설하는 경우 등이 대표적입니다. 이 경우 민영화를 통해 대규모 자본과 전문기술을 가진 기업의 참여를 통해 효율적 인프라 건설이 가능합니다. 이를 통해 국민편익이 증대되는 효과가 달성됩니다.

둘째, 국민 세금 재원 활용의 효율성을 도모할 수 있습니다. 국가는 한정된 자원인 국민의 세금을 효율적으로 사용하여 국민생활의 편의를 증대시켜야 합니다. 그런데 대규모 인프라 투자의 경우 엄청난 재원이 소요되는 경우가 많습니다. 고속도로나 도심터널, 해저터널 등의 인프라 투자는 조 단위의 재원이 소요됩니다. 인프라 투자는 동시다발적으로 진행되고 장기간 재원을 지속적으로 투자해야 하는 특성이 있습니다. 조 단위의 재원을 한꺼번에 투자할 경우 국민의 세 부담이 늘어나고 국민의 세금을 이자 부담으로 소모할 수 있습니다. 그러나 민영화와 민간 투자를 활용하면 국민의 부담을 줄일 수 있고 여러 인프라를 장기간에 걸쳐 국민의 부담을 줄인 상태로 진행할 수 있습니다. 따라서 국민 세 부담을 줄이고 재원 활용의 효율성을 실현할 수 있습니다.

민간경제의 활성화를 통해 국가발전을 도모할 수 있습니다. 대규모 인프라 투자는 건설기간도 장기간이지만 인프라의 운영과 유지·보수 등이 더 장기간 소요됩니다. 대규모 인프라 투자를 위한 자금 조달과 장기간의 건설, 인프라의 운영, 유지, 보수 등을 민간기업이 직접 수행함으로써 인프라 사업에 대한 노하우를 획득할 수 있습니다. 특히 우리나라 건설사의 자본과 기술력이 커지고 있어 일본 등이 선점하여 장기간 운영해 왔던 동남아시아 등 개발도상국의 해외인프라 사업 등에 진출을 시도하고 있습니다. 해외인프라 사업의 수주를 시도할 때 국내사업의 운영경험 등이 중요 항목이 되므로 우리나라의 민간기업에도 인프라 투자와 운영의 기회를 제공하여 민간경제의 활성화와 국가발전이 가능합니다.

[B의 입장: 민영화 반대 입장]

공공성의 훼손 가능성, 국민부담의 증대, 저소득층을 위한 공공서비스의 위축 우려가 있으므로 민영화를 시행해서는 안 됩니다.

먼저, 민영화와 민영개발은 공공성의 훼손 가능성이 있습니다. 인프라 등의 사회간접자본은 국민을 위한 것으로 공공 목적으로 구축되어야 하는 것이며 공익을 극대화하는 방향으로 운영되어야 합니다. 그런데 민영화는 민간기업이 공공사업에 참여할 기회를 주는 것입니다. 민간기업은 자기 이윤을 추구하기 때문에 공공성을 실현하기보다 자기 이익의 극대화를 추구할 수밖에 없습니다. 또한 운영과정에서도 공익적 목적으로 운영하기보다 기업의 이익을 극대화하려는 방향의 운영이 될 것입니다. 예를 들어, 민간투자를 통해 건설된 천안논산고속도로의 경우, 민간자본사업 운영회사가 제설 장비 등을 제대로 구비하지 않아 갑작스러운 폭설이 발생했을 때 제설작업이 제대로 진행되지 않았고 다중추돌 등의 교통사고가 발생함으로써 국민 피해가 발생한 바 있습니다. 이처럼 민영화는 공공성을 목적으로 하기보다 기업의 이익을 우선시하는 단점이 발생할 수 있습니다.

둘째, 국민의 부담이 오히려 증가할 수 있습니다. 민영화는 민간기업의 전문성과 경쟁을 통해 세금을 효율적으로 사용할 수 있다고 하나, 실제 현실에서는 오히려 비효율성이 발생할 수 있습니다. 예를 들어, 1조 원이 소요되는 공공개발사업을 민영화를 통해 민간투자로 운영할 경우 1조 원의 건설비용을 부담한 민간기업은 이에 해당하는 이윤을 통행료를 통해 장기간에 걸쳐 회수하려 할 것입니다. 이를 계산해보면 1조 원의 건설비용과 건설 이자 부담 3백억 원, 운영비용 1천억 원이라 한다면, 공공사업으로 진행했을 때 1조 1천3백억 원이 소요되는 데 반해, 민간개발로 진행하면 1조 1천3백억 원에 더해 민간기업의 이윤까지 더해야 하므로 사용요금이 오르게 되어 국민의 실질적 부담은 오히려 더 커지게 됩니다. 이는 국민의 세금을 사용하지 않았다는 것뿐이지 국민의 부담으로 고스란히 전가되는 것입니다. 따라서 민영화는 오히려 국민의 부담을 증가시킬 수 있다는 단점이 있습니다.

셋째, 저소득층을 위한 공공서비스가 저해될 수 있습니다. 공적 인프라는 국민 모두를 위해 건설되고 운영되어야 합니다. 특히 저소득층은 인프라 사용에 있어서 사용요금을 부담하기 어렵기 때문에 국가는 국민 모두의 세금 부담을 통해 국민 모두가 공평하게 인프라를 사용할 수 있도록 합니다. 그러나 민영화를 통해 이를 민간기업에 맡기게 되면, 민간기업은 이윤을 추구하기 때문에 비용 부담을 하지 못하는 저소득층에 대한 서비스에 소극적이 될 수밖에 없습니다. 그뿐만 아니라 민간기업은 공공성이 있으나 이익이 되지 않는 사업에는 관심이 없습니다. 그렇다면 이익이 되는 사업은 민간기업이 가져가 공공의 이익으로 전환되지 못하고, 이익이 되지 않는 사업은 공공의 사업이 되어 국민의 피해가 누적되는 결과로 이어집니다. 이는 결국 이익이 되지 않는 공공사업과 저소득층을 위한 공공사업의 위축으로 이어지게 됩니다. 따라서 민영화는 저소득층을 위한 공공서비스의 저해를 야기할 수 있습니다.

Q4. 모범답변

민영화는 공공성의 훼손 가능성, 국민부담의 증대, 저소득층을 위한 공공서비스의 위축이 발생할 수 있다는 문제점이 있습니다. 이를 해결하기 위해 공영개발의 확대, 민간자본사업자에 대한 공적 통제의 강화와 인센티브의 설계라는 방안을 제시할 수 있습니다.

먼저, 공영개발을 확대해야 합니다. 공영개발 비중을 높여 공익적 목적의 사업을 확대해야 합니다. 투자이익이 발생하는 사업을 통해 쌓은 재원을 공공성 있는 사업과 저소득층을 위한 공적 서비스 확대에 사용해야 합니다. 특히 민간사업자가 민영개발을 통해 실질적인 독점권을 행사하게 되면 공익에 심대한 피해를 줄 수 있으므로, 공영개발을 통해 민간자본사업자가 독점할 수 없도록 하거나 독점이익을 누리지 못하도록 일정 정도 강제하는 효과가 발생할 수 있습니다.

민간사업자에 대한 공적 통제를 강화해야 합니다. 민간기업이 공공사업에 참여하기 위해 갖추어야 할 최소한의 공공성을 강제할 필요가 있습니다. 이를 위해 민간기업의 인프라 투자와 개발사업 투자 시에 지방자치단체나 국가의 지분 투자 비율을 높이거나, 공익적 목적을 위한 인수권, 민간기업의 반공익적 운영 시 운영권 박탈 등을 규정해야 합니다. 또한 위험성이 없는 인프라 투자의 경우 민간기업의 과도한 이윤을 환수할 수 있도록 인센티브의 설계를 해야 합니다.

2019 제주대/충북대 기출

1. 기본 개념

(1) 노동 3권

생산수단을 갖지 못한 근로자들이 근로조건 향상과 인간다운 생활을 확보하기 위해 행사할 권리를 총칭하는 개념이며, 단결권, 단체교섭권, 단체행동권 등을 말한다. 자유권이면서 사회적 기본권에 해당한다.

근로자는 노동 3권의 주체가 된다. 근로자란 직업의 종류를 불문하고 임금·급료 기타 이에 준하는 수입에 의하여 생활하는 자를 말한다. 외국인 근로자도 헌법상 근로 3권의 주체가 된다. 사용자는 노동 3권의 주체가 아니다.

노동 3권을 향유하기 위해서는 세 가지 조건을 갖추어야 한다. 노동 3권을 향유하기 위해서는 대가를 받아 생활하는 사람이어야 한다. 노동력을 제공하는 사람과 그 대가를 지급하는 사람이 동일인이어서는 안 된다. 따라서 개인택시업자, 소상인은 노동 3권의 주체가 아니다. 현실적 또는 적어도 잠재적으로 노동력을 제공하는 사람이어야 한다. 따라서 실업 중인 자라도 노동력을 제공할 의사가 있으면 노동 3권을 향유할 수 있다.

(2) 단결권

근로자가 근로조건 향상을 위해 자주적으로 단체를 조직할 수 있는 권리이다. 단결권은 목적성과 자주성을 특징으로 하지만 계속성은 단결권의 필수요소가 아니다. 그렇기 때문에 근로자는 노동조합 등의 계속적 단체뿐 아니라 임시적 단체인 쟁의단을 조직할 수도 있다.

단결권은 근로자의 권리이므로, 사용자의 단결권은 노동 3권에서 보장되지 않고 결사의 자유에서 보호된다.

단결권은, 대국가적 효력과 대사인적 효력이 있다. 대국가적 효력으로 자유권적 측면에서 단결권에 대한 국가의 간섭을 배제하는 효력이 있고, 사회권적 측면에서 단결권의 행사가 사용자의 부당한 행위로 방해받지 않도록 국가에 보호를 요청할 수 있는 효력이 있다. 대사인적 효력으로는 사용자가 근로자의 단결권을 방해하는 부당노동행위를 못 하도록 하는 효과가 있다.

(3) 단체교섭권

근로자들이 노동단체를 통해 근로조건 향상을 위해 사용자와 자주적으로 교섭할 수 있는 권리이다. 노동단체를 통해 교섭하기 때문에 단체교섭권은 근로자가 개별적으로 행사하는 것이 아니라 근로자집단, 노동조합 등 단결체가 행사하는 권리이다.

단체교섭권의 대국가적 효력에는, 노사협의에 국가권력이 불필요하게 간섭하는 것을 배제하는 소극적 효력과 단체협약의 내용이 존중될 수 있도록 적절한 조치를 강구해 줄 것을 요구할 수 있는 적극적 효력이 있다. 대사인적 효력이 있어, 노동조합은 단체교섭을 요구할 수 있는 권리가 있고 사용자는 이에 응할 의무가 있으므로 단체교섭을 정당한 이유 없이 거부하거나 해태하는 행위는 부당노동행위가 된다.

(4) 단체행동권

근로자가 작업환경의 유지·개선을 관철시키고자 집단적 시위행동을 하여 업무의 정상적 운영을 저해할 수 있는 권리이다. 단체행동권의 1차적 주체는 근로자 개개인이나 노동조합도 단체행동권의 주체가 된다.

유형에는 파업(Strike), 태업(Sabotage), 불매운동(Boycott), 감시행위(Picketing), 공동노무제공 거부 등이 있다. 노동자의 단체행동권에 대항해 사용자 측의 쟁의수단은 직장폐쇄가 있다. 직장폐쇄의 허용에 대한 의견 대립이 있으나 허용된다는 긍정설이 다수설이다. 노동조합및노동관계조정법 제46조는 사용자는 노동조합이 쟁의행위를 개시한 이후에만 직장폐쇄를 할 수 있다고 규정하고 있다. 사용자 측의 직장 폐쇄 조치의 헌법적 근거는 근로자의 노동 3권 조항이 아니라 재산권 조항(제23조 제1항)과 기업의 경제적 자유조항(제119조 제1항)이다. 단체행동권에 따른 쟁의행위는 업무의 저해라는 속성상 그 자체 형법상의 여러 가지 범죄의 구성요건에 해당될 수 있다. 그럼에도 불구하고 그것이 정당성을 가지는 경우에는 형사책임이 면제되며, 민사상 손해배상 책임도 발생하지 않는다.

한계로는 목적상의 한계, 수단상의 한계, 절차상의 한계가 있다. 첫째, 목적상의 한계로서 단체행동권은 근로조건의 향상을 위한 목적으로 행사되어야 한다. 이에 따라 순수한 정치파업은 불가하나, 노동관계법령의 개폐와 같은 근로자의 지위 등에 직접 관계되는 사항을 쟁점으로 하는 산업적 정치파업은 가능하다. 둘째, 수단상의 한계로 쟁의행위는 폭력이나 파괴행위 또는 생산 기타 주요업무에 관련되는 시설 등을 점거하는 형태로 이를 행할 수 없다. 셋째, 절차상의 한계로서 단체행동권은 단체교섭을 통해 목적달성이 불가능할 경우, 즉 단체교섭이 결렬된 이후에 행사되어야 한다.

(5) 근로 3권의 제한

근로 3권은 헌법 제37조 제2항에 따라 법률로 제한할 수 있다. ① 공무원의 노동 3권은 제한될 수 있다. ② 주요방위산업체에 종사하는 근로자의 단체행동권 역시 제한될 수 있다. ③ 교원의 노동조합은 정치활동이 금지된다.

(6) 최저임금제

최저임금제도란 국가가 노사 간의 임금결정과정에 개입하여 임금의 최저수준을 정하고, 사용자에게 이 수준 이상의 임금을 지급하도록 법으로 강제함으로써 저임금 근로자를 보호하는 제도이다. 최저임금법 제1조는 근로자에 대하여 임금의 최저수준을 보장하여 근로자의 생활안정과 노동력의 질적 향상을 꾀함으로써 국민경제의 건전한 발전에 이바지하게 함을 목적으로 하고 있다.

최저임금제도의 실시로 최저임금액 미만의 임금을 받고 있는 근로자의 임금이 최저임금액 이상 수준으로 인상되면 다음과 같은 효과가 있다. 첫째, 저임금 해소로 임금격차가 완화되고 소득분배 개선에 기여한다. 둘째, 근로자에게 일정한 수준 이상의 생계를 보장해 줌으로써 근로자의 생활을 안정시키고 근로자의 사기를 올려주어 노동생산성이 향상된다. 셋째, 저임금을 바탕으로 한 경쟁방식을 지양하고 적정한 임금을 지급도록 하여 공정한 경쟁을 촉진하고 경영합리화를 기하게 된다.

2. 쟁점과 논거: 최저임금 인상 억제 찬반론

찬성론: 생존권 보호	반대론: 생존권 보호
[노동자의 생존권 보호] 최저임금 인상은 고용 감소로 이어져 노동자의 일자리 자체를 위협한다. 인건비 부담의 증가는 자동화와 기계화로 이어질 수밖에 없기 때문에 저숙련 노동자는 낮은 임금마저도 받지 못하게 되어 생존권 자체가 위협받을 것이다.	**[노동자의 생존권 보호]** 실물경기 위축, 급격한 물가 인상 등으로 인해 노동자의 생계가 위협받고 있고, 이러한 문제가 양극화로 인해 더욱 심각해지고 있는 것이 현실이다. 지금까지 최저임금 인상이 물가수준보다 억제되어 왔기 때문에 생존권을 보장하기 위해 기존의 억제분까지 인상해야 한다.
[사회갈등] 최저임금을 인상하면 저숙련 노동자의 일자리 자체를 없애게 되기 때문에 고숙련 노동자와 저숙련 노동자의 임금 격차가 더 커진다. 부의 불평등은 더 커질 것이고 사회에 대한 저소득층의 반감은 커져 사회갈등이 격심해질 것이다.	**[사회갈등 완화]** 최저임금제도의 적용대상은 대부분 사회적 약자일 가능성이 크다. 낮은 최저임금은 사회적 약자의 생계의 어려움과 사회에 대한 반감으로 이어진다. 이러한 경향이 심화된다면 계층 간 갈등이 격화되어 사회혼란이 발생할 것이다. 최저임금을 인상하면 사회약자의 사회에 대한 반감을 낮춰 사회갈등을 완화할 수 있다.
[공공복리] 최저임금 인상을 억제하면 노동자의 고용이 유지되어 저소득층의 최소한의 가처분소득이 보장될 수 있다. 이러한 가처분소득의 보장은 안정적인 소비여력으로 이어져 국가경제 활성화에 도움이 된다.	**[공공복리]** 최저임금을 인상하면 저소득층의 가처분소득이 증가한다. 저소득층은 한계소비성향이 높기 때문에 이 증가분은 거의 대부분 소비로 이어진다. 소비효과와 승수효과를 통해 국가경제가 활성화될 수 있다.

3. 읽기 자료

최저임금제 사회권보장[88]

최저임금 차등적용[89]

88)

최저임금제 사회권보장

89)

최저임금 차등적용

⏱ 답변 준비 시간 15분 | 답변 시간 10분

※ 다음 QR코드를 촬영하면 연결되는 제시문을 읽고, 문제에 답하시오.

> 내년 최저임금 회의에서 노동계와 경영계가 업종별 차등적용 방안을 두고 충돌했다. 경영계는 수용성을 이유로 차등적용을 주장했지만, 노동계는 최저임금의 취지를 들어 이를 반대했다.
>
>
>
> 최저임금 차등적용 논란

Q1. 2023년 최저임금은 9,860원으로, 2022년의 9,620원에서 240원 인상되었다. 이를 월급으로 환산하면 월 209시간 근무 기준으로 206만 740원으로 전년도 201만 580원에서 5만 160원 인상되었다. 최저임금을 인상할 때 긍정적 효과와 부정적 효과를 각각 제시하시오.

Q2. 최저임금을 인상할 경우, 소상공인과 중소기업의 타격이 커 오히려 최저임금 대상자들의 일자리가 사라지기 때문에 저임금 근로자 문제를 해결할 수 없다는 주장이 있다. 이 주장에 대한 자신의 견해를 논하시오.

Q3. 최저임금 인상에 대해, 사용자 측은 최저임금이 최근 몇 년간 급격하게 상승하고 있어 업종별로 최저임금을 차등화하거나 인상 폭을 줄여달라고 요구하고 있다. 반면, 노동자 측은 2018년 최저임금 산입범위가 확대되어 정기상여금과 복리후생비 등이 최저임금에 포함되었기 때문에 최저임금을 이 부분까지 반영하여 더 인상해야 한다고 주장한다. 업종별로 최저임금을 차등화해달라는 사용자 측의 주장에 대한 자신의 입장을 논하시오.

126 해설　최저임금제

Q1. 모범답변

최저임금 인상의 긍정적 효과는 크게 세 가지를 제시할 수 있습니다.

첫째, 최저임금을 인상하면 저임금근로자의 생계문제 개선에 크게 기여할 것입니다. 최저임금은 저숙련 저임금 노동자에게 적용될 가능성이 높기 때문에 최저임금 인상은 저임금 노동자의 생존권 보장에 도움이 됩니다.

둘째, 최저임금의 인상은 임금불평등 완화에 크게 기여할 것입니다. 우리나라는 노동자 간의 임금 격차가 크고 이 격차는 점점 더 커지고 있는 상황입니다. 최저임금을 인상하면 이 임금 격차를 줄일 수 있으므로 임금 불평등을 완화할 수 있습니다.

셋째, 경제 활성화 효과가 기대됩니다. 저임금 노동자는 한계소비성향이 높아 임금이 높아지면 거의 대부분을 소비합니다. 최저임금의 상승분은 거의 대부분 소비에 쓰이게 되므로 승수효과를 일으켜 경제 활성화에 기여합니다. 이는 '분수경제' 효과를 일으켜 소득주도 성장에 기여할 것입니다.

최저임금의 부정적 효과는 크게 두 가지를 제시할 수 있습니다.

첫째, 고용이 감소할 수 있습니다. 최저임금을 인상하면 인건비 상승에 부담을 느끼는 사용자들의 노동자 해고가 발생할 수 있습니다.

둘째, 인건비의 증가로 인해 기업 경영에 악영향을 줄 수 있습니다. 인건비의 상승은 기업의 비용 구조에 악영향을 줍니다. 특히 최저임금의 인상은 인건비의 일시적 증가가 아니라 지속적인 증가요인이므로 기업의 비용구조에 장기적인 악영향을 줄 수 있습니다.

Q2. 모범답변

최저임금 상승으로 인해 소상공인과 중소기업의 부담이 가중될 수 있으나, 저임금 근로자의 일자리가 사라진다고 볼 수는 없습니다. 오히려 최저임금 인상으로 인해 저소득층의 소득이 상승하고 소비가 활성화되어 경제 상황이 개선됨으로써 소상공인과 중소기업의 부담이 완화될 수 있습니다.

그러나 소상공인과 중소기업의 임금 상승 부담은 현재 개별 기업에 닥친 문제점이지만, 경제상황 개선으로 인한 효과는 미래 모든 기업과 경제주체에 발생하는 것이라는 점에서 죄수의 딜레마에 놓이게 됩니다. 개별 주체의 합리적인 선택이 사회적인 합리성으로 이어지지 않을 수 있는 것입니다. 따라서 정부 정책을 통해 이 문제를 해결할 필요가 있습니다.

최저임금의 인상은 취약계층의 고용과 기업 인건비 비중에 큰 영향을 주지 않을 것입니다. 한 연구에 따르면, 최저임금이 16.4% 인상되면 취약계층의 고용에 최대 1.6% 내외의 부정적 영향이 있을 것이고, 최저임금 15% 인상으로 인해 예상되는 기업의 인건비 부담은 0.8%p 증가한다고 예측되었습니다. 이 연구에 따르면 최저임금 인상으로 인한 소상공인과 중소기업의 인건비 부담은 1%에도 미치지 못합니다. 그렇다면 최저임금 인상분을 국가가 지원함으로써 인건비 부담을 줄여 고용을 유지하고 저임금 근로자의 생활 안정을 도모할 수 있습니다.

또한 현실적으로 볼 때, 우리나라의 소상공인과 중소기업의 어려움은 이른바 갑(甲)질로 인한 부담이 매우 큰 것이 사실입니다. 부동산 임대료가 과도하게 높고, 대기업의 횡포를 막음으로써 더 어려운 처지에 있는 근로자에게 노동의 대가를 지불하는 것이 타당합니다. 정부는 이를 위해 신용카드 수수료 인하, 부동산 임차인의 보호 강화, 프랜차이즈 가맹본부의 불공정행위 시정 등을 통해 인건비 부담을 다른 영역에서 줄이도록 유도할 수 있습니다.

마지막으로 경제고도화 효과를 발생시켜 국가 발전을 기대할 수 있습니다. 우리나라는 자영업자의 비율이 너무 높아 자영업자 간의 경쟁이 격화되고 있으며 한계점에 이른 자영업자와 중소기업이 많습니다. 최저임금 인상에 반발이 많은 이유도 인건비 증가를 견딜 수 없는 한계기업이 많음을 보여주는 것입니다. 선행적으로 정부의 공정경쟁정책을 강화하여 중소기업이 정당한 대가를 받을 수 있도록 한 이후, 최저임금 수준 이하의 한계점에 도달한 자영업자가 새로이 취직할 기회로 작동할 수 있습니다. 최저임금 인상은 산업구조의 변화를 가져올 수 있습니다. 최저임금이 인상되면 단기간 노동이나 저임금 노동은 감소하는 경향이 있고, 이는 오히려 고부가 가치와 고생산성 산업 쪽으로 산업 구조의 조정을 촉진하는 바람직한 변화를 유도하는 특징이 있습니다. 실제로 스웨덴의 경우 적극적 연대 임금 정책을 통해 동일 업종의 평균 임금을 정하고, 이를 지키지 못하는 기업은 업계에서 퇴출하도록 유도했습니다. 이를 통해 노동자의 임금을 매개로 산업의 구조조정을 촉진하고 생산성의 향상과 기술 발전을 유도하는 시스템을 구축한 것입니다. 최저임금을 주지 못하는 기업과 자영업자가 문을 닫으면 해당 자본 자체가 사라지는 것이 아니라 최저임금 이상을 줄 수 있는 자본으로 흡수되는 자원배분이 일어나게 됩니다. 그 결과 경제 전반의 생산성 향상과 경제구조의 고도화가 실현될 수 있습니다. 또한 자영업을 영위하는 소상공인의 경쟁이 완화되어 소상공인들의 소득 또한 상승하는 효과를 기대할 수 있습니다.

Q3. 모범답변

업종별 최저임금 차등화 주장은 타당하지 않습니다. 노동자의 생존권 보장이라는 최저임금의 취지 자체를 훼손하기 때문입니다. 사용자 측에서는 숙박업이나 도소매업, 노동자 5인 미만의 사업장 등과 같이 노동생산성이 낮은 업종에서는 최저임금을 낮게 유지해달라는 입장입니다. 그러나 최저임금을 정하는 이유가 노동자의 생존권을 보장하기 위해 최저생계비를 책정하는 것인데 이에 차등적용을 하면 해당업종에서는 노동자의 생존권이 보장되지 않아도 된다는 의미가 됩니다. 그에 더하여 노동자가 더 힘들게 오래 일하면서도 임금이 낮은 업종에서 오히려 더 낮은 최저임금을 책정할 수 있게 되기 때문에 모순이 됩니다. 따라서 업종별 최저임금 차등화 주장은 타당하지 않습니다.

특정 업종의 도태가 가속화되므로 업종별 최저임금 차등화 주장은 타당하지 않습니다. 최저임금을 차등적용할 수 있다면 그것이 가능하도록 지정된 업종은 결국 노동생산성이 매우 낮다는 것을 증명한 것이 됩니다. 노동생산성이 낮고 부가가치가 낮은 업종은 결국 도태될 수밖에 없습니다. 결국 특정 업종의 도태를 더욱 강화하는 셈이 됩니다. 따라서 업종별 최저임금 차등화 주장은 타당하지 않습니다.

127 개념 | 중대재해처벌법

2024 충북대 기출

1. 기본 개념

(1) 목적

중대재해처벌법 제1조(목적) 이 법은 사업 또는 사업장, 공중이용시설 및 공중교통수단을 운영하거나 인체에 해로운 원료나 제조물을 취급하면서 안전·보건 조치의무를 위반하여 인명피해를 발생하게 한 사업주, 경영책임자, 공무원 및 법인의 처벌 등을 규정함으로써 중대재해를 예방하고 시민과 종사자의 생명과 신체를 보호함을 목적으로 한다.

(2) 중대산업재해, 중대시민재해

산업안전보건법에 따른 산업재해 중 사망자가 1명 이상 발생하거나, 동일한 사고로 6개월 이상 치료가 필요한 부상자가 2명 이상 발생하거나, 동일한 유해요인으로 대통령령으로 정하는 직업성 질병자가 1년 이내에 3명 이상 발생하는 경우를 말한다.

중대산업재해에 해당하는 재해를 제외한 원료 또는 제조물, 공중이용시설 또는 공중교통수단의 설계·제조·설치 관리상의 결함을 원인으로 하여 발생한 재해로서 사망자가 1명 이상 발생하거나, 동일한 사고로 2개월 이상 치료가 필요한 부상자가 10명 이상 발생하거나, 동일한 원인으로 3개월 이상 치료가 필요한 질병자가 10명 이상 발생하는 경우를 말한다.

(3) 종사자와 책임주체

종사자의 범위는 「근로기준법」상의 근로자에 더해, 계약의 형식에 관계없이 그 사업의 수행을 위하여 대가를 목적으로 노무를 제공하는 자도 포함된다.

처벌 대상이 되는 경영책임자 등은 사업을 대표하고 사업을 총괄하는 권한과 책임이 있는 사람 또는 이에 준하여 안전보건에 관한 업무를 담당하는 사람인데, 여기에 중앙행정기관의 장 등도 포함된다.

(4) 처벌

안전 및 보건 확보의무를 위반한 사업주 또는 경영책임자 등에게 1명 이상 사망하는 중대재해가 발생하는 경우, 1년 이상의 징역 또는 10억 원 이하의 벌금을 부과한다.

그 밖의 중대재해가 발생하는 경우, 7년 이하의 징역 또는 1억 원 이하의 벌금을 부과한다.

중대산업재해 사업주와 경영책임자 등의 처벌에 관한 죄로 형이 확정된 후 5년 이내에 다시 죄를 저지른 자에게는 정한 형의 2분의 1까지 가중하는 내용의 규정이 있다.

해커스 김종수 토스클 명견 200주제

(5) 손해배상

손해액의 5배 이내에서 배상책임을 지는 징벌적 손해배상이 도입되었다. 사업주 또는 경영책임자 등이 고의 또는 중대한 과실로 법에서 정하는 의무를 위반하여 중대재해를 발생하게 한 경우 해당 사업주, 법인 또는 기관은 중대재해로 손해를 입은 사람에 대해 그 손해액의 5배를 넘지 않는 범위에서 배상책임을 진다. 단, 법인 또는 기관이 해당업무에 대해 상당한 주의와 감독을 게을리하지 않았다면 배상 책임을 지지 않는다.

2. 읽기 자료

중대재해처벌법[90]

중대재해처벌법 의견서[91]

중대재해처벌법 위헌 여부[92]

90)

중대재해처벌법

91)

중대재해처벌법 의견서

92)

중대재해처벌법 위헌 여부

⏰ 답변 준비 시간 10분 | 답변 시간 10분

※ 다음 QR코드를 촬영하면 연결되는 제시문을 읽고, 문제에 답하시오.

> 헌법재판소가 중대재해처벌법의 위헌 여부를 심사하기로 했다. 헌법소원심판 사건을 전원재판
> 부에 회부하기로 결정한 것으로, 중대재해처벌법 조항이 헌재 본안심리를 받는 것은 이번이 처
> 음이다.

중대재해법 위헌 심사

Q1. 중대재해처벌법은 상시근로자 5명 이상 사업 또는 사업장에서 사망자가 1명 이상 발생하거나 동일
사고로 6개월 이상 치료가 필요한 부상자가 2명 이상 발생하는 등의 중대산업재해가 발생한 경우 대
표이사 등의 경영책임자를 처벌하는 법이다.

중대산업재해 발생 시 기업 대표를 처벌하는 것에 대한 자신의 입장을 논하시오.

Part 1
Part 2
Part 3
Part 4
Part 5
Part 6
Part 7

Q1. 모범답변

[타당하지 않다는 입장]

중대산업재해 발생 시 기업 대표를 처벌하는 것은 과도한 책임을 부과하는 것입니다. 형벌은 자기 책임의 원칙에 따라 부과되는 것이 적절하고, 책임 정도에 비례해 처벌의 정도가 결정됨이 타당합니다. 만약 기업 대표가 작업 중 안전사항을 의도적으로 무시할 것을 지시하거나 하는 등으로 현장 안전 사고의 직접적 원인을 제공했다면 처벌되는 것이 자기 책임에 부합합니다. 그러나 중대산업재해의 발생은 반드시 기업 대표의 책임이라 할 수 없습니다. 예상할 수 없는 작업현장의 문제로 인해 사고가 발생하거나 작업근로자가 안전규정을 어기고 작업을 하는 등의 원인으로 사업장에서 사고가 발생할 수도 있습니다. 작업 현장마다 중대산업재해의 원인이 복잡하고 일률적으로 특정할 수 없음에도 불구하고, 기업 대표를 처벌하는 것은 자신의 책임이 아닌 것에도 책임을 지라는 것입니다. 이는 자기책임의 원칙에 반하는 것입니다. 따라서 중대산업재해 발생 시 기업 대표를 처벌하는 것은 타당하지 않습니다.

[타당하다는 입장]

기업 대표를 처벌하는 것은 노동자와 시민의 안전을 보호하기 위해 타당합니다. 현대사회는 이전보다 기업의 영향력이 더욱 커졌고, 기업의 전문성이 노동자와 시민의 그것을 뛰어넘어 특정분야에서는 정부보다도 더 큰 전문성을 가지고 있는 경우까지 있습니다. 중대산업재해는 사망사고 혹은 동일사고로 장기치료가 필요한 부상자가 2명 이상 발생하는 등의 경우이므로 단순히 산업현장에서 발생한 안전사고라 할 수 없고, 구조적인 문제라 보아야 합니다. 이에 더해, 중대산업재해 발생의 원인과 사고라는 결과에 대한 여러 정보를 전문성을 가진 기업이 독점하고 있어 정보의 비대칭성이 발생하고 있습니다. 이에 따라 안전을 위협당한 노동자와 시민은 정확한 원인을 알 수도 없으면서 피해만을 고스란히 감내해야 합니다. 가습기 살균제 사건의 시민 피해를 생각한다면 이를 알 수 있습니다. 중대산업재해에 대해 기업 대표를 처벌한다면, 해당 사고에 대한 정확한 원인 파악이 가능할 것이고 기업은 안전사고 예방의 구조를 만들기 위해 최선을 다하게 될 것입니다. 따라서 기업 대표를 처벌하는 것은 노동자와 시민의 안전을 보호하기 위해 타당합니다.

128 개념 | 리콜

1. 기본 개념

(1) 소비자의 권리

소비자가 자신의 인간다운 생활을 영위하기 위하여 공정한 가격으로 양질의 상품 또는 용역을 적절한 유통구조를 통하여 적기에 구입하거나 사용할 수 있는 권리이다. 소비자는 모든 물품과 용역으로부터 생명과 신체를 보호할 안전의 권리, 물품용역에 대한 알 권리, 자유로운 물품·용역선택권, 국가 등의 정책과 사업자의 사업활동에 의견을 반영할 권리, 물품·용역에 의한 피해보상청구권, 합리적인 소비생활을 영위하는 데 필요한 교육을 받을 권리, 소비자의 권익 보호를 위해 단결과 단체활동의 권리를 가진다.

(2) 리콜

제품의 결함으로 인해 소비자에게 피해를 줄 우려가 있는 제품에 대해 제조업자가 제품의 결함을 소비자에게 통지하고 제품을 수리, 교환하는 등의 조치를 취하도록 하는 제도이다. 특히 자동차, 식품과 같이 인명에 직결되는 제품은 리콜 제도를 법제화하고 있다.

리콜 제도는 제조업체가 자발적으로 실시하는 자발적 리콜과 정부가 강제로 실시하는 강제적 리콜로 나눌 수 있다. 자발적 리콜은 사업자가 물품의 결함을 발견한 경우 스스로 수거, 파기하거나 소비자에게 수리, 교환, 환급 등의 조치를 취하는 것으로 미국에서는 전체 리콜의 약 94%, 한국에서는 약 80%를 차지한다. 반면 강제적 리콜은 정부(지방자치단체 포함)가 해당 사업자에게 리콜을 명령해 실시하는 것이다. 리콜이 결정되면 사업자는 반드시 시·도지사에게 진행보고를 해야 하며 조치된 후에는 완료보고를 해야 한다. 또 시·도지사는 결과보고서에 미흡함이 발견될 경우 사업자에게 보완을 요구할 수 있다.

해커스 김종수 토스플 면접 200주제

(3) 리콜 사례

① 1982년 당시 타이레놀은 미국의 성인용 진통제 시장의 35%를 점유하고 있었다. 그러나 갑자기 미국 시카고에서 타이레놀을 복용한 사람 중 7명이 사망하는 사건이 발생했다. 조사 결과 사망자가 복용한 타이레놀에 청산가리가 들어있던 것으로 밝혀지자 미국 식품의약국(FDA)은 시카고 지역에 판매된 타이레놀 제품에 대한 리콜명령을 내렸다. 궁지에 몰린 존슨앤드존슨 경영진은 리콜 대응팀을 구성해 '미국 내 모든 제품 수거'라는 극단조치를 내렸다. '원인이 규명될 때까지 복용하지 말라'는 소비자 경보까지 발령했다. 또한 존슨앤드존슨은 모든 약품의 제조과정을 공개하고 약 2억 4,000만 달러를 들여 시중에 유통된 3,100만 병을 모두 수거해 폐기하는 등 신속한 조치를 취했다. 추후 이 사건은 생산과정에는 전혀 문제가 없고, 한 범죄자가 타이레놀에 고의로 청산가리를 투여한 것으로 밝혀졌고, 의혹을 벗은 존슨앤드존슨은 투명하고 신속한 대응으로 소비자들로부터 높은 신뢰를 얻게 됐다. 존슨앤드존슨의 리콜이 기업 리콜의 성공사례로 가장 많이 거론되는 이유는 초기에 발 빠른 대응을 했다는 점과 소비자, 정부, 언론 등과 협조 체계를 구축하고 투명한 커뮤니케이션을 하기 위해 노력했기 때문이다. 또한 사건 이후 독극물 투여가 어렵게 삼중 안전 포장으로 제품을 혁신한 점에서도 많은 소비자들의 신뢰를 얻었다.

② 2000년 미쓰비시(Mitsubishi) 자동차 직원의 제보로 이루어진 일본 운수성의 조사에서 미쓰비시가 지난 30년간 전체 리콜 정보 중 20%만을 운수성에 보고하고, 나머지 200만 대 차량의 리콜에 대해서는 은폐해 온 사실이 밝혀졌다. 이미지 실추를 우려한 미쓰비시는 은폐사실에 대해서는 실토했으나 차량 안전에는 지장이 없다고 주장했다. 하지만 차량 결함에 따른 인명사고가 연이어 발생하자 미쓰비시는 2000년에 80만 대, 2001년에 130만 대의 리콜을 실시하여 이미지 회복에 나섰다. 그러나 2002년 미쓰비시 트럭의 바퀴가 빠져 행인이 다친 사고를 조사하던 중 미쓰비시 경영진이 1996년부터 트럭의 결함을 은폐해 온 사실이 추가적으로 밝혀졌다. 미쓰비시는 뒤늦게 트럭 16만 대의 리콜을 단행했지만 소비자들의 집단소송으로 경영진 7명이 경찰에 체포되었다. 결국 미쓰비시는 2003년 19억 달러의 손실을 기록했고, 자동차 판매대수도 그 전에 비해 56.3%가 감소하게 되었다. 결국 미쓰비시는 오카자키 공장을 폐쇄하면서 경영난에 빠지게 되었다. 1870년부터 자동차를 만든 아시아 최고(最古) 자동차회사이자 90년대 중반까지 일본 내 승용차 판매량 빅3에 해당됐던 미쓰비시 자동차는 리콜 사건 이후 판매량 5위, 160억 달러의 부채에 시달리는 기업이 되었다.

③ 2000년 IBM은 자사 노트북 컴퓨터에서 어댑터 과부하가 발생한다는 사실을 알았다. 대상 제품은 1998~1999년 판매된 '싱크패드' 시리즈 중 일부 모델로서 전 세계에 팔린 32만 대의 제품 중 문제가 발생한 제품은 단 9대였다. 치명적인 문제가 아니었고, 확률상 0.0003%에 불과했다. 이에 IBM은 지체 없이 관련 사실을 공개한 뒤 모든 모델에 대해 자발적인 리콜을 실시했다. 회사의 이미지나 신뢰성에 심각한 영향을 미치는 사건이 발생하였을 때, 사건을 은폐하고 축소하려는 모습을 보이기보다는 결함을 시인하고 그 문제의 해결과 소비자의 안전을 최우선 순위에 두고 결함을 적극적으로 해결하려는 자세를 보인 것이다. 즉, IBM은 결함이 발견되었을 때 남의 탓을 하지 않고 소비자의 신뢰를 회복할 수 있는 정도의 정책을 추진한 것이다.

2. 쟁점과 논거: 강제리콜 확대 찬반론

찬성론: 국민 보호	반대론: 기업의 영업의 자유
[국민과 소비자 권리 보호] 현대산업사회에서 소비자인 국민은 생산자인 기업이 만든 제품에 대해 잘 모르면서도 사용할 수밖에 없다. 예를 들어 자동차 소비자는 자동차의 구동원리 등은 모르나 사용할 수밖에 없는 입장이다. 특히 자동차 사고, 스마트폰 폭발 등은 소비자인 국민의 생존을 위협하고 이는 비가역적 피해를 입힌다. 국민의 보호자인 국가는 정보비대칭성을 해결하여 국민을 보호해야 한다.	**[기업의 영업의 자유 침해]** 기업은 자신의 이윤을 추구하고 자유경쟁을 통해 발전해간다. 만약 기업체의 생산제품에 문제가 있다면 경쟁에서 살아남을 수 없고 필연적으로 시장에서 도태될 수밖에 없다. 리콜을 강제하지 않아도 시장에서 생존을 원하는 기업은 스스로 문제점을 교정할 것인데 이를 강제하는 것은 영업의 자유에 대한 침해이다.
[평등원칙] 평등원칙이란 같은 것은 같게, 다른 것은 다르게 대하라는 것이다. 특정기업은 소비자의 안전이 달성된 제품을 만들었고, 강제리콜 대상기업은 소비자 안전을 위협하는 제품을 만들었다. 소비자 안전에 있어 다른 기업에 강제리콜의 여부를 다르게 하는 것은 평등원칙에 부합한다.	**[평등원칙]** 평등원칙이란 같은 것을 같게 다른 것을 다르게 대하라는 원칙이다. 기업이 생산한 재화나 서비스에 문제가 있을 경우 일반적으로 기업이 문제점을 스스로 교정하도록 기업의 영업의 자유를 인정한다. 그런데 스스로 교정할 기회를 박탈하는 강제리콜은 영업의 자유를 과도하게 제한한다. 이는 같은 자유를 다르게 대하는 것이다.
[국가발전] 기업은 자율 경쟁을 통해 이윤을 추구한다. 그러나 기업의 목적은 이윤이므로 국민의 안전을 위협해 이윤을 추구할 수도 있다. 국가가 리콜을 강제한다면 리콜의 파급력을 걱정한 기업이 처음부터 문제없는 제품을 만들려고 노력하게 되고 이런 기업이 장기적으로 생존하게 된다. 안전한 제품을 생산하는 기업이 외국기업과 경쟁하여 국가발전에 기여한다.	**[국가발전 저해]** 기업의 이윤 추구와 자율경쟁을 통해 새로운 기술이 발전되어 소비자인 국민의 생활의 질이 향상된다. 그리고 현대사회에서 기업의 발전은 국가발전으로 연결된다. 리콜 강제는 기업의 이윤구조를 왜곡하여 기업이 기술발전 등에 투자할 수 없게 하여 국가발전을 저해한다.

3. 읽기 자료

자동차 리콜제도[93]

93)

자동차 리콜제도

※ 다음 제시문과 QR코드를 촬영하면 연결되는 제시문을 읽고, 문제에 답하시오.

(가) 중국 직구 제품에서 유해물질 검출로 소비자 우려가 커지자, 국내에서도 일부 어린이제품과 전기·생활용품이 안전기준 미달로 리콜 조치됐다. 국가기술표준원은 1,035개 제품 중 86개가 안전기준을 충족하지 못해 리콜 명령을 내렸다고 밝혔다.

리콜명령

(나) 2010년 미국에서 일어난 렉서스 자동차의 결함 은폐 문제로 인해 도요타 자동차는 대규모 강제 리콜을 명령받았고 과징금을 부과받았다. 2015년 독일의 자동차회사이자 전 세계 자동차 매출 1위 기업인 폭스바겐이 디젤엔진 엔진제어프로그램을 조작하는 배기가스 조작 사건을 일으키는 사태가 발생하였다. 폭스바겐 사의 디젤 엔진에서 디젤 배기가스가 기준치의 40배나 발생한다는 미국 환경보호국 조사결과에 따르면, 폭스바겐 사는 엔진제어프로그램을 조작하여 주행시험으로 예상되는 경우 배기가스저감장치를 작동시키고 일반주행 시에는 저감장치를 작동시키지 않도록 한 것으로 밝혀졌다. 우리나라에서도 최근 자동차업계를 중심으로 하여 리콜을 하는 경우가 많다.

기업들은 자발적 리콜로도 충분히 문제를 해결할 수 있다면서 자발적 리콜을 선호하고 있다. 그러나 소비자를 보호하기 위해 폭넓은 강제 리콜을 시행해야 한다는 주장이 힘을 얻고 있다.

Q1. 소비자 보호의 필요성을 설명하고, 소비자 보호 방안을 구체적으로 제시하시오.

Q2. 제시문 (나)와 같이 폭넓은 강제리콜을 시행해야 한다는 입장에서는 어떤 논거를 제시할 것인지 논하시오.

Q3. 기업들은 자발적 리콜만으로 충분하며 강제적 리콜을 폭넓게 인정해서는 안 된다고 주장한다. 이 입장에서는 어떤 논거를 제시할 것인지 논하시오.

Q4. 자발적 리콜만으로 충분하다는 입장에서 강제적 리콜의 확대를 주장하는 입장에 대해 어떤 비판을 할 것인지 논하고 이를 재비판하시오.

Q1. 모범답변

소비자가 보호되어야 하는 이유는 크게 두 가지를 들 수 있습니다.

첫 번째로 소비자는 물품 등을 거래하는 과정에서 가장 마지막에 위치하고 있다는 것입니다. 이로 인해 물품 등에 관한 정보나 조직 등에 있어 사업자에 비해 크게 열악한 입장에 위치하는 경우가 많고, 그 결과 소비자의 이익이 부당하게 침해되는 문제가 발생하게 되는 경우가 많습니다.

두 번째로 현대산업사회의 특성상 물품 등의 대량생산과 판매체제가 성립되어 있어 소비자에게 일단 피해가 발생하면 그 범위가 매우 커지게 됩니다. 이러한 파급력이 매우 클 뿐만 아니라 문제 발생 시 유통단계가 많을 경우 발생원인과 책임관계를 명확히 하기 어려운 경우가 많아 소비자들이 피해보상을 받기 어려운 경우도 많이 발생하게 됩니다.

소비자 보호는 국가의 역할이 가장 중요합니다. 현대사회는 이미 개별 소비자에 비해 기업의 힘이 너무 커져 국가가 소비자를 보호해야 할 필요성이 큽니다. 강제리콜이나 제조물책임 등을 소비자를 대신하여 국가가 나설 필요가 있습니다.

강제적인 해결방법을 제외하고, 소비자 피해를 예방하기 위해 첫 번째로 피해보상방법에 대한 적극적 안내와 홍보가 필요합니다. 소비자 피해 발생 시 대다수의 소비자들은 자본과 정보 측면에서 유리한 기업들에 비해 열세이고, 번거로운 일을 피하기 위해 혹은 어떻게 하는지 잘 몰라서 항의나 보상을 하지 않는 경우가 많습니다. 이러한 일을 막기 위해 정부가 대중매체를 적극적으로 활용하여 소비자보호 절차, 법률상담 등에 대한 내용을 홍보하는 것이 필요합니다.

두 번째로 기업들의 부당사례 공개가 필요합니다. 소비자들과의 관계에 있어 문제가 생긴 기업에 대해서 기업 측 과실이 크고, 기업의 태도에 문제가 있는 경우 이러한 사례에 대해서 인터넷 게시판을 활용한 사례공개가 필요하다고 생각합니다. 소비자가 이러한 기업과 거래 시 유의할 수 있도록 하고, 기업에 대해서는 적절한 경고가 가능한 효과가 있다고 생각합니다.

세 번째로 소비자 단체 활동에 대한 지원이 필요합니다. 현재 소비자 권익보호를 위한 단체들이 여럿 존재하지만 그에 대한 지원이나 관심이 크지 않은 상태인 것으로 보입니다. 이러한 단체들에 대한 관심과 지원을 통해 소비자 권익 향상을 이룰 수 있을 것입니다.

Q2. 모범답변

　강제리콜을 폭넓게 시행하여야 한다는 입장에서는 국민 보호를 논거로 제시할 것입니다.

　국민을 보호하기 위해 강제리콜을 폭넓게 시행하여야 합니다. 국민은 자신의 생명과 신체의 안전을 보장받고, 안정적인 생활을 영위하고자 국가를 구성하였습니다. 국가는 국민을 대신하여 국민 생활의 안정을 전문적으로 보장할 의무가 있습니다. 현대산업사회에서 소비자인 일반 국민은 생산자인 전문 기업이 제조한 제품에 대해 잘 모르는 경우가 많습니다. 예를 들어 자동차는 현대사회의 필수품에 가깝지만 일반 국민은 자동차의 구동원리 등에 대해 알지 못하는 경우가 많습니다. 특히 최근에는 낮은 수준의 자율주행 보조장치 등과 같은 자동차에 전자장비가 결합되는 비중이 커져 위험의 원인이 복합적인 경우가 대부분입니다. 일반 국민의 수준에서는 자동차의 사고 원인은 물론이고 구동 원리조차도 알기 어렵기 때문에, 자동차 제조기업과 국민의 정보비대칭성이 너무 크다는 문제가 있습니다. 그러나 국가는 주권자인 국민으로부터 위임을 받아 국민의 권리 보호를 위한 전문적인 행정조직을 갖추고 있으며 필요한 전문가와 자원을 동원할 역량을 충분히 갖고 있습니다. 국가는 기업과 소비자의 정보비대칭성을 완화하고 해결하여 소비자이자 국민의 권리를 보호할 의무가 있습니다. 리콜은 국민의 안전을 위협할 가능성이 높은 기업 제품에 대해 국가가 수리나 교환, 수거, 파기 등을 명령하는 것으로서 국민의 안전을 달성하려는 것입니다. 따라서 강제리콜을 폭넓게 시행하여야 합니다.

Q3. 모범답변

　자발적 리콜만으로 충분하며 강제적 리콜을 폭넓게 인정해서는 안 된다는 입장에서는, 기업의 영업의 자유 침해와 소비자의 실질적 불이익을 논거로 들 것입니다.

　기업은 이윤 추구를 목적으로 하여 자유롭게 영업을 영위할 자유가 있습니다. 기업이 생산한 물품이나 서비스에 문제가 발생할 경우 기업은 이윤이 줄어들 것이기 때문에 스스로 리콜을 할 유인이 있습니다. 기업이 리콜을 선택하지 않는다면, 자사 제품으로 인해 소비자에게 위험이 발생할 확률이 대단히 낮고 이에 대한 이미지 하락, 법률 비용 등을 감수할 수 있을 정도로 제품 안전성 결함이 적거나 미미하다는 의미입니다. 그러나 위험 발생 확률이 높고 이로 인한 이미지 하락, 법률 비용 등이 크다고 판단한다면, 해당 기업은 장기적 이윤을 전문적으로 판단하여 기꺼이 리콜을 선택할 것입니다. 이처럼 강제적 리콜을 폭넓게 인정하지 않더라도 기업이 스스로 판단하여 영업전략에 대한 책임을 지게 될 것입니다. 기업이 자신의 이윤을 위해 영업전략을 선택할 것이기 때문에 강제적 리콜을 폭넓게 인정하는 것은 기업의 영업의 자유를 과도하게 제한한다고 할 것입니다.

　또한 강제리콜을 폭넓게 인정할 경우, 기업의 비용 부담이 과도하게 커지고 리콜에 대응하기 위한 각종 비용이 상승하여 결국 상품가격이 상승해 소비자에게 불이익이 된다고 할 것입니다. 소비자는 좋은 품질의 상품과 서비스를 가장 저렴하게 얻고 싶을 것입니다. 그러나 강제적 리콜을 폭넓게 허용하면 리콜 대응 비용이 늘어나고 이 비용은 결국 소비자 가격에 전가되어 판매가격의 상승으로 이어지게 될 것입니다. 특히 대다수의 소비자가 원하지 않는 과도한 안전성 확보나 새로운 기능을 추가하기 위해 가격이 상승할 것입니다. 이는 대다수 소비자에게 실질적으로 불이익을 주기 때문에 강제리콜을 폭넓게 인정해서는 안 됩니다.

Q4. 모범답변

    강제적 리콜의 확대는 단기적으로는 제품가격 상승으로 인한 소비자의 불이익이 커진다는 문제점이 있습니다. 그러나 소비자의 입장에서도 제품을 싸게 구입하는 대신 생명의 위협 가능성을 감수하지는 않을 것입니다. 소비자가 제품이나 서비스를 구매하는 목적은 자신의 편익 증대를 위함이지 자신의 생명이나 안전을 위협받으면서 제품과 서비스를 소비하려 하는 것이 아닙니다. 예를 들어, 자동차를 구입하는 소비자는 자신의 편리함을 위해 싸고 좋은 자동차를 구입하고 싶은 것입니다. 단지 싸기만 한 자동차가 자신의 생명을 위협할 수 있는 브레이크 결함을 갖고 있다면 누구도 구입하려 하지 않을 것입니다.

    장기적으로는 기업들 역시 강제적 리콜을 예측할 것이므로 제품이나 서비스 기획단계에서부터 문제의 소지를 제거하려 노력할 것입니다. 따라서 초기비용은 일부 상승할 것이나 리콜회수비용이나 기업 이미지 하락 등의 비용이 줄어들어 비용 상승을 최소화할 수 있습니다. 이에 더해 기업은 이윤 추구를 목적으로 하기 때문에 예측할 수 없는 비용 발생을 회피하려 할 것이고, 제품 개발 단계부터 안전성을 높인 제품을 기획, 설계할 것입니다. 그렇다면 제품의 안전성 자체가 높아져 리콜 자체가 최소화되어 소비자의 이익은 장기적으로 증가할 것입니다. 따라서 소비자의 불이익이 커지는 단기적 문제는 상쇄될 것입니다.

1. 기본 개념

(1) 제조물 책임

　제조물 책임이란 시장에 유통시킨 상품의 안전성 결함으로 그 이용자나 제3자에게 신체상의 손해 또는 '상품 이외의 다른 재산에 물적 손해'를 입힌 경우, 그 상품의 제조자나 판매업자에게 불법행위에 의한 손해배상책임을 부담하게 하는 것을 말한다.[94] 이 책임의 실질적 근거는 제조자가 결함 있는 제조물을 거래관계에 유통시킴으로써 위험을 야기했다는 사실에 있다.[95]

(2) 입법의 배경

　현대의 대량생산과 대량소비에 따른 소비자의 피해를 구제하기 위해, 제조물에 객관적으로 하자가 있기만 하면 제조업자의 과실 여부를 묻지 않고 배상책임을 지는 무과실책임[96]인 위험책임을 그 내용으로 하는 제조물 책임법이 제정되었다. 이는 종래 제조물의 하자로 인한 손해로 피해자 보호의 불완전성을 시정하고자 제정된 것이다.

(3) 제조물 책임의 적용범위[97]

　제조물 책임이란 제조물에 통상적으로 기대되는 안전성을 결여한 결함으로 인하여 생명, 신체나 제조물 그 자체 외의 다른 재산에 손해가 발생한 경우에 제조업자 등에게 지우는 손해배상책임이고 제조물에 상품적합성이 결여되어 제조물 그 자체에 발생한 손해는 제조물 책임이론의 적용 대상이 아니다. (대법원 1999.2.5. 97다26593)

(4) 입증책임 전환[98]

　고도의 기술이 집약되어 대량으로 생산되는 제품의 경우, 그 생산과정은 대개의 경우 소비자가 알 수 있는 부분이 거의 없고, 전문가인 제조업자만이 알 수 있을 뿐이며, 그 수리 또한 제조업자나 그의 위임을 받은 수리업자에게 맡겨져 있기 때문에, 이러한 제품에 어떠한 결함이 존재하였는지, 나아가 그 결함으로 인하여 손해가 발생한 것인지 여부는 전문가인 제조업자가 아닌 보통인으로서는 도저히 밝혀낼 수 없는 특수성이 있어서 소비자 측이 제품의 결함 및 그 결함과 손해의 발생과의 사이의 인과관계를 과학적·기술적으로 완벽하게 입증한다는 것은 지극히 어렵다.

---

[94]
김형배, <민법학 강의>

[95]
지원림, <민법강의>

[96]
무과실책임: 특정인에게 과실여부와 상관없이 책임을 부과하는 법리를 말한다.

[97]

97다26593

[98]

98다15934

그러므로 이 사건과 같이 텔레비전이 정상적으로 수신하는 상태에서 발화·폭발한 경우에 있어서는, 소비자 측에서 그 사고가 제조업자의 배타적 지배하에 있는 영역에서 발생한 것임을 입증하고, 그러한 사고가 어떤 자의 과실 없이는 통상 발생하지 않는다고 하는 사정을 증명하면, 제조업자 측에서 그 사고가 제품의 결함이 아닌 다른 원인으로 말미암아 발생한 것임을 입증하지 못하는 이상, 위와 같은 제품은 이를 유통에 둔 단계에서 이미 그 이용 시의 제품의 성상이 사회통념상 당연히 구비하리라고 기대되는 합리적 안전성을 갖추지 못한 결함이 있었고, 이러한 결함으로 말미암아 사고가 발생하였다고 추정하여 손해배상책임을 지울 수 있도록 입증책임을 완화하는 것이 손해의 공평·타당한 부담을 그 지도 원리로 하는 손해배상제도의 이상에 맞는다 할 것이다. (대법원 2000.2.25. 선고 98다15934)

2. 읽기 자료

제조물책임법상 징벌적 손해배상[99]

제조물책임법 개정안[100]

디지털 제조물책임[101]

99)

제조물책임법상
징벌적 손해배상

100)

제조물책임법 개정안

101)

디지털 제조물책임

해커스 김중수 모스쿨 맹점 200주제

Chapter 05 소비자정책　**185**

⏱ 답변 준비 시간 30분 | 답변 시간 30분

※ 다음 QR코드를 촬영하면 연결되는 제시문을 읽고, 문제에 답하시오.

서울 시청역 인근 역주행 사고의 원인으로 급발진 가능성이 제기되면서 '도현이법'이 주목받고 있다. 더불어민주당은 차량 급발진 시 제조사가 결함이 없음을 증명하도록 하는 '도현이법' 개정 안을 이달 중 발의할 계획이다.

급발진제조사 입증책임

Q1. 제조물 책임법이란 제조물에 의해 피해를 본 소비자를 보호하고 제품의 안전성을 높여 기업의 경쟁력 향상을 목적으로 제정된 법이다. 특정물품을 사용하다 사고가 발생해 피해를 입었다면, 그 피해의 당사자가 그 물품의 하자가 원인이 되어 피해가 발생했음을 입증하는 것이 원칙이다. 예를 들어, 소비자가 식칼을 사용하다 손잡이가 빠져 손을 다쳤다면, 해당 피해자가 식칼 손잡이에 하자가 있어 다쳤음을 입증해야 한다. 그러나 제조물책임법은 발생한 사고에 대한 입증책임을 피해자가 아닌 제조자에게 묻는다. 그 이유는 무엇이라 생각하는가?

Q2. 대학생인 A는 바지 호주머니에 스마트폰을 넣고 스마트폰으로 음악을 들으며 길을 가다가 스마트폰이 갑자기 폭발하여 화상을 입었다. 해당 스마트폰 제조회사인 B는 더운 여름날 밀폐된 곳에서 스마트폰을 구동시켜 온도가 과도하게 올라가면 배터리 특성상 폭발의 위험이 있다고 하면서 배상 책임이 없다고 주장했다. 스마트폰 제조회사인 B가 소비자 A의 손해에 대해 배상해야 할 책임이 있는가? 그리고 사고의 인과관계에 대한 입증을 어느 측에서 해야 하는지 자신의 견해를 논하시오.

Q3. 임산부인 C는 D제약회사의 약품을 장기 복용하다가 혈액암에 걸린 아이를 출산하였다. 조사결과 C가 혈액암에 걸린 아이를 출산한 이유는 D제약회사의 약품으로 인한 부작용임이 밝혀졌다. 이 경우 D제약회사는 C와 C의 자녀에게 손해를 배상해야 하는지 자신의 견해를 논하시오.

Q4. 甲은 감기에 걸려 저녁식사 후 C감기약 1정을 복용하였는데, 새벽에 뇌출혈로 쓰러져 사망하였다. C 감기약은 우리나라 가정에서 코감기 등에 자주 사용하고, 한 통에 10캡슐이 들어있어 구입 후 사용하고 남은 약은 가정에 보관하고 있다가 나중에 사용하는 일반의약품이다. 조사한 결과에 따르면 C감기약에는 PPA 성분이 함유되어 있는데, 상관관계는 명확하지 않지만 통계학적으로 PPA의 복용이 출혈성 뇌졸중 유발 가능 위험성을 지닌 약품이어서 미국에서는 PPA 함유 의약품의 그 제조, 판매를 금지시킨 사실이 있다. 甲의 유가족은 A제약회사와 C감기약의 판매를 허용한 대한민국 식품의약품안전처(이하 '식약처')에 손해배상을 청구할 수 있는가?

Q5. 甲의 유가족은 A제약회사에 대하여 어떤 주장을 할 수 있을지 논하시오.

Q6. 甲의 유가족은 식약처에 대하여 어떤 주장을 할 수 있을지 논하시오.

Q7. 미국의 유명한 대학에서 PPA 함유 의약품의 출혈성 뇌졸중 발생에 대한 연구를 하였고, 미국에서는 PPA 함유 의약품의 판매를 중지시켰다. 그러나 유럽에서는 여전히 PPA 함유 감기약을 판매하고 있다. 甲의 유가족이 손해배상을 청구할 경우 C감기약을 제조한 제약회사는 어떠한 주장을 할 수 있는지 논하시오.

Q8. 식약처는 미국 대학연구소의 연구결과 발표 후 제약회사 측에 PPA 함유 감기약에 대해 출혈성 뇌졸중의 위험을 경고할 것을 지시하였으나 강제회수조치 등을 취하지는 않았다. 그리고 甲의 사망사건 이후에 서울대학교 연구소에 PPA 함유 감기약이 출혈성 뇌졸중의 위험이 있는지 연구를 의뢰하였다. 甲의 유가족의 손해배상 청구에 대해 식약처는 어떠한 주장을 할 수 있을지 논하시오.

추가질문

Q9. E제약회사는 당뇨병 치료에 획기적인 신약을 개발하였다. E제약회사는 의약품의 본질적인 특성상 발생할 수 있는 부작용에 대한 설명서를 기재함에 있어서 부작용에 따른 손해배상책임을 지지 않기 위해서 어떻게 기재를 하여야 하는지 자문을 구하고자 한다. E제약회사의 면책을 위해 약품설명서를 어떻게 기재해야 할 것인지 간략하게 조언하시오.

Q10. 담배 흡연으로 인해 폐암이 발병했다고 주장하는 환자의 입장에서, 담배회사가 제조물인 담배가 폐암 발병의 원인이 아님을 입증해야 한다는 논리를 제시하시오.

Q11. 담배회사의 입장에서, 입증책임이 완화되지 않으므로 폐암 발병자가 폐암의 발생 원인이 흡연임을 입증해야 한다는 논리를 제시하시오.

Q12. 폐암과 같은 질병은 단일한 원인을 가지고 있다고 볼 수 없다. 폐암은 유전적 요인, 폐질환의 병력, 석면에 노출된 직업을 가졌는지, 대기오염이 심한 지역에서 살았는지 여러 원인과 관련이 있다. 흡연과 폐암 사이의 역학적 인과관계와 원고가 장기간 흡연했다는 사실만으로 원고의 폐암이 흡연으로 인해 발병했다고 할 수는 없다는 주장이 있다. 이 주장에 대한 자신의 견해를 논하시오.

Q13. 이 사건에서 원고가 직업적으로 공사장 철거 등의 일을 해서 석면과 같은 발암물질에 노출되었다고 한다면, 흡연이 폐암 발생의 원인이라고 볼 수 없다는 주장이 있다. 이 주장에 대한 자신의 견해를 논하시오.

Q1. 모범답변

 제조물 책임법에서 발생한 사고에 대한 입증책임을 피해자가 아닌 제조자에게 묻는 것은 소비자를 보호하기 위함입니다. 미국은 소송을 통한 소비자의 권리 행사가 보편화되어 있습니다. 제조회사는 제조물에 대한 '무한책임'을 져야 한다는 인식과 함께, 경제적 약자인 소비자를 보호해야 한다는 생각에서 제조물 책임이 인정되고 있습니다. 소비자의 안전은 아무리 강조해도 지나치지 않습니다. 회사는 영리 추구를 위해 상품을 개발하여 유통·판매하기 때문에 그에 대한 사고가 발생한 경우에도 회사는 책임을 부담해야 할 것입니다. 이를 위해서는 제조회사의 무한책임의식과 더불어 소비자로서의 정당한 권리의식이 자리 잡아야 합니다.

 현실적으로 소비자가 물품의 결함으로 손해가 발생했다는 인과관계를 명확하게 밝히기는 지극히 어렵습니다. 왜냐하면 고도의 기술이 집약되어 대량 생산되는 제품의 경우, 그 생산과정은 대개 소비자가 알 수 있는 부분이 거의 없고, 전문가인 제조업자만이 알 수 있을 뿐이며, 그 수리 또한 제조업자나 그의 위임을 받은 수리업자에게 맡겨져 있기에, 이러한 제품에 어떠한 결함이 존재하였는지, 나아가 그 결함으로 인해 손해가 발생한 것인지는 전문가인 제조업자가 아닌 일반인으로서는 도저히 밝혀낼 수 없는 특수성이 있기 때문입니다.

 제조물 책임법을 강화한다면, 소비자의 안전할 권리가 우선적으로 보장될 수 있고, 소비자 피해가 발생한 경우에 소비자를 더욱 두텁게 보호할 수 있을 것입니다.

Q2. 모범답변

 스마트폰 제조회사인 B는 대학생인 A가 입은 손해를 배상해야 합니다. 또한 이 사고의 인과관계에 대한 입증은 스마트폰을 제조한 B 측에서 해야 합니다.

 일반 소비자는 첨단과학기술제품을 구매하거나 사용할 때 통상적인 환경에서 일반적인 사용자가 사용했을 때 응당 갖추었으리라고 생각하는 안전성을 기대하기에 높은 가격을 지불합니다. 이 사안의 경우 여름에 주머니에 넣은 채로 스마트폰을 사용하는 것은, 스마트폰의 일반적 사용환경에서 일반적 사용자가 통상적인 사용 중에 벌어진 사고라고 봐야 합니다. 만약 이것이 통상적 사용이 아니라 하면, B 회사는 스마트폰을 실내에서만 사용해야 하고 주머니 등에 넣지 말고 꺼내놓은 상태로 사용해야 한다고 소비자에게 알렸어야 합니다. 제조사인 B가 그렇게 고지했다면 A는 자신의 사용환경이 이를 따를 수 없는 경우라면 구매하지 않거나 사용환경에 적합할 때에만 구매하여 폭발사고를 피할 수 있었을 것입니다. 그러나 B는 이러한 고지를 하지 않았고, A는 일반 소비자로서 일반적인 환경에서 통상적인 사용을 한 것이므로, B가 A의 손해를 배상하여야 합니다.

 이 사고의 인과관계에 대한 입증은 스마트폰을 제조한 B 측에서 해야 합니다. 폭발사고로 인한 손해배상을 위해서는 스마트폰의 결함, 그리고 결함으로 인한 사고의 인과관계가 밝혀져야 합니다. 그런데 일반 소비자는 공학 전문가가 아니기 때문에 스마트폰의 결함이나 사고와의 인과관계를 밝힐 수 없습니다. 그렇기 때문에 공학 전문가도 아닌 일반 소비자에게 첨단과학기술의 산물인 스마트폰의 결함과 사고와의 인과관계를 밝혀야 손해를 배상해줄 수 있다고 한다면, 손해배상 자체를 하지 않겠다는 것이나 다름없습니다. 따라서 스마트폰 제조회사인 B가 오히려 제품의 결함이 없거나 결함과 사고와의 인과관계가 없음을 입증해야 합니다.

Q3. 모범답변

D제약회사는 C와 C의 자녀에게 손해를 배상해야 합니다. D제약회사가 제조한 약품의 부작용으로 인해 혈액암이 발병하였기 때문입니다. D제약회사는 의약품이 본질적으로 신체에 유해한 부작용이 있을 수 있는 것이고, 유통 당시 기술 수준에 비추어 부작용 여부가 확실하지 않다는 개발 위험의 항변을 할 수 있지만, D제약회사는 그동안 다수의 약품을 판매하여 막대한 수입을 얻었을 것입니다. 약품을 판매하여 수입을 얻은 만큼 그 약품에 대한 위험 또한 제약회사에 책임을 물을 수 있습니다. 약품의 개발 위험은 기업에 분명 존재하는 것이지만, 의약품의 가격이 비싼 것은 개발 위험의 대가입니다. 약품개발로 인한 이익은 제약회사가 얻고, 개발 위험의 피해와 비용은 소비자가 지는 것은 정당하지 않습니다. 경제적 약자이자 피해자인 소비자가 약품의 부작용으로 인해 심각한 신체의 상해를 입고도 어느 곳에도 손해배상을 청구할 수 없다는 것은 소비자에게 불합리하고 무조건적인 희생만을 강요하는 것이라고 할 수 있습니다. 의약품 유통 당시 기술 수준으로 알 수 없었다는 것만으로 제조회사의 책임을 면책시킬 수는 없습니다.

Q4. 모범답변

甲의 유가족은 제약회사와 대한민국에 손해배상을 청구할 수 있습니다. 일반의약품으로 지정된 감기약을 1정 복용한 결과 뇌출혈로 사망한 인과관계가 인정되는 의약품 사고이기 때문입니다. 일반의약품은 의학적인 지식이 없는 일반적인 소비자가 복용하더라도 증상에 따라 복용량을 지킬 경우 일반의약품 제조회사가 주장하는 안전성이 확보되었음을 국가가 보장한 것입니다. 甲의 사망은 일반의약품으로 지정된 감기약을 증상에 반하여 복용하거나 복용량을 지키지 않은 경우라 할 수 없습니다. 따라서 甲의 사망은 전문지식이 없는 일반 소비자가 일반의약품인 C감기약에 기대하는 안전성을 갖추지 못한 경우에 해당하므로 유가족은 손해배상을 청구할 수 있습니다.

Q5. 모범답변

의약품 제조 및 판매업자인 A제약회사는 소비자의 기대수준에 비추어 기대 가능한 범위 내의 안전성을 갖춘 제품을 공급할 의무가 있고, 국민보건에 위해를 끼칠 염려가 있는 의약품은 제조하지 않을 의무를 부담하고 있는데, 이러한 의무에 위반하여 결함이 있는 의약품을 제조·공급하였습니다. 또한 A제약회사는 자신이 공급한 의약품의 안전성에 대하여 지속적으로 주의를 기울여야 하며 그 의약품의 위험성이 발견되는 경우 그러한 위험성을 방지하기 위하여 소비자들에게 합리적인 설명·경고를 하고, 다른 대체의약품이 있는 경우 위험한 의약품의 제조·판매를 중지하고 대체의약품을 제조하여야 할 의무가 있는데, 이를 준수하지 않은 잘못이 있습니다. A제약회사의 이러한 잘못으로 인해 甲이 C감기약을 복용하고 출혈성 뇌졸중으로 사망하였으므로, A제약회사는 甲의 사망에 대한 손해를 배상할 의무가 있습니다.

Part 1
Part 2
Part 3
Part 4
Part 5
Part 6
Part 7

해커스 김중수 토스풀 면접 200주제

Q6. 모범답변

대한민국 식약처는 외국에서 PPA 함유 의약품의 위험성을 알고 그 제조, 판매를 금지하였음에도, PPA 함유 의약품인 C감기약을 '오·남용 우려 의약품'으로 지정하지 않았고, 국민보건에 위해를 끼칠 위험이 있는 C감기약의 제조·판매를 허용한 잘못이 있다고 주장할 수 있습니다. 또한 소비자의 생명·신체에 위해를 끼칠 염려가 있는 C감기약에 대한 수거·파기 등의 조치 의무를 이행하지 않은 잘못이 있다고 주장할 수 있습니다. 식약처가 이와 같은 적절한 조치를 하였더라면 甲은 C감기약을 복용하지 아니하였을 것이고, 그렇다면 甲은 출혈성 뇌졸중으로 사망하지 않을 수 있었기 때문입니다.

Q7. 모범답변

C감기약을 제조한 제약회사는 미국의 연구 보고서 공개 이후 즉각 PPA가 함유된 C감기약의 제조, 판매를 중단하지 않았다고 하여 이것이 곧 과실은 아니라고 주장할 것입니다. 당시 세계 여러 나라에서 여전히 PPA 함유 감기약이 사용되고 있고, 미국의 연구 보고서만으로는 PPA 함유 감기약이 출혈성 뇌졸중을 일으킬 위험성이 있는 의약품이라고 알았거나 알 수 있었다고 인정하기 어렵기 때문입니다. C감기약을 제조하여 판매할 당시의 과학 기술 수준으로는 결함의 존재를 발견하기 어려웠기 때문에 C감기약의 제조물에 대한 책임은 면책되어야 한다고 주장할 것입니다.

Q8. 모범답변

미국 연구소의 연구 발표만으로 제약회사에 강제회수조치를 취하는 것은 과도한 조치라 주장할 수 있습니다. 국민의 생명, 신체, 재산 등에 대하여 절박하고 중대한 위험상태가 발생하였거나 발생할 우려가 있는 경우에는 국가나 관련 공무원에 대하여 그러한 위험을 배제하여야 할 의무를 인정할 수 있을 것입니다. 그런데 생활, 문화, 인종이 다른 미국에서의 연구를 바로 우리나라에 적용하기는 어려운 사정이 있기 때문에 해당 연구 발표만으로 PPA 함유 감기약이 출혈성 뇌졸중의 위험성을 증가시킨다고 단정 지을 수는 없는 것입니다. 그러함에도 불구하고 식약처는 제약회사로 하여금 PPA 함유 감기약에 대해 출혈성 뇌졸중의 위험을 경고하라고 지시하였습니다. 또한 미국의 연구 이후에도 여전히 유럽에서 PPA 함유 감기약이 사용되고 있었기 때문에 PPA 감기약이 우리나라에서도 출혈성 뇌졸중의 위험이 있는지 연구 필요성을 인정해, 식약처에서는 서울대 연구소에 연구를 의뢰하였습니다. 이러한 여러 조치들을 보았을 때, 국민의 생명, 신체, 재산 등에 대하여 절박하고 중대한 위험상태가 발생하였거나 발생할 우려가 있음에도 식약처 공무원이 그 위험을 배제하지 않은 잘못이 곧바로 도출된다고 볼 수는 없습니다.

Q9. 모범답변

신약이므로 부작용을 모두 다 알 수는 없으나, 이 신약이 특히 야기할 가능성이 있는 질병을 모두 표기하는 것이 타당합니다. 그리고 복용자 중에서 위험성이 높은 질병을 가진 환자에 대해서는 주의 표시를 명확하게 해야 합니다.

Q10. 모범답변

일반적인 담배 소비자는 의학 전문가가 아니기 때문에 담배가 인체에 미칠 유해성을 파악할 수 없습니다. 그러나 담배 제조회사는 제품의 원료와 성분 등을 정확하게 알고 있을 뿐만 아니라 연구소나 전문가에 의뢰하여 그 유해성을 정확하게 판단할 수 있습니다. 그렇기 때문에 일반적인 담배 소비자는 자신이 선택한 제품이 일반적인 안전성을 확보하고 있을 것이라 기대하는 것입니다. 따라서 담배 흡연으로 인해 폐암이 발생한 것이 아니라는 증명을 담배 제조회사가 해야 합니다.

Q11. 모범답변

담배는 전자제품 등과는 달리 고도의 기술이 집약되어 생산된 물품이 아니기 때문에 전문가인 제조업자만 알 수 있는 특수성이 있다고 볼 수 없습니다. 따라서 제조업자만이 담배의 유해성을 전문적이고 배타적으로 지배하고 있다고 볼 수 없습니다. 그러므로 담배 흡연으로 인한 폐암 발병의 입증책임이 완화될 수 없고 담배 제조업자의 입증책임이 전환되지 않기 때문에 폐암 발병자가 질병의 원인이 흡연임을 입증해야 한다는 논리를 구성할 것입니다.

Q12. 모범답변

오랜 기간 흡연한 자에게 폐암이 발병했다면 흡연이 폐암의 원인이라고 봄이 타당합니다. 폐암의 발병원인이 다양하다는 주장은 분명 인정할 수 있습니다. 그러나 역학적 인과관계가 인정되기 때문에 흡연이 폐암 발병의 가장 중요한 요소라는 것도 분명합니다. 그렇다면 장기간 상당량의 담배 유해물질에 노출된 피해자라면 흡연에 의해 폐암이 발생했다고 강하게 추정할 수 있습니다. 따라서 다른 사정이 없는 한 흡연이 폐암의 발생 원인이라고 할 수 있습니다.

Q13. 모범답변

흡연이 폐암 발생의 원인이라고 볼 수 없다는 주장을 담배회사가 입증함이 타당합니다. 원고가 담배 외의 발암물질에 장기간 노출된 결과가 폐암 발생의 원인이라면 담배회사 측에서 원고의 폐암 발생의 원인이 흡연 때문이 아니라는 것을 입증해야 합니다. 담배회사는 일반 흡연자에 비해 담배에 대한 많은 전문적인 정보를 갖고 있습니다. 담배에 대한 화학적 분석과 생명체와 폐에 미치는 영향 등에 있어서 관련정보를 연구, 조사를 통해 충분히 누적시키고 있을 것입니다. 그러니 담배회사가 흡연이 폐암의 원인이 아니라는 사실을 입증할 만한 전문적 능력이 있습니다. 그러나 현대의학이 밝혀낸 폐암 발암물질 중 가장 확실한 것은 담배입니다. 따라서 전문적 능력을 갖추고 있는 담배회사 측이 원고의 폐암 발생이 다른 사유에서 발생했음을 입증하지 못한다면 배상을 해야 할 것입니다.

130 개념 | 징벌적 손해배상

1. 기본 개념

(1) 찬성론

찬성론자들은 현행 민법상의 규정만으로는 악의적 불법행위의 재발을 방지할 수 없으므로 징벌적 손해배상을 도입하여야 한다고 주장한다. 즉, 산업사회가 진전됨에 따라 각종 환경, 식품 위생 침해에 대한 사건이나 제조물 책임, 소비자 피해, 대규모 불법행위, 기업의 사기행위, 악의적인 성차별 등과 같은 현대적 불법행위 사건에서 피해자를 구제하고 이러한 불법행위를 억제하는 데 현행 민법상의 불법행위 규정만으로는 불충분하므로 미국의 징벌적 배상제도를 도입하여 민법상의 규정을 보완할 필요가 있다고 한다. 이 밖에도 공익적 법률 시스템의 정착을 위하여 징벌적 배상제도의 도입이 필요하다고 주장한다. 즉, 우리나라도 경제규모와 현실을 고려할 때 악의적 의도를 가지고 불법행위를 하는 경우에 이에 대한 재발방지 시스템을 도입할 시점이 되었다면서, 특히 대기업이나 국가 등의 위법행위로 인하여 다수의 피해자가 발생하고 전체 피해 규모가 막대한 경우에 이 제도가 꼭 필요하다는 입장이다. 즉, 피해자가 받는 배상액이 가해자가 얻는 이익보다 절대적으로 소액이 되는 경우나, 피해자가 피해를 입을 것을 뻔히 알면서도 악의적으로 손해를 가하거나 피해자의 손해를 최소화하려는 노력을 게을리한 채 가해행위를 계속하는 가해자에 대하여는 징벌적 배상책임을 부과하는 것이 요구된다는 것이다.

찬성론자들의 주장을 종합해 보면, 징벌적 배상제도는 개인에 대한 전보적 기능보다는 대기업이나 국가와 같은 경제적 권력집단이나 공권력집단의 악의적 행위나 중대한 임무해태 행위로 인하여 발생하는 손해를 예방하여 궁극적으로 사회경제체제 전반에 대한 구조적 개선을 도모하는 데 이 제도가 특히 의미가 있다는 것이다.

(2) 반대론

징벌적 배상제도가 도입될 경우, 그 입법 목적이나 운용 등과 관련하여 여러 가지 부작용이 우려되므로 이 제도의 도입을 보류하거나 신중히 추진해야 한다는 주장도 있다. 이 주장의 논거를 살펴보면 다음과 같다. 첫째, 현행 손해배상제도는 민사책임과 형사책임을 구분하고 있고 손해의 공평부담을 기본이념으로 하고 그 일환으로 보상적 기능을 수행하고 있으므로 이 제도가 도입될 경우 법적용과 법집행상의 혼란이 초래될 수 있다고 한다. 둘째, 근대법은 사회분쟁에 대하여 민사책임과 형사책임을 분리하여 각각 사회적 기능을 달리하고 있으므로 피해자에게 현실적인 손해를 넘어 징벌이라는 명목으로 거액의 배상금을 지급하도록 하는 것은 원고가 부당이득을 얻는 것을 법률이 합법화하는 모순이 초래될 수 있다고 한다. 셋째, 징벌적 배상제도는 우리 형사법의 근본이념과 부합되지 않고 현행 민사소송의 구조 내지 소송물 이론에 비추어 볼 때에도 도입이 부적절하다고 한다. 넷째, 동일한 가해자에게 형사적인 처벌 이외에 민사적 징벌을 부과한다면 헌법상 이중처벌 금지원칙에 반하는 결과가 초래될 수 있다고 한다. 다섯째, 징벌적 손해배상제도가 도입될 경우 남소의 가능성이 높아져 과도한 사회적 비용이 지출될 우려가 있다고 한다.

반대론자들의 주장을 종합해 보면, 영미법계와 대륙법계의 소송문화와 법감정상의 차이로 인하여 징벌적 손해배상제도는 입법과 운용에 있어서 상당한 혼란이 야기될 수 있고 영미식 판례법상의 제도를 대륙법계인 우리나라의 법제도에 접목하는 데 많은 혼란과 부작용이 예상된다고 한다.[102]

102)
최완진, <경제민주화와 징벌적 손해배상의 법리>, 2014 기업소송연구

2. 쟁점과 논거

찬성론: 소비자 권리 보호	반대론: 자기책임원칙 위반
[소비자 권리 보호] 소비자는 제조사에 비해 제조물에 대한 전문지식이 부족하다. 그래서 제조물 사용 중에 입은 피해의 원인을 정확하게 파악하지 못한다. 혹여 원인을 파악했다 해도 관련 비용 등의 문제로 제조사에 소송을 제기하지 못하는 것이 현실이다. 징벌적 손해배상을 인정하면 피해를 본 개인은 많은 배상금에 대한 유인으로 손배소를 제기하게 되고, 이를 통해 소비자의 침해된 권리를 구제할 수 있게 된다.	**[책임원칙 위배]** 제조사의 책임은 제조사가 범한 과실에 해당하는 만큼만 묻는 것이 정당하다. 제조사의 잘못보다 과도하게 책임질 것을 강요하는 것은 부당하다. 소비자 보호라는 명목으로 제조사에 막대한 손해배상금을 부과하는 것은 책임에 비례하는 정당한 처분이 아니다. 제조사의 과실로 인해 발생한 손해분에 대해서만 배상하는 것이 책임원칙에 부합한다.
[재발 방지] 제조사의 책임이 인정되면, 제조사는 막대한 배상금을 부담하게 된다. 이를 예방하기 위해서 제조사는 완벽한 제품 생산을 위해 노력하게 되고, 제조사의 과실로 야기된 손해를 소비자에게 전가시키려 하지 않고 적극적으로 해결하려고 노력하게 된다.	**[실질적 소비자 보호]** 제품 개발 및 생산에 과학기술을 활용하는 과정에 인간이 예측하지 못한 부작용이 발생하는 것은 막을 수 없는 현실이다. 이런 예측할 수 없는 부작용을 막으려면 막대한 비용이 든다. 더욱이 예측할 수 없는 부작용에 대한 보상비용도 더해진다. 이러한 기업의 비용 상승은 결국 통상적인 다수의 소비자에게 전가될 것이다.
[장기적인 기업 경쟁력 향상] 기업 경쟁력은 단순히 제품의 질로만 결정되는 것뿐 아니라 제조사에 대한 소비자의 인식이나 신뢰 등이 결합되어 나타나는 것이다. 제조사가 징벌적 손해배상의 책임을 완수하는 모습을 통해 제조사에 대한 신뢰를 배가시킬 수 있고, 제품의 질을 향상시키기 위해 노력하게 된다.	**[기업 경쟁력 약화]** 징벌적 손해배상으로 인해 막대한 배상금을 마련해야 하는 제조사는 이를 제품 가격에 반영할 수밖에 없다. 이로 인해 경쟁제품과의 가격 경쟁에서 불리한 입장에 처하게 된다. 또한 징벌적 손해배상 처분으로 인해 제조사에 대한 사회적 신뢰도 잃어버리게 된다.

3. 읽기 자료

징벌적 손해배상의 과제[103]

기업범죄와 징벌적 손해배상[104]

103)

징벌적 손해배상의 과제

104)

기업범죄와 징벌적 손해배상

130 문제 | 징벌적 손해배상

⏱ 답변 준비 시간 15분 | 답변 시간 15분

※ 다음 QR코드를 촬영하면 연결되는 제시문을 읽고, 문제에 답하시오.

> 1763년, 인쇄공 허클이 불온 유인물 제작 혐의로 체포되었으나 무죄로 풀려난 후 명예훼손과 손해를 이유로 법원에 호소해 20파운드의 징벌적 배상을 받았다. 이는 경찰관의 악의적 행위로 인한 심각한 정신적 피해를 고려한 판결이었다.

징벌적 손해배상 도입

Q1. 징벌적 손해배상이란, 피해자가 고의 또는 고의에 가까운 악의에 의해 피해를 본 경우 그러한 행위가 재발되지 않도록 손해액과는 관계없이 고액의 배상금을 가해자에게 부과하는 제도이다. 미국이나 대만 등은 징벌적 손해배상을 인정하고 있는데, 우리나라에는 이 제도가 도입되어 있지 않아 징벌적 손해배상제도를 도입하자는 주장이 있다. 징벌적 손해배상제도를 도입해야 한다는 입장에서는 어떤 논거를 제시할 것인지 논하시오.

Q2. 징벌적 손해배상제도를 도입하면, 기업 대상의 소송이 늘어 기업 활동이 위축될 것이라는 예상이 있다. 징벌적 손해배상제도를 악용하는 이른바 블랙 컨슈머가 늘어나 기업이 정상적 활동을 할 수 없으므로 징벌적 손해배상제도를 도입해서는 안 된다는 주장이다. 이 입장에 대한 자신의 견해를 논하시오.

Q3. 금융권의 개인정보 유출문제가 심각하다. 2014년 발생한 국민카드, 농협카드, 롯데카드의 개인정보 유출은 3사를 합쳐 1억 건에 달해 전 국민 인구수의 2배에 해당하는 개인정보가 유출되었다. 그런데 개인정보 유출이 일어난 경우 금융소비자들의 개인정보 유출에 대한 소송 제기가 예상보다 많지 않은 것도 현실이다. 금융소비자 개개인들의 입장에서는 개인정보가 유출되었음에도 소송을 제기하지 않는 것이 오히려 합리적인 의사 결정임을 증명하시오.

Q4. 금융사가 개인정보 유출을 했다는 사실만으로, 법원이 300만 원 한도로 손해액을 정해 배상을 하도록 하는 법정손해배상제도를 신설하였다. 이 제도의 문제점은 무엇인가?

Q5. 개인정보 유출 시 법정손해배상제도에 대한 자신의 견해를 논거를 들어 제시하시오.

130 해설 징벌적 손해배상

Q1. 모범답변

징벌적 손해배상제도를 도입해야 한다는 입장에서는 소비자 보호와 소비자 피해 예방을 논거로 제시할 것입니다.

소비자를 보호하기 위해 징벌적 손해배상제도를 도입해야 합니다. 소비자는 물품 거래 과정에서 가장 말단에 위치하고 있어 사업자에 비해 크게 열악한 입장에 위치하는 경우가 많고, 그 결과 소비자의 이익이 부당하게 침해되는 문제가 발생하게 되는 경우가 많습니다. 게다가 소비자는 제조사에 비해 제조물에 대한 전문지식이 부족하여 사용 중에 입은 피해의 원인을 정확하게 파악하지 못할 뿐만 아니라 관련 비용 등의 문제로 제조사에 소송을 제기하지 못하는 경우가 대다수입니다. 만약 징벌적 손해배상을 도입한다면 피해를 본 소비자 개인은 많은 배상금에 대한 유인으로 손배소를 제기할 수 있으며, 이를 통해 소비자의 침해된 권리를 실질적으로 구제할 수 있습니다.

소비자의 피해를 예방할 수 있으므로 징벌적 손해배상제도를 도입해야 합니다. 현대산업사회의 특성상 물품 등의 대량생산과 판매체제가 성립되어 있어 소비자에게 일단 피해가 발생하면 그 범위가 매우 커지게 됩니다. 이러한 파급력이 매우 클 뿐만 아니라 문제 발생 시 유통단계가 많을 경우 발생원인과 책임관계를 명확히 하기 어려운 경우가 많아 소비자들이 피해보상을 받기 어려운 경우도 많이 발생하게 됩니다. 징벌적 손해배상제도가 도입된다면, 제조사는 소비자의 피해 예방을 위해 최선의 노력을 기울일 수밖에 없습니다. 제조물의 과실로 인해 제조사의 책임이 인정되면, 제조사는 막대한 징벌적 배상금을 부담하게 됩니다. 그러므로 사후적으로는 제조사의 과실로 야기된 손해를 소비자에게 전가시키려 하지 않고 적극적인 해결을 도모할 것이고, 이러한 사후적 해결보다는 막대한 손해배상금과 이로 인한 기업 이미지 하락을 사전에 막기 위해 제조사는 완벽한 제품 생산을 위해 노력할 것입니다. 따라서 소비자의 피해를 예방할 수 있으므로 징벌적 손해배상제도를 도입해야 합니다.

Q2. 모범답변

물론 소송 남용으로 인한 기업 활동 위축[105]이 있을 수 있으나, 우리 사회에 만연하고 있는 명백하고 현존한 문제점을 시정할 필요성이 분명하므로 징벌적 손해배상제도를 도입해야 합니다. 그리고 제도 도입으로 인해 예상되는 문제점은 제도적 보완을 통해 최소화할 수 있을 것입니다. 우리 사회는 사회적 강자의 불법행위가 만연하고 있으며, 이 불법행위로 인해 사회적 약자의 생존이 위협당하는 문제가 실존하고 있습니다. 징벌적 손해배상제도는 우리 사회의 명백하고 현존하는 이 두 가지 문제점을 해결할 수 있습니다.

105)
징벌적 손해배상제도는 영미법계에서 판례에 의하여 발전된 제도로서 민사적 책임에서 징벌적 요소를 인정하지 않는 대륙법계에 해당하는 우리 법제와는 맞지 않는다는 점, 징벌적 배상의 부여는 피해자가 입은 손해에 대한 보전이 아니라 우연한 횡재에 해당하므로 법적 정의에 부합되지 않고 남소를 부추길 수 있다는 비판이 있다는 점, 악의적 불법행위에 대한 억제기능은 손해배상액의 현실화, 과징금 부과 등 기존의 민·형사 또는 행정절차를 정비하여 달성할 수도 있다는 점에 대한 고려가 있어야 할 것이다. (박지영, <이슈와 논점>, 제1174호, 2016.6.1.)

먼저, 징벌적 손해배상을 통해 압도적 힘을 갖고 있는 일방이 사회적 약자에게 행하는 불법행위를 실질적으로 막을 수 있다는 점입니다. 대표적으로 대기업이 계열사에 일감을 몰아주기 위해 형식적 입찰을 하여 중소기업이 이에 응했다가 피해를 당한 경우가 있습니다. 대기업의 불공정거래행위로 인해 중소기업, 국민이 피해를 당한 경우 일반적인 손해배상과는 달리 실손해액만으로는 피해구제가 충분하지 못한 경우가 많습니다. 따라서 실손해액보다 많은 금액을 배상하도록 하여, 대기업으로 하여금 불법행위의 유인을 줄이고 중소기업이나 국민은 불법행위에 적극적으로 대처할 유인을 줄 수 있습니다.

둘째로, 징벌적 손해배상을 통해 사회적 약자의 비가역적 피해를 막을 수 있습니다. 대기업은 거액의 자금을 동원하고 전문적인 변호인을 가동할 수 있는 반면, 중소기업이나 국민은 가용자금이 거의 없고 전문적 변호인의 도움을 받는 것이 실질적으로 불가능합니다. 특히 중소기업이나 일반 국민의 피해는 기업의 존망이 걸릴 정도이거나 국민으로서는 감당할 수 없는 금액이 소요되는 경우가 많습니다. 그 결과 실질적으로 피해를 본 피해자가 오히려 피해를 감수하는 것이 자신에게 이익이 되는 모순적인 현상이 벌어지고 있습니다. 징벌적 손해배상제도는 사회적 강자에게 불법행위에 대한 공포심을 심어줘 불법행위를 예방해 사회적 약자의 비가역적인 피해를 선제적으로 예방할 수 있습니다.

징벌적 손해배상제도로 인해 예상되는 소송남용의 문제점과 기업활동의 위축문제는 제도적 보완을 통해 해결가능합니다. 먼저, 징벌적 손해배상의 기준을 명확하게 할 필요가 있습니다. 미국의 경우 일정한 기준을 제시하여 손해배상액의 예측가능한 산정에 도움을 주고 있습니다. 그리고 실손해의 2~3배 정도의 손해배상액을 인정하여 과도한 배상액으로 인한 기업 파산 가능성을 줄여야 합니다. 또한 최저 배상액을 법정화하는 방법이 있을 수 있습니다.

Q3. 모범답변

금융소비자들의 개인정보 유출 소송 제기가 많지 않은 이유는 일종의 거래비용 문제가 크기 때문입니다. 합리적 주체는 자신의 선택이나 행동으로 인해 발생할 이익과 비용을 예측하여 합리적으로 의사를 결정합니다. 금융소비자 역시 마찬가지입니다. 개인정보 유출 피해를 본 금융 소비자들의 경우, 개인정보 유출 피해자의 경우, 소송 제기의 기대편익은 미래의 불확실한 소액의 보상금이지만, 소송 제기의 기대비용은 현재의 명확하고 큰 액수의 소송비용이기 때문에 개인이 인식하는 편익보다 비용이 클 수밖에 없습니다. 게다가 일반 개인들은 개인정보 유출 자체를 입증하기가 어렵고 기업과의 소송을 장기간 감당하기 어렵습니다. 이처럼 개인이 자신의 권리 침해를 인지하였음에도 불구하고 소송을 제기하였을 때 시간과 비용, 번거로움 등의 현실적인 거래비용이 발생하기 때문에 소송을 제기하기 어렵습니다. 따라서 금융소비자들은 자신의 권리 침해를 인지하였음에도 불구하고, 소송을 제기하였을 때 시간과 비용, 번거로움 등의 현실적인 거래비용이 발생하기 때문에 소송을 제기하는 경우가 적습니다.

Q4. 모범답변

금융사의 파산으로 인한 국민경제 피해가 클 수 있어 문제가 있습니다. 금융은 일반 다수 국민의 소액 단기 자금을 모아 거액의 장기 자금으로 바꾸어 기업과 국가에 투자하는 역할을 합니다. 따라서 금융사는 일반국민과 기업을 연결하는 자본의 매개 역할을 하기 때문에 금융사가 파산하면 일반국민의 경제 피해가 클 수밖에 없습니다. 그런데 법정손해배상제도에 따르면 개인정보 유출에 대한 피해규모나 책임 정도, 피해구제노력 정도와 관계없이 법원이 금융사에 손해액을 정할 수 있습니다. 개인정보 유출사건의 특성상 다수의 개인정보가 대량으로 유출될 가능성이 크기 때문에 금융사가 법정손해배상제도로 인해 파산할 수 있습니다. 예를 들어 100만 명 규모의 개인정보가 유출되었을 때 법원이 1인당 300만 원의 손해배상을 명했다면 손해배상금만 3조 원이 됩니다. 금융기관의 부실은 연쇄적인 경제문제를 일으킬 수 있습니다. 금융기관의 파산은 수많은 예금주, 즉 국민의 피해를 발생시키고, 투자한 주식이나 기업 등에 연쇄적인 피해를 발생시킵니다. 따라서 이로 인한 국민경제 피해가 예상됩니다.

Q5. 모범답변

법정손해배상제도는 국민의 개인정보 보호를 위해 시행됨이 타당합니다. 현대정보화사회에서 국민의 개인정보는 곧 국민 자신으로 의제되어 국민의 자유와 권리에 실질적인 영향을 미칩니다. 국민의 개인정보, 즉 주민등록번호나 신용카드번호 등을 악용한 사례를 통해 이를 알 수 있습니다. 국가가 국민의 권리 침해를 적극적으로 예방할 필요가 있습니다. 예를 들어 국민의 생명과 신체에 직접적 위해를 가할 수 있는 독성 화학물질을 다루는 기업에 대한 인허가와 규제는 강할 수밖에 없습니다. 국가는 금융사가 국민의 개인정보를 안전하게 다루지 못하여 대량으로 유출할 가능성을 최소화시켜야 합니다. 금융사의 입장에서는 개인정보 보호 강화는 그 자체로 비용 상승을 야기하지만 이익에는 큰 도움이 되지 않아 개인정보 보호에 소극적일 수밖에 없습니다. 따라서 개인정보 유출이 기업에 큰 부담으로 작용하도록 강제하여 금융사가 개인정보 보호에 적극적으로 나서도록 강제해야 합니다.

1. 기본 개념

(1) 소비자의 권리 보호 수단

소비자의 권리가 국가권력에 의해 침해된 경우 청원권, 행정소송, 국가배상청구, 헌법소원 등으로 구제 받을 수 있다. 소비자피해의 효율적 구제를 위해 무과실책임의 인정, 입증책임전환이론, 개연성이론의 도입, 당사자적격의 확대, 사업자들의 연대책임의 인정, 소액재판제도의 채택, 미국과 같은 Class Action[106] 제도와 독일의 단체소송의 도입을 할 필요가 있다.

2008년 1월부터 소비자단체소송제가 시행 중에 있다. 미국의 Class Action이나 독일의 단체소송과 유사한 집단소송은 집단 대표나 단체가 소송을 수행하고 피해 구제까지 직접 받아낸다. 그러나 소비자단체소송은 판결의 효력이 해당 제품의 판매 금지나 불공정 약관 시정 등 기업의 위법행위 금지에 그칠 뿐 피해 구제까지 이어지지 않는다. 따라서 단체소송은 손해배상 규정이 없어 소비자가 금전적 보상을 받으려면 소비자 각각이 단체소송과 별도로 민사소송을 제기해야 한다.

(2) 증권관련 집단소송법

2005년 제정되어 증권 분야에 한정해 부분적으로 시행되고 있다. 그러나 엄격한 소송 요건, 복잡한 절차, 입증책임의 한계로 인해 본래 취지대로 시행되지 못하고 있다. 제정 당시 남소의 우려로 인해서 기업의 정상적 영업활동이 불가능해진다는 반론으로 인해 남소 방지를 위한 여러 장치들을 마련해두었는데, 남소가 아니라 소송 진행 자체가 거의 불가능한 정도가 되었다는 비판도 받고 있다.

(3) 집단소송

집단소송은 크게 미국식 대표당사자소송(Class Action)과 독일식 단체소송(Verbandsklage)이 있는데, 우리 법제의 경우 대표당사자형 소송으로 증권관련 집단소송(2005.1.1. 시행)을 두고 있고, 단체소송형 입법으로는 소비자기본법에 의한 소비자단체소송(2008.1.1. 시행), 개인정보 보호법상 단체소송(2011.9.30. 시행)을 마련하고 있다.

집단소송은 다수의 이해관계를 바탕으로 공익적인 견지에서 소송이 진행된다. 입증의 어려움, 소송비용 절약을 위해 일부 피해자들만이 소송을 수행한다는 점에서 소송법상 절차경제에 기여한다. 사회적 약자인 일반 소비자에 대한 효과적인 권리보호 수단이라는 점에서도 장점을 가진다.

---

106)
Class Action: 동일한 사유에 의해 피해를 받은 자가 다수자인 경우 그 피해자 중의 1인이 피해를 받은 자로부터 개별적 위임을 받지 않고 전원을 위한 구제소송을 제기하는 제도이다.

2. 쟁점과 논거

찬성론: 소비자 권리 보호	반대론: 기업의 영업의 자유
[소비자의 권리 보호] 소비자가 자신의 권리를 침해받았을 경우, 소송을 통해 기업으로부터 자신의 권리를 회복하기 위해서는 많은 비용과 시간이 소요된다. 이 때문에 소비자 개인으로는 억울한 피해를 입어도 적극적으로 소송을 제기할 수 없는 현실이다. 단체소송을 허용하면 권리를 침해당한 개인들이 연대하여 보다 쉽게 기업을 상대로 소송을 제기할 수 있게 된다.	**[기업 영업활동 방해]** 단체소송을 허용하게 되면, 소비자가 수인 가능한 사례에도 보상금에 대한 욕망으로 인해 소송을 남발하게 된다. 이에 대응하기 위해 기업은 많은 비용을 소송업무에 투입해야 하고, 제품 개발 등 장기적인 성장 잠재력을 키우는 데 기업의 역량을 집중하지 못하게 된다. 또한 과도한 문제제기로 인해 기업의 이미지가 실추될 수 있다.
[신속하고 실질적인 권리 구제] 집단소송 도입 시 단 한 건의 소송이 진행 중이더라도 해당기업의 모든 재화와 서비스에 관련한 소비자에게 재판의 영향력이 미치게 된다. 기업은 막대한 피해를 감수하기보다 소비자의 피해를 보상하거나 리콜 등의 방법 등으로 대응할 가능성이 높다. 따라서 소비자 권리가 신속하고 실질적으로 구제된다.	**[남용·악용 가능성]** 단체소송을 허용하게 되면, 기업체를 상대로 하는 소송이 증가하게 된다. 이로 인해 진정으로 법률적 판단이 필요한 사안에 제대로 된 처분을 내릴 수 없게 된다. 또한 기업체의 경영을 방해할 목적으로 단체소송을 악용할 가능성이 있다. 개인의 경우에도 보상비를 노린 소송이 남발할 수 있다.
[기업의 경쟁력 제고] 단체소송을 허용하면 결함제품으로 피해를 본 소비자의 소송이 늘어난다. 이에 대응하기 위해서 기업은 처음부터 소비자 피해가 발생하지 않을 제품을 개발할 유인이 커진다. 이처럼 품질 개선이 강제되면 기업의 경쟁력이 높아져 기업에도 이익이 된다.	**[공공복리 저해]** 소비자의 권리 구제 측면에서 단체소송이 기여하는 부분이 있을 것이다. 하지만 사회 전체의 효율적인 자원 활용이라는 측면에서 단체소송의 허용으로 인해 불필요한 소송비용의 증가로 인해 사회적 자원이 낭비되어 사회발전을 저해한다.

3. 읽기 자료

집단소송법 개선방향[107]

집단소송 확대도입[108]

107)

집단소송법 개선방향

108)

집단소송 확대도입

⏱ 답변 준비 시간 15분 | 답변 시간 10분

※ 다음 제시문을 읽고, 문제에 답하시오.

> 가습기 살균제 사건이나 아우디·폭스바겐 배기가스 조작사건처럼 소비자에게 광범위하게 피해를 끼치는 사례가 발생하면서 소비자를 보호하기 위해 집단소송제도를 도입해야 한다는 목소리가 커지고 있다. 집단소송제도란 다수의 피해자가 발생할 경우 그 피해집단의 1인이나 여러 명이 다른 피해자들의 개별적 수권 없이 가해자를 상대로 모든 피해자들의 손해를 일거에 청구하는 소송제도이다. 그리고 그 판결의 효력을 소송에 참가하지 아니한 모든 피해자들에게 미치도록 한다.
>
> 현재는 소비자들이 집단적 피해를 입어 보상을 받으려면 단체(공동) 소송을 제기해야 한다. 단체소송은 같은 사고를 겪은 피해자 다수가 모여서 하나의 소송을 제기하는 것으로 여러 사람이 모여 소송을 하기 때문에 증거 수집이 상대적으로 쉽고 변호사 수임료가 줄어드는 장점이 있다. 대표적인 사례로 생리대 제조업체를 상대로 5,300명의 피해자가 손해배상소송을 한 경우가 있다. 그러나 단체소송은 소송에 적극적으로 참여해야 보상을 받을 수 있다는 한계가 있다. 물론 소비자단체가 대신해 소송을 제기하는 소비자단체소송도 있다. 그러나 소비자단체소송은 판결의 효력이 해당 제품의 판매 금지나 불공정 약관 시정 등 기업의 위법행위 금지에 그칠 뿐 금전배상과 같은 피해 구제까지 이어지지 않는다. 따라서 단체소송은 손해배상 규정이 없어 소비자가 금전적 보상을 받으려면 소비자 각각이 단체소송과 별도로 민사소송을 제기해야 한다.
>
> 그러나 집단소송은 소송에 참여하지 않은 피해자도 보상을 받을 수 있다는 장점이 있다. 미국은 제외신청을 하지 않는 한 원칙적으로 구성원 전부에 판결의 효력이 미치도록 하는 방식이 적용된다. 기업의 제품으로 인해 대규모 피해자가 발생하는 경우가 늘어나고 있기 때문에 집단소송을 제기해야 한다는 목소리가 높아지고 있다.
>
> 재계에서는 과도한 소송 부담으로 경영에 큰 타격을 줄 것이라 우려한다. 관련 소송이 제기되면 원인이 복합적이고 광범위한 사건이 될 것이어서 시간과 비용 측면에서 소송 부담이 막대하다는 것이다. 경영계는 소비자가 조직적으로 기획소송을 제기하는 것만으로도 기업 이미지가 돌이킬 수 없도록 피해를 입을 수 있다고 한다.

Q1. 집단소송제도를 도입해야 한다는 입장의 논거를 2개 이상 제시하고 이를 논하시오.

Q2. 집단소송이 남발될 우려도 있을 뿐만 아니라, 기업의 피해가 발생할 수도 있다. 예를 들어 소비자들이 오인하거나 악의적으로 소비자 소송을 제기한 경우 소송 중에 기업에 대한 신뢰도가 떨어져 해당 제품이 팔리지 않아 해당 기업이 파산할 수도 있다. 집단소송을 도입해서는 안 된다는 입장의 논거를 2개 이상 제시하고 이를 논하시오.

Q3. 집단소송 도입 여부에 대한 자신의 견해를 제시하고, 자신이 선택한 견해에 대해 예상되는 문제점과 그 해결방안을 논하시오.

Q1. 모범답변

집단소송을 도입해야 한다는 입장에서는 소비자의 권리 보호, 소비자 권리의 신속하고 실질적인 구제, 기업의 경쟁력 제고와 국가 발전을 논거로 제시할 것입니다.

먼저, 소비자 권리를 보호할 수 있으므로 집단소송을 도입해야 합니다. 현대사회의 기업은 큰 자본력을 갖고 있으며, 자사의 제품에 대해 전문성을 갖고 있을 뿐만 아니라 대량생산체제가 갖추어져 있어 기업 제품의 결함은 다수 소비자의 피해로 이어질 수 있습니다. 그러나 소비자들은 기업 제품의 결함으로 인해 피해를 입을 경우 기업을 상대로 소송을 제기하는 데 드는 비용과 시간 등의 현실적 제약이 있을 뿐만 아니라 기업 제품에 대한 정확한 정보를 알 수 없어 제품의 결함으로 인한 피해임을 입증하기 어려운 한계가 있으므로 피해를 보상받기 어렵습니다. 소비자는 개인의 비용과 시간을 들여 거대기업과 맞서야 하고 가용자원이 적기 때문에 실질적으로 거대기업을 상대로 승소할 것이라 기대하기도 어렵습니다. 반면 기업은 법무팀이나 전문 로펌 등의 도움을 받아 소비자와 법적 다툼을 할 수 있는 여력과 자본력이 있습니다. 심지어 기업으로서는 소비자 다수를 상대로 동시에 소송을 다툴 자원이 충분하지만, 소비자로서는 하나의 소송을 진행하는 것도 어려운 지경입니다. 따라서 합리적으로 판단할 때 소비자는 피해를 보더라도 소송을 제기해 다투기보다 그 피해를 감수하는 것이 더 합리적인 경우가 많습니다. 그러나 집단소송은 판결의 효력이 피해를 본 모든 소비자에게 미치기 때문에 피해자가 연대하여 기업을 상대로 소송을 제기할 수 있고 소비자는 피해를 실질적으로 보상받을 수 있습니다. 따라서 소비자의 권리를 구제할 수 있으므로 집단소송제도를 도입해야 합니다.

둘째로, 소비자 권리의 신속하고 실질적인 구제가 가능하므로 집단소송제를 도입해야 합니다. 기업은 이윤 추구를 목적으로 하기 때문에 기업의 의사결정은 이익과 비용을 계산하여 순이익이 큰 방향으로 결정됩니다. 실제로 집단소송이 시행된다면 기업은 자사의 제품으로 인해 소비자의 피해가 발생했을 때 단지 소비자 한 명에 대한 법적 다툼이 아니라 자사의 재화나 서비스를 소비하고 있는 소비자 전체에 대한 소송이라고 인식할 것입니다. 결국 집단소송을 도입하면 한 명의 소비자와 소송이 진행되더라도 해당 기업의 재화와 서비스와 관련한 모든 소비자들에게 판결의 효력이 미치는 것이기 때문에 기업으로서는 막대한 보상과 함께 기업 이미지의 실추 등의 비용이 커지는 셈이 됩니다. 그렇다면 기업은 개별 소비자의 피해가 발생한 시점부터 적극적으로 피해를 보상하거나, 소비자피해배상보험 가입, 적극적인 리콜 등을 통한 기업 이미지 개선 등을 시도할 것입니다. 예측할 수 없는 막대한 보상비용과 기업 이미지 실추 등의 추가비용보다 선제적으로 문제에 대응하는 것이 기업의 이윤에 도움이 되기 때문입니다. 이처럼 소비자의 권리가 신속하고 실질적으로 구제될 수 있으므로 집단소송을 도입해야 합니다.

셋째로, 기업의 경쟁력 제고와 국가 발전을 위해 집단소송을 도입해야 합니다. 기업은 자사의 제품에 결함이 있을 경우 단체소송이 제기될 것을 예상할 것입니다. 기업은 제품 기획과 개발, 제조 단계에서 소비자 피해를 최소화하려 할 것입니다. 단체소송으로 인해 결함이 많은 제품을 생산하는 기업은 파산할 것이고, 결함이 적은 제품을 생산하는 기업은 생존할 것입니다. 이처럼 단체소송은 기업의 제품 품질 개선을 강제하는 효과가 있습니다. 기업의 제품 품질이 개선되면 기업의 경쟁력이 강화되고 외국 수출 증가 등의 장기적 효과를 기대할 수 있습니다. 제품 품질 개선으로 인한 소비자 효용 증대, 기업의 경쟁력 강화로 인한 기업 성장, 외국 수출 증가로 인한 고용 증대 등으로 인해 국가 발전이 가능합니다. 따라서 집단소송을 도입해야 합니다.

Q2. 모범답변

집단소송을 도입해서는 안 된다는 입장에서는 기업의 영업활동의 저해, 공공복리 저해, 소비자의 실질적 피해를 논거로 제시할 것입니다.

먼저, 기업의 영업활동을 저해하므로 집단소송을 도입해서는 안 됩니다. 기업은 영업의 자유의 주체로 자유롭게 이윤을 추구할 수 있고 그에 대해 상응하는 책임을 지게 됩니다. 기업의 제품으로 인해 소비자의 피해가 발생했다면 그 하자에 대한 책임을 지면 충분합니다. 그런데 집단소송이 도입되면 소비자는 피해 보상에 대한 기대로 제품의 하자가 아닌 수인 가능한 정도의 결함에도 소송을 제기할 것입니다. 이처럼 남소가 제기되면 기업의 영업활동 자원 중 많은 부분이 소송업무에 투입되어야 하므로, 제품 기획이나 R&D 등 장기적 성장을 위한 여력이 줄어들게 됩니다. 그뿐만 아니라 특정기업의 제품을 상대로 한 집단소송이 제기되었다는 뉴스는 널리 퍼질 가능성이 높아 설령 그 기업의 제품의 하자로 인한 피해가 아님이 훗날 밝혀진다고 하더라도 이미 실추된 기업 이미지와 신뢰도를 회복할 방법이 없습니다. 이처럼 기업의 영업활동이 과도하게 저해될 수 있으므로 집단소송을 도입해서는 안 됩니다.

둘째로, 공공복리가 저해되므로 집단소송을 도입해서는 안 됩니다. 집단소송을 도입하면 소비자의 피해를 보상할 수 있는 효과를 기대할 수는 있습니다. 그러나 이로 인한 효과보다 비용이 더 클 것입니다. 집단소송의 도입은 기업을 상대로 한 남소 우려가 있습니다. 남소로 인해 기업의 대응비용 즉 법무비용이 증가할 수밖에 없습니다. 또한 소의 증가로 인해 사법비용이 소요됩니다. 이에 더해 기업의 이미지 실추와 파산 우려, 고용된 노동자들의 실직 등 사회적 비용이 크게 증가할 것입니다. 이처럼 소비자 피해의 보상은 집단소송을 도입하지 않아도 일부 달성될 수 있는 반면, 사회적 비용의 증가는 대단히 클 것입니다. 따라서 공공복리가 저해되므로 집단소송을 도입해서는 안 됩니다.

셋째로, 소비자의 실질적 피해가 발생할 수 있으므로 집단소송을 도입해서는 안 됩니다. 소비자는 좋은 품질의 기업 제품을 저렴하게 구입하고자 합니다. 집단소송이 도입되면 남소로 인한 기업의 대응비용이 증가하게 되고 이 비용은 결국 대다수의 일반 소비자에게 전가될 것입니다. 일부 소비자의 피해 보상을 위해 대다수 소비자의 가격 부담이 커지게 되는 것입니다. 특히 기업은 집단소송을 우려하여 일부 소비자가 문제 삼을 만한 여지를 줄이고자 할 것이므로, 대다수 소비자에게는 필요 없는 기능이나 품질 개선이 이루어질 수 있습니다. 제품 사용과 관계없는 부분의 비용 증가는 제품 가격 상승으로 이어져 소비자의 부담이 커지는 것입니다. 따라서 소비자의 실질적 피해가 커지므로 집단소송을 도입해서는 안 됩니다.

Q3. 모범답변

소비자 보호 필요성이 크기 때문에 집단소송을 도입해야 합니다. 현대사회는 구조적으로 대량생산과 정보처리의 사회이기 때문에 집단적으로 대규모의 피해가 발생할 가능성이 필연적이라 할 만큼 높습니다. 그러나 개별 소비자는 거대한 기업을 상대로 하여 통상의 민사소송절차를 통해 피해를 구제받기 어려운 현실적 한계가 있습니다. 소송비용의 부담과 장기간의 소송 기간, 전문적 지식의 한계가 있기 때문에 거대한 기업의 위법행위를 입증하기 어렵습니다. 따라서 거대기업은 소비자들의 피해 구제에 소극적이고 무시하기까지 하며, 소비자들은 자신의 권리를 구제받을 수 없어 무력감에 빠지는 현실적 한계에 직면하게 됩니다. 집단소송이 도입되면, 기업들이 소비자의 피해를 무시할 수 없을 뿐만 아니라 선제적으로 대응할 가능성이 커져 소비자는 피해를 실질적으로 보상받을 수 있게 됩니다.

현재 상황은 집단소송의 남발이 문제된다기보다 집단소송이 없어 소비자의 자유와 권리가 과도하게 침해되는 것이 문제되는 상황입니다. 그리고 이에 대한 대책을 준비한다면 문제점은 크지 않을 것입니다. 반드시 변호사를 대리인으로 선임토록 한다거나 법원의 허가를 얻은 후 소송을 제기할 수 있도록 한다면 소송 남발을 억제할 수 있습니다. 또한 소송 남발로 기업의 피해 우려도 있으나 오히려 기업들이 소비자들의 정당한 주장에 적극적으로 반응하여 상품과 서비스의 질을 높인다면 우리나라 기업의 국제적 경쟁력을 높일 수 있습니다.

물론, 집단소송이 도입될 경우, 기획소송 등의 남소가 우려되고, 소송비용을 감당하기 어려운 중견기업이나 중소기업의 피해가 막대할 것이라는 문제점이 있습니다.

먼저, 기획소송 등의 남소가 우려된다는 문제점은 그리 크지 않습니다. 소비자 측의 법률 대리인, 즉 원고 대리인 변호사는 승소 시에 막대한 성공보수를 받을 수 있으나 패소할 경우 수년간 소송 준비로 투입한 시간이 그대로 손실이 되기 때문에 신중하게 수임 여부를 결정할 것입니다. 게다가 우리나라 법률시장은 대기업을 주요 고객으로 삼는데, 거대기업을 상대로 소비자 측의 소송을 대리할 경우 이후 주요 고객인 대기업의 소송을 수임하기 어려워지기 때문에 오히려 집단소송을 대리하지 않으려 할 가능성이 더 높습니다. 따라서 기획소송 등의 남소 우려는 과도한 우려일 가능성이 높습니다.

둘째로, 소송비용을 감당하기 어려운 중견기업이나 중소기업의 피해가 막대할 것이라는 문제점 또한 그리 크지 않습니다. 중견기업이나 중소기업이라 하더라도 소비자에게 대규모의 피해를 입혔다면 이에 대한 보상을 해야 하는 것이 당연합니다. 기업이 영업의 자유를 누린 것에 대한 책임은 기업 자신이 져야 하는 것이기 때문입니다. 현재 집단소송제는 50인 이상의 피해자가 모여 소송을 제기해야 하기 때문에 기업 제품으로 인한 피해자가 50명 이하인 경우에는 소송 자체가 불가능합니다. 또한 소송 절차가 빠르게 진행되기 때문에 기업 측으로서도 소비자 피해의 원인이 제품의 하자가 아님을 규명하고 빠른 영업 재개가 가능합니다. 집단소송으로 인해 기업의 피해가 막대하다면 이는 기업 제품의 하자가 분명한 경우이므로 기업의 책임에 해당하는 것이고, 제품의 하자 여부를 신속하게 규명해 소비자와 기업의 피해 가능성을 빠르게 해결할 수 있습니다. 이에 더해 중견기업이나 중소기업은 대기업과 달리 소송비용을 감당하기 어렵기 때문에 오히려 소비자의 피해를 신속하게 해결하려는 시도를 하게 될 것이어서 집단소송까지 진행되지 않을 것입니다. 따라서 중견기업이나 중소기업의 피해가 막대할 것이라는 문제점은 그리 크지 않을 것이어서 집단소송을 도입해야 합니다.

132 개념 | 자연관

2024 서울대 기출

1. 기본 개념

(1) 환경권

쾌적한 환경에서 공해 없는 생활을 누릴 수 있는 권리이다. 환경권은 인간존엄권, 행복추구권, 사회적 기본권의 성격을 아울러 가지고 있는 종합적 기본권이다. 학설은 환경권을 구체적 권리로 보고 있으나 대법원은 추상적 권리로 보고 있다.

환경권은 명문의 법률규정이나 관계 법령의 규정 취지 및 조리에 비추어 권리의 주체, 대상, 내용, 행사 방법 등이 구체적으로 정립될 수 있어야만 인정되는 것이므로, 사법상의 권리로서의 환경권을 인정하는 명문의 규정이 없는데도 환경권에 기하여 직접 방해배제청구권을 인정할 수 없다.[109]

(2) 주체

외국인을 포함한 자연인은 주체가 된다. 미래 세대는 환경권의 주체가 된다고 보는 입장이 다수설이다. 자연 그 자체가 권리의 주체가 될 수 없다는 입장이 다수설이다.

(3) 한계

환경권의 한계로, 환경에 관한 피해가 일반적인 수인한도 이내라면 적법하지만 수인한도를 벗어난 경우에는 위법하다.

2. 읽기 자료

기계론적 자연관[110]
유기체적 자연관[111]

[109]
대법원 1997.7.22. 96다56153

[110]

기계론적 자연관

[111]

유기체적 자연관

⏱ 답변 준비 시간 20분 | 답변 시간 20분

※ 다음 제시문을 읽고, 문제에 답하시오.

(가) 인간은 자신의 욕구를 충족시키기 위해 실용적이고 과학적인 방법으로 자연을 이용할 수 있다. 자연은 여러 개의 부품으로 조합된 기계와도 같아 분해할 수도 있고, 인공적인 조작을 가할 수도 있다. 인간은 자연에 대하여 충분히 알고 있으며 이를 바탕으로 자연을 통제할 수 있다고 생각하여 자연을 지배와 이용의 대상으로 삼았다. 이러한 생각은 16세기에서 18세기에 걸쳐 근대 과학이 발전하면서 크게 확산되었다. 이들은 환경문제는 자연을 이용하는 과정에서 발생하는 부작용이며, 환경의 효율적인 관리나 기술 개발을 통해 환경문제를 해결할 수 있다고 생각한다.

(나) 인간은 생태계의 일부이고, 인간과 자연은 유기적으로 연결되어 있으며, 서로 긴밀한 관계를 가지고 있다. 자연은 각각의 구성 요소들이 총체적으로 결합된 하나의 유기체이다. 인간도 생태계 내에서 구성 요소에 불과하며, 자연환경에 대한 인간의 잘못된 행위는 결국 인간 자신에게 피해로 되돌아온다. 따라서 인간은 자연에 대한 일방적인 지배 대신에 자연과 조화를 이루어야 한다. 이러한 사고는 동양의 자연관과도 매우 유사하다.

(다) A국은 자연환경 보전이 잘 되어 있는 나라이다. 이에 따라 관광 산업의 비율도 높다. 그런데 요즘 택지 공급, 관광지 개발 등의 이유로 자연환경을 개발하자는 주장이 점점 늘어가고 있다. A국에는 잘 보존된 생태로, '지구의 허파'라고 불리는 왕거누이 강 유역이 있는데, 근래에는 그 왕거누이 강 유역 일대의 일부마저 개발하자는 주장이 제기되고 있다. 왕거누이 강은 푸투루족의 생활터전이며 또한 다양한 동식물들이 서식하는 곳이다. 이 왕거누이 강을 보호하기 위해 국회의원 B는 생태 보호법을 발의했다. 다음은 그 법의 일부이다.

제12조: 왕거누이 강과 그 일대의 물리적, 형이상학적 환경인 '왕거누이 생태계'는 분리될 수 없는 하나이며, 그 전체로서 하나의 살아있는 생명체이다.

제13조: '왕거누이 생태계'는 인간과 같이 권리를 행사하고 의무를 이행하며, 국가는 그 권리를 보호할 의무를 진다.

제14조: '왕거누이 생태계'의 권리와 의무는 왕거누이 평의회가 대신 행사하고 이행한다. 왕거누이 평의회는 국가가 임명하는 3인과 푸투루족이 임명하는 3인으로 구성된다.

그런데 법안을 심사하며 이에 대해 반대의견이 다음과 같이 제기되었다.

생태계가 어떻게 권리와 의무의 주체가 되는가.

인간은 다른 것과 비교될 수 없는 도덕적 가치를 지니고 있다. 인간만이 권리와 의무의 주체가 되는 것 아닌가.

왕거누이 강 유역을 개발한다면 왕거누이 강 유역의 낙후된 주민들의 후생을 증대할 수 있다. 그런데 개발을 막아야 하겠는가.

왕거누이 강 유역이 '지구의 허파'라면 왜 A국만이 그 보전 의무와 비용을 부담해야 하는가.

평의회가 권리와 의무의 행사와 이행을 잘할지 어떻게 믿는가.

Q1. 제시문 (가)와 (나) 각각의 입장에서 자연을 바라보는 관점을 설명하시오.

Q2. 제시문 (가)의 자연관을 따랐을 때, 장점과 문제점은 무엇인가?

Q3. 제시문 (가)와 (나) 각각의 관점에서 환경문제를 과학기술의 발전으로 해결할 수 있는지에 대해 어떻게 논증할 수 있는지 답변하고, 환경문제를 해결할 방안을 제시하시오.

Q4. 본인이 제시문 (다)의 국회의원 B라고 생각하고, 이에 대한 반대의견에 대답하고 반론하시오.

Q1. 모범답변

　제시문 (가)의 자연관은 자연을 인간이 이용해야 할 대상으로 보고 있다는 것입니다. 자연은 인간을 위해 존재하고, 인간은 자신의 욕구를 충족시키기 위해 효율적으로 자연을 이용할 수 있다고 봅니다.

　제시문 (나)의 자연관은 인간은 자연의 일부이고 인간이 자신의 욕구를 충족시키기 위해 자연을 이용해서는 안 된다는 것입니다. 인간이 무리하게 자연을 착취한다면 결국 인간은 자연의 일부이므로 인간도 해를 입게 된다고 봅니다.

Q2. 모범답변

　제시문 (가)의 자연관은 자연을 인간이 이용해야 할 대상으로 보고 있으므로 자연을 효율적으로 이용하기 위해 자연과학을 발전시키는 데 기여한다는 장점이 있습니다. 반면, 자연을 인간이 이용할 대상으로만 이해함으로써 화석연료의 고갈, 산림의 파괴, 이로 인한 지구 온난화 현상에 따른 기후 변화 등으로 자연환경은 물론 인간의 생존마저 위협받고 있는 측면 또한 동시에 존재하고 있다는 문제점이 있습니다.

Q3. 모범답변

　제시문 (가)의 자연관에 따르면, 인간이 환경을 효율적으로 관리하거나 과학기술을 개발하여 환경문제를 해결할 수 있다고 할 것입니다. 최근에 환경오염을 크게 줄일 수 있는 기술이 개발되고 있습니다. 조력이나 풍력을 이용한 재생에너지 발전이나 전기 자동차, 수소를 연료로 하는 자동차 개발 등이 그 예라고 할 수 있습니다. 이 관점에 의하면 환경오염문제는 인간으로 인한 것이고, 인간이 환경을 더 연구하여 이해하고 이를 통제할 수 있을 정도로 과학기술이 발달한다면 충분히 교정할 수 있습니다. 마치 고장 난 시계를 전문가인 시계공이 고칠 수 있는 것이나 마찬가지라 볼 것입니다.

　그러나 제시문 (나)의 자연관에 의하면, 과학기술이 개발되고 발전한다고 하더라도 환경문제가 곧 해결될 것이라 단정할 수 없습니다. 인간이 더 많은 소비를 미덕으로 하고 이러한 소비를 만족하기 위해 자연을 착취의 대상으로서만 이해한다면 환경파괴는 막을 수 없습니다. 만족할 줄 모르는 인간의 끝없는 욕구를 충족시키기 위해 목재를 생산하기 위해 열대림은 파괴되고 있고, 육식을 위한 소와 양을 키우느라 많은 산림은 사라지고 있습니다. 이로 인해 지구에 산소를 공급해주는 아마존 등의 열대우림은 매년 줄어들고 있습니다. 이른바 지속가능한 발전을 위해 목재회사가 빠르게 자라는 나무를 심는다고 하더라도 열대우림 자체가 감소하는 현상을 막을 수는 없습니다. 특히 미국의 트럼프 전 대통령은 파리기후협정을 탈퇴하면서 미국의 기업들이 환경문제를 해결할 과학기술 개발에 투자할 일이지 이처럼 산업 발전을 저해하는 협정을 준수할 필요는 없다고 하였습니다. 그러나 이러한 생각은 결국 자연환경 문제를 과학기술의 발전으로 해결할 수 있으며 여전히 자연환경을 인간의 통제 아래 둘 수 있다고 생각하는 것입니다. 초강력 허리케인이 빈발하는 등 예측할 수 없는 자연재해로 인한 피해가 점점 커지고 있음을 볼 때 인간의 욕심을 줄이는 것이 궁극적 해결책이라는 점을 부정할 수 없습니다. 따라서 인간의 욕구가 줄어들지 않는 한, 환경문제는 과학기술 발전만으로 해결되지 않을 것입니다.

자연자원은 한계가 있으므로 자연을 착취의 대상으로 이해하는 한 환경 파괴를 막을 수 없습니다. 과학기술의 발전으로 화석연료를 대체하는 저공해 연료가 개발되더라도 이를 개발한 회사나 국가에 특허권을 인정할 수밖에 없습니다. 이로 인해 대체연료가 개발되어도 그 가격은 상당기간 동안 화석연료보다 높을 것입니다. 그렇다면 저개발국가들은 석탄이나 석유와 같은 화석연료를 계속 사용하게 됩니다. 예를 들어, 프레온 가스라고 알려진 염화불화탄소(CFC)는 에어컨이나 냉장고 등에 냉매로 사용되었으나 지구 오존층을 파괴하는 환경 문제를 일으켰습니다. CFC를 대체하는 친환경 냉매는 오래전에 이미 개발되었으나, 중국과 인도 등의 저개발국가들은 고비용의 친환경 냉매를 감당할 수 없어 CFC를 오랜 기간 지속적으로 사용한 바가 있습니다. 신기술이 개발된다고 하더라도 그 비용을 감당할 수 없는 저개발국가들은 환경오염을 야기하는 연료를 사용할 수밖에 없을 것입니다. 그러므로 과학기술 발전만으로는 환경문제를 해결할 수 없습니다.

해결방안으로써, 다음과 같은 요건이 만족되어야 합니다.

첫째, 제시문 (가)와 같이 자연을 이용의 대상으로만 보는 관점에서 제시문 (나)와 같이 인간을 자연의 일부로 보고 자연과 조화되는 삶을 사는 관점으로 자연관이 바뀌어야 할 것입니다. 자연환경에 해를 주는 행위는 결국 인간에게 피해로 돌아온다는 것을 자각해야 합니다.

둘째, 저공해 기술이 개발된다 하더라도 그 비용이 높아 사용을 꺼리는 기업들이 있을 수 있으므로 국가는 저공해 기술을 이용하는 기업들에 세제 혜택이나 보조금 등을 지원하여야 합니다. 국가적으로는 좋은 기술이라 하더라도 개별 기업으로서는 이것이 비용으로 인식될 수 있습니다. 세제 혜택이나 보조금을 주어 국가적으로 환경이 좋아지기 위해 필요한 방향으로 개별 기업이나 개인들을 유도하여야 합니다.

셋째, 환경오염을 적게 야기하는 대체연료가 개발될 경우 저개발국가에서도 대체연료가 일반적으로 사용될 수 있도록 선진국들이 그 비용을 부담해야 합니다. 현재의 환경오염은, 선진국들이 과거 산업혁명 이후로부터 야기한 결과물이라 해도 과언이 아닙니다. 선진국의 발전이라는 편익은 환경오염이라는 비용과 함께 도출되었으나, 선진국은 환경오염에 대한 비용을 지불하지 않았습니다. 선진국은 이에 대한 현재의 책임을 져야 할 것입니다. 따라서 선진국과 저개발국가 간의 합의를 도출해야 국제조약을 체결하여야 합니다.

Q4. 모범답변

먼저, 생태계 역시 권리와 의무의 주체가 될 수 있습니다. 경제주체로서 기업 법인은 영업의 자유 등의 주체가 됩니다. 물론 기업이나 생태계 등은 인간이 아니기 때문에 모든 기본권의 주체가 될 수는 없으나, 일정한 자유를 행사하는 주체가 될 수는 있습니다. 따라서 생태계 또한 권리와 의무의 주체가 될 수 있습니다.

둘째로, 인간이 다른 모든 것을 지배할 만큼의 압도적이고 절대적인 도덕적 가치를 가진다고 할 수 없습니다. 인간은 생명의 일부에 해당하며 다른 모든 생명체를 지배하고 이용할 권리를 지닌다고 할 수 없습니다. 인간은 생태계의 일부로써 살아가고 있고 생태계가 존재하지 않는다면 인간 역시 생존할 수 없기 때문입니다.

셋째로, 왕거누이 강 유역을 개발하여 강 유역 주민들의 후생을 증대시킬 수 있다고 하였는데, 개발 외에도 후생 증대의 대안이 존재합니다. 왕거누이 강 유역에 살고 있는 푸투루족이 주도적으로 평의회의 의사 결정을 할 수 있기 때문입니다. 푸투루족은 삶의 터전을 왕거누이 강 유역으로 삼고 자신들의 문화를 지켜나가고 있습니다. 푸투루족이 왕거누이 강 유역의 생태계를 지켜나가면서 삶의 질을 개선해 나갈 때 자신들의 문화를 이어 나갈 수 있습니다. 예를 들어, 왕거누이 강 유역을 전면적으로 개발한다면 푸투루족은 고용인으로서 일하는 정도의 이익을 누리게 되지만, 생태계와 부족 문화의 영구적인 파괴라는 비용을 감수해야 합니다. 따라서 푸투루족은 생태계와 부족문화를 지키고 생활의 질을 높일 수 있는 방안을 제시할 것입니다.

마지막으로, 왕거누이 강 유역이 지구의 허파라면 A국만 개발의 제한과 같은 비용을 감수해서는 안 된다는 주장에 대한 대안이 존재합니다. 세계 전체가 왕거누이 강 유역이 발생시키는 세계적 이익에 대한 환경기금을 조성하도록 요구할 수 있습니다. 브라질의 경우 북유럽국부펀드와 독일 등 EU가 중심이 되어 조성한 아마존 보존을 위한 환경기금의 투자를 받고 있습니다. 그뿐만 아니라 나고야 의정서와 같이 환경 보존으로 인한 종 다양성으로 이익이 발생할 경우 개발국가와 보존국가 모두 이익을 얻을 수 있습니다. 예를 들어, 왕거누이 강 유역의 생태계에만 존재하는 종을 이용해 B국에서 신약이나 화장품 등을 개발해 이익이 발생한 경우 그 이익을 종 보유국인 A국과 나누어야만 합니다. 이처럼 왕거누이 강 유역을 보존함으로써 장기적으로 이익이 발생할 수 있습니다.

1. 기본 개념

(1) 죄수의 딜레마

죄수의 딜레마 혹은 용의자의 고민 모형은 경찰에 체포된 두 피의자에 관한 이야기이다. 이들을 A와 B라 하자. 경찰은 현재 이 두 사람이 1년씩 징역형을 받을 비교적 가벼운 범죄에 대해 확실한 물증을 가지고 있다고 하자. 그러나 경찰은 이들이 보다 심각한 은행 강도 행위를 했다는 심증은 있으나, 확실한 물증은 없다고 하자. 경찰은 A와 B를 분리된 방에 감금하고 다음과 같은 제안을 한다.

"지금 당장 우리는 너를 1년간 형무소에 보낼 수 있다. 그러나 너희 둘이 은행 강도라는 것을 자백하고 다른 방에 있는 네 친구를 주범이라고 증언하면, 너는 수사에 협조한 대가로 석방되고, 네 친구는 혼자 20년 형을 살 것이다. 그러나 너희 둘 모두 자백을 하면 공범으로 8년씩을 살 것이다."

A와 B가 치사한 은행 강도들이기 때문에 자신들만의 이익만을 생각한다면, 이들은 어떤 선택을 할까? 이들이 자백을 할까, 끝까지 범행을 부인할까? 두 용의자는 두 가지 전략 중 하나를 선택할 수 있다. 그러나 이들이 받을 형량은 자기의 선택뿐만 아니라, 상대방이 어떤 선택을 하는가에도 달려 있다는 점에 유의해야 한다. 먼저 A의 선택을 생각해 보자. 그는 속으로 다음과 같은 생각을 할 것이다. 'B가 어떤 선택을 할지는 알 수 없다. 만약 그 친구가 끝까지 입을 다문다면, 나는 자백을 하는 것이 유리하다(바로 석방되기 때문이다). 만약 그 친구가 자백을 한다면, 그래도 역시 나는 자백을 하는 것이 유리하다(20년보다는 8년 형을 사는 것이 낫기 때문이다). 그렇다면 나는 B가 어떻게 하든지 자백을 하는 것이 유리하다.' 또한 B 역시 A와 동일하게 생각할 것이다.

A와 B는 각각 합리적으로 자기 이익을 판단하여 둘 다 자백을 하는 선택을 하게 된다. A와 B가 자백을 선택하는 것은 상대방의 어떠한 선택에도 자백이 자신에게 더 큰 이익을 가져다주는 선택이기 때문이다. 그러나 개인적인 합리성이 사회적인 합리성과 동일한 결과라고는 할 수 없다.

(2) 공공재와 공유재

공공재는 배제성과 경합성이 없어 무임승차(Free-riding)의 문제를 안고 있다. 무임승차의 문제란 비용을 부담하지 않고 편익만 보려 하는 현상을 의미한다. 그 대표적인 예로 어두운 길거리에 가로등이 있으면 많은 사람에게 편리하지만 누구도 자신의 사비를 들여 가로등을 세우지 않고 가로등 서비스를 누리고 싶어 하기만 하는 경우를 들 수 있다. 또 다른 예로는 치안이나 국방과 같은 국가 행정 서비스 등을 들 수 있고, 전 지구적 차원에서는 브라질의 아마존 개발을 막으려 하는 많은 국가들의 경우를 볼 수 있다.

먼저 배제성이란 한 상품이나 재화, 서비스로부터 발생하는 혜택을 특정한 사람만 사용하도록 막을 수 없다는 의미이다. 예를 들어 내가 소유하고 있는 펜은 다른 사람이 함부로 사용할 수 없다. 그러나 골목길을 밝히고 있는 가로등의 경우 세금을 내지 않은 자라 하여 가로등 불빛을 볼 수 없도록 할 수는 없다. 이처럼 배제성은 공유와 사유를 나누는 기준이 된다.

경합성이란 상품이나 재화 등을 누군가가 먼저 소비하면 다른 사람은 소비할 수 없다는 의미이다. 이는 이른바 영합(Zero-sum) 상황과 유사하다. 예를 들어 호수가 있다고 하자. 호수는 우리 모두 누릴 수 있는 공유자원으로 배제성이 없는 것이다. 또한 호수의 물고기도 마찬가지라 할 수 있는데 물고기의 수는 일정하게 한정되어 있다. 따라서 A라는 어부가 먼저 물고기를 잡으면 그만큼 호수의 물고기는 줄어든다. 한정된 자원을 두고 서로 경쟁적으로 소비하게 되므로 이를 경합성이 있다고 한다.

공공재는 배제성과 경합성이 없어 타인의 소비를 막을 수 없고 그 소비를 두고 경쟁하지도 않는다. 따라서 개인은 합리적으로 선택한 결과 무임승차를 선택한다. 결국 개인적 합리성의 결과가 사회적 합리성으로 연결되지 못한다. 일반적으로 공공재의 과소공급문제는 국가가 규제하는 방법이 해결방법으로 제시된다. 즉, 국가가 세금을 걷음으로써 무임승차하려는 개인들의 합리적 의사선택을 강제하여 사회적 합리성을 달성하게 된다. 따라서 최소국가, 소극국가라 하더라도 이러한 무임승차의 문제를 막기 위해 최소한의 세금이나 자유 제한이 가능하다. 그래서 야경국가의 대표적 국가 서비스가 치안과 국방으로 나타난다.

공공재의 무임승차문제는 전 지구적 차원에서 심각한 문제를 가져온다. 위에서 제시한 브라질의 아마존 개발을 다시 살펴보자. 아마존은 '지구의 허파'라 불리고 있을 만큼 중요한 역할을 한다. 따라서 아마존은 개발되지 않는 것이 전 지구적 차원에서 이익이 된다. 그러나 아마존을 개발하지 않아서 발생하는 편익은 전 지구로 나누어지는 데 반하여, 아마존을 개발하지 않아 발생하는 비용은 브라질에서만 발생한다. 브라질은 아마존을 개발하려 하고, 다른 국가들은 비용 부담 없이 아마존을 유지하고자 한다. 특히 이러한 환경문제는 편익과 비용을 일률적으로 합의하기 어렵기 때문에 더욱 그 문제가 크다.

(3) 공유지의 비극

공유지의 비극은 생태학자인 G. Hardin이 1968년 <사이언스>지에 발표한 논문이다. 공유지란 배제성은 없으나 경합성은 있는 경우를 말한다. 이러한 재화를 보통 공유재라 한다. 특히 공유재의 경우 비용/편익의 문제가 있다. 호수의 물고기를 예로 들면, 호수의 물고기를 잡게 되면 그 편익은 전부 어부에게 귀속되나 비용은 사회 전체가 지게 된다. 개인은 사회 전체가 지게 되는 비용은 적다고 인식하는 반면 편익은 크게 인식한다. 따라서 개인이 합리적으로 선택한 결과 남용, 고갈의 문제가 발생한다.

공유지의 경우 개인이 자신의 편익에 비해 사회적으로 나누어지는 비용을 낮게 인식한다는 점에서 공유지를 사유화하여 비용을 개인에게 귀착되도록 하는 방법이 해결책으로 제시된다. 이것이 바로 영국에서 시작된 인클로저 운동이다. 영국은 전근대 시기에는 양모가 있어도 생산능력이 부족하고 소비자가 없었기 때문에 마을 공동 방목지에서 양을 키웠다. 그러나 산업혁명 시기에 옷감을 대량생산할 수 있는 기계는 준비가 되었으나 원료가 되는 양털, 즉 양모(羊毛)가 부족했다. 양모가 희소해지자 양모 가격이 급격히 상승했다. 마을 공동 방목지에 양을 더 많이 집어넣어 키우기 시작했다. 개인의 입장에서는, 양을 키워 얻는 이익은 모두 자기 것인 반면, 양을 키움으로 인해 발생하는 비용인 목초지의 황폐화는 마을 전체가 나누어 부담하기 때문이다. 그 결과 목초지가 황폐화되어 모든 양이 굶어 죽어 모든 사람이 피해를 보게 되었다. 결국 마을 공동으로 사용하던 목초지에 개인별로 울타리를 쳐서 사적 소유화하여 이익과 비용을 일치시킴으로써 문제를 해결할 수 있었다.

Part 1
Part 2
Part 3
Part 4
Part 5
Part 6
Part 7

해커스 김종수 토스클 맵핑 200주제

2. 쟁점과 논거

찬성론: 환경 보호	반대론: 산업경쟁력 저하
[환경 보호] 환경은 우리 삶의 터전으로 전 세계, 미래 세대까지 영향을 미친다. 온실가스의 과다배출로 지구 온난화가 발생하여 우리가 예상할 수 없는 환경재난이 발생하고 있다. 온실가스배출권 구매제도는 온실가스를 많이 발생시키는 산업계의 자발적 감축을 유도하여 환경을 보호할 수 있다.	**[국가경쟁력 약화]** 온실가스배출권 구매제도는 온실가스배출로 인한 비용을 기업에 지운다. 기업의 비용 증가로 기업의 산업경쟁력이 약화된다. 격화되는 산업경쟁에서 비용 증가는 산업 도태로 이어진다. 온실가스배출권 구매제도로 인해 제조업 비중이 큰 우리나라의 국가경쟁력이 약화될 것이다.
[국민 보호] 지구 온난화로 인해 예측할 수 없는 전 지구적 환경재난이 발생하고 있다. 예를 들어 초대형 태풍, 대규모 가뭄, 외래곤충 이상증식 등이 있다. 국민을 위협하는 전 지구적 환경재난을 예방하기 위해 온실가스를 감축해야 하고 온실가스배출권 구매제도를 시행해야 한다.	**[국민생활 안정]** 제조업의 고용 유발 효과가 큰데, 온실가스배출권 구매제도로 인해 제조업 산업기반이 약화되면 이 분야 고용이 줄어들 수 있다. 고용의 감소는 국민의 생활 안정에 악영향을 준다. 특히 제조업 고용은 소득하위계층의 일자리에 큰 영향을 준다는 점에서 문제가 더 크다.
[자기책임의 원칙] 자유 행사에는 책임이 따른다. 산업계는 에너지를 사용하여 이익을 추구한다. 에너지 사용에는 온실가스배출이 수반되는데 시장 내부에서 이를 해결할 수 없어 외부적 문제를 일으키고 있다. 에너지 사용의 이익은 기업이 갖고, 온실가스배출로 인한 책임은 지지 않는다면 자기책임원칙에 위배된다.	**[자기책임의 원칙 위배]** 우리나라 제조업의 에너지 효율성은 이미 높은 상황이다. 이 상황에서 온실가스배출량 감축률을 결정하여 산업계는 과도한 책임을 지게 된 셈이다. 온실가스배출권 구매제도는 온실가스 저감에 이미 노력을 기울인 산업계에 과도한 책임을 지우는 것으로 타당하지 않다.

3. 읽기 자료

탄소배출권 거래제[112]

112)

탄소배출권 거래제

133 문제 | 온실가스배출권 거래제도

※ 다음 제시문을 읽고, 문제에 답하시오.

(가)

굴드 \ 도킨스	협력(함구)	배신(자백)
협력(함구)	굴드 1년 형, 도킨스 1년 형	굴드 10년 형, 도킨스 풀려남
배신(자백)	굴드 풀려남, 도킨스 10년 형	굴드 3년 형, 도킨스 3년 형

- 트리버즈: 가령 도킨스와 굴드가 용의자라고 하고 위와 같은 상황을 상상해봅시다. 이 둘이 모두 협력하여 상대방이 범인이 아니라고 자백한다면 둘 모두 1년 형을 받습니다. 반면 둘 다 배신하면 둘 다 3년 형을 받습니다. 그리고 도킨스가 협력을 하고 굴드가 배신을 하면 도킨스는 10년 형을 받고, 도킨스만 배신을 하면 도킨스만 풀려납니다. 이런 상황에서 도킨스가 취할 수 있는 가장 합리적인 행동은 무엇일까요?
- 사회자: 굴드가 협력하는 경우에는 도킨스가 배신을 하면 도킨스에게 가장 유리하고(풀려남), 굴드가 배신을 하는 경우에도 도킨스가 취할 수 있는 최선은 배신을 하는 것(3년 형 < 10년 형)이겠죠.
- 트리버즈: 계산이 빠르시네요. 맞습니다. 이 상황에서 도킨스의 최선은 무조건 배신하는 전략이지요. 이게 바로 그 유명한 죄수의 딜레마입니다. 만일 두 용의자가 모두 협력을 했다면 1년 형을 살았을 텐데, 논리적으로는 두 용의자가 모두 배신하는 것이 각자에게 제일 유리하다는 결론이 나왔기에 배신을 선택하고 3년 형을 살게 된다는 것이지요.

(나) 온실가스배출권 구매제도는 정부가 온실가스배출을 줄이기 위해 마련한 제도로, 개별 기업에 매년 배출 허용량을 할당하되 할당량보다 더 많은 온실가스를 배출하는 기업은 온실가스 거래소에서 배출권을 구매해야 한다. 만일 할당량을 넘어선 기업이 배출권을 살 수 없으면 과징금을 물어야 한다. 2015년 1월부터 시행되었으며 정부는 525개 기업에 온실가스배출 할당량을 통보했다.

(다) 2015년 파리 기후변화 당사국 총회에서 195개국이 파리협정(Paris Agreement) 체결에 동의하였다. 교토 의정서 체제에서는 일부 선진국만 온실가스 감축의무를 지고 있었으나, 파리협정 체제에서는 선진국과 개발도상국 모두 자발적 계획에 따라 온실가스를 감축하게 된다. 파리협정은, 지구 평균기온 상승을 산업화 이전 대비 2℃ 이내의 상당히 낮은 수준으로 유지하되, 온도 상승을 1.5℃ 이하로 억제하기 위해 노력한다는 장기 목표를 갖고 있다.

우리나라는 파리협정에서 선진국과 개발도상국의 중간자적 역할을 했다고 자평하고 있다. 우리나라의 감축목표는 2030년 온실가스배출 전망치 대비 37% 감축을 목표로 삼고 있다. 그러나 외국에서는 감축목표라기보다 증가목표라고 비판하고 있다.

Q1. 지구 온난화로 인해 기후 변화가 심각한 문제로 대두되고 있다. 그러나 지구 온난화를 해결하기는 쉽지 않아 보인다. (가)의 제시문의 죄수의 딜레마를 사용하여 지구 온난화 문제 해결을 위해 온실가스 배출을 억제하기 어려운 이유를 논증하시오.

Q2. 전 지구적인 온실가스배출을 억제할 방법을 논리적으로 제시하시오.

Q3. (나)의 온실가스배출권 구매제도의 의의는 무엇인가, 그리고 효과가 있겠는가?

Q4. (나)의 온실가스배출권 구매제도는 온실가스를 자유롭게 거래할 수 있다는 것인데, 공동체주의자인 샌델은 이에 대해 '돈으로 살 수 없는 것'을 돈으로 거래하여 가치를 훼손하는 것이라 하였다. 이 의미는 무엇인가?

Q5. (나)의 온실가스배출권 구매제도에 대한 샌델의 비판을 받아들인다면, 지구 온난화를 해결하기 위한 가장 좋은 방법은 무엇인가?

Q6. (다)에서 우리나라가 목표를 낮춰 잡은 이유는 무엇이라고 생각하는가?

추가질문

Q7. (다)의 상황에서 우리나라는 온실가스 감축량의 11%에 해당하는 탄소배출권을 국제탄소시장에서 구매하겠다고 밝혔다. 이로 인한 문제점을 다각도로 예측하시오.

Q8. 온실가스를 감축하려면, 화력발전이나 천연가스발전은 온실가스를 발생시키므로 원자력발전소를 계속 유지해야 하지 않겠는가?

Q9. 미국의 트럼프 전 대통령은 파리기후협정에서 탈퇴하겠다고 밝혔다. 미국이 파리기후협정에서 탈퇴한 이유를 죄수의 딜레마를 이용하여 설명하시오.

Q1. 모범답변

위의 죄수의 딜레마에 따르면, 굴드와 도킨스는 각각 협력을 선택하여 자신의 이익을 극대화하는 것이 최고의 선택이나, 상대방을 신뢰할 수 없어 각각 배신을 선택하여 자신의 이익을 최소화하는 선택을 하게 됩니다. 결국 구성원 각자에게 이익이 되는 행동이 공동체에는 손해가 되는 경우를 공유지의 비극이라 합니다.

온실가스배출로 인한 이익은 일국가에 전적으로 귀속되는 것에 비해 온실가스배출로 인해 발생하는 비용은 전 세계로 나누어지기 때문입니다. 따라서 일국가로서는 온실가스배출로 인한 이익과 비용을 계산했을 때 순익이 더 큰 것으로 인식됩니다. 그러나 전 세계적으로 볼 때 온실가스배출로 이익과 비용은 오히려 비용 측면이 더 클 수 있습니다. 결국 전 세계적으로는 온실가스배출을 억제해야 함에도 불구하고 개별 국가로서는 온실가스배출을 억제하지 않고자 하는 유인이 큽니다. 따라서 각국이 온실가스배출을 스스로 억제할 가능성이 매우 낮아 지구 온난화 문제 해결이 어렵습니다.

Q2. 모범답변

온실가스배출을 억제할 방법으로 크게 세 가지 방법을 제시할 수 있습니다.

먼저 국가가 온실가스 규제를 일괄적으로 정하고 규제하는 방법이 있습니다. 그러나 온실가스는 전 지구적인 문제로 국제사회의 문제이므로 개별 국가가 일괄적으로 온실가스를 규제할 수 없으므로 국제협약을 통해 이를 강제합니다. 예로써 교토 의정서와 파리협약이 바로 이를 규정하고 강제하는 국제규약입니다.

두 번째로 시장적으로 가격을 형성할 수 있는 자발적 거래제도를 활성화하는 방법이 있습니다. 온실가스거래소가 바로 그 사례입니다.

마지막으로 연대성을 바탕으로 하여 인류 공동체가 자발적으로 해결하는 방법이 있습니다. 이는 우리 스스로가 인류공동체와 지구환경 보호를 위해 자발적으로 에너지 소비를 줄이는 것입니다. 예를 들어, 자가용을 타기보다 대중교통을 이용하고 더 나아가 자전거나 걷는 것이 있습니다.

Q3. 모범답변

온실가스배출권 구매제도는 환경 보호를 위해 의미가 있습니다. 환경 보호는 우리 삶의 터전이 되는 환경을 위해 필요할 뿐만 아니라 미래 세대를 위한 것으로 그 중요성이 매우 큽니다. 현재 지구 온난화가 진행되면서 예측할 수 없는 기후 변화와 재해·재난이 일어나고 있습니다. 이산화탄소는 대표적인 온실가스로 석탄이나 석유 등 화석연료 사용 시 부수적으로 발생합니다. 이처럼 온실가스 발생이 더 늘어난다면 예측할 수 없는 환경 변화로 인해 인류의 삶 자체가 불가능할 수도 있습니다. 따라서 온실가스 규제는 시행되어야 합니다.

그러나 온실가스 규제는 경제에 큰 악영향을 미칠 수 있다는 단점이 있습니다. 화석연료의 사용 없이 경제활동이 불가능한 현실을 고려한다면, 온실가스 규제는 경제에 직접적인 악영향을 줍니다. 그렇다고 단기적으로 대체에너지 사용이 일반화될 수 있는 것도 아닙니다. 따라서 온실가스 규제는 경제에 미치는 악영향을 최소화시키는 수단을 사용하여야 합니다.

온실가스배출권 구매제도를 시행하면 온실가스배출 총량을 제한할 수 있으며 예측가능성을 확보할 수 있다는 효과가 있습니다. 이산화탄소 등의 온실가스배출 자체를 규제할 경우, 경제 발전에 큰 악영향을 미칠 수 있습니다. 그러나 온실가스배출권 구매제도를 시행할 경우, 경제 발전에 악영향을 최소화하면서 환경 보호라는 가치를 달성할 수 있습니다. 온실가스배출권제도가 시행되면 온실가스배출을 가장 적게 하는 기술을 보유한 기업이 온실가스배출 저감분을 다른 기업에 팔 수 있습니다. 그렇다면 온실가스배출 저감기술을 보유하지 못한 기업은 그만큼의 비용을 지불해야 합니다. 따라서 온실가스배출 저감기술을 개발하도록 강제하지 않고도 자발적으로 기술개발을 하도록 유도할 수 있습니다.

Q4. 모범답변

환경 보호는 인류공동체가 모두 함께 지켜나가야 할 가치입니다. 이를 위해 온실가스배출을 억제하고 지구 온난화를 모두 함께 해결하고자 자발적으로 노력해야 합니다. 그런데 온실가스배출권 구매제도는 돈을 지불하면 온실가스를 배출해도 된다는 신호를 주는 것입니다. 그렇다면 돈이 많은 국가나 기업은 굳이 온실가스배출을 억제하기 위해 노력하기보다 손쉽게 돈으로 사려 할 것이며, 이 행위는 온실가스배출을 억제하기 위해 노력하고 있는 인류공동체의 다른 구성원의 가치를 훼손하는 것입니다. 결국 환경 보호를 위해 모든 인류가 함께 노력해야 한다는 연대성은 약해지고 누구나 손쉽게 돈을 주고 이 가치를 살 수 있다고 여기게 됩니다. 그렇다면 환경보호라는 인류공동체적 가치는 돈과 손쉽게 교환되는 가치로 변질되고 말 것입니다.

Q5. 모범답변

지구 온난화를 해결하기 위한 가장 좋은 방법은 에너지 소비를 자발적으로 줄이는 방법이 있습니다. 온실가스배출권제도는 현재의 불평등을 고착화시킬 수 있다는 문제점이 있습니다. 현재 온실가스배출 저감기술을 가진 기업은 선진국의 기업일 가능성이 매우 높습니다. 선진국의 기업은 이미 확보하고 있는 탄소저감기술을 이용해 온실가스배출권을 개발도상국의 기업들에 팔아 얻은 이윤을 바탕으로 새로운 기술을 개발할 것입니다. 반면 현재 기술력이 모자란 개발도상국의 기업들은 현재의 비용에 온실가스배출비용이 추가적으로 들어가 기술개발에 투자할 자금이 부족할 수밖에 없습니다. 따라서 온실가스배출권 거래제도는 현재의 불평등을 고착화할 수 있습니다.

환경은 현세대의 것만이 아니라 미래 세대의 것이기도 합니다. 이처럼 지구환경 보호는 나만의 문제가 아니라 우리 모두, 후손들까지 포함하는 문제라는 것을 인식하여 자발적으로 에너지 소비를 줄인다면 문제점을 최소화하면서 지구 온난화를 해결할 수 있습니다. 연대성을 발휘하여 대중교통을 이용하거나 자전거를 사용하거나 과도한 냉난방을 하지 않는 방식으로 모든 사람이 자발적으로 지구 온난화를 해결하는 데 기여할 수 있습니다.

Q6. 모범답변

우리나라의 경제활성화 문제 때문입니다. 우리나라는 에너지 구조가 화석연료 사용에 맞춰져 있고 경제 기반도 중화학공업과 자동차 등 화석연료 기반산업을 중심으로 발전한 제조업에 강점이 있는 나라입니다. 그러다 보니 파리협정에 따라 온실가스배출을 감축하려면 경제구조를 바꿔야 합니다. 이 과정에서 국가경제 위축이 예상됩니다.

Q7. 모범답변

먼저, 전 세계로부터 감축 의지가 없다는 평가를 받을 수 있습니다. 실제로 우리나라는 교토 의정서와 파리협정에 가입하면서 개발도상국의 지위를 유지하려 애썼는데, OECD 가입국으로 유리할 때에는 선진국의 지위를 불리할 때에는 개발도상국의 지위를 주장한다는 비판을 받은 바 있습니다.

둘째로, 국제적 손실을 볼 가능성이 크다는 문제점이 있습니다. 현재 국제탄소시장의 거래량이 그리 크지 않으나, 파리협정에 따라 2023년부터 5년 단위로 국제사회 공동차원의 종합적 이행점검을 받을 즈음이 되면 탄소배출량 감축목표를 달성하기 위해 탄소배출권공급에 비해 수요가 급증하여 가격이 급등할 수도 있습니다. 그런데 우리나라는 감축 노력 자체를 하지 않고 11%에 해당하는 배출권을 사들인다고 이미 공개해버린 상황이므로 여분의 탄소배출권을 가진 국가나 기업이 이를 예상하고 수급을 조절한다면 큰 손실을 볼 수도 있습니다.

마지막으로, 신에너지 경제 질서를 주도할 수 있는 기술 개발에 소극적이 되어 국가경쟁력에 문제가 발생할 수 있습니다. 저탄소사회는 이미 피할 수 없는 미래입니다. 어차피 다가올 미래라면 더 적극적으로 목표를 설정하고 이를 달성하기 위해 구조조정을 해야 합니다. 그런데 국가의 목표가 소극적일 경우 기업으로서는 재생에너지 사용을 늘린다거나 하는 등의 자구노력을 기울일 필요성이 적어집니다. 그 결과 국제적 산업 구조 개편에서 뒤처져 국가경쟁력에 문제가 발생할 수밖에 없습니다.

Q8. 모범답변

온실가스를 감축하기 위해 원자력발전소를 유지해야 한다는 주장은 타당하지 않습니다. 온실가스 감축의 목적은 인류의 생존을 안정적으로 보장받기 위함입니다. 온실가스가 증가하면 지구의 에너지 순환이 깨져 예측할 수 없는 기후 변화가 일어나 인류의 생존이 위태로워집니다. 이러한 목적을 고려할 때, 원자력발전소는 인류의 생존을 위협하는 측면이 크기 때문에 원자력발전소를 폐쇄해 나가야 합니다. 미국의 스리마일섬 사건, 소련의 체르노빌 사건, 일본의 후쿠시마 사건에서도 확인할 수 있듯이 원자력발전소는 인류의 생존에 큰 위협이 됩니다. 위협을 막기 위해 다른 위협을 감수해야 한다는 것은 모순입니다. 따라서 재생에너지를 개발하여 사용비중을 늘려나가고, 에너지 소비효율을 높이는 기술 개발을 유도하며, 에너지 소비 자체를 줄이는 자발적 노력을 통해 온실가스 감축을 이루어야 합니다.

Q9. 모범답변

죄수의 딜레마 상황에서 홀로 배신을 선택하면 큰 이익을 얻을 수 있기 때문입니다. 전 세계 선진국과 중진국이 모두 힘을 합쳐 온실가스배출을 줄인다면, 개별 국가인 미국은 이에 무임승차하는 것이 가장 큰 이익을 얻는 선택이 됩니다. 다른 모든 나라가 경제가 위축되는 것을 감수하고 있을 때, 화석연료를 이용하여 싼 가격에 에너지를 사용하고 경제 성장의 과실만을 누릴 수 있습니다.

그러나 이러한 선택은 모든 국가들이 미국과 같은 선택을 하도록 유인하는 효과가 있으므로 정당한 선택이라 할 수 없습니다.

134 개념 | 환경문제의 해결방안

2024 건국대·2021 성균관대·2020 시립대 기출

1. 기본 개념

환경문제의 해결방안은 크게 세 가지가 있다. 첫째로 국가의 강제, 둘째로 시장적 거래, 셋째로 공동체의 직접 해결이 있다. 환경문제를 해결하기 위해 특정한 하나의 방법을 사용한다기보다는 모든 해결방안을 다 사용하는 것이 일반적이다. 그러나 사안에 따라서는 특정한 방법을 사용할 수 없는 경우가 있으므로 주의할 필요가 있다.

(1) 국가의 강제

국가가 직접 강제하여 해결하는 것으로서 형벌 등과 같은 국가의 강제력을 이용한 방법이다. 환경오염을 일으키는 행동을 하지 못하도록 처벌을 통한 위하력을 주어 금지하는 것이다. 예를 들어 자동차 배기가스 규제가 대표적이다. 개별 기업으로서는 자동차 배기가스를 다량 배출하도록 차량을 제조하는 것이 자동차 가격 하락과 판매 증대에 도움이 되어 기업이익을 증대시키기 때문에 결과적으로 환경오염이 발생할 수밖에 없다. 그렇기 때문에 국가가 자동차 배기가스 규제를 하여 일정량 이상의 오염물질을 배출하는 자동차의 제조와 판매를 금지하고 있다. EU의 자동차 환경규제인 유로6 규제가 대표적인 규제이다. EU는 기후위기 문제를 해결하기 위해 2035년부터 내연기관 자동차의 판매를 금지하도록 강제하였다.

그러나 국가의 강제는 국민의 객체화라는 문제점이 있다. 공동체의 문제를 국가의 강제로써 해결하기 때문에 국민이 스스로 왜 이러한 문제를 해결해야 하는지 이해하지 못하고 수동적으로 객체화된다. 국가가 단지 금지하고 처벌하기 때문에 지키는 것이 되어 국민이 스스로 문제의식을 갖지 못하게 된다.

(2) 시장 거래

시장 거래는 재산권을 규정하고 인정함으로써 시장 내부에서 해결되도록 유도하는 간접적 규제방식이다. 환경오염이 발생하는 원인은 이익과 비용의 주체가 다르기 때문이므로 이익과 비용의 주체를 일치시켜 문제를 해결하는 방식이다. 예를 들어, 쓰레기 종량제와 같은 환경부담금이 있다. 쓰레기 종량제는 쓰레기를 배출하는 비용을 쓰레기를 배출하는 주체가 직접 부담하게 함으로써 스스로 그 비용을 감안하도록 유도한다. 각 개별 주체는 쓰레기를 많이 배출하면 자신의 비용이 증가하기 때문에 재활용이 가능한 쓰레기를 분리배출하여 자신의 쓰레기 처리비용을 줄이고자 하는 유인이 있다. 이처럼 재산권을 규정하고 비용을 부과하여 시장 내부에서 스스로 문제를 해결하도록 유도한다.

그러나 간접적 규제방식인 시장적 거래의 문제점은, 사회갈등의 발생이 우려된다는 것이다. 부(富)의 정도에 따라 태도가 달라지기 때문이다. 예를 들어, 환경오염의 해결을 시장 거래 방식으로 시도하면, 고소득자는 환경을 오염시켜도 되고 저소득자는 환경을 오염시키면 안 된다는 생각으로 이어질 수 있다.

(3) 공동체의 직접 해결

공동체의 직접 해결은 공동체 구성원이 환경오염의 문제를 자신과 공동체의 문제로 인식하여 자발적으로 문제를 해결하는 방법이다. 대표적인 예로, 지구 온난화로 인한 기후 변화 등의 문제가 인류의 문제일 뿐만 아니라 나 자신의 문제이기도 하다는 점을 깨달아 스스로 해결하고자 하는 직접적 행동 변화를 들 수 있다. 가까운 거리는 차량 이용 대신 걸어 다니거나 자전거를 이용하여 차량 이용과 에너지 소비를 줄이는 방법이 있다.

공동체의 직접 해결의 문제점은 가시적인 효과가 나타나기 어렵다는 점이다. 공동체의 직접 해결은 개인의 인식과 의식에 달려 있기 때문에 장기적으로 효과를 발휘할 수는 있으나, 단기적으로 목표를 달성하거나 예측가능한 수준으로 통제하기 어렵다는 문제점이 있다.

2. 읽기 자료

플라스틱 해양오염[113]

113)

플라스틱 해양오염

⏱ 답변 준비 시간 20분 | 답변 시간 15분

※ 다음 제시문을 읽고, 문제에 답하시오.

(가) 공공재나 공유재는 무임승차가 가능하다는 점에서 시장실패가 발생하는 경우가 많다. 특히 환경이 그 대표적인 사례가 될 수 있다. 환경은 누구나 이용할 수 있어 배제할 수 없고 환경을 이용한 결과 발생한 이익은 개인에게 귀속되는 반면 환경 이용 시 발생한 오염으로 인한 비용은 모든 사람에게 나누어지기 때문에 누구나 환경을 오염시켜 자신의 이익을 도모하는 것이 개인에게는 효율적일 수밖에 없다. 그러나 환경을 전 지구적으로 보면 환경을 이용함으로써 발생하는 이익과 환경오염으로 인한 비용은 결국 동일하다.

(나) 정부가 환경오염을 규제하는 수단은 크게 정부의 직접 규제, 시장유인을 통한 간접 규제, 정부의 직접 투자 등의 세 가지 유형으로 분류할 수 있다.

먼저, 정부가 직접 규제를 통하여 환경오염을 조절하는 방법에는 환경오염행위를 처음부터 완전히 금지시키는 방법과 환경오염 허용기준을 세워 이를 넘지 않도록 감시하는 두 가지 방법이 있다. 첫째로 완전히 금지시키는 방법의 대표적인 사례로 수은이나 핵폐기물 등의 독극물에 대한 배출 금지가 있다. 둘째로 환경오염 허용기준을 세우고 이를 규제하는 방식의 대표적 사례로 자동차 배기가스에 대한 기준이 있다.

시장유인을 통한 간접 규제는 재산권을 부여하는 방법, 배출부과금을 부과하는 방법, 보조금을 지급하는 방법, 오염배출권을 거래하는 방법이 있다. 이 중에서 가장 최근에 고안된 방법은 오염배출권을 거래하는 방법이다. 오염배출권이란 정부가 사회적 적정오염수준으로서의 오염물질배출 총량을 결정하여 이를 개별 오염원들에 할당해준 것을 말한다. 각 오염원은 자기가 할당받은 한도(할당량)만큼 오염물질을 배출할 권리를 갖는다. 이 제도하에서 각 오염원은 할당량만큼만 배출하는 것이 아니라 원한다면 할당량 이상이나 이하로 배출할 수 있다. 할당량 이하로 배출할 때에는 나머지를 시장에 팔 수 있다. 할당량 이상으로 배출하고자 할 때에는 그 초과분을 시장에서 살 수 있다.

마지막으로, 정부의 직접 투자가 있다. 국민이 직접 선출한 정부가 국민의 환경권이나 건강권에 대한 보호를 위해 직접 나서는 것이다. 이는 공동체가 달성해야 할 사회적 가치를 국민이 스스로 정하고 이를 국가와 정부를 통해 실현하는 방식이다. 특히 환경오염의 해결은 규모의 경제가 실현되어야 하는 경우가 많기 때문에 국가적인 투자가 필요하다. 하수종말처리장의 건설과 운영, 쓰레기 수거와 처리, 빈민가 재개발 사업 등이 대표적인 사례이며, 환경공해문제의 조사연구와 교육지원 등을 통한 장기적 대책을 마련하는 경우도 있다.

Q1. 제시문 (가)의 논리에 따라 환경오염이 발생하는 이유를 제시하고, 이를 커피숍에서 흔히 사용하는 플라스틱 빨대 사례에 적용하여 설명하시오.

Q2. 제시문 (나)는 환경오염 해결방법으로 세 가지의 방법을 제시하고 있다. (나)의 세 가지 해결방법을 모두 제시하고, 각각의 해결방법을 플라스틱 빨대 외의 다른 사례에 적용해 설명하시오.

Q3. (나)에서 제시한 세 가지 해결방법의 문제점을 간략하게 설명하시오.

Q4. 플라스틱 빨대의 과도한 사용으로 인해, 해양동물과 생태계의 피해가 발생하고 미세플라스틱으로 인한 인체의 유해성 논란 등과 같은 문제가 발생하고 있다. 위 문제에서 제시한 (나)의 환경오염 해결방법 각각을 플라스틱 빨대 문제에 적용하여 플라스틱 빨대 사용을 줄이기 위한 방법으로 타당한지 평가하시오.

Q5. 플라스틱 빨대문제의 해결방법에 대한 자신의 견해를 논하시오.

Q1. 모범답변

    제시문 (가)에 따르면 환경오염이 발생하는 이유는 이익과 비용의 주체가 다르기 때문입니다. 개별 주체로서는 환경을 이용함으로써 발생하는 이익은 개별 주체에게 전적으로 귀속되는 반면, 환경이용으로 인한 오염 비용은 전 지구적으로 나누어지기 때문에 개별 주체는 환경을 이용하여 자신의 이익을 극대화하는 것이 합리적입니다. 플라스틱 빨대 규제의 경우, 플라스틱 빨대를 이용함으로써 발생하는 편리함은 개인에게 전적으로 귀속되는 반면, 플라스틱 빨대가 바다로 흘러 들어가는 등으로 인한 오염 비용은 전 지구적으로 나눠지게 됩니다. 따라서 합리적인 개인은 플라스틱 빨대를 사용하는 것이 합리적인 의사결정이 됩니다. 그러나 사회 전체적으로는 플라스틱 빨대 사용으로 인한 오염비용이 크기 때문에 사용을 하지 않는 것이 합리적입니다.

Q2. 모범답변

    (나)에서는 환경오염을 해결할 수 있는 방법으로 크게 세 가지를 제시하고 있습니다. 첫째로 국가의 금지, 둘째로 시장적 거래, 셋째로 공동체의 직접 해결이 있습니다.

    먼저 국가의 금지는 형벌 등과 같은 국가의 강제력을 이용한 방법입니다. 환경오염을 일으키는 행동을 하지 못하도록 처벌을 통한 위력을 주어 금지하는 것입니다. 예를 들어 자동차 배기가스 규제가 있습니다. 개별 기업으로서는 자동차 배기가스를 다량 배출하도록 차량을 제조하는 것이 자동차 가격 하락과 판매 증대에 도움이 되어 기업이익을 증대시키기 때문에 결과적으로 환경오염이 발생할 수밖에 없습니다. 그렇기 때문에 국가가 자동차 배기가스 규제를 하여 일정량 이상의 오염물질을 배출하는 자동차의 제조와 판매를 금지하고 있습니다. EU의 자동차 환경규제인 유로6 규제가 대표적인 규제입니다.

    둘째로, 시장적 거래는 재산권을 규정하고 인정함으로써 시장 내부에서 해결되도록 유도하는 간접적 규제방식입니다. 환경오염이 발생하는 원인은 이익과 비용의 주체가 다르기 때문이므로 이익과 비용의 주체를 일치시켜 문제를 해결하는 방식이라 할 수 있습니다. 예를 들어, 쓰레기 종량제와 같은 환경부담금이 있습니다. 쓰레기 종량제는 쓰레기를 배출하는 비용을 쓰레기를 배출하는 주체가 직접 부담하게 함으로써 스스로 그 비용을 감안하도록 유도합니다. 각 개별 주체는 쓰레기를 많이 배출하면 자신의 비용이 증가합니다. 따라서 재활용이 가능한 쓰레기를 분리배출하여 자신의 쓰레기 처리비용을 줄이고자 하는 유인이 있습니다. 이처럼 재산권을 규정하고 비용을 부과하여 시장 내부에서 스스로 문제를 해결하도록 유도합니다.

    마지막으로, 공동체의 직접 해결은 공동체 구성원이 환경오염의 문제를 자신과 공동체의 문제로 인식하여 자발적으로 문제를 해결하는 방법입니다. 대표적인 예로, 지구 온난화로 인한 기후 변화 등의 문제가 인류의 문제일 뿐만 아니라 나 자신의 문제이기도 하다는 점을 깨달아 스스로 해결하고자 하는 직접적 행동 변화를 들 수 있습니다. 가까운 거리는 차량 이용 대신 걸어 다니거나 자전거를 이용하여 차량 이용과 에너지 소비를 줄이는 방법이 있습니다.

Q3. 모범답변

먼저 국가의 금지라는 해결방법의 문제점으로 국민의 객체화를 제시할 수 있습니다. 공동체의 문제를 국가의 강제로써 해결하기 때문에 국민이 스스로 왜 이러한 문제를 해결해야 하는지 이해하지 못하고 수동적으로 객체화될 수 있습니다.

둘째로, 간접적 규제방식인 시장적 거래의 문제점은 사회갈등의 발생이 우려된다는 점입니다. 부의 정도에 따라 환경오염을 대하는 태도가 달라지기 때문입니다. 고소득자는 환경을 오염시켜도 되고 저소득자는 환경을 오염시키면 안 된다는 생각으로 이어질 수 있다는 문제가 있습니다.

마지막으로, 공동체의 직접 해결의 문제점은 가시적인 효과가 나타나기 어렵다는 점입니다. 공동체의 직접 해결은 개인의 인식과 의식에 달려 있기 때문에 장기적으로 효과를 발휘할 수는 있으나, 단기적으로 목표를 달성하거나 예측가능한 수준으로 통제하기 어렵다는 문제점이 있습니다.

Q4. 모범답변

첫 번째, 국가 강제의 방법에 따르면 플라스틱 빨대 사용을 금지해야 합니다. 플라스틱 빨대 사용을 법적으로 규제하고 벌금이나 처벌 등을 통해 강제하게 됩니다. 이처럼 국가가 법으로 규율하고 강제하여 커피숍과 소비자 개개인이 플라스틱 빨대를 사용할 수 없도록, 즉 개별 주체의 선택을 강제하면 플라스틱 빨대 사용은 줄어들게 되고 사회적 이익을 달성할 수 있습니다.

둘째로, 시장적 거래 방법에 따르면 플라스틱 빨대 사용 시 돈을 지불하도록 해야 합니다. 플라스틱 빨대를 사용하고자 하는 소비자는 개인의 편리함이라는 편익이 있기 때문에 이를 사용하고자 하는 것입니다. 따라서 플라스틱 빨대에 일정 정도 가격을 부여하여, 이 편익이 일정 정도 이상이 되는 소비자만 플라스틱 빨대를 사용하도록 하고, 이 빨대판매가격의 일부를 플라스틱 빨대 사용으로 인한 문제를 해결하기 위한 비용으로 충당하는 방법이 있습니다. 이를 통해 플라스틱 빨대를 사용하는 당사자가 플라스틱 빨대 사용으로 인한 사회적 비용을 스스로 부담하게 하는 것입니다. 외부비용을 시장 내부화함으로써 플라스틱 빨대 사용의 편익과 비용을 일치화시켜 문제를 해결할 수 있습니다.

셋째로, 공동체의 직접 해결에 따르면 시민들의 자발적 캠페인과 정보 제공을 통한 의식 개선 교육, 그리고 법 제정을 해야 합니다. 플라스틱 빨대 사용으로 인해 강과 바다가 오염되고 이것이 잘게 쪼개져 생태계로 다시 돌아와 우리가 마시는 식수 등에 미세플라스틱이 섞이는 문제가 발생하고 있습니다. 과도한 플라스틱 사용이 나 자신과 우리 공동체에 오염비용의 부담으로 이어진다는 것을 인식하고 개개인이 먼저 그 사용을 줄여야 한다는 것입니다. 그리고 이러한 문제의식에서 플라스틱 빨대 사용을 대체하거나 금지해야 한다는 시민적 요구가 일어나 법이 제정됩니다. 이처럼 공동체 구성원이 스스로 문제를 인식하고 자발적으로 문제를 해결하려 시도하는 방식이 공동체의 직접 해결입니다.

Q5. 모범답변

공동체의 직접 해결을 중심으로 하여 모든 방안을 동원해 해결해야 합니다. 플라스틱 빨대 사용으로 인해 발생하는 환경오염문제는 우리 공동체 전체의 문제입니다.

국가가 강제하여 해결한다면, 왜 우리가 이를 행해야 하는지 그 이유조차 모르게 될 것입니다. 이는 민주시민의 자세라 할 수 없습니다.

시장적인 거래로 해결한다면, 환경 보호라는 가치는 우리 모두가 함께 지켜야 할 가치가 아니라 특정계층만 지키는 가치로 전락하게 될 것입니다.

공동체 전체가 플라스틱 빨대 사용으로 인한 환경문제를 인식한 후, 공동체의 합의를 통해 법률로 제정함으로써 금지한다면 공동체가 강제력의 필요성을 깨달았기 때문에 국가에 의한 일방적 강제가 아니게 됩니다. 또한 시장적 거래에 있어서도 거래의 주체인 공동체 구성원이 문제점을 깨닫고 있다면 부의 문제와 공동체의 환경 보호 가치를 교환하는 것이 아니라 현실적인 문제 해결이 될 수 있습니다.

2024 이화여대/한국외대 기출

1. 기본 개념

(1) 브라질 아마존 열대우림

지구상에서 가장 긴 강인 아마존 강을 중심으로 형성되어 있는 아마존 우림(Amazon rainforest)은 지구의 열대우림지 중 절반 이상을 차지하며, 지구 산소의 20% 이상을 생성하기 때문에 지구의 허파라고 불린다.

아마존 열대우림은 남미 대륙의 9개국에 널리 퍼져 있는데, 가장 넓은 면적을 차지하고 있는 것이 브라질(60%)이다. 나머지는 페루(13%), 콜롬비아(10%), 베네수엘라, 에콰도르, 볼리비아 등에 산재해있다.

아마존은 6백만km²의 면적으로 아마존의 담수는 매초 1억 7천 5백만 리터가 대서양으로 흘러 들어가고, 이것은 지구상의 담수의 20%에 해당하는 양이다. 아마존 열대우림에서 자라는 나무의 수는 3,900억 그루, 16,000종으로 추산되고, 지구상의 동식물 중 10% 이상이 서식하고 있다.

아마존 열대우림은 연간 17만km²의 면적이 파괴되고 있는데, 대부분이 인위적인 벌목과 개발로 인한 것이다.

(2) 아마존 기금

브라질 정부는 산림황폐화를 방지하기 위해서 2008년에 국제협력의 일환으로 아마존 기금을 유치하여 활용하고 있다. 2007년 발리에서 개최된 13차 당사국 총회에서 국제사회는 아마존 산림황폐화 방지를 지원하기 위한 REDD+ 프로그램의 일환으로 아마존 기금을 제공하기로 결정하였다. 2008년에 운영되기 시작한 아마존 기금에는 노르웨이가 93.8%를 지원하고 독일이 5.7% 그리고 브라질의 국영 석유회사인 페트로브라스(Petrobras)가 0.5%를 공여하였다.

아마존 개발을 공약한 브라질의 보우소나루 정부가 들어서면서, 2019년부터 아마존 기금의 신규 자금 지원이 중지되었고, 이로 인해 산림황폐화 방지를 위한 신규 프로젝트는 진행되지 못하고 있다.

2021년을 기준으로 아마존 기금의 21.4%에 해당하는 1억 5천만 달러가 적립되어 있다.

(3) 아마존 산림황폐화

브라질 정부는 1차 NDC에서 2030년까지 불법 산림황폐화를 완전히 근절하겠다고 발표했다. 그러나 국제협력이 사라지고 브라질 정부의 의지도 약화되면서 산림황폐화가 심각해지고 있다. 삼림은 대기의 이산화탄소를 감소시키는 역할을 하며, 아마존 열대우림의 삼림은 영국의 온실가스 배출량만큼 흡수하는 것으로 평가된다.

해커스 김종수 토스쿨 명칭 200주제

(4) 아마존 열대우림의 지구온난화 완화 기여

아마존 열대우림은 대량의 탄소를 산림 내에 고정시켜 지구온난화를 완화하는데 기여하고 있는데 특히 삼림의 증발산은 아마존 지역 강우의 25~35%에 기여한다. 지구 온난화로 인해 대기온도가 3~4도 올라가면 기후의 비가역적 변화로 인해 아마존 삼림의 회복을 기대할 수 없고, 지구의 온실가스 저장고와 산소 발생기가 사라질 수 있다.

2. 읽기 자료

브라질 기후변화 정책[114]

114)

브라질 기후변화 정책

135 문제 　아마존 파괴와 해결방안

⏱ 답변 준비 시간 20분 | 답변 시간 20분

※ 다음 제시문과 QR코드를 촬영하면 연결되는 제시문을 읽고, 문제에 답하시오.

(가) 아마존 열대우림에서 3주째 산불이 계속되자 브라질 정부가 뒤늦게 군 병력을 투입해 진화에 나섰으나, 늑장 대처로 비판받고 있다. 환경단체는 보우소나루 대통령이 개발을 우선시해 산불 확산을 방조했다고 비난하고 있다.

아마존 산불

(나) 브라질의 열대우림인 아마존은 지구의 허파와 같은 역할을 한다. 그러나 브라질은 경제 발전을 위해 아마존 열대우림을 벌채하고 있다. 브라질의 아마존 개발로 인해 한반도의 11배에 달하는 면적에서 이산화탄소 배출량이 흡수량보다 많다는 것이 관측되었다. 유럽 등 국제사회는 지구온난화를 우려하며 브라질에게 벌채 중단을 강력하게 요구하였고, 브라질은 선진국들이 아마존 개발 중단의 대가로 매년 수백억 달러의 지원금을 줄 것을 요구한다.

(다) A: 신재생에너지만으로는 경제개발이 불가하다. 탄소배출 규제는 인플레이션을 야기하고, 이로 인해 저소득층과 저개발국가가 피해를 입는다. 미래세대를 위해 현세대를 희생할 필요는 없다

　　B: 지구온난화를 막기 위해서는 극단적인 탄소 감축이 필요하다. 일률적으로 탄소 배출을 40% 감축해야 한다.

Q1. 제시문 (가)의 산불 사태에서 브라질 대통령은 아마존 화재에 대해 일부러 늑장 대처를 했다는 의혹을 받고 있다. 그 이유는 무엇인가?

Q2. 제시문 (나)에서 국제사회가 아마존 열대우림 보존을 위해 브라질에 지원금을 제공해야 하는가?

Q3. 제시문 (다)의 A와 B의 주장을 각각 비판하시오.

Q4. 지구온난화 대응책을 다각도로 제안하시오.

Q1. 모범답변

　개발론자인 브라질 대통령으로서는 아마존 화재의 피해는 전 세계로 나누어지지만 그로 인한 이익은 브라질 일국에 귀속되기 때문입니다. 아마존 열대우림에서 우연히 산불 화재가 발생했는데 브라질 당국은 소방활동에 미온적으로 대처했습니다. 브라질 당국은 아마존의 소방활동 비용은 자국에 귀속되는 데 반해 아마존의 유지로 인한 편익은 세계 전체로 분산되기 때문에 소방 활동을 열심히 하지 않았습니다. 게다가 아마존 화재로 인해 열대우림이 사라져 가능해지는 개발이익은 자국에 귀속되는 것에 반해 아마존 열대우림의 파괴로 인한 비용은 전 세계로 분담되기 때문에 소방 활동의 유인이 적을 수밖에 없습니다. 이를 해결하기 위해 유럽국가들은 세계적으로 조성한 아마존 환경기금을 지급하지 않을 수 있다고 하며 브라질 당국을 압박하여 문제를 해결한 바 있습니다. 이는 결국 시장적 해결방식을 선택한 것입니다.

Q2. 모범답변

　아마존 열대우림의 보존을 위해 국제사회가 브라질에 지원금을 제공하는 것이 타당합니다.

　아마존 열대우림은 '지구의 허파'라 불리고 있을 만큼 중요한 역할을 하고 있습니다. 따라서 아마존은 개발되지 않는 것이 전 지구적 차원에서 이익이 되는 것이 분명합니다. 그러나 아마존을 개발하지 않아서 발생하는 편익은 지구의 전 국가로 나누어지는 데 반하여, 아마존을 개발하지 않아 발생하는 비용은 브라질 1국가에 귀속됩니다. 따라서 브라질은 아마존을 개발하려 할 유인이 크고, 다른 국가들은 비용 부담 없이 아마존을 유지하고자 할 유인이 큽니다. 이처럼 아마존 열대우림 개발 문제는 편익과 비용의 귀속 주체가 다르고 편익과 비용이 정확하게 얼마인지 합의하기 어렵다는 문제점이 있습니다. 그러나 확실한 것은 지구온난화를 막기 위해 아마존 열대우림이 유지되어야 한다는 것이고, 국제사회는 아마존 열대우림 개발을 막을 수 있는 자본력을 갖춘 선진국들이 존재하고 있다는 점입니다. 특히 선진국들은 산업혁명 이후로 화석연료를 지속적으로 막대하게 사용하여 탄소 배출의 비용을 지구 전체 국가로 분산시켜 지구온난화에 큰 책임이 있을 뿐만 아니라, 탄소 배출의 편익을 자국의 자본으로 누적시켰습니다. 따라서 국제사회, 특히 선진국을 중심으로 브라질에 아마존 보호 지원금을 제공함이 타당합니다.

Q3. 모범답변

　A의 주장은 현세대의 경제적 이익만을 고려하고 있다는 점에서 비판할 수 있습니다. 지구는 인간의 삶의 터전이기 때문에 과거 세대들로부터 물려받아 현세대의 우리가 살아가며 미래세대에게 물려주어야 할 것입니다. 그런데 탄소배출 규제를 할 경우 현세대의 경제적 부담이 생긴다는 이유로 이를 거부하는 것은 공동체의 구성원으로서 져야 할 의무를 저버리는 것입니다. 게다가 탄소 배출 감축으로 인해 발생하는 인플레이션 등의 비용은 소비자 개인이 부담해야 할 책임이 분명합니다. 현재 화석연료를 이용함으로써 발생하는 이익은 소비자가 누리고 있으나, 탄소 배출과 같은 지구 환경에 대한 부담은 지구 대기 중으로 외부화시키고 있었던 것입니다. 따라서 탄소 배출 감축으로 인해 발생하는 비용은 지금까지 부담하지 않았던 소비자의 책임에 해당하므로, 응당 감수해야 할 것입니다.

B의 주장은 일률적 감축이 자기 책임의 원칙에 어긋난다는 점에서 비판할 수 있습니다. 선진국과 개발도상국의 탄소 배출 책임에 근거해 감축량이 결정되어야 할 것입니다. 선진국은 산업혁명 시기부터 지속적으로 화석에너지를 사용하며 지구온난화를 가속화시킨 책임이 있습니다. 그러나 개발도상국은 경제 개발의 역사가 짧기 때문에 지구온난화에 미친 영향력이 적습니다. 그럼에도 불구하고 일률적으로 탄소 배출을 감축해야 한다면, 선진국과 개발도상국의 격차는 앞으로도 유지되고 더 커질 가능성이 높습니다. 선진국은 장기간 탄소배출을 통해 달성한 자본력과 그동안 쌓아온 과학기술력으로 탄소배출량 감축에 성공하고 미래 경쟁력까지 갖추게 될 것입니다. 반면 개발도상국은 자본력과 과학기술력이 모두 부족해 탄소배출량 감축에 실패할 가능성이 크고 탄소배출권 거래제도 등에 의해 새로운 비용이 추가될 것이어서 지구온난화에 미친 영향력이 적은데도 불구하고 앞으로의 어려움은 더 가중될 것입니다. 따라서 일률적 탄소배출 규제는 타당하지 않습니다.

Q4. 모범답변

지구온난화를 해결하기 위해, 공동체의 직접 해결을 중심으로 하여 모든 방안을 동원해야 합니다. 지구온난화와 이로 인한 기후위기는 우리 공동체 전체의 문제입니다.

지구온난화와 같은 환경오염을 해결할 수 있는 방법은 크게 3가지가 있는데, 첫째로 국가의 금지, 둘째로 시장적 거래, 셋째로 공동체의 직접 해결이 있습니다.

먼저 국가의 금지는 형벌 등과 같은 국가의 강제력을 이용한 방법입니다. 환경오염을 일으키는 행동을 하지 못하도록 처벌을 통한 위하력을 주어 금지하는 것입니다. 예를 들어 자동차 배기가스 규제가 있습니다. 개별기업으로서는 자동차 배기가스를 다량 배출하도록 차량을 제조하는 것이 자동차 가격 하락과 판매 증대에 도움이 되어 기업이익을 증대시키기 때문에 결과적으로 환경오염이 발생할 수밖에 없습니다. 그렇기 때문에 국가가 자동차 배기가스 규제를 하여 일정량 이상의 오염물질을 배출하는 자동차의 제조와 판매를 금지하고 있습니다. EU의 자동차 환경규제인 유로6 규제가 대표적인 규제입니다.

둘째로, 시장적 거래는 재산권을 규정하고 인정함으로써 시장 내부에서 해결되도록 유도하는 간접적 규제방식입니다. 환경오염이 발생하는 원인은 이익과 비용의 주체가 다르기 때문이므로 이익과 비용의 주체를 일치시켜 문제를 해결하는 방식이라 할 수 있습니다. 예를 들어, 쓰레기 종량제와 같은 환경부담금이 있습니다. 쓰레기 종량제는 쓰레기를 배출하는 비용을 쓰레기를 배출하는 주체가 직접 부담하게 함으로써 스스로 그 비용을 감안하도록 유도합니다. 각 개별주체는 쓰레기를 많이 배출하면 자신의 비용이 증가합니다. 따라서 재활용이 가능한 쓰레기를 분리배출하여 자신의 쓰레기 처리비용을 줄이고자 하는 유인이 있습니다. 이처럼 재산권을 규정하고 비용을 부과하여 시장 내부에서 스스로 문제를 해결하도록 유도합니다.

마지막으로, 공동체의 직접 해결은 공동체 구성원이 환경오염의 문제를 자신과 공동체의 문제로 인식하여 자발적으로 문제를 해결하는 방법입니다. 대표적인 예로, 지구온난화로 인한 기후 변화 등의 문제가 인류의 문제일 뿐만 아니라 나 자신의 문제이기도 하다는 점을 깨달아 스스로 해결하고자 하는 직접적 행동 변화를 들 수 있습니다. 가까운 거리는 차량 이용 대신 걸어 다니거나 자전거를 이용하여 차량 이용과 에너지 소비를 줄이는 방법이 있습니다.

136 개념 | NDC 상향과 탄소국경세

2024 동아대/이화여대·2022 동아대/아주대/영남대 기출

1. 기본 개념

(1) 기후위기

대기 중 이산화탄소 농도는 산업혁명 이전 280ppm 수준이었으나 2016년 400ppm을 넘어섰고 남극의 온도는 과거 평균보다 6℃ 상승했다. 지구 온난화로 인해 수많은 종들이 멸종 위기에 들어섰다. 인류 역시 예측하지 못한 태풍이나 가뭄 등 극단적인 기후 현상이 증가할 가능성이 높고, 임계점 위험이 찾아올 것이라는 점 역시 제기되고 있다. 이에 전 지구적 노력이 필요하다는 문제의식이 커졌다.

기후위기의 정의는 다음과 같다. 기후변화가 극단적인 날씨뿐만 아니라 물 부족, 식량 부족, 해양 산성화, 해수면 상승, 생태계 붕괴 등 인류 문명에 회복할 수 없는 위험을 초래하여 획기적인 온실가스 감축이 필요한 상태를 말한다.

(2) 파리협정

파리협정은 선진국과 개발도상국 모두 온실가스 감축 의무를 부담한다. 국제사회 공동의 장기 감축목표를 구체화하여 지구의 온도를 산업화 이전 수준 대비 2℃보다 훨씬 아래(well below)로 유지하고, 1.5℃ 이하로 제한하기 위해 노력할 것을 명시하였다.

(3) NDC(Nationally Determined Contributions, 국가온실가스 감축목표)

이러한 온도목표의 달성을 위한 배출량 감축목표 등은 각 당사국이 스스로의 상황을 고려하여 자발적으로 정하도록 하는 상향식(bottom-up) 방식을 채택하였다. 당사국은 스스로 정하는 방식에 따라 NDC를 수립하여 온실가스 감축을 실행해야 하고, 5년 주기로 진전된 감축목표를 제출해야 한다. 파리협정은 NDC의 달성 여부를 2년 주기로 이행 경과에 대해 보고함으로써 감축목표 이행을 촉진한다.

2. 읽기 자료

탄소중립 기본법[115]
온실가스 감축목표[116]

[115]

탄소중립 기본법

[116]

온실가스 감축목표

⏰ 답변 준비 시간 10분 | 답변 시간 10분

※ 다음 제시문을 읽고, 문제에 답하시오.

(가) 2021년 새로운 기후협정인 유엔 기후변화 당사국 총회(COP26)가 영국에서 개최되었다. 온실가스 최대 배출국인 중국의 시진핑 국가주석과 러시아의 블라디미르 푸틴 총리는 불참을 통보했고, 이 두 나라를 비롯해 호주, 브라질, 멕시코, 인도네시아, 사우디아라비아 등이 기존보다 강화된 국가 온실가스 감축목표(NDC)를 내놓지 못했다. 수십 년 동안의 글로벌 기후협정의 결과로 온실가스 감축을 실천할 시점이 되자, 각국이 자국의 산업·에너지 생태계 보호에 관심을 두고 있다.

(나) 우리나라는 파리기후협정에 따라 5년마다 NDC 점검 및 평가를 받아야 하고, 이를 위해 2030년 국가온실가스 감축목표로 2018년 배출량 대비 40%를 달성하겠다고 발표했다. 이에 대해 기업계는 제조업 비중이 높은 우리나라의 경제현실상 불가능한 목표라고 주장했다.

(다) 탄소국경세는 탄소의 이동에 관세를 부과하는 조치인데, 이산화탄소배출 규제가 약한 국가가 강한 국가에 상품·서비스를 수출할 때 적용받는 무역 관세이다. 미국과 유럽연합이 주도적으로 추진하고 있는 새로운 관세 형태로, 고탄소 수입품에 추가 관세 등의 비용을 부과하는 제도이다. 국가별로 온실가스 규제 수준이 다르기 때문에 이를 이용해 고탄소배출 사업을 저규제 국가로 이전하는 것을 막기 위한 조치이기도 하다.

Q1. (가)의 경우와 같이, 온실가스 감축을 위한 전 세계적 노력이 현실에서 실현되기 어려운 이유는 무엇인지 논하시오.

Q2. (나)에서 우리 정부의 NDC 상향안은 타당한지 지원자의 입장을 논하시오.

Q3. NDC 상향에 대한 자신의 입장에 대해 예상되는 문제점과 보완방법을 제시하시오.

Q4. (다)의 탄소국경세의 도입은 타당한가?

Q1. 모범답변

온실가스 감축을 위한 노력이 현실국가의 관계에서 실현되기 어려운 이유는 편익과 비용이 분리되는 죄수의 딜레마 상황에 놓여있기 때문입니다. 온실가스배출로 인한 이익은 일국가에 전적으로 귀속되는 것에 비해 온실가스배출로 인해 발생하는 비용은 전 세계로 나누어집니다. 따라서 일국가로서는 온실가스배출로 인한 이익과 비용을 계산했을 때 순익이 더 큰 것으로 인식됩니다. 그러나 전 세계적으로 볼 때 온실가스배출로 인한 이익과 비용을 계산한다면 기후 변화와 그로 인한 비가역적 피해가 발생하므로 오히려 비용이 더 클 수 있습니다. 결국 전 세계적으로는 온실가스배출을 억제해야 함에도 불구하고 개별 국가로서는 온실가스배출을 억제하지 않고자 하는 유인이 큽니다. 따라서 각국이 온실가스배출을 스스로 억제할 가능성이 매우 낮아 지구 온난화 문제 해결이 어렵습니다. 특히 제조업으로 인한 국가 이익이 큰 국가일수록, 다른 국가들의 온실가스 감축으로 인한 환경 개선효과에 무임승차할 수 있을 뿐만 아니라, 온실가스배출로 인한 자국의 경제개발이익은 누리면서 타 국가의 온실가스 감축으로 인한 경제위축효과와 그로 인한 반사적 효과까지 누릴 수 있습니다. 따라서 개별 국가로서는 기후협정을 지키지 않고자 하는 유인이 매우 클 수밖에 없습니다.

Q2. 모범답변

환경 보호를 통해 국민의 안정적 생활을 보장할 수 있으므로, 정부의 NDC 상향은 타당합니다. 환경은 인류 생존의 터전이자 기반으로 우리는 이를 과거 세대로부터 물려받아 미래 세대에게 물려주어야 하는 것입니다. 환경 문제로 인해 기후 변화가 심각해지고 있고, 이는 미래 세대의 생존 문제를 위협하는 정도에 이르고 있습니다. 과학자들은 2030년까지 온실가스배출량을 줄이지 못하면 돌이킬 수 없는 지구 온난화와 기후 변화가 발생할 것이고 인류의 생존 자체를 예측할 수 없다고 예견합니다. 전 세계적인 환경기후협정이나 기업에 적용되는 ESG 기조 등은 이러한 문제의식에서 비롯된 것입니다. 환경 보호는 인류공동체가 모두 함께 지켜나가야 할 가치임에 분명하고, 우리나라 역시 교토 의정서, 파리기후협정 등에 가입한 환경 문제에 책임 있는 국가로 온실가스 감축에 적극적으로 대응함으로써 인류의 생존과 국민의 생활기반이 되는 환경 보호에 앞장서야 합니다. 특히 우리나라의 기존 NDC는 2050년 탄소제로 사회에 도달하기 위한 과도기적 목표로 부족한 것이 사실입니다. 따라서 정부의 NDC 상향은 타당합니다.

국가 발전을 도모할 수 있으므로, 정부의 NDC 상향은 타당합니다. 온실가스 감축은 전 세계적 추세로 미래 산업에서 온실가스 감축과 탄소 문제는 결정적 요인이 될 것입니다. 실제로 55조 달러를 운용하는 615개의 투자기관 모임인 기후행동 100+는 우리나라의 탄소 감축계획과 민간 석탄발전소 퇴출을 요구했습니다. 또한 최근 기업투자에 있어서 ESG 기조가 강화되고 있습니다. EU의 경우 탄소국경세를 도입하고 있어 기업이 생산과 서비스 과정에서 온실가스를 감축하지 않을 경우 천문학적인 세금을 부과받을 수 있습니다. 정부의 NDC 상향은 미래 경제환경을 대비하기 위해 필요한 것이고, 지금 당장 이를 회피한다고 하더라도 얼마 지나지 않아 수출기업의 성장은커녕 생존도 기대하기 어려울 것입니다. NDC 상향은 경제환경의 변화에 따라 기업의 적응을 요구하고 경쟁을 유도함으로써 미래의 경쟁력을 갖춘 기업이 나타나도록 유도하는 효과가 있습니다. 이를 통해 국가발전을 도모할 수 있으므로 NDC 상향은 타당합니다.

Q3. 모범답변

NDC 상향으로 인해 단기적으로 기업의 경쟁력이 약화될 수 있다는 문제점이 제기될 수 있습니다. 이러한 문제점을 해결하기 위해 국가와 기업의 공동노력이 필요합니다. 먼저, 온실가스 감축을 위한 기술 개발을 위해 국가의 R&D 투자와 지원이 요구됩니다. 온실가스 포집과 저장기술의 개발, 차세대 에너지원인 수소경제의 활성화 등이 연구되어야 합니다. 또한 기업의 온실가스 감축 노력에 대한 인센티브 제공과 법적 지원이 필요합니다. 기업이 온실가스 감축기술을 개발하거나 산업 공정 등에 적용할 때 세제 혜택을 주는 등의 현실적 지원방안이 있어야 합니다.

Q4. 모범답변

환경 보호를 위해 탄소국경세는 타당합니다. 지구 온난화로 인해 예상치 못한 기후변화가 일어나고 있으며, 전 지구적인 환경문제가 발생할 것이라 예측되고 있습니다. 과학자들은 2030년까지 지구 평균기온이 1.5도 이상 상승할 경우 전 지구적인 문제가 발생할 것이며, 2050년까지 탄소 제로가 실현되지 않을 경우 기후 변화로 인한 문제를 되돌이킬 수 없다고 경고하였습니다. 환경은 과거 세대로부터 물려받아 현재 세대가 이용하고 미래 세대에게 물려주어야 하는 것이며, 경제 개발을 위한 자원이자 삶의 터전이라는 의미를 동시에 갖고 있습니다. 환경 문제를 해결하기 위해 다양한 해결방법을 시도하였으나 현실적인 해결방안이 되지 못했습니다. 탄소국경세는 탄소배출 저감의 확실하고 현실적인 해결방법이 될 수 있습니다. 특히 글로벌 기업들은 탄소의 역외 이전을 적극적으로 활용하고 있기 때문에 이를 막을 방안이 필요합니다. 예를 들어, 애플처럼 제품 개발과 디자인 등과 같은 저탄소 산업은 국내에 두고, 실제 제품 생산에 필요한 알루미늄, 철강 생산 등의 고탄소 산업을 타국에 위탁하는 것입니다. 결국 전 세계적인 탄소배출량은 동일한데, 탄소배출량이 크게 허용된 저개발국가로 고탄소 산업을 이전하는 것입니다. 탄소국경세를 도입하면 탄소배출량 전체를 통제할 수 있게 됩니다. 따라서 탄소배출량을 저감하여 환경 보호가 가능하므로 탄소국경세 도입은 타당합니다.

자기책임의 원칙에 부합하므로 탄소국경세는 타당합니다. 기업은 이익과 비용을 계산해 영업전략을 결정합니다. 그런데 탄소배출의 경우 기체가 되어 전 세계로 흩어지는 특성이 있습니다. 기업은 탄소배출로 인해 발생하는 이익은 자기 자신에게 전적으로 귀속되지만, 탄소배출로 인한 비용은 부담하지 않습니다. 그 결과 개별 기업은 탄소배출의 사회적 비용을 작게 인식하고 이는 시장 내부에서 해결되지 않는 부정적 외부효과로 작동하게 됩니다. 최근 들어 탄소배출량을 계산하는 과학적 방법이 개발되면서 고탄소 제품의 생산을 타 국가로 이전시키는 기업들이 늘어나고 있습니다. 그러나 탄소국경세가 도입되면 개별 기업이 인식하는 탄소배출의 비용이 해당 기업에 귀속될 수밖에 없습니다. 최종생산된 제품의 전체 탄소배출량을 계산하여 추가 관세를 물게 되기 때문에 해당 기업의 영업의 자유의 책임이 일원화되는 것입니다. 예를 들어, 애플의 경우 탄소국경세에 대한 선제적 대응으로 이미 몇 년 전부터 스마트폰 제작과정에서 친환경 에너지를 사용하고, 구형 기기를 재활용하는 로봇을 만들거나, 제품 포장을 단순화하고 작게 하고 있습니다. 결국 애플이 생산하는 제품 전체의 탄소배출량을 저감하려는 것입니다. 따라서 자기 책임의 원칙에 부합하므로 탄소국경세는 타당합니다.

137 개념 기후재난의 국가 책임

2024 동아대 기출

1. 기본 개념

(1) 지구온난화

2014년 IPCC(Intergovernmental Panel on Climate Change, 이하 IPCC)는 제5차 평가보고서를 발표하면서 지구 온난화는 자명한 사실이며, 온실가스 발생은 자연적 원인에 의한 것이 아니라 인위적 배출로 인한 것이라는 점을 밝혔다.

지구 표면은 지난 30년 동안 연속으로 1850년 이후 최고로 따뜻했으며, 해양 온난화는 해양 표층과 심층을 가리지 않고 전체적으로 진행되고 있다. 20세기 전반에 걸쳐 모든 빙하 지역의 빙하가 전 세계적으로도 줄어들고 있다. 빙하의 감소는 해수면의 상승으로 이어지는데 보고서에서는 19세기 중반 이후의 해수면 상승률은 19세기 이전 2천 년 동안의 평균 상승률보다 높다고 설명했다.

(2) 기후 위기

제5차 IPCC 보고서는 유럽, 아시아, 오스트레일리아의 대부분 지역에서 폭염 빈도가 증가할 가능성이 높다고 경고한다. 일부지역에서 폭염 발생 가능성은 인간의 영향으로 인하여 2배 이상 증가했을 것이라는 가능성이 제기되고 있으며, 관측된 온난화의 징후로 인해 일부지역에서는 폭염 관련 사망률이 높아진 반면, 한파 관련 사망률은 감소된 것으로 나타났다.

기후변화의 영향으로 호우 빈도가 높아지는 지역보다 낮아지는 지역이 많아질 것이다. 다만 최근 관측된 극한 호우현상은 국지적이고 지역적인 규모에서 예측할 수 없는 홍수의 위험이 커졌다는 것을 보여준다. 평균 지표온도가 상승함에 따라 날짜별로, 계절별로, 대다수 지역의 극한 고온 현상이 더욱 증가할 것이고, 극한 저온현상은 더욱 감소할 것이 사실상 확실하다고 결론 내렸다.

(3) 우리나라의 기후재난

우리나라는 전 세계 평균, 동아시아 평균에 비해 기후변화로 인한 영향과 피해를 크게 받을 것으로 예측된다. 전 세계가 2℃ 안정화를 위한 온실가스 감축 노력에 동참할 경우, 우리나라의 기후변화로 인한 2100년까지의 누적피해비용은 580조 원 정도일 것으로 예측된다. 그러나 전 지구적인 감축 노력 없이 현재와 같이 온실가스가 배출될 경우, 우리나라의 기후변화로 인한 피해는 2050년 이후 급격히 증가할 것으로 예상되고 이에 따른 경제적 피해는 2100년에 GDP의 약 3% 정도가 될 것이며 2100년까지 누적 피해비용 2,800조 원이 될 것으로 추정된다.

2. 읽기 자료

기후소송[117]
기후변화적응과 재난재해[118]
자연재해에 의한 피해[119]
저탄소녹색성장 기본법[120]

117)

기후소송

118)

기후변화적응과 재난재해

119)

자연재해에 의한 피해

120)

저탄소녹색성장 기본법

 **137 문제** **기후재난의 국가 책임**

⏱ 답변 준비 시간 5분 | 답변 시간 5분

※ 다음 QR코드를 촬영하면 연결되는 제시문을 읽고, 문제에 답하시오.

> 헌법재판소에서 아시아 최초로 기후소송 공개변론이 열렸다. 청소년 기후단체가 2020년에 정부의 부실한 기후위기 대응으로 기본권이 침해당했다며 소송을 제기한 지 4년 만이다.
>
>
>
> 기후소송 공개변론

Q1. 최근 기후 변화로 인해 자연재해가 발생하고 있으며, 그로 인한 피해가 커지고 있다. 기후재난으로 인한 국민의 피해를 국가가 책임져야 하는가?

Q1. 모범답변

기후 변화로 인해 발생한 자연재해 피해에 대해 국가가 책임지는 것이 타당합니다. 국민안전을 실현할 의무가 국가에 있고, 개인의 힘으로 대응 불가능하기 때문입니다.

국민안전에 대한 위험관리 의무가 있으므로 기후변화로 인해 발생한 자연재해 피해에 대해 국가가 책임져야 합니다. 국민은 국가의 주인으로서 안전을 안정적으로 보장받고자 국가를 구성했습니다. 이에 따라 국가는 주권자인 국민의 안전을 보장할 의무가 있습니다. 기후변화로 인해 자연재해가 발생하고 있는데, 이는 예측 불가능하여 국민의 안전을 실질적으로 위협하고 있습니다. 예를 들어, 코로나19의 경우 숙주인 박쥐의 서식환경이 점점 넓어지면서 인간과의 접촉이 많아진 결과입니다. 박쥐의 서식환경이 변한 것은 온실가스로 인해 기후가 변하면서 생태가 변화하여 발생한 결과입니다. 이처럼 예측불가능한 기후변화로 인해 재난이 발생하고 국민안전이 위협되고 있습니다. 국가의 가장 기본적인 의무인 국가안보의 개념이 현대에 이르러서는 인간안보로 확장되었습니다. 기후변화로 인해 자연재해가 거대화되고 있는 상황에서 국민안전이 위협된다면 이는 인간안보의 연장선상에서 국가가 해결해야 할 의무가 되는 것입니다.

심지어 기후위기로 인한 자연재해는 국민 개인의 힘으로 대응 불가능합니다. 태풍, 홍수 등의 자연재해는 개인의 힘을 넘어서는 것인데, 기후위기로 인해 자연재해의 규모와 강도는 더 커지고 예측불가능해지고 있습니다. 대규모 치수사업 등을 위한 사회 인프라는 개인의 차원에서 접근할 수 없습니다. 예를 들어, 여름철에 강남역 인근의 침수가 발생하고 있습니다. 강남역 인근 빌딩 지하주차장 침수는 차수판 설치 등으로 해결 가능하나, 대규모 주거지 침수로 인해 발생하는 국민 다수의 피해는 일개 개인이나 기업 차원에서 대응이 불가능합니다. 이는 대심도 빗물터널 등과 같이 국가정책적 노력을 통해서만 대응할 수 있습니다. 기후위기로 인해 발생하는 자연재해가 예측불가능하다는 점을 고려할 때, 개인의 차원에서 해결이 원천불가능할 것이기 때문에 국가의 위험관리 의무가 더욱 강조될 수밖에 없습니다. 유일하게 국가만이 위험관리가 가능하고 대응할 수 있다면 그로 인한 피해 역시 국가의 책임이 되어야 합니다.

138 개념   수도권 매립지 갈등

1. 기본 개념

(1) 공공갈등

우리나라의 사회갈등지수는 OECD 34개국 중 3위에 달할 정도로 높은 수준이다. 우리나라의 갈등은 거의 모든 영역에서 커지고 있는 중이다. 계층, 이념, 노사, 세대, 지역, 환경, 다문화, 남녀 갈등이 대표적이다. 사회갈등으로 인한 경제적 손실은 연간 82~246조 원으로 추산되고 있다. 특히 공공갈등은 많은 국민들에게 큰 영향을 미치기 때문에 이를 적절하게 관리하지 못하면 공공정책이 장기간 표류하면서 막대한 비용을 초래하게 된다.

(2) 해결방안

우리나라의 공공갈등 해결방안은 주로 전통적인 방법을 사용해왔고 결국 문제를 해결하기는커녕 문제를 지속시키거나 증대시키는 문제점으로 이어졌다. 전통적인 관점에서 갈등은 발생해서는 안 되는 것이라고 부정적으로 인식하며, 정책목표와 조직의 성과달성에 방해가 되므로 제거 대상으로 인식하여, 갈등관리는 주로 통제와 억압을 이용한 권위주의적 방식으로 이루어졌다.

이에 현대적 관점의 갈등 해결방안이 논의되고 있다. 이는 공정하고 투명한 국민참여적 갈등관리 방식을 의미한다. 이에 의하면 갈등은 불가피한 것으로 수용적 태도를 보이며, 사회적 생산성 제고를 위해 적극적인 갈등 예방과 해결을 위해 노력해야 한다고 인식하여, 이해관계자들의 참여와 협력에 따른 시민참여적 방식으로 갈등관리가 이루어져야 한다.

2. 읽기 자료

공공갈등관리시스템[121]
숙의 민주주의[122]

121)

공공갈등관리시스템

122)

숙의 민주주의

😊 답변 준비 시간 15분 | 답변 시간 15분

※ 다음 제시문과 QR코드를 촬영하면 연결되는 제시문을 읽고, 문제에 답하시오.

(가) 공공재는 과소공급되는 문제가 있으며, 공유재는 고갈되거나 전멸의 문제가 발생한다. 이는 공공재나 공유재에서 발생하는 무임승차자의 문제 때문이다. 무임승차자의 문제란 재화나 서비스의 편익은 누리고 싶지만 비용은 내고 싶지 않아 발생한다. 예를 들어, 국방서비스에서 무임승차자의 문제가 발생한다. 누구나 국가안보의 편익은 누리고 싶으나, 몇 년간의 병역이라는 비용은 지불하고 싶지 않다. 특히 공공재는 비용 지불을 하지 않은 자도 편익을 누릴 수 있기 때문에 무임승차자의 문제는 더욱 심각한 문제가 된다.

이 문제의 원인은 편익과 비용의 주체가 분리되기 때문이다. 공공선택에서 비용과 편익이 분리되는 경우는 생각보다 흔하다. 예를 들어, 한 공장에서 제품 생산 시에 유독가스가 발생한다고 가정하자. 제품 생산으로 인해 발생하는 경제적 이익은 공장 측에 귀속된다. 그러나 제품 생산으로 인해 발생되는 비용 중 일부는 사회 전체가 부담하게 된다. 제품 생산에 필요한 원재료나 전력, 물 등의 비용은 공장이 부담한다. 그러나 제품 생산 시에 발생하는 유독가스의 경우 대기 중에 흩어지기 때문에 본래 공장 측에서 부담해야 할 일부비용이 사회 전체에 흩어지게 되는 것이다. 개인적으로는 합리적인 선택이지만, 사회적으로는 비합리적인 결과가 발생하게 되어 사회적 피해가 되고 결국 사회갈등의 심화 문제로 이어질 수 있다.

이와 같은 비용과 편익의 분리를 해결하기 위해서는 크게 세 가지 해결방법이 제시된다. 정부의 직접 규제, 시장유인을 통한 간접 규제, 공동체적 해결이 있다. 그러나 현실에서는 단 한 가지의 해결방안을 선택하기보다는 여러 해결법을 중첩적으로 사용하는 경우가 일반적이다.

먼저, 정부가 직접 규제를 하는 방법에는 행위를 처음부터 완전히 금지시키는 방법과 허용기준을 세워 이를 넘지 않도록 감시하는 두 가지 방법이 있다. 첫째 사례로 수은이나 핵폐기물 등의 독극물에 대한 배출 금지가 있다. 둘째 사례로 자동차 배기가스에 대한 기준이 있다.

시장유인을 통한 간접 규제는 재산권을 부여하는 방법, 부과금을 부과하는 방법, 보조금을 지급하는 방법, 배출권을 거래하는 방법이 있다.

마지막으로, 공동체적 해결이 있다. 공동체가 문제의 주체로서 스스로 문제 해결에 주도적인 역할을 하는 것이다. 예를 들어, 환경오염을 일으키는 물품을 소비하지 않는 사회운동을 벌이거나 해당 물품을 규제하는 법안 발의를 요구하거나 하는 등이 대표적인 방법이다.

(나) 수도권 재건축·재개발로 발생하는 건설폐기물이 3,077만 톤으로, 수도권 매립지 잔여용량의 3.6배에 달한다. 올해부터 대형 건설폐기물의 수도권 매립지 반입이 금지됐고, 2025년부터는 모든 건설폐기물 반입이 금지될 예정이어서 불법 투기 우려가 커지고 있다.

수도권 매립지

Q1. 제시문 (가)를 요약하시오.

Q2. 제시문 (나)에서 수도권 매립지 문제에 대한 환경부의 해결방안과 그 문제점을 논하시오.

Q3. 제시문 (가)를 활용하여, 제시문 (나)의 수도권 매립지 문제의 해결법을 다각도로 논하시오.

Q1. 모범답변

제시문 (가)에 따르면, 공공선택의 문제에서 사회갈등의 원인은 이익과 비용의 주체가 다르기 때문입니다. 자원을 이용함으로써 발생하는 이익은 개별 주체에게 전적으로 귀속되는 반면, 자원 이용으로 인한 오염 비용은 사회 전체가 분담하기 때문에, 개별 주체로서는 이익을 크게 인식하고 비용은 매우 작게 인식하게 됩니다. 결국 자원이 과도하게 사용될 뿐만 아니라, 사회 전체적으로는 편익보다 비용이 더 크게 발생하는 문제가 발생하게 됩니다. 이를 해결하기 위해서는 국가의 강제, 시장적 거래, 공동체적 해결이라는 세 가지 방법이 있습니다.

Q2. 모범답변

수도권 매립지에 대한 환경부의 해결방안은 시장적 거래 방식입니다. 3조 원에 달하는 지원금을 지급함으로써 서울시의 쓰레기를 매립할 부지가 될 곳을 돈을 주고 사는 방식이라 할 수 있습니다. 또한 민간 매립지에 매립비용을 지불하고 대체 매립할 곳을 찾고 있다는 점에서 시장적 거래 방식을 해결방안으로 삼고 있습니다.

해결방안으로 시장적 거래 방식의 문제점은, 사회적 가치의 훼손이 발생하고 사회갈등이 심화될 수 있다는 점입니다. 이처럼 사회갈등이 발생했을 때, 돈을 주면 문제를 해결할 수 있다는 사회적 인식이 퍼질 수 있습니다. 쓰레기 매립지 분쟁과 같은 지방자치단체 간의 갈등이 발생했을 때, 돈을 지불하면 모든 문제를 해결할 수 있다는 인식이 생기는 것은 사회통합에 도움이 되지 않습니다. 특히 지역갈등이 부의 정도에 따라 해결 여부가 달라지는 것은 민주주의 사회의 유지와 존속을 위협하는 문제가 될 수 있습니다.

Q3. 모범답변

서울과 인천의 쓰레기 매립지 문제는 편익과 비용이 분리되어 발생한 문제입니다. 서울시는 물품 소비로 인한 편익을 향유하나 이로 인해 수반되는 쓰레기 처리라는 비용은 인천시가 부담하고 있습니다. 결국 편익은 서울시가, 비용은 인천시가 부담하여 지역 갈등이 발생하고 있는 상황입니다.

제시문 (나)의 수도권 매립지 문제를 해결하기 위해, 세 가지 해결방법을 제시할 수 있습니다. 국가의 강제, 시장적 거래, 공동체적 해결이 바로 그것입니다.

먼저, 국가의 강제를 통해 해결할 수 있습니다. 국가가 쓰레기를 매립할 부지를 선정하고 모든 지자체의 쓰레기를 구분하지 말고 매립하도록 명령하는 방법이 있습니다. 또는 특정한 종류의 쓰레기를 매립하지 못하도록 하는 방법도 있습니다.

둘째, 시장적 거래 방식을 사용할 수 있습니다. 쓰레기 매립지를 유치하려는 지방자치단체에 지원금이나 보조금을 주는 방식의 인센티브를 제공하는 것입니다. 또는 매립지를 유치한 지방자치단체 혹은 민간 매립지에 쓰레기 매립비용을 지불하도록 하는 방법이 있습니다.

마지막으로, 공동체적 해결방법이 있습니다. 갈등을 일으키고 있는 주체들, 지방자치단체 간의 협의와 타협을 통해 문제를 해결하는 방법입니다. 다양한 협력방안을 통해 문제를 해결하는 방식인데, 각종 혐오시설의 공동이용과 같은 방법이 있습니다. 예를 들어, 서울시의 쓰레기 매립장을 인천시와 공동으로 사용하는 대신 인천시의 화장장을 서울시와 공동으로 사용하는 방법이 있습니다.

제시문 (나)의 수도권 매립지 문제를 해결하기 위해서는 공동체적 해결방법을 중심으로 하여 국가적 강제와 시장적 거래 방식 모두를 종합적으로 사용해야 합니다. 여기에서 가장 중요한 것은 공동체적 해결방법, 즉 지방자치단체 간의 협의와 타협을 중심으로 해야 한다는 점입니다. 매립지 문제의 주체이자 이해관계자인 서울시와 인천시가 지역주민을 대표하여 협의와 타협을 해야 합니다. 그리고 이 협의내용을 바탕으로 하여 국가와 환경부의 지원이 있어야 하며, 비용 지원 또한 이루어질 수 있습니다.

2024 전북대 기출

1. 기본 개념

(1) 케이블카

케이블카는 줄을 매달아 그 줄에 의지해서 이동하는 수단을 가리킨다. 우리나라의 정식 용어는 삭도(索道)라고 하는데, 케이블카(Cable Car)와 곤돌라(Gondola), 로프웨이(Ropeway), 리프트(Lift) 등을 모두 포함하는 개념이다. 케이블카는 수십 명을 한꺼번에 태울 수 있는 가장 큰 규모이고, 그보다 조금 작은 수단이 곤돌라, 그리고 로프웨이이다. 리프트는 한 사람씩 앉을 수 있는 의자들을 매달아 놓은 형태이다.

(2) 지역 개발과 케이블카 설치

1990년대 지방자치가 시작되면서 전국적으로 지역 개발 요구와 케이블카 설치가 논의되기 시작했다. 이는 지방자치단체장 선거에서 지역 개발과 관광 활성화를 위한 케이블카 설치가 공약으로 제시되었기 때문이다. 그러나 환경단체와 지역 주민들의 케이블카 설치 반대 운동이 일어나면서 지역 갈등이 촉발되기도 하였다.

2008년 이명박 정부는 케이블카 설치 기준을 완화했고, 여러 지역에서 케이블카 설치를 시도하면서 논쟁이 시작되었다. 북한산, 지리산, 설악산, 한라산 등에 케이블카를 설치하려는 시도가 있었고, 이와 궤를 같이하여 반대운동 또한 계속되고 있다.

2. 쟁점과 논거

찬성론: 지역경제 활성화	반대론: 환경 보호
[지역경제 활성화] 케이블카를 설치하면 국립공원의 경관을 편리하게 즐길 수 있기 때문에 관광객이 증가한다. 국립공원 내의 케이블카는 관광객 유인효과가 있고, 이후 관광객들이 해당 지역의 다른 관광지에도 방문할 것이기 때문에 지역 주민의 소득이 증대되는 효과가 있다. 실제로 통영 케이블카는 2010년 1,200억 원의 경제효과를 냈다.	**[환경 보호]** 환경은 우리 삶의 터전이자 미래 후손에게 물려줘야 한다. 국립공원은 환경 보전의 가치가 크다고 인정되어 공적으로 보호하고 있고, 넓은 면적의 식생이 자연스럽게 유지되기 때문에 생물 다양성을 위한 마지막 서식지가 된다. 케이블카 설치 과정에서 식생 파괴, 동물 서식지가 위험해진다. 방문객이 늘어 생태계 교란도 심각해질 것이다.
[노약자, 장애인의 권리 보장] 국립공원은 모든 국민이 누구나 즐길 수 있어야 한다. 우리나라의 23개 국립공원 중 18개의 국립공원이 산악형이기 때문에 등산을 할 수 있는 능력이 있어야 국립공원을 즐길 수 있다. 등산을 하기 어려운 노인이나 어린이, 장애인은 국립공원을 즐기기 어렵다. 국립공원 내에 케이블카를 설치하면, 노약자와 장애인도 국립공원을 즐길 수 있으므로 권리를 보장할 수 있다.	**[국립공원 지정 취지 위배]** 국립공원은 생태계의 건전성, 생태축(生態軸)의 보전과 복원, 기후변화 대응에 기여하도록 국가적으로 관리된다. 특정지역 국립공원 내에 케이블카 설치를 허용하면, 다른 지역도 지역경제 활성화를 위해 케이블카 설치를 요구할 것이다. 전국에 고루 분포하는 23개 국립공원의 지방자치단체가 설치를 요구할 것이고, 국립공원의 생태계 보전과 환경 보호 취지는 경제 논리에 의해 형해화될 것이다.
[환경 보호] 과도하게 많은 등산객으로 인해 국립공원의 환경이 오염되고 있다. 2022년 기준 전국 국립공원 등산객은 2,800만 명에 달합니다. 그러나 케이블카를 설치하면, 직접 산을 오르는 등산객이 줄어들 것이고 각종 쓰레기 등을 손쉽게 옮길 수 있다는 부수적 효과도 있어 환경오염이 감소할 것이다.	**[지역경제 활성화 불가]** 관광용 케이블카 대다수가 적자 운영되고 있다. 많은 지자체들이 케이블카, 출렁다리 같은 랜드마크를 통해 지역경제 활성화를 시도했으나, 해당 지역에 차별화된 관광 콘텐츠가 없어 1회성 방문에 그치고 있다. 지역경제 활성화는 케이블카 설치와 같은 랜드마크로 불가능하고 특성화 관광 콘텐츠를 개발해야 한다.

3. 읽기 자료

지방자치단체 개발정책[123]

123)

지방자치단체 개발정책

Part 1

Part 2

Part 3

Part 4

Part 5

Part 6

Part 7

해커스 김종수 토스를 맵핑 200주제

답변 준비 시간 15분 | 답변 시간 15분

※ 다음 QR코드를 촬영하면 연결되는 제시문을 읽고, 문제에 답하시오.

> (가) 강원특별자치도가 2024년 6월부터 산림이용진흥지구를 활용해 제2의 오색케이블카 설치를 본격 추진한다. 최근 조사에 따르면 원주, 강릉, 삼척, 평창, 철원, 고성 등 6개 시·군이 케이블카 설치 의향을 밝혔으며, 도 차원에서 지정을 검토 중이라고 말했다.
>
>
>
> 강원 케이블카
>
> (나) 스위스에는 약 450개의 관광용 케이블카가 있지만, 국립공원에는 설치되지 않았으며, 주로 고산 지대와 스키장에 집중되어 있다. 반면, 일본의 34개 국립공원에는 29개의 케이블카와 33개의 산악열차가 운영 중이며, 이들은 대부분 1970년대 이전에 건설된 것으로 신규 케이블카는 없다.
>
>
>
> 국립공원 케이블카

Q1. 국립공원 케이블카 설치 찬성 입장의 핵심논거를 제시하고 이를 논변하시오.

Q2. 국립공원 케이블카 설치 반대 입장의 핵심논거를 제시하고 이를 논변하시오.

Q3. 국립공원 케이블카 설치 찬반에 대한 자신의 입장을 정하고, 위 문제에서 제시하지 않은 논거를 2개 이상 제시하여 논하시오.

Q1. 모범답변

지역경제 활성화를 위해 국립공원 내의 케이블카 설치는 타당합니다.

강원도 등과 같이 국립공원이 있는 지역들은 인구 감소와 지역경제 위축으로 인해 어려움을 겪고 있습니다. 케이블카를 설치하면 등산과 같은 어려움 없이 관광객들이 국립공원의 아름다운 경관을 즐길 수 있기 때문에 관광객이 증가하는 효과가 있습니다. 국립공원이 있는 지역은 주요도시로부터 거리가 멀기 때문에 관광객들이 관광지로 선택하기 위해서는 기억에 남을 결정적 요인이 있어야 하는데, 국립공원 내의 케이블카는 그러한 관광 결정 요인이 될 수 있습니다. 관광객들이 케이블카를 타고 국립공원을 관광한 이후에는 해당 지역의 다른 관광지에도 방문할 것이기 때문에 지역 주민의 소득이 증대되는 효과가 발생합니다. 따라서 지역경제 활성화를 위해 국립공원에 케이블카를 설치해야 합니다.

Q2. 모범답변

환경 보호를 위해 국립공원 내의 케이블카 설치는 타당하지 않습니다.

환경은 우리 삶의 터전이며 과거 조상으로부터 물려받아 현재의 우리가 살아가고 미래 후손에게 물려줘야 합니다. 국립공원은 후손에게 물려줘야 할 가치가 있다고 판단되어 보호하기 위해 지정된 것입니다. 현재의 우리가 경제적인 사용 가치가 있다거나 손쉽게 즐기기 위해 필요 이상으로 이용하려 한다면, 환경은 오염되고 파괴되어 그 가치를 후손에게 남겨줄 수 없을 것입니다. 특히 국립공원은 큰 산을 중심으로 해서 넓은 면적의 식생이 자연스럽게 유지되기 때문에 생물 다양성을 위한 마지막 서식지가 될 수밖에 없습니다. 국립공원은 자연생태계의 보고이며 국내 기록 생물종 58,050종의 40.9%에 해당하는 23,774종이 서식하고, 국내 멸종위기종 282종 중 68%에 달하는 191종이 국립공원 내에 서식하고 있습니다. 그런데 국립공원에 케이블카를 설치하게 될 경우, 설치 과정에서 케이블카 운영을 위한 각종 시설들을 설치해야 하므로 식생이 파괴되거나, 천연기념물이나 멸종위기종의 서식지가 위험해지게 됩니다. 예를 들어, 설악산 국립공원 케이블카 설치 예정지역은 전체 국립공원지역 내에서도 단 1%에 해당하는 절대보전지역이고, 산양, 삵, 담비를 비롯해 국제적 멸종위기 식물이 서식하고 있습니다. 케이블카가 설치되면 더 많은 사람들이 본래 인간의 발길이 닿지 않는 곳까지 갈 수 있게 되므로 생태계의 교란은 더 심각해지게 됩니다. 따라서 환경 보호를 위해 국립공원 내에 케이블카를 설치해서는 안 됩니다.

Q3. 모범답변

[케이블카 설치 찬성 입장]

국립공원 케이블카 설치는 타당합니다. 노약자와 장애인 등의 국립공원을 즐길 권리를 보장할 수 있고, 환경 보호에 기여하기 때문입니다.

노약자와 장애인 등의 국립공원을 즐길 권리 보장을 위해 국립공원 내에 케이블카를 설치해야 합니다. 국립공원은 모든 국민이 즐길 수 있는 공공장소입니다. 그런데 우리나라의 국립공원은 설악산 등과 같이 산지인 경우가 대부분이기 때문에 노인이나 어린이, 장애인은 등산을 하기 어려워 국립공원의 아름다움을 즐기기 어려운 것이 사실입니다. 예를 들어, 설악산 국립공원의 경우 악산이어서 등산이 어렵고 해마다 등산사고가 발생합니다. 국립공원 내에 케이블카를 설치하게 되면, 노약자와 장애인도 국립공원의 아름다움을 즐길 수 있게 됩니다. 따라서 노약자와 장애인 등의 국립공원의 자연을 즐길 권리 보장을 위해 국립공원에 케이블카를 설치해야 합니다.

환경 보호에 기여하므로 국립공원에 케이블카를 설치해야 합니다. 케이블카를 설치할 경우, 오히려 환경 보호에 기여할 수 있습니다. 2022년을 기준으로 국립공원 방문객은 3,800만 명이고 등산객은 2,800만 명입니다. 이처럼 과도하게 많은 등산객으로 인해 국립공원의 환경이 오염되고 있습니다. 예를 들어, 한라산은 등반객이 너무 많아지자 일일 등반가능인원 총원을 정한 후에 미리 예약한 등반객만 받았음에도 문제가 발생하고 있습니다. 한라산 등반코스에 있는 매점을 없앴는데도 불구하고 등반객이 직접 라면과 뜨거운 물을 준비해서 취식한 후에 남은 라면 국물을 한라산에 버리고 있습니다. 염분이 많은 라면 국물로 인해 한라산의 식생에 문제가 발생하고 있는 상황입니다. 그러나 케이블카를 설치하게 되면, 직접 산을 오르는 등반객이 줄어들 것이고 각종 쓰레기 등을 손쉽게 옮길 수 있다는 부수적 효과도 있어 환경오염을 감소시킬 수 있습니다. 따라서 환경 보호에 기여하므로 국립공원에 케이블카를 설치해야 합니다.

[케이블카 설치 반대 입장]

국립공원에 케이블카를 설치해서는 안 됩니다. 국립공원 지정 취지에 반하고, 지역경제 활성화 효과가 미미하기 때문입니다.

국립공원 설치 취지에 반하기 때문에 국립공원에 케이블카를 설치해서는 안 됩니다. 자연공원은 모든 국민의 자산으로 현재 세대와 미래세대를 위해 보전하기 위한 것이며, 국립공원은 우리나라의 자연생태계나 경관을 대표할 만한 지역으로 지정된 것입니다. 현재 국립공원은 23개에 불과하고 전 국토의 6% 면적에 불과합니다. 국립공원은 생태계의 건전성, 생태축(生態軸)의 보전과 복원, 기후변화 대응에 기여하도록 국가적으로 관리되고 있습니다. 그런데 어느 한 지역에서 국립공원 케이블카를 허용하면 다른 지역도 마찬가지로 지역경제 활성화를 위해 케이블카를 설치하게 해달라고 요청하게 될 것입니다. 그렇다면 특정지역은 케이블카 설치를 허용하고 어떤 지역은 설치를 불허할 수 없으므로, 우리나라 전국에 고루 분포하고 있는 23개 국립공원의 지방자치단체가 지역경제 활성화를 위해 케이블카 설치를 요구할 것입니다. 실제로도 정부가 설악산 오색케이블카 설치를 승인하자, 지리산 국립공원, 속리산 국립공원, 월출산 국립공원, 소백산 국립공원, 북한산 국립공원 인근 지방자치단체도 케이블카 설치를 추진하고 있습니다. 케이블카 이용객이 늘어나면 이용객을 위한 시설이 증가하고 편의시설의 확대와 주변지역에 민간업체들이 확장되어 국립공원의 생태계 보전과 환경 보호 취지는 경제 논리에 의해 형해화될 것입니다. 따라서 국립공원에 케이블카를 설치해서는 안 됩니다.

지역경제 활성화 효과가 미미하므로 국립공원에 케이블카를 설치해서는 안 됩니다. 2024년 우리나라의 관광용 케이블카는 40여 개에 달하는데, 대다수의 케이블카는 적자 운영되고 있습니다. 케이블카가 지역경제에 도움이 된다는 생각으로 모든 지방자치단체들이 케이블카를 설치한 결과입니다. 케이블카, 출렁다리 같은 랜드마크를 통해 타지역 주민들의 관광을 유도하고 지역경제 활성화를 시도한 것입니다. 그러나 지역 관광을 통해 지역경제를 활성화하기 위해서는 해당 지역에 차별화된 관광 콘텐츠가 있어야 하는데, 단순히 케이블카 하나만으로는 방문객의 1회성 방문과 케이블카 탑승요금 정도의 효과만 누릴 수 있을 뿐입니다. 예를 들어, 제주도는 1990년대에 한라산 국립공원 케이블카 설치를 지속적으로 시도했으나, 2000년대에 들어 제주도 관광객이 지속적으로 늘어나자 한라산 환경 보호를 위해 케이블카 설치를 더 이상 시도하지 않습니다. 이처럼 케이블카는 관광객의 증가를 목적으로 하는 것인데, 케이블카 적자 운영과 1회성 방문객의 증가로 그치는 경우가 많아 지역경제 활성화 효과가 미미합니다. 따라서 국립공원에 케이블카를 설치해서는 안 됩니다.

140 개념 | 토지 공개념

1. 기본 개념[124)

(1) 재산권의 제한

우리 헌법도 재산권은 보장하되 "그 내용과 한계는 법률로 정한다"(헌법 제23조 제1항 후문)라고 하여 법률로 재산권을 규제할 수 있음을 명백히 하고 있을 뿐만 아니라 "재산권의 행사는 공공복리에 적합하도록 하여야 한다"(헌법 제23조 제2항)라고 하여 재산권 행사의 사회적 의무성도 강조하고 있는 것이다.

재산권 행사의 사회적 의무성을 헌법 자체에서 명문화하고 있는 것은 사유재산제도의 보장이 타인과 더불어 살아가야 하는 공동체생활과의 조화와 균형을 흐트러뜨리지 않는 범위 내에서의 보장임을 천명한 것으로서 재산권의 악용 또는 남용으로 인한 사회공동체의 균열과 파괴를 방지하고 실질적인 사회정의를 구현하겠다는 국민적 합의의 표현이라고 할 수 있으며 사법(私法)영역에서도 신의성실의 원칙[125)이라든가 권리남용 금지의 원칙, 소유권의 상린관계[126) 등의 형태로 그 정신이 투영되어 있는 것이다. 재산권 행사의 사회적 의무성은 헌법 또는 법률에 의하여 일정한 행위를 제한하거나 금지하는 형태로 구체화될 이치이나 이는 (토지)재산의 종류, 성질, 형태, 조건, 상황, 위치 등에 따라 달라질 것이다.

(2) 토지의 특성

토지의 수요가 늘어난다고 해서 공급을 늘릴 수 없기 때문에 시장경제의 원리를 그대로 적용할 수 없고, 고정성, 인접성, 본원적 생산성, 환경성, 상린성, 사회성, 공공성, 영토성 등 여러 가지 특징을 지닌 것으로서 자손만대로 향유하고 함께 살아가야 할 생활터전이기 때문에 그 이용을 자유로운 힘에 맡겨서도 아니 되며, 개인의 자의에 맡기는 것도 적당하지 않은 것이다.

토지의 자의적인 사용이나 처분은 국토의 효율적이고 균형 있는 발전을 저해하고 특히 도시와 농촌의 택지와 경지, 녹지 등의 합리적인 배치나 개발을 어렵게 하기 때문에 올바른 법과 조화 있는 공동체질서를 추구하는 사회는 토지에 대하여 다른 재산권의 경우보다 더욱 강하게 사회공동체 전체의 이익을 관철할 것을 요구하는 것이다. 그래서 토지에 대하여서는 헌법이 명문으로 "국가는 국민 모두의 생산 및 생활의 기반이 되는 국토의 효율적이고 균형 있는 이용·개발과 보전을 위하여 법률이 정하는 바에 의하여 그에 관한 필요한 제한과 의무를 과할 수 있다"라고 하여 일반 재산권 규정(헌법 제23조)과는 별도로 규정하고 있고(헌법 제122조), 그중에서도 식량생산의 기초인 농지에 대하여서는 제121조 등에서 소작제도 금지 등 특별한 규제를 하고 있다. 우리 국민의 토지에 대한 강한 소유욕은 전통적으로 내려온 가족주의적 농업사회에서 비롯된 것인데, 농업사회에 있어서는 토지가 생계의 절대수단이고 가족중심적 가치관은 토지를 후대에 상속시켜 안전한 생활을 보장해주려는 의식을 낳게 하였던 것이다. 이러한 관념은 고도의 산업사회가 된 오늘날에 와서도 그대로 이어져 기업가나 개인이나 생산과 주거에 필요한 면적 이상의 토지를 보유하여 토지가격의 등귀를 치부의 수단으로 하려는 경향이 있는 것이다.

124)

88헌가3

125)
신의성실의 원칙: 모든 사람이 사회공동생활의 일원으로서 상대방의 신뢰에 반하지 않도록 성의 있게 행동할 것을 요구하는 법원칙이다. 줄여서 신의칙(信義則)이라고 한다.

126)
상린관계: 법률의 규정에 의해 소유권이 제한되는 하나의 경우이다. 인접해 있는 토지 소유자가 각자의 소유권을 억제하는 것에 따라 양자 간에 일어나는 여러 가지의 분쟁을 해결하여 이웃 간의 토지의 이용관계를 원활하게 하려는데 목적이 있다.

그렇기 때문에 토지재산권에 대하여서는 입법부가 다른 재산권보다 더 엄격하게 규제를 할 필요가 있다고 하겠는데 이에 관한 입법부의 입법재량의 여지는 다른 정신적 기본권에 비하여 넓다고 봐야 하는 것이다.

(3) 토지투기의 문제점

헌법상 국가는 개인이 가지는 불가침의 기본적 인권을 확인하고 이를 보장할 의무를 지고(헌법 제10조 후문), 사회보장·사회복지의 증진에 노력할 의무를 지며(헌법 제34조 제2항), 환경보전과 주택개발 등을 통하여 국민의 쾌적한 주거생활을 보장하도록 노력하여야 할 의무를 지고 있고(헌법 제35조 제1항, 제3항), 아울러 국토의 효율적이고 균형 있는 이용·개발·보전을 위하여 그에 필요한 제한과 의무를 과할 권한을 가지고 있으므로(헌법 제122조) 토지거래허가제는 위에 적시한 국가의 헌법상의 권한과 의무를 실현하거나 이행하기 위하여 마련된 것이라 할 수 있는 것이다. 그런데 토지거래허가제는 그 주된 목적이 토지의 투기적 거래 억제에 있는바, 토지투기는 엄청난 불로소득을 가져와 불건전한 소비풍토나 퇴폐향락성향의 과소비와 연결되기 쉽고, 일반 근로자는 봉급이나 임금으로는 평생 저축을 하여도 주거를 마련하기 힘들고, 생산공장부지의 가격등귀는 생산품가격의 인상요인이 됨과 아울러 다른 물가도 함께 상승시키는 결과가 되어 결국에는 경제의 발달을 저해하고 국민의 건전한 근로 의욕을 저해하며 계층 간의 불화와 갈등을 심화시키는 것이다.

2. 쟁점과 논거

찬성론: 사회적 가치 실현	반대론: 개인의 재산권
[국민생활의 안정적 보호] 토지는 국민 생활의 기반이 되고 공급이 제한적이기 때문에 지가(地價)는 떨어지지 않는다는 인식이 자리 잡고 있고, 이에 따라 과도한 토지투기가 발생하고 있다. 국민의 주거 안정과 투기 억제를 위해 토지를 공적 개념이 포함되어 있는 것으로 보아 적절하게 규제할 수 있어야 한다.	**[개인의 재산권 침해]** 토지는 기본적으로 개인이 가진 자산으로 일반적인 재산권의 대상이 되기 때문에 개인이 자유롭게 소유·처분할 수 있어야 한다. 사회적 목적에 의해 이를 제한하는 것은 개인이 자유롭게 재산권을 행사할 수 없도록 하는 것으로 개인의 재산권을 과도하게 침해하는 조치이다.
[사회양극화 해소] 우리나라는 상위 1%가 전체 개인 소유토지의 57%를 소유하고 있어 토지 소유의 편중이 매우 심하다. 토지 공개념 기반 정책을 통해 소유와 처분을 일정부분 규제할 수 있어 토지 편중을 완화할 수 있다.	**[평등원칙 위반]** 평등원칙이란 같은 것은 같게 다른 것은 다르게 대하라는 원칙이다. 개인은 자신이 정당하게 얻은 소득으로 자산을 획득할 수 있다. 토지와 일반자산 모두 노력의 결과로 동일한 자산인데 토지는 제한받고 일반자산은 제한받지 않는다. 이는 같은 것을 다르게 대한 것이다.
[자유시장질서의 장기적 유지] 시장경제의 자유경쟁을 원칙으로 하되, 공정한 시장질서의 형성과 유지를 위한 국가의 역할이 필요하다. 시장실패, 독과점 등의 문제를 볼 때 최소한의 국가개입은 필요하다. 장기적인 측면에서 시장경제질서 유지를 위한 국가의 노력으로 인정할 수 있다.	**[국가경제성장 저해]** 토지 공개념이 도입되면, 세금이 증가하고 토지 거래에 대한 저항감이 커져 토지 거래가 위축된다. 이로 인해 시장질서가 교란되고 국민의 경제활동 의욕을 저하시켜 국민경제 전반에 어려움을 야기한다. 결국 국가경제의 성장을 저해하게 된다.

3. 읽기 자료

헌법개정과 토지공개념[127]

토지공개념의 이상과 현실[128]

[127]

헌법개정과 토지공개념

[128]

토지공개념의 이상과 현실

⏱ 답변 준비 시간 20분 | 답변 시간 15분

※ 다음 제시문을 읽고, 문제에 답하시오.

> 토지 공개념이란, 토지의 소유와 처분은 공공의 이익을 위하여 적절히 제한할 수 있다는 개념이다. 일반적으로 자본주의 경제에서는 사유재산의 원칙에 따르는데, 이는 노동의 생산물과 그것을 저축해서 형성하는 재산에 대해서는 그것을 만들고 저축한 사람에게 절대적이고 배타적인 소유권을 인정하는 것이다. 그러나 토지는 가용면적이 상대적으로 제한되고 토지 소유와 토지를 사용하는 욕구가 점차적으로 증가함으로써 공급이 수요에 미달할 가능성을 안고 있다. 이에 따라 토지의 투기현상이 잠재적으로 존재한다. 이 문제를 해결하고자 토지가 공공재라는 생각에 바탕을 두고 기존의 토지 소유권 절대사상에 변화를 가하는 개념이 토지 공개념이다. '택지 소유에 대한 법률', '토지초과이득세법' 등 토지 공개념에 관련된 법률이 있다. 용도지역지구제, 토지거래허가·신고제, 개발이익 환수제, 토지세제, 지가 규제, 토지 소유 상한제, 토지이용권의 강화, 대리경작제 등이 그 예이다. 더 나아가서 일부에서는 일부지역 토지의 국유화 또는 사회화의 가능성을 인정하기도 하고, 토지 소유권의 용익 소유권과 처분 소유권으로의 이원화를 염두에 두기도 한다.
>
> 토지 공개념을 찬성하는 입장에서는, 토지의 특수성에 주목해 토지재산권을 다른 재산권과 달리 대할 수 있다고 한다. 이에 따르면, 토지 공개념은 사유재산제의 부정, 토지의 국·공유화를 시도하는 것이 아니라 다른 재산권보다 좀 더 강한 공적 규제를 가하는 것뿐이다. 토지문제의 근원이 된 토지투기를 억제하기 위해 시민법원리에 대한 수정을 통해 토지질서를 확립할 필요가 있다. 또한 토지 소유권은 역사적 개념이고 상황구속성을 가지고 있으므로 조정과 규제를 위한 토지 공개념이 필요하다. 헌법상 재산권보장의 의미를 재산의 종류와 관계없이 보편화시켜 토지재산권에도 그대로 적용하는 것은 타당하지 않으며, 이미 부분적으로 헌법에 규정되어 있다. 따라서 국민 개인의 자유와 자기 책임적 삶의 실현에 직접적인 관계가 없는 토지 소유, 국토의 효율적 이용을 저해하는 토지의 소유와 이용, 자기노동에 의하지 않는 토지투기소득이나 개발이익에 대해서는 광범위한 사회적 구속이 이루어져야 한다.
>
> 반면, 토지 공개념을 반대하는 입장에서는, 토지 공개념은 사유재산권을 침해하고 자유경제질서를 위협하는 것이라 한다. 토지 공개념에는 처분권의 제한이 포함되는데 이는 인격권을 침해하는 것이므로 사유재산제를 위협한다. 이에 더해 공공복리를 위하여 개인의 토지재산권을 규제하겠다는 것은 역사적으로 개인의 자유를 위협하는 경우가 많았다. 또한 토지 투기도 자본주의 체제 하에서는 제한하지 않고서도 투기 억제의 목적을 달성할 수 있다. 한편 토지 공개념은 처분권의 제한이 포함되는데, 이는 인격권을 침해하는 것으로서 사유재산제를 위협한다. 따라서 토지도 다른 재화와 마찬가지로 사적 자치의 원칙에 의해서 지배되어야 한다.

Q1. 토지 공개념은 토지의 소유와 처분은 공공의 이익을 위하여 적절히 제한할 수 있다는 개념이다. 이 개념에 근거한 부동산 정책은 타당한가?

Q2. 토지 공개념에 근거한 부동산 정책 중 대표적인 사례가 토지거래허가제이다. 토지거래허가제는 특정 지역을 최대 5년간 거래규제지역으로 지정해 해당 지역 내의 토지를 거래할 때 허가를 받도록 하는 제도이다. 이는 개인이 토지를 자유롭게 처분할 권리를 제한하는 것이다. 토지거래허가제와 같은 부동산 정책은 사적 자치의 원칙[129]에 반한다는 주장이 있다. 이 입장에 대한 자신의 견해를 논하시오.

Q3. 도시관리계획에 따르면 개발을 제한하는 구역을 설정할 수 있다. 이는 도시의 무질서한 확산을 방지하고 도시 주변의 자연환경을 보전해서 도시민의 건전한 생활환경을 확보하기 위한 목적으로 개발제한구역, 소위 그린벨트를 지정하는 것이다. 개발제한구역으로 지정된 구역 안에서는 건축물의 건축 및 용도 변경, 공작물의 설치 등을 할 수 없다. 이러한 개발제한구역은 토지 재산권에 대한 심각한 제한인데 타당한가?

Q4. 甲은 도시인접지역에 있는 토지의 소유자인데 자기 소유지가 개발제한구역으로 지정이 되어 건축을 할 수 없게 되었다. 甲에 대해 보상을 하는 것이 타당한가?

Q5. 주택문제가 심각해지면서 개발제한구역, 즉 그린벨트를 해제해 주택을 공급해야 한다는 주장이 있다. 그러나 지금 당장의 주택문제를 해결하고자 그린벨트를 해제해서는 안 된다는 비판도 존재한다. 그린벨트를 해제해 주택을 공급하는 정책은 어떤 가치가 서로 대립하는가?

Q6. 개발제한구역을 해제하여 싼 가격으로 주택을 보급하는 부동산 정책은 타당한지 자신의 견해를 논하시오. 그리고 자신의 견해에 대해 예상되는 반론과 이에 대한 재반론을 하시오.

129)
사적 자치의 원칙: 대한민국 민법의 기본원리로 사법상의 법률관계는 개인의 자유로운 의사에 따라 자기책임하에서 규율하는 것이 이상적이라고 하는 근대사법의 원칙을 뜻한다. 개인의사자치의 원칙, 법률행위 자유의 원칙, 계약자유의 원칙, 유언의 자유원칙이 이에 해당한다. 사적 자치의 원칙은 자신의 행동에 책임을 지고 타인의 행동에 책임을 지지 않는 개인책임의 원칙과 연관되어 있다.

Q1. 모범답변

　토지 공개념에 근거한 부동산 정책은 타당합니다. 토지는 개인의 자유에 맡길 수만은 없는 특수한 자원입니다. 토지는 개인의 노력으로 가치가 생기기보다는 이미 형성된 위치와 사회적으로 인프라를 구축한 결과로 가치가 결정되는 것입니다. 따라서 토지의 가치 상승 등이 개인의 자유와 노력에 근거한 바가 적다는 점에서 토지의 소유와 처분을 공적 목적으로 제한할 수 있습니다.

　우리나라는 국토가 좁고 인구는 많아 토지의 공급보다 토지에 대한 수요가 많아 가격 상승 요인이 크다는 특성이 있습니다. 그 결과 토지에 대한 국민의 애착이 강한 문화·역사적 특성이 있어 토지투기가 매우 심합니다. 토지를 시장의 자율에 맡길 경우 투기로 인한 지가(地價) 상승문제가 심각합니다. 실제로도 지가가 상승하여 공장을 짓기도 힘들어 지가가 싼 중국 등으로 공장을 이전해 국내산업의 공동화 현상이 발생하고 있습니다. 이로 인해 노동수요가 줄어 일자리 창출이 어렵습니다. 토지투기는 지가 상승과 국내산업 공동화, 고용 감소, 경기 침체를 일으킬 수 있습니다.

　또한 지가의 앙등(昻騰)으로 인해 주택가격이 높아져 서민들의 내 집 마련도 어려워지고 있습니다. 일반 국민들은 평생 주택 한 채를 마련하기 위해 고달픈 생활을 하고 있습니다. 따라서 적정지가와 주택가격을 유지하기 위한 국가정책은 필요합니다.

Q2. 모범답변

　토지 공개념에 근거한 부동산 정책은 사적 자치 원칙에 반하지 않습니다. 사적 경제영역에서 개인과 사회가 문제를 잘 해결하고 있음에도 국가가 개입한다면 사적 자치 원칙에 위반됩니다. 그러나 개인과 사회가 문제를 해결할 수 없고 이에 따른 피해가 심각할 경우, 국가의 규제는 정당합니다. 예를 들어, 시장에 독과점이 발생하여 국민의 경제적 피해가 발생하면 국가가 규제합니다. 이미 우리나라는 사회와 개인의 토지 투기 문제가 심각하고 사회적 피해가 발생하고 있으므로, 국가의 규제는 사적 자치 원칙에 반하지 않습니다.[130]

　근대국가시기에 인정되었던 소유권 절대적 보장원리는 공공에 해를 끼친다는 것이 인정되었습니다. 그래서 현대에 와서는 소유권도 공공복리와 조화를 이루어야 한다는 의식이 자리를 잡았고 우리 헌법도 이를 명문화하고 있습니다.[131] 특히 우리나라는 토지가 협소하여 토지공급이 수요보다 적습니다. 이 때문에 토지재산권에 대한 제한은 불가피합니다. 특히 투기우려지역에 대한 토지거래허가제는 투기 방지라는 목적을 위해 필요하고도 적정한 수단입니다. 토지거래허가제는 투기 목적의 거래인지 판단 후 거래를 허가하는 것에 불과할 뿐, 토지 소유주의 거래 자체를 금지하는 것은 아닙니다.

130)
현행 헌법 제119조 제2항은 이미 많은 문제점과 모순을 노정한 자유방임적 시장경제를 지향하지 않고 아울러 전체주의국가의 계획통제경제도 지양하면서 국민 모두가 호혜공영하는 실질적인 사회정의가 보장되는 국가, 환언하면 자본주의적 생산양식이라든가 시장 메커니즘의 자동조절기능이라는 골격은 유지하면서 근로대중의 최소한의 인간다운 생활을 보장하기 위하여 소득의 재분배, 투자의 유도·조정, 실업자 구제 내지 완전고용, 광범한 사회보장을 책임있게 시행하는 국가 즉 민주복지국가의 이상을 추구하고 있다. 그런데 국민의 건전한 양식과 양심에 따른 자율적 규제로 토지투기가 억제되기 어렵다는 것은 수많은 토지투기의 사례와 지가폭등의 현실이 이를 잘 보여 주고 있는 것이며, 그에 대한 정부의 규제는 불가피한 것이라고 아니할 수 없는 것이다. 그렇다면 토지거래허가제는 헌법이 정하고 있는 경제질서와도 아무런 충돌이 없다고 할 것이므로 이를 사적 자치의 원칙이나 헌법상의 보충의 원리에 위배된다고 할 수 없을 것이다.

131)
헌법 제23조 제2항: 財産權의 행사는 公共福利에 적합하도록 하여야 한다.

특히 토지는 개인의 자유와 노력으로 만들어지는 것이 아니라 이미 자연적으로 존재하는 것입니다. 토지의 가치 상승은 개인적 노력의 결과보다 사회적 결과인 경우가 많습니다. 예를 들어, 서울 강남역 인근의 토지 가치 상승은 강남역 인근 주민이나 상가의 노력이라기보다 사회적으로 지하철역의 설치나 버스노선의 집중이 이루어져 유동인구가 많아진 결과라 보아야 합니다. 강남역 인근의 유동인구가 많아지면 지하철이 추가로 건설되고 버스노선이 늘어나게 되는 결과로 이어져 다시금 토지 가치를 상승시키게 됩니다. 이처럼 토지 가치 상승의 결정적 요인은 사회적 인프라 구축 등의 사회적 노력이지 개인적 노력의 결과가 아니며 개인의 재산권의 영역이라 할 수 없습니다. 따라서 사회적 노력의 결과로 토지 가치 상승이 이루어진 지역에 한정하여 토지거래허가제를 시행하는 등의 토지거래 제한은 개인의 재산권을 침해하는 것이라 볼 수 없습니다.

Q3. 모범답변

개발제한구역 지정은 원칙적으로 타당합니다. 개발제한구역이 없었다면 서울 주변의 산림은 아파트나 건물로 대부분 훼손되었을 것입니다. 자연을 인간의 수단으로 보아 효용성 관점에서만 이해해서는 안 됩니다. 효용성 관점에서만 토지정책을 생각한다면 자연환경의 파괴를 막을 수 없습니다. 더군다나 토지는 현세대가 잘 가꾸어 미래 세대에 물려주어야 하는 것이기 때문에 현세대가 자신의 이익만을 위해 남용해서는 안 됩니다. 따라서 자연환경을 보전하기 위한 개발제한구역 지정은 타당합니다.

Q4. 모범답변

개인의 재산권 행사의 제한이 크기 때문에 사회가 이에 대한 보상을 함이 타당합니다. 개발제한구역으로 지정될 경우 토지를 이용할 방법이 없는 경우가 많습니다. 이 경우 토지 소유자가 오랜 시간 동안 가혹한 부담을 안게 됩니다. 이러한 가혹한 부담을 완화시키기 위해서 보상이 필요합니다. 사회적으로 환경 보호라는 가치를 위해 개발제한구역을 지정하는 것이므로 사회적으로 보상을 함이 타당합니다. 일반적으로 개발제한구역으로 설정될 경우 20~30년 동안의 재산권 행사가 불가능한 경우가 많고, 개발제한구역 내에 거주하고 있는 자가 자신의 주택을 개축하는 것도 어려울 정도로 재산권 행사가 어려운 것이 사실입니다. 따라서 현실적으로 개인의 재산권 행사의 제한이 크기 때문에 사회가 이에 대한 보상을 해야 합니다.

Q5. 모범답변

그린벨트 해제 주택공급정책은 현세대의 주거권과 미래 세대의 환경권이 대립합니다. 개발제한구역의 제한을 해제하여 주택을 공급하면 토지가격을 낮출 수 있어 보다 싼 가격에 주택을 공급할 수 있습니다. 이를 통해 가격 부담으로 인해 살 집이 없는 저소득층과 무주택자의 주거권을 보장할 수 있습니다. 반면, 개발제한구역은 도시의 난개발과 무질서한 확장을 막아 환경을 보호하고자 하는 목적을 지니고 있는데 개발제한구역을 해제하여 주택으로 개발할 경우 환경문제가 발생합니다. 환경문제는 현세대의 문제라기보다 미래 세대의 문제가 될 가능성이 높습니다. 따라서 미래 세대의 환경권을 침해합니다.

Q6. 모범답변

개발제한구역 해제 주택보급정책은 타당하지 않습니다. 아파트공급이라는 효용성 관점에서 토지를 바라본다면 서울 주변의 녹지를 보전할 수 없습니다. 효율성이라는 명목으로 대도시 주변의 녹지가 계속 훼손된다면 우리의 미래 세대는 대도시 주변의 산림을 볼 수 없게 될 것입니다. 현세대가 좀 불편하더라도 다음 세대를 위해서라도 개발제한구역을 보전해야 합니다.

이에 대해 서민들의 주택문제를 해결하기 위해 낮은 가격으로 주택을 공급해야 하는데 이를 위해 개발제한구역을 이용해도 된다는 반론이 제기될 수 있습니다. 그러나 일반 국민들의 주택문제가 심각하다고 해도 환경을 파괴하는 방법으로 이를 해결하려 한다면 삶의 터전이 오염되고 미래 세대의 부담을 가중시키는 것입니다. 이미 개발이 이루어진 지역의 녹지를 복원하기는 현실적으로 매우 어려운 데다가 개발제한구역이 해제되면 그나마 지켜왔던 녹지는 파괴되어 환경문제가 심각해질 것입니다. 주택은 단기적이고 눈에 보이지만, 좋은 환경은 장기적으로 눈에 보이지 않는 가치입니다. 그 중요성을 진지하게 고려하지 않는다면 개발제한구역은 사라질 것입니다.

개발제한구역을 유지하면서 서민주택을 공급할 방안을 찾아야 합니다. 중·단기적으로는 공공임대주택을 늘리거나 도심재개발 등을 제시할 수 있습니다. 주택문제를 주거의 안정이라는 목적으로 바라본다면 공공임대주택을 늘려 주거 안정을 확보할 수 있습니다. 그리고 도심재개발을 통해 도시가 도시 주변녹지를 파괴하면서 넓어지는 것을 막아야 합니다. 장기적이고 근본적으로는 지방균형발전을 통해 해결함이 타당합니다. 우리나라는 수도권 집중현상이 심각해 주택문제가 커지고 있습니다. 이를 지방으로 분산하면 수도권, 특히 서울의 주택가격이 안정될 수 있고 녹지대를 파괴하면서 주택을 추가로 건설할 필요가 없습니다.

1. 기본 개념

(1) 부동산

부동산(不動産, immovable property)은 말 그대로 움직여 옮길 수 없는 재산을 의미한다. 대표적인 사례로 토지, 토지에 정착된 건물이나 수목(樹木) 등을 의미한다. 우리 민법은 제99조 제1항에서 "토지 및 그 정착물은 부동산"이라 하고, 동조 제2항에서 "부동산 이외의 물건은 동산"이라 한다.

(2) 부동산의 특징

첫째, 수급 불균형을 해결하려면 다른 재화에 비해 오랜 시간이 걸린다. 토지나 주택은 수급 불균형이 생겼다고 해서 며칠, 몇 달 만에 공급을 늘릴 수 있는 상품이 아니다. 토지나 주택 등의 부동산은 우리가 소비하는 상품 중 생산기간이 가장 긴 상품이며, 최소 몇 년이 걸리는 것이 일반적이다. 이는 부동산이 움직일 수 없는 물건이기 때문에 부족하다는 이유로 다른 곳에 있는 물건을 가져오거나 외국에서 수입할 수 없기 때문이다. 또 토지는 새로 만드는 것이 근본적으로 어렵다.

둘째, 부동산은 소비재이자 투자재로 복합적 성격을 갖고 있다. 대부분의 상품은 감가상각이 일어나기 때문에 오래 사용하면 값이 떨어진다. 그러나 부동산은 경우에 따라 시간이 지나면 가격이 상승하기도 한다. 물론 건물 가격은 감가상각이 일어나기 때문에 가격이 하락하지만, 입지나 개발 여건에 따라 땅값이 치솟기 때문에 발생하는 일이다. 이에 더해 부동산은 그 자체로 담보가 될 수 있기 때문에 투자 수단이 될 수 있다.

2. 읽기 자료

재건축 초과이익환수[132]

초과이익환수제 검토[133]

132)

재건축 초과이익환수

133)

초과이익환수제 검토

⏰ 답변 준비 시간 15분 | 답변 시간 10분

※ 다음 QR코드를 촬영하면 연결되는 제시문을 읽고, 문제에 답하시오.

> 정부는 재건축 초과이익 환수 면제금액을 1억 원으로 상향하고, 부담금 산정 시점을 변경하며, 1주택 장기보유자에게 감면 혜택을 제공하는 '재건축부담금 합리화방안'을 발표했다. 이에 대한 찬반 논란이 일고 있다.
>
>
> 초과이익환수제 완화방안

Q1. 초과이익환수제는 재건축 진행 과정에서 1인당 평균 3,000만 원이 넘는 이익을 얻으면 초과금액의 최대 50%까지 부담금을 납부하도록 하는 제도이다. 초과이익환수제의 타당성에 대한 자신의 입장을 논하시오.

Q2. 초과이익환수제는 주택을 매도하지 않은 상태, 즉 주택 소유자가 이익을 실제로 얻지 않은 상태에서 과세하는 것이다. 이처럼 미실현이익에 대해 과세하는 것은 부당하다는 주장이 있다. 이 주장에 대한 자신의 입장을 논하시오.

Q3. 초과이익의 50%에 해당하는 부담금을 부과하는 것은 개인의 재산권에 대한 과도한 침해라는 주장이 있다. 이 주장에 대한 자신의 입장을 논하시오.

 **141 해설** 초과이익환수제

Q1. 모범답변

　초과이익환수제는 타당합니다. 아파트 재개발 등으로 인해 얻게 되는 아파트 자산가격 상승은 개인의 노력의 결과라 할 수 없기 때문에 사회가 환수하여야 합니다. 토지는 기본적으로 토지의 위치에 의해 그 가치가 결정됩니다. 토지의 위치는 자신의 노력과 상관없이 이미 결정된 것이고, 토지의 위치로부터 비롯되는 이익은 개인의 노력이 아니라 사회가 그 가치를 만든 것입니다. 예를 들어 강남역이라는 토지의 위치는 개인의 노력이 아니며, 강남역 인근의 개발과 교통 접근도의 수월성은 사회적으로 인프라를 구축한 것에서 발생한 것입니다. 따라서 아파트 재개발로 인해 얻는 자산가격의 상승분이 일정 정도 이상이라면 초과이익을 환수하여 사회적 인프라가 잘 구축되지 않은 지역의 개발을 위해 사용하도록 함이 타당합니다.

Q2. 모범답변 [134]

　미실현이익에 대한 과세는 부당하다고 볼 수 없습니다. 이는 단지 과세의 방법에 불과하기 때문입니다. 원칙적으로는 이익에 대한 실현이 완전히 종료된 후에 과세를 하는 것이 정확하겠으나, 이럴 경우 현실적으로 과세가 불가능한 경우도 있습니다. 대표적으로 재산세나 종합부동산세도 주택가격이 상승하면 이에 따라 세금이 올라가지만 아직 주택을 매도하지 않은 상태에서 과세하고 있습니다. 이는 사회적 논의과정을 거쳐 합리적으로 정하면 될 일이지 미실현이익에 대한 과세 자체가 부당하다고 할 수는 없습니다.

Q3. 모범답변

　초과이익의 50%에 해당하는 부담금은 개인의 재산권에 대한 과도한 침해라고 볼 수 없습니다. 개인의 재산권을 보호하는 목적은 그것이 개인의 자유로운 노력의 결과물이기 때문입니다. 개인은 자기 삶의 주체로 자신의 선택의 결과에 대해 책임을 지게 됩니다. 이 선택의 자유에 있어서 노력한 경우에는 노력의 대가라는 책임을, 노력하지 않은 경우에는 대가를 누릴 수 없는 책임을 지게 됩니다. 그런데 재건축아파트 등의 초과이익은 뛰어난 입지조건으로 인한 이익입니다. 뛰어난 입지조건은 교통조건이나 환경 등과 같이 사회적 인프라가 특정지역에 구축된 덕분입니다. 이는 개인의 노력의 결과라 할 수 없습니다. 물론 이러한 입지조건을 발견하고 보유한 것 역시 노력이라 볼 여지는 있을 수 있습니다. 그러나 사회적 인프라의 구축과 입지조건의 발견과 보유를 모두 다 개인의 정당한 재산권으로 인정한다면 단지 우연한 시점에 해당 부동산을 보유하고 오래 갖고 있기만 하면 막대한 불로소득을 누릴 수 있다는 의미가 됩니다. 자신은 노력하지 않아도 사회가 인프라를 구축해서 자신의 재산을 불려주는 것이나 다름없습니다. 따라서 재건축으로 인한 초과이익은 마치 복권 당첨금과 같이 우연에 따른 불로소득에 해당하므로 50%에 해당하는 부담금을 부과하더라도 개인의 재산권을 침해하는 것이라 할 수 없습니다.

134)

92헌바49

1. 기본 개념

(1) 토지 보유세의 효과

헨리 조지는 건물과 같은 개인노동력의 결과물에는 세금을 부과하지 말고, 사회가 산출한 지대에만 세금을 부과할 것을 주장한 바 있다. 피츠버그시의 세율차별정책은 헨리 조지의 주장에 꼭 맞는 것은 아니지만, 그의 정신을 상당 부분 수용하고 있는 것으로 볼 수 있다.

피츠버그시가 건물에는 낮은 세율을, 토지에는 높은 세율을 적용하는 이유는 무엇일까? 그것은 당연히 토지이용을 촉진하고, 건축·건설활동을 북돋우며, 토지투기를 억제하기 위해서이다. 그것의 작동원리는 간단하다. 토지에 높은 세율을 적용함으로써 땅을 놀리고 있는 지주들의 세금 부담을 무겁게 한다. 이와 반대로 건물에는 낮은 세율을 적용함으로써 건물의 신축과 개량을 유도한다. 토지와 건물에 똑같은 세율을 적용할 경우 건물의 시설을 보완하고 개량한 결과 건물의 가치가 상승하면 그만큼 세 부담이 늘어나게 되어 있다. 그러나 건물에 적용되는 재산세율이 대단히 낮다면 건물의 가치를 증대시키는 활동이 제약받을 이유가 없는 것이다. 오히려 무거워진 토지에 대한 세금을 감당하기 위해 놀고 있는 토지를 적극 이용하려 할 것이며, 제대로 이용되지 않고 있던 건물은 사용가치가 높아지도록 개량하려 할 것이다.

(2) 토지 보유세 후퇴의 문제점

첫째, 공적 측면의 문제점이 있다. 토지 보유세 후퇴의 직접적인 영향은 공공서비스의 축소, 소득세와 같은 다른 세금의 인상 그리고 주정부의 신용하락으로 나타났다. 몇 가지 예를 들어 보자. 1978년 이전에 전국 5위였던 캘리포니아주 정부의 교육보조금 규모가 1985년 40위로 떨어졌으며, 지금도 순위 하락이 계속되고 있다. 궁핍해진 재정형편 때문에 카운티가 관장하는 도로의 관리도 엉망이다. 리버사이드 카운티의 경우 20년마다 모든 도로를 재포장하는 것이 정상이지만, 지금의 속도로 보면 130년에 겨우 한번 재포장할 수 있을 정도이다. 더욱이 가속화되는 개구리 뜀뛰기식 도시 확산(urban sprawl) 때문에 환경이 악화되고, 점점 더 많은 도시민들이 불량한 도로에 의존할 수밖에 없는 상황이 전개되고 있다. 토지투기가 발생하여 도심지의 많은 토지들이 투기 목적으로 보유되어 놀고 있으므로 개구리 뜀뛰기식 도시 확산은 불가피하다.

둘째, 사적 측면의 문제점이 있다. 토지 보유세 경감으로 인한 재정수입 손실을 보전하기 위해 소득세, 사업세, 판매세 등을 계속 인상해왔는데, 이러한 세금 인상이 근로자와 기업들을 함께 옥죄고 있다. 기업은 혁신과 창의로 많은 이윤을 창출할수록 더 많은 세금을 물어야 하고, 열심히 일한 근로자가 더 많은 임금을 받을수록 세금이 많아지는 상황에서 기업가정신과 근로의 정신은 살아날 수 없다. 그 결과 1978년 주 헌법 수정 이전에 전체 주들 가운데 7위였던 1인당 주민소득이 1992년에는 12위로 추락했으며, 이후 더욱 떨어졌다.

2. 쟁점과 논거

찬성론: 국민생활 안정	반대론: 재산권 침해
[국민생활 안정] 토지는 국민의 삶의 터전이 되기 때문에 국민생활 안정의 기본이 된다. 토지 보유세는 필요 이상으로 부동산을 소유하는 것을 억제한다. 이러한 수요 감소는 부동산가격의 하락 및 안정을 가져온다. 이를 통해 실제로 주택과 토지가 필요한 국민이 필요로 하는 부동산을 합리적인 가격으로 취득해 활용할 수 있게 된다.	**[재산권의 과도한 침해]** 개인은 자신의 자유로운 노력의 결과로 취득한 재산에 대해 소유권을 지닌다. 국가가 특정목적을 위해 과도한 토지 보유세를 징수하여 국민이 세금을 부담할 수 없다면, 국민은 자신의 의사와 무관하게 보유부동산을 처분해야 한다. 이는 단지 부동산을 보유하고 있다는 사실만으로 자유로운 재산권 행사를 제한하는 것이다.
[국가 발전] 토지 보유세를 통해 필요 이상으로 토지를 소유한 자에게 많은 세금을 징수할 수 있다. 이렇게 확보된 세금을 국가 발전에 긴요한 부분에 투입할 수 있다. 또한 토지 보유세를 통해 건전한 경제 풍토가 자리 잡게 되어 국가경제 발전에 기여할 수 있다.	**[거주 이전의 자유 제한]** 토지 보유세를 부과하면 과도한 세부담으로 인하여 자신의 의사와 무관하게 반강제적으로 부동산을 처분하고 자신의 거처를 이전해야 하는 상황이 발생한다. 이는 국가가 한 개인이 특정지역에서 거주하지 못하게 하는 것과 다름없다. 이는 국민이 가진 거주 이전의 자유를 침해하는 것이다.
[근로의욕 제고] 사유 재산권을 인정하는 이유는 개인의 자유로운 경쟁으로 인한 결과물을 인정하여 사회 발전을 달성할 수 있기 때문이다. 그런데 부동산투기는 국민의 근로의욕과 기업가의 기업심을 떨어뜨린다. 부동산투기는 노력의 결과물도 아니고 사회적 해악까지 일으킨다는 점에서 과세의 이유가 충분하다.	**[공공복리 저해]** 현재의 부동산가격 급등은 공급 대비 과도한 수요로 인한 것이다. 이로 인해 부동산 소유자는 세입자에 비해 우월한 지위에 서게 되고, 자신에게 부과된 토지 보유세를 세입자에게 전가할 가능성이 크다. 서민경제 부담만 가중될 뿐 정책 실효성은 미미하다.

3. 읽기 자료

2006헌바112[135]

2022헌바238[136]

종부세 개정 후 보유세[137]

종부세와 헌법[138]

[135]

2006헌바112

[136]

2022헌바238

[137]

종부세 개정 후 보유세

[138]

종부세와 헌법

⏱ 답변 준비 시간 15분 | 답변 시간 15분

※ 다음 QR코드를 촬영하면 연결되는 제시문을 읽고, 문제에 답하시오.

> '종합부동산세 폐지론'이 세제 개편의 주요 쟁점으로 떠오르고 있다. 정부와 여야 모두 종부세 개편에 공감하지만, 전면 폐지 여부는 아직 불확실하다. 그동안 '징벌적 과세'로 지목됨에 따라 완화 필요성을 언급하고 있다.
>
>
>
> 종부세 폐지론

Q1. 종합부동산세를 부과해야 한다는 입장과 폐지해야 한다는 입장 각각에서 논거를 제시하여 논하시오.

추가질문

Q2. 보유세가 너무 높으면 재산권 침해 문제가 발생하는데, 예를 들어 공시가격 10억 원 상당의 주택 보유에 연 1천만 원 정도의 보유세는 지나치다는 주장이 있다. 이 주장에 대한 자신의 입장을 논하시오.

Q3. 1가구가 오랫동안 1주택만을 보유하고 있는데, 이 주택이 고가주택이라는 이유로 보유세를 높게 부과하는 것은 자유경제체제에 반한다는 주장이 있다. 이 주장에 대한 자신의 입장을 논하시오.

Q4. 재정개혁특별위원회는 자산불평등 악화를 막기 위해 주택에 대한 종합부동산세보다 토지에 대한 종합부동산세의 세율이 더 높아야 한다고 밝혔다. 그 이유는 무엇인가?

Q1. 모범답변

종합부동산세 부과가 타당하다는 입장에서는, 토지 정의의 실현과 국민 주거 안정의 실현이라는 논거를 제시할 것입니다.

종합부동산세, 즉 토지 보유세는 우연으로 인해 얻은 이익을 환수하는 효과가 있습니다. 토지는 기본적으로 토지 위치와 관련이 깊습니다. 토지를 어떻게 활용할 것인지는 개인의 노력의 결과에 해당합니다. 예를 들어 동일한 토지라도 주택으로 활용하는 것과 상가로 활용하는 것, 농지로 활용할 때의 차이가 매우 클 것입니다. 그러나 토지의 위치는 자신의 노력과 상관없이 이미 결정된 것이고 토지의 위치로부터 비롯되는 이익은 개인의 노력으로부터 발생한다기보다는 사회적 가치의 부여로부터 발생하는 것입니다. 예를 들어 강남역이라는 토지의 위치는 개인의 노력이 아니며, 강남역 인근의 개발과 교통 접근도의 수월성은 사회적으로 인프라를 구축한 것에서 발생한 것입니다. 따라서 토지 보유세를 높인다면 토지 정의를 실현하여 자신의 노력이 아닌 부분에서 발생하는 이익을 환수할 수 있습니다.

토지 보유세의 강화는 국민 주거를 안정화할 수 있습니다. 주택 보유세를 강화하면 우연으로 인한 이익을 환수할 수 있고 이러한 이익 환수로 인하여 토지를 보유하여 자신이 이익을 산출할 수 없는 경우에는 토지를 다른 사회구성원에게 양도하도록 유도할 수 있습니다. 토지 보유에 대한 이익을 종합부동산세를 통해 환수하면 자원 배분의 효율성을 달성할 수 있으며, 현재의 투기로 인한 문제를 완화할 수 있습니다. 우리나라의 높은 주택가격은 토지가격이 가장 큰 부분을 차지하고 있습니다. 토지가격의 안정은 주택가격의 안정으로 이어져 국민주거에 도움이 됩니다.

종합부동산세를 폐지해야 한다는 입장에서는, 재산권에 대한 과도한 침해라는 논거를 제시할 것입니다. 개인은 자신의 노력의 결과로 취득한 재산에 대해 정당한 권리를 지닙니다. 부동산 역시 개인이 정당한 노력을 기울여 얻은 재산임이 분명하며, 취득 당시와 보유, 매각에 이르는 전 과정에서 세금을 내게 됩니다. 그런데 종합부동산세는 국가가 특정한 사회적 목적을 실현하고자 고가의 주택에 대해 징벌적인 성격의 세금을 추가적으로 요구하는 것입니다. 특히 종합부동산세는 단지 보유하는 것만으로 매년 추가적인 세금을 내야 하기 때문에 소유자의 세금 부담이 매우 큽니다. 이때 보유 현금이 부족한 소유자는 부동산을 처분해야 하는 경우까지 발생할 수 있습니다. 이는 단지 고가의 부동산을 소유하고 있다는 사실만으로 재산권을 제한하는 것입니다.

Q2. 모범답변

보유세가 지나치게 높으면 재산권 침해가 발생합니다. 그러나 보유세가 너무 낮으면 부동산투기 우려가 있고, 국가 재정 확보에도 어려움이 발생할 수 있습니다.[139] 보유세가 낮으면 토지 이용 수익이 높아지는 효과가 있고, 지가(地價) 상승 시 이익이 커져 부동산가격이 과도하게 상승합니다. 주택문제에서 주택은 국민의 주거 목적을 위주로 세제를 재편할 필요가 있습니다. 물론 문제의 예처럼 공시가격 10억 원 상당의 주택에 연 1천만 원의 보유세는 높다고 볼 수 있습니다. 그러나 공시가격 10억 원의 주택은 1년에 177만 원 정도의 재산세만 낼 뿐 종합부동산세 대상조차 되지 않습니다. 2022년 기준으로 1채의 주택 보유자가 시가 22억 원, 공시가격 15억 원 주택에 대해 납부해야 하는 종합부동산세는 1년에 164만 원입니다. 시가 22억 원에 달하는 주택가격 상승분이 1년에 164만 원 미만이라 하기 어렵습니다. 그렇다면 가격 상승분에 훨씬 못 미치는 보유세를 감수하고 시간이 지나기를 기다리면 훨씬 더 큰 이익을 볼 수 있기 때문에 부동산투기를 하는 것이 합리적 선택이 됩니다. 따라서 보유세를 높여 세원을 확보하고 토지 정의를 실현해야 합니다.

보유세를 강화할 때 거래세, 즉 양도소득세를 낮춰 주택과 토지 거래가 활발히 일어나도록 유도해야 합니다. 시장경제원칙에서 가장 중요한 것은 자원배분의 효율성입니다. 보유세가 낮고 거래세가 높다면 자원배분의 효율성이 저해됩니다. 보유세를 높이게 되면 해당 토지의 이용으로 달성되는 이익이 보유세액보다 적을 경우 토지를 매도하려 할 것입니다. 이때 거래세를 낮춰 토지 이용 수익이 보유세보다 높을 것이라 기대하는 매수자의 토지 매수를 유도할 수 있습니다. 이처럼 토지 이용 수익과 가치가 가장 큰 경제주체에 토지자원이 배분될 수 있습니다. 따라서 보유세를 높이고 거래세를 낮춰, 해당 주택과 토지를 가장 잘 이용하여 그에 상응하는 이익을 창출할 수 있는 주체에게 자원이 배분되도록 해야 합니다.

Q3. 모범답변

1가구 1주택 보유자가 오랫동안 해당 주택을 보유하고 있었다면 보유 기간에 따라 공제율을 정하는 등의 대책을 이미 시행하고 있습니다. 종합부동산세는 고가주택을 여러 채 보유한 다주택 보유자에 대해 강화되어 있으며 1주택을 오래 보유한 자에 대한 공제액이 높게 책정되어 있습니다. 위의 예와 동일하게 2022년 기준으로 공시가격 15억 원의 주택 보유자가 65세, 50% 공동명의로 10년간 보유했다면 1년에 89만 원의 종합부동산세를 낼 뿐입니다.

이에 더해 높은 보유세 정책을 유지하는 것이 오히려 자유경제체제에 부합합니다. 높은 보유세 정책이 유지되면 자원의 효율적 이용이 가능합니다. 보유세를 높여 도심지 주거가 필요한 사람에게 주택이 거래되고 주택의 재개발, 리모델링 등이 일어날 수 있습니다. 예를 들어, 보유세가 높아 1년에 1천만 원 정도의 보유세를 부담해야 하는 주택이 있다고 하면, 이 보유세를 감당하지 못하는 사람에게서 이 보유세를 감당할 수 있는 능력이 있는 사람에게로 사용주체가 바뀌어야 합니다. 자원의 사용가치가 낮은 사람으로부터 사용가치가 큰 사람으로 자원이 이동하는 것이 자원 이용의 효율성을 극대화하는 것입니다. 토지나 부동산도 마찬가지입니다. 그런데 보유세가 낮다면 단지 주택이나 토지를 보유한 시간이 길기만 하면 장래 경제 규모가 자연스럽게 커져 부동산과 토지 가격이 오를 것이라 기대할 것입니다. 그렇다면 그 주택이나 토지를 더 잘 이용할 수 있는 경제주체에 매매되지 않아 토지와 주택이 비효율적으로 사용되는 것입니다. 따라서 높은 보유세가 자유경제체제에 더 잘 부합합니다.

139)

종합부동산 세법

Q4. 모범답변

　토지가 불로소득의 유인이 더 크기 때문에 토지에 대한 종합부동산세 세율이 더 높아야 합니다. 주택은 주거 목적으로 사용할 수 있고 전월세 등의 방식으로 활용하기 때문에 주거권 보장과 경제 활성화에 도움이 됩니다. 그러나 토지는 농업용지 외에는 땅 그 자체로는 어떤 가치도 창출할 수 없습니다. 잡종지나 나대지 등의 토지를 많이 보유한 자들의 경우 토지를 매입하여 시간이 흐르면 토지가격이 상승할 것을 기대하면서 보유하고 있습니다. 이는 토지를 생산 활동에 사용할 수 없도록 하는 것으로서 명백하게 투기에 해당하는 것입니다. 만약 종합부동산세와 같은 보유세를 올리면 시간이 흘러 토지가격이 상승하더라도 자신이 얻을 수 있는 이익이 줄어들기 때문에 토지를 생산 활동에 사용하여 보유세를 감당할 수 있는 자에게 매매하는 것이 유리한 선택이 됩니다. 이처럼 토지의 경우 불로소득을 노리는 것이기 때문에 더 높은 세율을 부담해야 합니다. 따라서 주택보다 토지의 보유세를 높이는 것은 타당합니다.

Part 1
Part 2
Part 3
Part 4
Part 5
Part 6
Part 7

해커스 김종수 모스클 면접 200주제

2024 제주대·2019 고려대 기출

1. 기본 개념

(1) 토지의 성격

토지는 가격이 상승할 때 공급을 늘릴 수 없는 대표적 물건이다. 그리고 건물은 공급을 늘릴 수 있지만 다른 물건에 비해 시간이 오래 걸린다. 그래서 부동산투기는 다른 물건에 대한 투기보다 경제에 훨씬 심각한 해악을 끼친다.

토지는 만든 사람이 없는 천부자원이다. 인간이 만들지 않았고 더 만들 수도 없는 것이 토지이다. 이에 더해 토지의 가치는 위치에 의해 결정되기 때문에 개인의 노력과 무관하게 형성된다. 예를 들어, 서울 강남역 근처의 땅은 위치, 입지가 좋아 가격이 비싼 것이다. 강남역 인근이 좋은 입지인 이유는 교통이 좋고 사람이 많이 모여들기 때문인데, 이는 우연적으로 결정되었거나 우리 사회가 강남역을 중심으로 인프라를 구축했기 때문이다. 그렇다면 강남역 인근의 지가(地價)는 사회적 인프라에 의해 결정된 것이라 할 수 있다.

(2) 토지 소유권

토지는 이러한 특수성으로 인해 개인에게 절대적이고 배타적인 소유권을 인정할 수 없다. 헨리 조지는 <진보와 빈곤>에서 시장의 효율성을 위해서는 토지의 사용권과 처분권만 인정해도 충분한데, 인류는 수익권까지 인정해서 경제적 불의가 발생한다고 주장했다. 이로 인해 토지 소유자는 지대와 지가 차익이라는 소득을 누릴 수 있게 되었다. 지대는 소유자의 초기 토지 구입비용과는 상관없이 사회의 발전과 함께 증가하는 경향이 있다. 지가는 지대의 크기, 미래 지가에 대한 예상, 이자율에 의해 결정되므로 변동의 가능성이 큰데, 특히 투기가 발생할 때는 비합리적으로 상승한다. 이럴 경우 토지 소유자는 과거 어느 한 시점에 소유권을 취득했다는 이유 하나만으로 지대와 함께 막대한 지가 차액을 전유한다. 이는 명백한 경제적 불의이다. 따라서 헨리 조지는 토지를 사적으로 소유하도록 하지 말고 사용권과 처분권만 인정할 것을 주장했다.

(3) 토지와 부동산투기의 문제점

부동산투기는 토지 불로소득 때문에 생기는 것인데, 부동산투기는 여러 경로로 시장경제의 효율성을 떨어뜨린다. 부동산투기는 크게 네 가지 경로로 시장경제의 효율성을 저해한다.

① 노동자들의 근로의욕과 기업가들의 기업심을 떨어뜨린다. ② 각종 비용을 상승시키고 기업과 금융기관의 경영효율성을 떨어뜨린다. ③ 경제의 불안정성을 증폭시킨다. ④ 도시의 난개발과 환경파괴를 초래한다.

부동산투기는 경제정의에 위배되고, 시장경제의 효율성을 떨어뜨리며, 시장경제 내에서 자동적으로 소진되지도 않기 때문에, 정부가 올바른 정책을 수립해서 적절히 대처해야 한다.

2. 읽기 자료

헨리 조지, <진보와 빈곤>, 현대지성

토지공유와 주거평등권[140]

공정한 토지제도 연구[141]

Part 1

Part 2

Part 3

Part 4

Part 5

Part 6

Part 7

해커스 김종수 토스쿨 맥점 200주제

140)

토지공유와 주거평등권

141)

공정한 토지제도 연구

🕐 답변 준비 시간 30분 | 답변 시간 30분

※ 다음 제시문을 읽고, 문제에 답하시오.

(가) 지대가 국가에 귀속되어도 지대가 개인에게 귀속되는 지금과 마찬가지로 토지가 경작되고 개량될 것인가? 토지의 사적 소유를 인정하지 않고 국가가 모든 토지를 소유하면서 점유자 또는 사용자에게 지대를 징수하더라도 지금과 동일하게 토지의 사용과 개량이 가능할까? 그 대답은 가능하다는 것이다. 토지를 공유로 하더라도 토지의 적절한 사용과 개량에는 아무 지장을 주지 않을 것이다.

토지 사용에 필요한 것은 개량물에 대한 보장이며, 토지의 사적 소유가 아니다. 토지의 경작과 개량을 유도하기 위해서 땅의 소유권을 인정해주어야 하는 것은 아니다. 단지 이 땅에서 노동과 자본을 들여 생산한 것은 노동과 자본을 들인 자의 것이기만 하면 된다. 수확을 보장해주면 씨를 뿌릴 것이고, 주택을 소유할 수 있도록 보장해주면 집을 지을 것이다. 수확이나 주택은 노동에 대한 자연스러운 보상이다. 사람이 씨를 뿌리는 것은 수확물을 얻기 위함이고, 집을 짓는 것은 주택을 갖기 위함이다. 토지의 소유 여부는 이와 아무 관계가 없다.[142]

(나) 공유자원이란 공기, 하천, 호수, 늪, 공공 토지 등과 같은 자연자원과 항만, 도로 등과 같이 공공의 목적으로 축조된 사회간접자본을 일컫는다. 공유자원은 사회 전체에 속하며, 모든 개인에게 필요하고 이용도 가능하다. 공유자원을 이용함으로써 발생하는 비용은 사회 전체가 부담하게 된다. 그런데 공유자원은 남용되는 경향이 있기 때문에, 공유자원의 이용으로 각 개인이 얻는 편익(便益)이 종종 사회 전체가 부담해야 할 비용을 웃돈다. 하딘(Garrett Hardin)은 이러한 현상을 공유지(共有地)의 비극이라고 불렀다. 먼저 한 마을의 농부들이 소를 자유롭게 키울 수 있는 제한된 넓이의 목초 공유지가 있다고 가정하자. 농부들이 방목하는 소의 숫자가 증가함에 따라 문제가 발생한다. 방목하는 소들이 일정 수준을 넘어서면, 풀이 다시 자라는 속도에 비해서 풀이 소모되는 속도가 더 빠르기 때문에 공유지는 점점 더 황폐해질 것이다. 만약 사용할 수 있는 목초의 양을 할당하고 그것을 강제할 수 있는 농부들 간의 합의된 정책이 없다면, 목초가 없어지기 전에 자신의 이익을 최대로 높이려는 농부들의 욕구 때문에 공유지의 황폐화는 시간문제이다. 하딘은 이런 비극적 상황을 해결하기 위한 대책으로서 사유재산권 강화, 공해세 부과, 출산 및 이민 억제 등과 같은 다양한 방안을 제안한다. 그런데 이러한 해결책들은 '누군가의 개인적 자유를 침해한다'는 공통점을 가지고 있다. 공유지의 비극은 사회구성원들이 사회적 필요를 인식하고 강제의 필요성을 수용할 것을 요구하고 있다.

(다) 사회가 커질수록 사회는 사유제도를 선호할 수밖에 없다. 사회가 커지면 국가가 중앙집권적으로 사회를 운영하기 어려워진다. 중세의 장원경제가 전제군주정으로 이행되었다가 민주주의로 전환된 것이 대표적인 사례가 된다. 사회가 일정한 규모 이상으로 커지면 사회를 조직하는 관료비용이 급격하게 커진다. 분권화는 곧 사유화와 사유제도로의 이행과 같다. 결국 자원의 소유자인 개인이 자신의 자원활용행위에 대해 직접 책임을 지는 사유제도가 이행되면, 이를 관리할 국가 관료가 필요 없기 때문이다. 국유를 할 경우 관료들은 자원활용행위에 대해 개인들의 그것보다 더 적은 책임을 진다. 왜냐하면 그것은 자신의 것이 아니기 때문이다. 자신의 자유와 그 결과에 대한 책임을 일치시키는 것이 바로 사유화, 사유제도이다. 이를 자기책임의 원리라 하며, 이것이 모든 효율적인 유인체계(誘因體系)의 기본적 전제이다.

142)
헨리 조지, <진보와 빈곤>

(라) 인간은 고통과 쾌락에 지배받는다. 고통과 쾌락은 옳고 그름의 기준이다. 행복을 증가시키느냐 또는 감소시키느냐에 따라 어떤 행동이 칭찬할 행동인지 비난할 행동인지가 결정된다. 효용성은 개인의 행위뿐 아니라 국가의 모든 정책의 판단기준이다. 효용성은 이익, 쾌락, 행복을 가져오고 불이익, 고통, 불행을 예방하는 속성이다. 공동체 이익은 도덕의 가장 일반적인 표현 중 하나이다. 공동체는 개인으로 구성된 허구체일뿐이다. 공동체의 이익이란 그 공동체를 구성하는 구성원들의 이익을 합한 것이다. 따라서 개인의 이익을 별개로 하여 공동체의 이익을 논한다는 것은 무익하다.

(마) 아무런 사회적 규제가 없는 자연 경쟁 체제에서, 사회의 분배 제도는 재능 있는 사람은 누구나 출세할 수 있다는 관념에 의해 규제될 것이다. 여기서 최초의 자산 분배는 자연적·사회적 우연에 의해 강력한 영향을 받게 된다. 그리고 현재의 소득과 부의 분배는 타고난 자산, 곧 자질과 능력의 선행적 분배의 효과가 누적된 결과다. 다시 말해 타고난 자산의 선행적 분배가 사람들에게 일정 기간 동안 어떻게 유리하게 또는 불리하게 사용되었는가에 따른 결과다. 이런 경쟁 체제가 정의롭지 못하다는 것은 직관적으로 명백하다. 무엇보다도 그 체제에서는 도덕적 관점에서 아무런 본질적 중요성을 갖지 않는 요인들 때문에 배분의 몫이 부당하게 좌우된다. 그렇기 때문에 어떤 사람들은 재능이 있으면 출세할 수 있다는 요구 조건에 실질적 기회 균등이라는 조건을 부가함으로써 이러한 부정의를 시정하자고 한다. 직위는 단지 형식적 의미에서만 개방되어서는 안 되고 모든 사람이 그것을 획득할 수 있는 실질적 기회를 가져야만 한다는 것이다. 다시 말해 유사한 능력과 재능을 가진 사람들은 유사한 삶의 전망을 가져야 한다.

그러나 이런 실질적 기회 균등의 체제는 사회 속에서 우연적 요인의 작용을 줄이는 장점은 있어도 여전히 천부적인 재능과 능력에 따라 부나 소득의 분배가 결정되도록 내버려둔다는 단점이 있다. 그래서 이러한 체제도 도덕적 관점에서 마찬가지로 정당화되기 어렵다. 소득과 부의 분배가 역사적·사회적 행운에 의하여 이루어지는 것을 허용할 이유가 없는 것과 마찬가지로, 그 분배가 천부적 자산에 따라 이루어지는 것을 용인할 이유도 없다. 천부적 재능의 불평등도 부당하며, 이러한 불평등 역시 어떤 식으로든 교정되어야 한다. 그래서 사회는 더 불리한 사회적 지위를 갖고 태어난 사람은 물론 천부적 자질을 더 적게 가진 사람에게도 마땅히 더 많은 관심을 가져야 한다.

(바) 매킨타이어는 인간은 '서사적 존재'라고 하였다. 이야기는 시간의 흐름에 따라 만들어지고, 나 혼자 독백은 가능할지언정 이야기를 만들어 나갈 수는 없다. 매킨타이어에 의하면 서사적 존재로서의 인간을 부정하고 독립적 개인을 말하는 것은 현실의 인간을 부정하고 가상의 존재를 인간으로 상정하는 것이나 다름없다. 매킨타이어는 나와 이야기를 갖고 있는 존재를 더 중요하게 생각할 수밖에 없다고 하였다. 이것이 우리가 가족을, 친구를, 민족을, 국민을, 타인보다 더 중요하게 여길 수밖에 없는 이유라 할 수 있다.

Q1. (가)는 헨리 조지의 <진보와 빈곤>의 한 부분을 발췌한 것이다. (가)의 헨리 조지의 주장을 밝히고, 제시문 (나)와 (다)의 입장을 각각 정리하시오.

Q2. 제시문 (나)와 (다)를 각각 적용하여, (가)의 헨리 조지의 주장을 비판하시오.

Q3. 헨리 조지의 토지공유제는 토지의 사용권, 수익권과 처분권을 모두 공공이 소유하는 것이다. 그러나 토지가치공유제는 사용권과 처분권은 소유자에게 두고, 시세 차익으로 생기는 수익권을 세금으로 부과하는 제도이다. 토지가치공유제는 제시문 (라)의 공리주의, 제시문 (마)의 자유주의, 제시문 (바)의 공동체주의 입장에 부합하는지 각각 논하시오.

Q1. 모범답변

(가)의 헨리 조지는 토지의 사적 소유를 인정하지 않고 공유로 하더라도 토지의 적절한 사용과 개량이 가능하다고 주장합니다. 수확물만 보장된다면 농부는 토지를 개량하고 효율적으로 이용할 것이므로, 토지의 사적 소유 없이도 토지의 개량과 적절한 이용은 가능하기 때문입니다.

(나)는 공유지의 비극을 해결하는 방법으로서 개인의 자유를 제한하는 사회적 강제가 필요하다고 주장합니다. 공유지의 비극은, 공유자원의 이용으로 발생하는 비용이 사회에 분담되어, 이 비용이 개인에게는 공유자원 이용으로 인한 편익보다 작게 인식되어 남용되는 것을 말합니다. 그러므로 이로 인한 공유자원의 남용, 고갈, 파괴를 막기 위해서는 일정정도 사회적 제한이 필요하다고 주장합니다.

(다)는 사회의 규모가 커질수록 관료비용도 함께 증가하므로 사유화가 필수적이라 주장합니다. 자원의 소유를 공유로 할 경우, 그 관리를 관료가 담당하게 되는데 관리로 인한 이익이 자신의 것이 아니므로 이를 소홀히 할 수밖에 없기 때문입니다. 특히 사회의 규모가 커질수록 이 관료비용이 증가할 수밖에 없으므로 사유화가 필수적이라 합니다.

Q2. 모범답변

헨리 조지는 토지를 공유하더라도 적절한 개량과 효율적 이용이 가능하다고 주장합니다. 그러나 토지의 적절한 개량이 불가능하고, 효율적 이용이 어렵기 때문에 이 주장은 타당하지 않습니다.

토지의 적절한 개량이 일어나지 않을 것이므로 헨리 조지의 주장은 타당하지 않습니다. 헨리 조지는 토지를 국유화하고 지대를 징수하면 토지의 적절한 개량이 이루어질 수 있기 때문에, 공유지의 비극이 발생하지 않는다고 합니다. 그러나 헨리 조지의 주장처럼 토지를 공유로 하고 개인과 단체는 토지에 대한 사적 이용권과 지대납부 의무를 진다고 하더라도, 공유지의 비극은 발생할 것입니다. (나)와 같이 개인이 일정기간 내에만 토지이용권을 가진다면 이용기간이 만료될 때에 이르러 토지 개량에 자본과 노동을 투자하지 않을 것입니다. 토지 개량의 비용은 자신이 부담하지만 개량의 편익은 다음 임대자가 누릴 것이라 판단하기 때문입니다. 그렇다면 토지의 개량이 이루어지지 않아 토지의 질이 떨어질 수밖에 없습니다. 또한 만료기간에 즈음하여, 토지의 地力을 고갈시킬 정도로 이용하려 할 것입니다. 토지에서 최대한의 편익을 추출해내고 그로 인한 비용을 다음 임대자에게 떠넘기려 할 것이기 때문입니다. 그렇다면 결국 공유지의 황폐화를 피할 수 없습니다. 따라서 헨리 조지의 주장은 타당하지 않습니다.

토지의 효율적 사용이 어렵기 때문에 헨리 조지의 주장은 타당하지 않습니다. (다)에 따르면 자원 사용의 결과에 대해 책임 정도가 클수록 자원을 효율적으로 이용할 수 있습니다. 소유권자 개인이 토지자원 사용에 대해 책임을 지는 경우 소유권자가 직접 책임을 지므로 책임의 정도가 큽니다. 그러나 국유의 경우 관료는 토지의 소유권자가 아니므로, 책임을 지는 정도가 작을 수밖에 없습니다. 이 책임의 차이로 인해 토지를 이용하려 할 때 토지를 사유할 경우 토지를 잘 관리하여 임대를 주려고 노력하겠지만, 국유일 경우 관료가 개인소유권자와 같은 정도로 임대를 주려고 노력하지는 않을 것입니다. 따라서 토지를 국유화한 경우 사유화에 비해 토지의 효율적 이용이 어렵습니다. 또한 토지가 국유일 경우 양질의 토지를 임대받고자 하는 자는 관료와 결탁하려 할 것이고, 부패한 관료가 결합하여 자원의 비효율적 배분을 초래할 것입니다.

Q3. 모범답변

　토지가치공유제는 공리주의, 자유주의, 공동체주의에 모두 부합합니다.

　첫째, 토지가치공유제는 공리주의에 부합합니다. 공리주의는 개인들의 효용의 합이 극대화되는 것이 옳다고 합니다. 토지가치공유제는 사용권과 처분권은 소유자에게 두고, 시세 차익과 같은 수익권을 세금으로 부과합니다. 대표적인 사례로 초과이익환수제가 있습니다. 초과이익환수제는 재건축 진행 과정에서 1인당 평균 3,000만 원이 넘는 이익을 얻으면 초과 금액의 최대 50%까지 부담금을 납부하도록 하는 제도이며, 사용권과 처분권은 소유자에게 그대로 있으면서 시세 차익에 따른 수익권만을 세금으로 부과하는 제도입니다. 이 경우, 재건축 주택 소유자는 시세 차익의 일부를 세금으로 부과하는 비용을 부담해야 합니다. 그러나 주택 재건축으로 인해 발생하는 삶의 질 향상과 미래 자산가격 상승이라는 편익이 존재합니다. 또한 초과이익환수제의 세원은 낙후지역의 인프라 확충으로 사용될 것이므로 낙후지역 주민들의 편익이 커지게 됩니다. 따라서 비용은 일부 재건축 주택 소유자의 세금 부담에 불과한 반면, 편익은 다수 국민들의 인프라 구축으로 크기 때문에 공리주의 입장에 부합합니다.

　둘째, 토지가치공유제는 롤스의 자유주의에 부합합니다. 롤스의 자유주의는 개인의 자유로운 선택과 노력의 결과가 아닌 우연적 요소는 보상해야 정의롭다고 합니다. 초과이익환수제를 예로 들면, 아파트 재개발 등으로 인해 얻게 되는 아파트 자산가격 상승은 개인의 노력의 결과라 할 수 없기 때문에 사회가 환수하여야 합니다. 토지는 기본적으로 토지의 위치에 의해 그 가치가 결정되고 그렇기 때문에 초과이익환수 역시 서울 강남권을 중심으로 환수될 가능성이 매우 높습니다. 토지의 위치는 자신의 노력과 상관없이 이미 결정된 것이고, 토지의 위치로부터 비롯되는 이익은 개인의 노력이 아니라 사회가 그 가치를 만든 것입니다. 예를 들어 강남역이라는 토지의 위치는 개인의 노력이 아니며, 강남역 인근의 개발과 교통 접근도의 수월성은 사회적으로 인프라를 구축한 것에서 발생한 것입니다. 따라서 아파트 재개발로 인해 얻는 자산가격의 상승분이 일정정도 이상이라면 우연적 요소로부터 비롯된 초과이익을 환수하여 이 재원을 사회적 인프라가 충분히 제공되지 못한 불운한 지역의 개발을 위해 사용함으로써 정의를 실현해야 합니다.

　셋째, 토지가치공유제는 매킨타이어의 공동체주의에 부합합니다. 매킨타이어는 우리는 과거, 현재, 미래를 공유하는 서사적 존재로 우리는 서로에게 연대 의무가 있다고 합니다. 토지가치공유제는 토지의 사용권과 처분권은 소유자에게 그대로 남긴 상태로 시세 차익의 일부를 세금으로 부과하는 것입니다. 특정한 지역 토지의 가치는 우리 모두가 사회적 목적에 따라 특정한 가치를 부여하고 인프라 등을 건설한 것입니다. 예를 들어, 강남역이라는 지역은 우리 사회가 서울 남부권의 버스가 모일 수 있는 교통의 요지라는 가치를 부여한 것이고 그에 따라 국가가 세금을 들여 거대한 인프라를 건설한 결과입니다. 과거 국민들의 의사 결정이 현재의 국민들에게 사회적 이익을 준 것이고, 우리는 이를 미래 세대에게 전달해야 할 의무가 있습니다. 이러한 점에서 초과이익환수제와 같이 토지 사용권의 일부로써 시세 차익을 세금으로 부과하여 현재 세대의 불평등을 해소하고 미래세대를 위한 인프라 건설의 재원으로 사용하는 것은 서사적 존재로서 연대 의무에 해당합니다.

2022 중앙대/충북대 기출

1. 기본 개념

(1) 부동산투기 억제방안: 금리 인상

금리 인상은 이자 소득을 높여서 투기적 이익을 줄이고, 부동(浮動)자금[143]을 감소시켜서 투기 수요를 억제하기 때문에 투기 억제 효과가 확실하다. 그러나 급격한 금리 인상은 부동산 시장의 경착륙을 초래할 위험성이 크다. 더욱이 금리 인상은 부동산 시장뿐만 아니라 거시경제 전반을 위축시키는 효과가 있으므로 부동산 정책으로 활용하기에는 적합하지 않다.

(2) 부동산투기 억제방안: 보유세

보유세는 부동산 이용수익의 일부를 조세로 징수하는 것이고 양도소득세는 부동산 매각 시 발생하는 자본이득의 일부를 직접 조세로 환수하는 것이다. 토지 보유세는 부동산 소유자에게 돌아가는 부동산 이용수익을 줄일 뿐 아니라 자본이득에 대한 기대치도 낮추는 효과를 발휘한다. 사람들은 토지 보유세가 땅값을 끌어내리는 효과가 있다는 것을 잘 알고 있기 때문에, 그것을 강화한다고 하면 바로 자본이득의 기대치를 하향 조정한다.

보유세의 효과는 다음과 같다. 헨리 조지는 건물과 같은 개인노동력의 결과물에는 세금을 부과하지 말고, 사회가 산출한 지대에만 세금을 부과할 것을 주창한 바 있다. 피츠버그시의 세율차별정책은 헨리 조지의 주장에 꼭 맞는 것은 아니지만, 그의 정신을 상당부분 수용하고 있는 것으로 볼 수 있다. 피츠버그시가 건물에는 낮은 세율을, 토지에는 높은 세율을 적용하는 이유는, 토지 이용을 촉진하고, 건축·건설 활동을 북돋우며, 토지 투기를 억제할 수 있기 때문이다. 토지에 높은 세율을 적용함으로써 땅을 놀리고 있는 지주들의 세금 부담을 무겁게 한다. 이와 반대로 건물에는 낮은 세율을 적용함으로써 건물의 신축과 개량을 유도한다. 토지와 건물에 똑같은 세율을 적용할 경우 건물의 시설을 보완하고 개량한 결과 건물의 가치가 상승하면 그만큼 세 부담이 늘어나게 되어있다. 그러나 건물에 적용되는 재산세율이 대단히 낮다면 건물의 가치를 증대시키는 활동이 제약받을 이유가 없는 것이다. 오히려 무거워진 토지에 대한 세금을 감당하기 위해 놀고 있는 토지를 적극 이용하려 할 것이며, 제대로 이용되지 않고 있던 건물은 사용가치가 높아지도록 개량하려 할 것이다.

(3) 부동산투기 억제방안: 양도소득세

양도소득세는 당연히 자본이득의 기대치를 낮추는 작용을 한다. 자본이득을 직접 과세대상으로 삼는다는 점 때문에 많은 사람들이 양도소득세를 토지 불로소득 차단의 대표적인 방법으로 생각하지만, 사실은 토지 보유세를 강화하는 것이 더 근본적이고 좋은 방법이다. 양도소득세는 토지 불로소득을 환수하기는 하지만 부동산의 매각을 꺼리게 만드는 소위 '동결효과(lock-in effect)'를 낳는다는 점에서 결함이 있다.

143)
부동자금: 일정한 자산으로 고정되어 있지 않고 투기적 이익을 얻기 위하여 시장에 유동하고 있는 대기성 자금

(4) 결론

부동산투기를 해결할 방안으로 금리 인상, 토지 보유세 강화, 양도소득세 강화의 세 가지 중 부작용이 없는 최선의 정책은 토지 보유세를 강화하는 것이다. 그러나 당장 토지 불로소득을 완전히 차단할 정도로 토지 보유세를 급격히 강화하는 것은 현실적으로 어렵다. 따라서 토지 보유세를 점진적으로 강화하면서 양도소득세 강화를 병행하는 것이 바람직할 때가 많다.

2. 쟁점과 논거: 주택담보대출 규제 찬반론

찬성론: 국민주거 안정	반대론: 경제 활성화
[국민주거 안정] 국민의 주거 안정은 중요하다. 주택가격의 급등으로 인해 국민들의 주거 안정이 위협받고 있다. 주택담보대출을 규제하면 주거용 실수요자 외의 투기자들의 주택구입을 억제할 수 있다. 주택가격이 안정되면 국민의 주거 안정이 달성된다.	**[개인의 자유 제한]** 개인은 자기 삶의 주체로서 자유로운 예측에 결정하고 이에 대한 책임을 진다. 주택 구매자는 자신의 경제능력과 상태를 합리적으로 판단하여 이익을 극대화하는 결정을 내릴 자유가 있다. 국가가 주택담보대출을 규제하는 강제적 조치는 주택 구매자의 자유를 과도하게 제한한다.
[국민의 경제적 피해 완화] 주택가격이 급등하면 일반국민들은 주택가격이 더 오르기 전에 주택을 구입하여 손해를 최소화하고자 한다. 이 개별 가계의 선택으로 인해 주택가격은 더욱 급등하고 버블이 형성된다. 이 피해는 국민에게 돌아간다. 주택담보대출을 규제하면 주택가격이 안정되어 장래 발생할 국민의 피해를 줄인다.	**[평등원칙 위배]** 평등원칙이란 같은 것은 같게 다른 것은 다르게 대하라는 원칙이다. 개인이 어떤 투자를 해서 어떤 결과를 낼 것인지는 개인의 자유에 해당한다. 그런데 주식투자와 같은 경우 신용투자 등과 같은 방법으로 위험을 감수하고 투자를 할 수 있는 데 반하여, 주택투자는 대출을 규제하고 있다. 이는 같은 자유를 다르게 제한하는 것이다.
[국가경제 위축 예방] 현재의 가계부채 문제는 세계기구의 지적을 받을 정도로 심각한 상황이다. 가계부채로 인해 가계의 가처분소득이 줄어들고 소비가 감소하고 기업투자가 감소해 고용이 감소하고 가계소득이 다시 줄어드는 악순환이 일어난다. 주택담보대출을 규제하여 가계부채를 줄여나가야 국가경제 위축을 막을 수 있다.	**[국가경제 위축]** 주거는 개인의 생활 안정에 중요하다. 그러므로 안정적인 주택 공급이 필요한데 주택공급의 주요 주체는 민간 건설사이다. 최근 건설경기 악화로 건설사의 존립이 어려운데 주택담보대출을 규제하면 아파트 미분양 물량이 늘어나 건설사가 파산할 수 있다.

144 문제 | 부동산 대출 규제

답변 준비 시간 20분 | 답변 시간 15분

※ 다음 제시문을 읽고, 문제에 답하시오.

(가) 토마스 아퀴나스: 이자를 받는 것은 죄에 해당한다. 이 주장에 대하여 다음과 같은 근거를 생각해볼 수 있다. ① 물건의 이전은 물건 그 자체가 이미 이전된 것이기 때문에 이자를 받을 이유가 존재하지 않는다. ② 건물의 양도의 경우 물건 그 자체가 이전된 것은 아니나 사용대가로 지불한 금액이 있기에 이자까지 받게 될 경우 이중지급의 문제가 발생할 소지가 역력하다. ③ 유대인들은 서로는 이자를 주고받지 않지만, 다른 집단과의 교류 시 이자를 받는다. ④ 빌리는 사람이 자발적 의사로 이자를 주는 것까지 막을 수 있는 것은 아니다. 빌리는 사람의 자유의사로 이자를 제공하는 것은 이를 금할 그 어떠한 정당한 이유도 없기 때문이다.

(나) 경제 자유화와 민주화에 따라 최고이자율을 폐지하는 이자제한법 개정안이 발의되었다. 현재 이자율 최고한도는 연 20%이며, 이는 20년 전의 법정 최고 이자율 66%의 1/3 이하 수준이다. 정치권에서는 법정 최고 이자율은 15%까지 낮추어야 한다는 주장까지 나오고 있는 상황이다. 그러나 높은 이자율을 감당하고서라도 돈을 빌리고자 하는 사람은 돈을 빌릴 방법 자체가 없는 실정이다. 이에 따라 법정 최고이자율을 폐지해야 한다는 주장이 제기되었다.

Q1. 제시문 (나)의 관점에서, 제시문 (가)의 주장과 논리를 비판적으로 검토하시오.

Q2. 갭투자가 늘어나면서 사회적 문제가 되고 있다. 갭투자란, 주택을 주택담보대출을 통해 구입하되 주택가격의 80~90%를 전세 세입자의 전세보증금을 레버리지(지렛대)로 삼아 주택가격의 10~20%에 불과한 자기 자본으로 주택을 구입하는 것을 말한다. 갭투자가 유발할 사회적 문제와 그 대책을 논하시오.

Q3. 전세금이 급격하게 상승할 경우 큰 사회적 문제를 일으킨다. 전세금의 상승으로 인해 발생할 수 있는 문제점을 다각도에서 제시하시오.

Q4. 주택문제를 해결하기 위해 우리나라는 꾸준히 주택공급을 늘려왔다. 그럼에도 불구하고 주택문제가 해결되지 않는 이유는 무엇인가?

Q5. 정부는 주택담보대출을 규제하는데, LTV(주택담보인정비율)와 DTI(총부채상환비율) 등의 기준을 적용하고 있다. 예를 들어, 연소득 6,000만 원인 직장인이 서울의 8억 원 주택을 구입하기 위해 주택담보대출을 받을 경우 LTV와 DTI 기준을 40%로 정하면 3억 2천만 원까지 대출 가능하기 때문에 4억 8천만 원은 자기 자본으로 부담해야 한다. 이러한 부동산 대출 규제로 인해 서울에서 평범한 직장인이 내 집 마련을 하는 것은 불가능해진 것이라는 반발이 있다. 대출 규제에 대한 자신의 견해를 논거를 제시하여 논증하시오.

Q6. 각 가계가 대출을 받을 것인지 여부는 자신의 자유로운 선택의 결과이다. 대출을 받아 주택을 구입하고 이자를 감당하면서 향후 주택가격 상승분으로 이익을 내겠다고 계획한 것인데, 국가가 각 가계의 자유로운 선택을 강제하는 것이라는 주장이 있다. 이에 대한 자신의 입장을 논하시오.

Q1. 모범답변

제시문 (가)는 이자를 받는 것은 죄라고 주장합니다. 그러나 제시문 (나)의 관점에서, 제시문 (가)의 주장은 타당하지 않습니다. 이는 개인의 자유에 대한 제한이고, 사회 발전을 저해하기 때문입니다.

개인의 자유를 제한하므로, (가)의 주장은 타당하지 않습니다. 계약은 개인의 자유의 결과로 금전대차계약에 따르는 이자 지급 역시 개인의 자유의 결과로 보호되어야 합니다. 계약은 개인과 개인의 자유가 합치된 결과이고 사적 자치의 원칙에 의해 보호되어야 합니다. (가)는 돈을 빌리는 사람이 스스로 이자를 주겠다고 선택했다면 이자 지급이 인정될 수 있으나, 그렇지 않은 경우에는 인정할 수 없다고 합니다. 그러나 돈을 빌려주는 사람이 이자를 받기를 원한다면, 돈을 빌리는 사람이나 돈을 빌려주는 사람 모두 자신의 자유를 행사하는 것입니다. 이처럼 돈을 빌리는 사람과 빌려주는 사람 사이에 강요 없이 자유롭게 결정한 결과라면 이는 동일한 개인의 자유 실현으로 사적 자치의 원칙에 따라 계약이 성립된 것이고 이자에 관한 채권, 채무관계가 형성된 것이라 보아야 합니다. 따라서 개인의 자유의 결과인 금전대차계약과 이자 지급은 타당합니다.

사회 발전을 저해하므로 (가)의 주장은 타당하지 않습니다. 제시문 (가)는 이자로 인해 이중지급문제가 발생할 것이라 합니다. 그러나 이자는 돈을 빌려주는 시점과 돈을 갚는 시점의 차이로 인해 발생하는 기회비용을 지급하는 것입니다. 만약 현재 돈을 빌리더라도 이자를 지급하지 않는다면 돈을 빌려주는 사람의 입장에서는 자금을 사용하지 못함으로써 발생하는 기회비용이 발생합니다. 이에 더해 돈을 빌린 사람이 미래에 돈을 갚지 않을 수 있는 위험까지 감수해야 합니다. 그렇다면 누구도 돈을 빌려주려 하지 않을 것입니다. 돈을 빌리지 못하게 되면 미래 가능성이 있는 사업이 자금문제로 인해 시작조차 될 수 없습니다. 예를 들어, 영국은 영국은행을 통해 항해와 신항로 개척에 현재 시점에 돈을 빌려주고 미래 시점에 이자를 받아 이를 바탕으로 선순환을 이루었습니다. 이처럼 사회 발전을 저해하므로 (가)의 주장은 타당하지 않습니다.

Q2. 모범답변

갭투자는 전세가격과 주택가격이 상승할 것이라는 기대에 근거하고 있습니다. 만약 전세가격이나 주택가격이 하락하는 경우 이로 인한 피해는 더욱 커진다는 문제점이 있습니다. 먼저, 주택가격이 하락한다면, 전세 세입자의 경우 주택 소유자가 자기자본이 부족하므로 전세 보증금을 돌려받을 수 없어 재산권에 막대한 피해가 발생하거나 주거에 심각한 문제가 발생하게 됩니다. 더 나아가 갭투자로 인해 부동산 시장에 실수요가 아닌 투기 목적의 수요가 과다하게 늘어나 시장이 교란되는 문제점이 발생합니다. 이는 부동산 버블로 이어져 경제 불안정을 심화시킬 수 있습니다.

갭투자로 인해 발생할 문제점에 대한 대책으로, 전세 세입자의 전세 보증금 반환 보증이 필요합니다. 보증보험 등을 통해 주택 소유자의 자기자본금과 관계없이 세입자가 전세 보증금을 반환받을 수 있도록 해야 합니다. 이를 위해 보증보험 가입절차를 간소화하고 가입 시 주택 소유자의 동의가 없어도 보증보험에 가입할 수 있도록 해야 합니다. 또한 LTV(주택담보인정비율)와 DTI(총부채상환비율) 규제 등 주택대출을 규제하여 일정 정도의 자기자본이 없는 경우 대출을 받지 못하도록 하여 전세 세입자의 보증금을 자기 자산 증식의 레버리지로 삼는 일을 방지해야 합니다.

Q3. 모범답변

　전세금의 상승으로 인해 국민의 주거 불안정과 일할 의욕의 저하, 국가경제 저해, 세대 갈등, 환경오염이라는 문제가 발생할 수 있습니다.

　먼저, 전세금의 상승은 국민의 주거 불안정문제를 심화시킬 수 있습니다. 주택은 국민의 기본적 생활을 위한 의식주 중 하나로서 중요성이 높습니다. 만약 주택문제가 심화될 경우 국민의 기본적 생활의 공간이 보장되지 않아 생활의 안정성이 보장될 수 없습니다. 우리나라의 주택 자가 보유율은 60% 미만인 데다가 점차 하락하는 추세입니다. 임차가구 가운데 다른 지역에 주택을 보유한 가구까지 감안한 주택 자가 보유율은 역시 60% 수준 정도에 불과합니다. 이처럼 자기 집이 없는 국민이 절반 정도에 이르고 있으며, 더 큰 문제는 자기 집이 없는 국민이 점점 늘어나고 있다는 점에 있습니다. 이처럼 주택을 보유하지 못한 국민은 주택을 임대할 수밖에 없는데, 매달 지불해야 하는 월세에 비해 전세에 대한 선호가 큽니다. 전세금의 상승은 주거 불안정으로 이어지고 국민의 안정적 삶을 위협합니다.

　전세금의 상승은 일할 의욕의 저하 문제를 야기할 수 있습니다. 주택의 전세금이 상승하는 속도가 소득의 증가 속도보다 훨씬 빠릅니다. 무주택자는 소득 증가폭보다 더 급격하게 상승하는 전세금을 마련하기 위해 가계살림은 더 쪼들리게 됩니다. 이처럼 일반국민이 아무리 열심히 일해도 자기 집 마련은커녕 전세금 상승폭도 좇아갈 수 없다면 일할 의욕이 저하될 것입니다.

　전세금의 상승은 국가경제 발전을 저해합니다. 일반국민의 일할 의욕 저하에 더하여, 전세금 상승은 주거를 위한 기본지출이나 가계의 대출금 이자 부담을 높입니다. 이로 인해 가계소비가 급격하게 감소합니다. 이러한 가계소비의 감소는 소비 위축, 기업의 투자와 고용 감소로 이어져 국가경제의 위축을 낳을 수 있습니다.

　또한 세대갈등으로 인한 문제가 발생할 수 있습니다. 노년층의 주택보유율은 높은 반면, 청장년층의 주택보유율은 매우 낮습니다. 특히 노후 준비가 되어 있지 않아 주택가격과 전세금, 월세가격이 높게 유지되기를 원하는 노년층과 현재의 생활이 어려워 전세금이 떨어지기를 원하는 청장년층의 갈등이 현실화될 수 있습니다.

　전세금 상승은 환경오염 문제를 심화시킬 수 있습니다. 전세금이 상승하여 일자리가 집중되어 있는 도심지역에 집을 구할 수 없는 젊은 세대들은 도심 밖의 위성도시 등으로 나갈 수밖에 없습니다. 그런데 일자리는 도심 내에 많기 때문에 출퇴근거리가 길어지고 이동시간이 늘어납니다. 대중교통과 자동차 등을 이용하는 인원이 늘어나고 이동거리 자체가 길어지게 되므로 배기가스, 타이어 분진 등의 발생이 늘어나 대기오염문제가 커질 수 있습니다.

Q4. 모범답변

　주택공급의 목적을 주거 안정으로 보고 있지 않다는 점이 그 이유일 것입니다. 주택공급 정책의 목적은 국민 주거의 안정이 되어야 합니다. 그런데 우리나라의 경우 국민 개인으로서는 주택을 재산 증식의 수단으로 인식하고 있고 정부로서는 경제 활성화 대책으로 생각하는 경향이 매우 강합니다. 따라서 주택공급이 늘어난다고 하더라도 이로 인한 문제점이 더 커질 뿐입니다. 주택공급에 있어서 정부가 경기활성화를 원할 때, 각종 대출 규제를 완화하면 가계대출이 늘어나고 소위 하우스푸어가 늘어나는 것이 이를 보여준다고 할 수 있습니다.

이 문제를 해결하기 위해서는 근본적으로 주택에 대한 인식을 전환해야 합니다. 이를 바탕으로 하여 공공임대주택을 대량으로 공급하여 민간기업의 주택과 실질적인 경쟁을 유도해야 합니다. 우리나라는 공공임대주택이 너무 적어 민간기업의 주택이 비싸더라도 일반 국민은 어쩔 수 없이 대출 등을 통해 집을 구매할 수밖에 없습니다. 주택담보대출의 증가는 이자와 원리금으로 인한 가계의 가처분소득의 감소, 소비 감소, 기업 투자 감소, 경기 축소로 이어지는 경제 악영향을 미칩니다.

Q5. 모범답변

오히려 규제를 하지 않는다면 내 집 마련이 불가능해질 것입니다. 국민의 주거 안정과 경제위기 예방을 위해 대출 규제를 함이 타당합니다.

먼저, 국민의 주거 안정을 위해 대출 규제가 필요합니다. 집은 국민의 편안한 생활의 기초가 되는 주거의 공간입니다. 물론 집이 주거의 역할을 하다가 결과적으로 집값이 오를 수는 있습니다. 그러나 현재의 주택가격 상승 추이를 볼 때 집이 주거의 목적으로 다루어지기보다 폭리를 얻기 위한 수단으로 여겨지고 있습니다. 특히 전 세계적인 유동성공급의 여파로 대단히 낮은 금리로 대출을 받을 수 있기 때문에 풀린 돈이 부동산으로 몰리고 있습니다. 이런 상황에서 대출을 규제하지 않는다면 주택이 주거의 공간으로서 국민의 생활의 안정을 보장해주지 못하게 될 것입니다. 대출을 규제하여 주거 목적의 실수요자가 심사숙고하여 구매하도록 유도하여야 합니다.

다음으로, 경제위기 예방을 위해 대출 규제가 필요합니다. 2008년 서브프라임모기지사태에서 촉발된 세계금융위기는 주택대출로 인한 가계부채가 그 원인이 되었습니다. 2024년 1분기를 기준으로 할 때, 가계대출잔액은 708조 원, 전세자금대출을 포함한 주택담보대출은 552조 원이며, 가계대출과 주택담보대출 모두 지속적으로 증가하고 있는 추세입니다. 이 금액은 우리나라 1년 국가예산에 준하는 금액입니다.[144]

막대한 가계부채를 줄이지 못한다면 경제위기의 시발점이 될 수 있습니다. 더군다나 가계부채로 인해 가계의 소비가 줄어들고 이로 인해 기업의 실적이 낮아져 투자가 줄어들고 가계소득이 줄어들어 더욱더 소비가 줄어드는 악순환이 시작되고 있습니다. 만약 이러한 악순환에서 가계부채를 감당하지 못해 담보로 삼았던 주택이 경매로 나오기 시작하면 주택가격이 폭락해 경제위기는 현실화될 것입니다. 따라서 주택담보대출을 규제하여 가계부채를 줄여나가도록 유도하여 경제위기를 예방해야 합니다.

Q6. 모범답변

물론 대출 규제는 가계의 자유로운 선택을 강제하는 측면이 있습니다. 그러나 각 가계는 합리적인 선택을 하였으나 사회 전체적으로는 비합리적인 결과가 되는 경우 국가가 개입해야 합니다. 개별 가계는 대출을 받아 주택을 구입하면 주택가격이 향후 크게 상승하여 자신의 이자비용을 넘어설 것이라 기대하고 있습니다. 그러나 한정된 주택공급에 비해 수요가 많아 일어나는 가격 상승은 주택의 실질가치를 크게 넘어설 경우 버블의 위험성이 있습니다. 가격 상승분이 높은 만큼 가격 하락폭도 커질 것이어서 국민의 안정적 생활을 크게 위협하게 됩니다. 가계는 그러한 불안정성의 위험을 원하지는 않을 것입니다. 따라서 국가가 각 가계가 진정으로 원하는 바를 대신하여 정책으로 실현해 사회적 합리성을 달성해야 합니다. 이를 위해 주택담보대출 규제는 타당한 수단입니다.

144)

은행 가계대출

1/4분기 가계신용

145 개념 | 영리병원

1. 기본 개념

(1) 보건권

보건권이란 국민이 자신과 가족의 건강을 유지하는 데 필요한 국가적 급부와 배려를 요구할 수 있는 권리이다. 1919년 바이마르헌법에 의해 처음 명문화되었다. 우리 건국헌법에서부터 가족의 건강조항 내지 국민의 보건권을 규정해 오고 있다. 자연인인 국민이 주체가 되고 외국인은 원칙적으로 주체가 될 수 없다.

(2) 내용

보건권은 국가가 개인의 건강을 침해해서는 안 된다는 소극적 의미와 국민보건을 위해 필요한 정책을 취해야 한다는 적극적 의미가 있다.

(3) 보건권의 제한 및 한계

보건권도 공공복리를 위해 제한될 수 있다. 그러나 보건에 관한 권리의 주체에게 가해지는 의무(예방접종 등)는 필요 최소한도에 그쳐야 한다.

(4) 의료기관 당연지정제[145]

비율의 의료기관에게 일반의(一般醫)로서 진료할 수 있는 예외를 허용한다면, 의료공급시장의 자유경쟁에서 살아남기 힘든 의료기관은 건강보험에 편입되기를 원할 것이고, 시설투자나 진료기법, 의료인의 능력·경력 등으로 보아 보다 양질의 의료행위를 제공할 수 있는 경쟁력 있는 의료기관이나 의료인은 요양기관으로서의 지정에서 벗어나 일반의(一般醫)로서 활동하게 되리라는 점이 쉽게 예상된다. 이렇게 되면 보험진료는 결국 2류 진료로 전락하고, 그 결과 다수의 국민이 보험진료보다는 많게는 서너 배가 넘는 고액의 진료비를 지불해야 하는 일반진료를 선호하게 되고, 이는 중산층 이상의 건강보험의 탈퇴요구와 맞물려 자칫 의료보험체계 전반이 흔들릴 위험이 있다.

이미 우리 사회의 사교육영역에서 병리적 현상으로 자리 잡은 과외교습의 과열경쟁도 이러한 위험성을 시사하고 있다. 자녀의 장래를 위해서는 노력과 금전적 지출을 마다하지 않는 우리 풍토에서, 가족의 건강과 질병퇴치를 위해서는 경제적으로 무리를 해서라도 보다 양질의 의료행위를 제공하는 의료기관을 찾아 나서리라는 것은 어렵지 않게 예상할 수 있다. 부모의 자유영역에 속하는 사교육과는 달리, 국가가 국민의 건강을 보호하고 이를 위하여 국민에게 적정한 의료급여를 보장해야 하는 사회국가적 의무를 지고 있다는 점을 고려할 때, 일정 비율의 의료기관에게 의료보험제도 밖에서 활동할 수 있도록 허용하는 것은 의료서비스의 양분화를 초래하여 의료보장체계의 기초가 무너질 위험을 안고 있다.

145)

99헌바76

2. 읽기 자료: 외국의료기관 개설허가취소처분[146)

원고가 B병원 설립을 추진하면서 보건복지부장관의 승인을 받은 사업계획서(갑 제21호증, 을 제1호증)에는 B병원이 '제주도를 방문하는 외국인 의료관광객'을 대상으로 건강관리 및 미용 목적의 치유형 의료서비스를 제공함을 전제로 의료관광 활성화를 목적으로 추진되는 것으로 예정하고 있다. 그런데 위 사업계획서에서는 B병원이 주변 지역 이용객 유치 증대에 기여하고, 국내 건강보험의 적용을 받지 않는 의료서비스를 제공할 것이어서 기존 보건의료체계에도 영향을 미치지 않을 것으로 분석하였고, 당시 제주특별자치도에서도 B병원 설립을 긍정적으로 추진하면서 '내국인이 이용하더라도 건강보험 적용이 제외됨으로써 국민건강보험체계에 별다른 영향이 없을 것'이라고 분석하였으며, B병원 설립과 관련하여 2018.3.경부터 이루어진 공론조사 절차에서도 내국인도 외국의료기관인 B병원을 이용할 수 있다는 것을 전제로 논의가 이루어졌다. 결국 이와 같은 사정을 종합하면 B병원은 그 주된 이용 대상을 외국인 의료관광객'으로 하면서도 내국인의 이용을 배제하지 않는 방향으로 추진되었던 것으로 보인다.

---

146)

2020누1799 판결서

⏱ 답변 준비 시간 15분 | 답변 시간 10분

※ 다음 제시문과 QR코드를 촬영하면 연결되는 제시문을 읽고, 문제에 답하시오.

> (가) 현재 우리나라 법에 따르면 의료기관은 의료 서비스의 대가를 받지만 영리병원은 아니다. 비
> 영리법인 혹은 의료인이 아닐 경우 병원을 운영할 수 없고 외부 투자를 받거나 할 수 없기 때
> 문이다. 또한 건강보험의 당연지정제 적용을 받는다. 환자는 아무 병원이나 찾아가면 국민건
> 강보험의 혜택을 받을 수 있다. 이는 의료기관의 목적을 환자 진료로 설정하고 투자자의 이윤
> 추구를 목적으로 하지 않기 때문이다. 따라서 현재의 의료기관은 의료 서비스를 제공하고 대
> 가를 받지만 영리병원으로 분류되지는 않는다.
>
> 영리병원은 영리법인이 설립한 병원을 말하는데 투자자의 이윤 추구가 목적인 병원이다. 영
> 리병원은 일반 기업처럼 외부 투자자의 투자를 받을 수 있고, 발생한 수익을 주주에게 배당하
> 거나 외부에 투자할 수도 있다. 영리병원은 환자 진료가 목적이 아니라 주주의 수익 극대화를
> 목적으로 하게 된다.
>
> 2015년 제주도에 중국 부동산개발업체인 녹지그룹이 국내 제1호 영리병원인 녹지국제병원
> 을 설립하겠다고 신청했고, 외국인 전용 병원으로 설치가 허용되었다. 그러나 이후 녹지그룹
> 은 내국인 진료를 금지하는 것은 위법이라며 소송을 제기했고 법원은 내국인 진료 제한이 위
> 법하다는 판결을 내렸다.
>
> (나) 제주도는 제주 녹지국제병원에 대해 내국인 진료를 제한한 조치가 적법하다는 항소심 판결을
> 받았다. 광주고등법원은 1심 판결을 뒤집고 제주도의 조치를 적법하다고 판결했으며, 중국 녹
> 지그룹 자회사인 녹지제주헬스케어타운은 이를 두고 '외국 의료기관 개설 허가 조건 취소 청
> 구소송'을 제기했다.
>
>
>
> 녹지국제병원

Q1. 영리병원을 허용해야 한다는 입장에서 2개 이상의 논거를 들어 논하시오.

Q2. 영리병원을 불허해야 한다는 입장에서 2개 이상의 논거를 들어 논하시오.

Q1. 모범답변

영리병원을 허용해야 한다는 입장에서는 국민의 건강권 보장, 소비자의 진료선택권 보장, 국가 발전을 논거로 제시할 것입니다.

국민의 건강권을 보장할 수 있으므로 영리병원을 허용해야 합니다. 국민은 자신의 건강을 보장받기 위해 자유롭게 의료 서비스를 선택할 자유가 있습니다. 현재 우리나라의 의료체계는 의료보험과 국가에서 정한 수가에 따른 치료 이상을 받기 어렵습니다. 그러나 영리병원을 허용하면 병원들은 환자 유치를 위해 경쟁하게 됩니다. 이 과정에서 환자에게 선택받기 위해 양질의 의료서비스를 제공하고자 치열한 병원 간 경쟁이 유발됩니다. 더 낮은 가격으로 더 좋은 서비스를 제공하지 않으면 환자의 선택을 받지 못하고 도태될 것이기 때문에 기존 의료체계보다 의료의 질이 향상될 것입니다. 획기적인 의학 기술의 개발은 다른 병원과의 경쟁에서 앞서가는 원동력이 되기 때문에 불치병이나 난치병 치료에도 도움이 될 것입니다. 따라서 국민의 건강권이 달성될 수 있으므로 영리병원을 허용해야 합니다.

소비자의 진료선택권을 보장할 수 있으므로 영리병원을 허용해야 합니다. 의료 소비자는 자신이 원하는 병원에서 원하는 치료를 받을 수 있는 기회가 있어야 하며 이 기회는 넓을수록 좋습니다. 그러나 기존의 국민건강보험체계에서는 자신의 소득에 비례하여 건강보험금을 납부하고 국민건강보험에서 일률적으로 정한 동일한 의료 항목에 대해서만 보장받을 수 있습니다. 그러나 영리병원을 허용하면 병원은 더 많은 환자를 유치하기 위해 다양한 의료 서비스를 제공할 수밖에 없고 소비자는 다양한 지불 의사에 따라 자신이 원하는 의료 서비스를 선택할 수 있게 되어 진료선택의 기회가 실질적으로 늘어나게 됩니다. 따라서 영리병원을 허용해야 합니다.

국가 발전을 위해 영리병원을 허용해야 합니다. 현대 사회는 사람들이 건강에 민감할 뿐만 아니라 고령화로 인해 건강에 관심이 많습니다. 우리나라의 의료진의 역량과 병원의 운영능력은 발전 가능성이 높습니다. 영리병원을 허용하면 병원 간의 경쟁이 촉진되고 의료기술이 발전하여 그로 인한 의료산업 발전으로 이어질 것입니다. 이러한 의료산업 발전은 우리나라의 IT기술 등과 결합, 융합되어 해외에 수출될 수 있습니다. 이를 통해 국가 발전을 도모할 수 있으므로 영리병원을 허용해야 합니다.

영리병원을 불허해야 한다는 입장에서는 국민의 건강권을 위협하고, 사회갈등이 유발되고, 환자의 선택권을 제한한다는 논거를 제시할 것입니다.

국민의 건강권을 위협하기 때문에 영리병원을 불허해야 합니다. 사회가 유지·존속되기 위해서는 공유된 가치가 지켜져야 하고 공동체는 이를 위해 국가를 형성하였습니다. 이러한 공유된 가치 중 하나가 국민 건강입니다. 공동체 구성원은 모두 건강한 삶을 살고자 하기 때문에 국민건강보험을 통해 국가의 료보험체계로서 안정적 건강 보장을 원합니다. 영리병원을 허용하면 병원은 영리 목적으로 더 많은 이윤을 얻고자 할 것이고, 진료비가 상승하게 됩니다. 국민건강보험하에서 병원 진료를 손쉽게 받아 건강을 유지할 수 있는데, 영리병원의 도입으로 인해 진료비가 상승하면 국민의 건강권은 제한받을 수밖에 없습니다. 특히 불치병과 난치병 환자들의 경우 치료의 어려움에 비례하여 진료비가 상승할 수 있어 국민 건강에 위협이 될 것입니다. 따라서 영리병원을 불허해야 합니다.

사회갈등이 유발될 수 있으므로 영리병원을 불허해야 합니다. 국민 건강은 사회의 공유된 가치로 모든 사회 구성원에게 동등하게 지켜져야 합니다. 그러나 영리병원의 도입으로 진료비가 상승하면 진료비를 감당할 수 있는 고소득층은 건강을 지킬 수 있는 반면, 저소득층은 진료비를 감당할 수 없어 건강한 삶을 살 수 없게 될 것입니다. 그렇다면 국민 건강은 구호에 그치는 것이고 실제로는 소득에 따라 건강한 삶의 여부가 나뉘게 되어 사회갈등이 극심해질 것입니다. 따라서 영리병원을 불허해야 합니다.

환자의 선택권을 제한하므로 영리병원을 불허해야 합니다. 현재 국민건강보험체제하에서는 모든 의료기관이 의료보험의 적용을 받기 때문에 환자는 모든 병원을 이용할 수 있습니다. 그러나 영리병원이 허용되면 고소득층은 고급 의료서비스를 받고자 할 것이고 이에 부응하여 병원 중 일부는 고급화를 통해 진료비를 올릴 것입니다. 이에 따라 고소득층이 진료받을 수 있는 병원과 저소득층이 진료를 받는 병원으로 나누어질 것입니다. 결국 환자는 자신이 원하는 의료서비스를 선택할 수 없고 자신이 지불할 수 있는 비용에 맞는 진료만 선택할 수 있을 뿐입니다. 따라서 환자의 선택권이 제한되므로 영리병원을 불허해야 합니다.

2024 서울시립대 기출

1. 기본 개념

(1) 의료 공공성

헌법상 보건권은 사회적 기본권의 성격을 지니는데, 국민이 자신의 생명 및 건강에 대한 국가의 침해 방지를 요구할 수 있으며 제3자로부터의 침해 방지나 적절한 지원을 받지 못한 경우 필요한 급부와 배려를 국가에 대해 요구할 수 있다. 이에 의하면, 국가에 의한 강제적인 불임시술·의학실험 등 국가의 직접적인 침해로부터 방어할 수 있는 소극적인 권리가 있다. 또한 전염병 예방 및 관리, 식품의 유통과정에 대한 관리·감독, 건강보험제도와 같은 보건의료정책의 실시 등을 적극적으로 요구할 수 있는 권리가 있다. 이에 따라 국가는 국민의 생명 및 건강을 유지·증진시키기 위하여 노력할 의무가 있고, 이는 적극적으로 국민보건정책을 수립하고 시행할 의무가 있다는 의미가 된다.

특히 생명과 건강은 개인의 자유의 기초가 된다는 점에서, 의료는 모든 국민들이 혜택을 받을 수 있도록 해야 하며, 일부에 의한 독과점이 생기지 않도록 해야 한다는 점에서 규범적 의미의 공공성이 있다.

(2) 원격의료의 필요성

의료의 공공성 측면에서 국가나 지방자치단체는 공공의료기관의 설립 기타 방법 등을 통하여 국민의 보건권을 실현해야 한다. 국민건강보험이 1989년 이후 전 국민을 대상으로 시행되면서, 누구나 저렴한 비용으로 동등한 의료 서비스를 이용할 수 있는 계기가 마련되었다. 그러나 국내 공공보건의료기관의 비중은 전체 의료기관의 10% 수준에 불과하다. 이에 더해 최상급 의료기관은 서울 등 대도시에 밀집해 있고, 의료인들이 지방 근무를 기피하는 경향이 심화되면서 지방 주민들은 의료 서비스에서 차별을 받게 될 수밖에 없었다. 결국 지방 주민들의 의료 서비스의 현실화를 위해서는 원격의료가 논의될 수밖에 없는 상황이 되었다.

2. 쟁점과 논거

찬성론: 국민 건강권 보장	반대론: 국민 건강권 침해
[국민 건강권 보장] 생명과 신체의 자유는 기본적 권리로 국가는 국민의 건강권을 보장할 의무가 있다. 그러나 격오지 거주자, 장애인은 병원에 방문하기 어려워 의료 전문가의 도움을 받지 못한다. 원격의료는 이전에는 불가능했던 진찰, 검사 등이 기술적으로 가능해져 국민의 건강권 보장에 기여한다.	**[국민 건강권 침해]** 인간의 생명은 많은 요소가 복합적으로 결합·작용하여 동일한 증상이라 하더라도 원인은 다른 경우가 많다. 의사라 하더라도 오진의 가능성이 있다. 그러므로 의사가 직접 환자를 확인할 수 있는 대면진료가 중요하다. 원격의료를 허용하면 환자들은 불편한 대면진료보다 원격진료를 선택할 가능성이 높고 오진 확률이 높아져 국민의 건강권이 침해된다.
[평등원칙 실현] 평등원칙이란 같은 것은 같게 다른 것은 다르게 대하라는 것이다. 모든 국민은 자신의 생명을 보호받음에 있어 동일한 권리가 있다. 그러나 도시지역 일반인은 건강권이 보호되나, 격오지 장애인은 건강권을 보호받지 못한다. 이는 같은 것을 다르게 대하는 것이다.	**[공공복리 저해]** 원격의료를 허용하면 격오지 주민이나 장애인의 건강권을 보호할 수 있다. 그러나 원격의료로 인해 오진이 발생해 생명에 대한 비가역적 침해가 발생하게 된다. 격오지 주민이나 장애인의 경우 공중보건의 제도, 의료선 이동서비스제도 등 진료기회 확대정책으로 보완 가능하나 생명 침해는 비가역적 피해로 보완불가능하다.
[국가 발전] 원격의료가 허용되면 다양한 의료 서비스가 시작될 것이다. 이처럼 다양한 의료 서비스가 경쟁하며 더 좋은 의료 기술이 개발된다. 고부가가치산업인 의료 기술 발전은 국가에 이익이 된다.	**[비가역적 피해 예방]** 원격의료가 일단 시행되면 원격진료 환자, 의사, 원격진료기기 제조업체, 투자회사, 의료보험사 등 수많은 이해관계자가 생긴다. 만약 문제가 발생하더라도 수많은 이해관계자들의 문제로 인해 원격의료를 규제하는 것은 불가능하다.

3. 읽기 자료

원격의료 법리[147]

원격의료 시장[148]

원격의료제도 개선방안[149]

[147]

원격의료 법리

[148]

원격의료 시장

[149]

원격의료제도 개선방안

⏱ 답변 준비 시간 10분 | 답변 시간 10분

※ 다음 QR코드를 촬영하면 연결되는 제시문을 읽고, 문제에 답하시오.

> 원격의료는 수십 년간 논의되어 온 주제이며, 현재까지도 주요 이슈로 남아 있다. 공식적으로 원격의료는 허용되지 않지만, 2020년 2월 코로나19 상황에서 한시적으로 허용된 '비대면진료'가 2년 반 동안 진행 중이다.

원격의료 칼럼

Q1. 원격의료를 허용해야 한다는 입장에서 2개 이상의 논거를 제시하여 논하시오.

Q2. 원격의료를 불허해야 한다는 입장에서 2개 이상의 논거를 제시하여 논하시오.

Q3. 의료체계는 포지티브 규제가 중심이다. 그런데 코로나19 등 미지의 전염병의 가능성이 커지고, 스마트워치 등 헬스케어를 위한 디바이스가 늘어나면서 국민건강을 위한 신기술 도입이 적극적으로 시행되어야 한다는 견해가 제시되고 있다. 한편으로는 적극적인 신기술의 도입은 예상하지 못한 문제를 일으킬 것이라는 주장 또한 제시된다. 원격의료 등 의료신기술의 적극적 도입에 대한 자신의 견해를 논하시오.

146 해설 원격의료

Q1. 모범답변

　원격의료를 허용해야 한다는 입장에서는 국민의 건강권 보장과 평등한 의료 서비스라는 논거를 제시할 것입니다.

　국민의 건강권을 보장할 수 있으므로 원격의료를 허용해야 합니다. 생명과 신체의 자유는 기본적 권리이며 모든 자유의 기초가 되는 중요한 권리입니다. 국가는 보건정책 등을 통해 국민의 건강권을 보장할 의무가 있습니다. 그러나 현실적으로 물리적 한계가 존재하여 격오지나 낙도 거주자, 이동이 어려운 장애인 등은 병원에 방문하기 어려워 의료 전문가의 도움을 받지 못하는 경우가 많습니다. IT기술과 통신기술이 급속도로 발달하여 이전에는 불가능했던 진찰, 검사 등이 기술적으로 가능해졌습니다. 따라서 국민의 건강권 보장에 기여할 수 있으므로 원격의료를 허용해야 합니다.

　평등한 의료 서비스가 가능하기 때문에 원격의료를 허용해야 합니다. 우리나라는 도시와 지방의 격차가 점점 커지고 있으며, 지방의 의료기관이 파산하는 등 인구 문제와 이익구조로 인한 문제점이 발생하고 있습니다. 이에 따라 지방주민은 의료기관 자체가 존재하지 않거나 존재하더라도 충분한 의료 서비스를 받지 못하는 문제점이 발생하고 있습니다. 지방주민은 필요한 의료 서비스를 받기 위해서는 수도권으로 직접 찾아가거나 치료를 포기해야 하는 상황에 직면하고 있습니다. 원격의료를 도입하면 지방 주민들에게 필요한 의료 서비스를 발전한 ICT 기술을 이용해 충분히 받을 수 있고, 자신에게 필요한 의료 서비스가 지방에서도 가능한 것인지 혹은 대형병원으로 가야 하는 것인지 등을 충분히 예측할 수 있게 됩니다. 따라서 지방주민도 필요한 의료 서비스를 효율적으로 받을 수 있게 됩니다. 따라서 원격의료를 허용해야 합니다.

Q2. 모범답변

　원격의료를 불허해야 한다는 입장에서는 국민의 건강권 훼손과 평등한 의료 서비스의 저해를 논거로 제시할 것입니다.

　국민의 건강권을 훼손할 수 있으므로 원격의료를 불허해야 합니다. 국가는 국민의 생명과 신체의 자유를 안정적으로 보장해야 할 의무가 있으며, 이를 위해 보건·의료정책을 펼치게 됩니다. 인간의 생명은 많은 요소가 복합적으로 결합·작용하여 동일한 증상이라 하더라도 원인은 다른 경우가 비일비재합니다. 따라서 의료 전문가인 의사라 하더라도 오진의 가능성이 제거되지 않습니다. 그렇기 때문에 환자의 여러 정보를 전문가가 직접 측정·확인할 수 있는 대면진료가 중요한 것입니다. 의료 전문가인 의사가 각종 진료장비를 필요에 따라 전문적인 조작을 통해 사용하더라도 질병의 원인을 정확하게 파악할 수 없는 경우가 있는 것이 사실입니다. 이러한 현실에서 원격진료를 허용할 경우, 환자들은 병원에 방문하지 않아도 된다는 편리함으로 인해 번거롭게 직접 방문해야 하는 대면진료보다 원격진료를 선택할 가능성이 높습니다. 이로 인해 오진 확률이 높아져 국민의 건강권이 침해받는 결과로 이어질 수 있습니다. 또한 IT기술과 통신기술이 아무리 발전했다고 하더라도 의료 전문가의 감각을 모두 사용하여 즉각적인 반응을 살필 수 있는 대면진료와 시각과 청각이라는 한정된 정보만을 사용할 수 있는 원격진료는 정확한 진단과 치료에서 차이가 있을 수밖에 없습니다. 따라서 국민의 건강권을 훼손할 수 있으므로 원격진료를 불허해야 합니다.

평등한 의료 서비스가 저해되므로 원격의료를 불허해야 합니다. 원격의료를 허용한다면 오히려 평등한 의료 서비스가 저해될 것입니다. 환자들은 누구나 편리하게 가정에서 유명한 대형병원의 원격진료를 받고 처방을 받고자 할 것입니다. 그렇다면 지역 중소도시의 동네병원과 2차 병원 등이 경영난으로 폐업 위기에 몰리게 됩니다. 현재도 지방 도시의 병원들이 폐업하는 상황이 가속화되고 있으며, 심지어 서울 시내의 대형병원이 폐업하기까지 하는 상황입니다. 지방과 거주지 인근의 동네병원이 사라지게 된다면 대면진료가 필요한 의료 서비스가 어려워지게 될 것입니다. 이에 더해 원격진료는 스마트기기 등의 활용도가 낮은 고령 노인층의 문제가 심각할 수 있습니다. 원격진료가 더 필요한 것은 노인층인데 스마트기기 활용능력이 떨어져 오히려 청년층과 중장년층이 더 많이 활용하게 되는 문제로 전환될 수 있습니다. 따라서 원격진료를 불허해야 합니다.

Q3. 모범답변

국민의 건강권 보장과 국가발전을 위해 원격의료 등 의료신기술을 도입하여야 합니다. 국민의 건강권 보장은 국가의 의무입니다. 스마트워치 등 헬스케어를 위한 디바이스를 통해 국민 건강을 위한 개인별 기초정보를 수집할 수 있습니다. 이렇게 수집된 건강정보는 곧 의료신기술의 발전을 위한 기반이 됩니다. 특히 미지의 전염병은 발견이 어렵고 확진이 된 이후부터 환자의 정보를 수집할 경우 대응방법과 치료, 약품 개발이 늦어지게 됩니다. 따라서 국민의 건강권을 보장할 수 있으므로 의료신기술을 도입하여야 합니다.

국가 발전을 위해 의료신기술을 도입해야 합니다. 원격의료 등의 의료신기술 도입은 새로운 신산업이 됩니다. 현재 전 세계적으로 코로나19 등 예측불가능한 전염병 확산이 우려되고 있고, 언택트 사회가 빠르게 구축되고 있습니다. 특히 선진국의 경우 고령화가 심화되고 있어 건강에 대한 관심이 커지고 있으며 건강 관련 산업의 발전 가능성이 큽니다. 의료신기술을 도입하여 새로운 의료 서비스가 시작되고 다양한 의료 서비스가 경쟁을 통해 발전하게 될 것입니다. 이런 상황에서 의료신기술을 도입하지 않는다면 국가 발전을 크게 저해할 것입니다. 의료는 국민건강과 직결되는 만큼 신뢰도가 매우 중요합니다. 신기술을 도입하고 시행하고 실제 의료 현장의 문제점을 교정하는 과정을 공적으로 수행하여 의료신기술의 신뢰도를 확보할 수 있습니다. 이는 곧 우리나라의 의료기술이 공적으로 신뢰도를 얻어 곧바로 타국으로 수출되어 사용될 수 있게 된다는 것입니다. 따라서 국가 발전을 위한 신산업이 되므로 의료신기술을 도입해야 합니다.

그러나 의료신기술을 도입하는 과정에서 국민건강을 해칠 우려가 있습니다. 예를 들어 원격의료를 전격적으로 도입하였을 때, 한정된 정보로 인해 오진이 발생하는 등의 문제가 발생할 수 있습니다. 그렇기 때문에 네거티브 규제를 통해 의료신기술을 도입할 수 있도록 하되, 금지되는 것을 명확하게 규정하여야 합니다. 또한 네거티브 규제 항목을 결정할 때 기업과 정부, 시민위원들의 협의체를 구성하는 등으로 자율적 통제기능을 강화해야 합니다. 이에 더해 기업의 자율적 기술 도입으로 인해 소비자에게 문제가 발생하였을 때 기업의 책임을 강화하도록 하는 제조물 책임 입증 책임의 완화, 징벌적 손해배상제도 도입 등을 통해 국민의 건강권을 훼손하지 않으면서 의료신기술을 도입하여 국민 건강권의 증진을 도모해야 합니다.

1. 기본 개념

(1) 담배규제기본협약

세계보건기구는 '담배 유행의 확산'은 공중보건에 심각한 영향을 미치는 세계적 문제로서 개별 국가차원이 아닌 세계적 공조가 필요하다고 판단했다. 이에 2003년 회원국의 만장일치로 공중보건에 관한 최초의 국제조약인 담배규제기본협약(Framework Convention on Tobacco Control: FCTC)을 채택하였다. 우리나라 역시 세계보건기구 회원국으로서 이 협약상의 각종 담배제품에 대한 규제 및 금연정책을 추진했다.

(2) 담배 규제[150]

담배 규제는 사생활의 자유, 개인의 행복추구권의 차원에서 타당하지 않다는 반대 의견이 있다. 그러나 헌법재판소는 흡연권은 사생활의 자유에만 국한되는 것이나, 혐연권은 사생활의 자유에 더해 생명권까지 연결되기 때문에 더 상위의 기본권이라 판시했다.

현재 우리나라의 규제사항은 금연구역, 광고 제한, 성분 표시, 마케팅 금품 제공 금지 등이 있다.

2. 읽기 자료

담배가격의 수요영향[151]
담배 규제입법[152]

150)

2003헌마457

151)

담배가격의 수요영향

152)

담배 규제입법

⏱ 답변 준비 시간 20분 | 답변 시간 10분

※ 다음 QR코드를 촬영하면 연결되는 제시문을 읽고, 문제에 답하시오.

(가) 보건복지부 정책 포럼에서 의학 전문가들은 금연을 위해 담뱃값을 인상해야 한다고 말했다. 현재 우리나라 담뱃값은 OECD 38개 국가 중 34위로 낮으며, OECD 평균인 8,000원 수준으로 인상할 필요성이 제기되었다.

담배가격 인상

(나) 영국에서 '비흡연 세대'를 목표로 담배 판매를 단계적으로 제한하는 법안은 오는 총선 전에는 추진되지 않을 것으로 보인다. 앞서, 영국 정부는 담배 구매 연령을 매년 1세씩 상향 조정해 2009년 1월 1일 이후 출생자에게 담배 구매를 금지하는 법안을 발의했다.

담배판매 단계적 제한

Q1. 제시문 (가)와 같이 정부는 국민 건강을 증진한다는 이유로 담배가격을 인상하려 한다. 이 정책의 타당성을 논거를 들어 논하시오.

Q2. 제시문 (나)의 영국 사례와 같이 담배 제조와 판매까지 전면 금지하자는 주장이 있다. 이 주장에 대한 견해를 밝히시오.

Q3. 아래 QR코드의 담배가격과 흡연율의 관계에 관한 표를 보고, 우리 정부의 담뱃값 인상이 흡연율 감소라는 목표 실현에 도움이 될지 판단하시오.[153]

💬 **추가질문**

Q4. 이와 같이 국가가 개인의 생활에 개입해야 하는 것에는 또 어떤 것이 있다고 생각하는가? 제재 현황과 자신의 견해를 논하시오.

153)

국가별 흡연율 및 담배가격

Q1. 모범답변

[담배가격 인상 반대 입장]

국민 건강을 위해 담배가격을 인상한다는 정부의 주장은 타당하지 않습니다. 국민 건강을 목적으로 한다면 흡연으로 인해 피해를 보는 국민들을 위한 세금이 인상되어야 합니다. 지방교육세는 오히려 줄어들었고 건강증진부담금의 인상분보다 개별소비세의 인상분이 더 큽니다. 지방교육세의 인하는 미래 세대에 대한 배려가 부족한 것이라 할 수 있습니다. 현세대의 흡연으로 인해 청소년층이 간접흡연을 당해 건강상의 문제가 발생할 수 있고, 흡연에 지속적으로 노출되어 미래세대도 흡연에 쉽게 접근할 수 있다는 악영향이 있습니다. 따라서 지방교육세가 오히려 줄어들었다는 점에서 미래 세대의 건강을 목적으로 했다고 보기 어렵습니다. 또한 건강증진부담금 인상분보다 개별소비세 인상분이 더 크다는 점에서 국민 건강이라는 목적에 반합니다. 건강증진부담금은 국민건강을 위해 사용하는 세금인 데 반해 개별소비세는 일반적 용도로 사용되는 세수에 해당합니다. 더군다나 건강증진부담금마저도 대부분의 재원이 국민건강보험에 사용되고 있는 실정입니다. 따라서 국민 건강을 위해 담배가격을 인상한다는 정부의 주장은 타당하지 않습니다.

[담배가격 인상 찬성 입장]

국민의 건강권 보호를 위해 담배가격 인상은 타당합니다. 건강은 개인의 자유를 위한 근간이 되기 때문에 중요한 가치이며, 핵심 국가목표가 됩니다. 개인은 자신의 건강에 대해 1차적인 권리를 갖지만, 한편으로는 건강이 중요함을 알고 있으면서도 순간의 유혹을 이기지 못하고 단기적인 이익을 위해 장기적인 손해를 감수하기도 합니다. 특히 담배의 경우, 몇십 년에 걸쳐 조금씩 누적되는 흡연의 피해가 중년이나 노년에 큰 질병으로 찾아오는 경우가 많습니다. 그렇기 때문에 단기적으로 오늘 당장의 건강 문제는 극히 미미하고 흡연으로 인한 쾌락은 클 것입니다. 그러나 종국적으로는 담배는 발암물질임이 분명하고 폐질환, 다른 질병의 직접적 원인이 되는 것입니다. 국가는 개인이 단기적으로 건강에 문제가 없을 것이라 생각하고 순간의 유혹에 못 이겨 흡연을 하려 할 때, 개인의 진정한 의사인 건강하고자 하는 의사를 선택할 수 있도록 유도할 수 있습니다. 담배와 흡연 자체를 금지하여 개인의 자유 자체를 박탈하는 것이 아니라 담배가격을 인상함으로써 담배를 피우고자 하는 유인을 낮추는 것입니다. 이는 국민의 자유 보호라는 국가의 궁극적 목적에 부합하고, 국민의 건강권 보호를 실현하기 위한 국가의 보건 정책에 해당합니다. 따라서 국민의 건강권 보호를 위해 담배가격 인상은 타당합니다.

이에 대해 단순 세수 확보라는 비판이 존재할 수 있습니다. 단기적으로 볼 때, 흡연은 중독의 속성이 있기 때문에 담배가격을 인상한다면 흡연 인구는 고정된 상황에서 담배가격이 올라가 담배 매출이 급증하고 세수가 확보될 것이라는 점은 분명합니다. 그러나 장기적으로 본다면, 담배가격 인상으로 인한 효과는 담배 소비 감소와 흡연인구 감소, 국민건강 증진으로 이어질 수 있습니다. 담배 판매량은 2014년 44억 갑이었는데, 2015년 담배가격 인상 후 33억 갑으로 급감한 후 2017년 35억 갑으로 유지되고 있습니다. 성인 남성 흡연율은 2014년 24.2%에서 2016년 23.9%로 하락했고, 특히 청소년기 남학생 흡연율은 2014년 9.2%에서 2016년 6.3%로 하락했습니다. 따라서 세수 확보의 효과가 있는 것은 사실이나 이는 담배가격 인상에 따른 결과일 뿐이며, 국민의 건강권 확보라는 목적에 부합하기 때문에 담배가격을 인상해야 합니다.

Q2. 모범답변

담배 제조와 판매까지 전면적으로 금지하는 것은 타당하지 않습니다. 국민 건강은 중요한 가치임이 분명하나, 개인의 자유보다 더 중요한 가치라 보기 어렵습니다. 개인은 자기 삶의 주인으로서 자신의 행복을 스스로 결정하고 타인의 자유에 직접적 해악을 미치지 않는 한 자신의 행복을 자유롭게 실현할 자유가 있습니다. 어떤 개인이 흡연으로 인해 발생할 자신의 쾌락과 건강상의 문제를 스스로 숙고하여 흡연을 하기로 결정했다면 그 자유를 함부로 제한해서는 안 됩니다. 국가는 국민 건강을 권장할 수는 있으되 이를 강제하여 실현하려고 해서는 안 됩니다.

Q3. 모범답변

담배가격 인상은 흡연율 감소라는 목표 실현에 도움이 된다고 생각합니다. 그러나 국가는 흡연율을 감소시키기 위한 노력을 기울인 후에 담배가격을 인상하는 것이 타당하지 무조건 담배가격을 인상하여 이 문제를 해결하려 해서는 안 됩니다. 이는 법률만능주의, 행정편의적인 발상입니다. 위 표를 보면 담배가격과 흡연율은 대체적으로 역의 상관관계가 있는 것으로 확인할 수 있습니다. 그러나 우리나라보다 담배가격이 낮은 중국이 우리보다 흡연율이 낮고, 영국보다 노르웨이가 담배가격이 높음에도 흡연율이 높은 것으로 볼 때, 담배가격과 흡연율의 관계가 역의 인과관계라고 보기는 어렵습니다. 이러한 점에서 담배가격을 올리는 것으로 국민 건강을 실현하려는 것은 국가의 노력은 충분히 기울이지 않으면서 국가가 사회적 가치라고 설정한 것을 국민의 자유를 제한함으로써 손쉽게 달성하려는 행정편의적 발상에 불과합니다.

Q4. 모범답변

오토바이 헬멧 착용 규제와 고속도로 안전벨트 착용 규제가 있습니다. 우리나라에서는 이 두 가지 모두를 강제하고 있습니다. 그리고 이 두 가지 규제는 모두 타당하다고 생각합니다. 우리나라의 교통사고 실정과 그동안의 교통 캠페인이 지속적으로 이루어졌음에도 불구하고 교통사고 사망률은 아직도 꽤 높은 편입니다. 이를 볼 때, 국가의 노력이 충분했음에도 불구하고 국민의 자발적 해결이 이루어지지 않고 있다고 해석할 수 있습니다. 또한 이러한 규제로 인해 달성되는 국민의 생명과 신체의 자유 보호가 직접적이라 볼 수 있으며, 교통사고의 경우 동승자나 상대 운전자 등 타인의 생명과 신체에도 직접적으로 영향을 미치므로 규제의 필요성이 더 크다고 할 것입니다.

148 개념 | 비의료인의 문신시술 금지

1. 기본 개념

(1) 무면허 의료행위

의료법 제27조 제1항에 따라, 의료인이 아니면 누구든지 의료행위를 할 수 없으며 의료인도 면허된 것 이외의 의료행위를 할 수 없다.

무면허 의료행위는 법률이 정한 면허를 소지하지 않고서 행하거나 자신이 소지한 면허범위 밖에서 행하는 의료행위를 의미한다. 대법원과 헌법재판소는 무면허 의료행위를 의학적 전문지식을 기초로 하는 경험과 기능으로 진찰, 검안, 처방, 투약 또는 외과적 시술을 시행하여 하는 질병의 예방 또는 치료행위 및 그밖에 의료인이 행하지 아니하면 보건위생상 위해가 생길 우려가 있는 행위로 정의한다. 이에 따르면, 질병의 예방 또는 치료를 위한 행위가 아니라도 전문 의료인이 행하지 않을 경우 보건위생상 위해 우려가 있다면 의료행위로 본다.

(2) 문신시술

문신은 피부에 바늘 등으로 염료를 집어넣어 피부에 반영구적인 흔적을 남긴다. 의학적으로 볼 때, 문신은 시술과정에서 피부의 외부감염방어기능을 파괴할 수 있고 국소감염과 전신감염 부작용이 있다. 구체적으로 문신은 피부가 가지는 방어기능, 즉 외부로부터의 감염차단기능을 저하시켜 피부 농피증, 매독, 결핵, B형 간염, C형 간염, 사람면역결핍바이러스 감염 가능성이 있다. 또한 색소, 염료의 부작용으로 인한 피부의 알레르기성 접촉성 피부염이나, 육아종 등 반응의 문제도 발생할 수 있다.

2. 쟁점과 논거[154]

(1) 합헌 입장

의료법의 입법목적, 의료인의 사명에 관한 의료법상의 여러 규정 및 의료행위의 개념에 관한 대법원 판례 등을 종합적으로 고려해 보면, 심판대상조항 중 '의료행위'는 의학적 전문지식을 기초로 하는 경험과 기능으로 진찰, 검안, 처방, 투약 또는 외과적 시술을 시행하여 하는 질병의 예방 또는 치료행위 이외에도 의료인이 행하지 아니하면 보건위생상 위해가 생길 우려가 있는 행위로 분명하게 해석된다.

문신시술은 바늘을 이용하여 피부의 완전성을 침해하는 방식으로 색소를 주입하는 것으로, 감염과 염료주입으로 인한 부작용 등 위험을 수반한다. 이러한 시술 방식으로 인한 잠재적 위험성은 피시술자뿐 아니라 공중위생에 영향을 미칠 우려가 있고, 문신시술을 이용한 반영구화장의 경우라고 하여 반드시 감소된다고 볼 수도 없다. 심판대상조항은 의료인만이 문신시술을 할 수 있도록 하여 그 안전성을 담보하고 있다.

154)

2017헌마1343

외국의 입법례처럼 별도의 문신시술 자격제도를 통하여 비의료인의 문신시술을 허용할 수 있다는 대안이 제시되기도 한다. 그러나 문신시술에 한정된 의학적 지식과 기술만으로는, 현재 의료인과 동일한 정도의 안전성과 사전적·사후적으로 필요할 수 있는 의료조치의 완전한 수행을 보장할 수 없으므로, 이러한 대안의 채택은 사회적으로 보건위생상 위험의 감수를 요한다. 또한, 문신시술 자격제도와 같은 대안은 문신시술인의 자격, 문신시술 환경 및 절차 등에 관한 규제와 관리를 내용으로 하는 완전히 새로운 제도의 형성과 운영을 전제로 하므로 상당한 사회적·경제적 비용을 발생시킨다.

따라서 문신시술 자격제도와 같은 대안의 도입 여부는 입법재량의 영역에 해당하고, 입법부가 위와 같은 대안을 선택하지 않고 국민건강과 보건위생을 위하여 의료인만이 문신시술을 하도록 허용하였다고 하여 헌법에 위반된다고 볼 수 없다.

(2) 위헌 입장

문신시술은 보건위생상 위험성이 있다는 측면에서 의료행위에 해당하기는 하나, 질병의 치료나 건강의 유지 및 증진을 위한 일반적인 의료행위와는 다르게 개성이나 아름다움 등을 표현하기 위해 이루어지는 시술이다. 또한, 청구인들이 행하고자 하는 문신시술은 우리나라 전통 관습이라기보다는 비교적 최근에 외국의 시술 형태를 도입한 것인데, 이러한 문신시술은 외국에서도 오랫동안 의학·의술과 구분된 독자적 직역으로 발전해 온 점에서, 반드시 의료행위와 필연적으로 밀접한 관계가 있다고 보기도 어렵다. 위와 같은 특징을 고려할 때, 문신시술의 경우는 대체의학 등 일반적인 무면허 의료행위와는 구별되는 것으로, 반드시 의료인에게만 허용하여야 하는 업무 영역이라고 단정하기 어렵다.

나아가 의료인 자격을 취득하기 위해서는 상당한 노력과 비용이 소요되는데 그만큼 의료행위 자체가 생명·신체의 안전과 직결되어 있어 높은 수준의 전문성과 숙련성이 요구되기 때문이다. 그런데 문신시술은 위에서 본 바와 같이 일반적으로 질병치료나 건강증진을 위한 전문적 의료행위가 아니어서 오로지 문신시술만을 위하여 의료인 자격을 취득할 것을 기대하기는 사실상 어렵다. 따라서 의료인 자격에 이르지 않는 문신시술에 한정된 자격의 요구와 영업규제 등을 통하여 국민의 생명·신체나 공중위생에 대한 위해발생을 방지할 수 있다면, 이는 심판대상조항보다 청구인들의 직업선택의 자유를 덜 침해하는 대안이 될 수 있다.

3. 읽기 자료

문신시술 비범죄화[155]
문신시술 판례평설[156]

155)

문신시술 비범죄화

156)

문신시술 판례평설

🕐 답변 준비 시간 10분 | 답변 시간 10분

※ 다음 제시문과 QR코드를 촬영하면 연결되는 제시문을 읽고, 문제에 답하시오.

> (가) 의료법 제27조 제1항에 따라, 의료인이 아니면 누구든지 의료행위를 할 수 없으며 의료인도 면허된 것 이외의 의료행위를 할 수 없다. 문신시술은 피부에 바늘로 염료를 집어넣는 침습적 행위로 의료행위에 해당한다. 따라서 의료인, 즉 의사 면허가 없는 사람이 문신시술을 하는 것은 무면허 의료행위로 불법이다. 그러나 현실적으로는 문신사, 소위 타투이스트들이 활동하고 있는 것도 사실이다.
>
> (나) 헌법재판소는 의료인이 아닌 사람이 문신시술을 하지 못하도록 한 현행 의료법은 헌법에 어긋나지 않는다고 판결했다. 이에 대해 공중위생에 미칠 우려를 이유로 들었다. 그러나 문신시술에 대한 인식 변화와 수요 증가를 고려한 새로운 관점에서 바라볼 필요가 있다는 소수 의견도 있다.
>
>
>
> 비의료인 문신시술 금지

Q1. 비의료인의 문신시술 금지에 대한 찬성 입장에서 2개 이상의 논거를 들어 논하시오.

Q2. 비의료인의 문신시술 금지에 대한 반대 입장에서 2개 이상의 논거를 들어 논하시오.

💬 추가질문

Q3. 위 입장 중 자신의 견해를 선택하여 논하시오.

Q1. 모범답변

비의료인의 문신시술 금지를 찬성하는 입장에서는 국민보건과 평등원칙을 논거로 제시할 것입니다.

첫째, 국민보건을 위해 비의료인의 문신시술을 금지해야 합니다. 국민보건은 국민의 생명과 직결되어 있어 모든 자유의 근간이 되므로 중요한 가치이며 국가의 의무입니다. 국민은 생명과 신체의 자유를 안정적으로 실현하고자 하나, 의료는 전문적 영역이기 때문에 정보의 비대칭성이 있어 일반 국민은 의료인의 능력이나 전문적 의료기술 등에 대한 판단이 불가합니다. 국가는 국민의 생명과 신체에 직결된 의료행위에 대한 전문적 판단을 통해 의료인의 면허와 의료행위의 안전성 등을 판단해 의료법을 제정하고 이를 감독, 통제합니다. 문신은 시술과정에서 피부의 외부감염방어기능을 일부 파괴하는 것입니다. 피부에 직접적으로 바늘을 찌르는 것이기 때문에 소독 등의 감염 관리가 미흡하면 국소감염과 전신감염 부작용이 있습니다. 의료인은 문신시술의 부작용에 즉각 대처할 수 있는 전문적 능력이 있을 뿐만 아니라, 10년간의 의무기록이 보관되기 때문에 문제가 발생하더라도 이에 대한 대처가 가능합니다. 그러나 비의료인은 이러한 대처가 불가능합니다.

둘째, 평등원칙에 부합하므로 비의료인의 문신시술을 금지해야 합니다. 평등원칙은 같은 것을 같게, 다른 것을 다르게 대하라는 원칙입니다. 의료인의 행위는 국가에 의해 전문적으로 국민보건을 실현할 수 있도록 면허가 부여되고 관리, 통제되고 있습니다. 그러나 비의료인인 문신사는 국민보건을 실현하는 역할이라 할 수 없습니다. 이처럼 국민보건의 실현에 있어서 명백하게 다르기 때문에 허용과 금지로 다르게 대할 수 있습니다.

Q2. 모범답변

비의료인의 문신시술 금지를 반대하는 입장에서는 직업의 자유와 평등원칙을 논거로 제시할 것입니다.

첫째, 직업의 자유를 보장하기 위해 비의료인의 문신시술을 금지하는 것은 타당하지 않습니다. 의료행위라 하더라도 의료의 수준이 생명에 직결되는 것이 아닌 경우 해당 직역에 해당하는 수준의 의료적 관리를 할 수 있습니다. 의료 행위는 질병 치료나 건강 유지, 증진을 위한 목적으로 하는 것인데, 문신시술은 피부에 침습적인 행위를 하는 것은 사실이나 개성이나 아름다움을 표현하기 위한 목적의 시술입니다. 외국의 사례를 보더라도 문신시술은 의학이나 의술과는 달리 독자적인 직역으로 발전해왔습니다. 물론 감염의 우려 등이 있는 것은 사실이나, 현대의학기술의 발전을 볼 때 단순한 감염 관리는 의료물품이나 장비 등을 통해 충분히 구현 가능하고, 이에 대한 직역 교육 수료나 독자 직업 면허 등을 통해 관리, 통제 가능합니다.

둘째, 평등원칙에 위배되므로 비의료인의 문신시술을 금지하는 것은 타당하지 않습니다. 평등원칙이란 같은 것은 같게, 다른 것은 다르게 대하라는 원칙입니다. 의료행위는 질병의 치료를 목적으로 하는 것임에 비해, 문신시술은 아름다움이나 개성의 표현을 목적으로 하는 행위로 그 목적 자체가 엄연히 다릅니다.

Q3.

💬 Comment 위 답변을 참고하여 스스로 답변을 구성해본다.

149 개념 | 의대 정원 확대

2024 영남대/충북대 기출

1. 기본 개념

(1) 의대 정원

2000년 의약분업 시행 시 정부는 의료계 파업을 해결하는 과정에서 의료계의 요구인 의과대학 입학정원 감축을 수용했다. 그 결과 2000년의 3,500명에서 2007년 3,058명으로 의대 정원을 감축했으며, 현재에 이르기까지 이 정원이 유지되고 있다.

(2) 의사 인력 부족 현황

인구 1,000명당 활동 의사 수는 2018년을 기준으로 OECD 평균 3.5명인 것에 비해 우리나라는 한의사를 포함해서 2.3명으로 나타나 OECD 평균의 65%에 불과하다. 이는 의대 정원이 오히려 축소된 반면, 지난 20여 년간 의료이용량이 급증하면서 해마다 의사 인력의 공급부족 현상이 심화되어 발생한 결과이다.

인구 1,000명당 의사면허 보유자 수는 OECD 평균 4.8명인 것에 비해 우리나라는 한의사를 포함해 2.8명이고, 한의사를 제외할 경우 2.0명으로 OECD 평균 3.5명에 비해 57% 수준이다.

직종별 소득수준 비교에서 도시근로자 소득 대비 의사 소득의 비는 OECD 국가의 경우 대체로 2~3배인 것에 비해 우리나라는 6배 정도로 조사되었다.

(3) 의사 인력 부족으로 인한 문제점

의사 인력이 총량적으로 부족해 지역별 수급 불균형 격차가 심화되어 의료 취약지가 확대되고 있다.

병원 산업이 지속적으로 성장하고 있어 대형 병원 규모가 확대되고 있다. 이에 따라 수련병원의 인턴과 전공의에 대한 인력 수요는 매년 4천 명을 초과하는데, 의대 졸업자 수는 3천여 명에 불과해 전공의 수급 불균형 문제가 해마다 반복되고 있으며, 의료계는 이를 이유로 전공과목별 수가 인상을 지속적으로 요구하는 현상이 발생하고 있다. 이는 의사 인력의 공급 부족에 따른 보건의료자원 배분의 비효율성 증대 문제로 이어진다.

의료산업 성장으로 인해 연구개발 등 비임상 분야의 의사 수요도 증가하고 있으나 의사 인력의 공급이 제대로 되지 않아 비임상 분야 성장이 저해되고 있다. 의대 여학생 비율 증가에 따라 군의관과 공중보건의사가 부족하게 되어 공공의료의 취약성이 커지고 있다. 인구고령화 등 보건의료에 대한 장기적 수요 전망을 고려할 때 의사 인력의 부족 문제는 장기화될 가능성이 높다.

2. 읽기 자료

의사 인력 정책대안[157]
의사 인력 확충 정책[158]
공공의대[159]

157)

의사 인력 정책대안

158)

의사 인력 확충 정책

159)

공공의대

149 문제 ┃ 의대 정원 확대

⏱ 답변 준비 시간 15분 | 답변 시간 10분

※ 다음 QR코드를 촬영하면 연결되는 제시문을 읽고, 문제에 답하시오.

(가) 대한의사협회와 더불어민주당은 의대 정원 확대와 공공의대 신설 논의를 코로나19 안정화 이후로 미루고, 관련 입법 추진을 강행하지 않기로 합의했다. 협의체를 구성하여 법안을 중심으로 원점에서 재논의하기로 했다.

의대 정원 확대 논의

(나) 경제정의실천시민연합(경실련)이 지역필수공공의료 강화를 위한 의대 정원 1,000명 증원과 공공의대 신설을 촉구했다. 의료공백과 과목 간 불균형 해소를 위해서는 긴급 대책이 필요하다고 주장했다.

의료공백 해소 대책 촉구

Q1. 의대 정원을 확대해야 한다는 입장의 근거를 제시하고 이를 논변하시오.

Q2. 의대 정원을 확대해서는 안 된다는 입장의 근거를 제시하고 이를 논변하시오.

Q3. 의대 정원 확대에 대한 자신의 견해를 밝히시오.

149 해설 의대 정원 확대

Q1. 모범답변

　의대 정원을 확대해야 한다는 입장에서는, 국민보건 실현과 지역불균형의 해소를 논거로 제시할 것입니다.

　국민보건을 실현하기 위해 의대 정원을 확대해야 합니다. 국민은 모든 자유와 권리 실현의 전제가 되는 생명과 신체의 건강을 위해 국가에 국민보건을 실현할 것을 위임하여 이를 보장받고자 합니다. 특히 의료는 의료전문성으로 인해 일반 국민과 의료인 간의 정보의 비대칭성이 존재하기 때문에 국가가 국민을 대신해 의료인의 면허 발급과 교육과정, 인력 수급 등을 수행하고 있습니다. 그러나 현재 의료인의 절대 수가 부족할 뿐만 아니라 고령화가 진행되면서 노년층의 의료 수요를 충족시킬 수 있는 의료인 수급 필요성이 더욱 커지고 있습니다. 우리나라 인구 1,000명당 면허의사 수는 OECD 평균의 58.3%, 인구 1,000명당 활동 의사 수는 OECD 평균의 65.7%, 인구 10만 명당 의대 졸업자 수는 OECD 평균의 58%에 불과한 상황입니다. 그럼에도 불구하고 의대 정원은 2006년 이후 연간 3,058명으로 고정되어 있습니다. 의료 수요는 많아지는 것에 비해 의대 정원은 고정되어 있기 때문에 소위 소아과 오픈런이나 지역주민의 서울 병원행이 늘어나고 있습니다. 또한 필수의료분야에 해당하는 응급의학, 소아청소년, 산부인과 등의 진료과목 의료인 부족 현상이 심각합니다. 이러한 상황에서 국민건강이 실현되기 어렵고 앞으로의 의료 문제가 더 커질 것이라는 점이 분명히 예상됩니다. 의료 면허의 발급과 관리는 국민건강을 위해 국가에게 위임되어 있으므로 국가는 국민건강을 위해 의대 정원을 확대해야 합니다.

　지역의료불균형의 해소를 위해 의대 정원을 확대해야 합니다. 국민건강은 누구에게나 필수적으로 실현되어야 할 중요한 사회적 가치입니다. 그런데 의료인의 지역적 편재가 발생하여 지역주민의 실질적 의료 접근권이 제한되고 있는 상황입니다. 예를 들어, 중증 질환 환자의 경우 서울 주민의 90%는 서울에서 진료를 받을 수 있는 반면 경북 지역주민은 단 20%만 경북 지역에서 진료를 받을 수 있습니다. 질환으로 인해 입원하거나 응급실을 이용한 환자에 관한 조사 결과에 따르면, 서울 지역 진료환자에 비해 영월 지역의 진료환자는 예상치 못한 사망 비율이 2배 이상 높습니다. 이러한 의료 격차로 인해 수도권 거주주민과 지방 거주주민의 생명과 신체, 건강이 평등한 의료 접근권을 통해 보장된다고 할 수 없습니다. 의대 정원을 확대하면 의료인의 수가 늘어나기 때문에 지역의료에 종사하고자 하는 인력이 증가할 것이고, 지역의대를 중심으로 정원을 확대하고 지역의료 종사의무기간 등을 설정하는 등의 조건을 두어 지역의대를 설립하게 되면 지역의료 공백을 해소할 수 있습니다. 따라서 지역의료불균형의 해소를 위해 의대 정원을 확대해야 합니다.

Q2. 모범답변

의대 정원을 확대해서는 안 된다는 입장에서는, 국민보건 저해와 지방의료불균형 해소가 불가능하다는 논거를 제시할 것입니다.

국민보건을 실현할 수 없으므로 의대 정원을 확대해서는 안 됩니다. 의대 정원을 확대하려는 목적은 국민보건의 증진이며, 이를 위해 현재의 문제점인 필수의료분야 의료인의 부족 문제를 해결하고자 하는 것입니다. 현재 우리나라의 의료 체계는 세계적으로 높은 평가를 받고 있으며, 국민건강보험의 당연지정제로 인해 모든 의료인은 환자를 차별하지 않고 의료를 시행하여 의료의 공공성 실현에 기여하고 있습니다. 그러나 응급의학이나 소아청소년, 산부인과 등의 필수의료분야의 의사가 부족하기 때문에 국민보건에 문제가 발생하고 있습니다. 필수의료분야에서 종사하는 의료인이 늘어나야 국민보건 문제가 해결될 수 있는데, 의대 정원을 확대하여 의료인이 늘어난다고 하더라도 이 문제가 해결될 것이라 할 수 없습니다. 필수의료분야의 의료인이 적은 이유는 의료 수가가 낮아 해당 분야에 종사하는 것보다 안과나 피부과 등의 영역에서 활동하는 것이 더 이익이 되기 때문입니다. 예를 들어, 소아과 진료에서 주사제를 처방하는 경우 성인보다 적은 양을 사용해야 하고 수가 역시 적은 분량을 사용한 것에 한정하여 책정됩니다. 그러나 주사제는 성인용으로 판매되고 한번 사용된 주사제는 아무리 많은 양이 남았더라도 재사용이 불가하여 성인용에 해당하는 만큼의 비용이 들어갑니다. 이는 소아과 진료의와 소아과 병원의 손해로 이어지게 됩니다. 이처럼 필수의료분야의 의료 수가 문제가 존재하는 상황에서 단순히 의대 정원을 확대한다고 하여 이 문제가 저절로 해결되지 않습니다. 더불어 고령화가 진행되고 있기 때문에 단기적으로는 의료 수요가 늘어날 것이지만, 장기적으로는 의료 수요가 감소할 수밖에 없습니다. 의료인의 수급은 최소 10년 이상의 시간이 걸리기 때문에 단기적 관점에서 의대 정원을 확대하면 장래 의료 시스템 자체에 부담이 될 수밖에 없습니다. 현재의 의료문제는 의료 수가 등과 같은 보건복지정책과 의료시스템 전반을 재정비하여 해결할 일이지, 의대 정원을 확대하여 해결할 일은 아닙니다. 따라서 의대 정원을 확대해서는 안 됩니다.

지방의료불균형 해소가 불가능하므로 의대 정원을 확대해서는 안 됩니다. 지방의료불균형의 해소를 위해서는 단순히 의료 면허 보유자가 늘어나는 것만으로는 안 되고, 의료인들이 지방에서 근무하기를 선택해야 합니다. 우리나라는 간호사 인력 부족과 지방의료불균형 문제를 해결하고자 2008년부터 간호대학 정원을 늘렸고, 그 결과 현재 간호사 수는 OECD 평균에 도달했습니다. 간호사 면허 보유자는 많아졌으나, 간호사 인력의 부족문제와 지방의료의 불균형 문제는 여전합니다. 이를 볼 때 간호사 면허 보유자의 수 증가보다 간호사의 고용과 지방 정주 여건의 개선이 의료불균형 해결의 결정적 요인이 됨을 알 수 있습니다. 의사의 경우도 이와 마찬가지로 수도권과 지방의 임금, 인프라 등의 사회적 격차를 해소하지 않은 상태에서 단순히 의사의 수를 늘린다고 하여 지방의료불균형 문제가 해소될 수 없습니다. 지방의대 정원을 늘린다고 하더라도 수도권의 의료 수요가 이들을 끌어당길 것이고, 의무적으로 지방 근무를 강제하는 것은 위헌의 소지가 크기 때문에 불가능합니다. 따라서 의대 정원을 확대해서는 안 됩니다.

Part 1
Part 2
Part 3
Part 4
Part 5
Part 6
Part 7

해커스 김종수 로스쿨 면접 200주제

Q3. 모범답변

　의대 정원을 확대해야 합니다. 국민보건의 실현과 지방의료불균형의 해소를 실현할 수 있기 때문입니다. 물론 국민보건 실현을 위한 전제조건으로 의료 수가의 조정, 지방 정주 여건 개선 등을 실현할 필요가 있습니다. 또한 의대 정원 확대 시 지방거점국립대학의 의과대학 정원을 확대하고 지역의사제를 함께 도입 운영해야 합니다. 우리나라보다 앞서 의료인의 지역 편재 문제를 겪은 일본은 지역의사제를 통해 이 문제를 해결해나가고 있습니다. 일본의 경우 지자체 소재의 의과대학에서 별도 정원으로 지역의료에 뜻이 있는 학생을 선발해 전액 장학금을 지급하고, 의사 면허 취득 후 일정기간 의사가 부족한 특정 진료과를 선택해 특정 지역의료기관에서 근무할 것을 의무서약하며 근무지를 지자체가 배정합니다. 그리고 의무기간동안 의사로서 일하면 장학금 반환을 면제하며, 계약 파기 시 장학금 전액을 일시불 상환하도록 하고 있습니다. 이처럼 국민보건의 균형적 실현이 가능하므로 의대 정원을 확대해야 합니다.

 **150 개념** 보편교육

2021 인하대·2020 인하대 기출

1. 기본 개념

(1) 법적 근거

> **헌법 제31조【교육을 받을 권리·의무 등】**① 모든 국민은 능력에 따라 균등하게 교육을 받을 권리를 가진다.
> ② 모든 국민은 그 보호하는 자녀에게 적어도 초등교육과 법률이 정하는 교육을 받게 할 의무를 진다.
> ③ 의무교육은 무상으로 한다.
> ④ 교육의 자주성·전문성·정치적 중립성 및 대학의 자율성은 법률이 정하는 바에 의하여 보장된다.
> ⑤ 국가는 평생교육을 진흥하여야 한다.
> ⑥ 학교교육 및 평생교육을 포함한 교육제도와 그 운영, 교육재정 및 교원의 지위에 관한 기본적인 사항은 법률로 정한다.
> **교육기본법 제8조** ① 의무교육은 6년의 초등교육과 3년의 중등교육으로 한다.
> **교육기본법 제9조** ① 유아교육·초등교육·중등교육 및 고등교육을 하기 위하여 학교를 둔다.

(2) 교육을 받을 권리

교육을 받을 권리란 개개인이 능력에 따라 균등하게 교육을 받을 수 있는 수학권뿐만 아니라 학부모가 교육의 기회를 제공하도록 요구할 수 있는 교육기회제공청구권까지 포괄하는 권리이다.

(3) 능력에 따라 균등하게 교육을 받을 권리

헌법 제31조 제1항에서 말하는 '능력'은 학생의 육체적·정신적 수학능력을 의미한다. 따라서 부모의 경제적 능력이나 인종·성별 등에 따른 차별은 허용되지 않는다.

헌법 제31조 제1항에서 말하는 '교육을 받을 권리'의 내용은 다음과 같다. 먼저, 교육을 받을 권리로부터 부모의 교육기회제공청구권, 학교선택권은 도출된다. 교육을 받을 권리로부터 교사의 수업권이 도출되는 것은 아니다. 둘째, 재학 중인 학교의 법적 형태를 법인이 아닌 공법상 영조물인 국립대학으로 유지해 줄 것을 요구할 권리는 학생의 교육을 받을 권리에서 포함되지 않는다.[160] 셋째, 국민이 직접 실질적 평등교육을 위한 교육비를 청구할 권리가 도출되는 것은 아니다.[161] 넷째, 교육을 받을 권리는 국민이 국가에 대해 직접 특정한 교육제도나 학교시설을 요구할 수 있음을 뜻하지 않으며, 더구나 자신의 교육환경을 최상 혹은 최적으로 만들기 위해 타인의 교육시설 참여기회를 제한할 것을 청구할 수 있는 기본권은 더더욱 아닌 것이다.[162]

160)
헌재 2014.4.24. 2011헌마612

161)
헌재 1991.2.11. 90헌가27

162)
헌재 2003.9.25. 2001헌마814

(4) 의무교육을 받을 권리

의무교육의 권리 주체는 미취학 아동이며, 의무주체는 아동의 친권자·후견인이다. 헌법 제31조 제2항과 제3항을 해석하면 초등학교 무상교육을 받을 권리는 헌법상 직접적 권리이나, 중등학교 무상교육을 받을 권리는 법률에서 정함으로써 비로소 헌법상 권리로 인정되는 것이다.

헌법 제31조 제3항에 따라 의무교육은 무상으로 한다. 의무교육의 경비 부담에 있어서 국가가 모든 비용을 부담해야 하는 것은 아니다. 지방자치단체에 일부 부담시킬 수 있다.

(5) 교육의 자주성·전문성·정치적 중립성 및 대학의 자율성

교육의 자주성·전문성을 위해서는 교육방법과 내용에 대한 결정권은 전문적인 교육자에게 있어야 하고 교육자는 정치적으로도 중립적이어야 한다. 그러한 이유에서 정당법과 공선법이 교사들의 정당가입을 금지시키고 공직선거에 출마를 금지하고 있다.

(6) 교육제도

교육제도는 법률로 정해야 하는데 교육제도는 공·사립학교에 관한 것뿐 아니라 학원 형태에 의한 사회교육제도도 포함한다.

2. 쟁점과 논거: 비평준화 찬반론

찬성론: 국민의 교육받을 권리	반대론: 국민의 교육받을 권리
[국민의 교육받을 권리] 국민의 교육받을 권리는 자신의 능력과 노력에 따라 다양한 교육을 받을 수 있는 것이다. 평준화를 통해 학생의 학업능력을 고려해 학교의 서열에 따라 구분해 진학하게 한다면, 학교별로 수준이 비슷한 학생이 모이게 되고, 이들 수준에 적합한 교육을 제공함으로써 효율적으로 학업능력을 향상시킬 수 있다.	**[국민의 교육받을 권리]** 국민의 교육받을 권리는 교육과정에서 사회적 인간으로서 살아가기 위한 사회성에 대한 함양을 기본으로 한다. 사회는 다양한 구성원의 집합체이기 때문에, 평준화 체계하에서 서로 다른 배경의 학생들과 함께 생활하면서 사회 적응력을 높이고 타인과 원만하게 생활할 수 있는 능력을 키울 수 있다.
[인재양성을 통한 사회 발전] 우리나라는 자원의 부존량, 국토의 크기 및 지정학적 여건상 국가 발전을 위해서는 세계적인 경쟁력을 갖춘 인재를 양성해야만 한다. 이를 위해서는 인재 양성의 선택과 집중이 필요하며, 비평준화를 통해 학교별로 차별화된 교육을 유도한다면 달성 가능하다.	**[사회 불평등 완화]** 현대 사회의 지배적 가치는 경제력으로 학교 교육에도 영향을 미치고 있다. 교육에서의 평등이 실현되지 않는다면, 경제력이 우수한 계층이 보다 많은 교육기회를 얻게 되고 이로 인해 계층 간의 이동성이 저하된다.
[공공복리] 비평준화 체계에서는 학생들의 수준에 맞는 교육을 제공하기 때문에 학생과 학부모의 요구를 수용할 수 있고, 이로 인해 사교육에 대한 수요를 감소시킬 수 있다. 하지만 평준화 체계에서는 자신의 수준에 맞는, 적합한 교육을 제공하는 데 한계가 있기 때문에 자신의 입맛에 맞는 사교육에 대한 수요가 증가하게 된다.	**[학업능력의 실질적 향상]** 제도권 교육은 학업능력의 향상 또한 목적으로 하고 있다. 비평준화를 실시하지 않고, 평준화를 실시하게 되면 다양한 학생이 한 교실에 공존하게 된다. 이를 통해 학업능력이 우수한 학생은 부족한 학생에게 도움을 주며 자신이 배운 내용을 다시 한번 상기하게 되고, 학업능력이 부족한 학생은 동기유발이 되어 학업능력이 향상된다.

163)

수월성과 평등성 실험

164)

평준화와 비평준화 비교

3. 읽기 자료

수월성과 평등성 실험[163]

평준화와 비평준화 비교[164]

⏱ 답변 준비 시간 15분 | 답변 시간 15분

Q1. 중고등학교 교육과정은 학생의 수준에 맞춘 교육을 하지 않고 있다. 공부를 잘하는 학생에게는 수준 낮은 학습을, 공부를 못하는 학생에게는 수준에 맞지 않는 학습을 시키고 있다는 것이다. 이처럼 수월성 교육을 하지 않고 중고등학교 교육에서 평준화 교육을 하고 있는 것에 대한 자신의 입장을 정하여 논증하시오.

Q2. 학생마다 능력이 모두 다르기 때문에 그에 맞춰 중고등학교부터 수월성 교육을 시행해야 한다는 주장이 있다. 이 주장에 대한 자신의 입장을 논하시오.

Q3. 자신의 입장에 대해 예상되는 반론을 제시하고, 이를 재반론하시오.

Q4. 중고교 평준화와 같은 평등교육과 보편적 교육정책의 의도는 좋으나 평준화가 수학능력을 떨어뜨린다는 문제가 있다는 주장이 있다. 이 주장에 대한 자신의 견해를 논하시오.

Q5. 대학교도 프랑스처럼 평준화시키자는 주장이 있다. 이 주장에 대한 자신의 견해를 논하시오.

Q6. 특정분야의 인재는 어린 시절부터 인재를 조기 발굴하여 특별교육을 시켜야 한다. 이처럼 조기교육의 필요성 차원에서 수월성 교육이 필요하다는 주장이 있다. 이 주장에 대한 자신의 견해를 논하시오.

Q1. 모범답변

　모든 국민의 교육받을 권리를 보장하기 위해 중고등학교의 평준화를 유지해야 합니다. 국민은 교육을 받을 권리가 있습니다. 국민은 자기 자신의 주인으로 자신이 스스로 선택한 가치관을 실현하기 위해 사회 안에서 타인과 살아갑니다. 그렇기 때문에 교육의 목적은 자신의 가치관을 실현할 능력을 배양하고, 사회에서 타인과 함께 살아가기 위한 사회적 가치의 학습이라는 두 가지 큰 목적을 갖고 있습니다. 중고등학교 교육은 타인과 함께 살아가기 위한 사회적 가치를 학습하는 목적이 더 크다고 생각합니다. 물론 이 과정에서 개인의 가치관을 실현할 능력을 배양하는 것도 중요합니다만, 이는 대학 교육과정 등의 고등교육에서 충분히 달성할 수 있습니다. 그렇기 때문에 학생 간의 경쟁을 통해 개인 능력의 배양을 목적으로 중고등학교 교육과정을 수월성 교육을 위한 학교 간 서열화 등을 허용할 수는 없습니다. 오히려 평준화를 통해 타인과 함께 사는 방법을 체화하는 것이 타당할 것입니다.

　공정한 경쟁의 방법을 교육한다는 취지에서도 평준화가 타당합니다. 중고등학교 평준화가 폐지되면 시험 성적에 따라 중학교에 지원하여 학교가 결정될 것입니다. 좋은 중고등학교에 들어가지 못하면 집안, 친구들로부터 공부 못한다는 낙인이 찍힙니다. 이러한 낙인은 평생을 가고 쉽게 해소되지 않습니다. 비평준화가 도입되어 인생이 초등학교의 실력으로 결정되는 것은 바람직하지 않습니다. 더군다나 초등학교 성적은 부모에 의해 좌우되기 때문에 더욱 문제가 큽니다. 경제적 능력과 시간이 많은 부모를 가진 초등학교 자녀는 성적을 올리기 쉽습니다. 부모가 경제능력이 없고, 맞벌이해서 자녀 교육에 신경을 덜 쓴다면 성적이 나쁠 가능성이 큽니다. 부모의 능력에 따라 자녀 인생이 결정된다면 공정한 경쟁이 아니므로, 결과의 정당성이 없다고 생각합니다. 따라서 중·고교 평준화는 유지되어야 합니다.

　이에 대해 능력에 따라 교육을 받아야 정당하다는 반론이 있습니다. 이 반론의 입장에 따르면 보편교육을 실현하고자 중고등학교에서 평준화 교육을 하고 있기 때문에 평등권과 행복추구권을 침해받고 있다고 합니다. 물론 성인이라면 자신의 능력에 따라 불평등한 상황을 극복할 수 있습니다. 그러나 초중등학교 학생에게 부모의 불리한 경제적·사회적 지위를 극복하고 자신의 능력을 발휘하라는 것은 비현실적입니다. 그리고 초등학생, 중학생의 실력은 자신의 학업능력에 의해 형성된 것보다 부모의 경제적 능력의 영향을 더 크게 받았을 가능성이 큽니다. 따라서 비평준화야말로 부모의 경제적 능력에 따라 아이들을 차별하는 제도이기 때문에 평등권을 침해합니다.

Q2. 모범답변

모든 국민의 교육받을 권리를 보장하기 위해 중고등학교의 평준화를 유지해야 합니다. 국민은 교육을 받을 권리가 있습니다. 국민은 자기 자신의 주인으로 자신이 스스로 선택한 가치관을 실현하기 위해 사회 안에서 타인과 살아갑니다. 그렇기 때문에 교육의 목적은 자신의 가치관을 실현할 능력을 배양하고, 사회에서 타인과 함께 살아가기 위한 사회적 가치의 학습이라는 두 가지 큰 목적을 갖고 있습니다. 중고등학교 교육은 타인과 함께 살아가기 위한 사회적 가치를 학습하는 목적이 더 크다고 생각합니다. 물론 이 과정에서 개인의 가치관을 실현할 능력을 배양하는 것도 중요합니다만, 이는 대학 교육과정 등의 고등교육에서 충분히 달성할 수 있습니다. 그렇기 때문에 학생 간의 경쟁을 통해 개인 능력의 배양을 목적으로 중고등학교 교육과정을 수월성 교육을 위한 학교 간 서열화 등을 허용할 수는 없습니다. 오히려 평준화를 통해 타인과 함께 사는 방법을 체화하는 것이 타당할 것입니다.

공정한 경쟁의 방법을 교육한다는 취지에서도 평준화가 타당합니다. 중고등학교 평준화가 폐지되면 시험 성적에 따라 중학교에 지원하여 학교가 결정될 것입니다. 좋은 중고등학교에 들어가지 못하면 집안, 친구들로부터 공부 못한다는 낙인이 찍힙니다. 이러한 낙인은 평생을 가고 쉽게 해소되지 않습니다. 비평준화가 도입되어 인생이 초등학교의 실력으로 결정되는 것은 바람직하지 않습니다. 더군다나 초등학교 성적은 부모에 의해 좌우되기 때문에 더욱 문제가 큽니다. 경제적 능력과 시간이 많은 부모를 가진 초등학교 자녀는 성적을 올리기 쉽습니다. 부모가 경제능력이 없고, 맞벌이해서 자녀 교육에 신경을 덜 쓴다면 성적이 나쁠 가능성이 큽니다. 부모의 능력에 따라 자녀 인생이 결정된다면 공정한 경쟁이 아니므로, 결과의 정당성이 없습니다. 따라서 중·고교 평준화는 유지되어야 합니다.

Q3. 모범답변

이에 대해 능력에 따라 교육을 받아야 정당하다는 반론이 있습니다. 이 반론의 입장에 따르면 보편교육을 실현하고자 중고등학교에서 평준화 교육을 하고 있기 때문에 평등권과 행복추구권을 침해받고 있다고 합니다. 물론 성인이라면 자신의 능력에 따라 불평등한 상황을 극복할 수 있습니다. 그러나 초중등학교 학생에게 부모의 불리한 경제적·사회적 지위를 극복하고 자신의 능력을 발휘하라는 것은 비현실적입니다. 그리고 초등학생, 중학생의 실력은 자신의 학업능력에 의해 형성된 것보다 부모의 경제적 능력의 영향을 더 크게 받았을 가능성이 큽니다. 따라서 비평준화야말로 부모의 경제적 능력에 따라 아이들을 차별하는 제도이기 때문에 평등권을 침해합니다.

Q4. 모범답변

평준화가 수학능력을 떨어뜨린다는 주장은 타당하지 않습니다. 물론 중고교 평준화 교육이 일부 수학능력을 저해할 수는 있습니다. 그러나 평준화 교육이 교육의 목적을 더 잘 달성할 수 있습니다. 평준화는 공부 잘하는 학생이 그렇지 못한 학생과 어울리면서 다른 사람을 이해할 소중한 기회를 제공합니다. 중고교 과정에서 공부를 잘하는 아이가 더 공부를 잘하게 되는 것보다 타인을 잘 이해하는 것이 더 중요할 수 있습니다. 공부 잘하는 아이가 자라나 장차 정치나 경제계의 리더가 되었을 때 일반 국민이나 일반 다수 소비자를 이해하지 못하면 실패한 리더가 될 것입니다. 평준화는 뛰어난 학생에게 일반 학생을 이해하고 어울릴 소중한 기회를 제공할 수 있습니다.

초중등교육은 인성교육을 중심으로 하여 학업능력의 기초를 쌓는 목적으로 행해져야 합니다. 그러한 목적의 제도를 시행하더라도 우리나라의 현실상 그 실현이 어려울 것인데, 초중등학교의 교육목적 자체를 경쟁과 시험성적 향상으로 설정한다면 전인교육으로서 초중등교육의 의미를 실현할 수 없습니다.

Q5. 모범답변

대학교의 평준화는 타당하지 않습니다. 이는 개인의 전문성을 실현하고 자기 노력의 결과에 대한 책임의 측면에서 타당하지 않습니다. 어릴 때는 피교육자의 능력보다는 부모의 관심과 능력이 아이의 교육 성적에 더 큰 영향을 미칠 가능성이 높습니다. 따라서 초등학교의 성적으로 중학교가 결정되는 것은 타당하지 않습니다. 그러나 성인에 가까워질수록 피교육자 자신의 능력과 노력이 학업 성과에 더 많은 영향을 미치게 되기 때문에 대학교까지 평준화시킬 필요는 없습니다. 또한 대학교는 국가 발전의 기초가 될 다양한 전문 인재를 키워낸다는 목적을 갖고 있는 고등교육기관입니다. 고등교육기관은 평준화 대신 수월성 교육이 필요합니다.

Q6. 모범답변

특정분야의 인재 발굴을 위해 수월성 교육이 필요하다는 주장은 타당하지 않습니다. 인재의 조기교육은 인재에 대한 특별교육으로 해결할 일이지 교육과정의 모든 학생들을 대상으로 경쟁을 시키는 수월성 교육을 선택해야 하는 것은 아닙니다. 특수한 인재를 발굴하고 이 능력을 계발할 수 있는 특수목적학교를 세우는 것이 타당합니다.

영재학교나 과학고등학교, 외국어고등학교 등을 통해 특수인재를 키워야 하나, 특수인재가 아닌 학생들이 대학입시를 대비하고자 특별교육의 대상이 되어서는 안 됩니다. 특히 특수목적고등학교가 특수목적을 실현하기 위한 형태가 아니라 일반목적으로 수단화되는 것이 문제입니다. 지나치게 많은 특수목적고등학교를 설립하면, 평준화가 실질적으로 파괴될 수 있습니다. 따라서 특목고를 많이 설립하는 것은 타당하지 않습니다. 현재의 특목고는 특수한 인재를 발굴하기 위함이 아니고, 대학입시를 준비하는 공부 잘하는 학생들을 모아 놓은 것에 불과하며 특목고의 목적에도 부합하지 않습니다. 따라서 특목고를 더 이상 늘릴 필요는 없다고 생각합니다. 오히려 현재의 특목고 중에 대학입시를 위주로 하는 학교들을 줄이고 외국어 특화, 과학 특화 목적을 강화하여 특수한 인재를 발굴하고 육성하는 것으로 충분합니다.

 **151 개념** **기여입학제**

1. 기본 개념

학교에 기여나 공헌을 하면 입학에 혜택을 주는 제도를 말한다. 미국의 명문 사립대학들이 기여입학제도를 운영하고 있는데, 대학 발전에 공로가 있거나 기부금을 많이 낸 사람의 자녀에게 가산점을 주는 등으로 우대하는 제도이다. 아이비리그 대학의 경우 기여입학자의 비율이 10~15%에 달한다. 기여입학의 혜택은 동문의 기여에 따라 그 자손에게 부여되고 경제적 선순환에 의해 대학이 더욱 발전한다는 명목으로 정당화된다.

2. 쟁점과 논거

찬성론: 학문의 자유	반대론: 사회정의
[대학의 학문의 자유] 대학은 학문의 자유의 주체로 진리를 탐구하는 목적을 위해 다양한 방식으로 이를 실현할 수 있다. 이를 위해 학생 선발과 재원 확보에 있어 자율성을 보장받아야 한다. 기여입학제를 통해 대학의 재정적 지원을 확보할 수 있고, 대학의 기준에 따라 다양한 인재를 선발할 수 있게 된다.	**[사회정의 실현]** 사회가 유지되려면 공유된 가치를 지켜야 하는데, 이 가치 중 하나가 국민의 균등한 교육받을 권리이다. 기여입학제는 우연히 고소득부모에게서 태어난 자가 학력이라는 가치를, 좋은 직업, 고소득으로 이어지는 가치의 연쇄적 지배를 가능하게 한다. 이는 국민의 균등한 교육받을 권리에 정면으로 반한다.
[실질적 평등] 현실적으로 배울 의지와 능력이 있음에도 경제적 어려움으로 인해 대학교에 진학하지 못하는 학생이 있다. 기여입학제를 통해 확보한 대학 재정을 장학금으로 활용하면 우수하나 가난하여 학업을 지속할 수 없는 학생들에 학자금을 지원할 수 있다.	**[사회갈등 심화]** 기여입학제를 통해 부유층 자녀는 능력이 부족해도 상위권 대학에 입학할 수 있지만 저소득층은 입학할 수 없는 것이 현실이다. 이렇게 된다면 사회이동성은 저해되고 빈부격차가 학력격차로, 다시금 빈부격차로 이어지는 악순환이 발생한다.
[국가 발전] 21세기 지식·정보화 시대에서 새로운 지식의 창출은 국가발전의 원동력이다. 대학은 이러한 역할을 중추적으로 하는데 재정적 뒷받침이 중요하다. 기여입학제를 통해 많은 양의 기부금을 모을 수 있고, 이렇게 모인 자금을 설비 확충, 연구 자금 등으로 활용한다면 대학 경쟁력을 강화하고 국가 발전을 이룰 수 있다.	**[공공복리 저해]** 기여입학제를 실시하여 대학 재정이 확보되는 편익은 일부 인정할 수 있다. 그러나 확보된 대학 재정을 통해 대학 교육환경 개선이라는 목적을 달성할 수 없다. 현재 사립대학 재단은 대학 경쟁력 강화보다 재단 수익사업에 치중하고 있는 것이 현실이며, 기여입학 기부금 또한 학교재단 재정 확충에만 쓰일 가능성이 크다. 그렇다면 대학 재정 확보로 인한 편익은 미미한 반면, 비용은 매우 커서 공공복리를 저해한다.

3. 읽기 자료

기여입학제 도입[165]

기여입학제 헌법적 검토[166]

165)

기여입학제 도입

166)

기여입학제 헌법적 검토

해커스 김중수 모스클 막정 200주제

⏱ 답변 준비 시간 10분 | 답변 시간 10분

※ 다음 QR코드를 촬영하면 연결되는 제시문을 읽고, 문제에 답하시오.

> 국무총리가 국회에서 기여입학제가 가난하지만 능력 있는 학생들을 위해 사용된다면 고려할 여지가 있다고 발언하여 논쟁이 발생했다. 찬반론자들 사이에서는 기여입학제를 도입해야 한다는 의견과 교육 카스트를 초래한다는 반대 의견이 팽팽히 맞서고 있다.
>
>
>
> 기여입학제 발상의 전환

Q1. 대학 입시에서 소위 기부금입학제 혹은 기여입학제를 허용해야 한다는 주장이 있다. 이 입장에서는 어떤 논거를 제시하겠는가?

Q2. 기여입학제를 허용해서는 안 된다는 주장에 따르면 어떤 논거를 제시할 것인가?

Q3. 기여입학제에 대한 위의 두 견해 중 지원자는 어떤 입장을 지지하는지 밝히고, 자신이 선택한 입장에 대해 예상되는 반론과 이에 대한 재반론을 논하시오.

Q1. 모범답변

　기여입학제를 허용해야 한다는 입장에서는 대학의 학문의 자유 보장, 실질적 교육기회의 부여라는 논거를 제시할 것입니다.

　대학의 학문의 자유를 보장할 수 있으므로 기여입학제를 허용해야 합니다. 대학이 학문의 자유를 통해 실현하고자 하는 목적은 진리 탐구와 새로운 지식의 창출입니다. 지식정보화 시대에서 진리 탐구를 통한 새로운 지식의 창출은 중요한 가치일 수밖에 없습니다. 이를 위해서는 대학, 즉 고등교육기관이 활성화되어야 하는데 진리 탐구와 새로운 지식의 창출은 많은 비용을 필요로 하는 반면, 이익은 불명확하고 눈에 보이지 않습니다. 따라서 대학이 학문의 자유를 실현하고자 할 때 대학의 재정을 어떻게 확보할 것인지 역시 학문의 자유에 따라 보장되어야 합니다. 기여입학제는 대학 재정의 확보에 대단히 큰 도움이 되고 대학 경쟁력의 상승에 기여합니다. 따라서 기여입학제를 허용함이 타당합니다.

　실질적인 교육기회를 부여할 수 있으므로 기여입학제를 허용해야 합니다. 대학이 학문의 자유를 통해 진리 탐구를 하려 할 때 이를 실현할 수 있는 인재의 확보가 중요합니다. 그런데 이러한 인재 중 가정형편이 좋지 않아 대학 등록금을 부담할 수 없어 대학에 입학할 기회 자체가 봉쇄되는 저소득층 인재들이 있습니다. 이러한 인재에게 교육 기회를 부여하려면 장학금을 지급할 수 있어야 하는데 이를 위해서는 대학 재정이 필요합니다. 기여입학제를 통해 형성한 대학 재정을 저소득층 인재들에게 장학금으로 지급한다면 이들에게 실질적인 교육기회를 줄 수 있습니다. 따라서 기여입학제를 허용해야 합니다.

Q2. 모범답변

　기여입학제를 불허해야 한다는 입장에서는 국민의 균등한 교육을 받을 권리를 침해하며, 계층 간의 위화감을 심화시켜 사회적 갈등을 심화시킬 수 있다는 논거를 제시할 것입니다.

　기여입학제는 능력에 따라 균등하게 교육받을 권리를 침해합니다. 사회는 공유된 가치를 지킴으로써 통합되고 유지, 존속할 수 있습니다. 이러한 공유된 가치 중 하나로 균등한 교육받을 권리의 실현이 있습니다. 우리는 부모의 경제적 능력이 아니라 순수하게 학생의 수학능력이 학력을 지배해야 한다고 여깁니다. 그렇기에 헌법에서도 이 권리를 인정하고 보호하고자 하여 의무교육을 국가가 부담하고 있는 것입니다. 그러나 기여입학제는 대학에 거액의 돈을 기부하면 대학 입학을 허용하는 것으로써, 입학 여부가 수학(修學)능력을 기준으로 한 것이 아니라 부모의 경제적 능력을 기준으로 대학교 입학을 결정하는 것입니다. 이는 국민의 균등한 교육받을 권리에 명백하게 반하는 것이며, 우리 사회가 보호하고 실현하고자 하는 교육에 대한 가치를 훼손합니다. 따라서 기여입학제를 허용해서는 안 됩니다.

기여입학제는 사회적 갈등을 심화시킬 수 있으므로 허용되어서는 안 됩니다. 명문대학교 입학이 사회적 성공으로 이어지는 것은 아니지만 명문대학교 입학이 사회적 성공의 가능성을 높여주는 것은 분명합니다. 기여입학제가 실시된다면 명문대학교 입학 자체가 학생들의 능력이 아닌 부모의 경제적 능력에 따라 좌우되어 현재의 불평등이 후대의 불평등으로 고착화될 수 있습니다. 이처럼 사회적 이동성이 저해되면 빈부격차가 학력의 격차로 이어지고 이러한 악순환이 고착될 수 있습니다. 기여입학제는 가난한 부모들의 꿈과 삶의 의지를 짓밟을 수 있습니다. 우리나라 부모들의 삶의 목적 중 가장 큰 부분을 차지하는 것은 자녀 교육입니다. 거의 모든 부모들이 자녀 교육에 목을 매달고 있는 것이 현실입니다. 부모들이 힘든 일을 하면서도 이를 참아내는 이유는 바로 자녀의 교육 때문입니다. 기여입학제가 도입되어 부모의 경제적 능력을 기준으로 대학 입학 여부가 결정된다면 어려운 현실을 살고 있는 부모들이 현실을 이겨나갈 힘을 잃게 될 것입니다. 부모들이 어려운 현실을 이겨나가는 것은 미래에 대한 꿈이 있기 때문입니다. 자신의 자녀가 좋은 대학에 들어가 미래에 자신보다 더 나은 삶을 누릴 수 있을 것이라는 꿈을 갖고 살고 있습니다. 기여입학제는 이러한 부모들의 꿈과 삶의 의지를 짓밟아 사회갈등을 격화시킬 것입니다. 따라서 기여입학제를 허용해서는 안 됩니다.

Q3. 모범답변

기여입학제를 허용해서는 안 됩니다. 국민의 균등한 교육받을 권리를 침해하고, 사회갈등을 심화시킬 것이기 때문입니다.

이에 대해 기여입학을 허용하지 않으면 대학 재정을 확보할 수 없어 대학 경쟁력이 약화될 수 있다는 반론이 제기될 수 있습니다. 그러나 대학 재정의 확충을 기여입학제를 통해 달성해야 하는 것은 아닙니다. 대학 경쟁력을 확보하기 위해 대학 재정을 확충할 필요성은 분명 있습니다. 그러나 진리를 탐구할 목적으로 설립된 대학이 기여입학제라는 부정의한 방법으로 재정을 확충하여 진리를 탐구해서는 안 됩니다. 대학 재정 확충은 시급하고도 중요한 일입니다. 그러나 이는 균등한 교육을 받을 권리를 침해하고 사회갈등을 야기할 수 있으며 부모들의 꿈을 짓밟는 방식인 기여입학제가 아니라 국가의 재정 지원 확대와 사회의 기부금 확대를 통해 실현해야 할 일입니다. 우리나라 고등교육 예산은 OECD 국가 평균인 GDP 대비 1%의 절반인 0.4%에 그치고 있습니다. 우선 고등교육 예산을 OECD 국가 평균 수준인 GDP 대비 1% 수준으로 끌어올려야 합니다. 또한 기업이나 개인의 대학 기부금을 활성화하기 위해서 기부금의 상당 부분을 비용에 포함시키는 세제 혜택을 추진해야 합니다. 이러한 대안이 있음에도 불구하고 균등한 교육받을 권리를 침해하고, 사회적 갈등을 심각하게 야기하는 기여입학제를 도입해야 한다는 주장은 타당하지 않습니다.

152 개념   학교폭력 해결방안

2021 부산대 기출

1. 기본 개념

(1) 학교폭력

학교폭력예방법에서는 다음과 같이 규정하고 있다. 학교폭력이란 학교 내외에서 학생을 대상으로 발생한 상해, 폭행, 감금, 협박, 약취·유인, 명예훼손·모욕, 공갈, 강요·강제적인 심부름 및 성폭력, 따돌림, 사이버 따돌림, 정보통신망을 이용한 음란·폭력 정보 등에 의하여 신체·정신 또는 재산상의 피해를 수반하는 행위이다.

따돌림이란 학교 내외에서 2명 이상의 학생들이 특정인이나 특정집단의 학생들을 대상으로 지속적이거나 반복적으로 신체적 또는 심리적 공격을 가하여 상대방이 고통을 느끼도록 하는 일체의 행위를 의미한다. 사이버 따돌림은 인터넷, 휴대전화 등 정보통신기기를 이용하여 학생들이 특정학생들을 대상으로 지속적, 반복적으로 심리적 공격을 가하거나, 특정학생과 관련된 개인정보 또는 허위사실을 유포하여 상대방이 고통을 느끼도록 하는 일체의 행위로 정의한다.

(2) 학교폭력 해결과 예방 필요성

국가는 청소년 보호 의무를 진다. 청소년은 성인이 되기 이전의 미숙한 존재로 청소년의 건전한 성장과 발달을 위해 특별한 보호가 필요하다. 국가는 사회국가원리에 입각해 아동과 청소년의 건전한 성장과 발달을 위한 정책을 시행해야 한다. 한편, 청소년 역시 독자적 인격체이기 때문에 성인과 마찬가지로 인간의 존엄과 행복추구권과 같은 인격권을 보호받는다. 따라서 국가는 학교폭력을 해결하고 예방함으로써 청소년의 건전한 인격 성장을 도와야 할 의무를 실현해야 한다.

2. 읽기 자료

학폭 예방 헌법적 의미[167]
학교폭력 처리 과정[168]

167)

학폭 예방 헌법적 의미

168)

학교폭력 처리 과정

⏱ 답변 준비 시간 10분 | 답변 시간 10분

※ 다음 제시문을 읽고, 문제에 답하시오.

> 학교폭력위원회 제도가 2019년 개정되었다. 학교폭력문제 해결기관은 학부모 및 교사로 구성된 학교 내 자치위원회에서 교육청 심의위원회로 이전되었다.
>
> 기존에는 학교 내 자치위원회에서 학교폭력위원회를 담당했으나, 교사와 학부모로 구성되었고 특히 학부모 비율이 50% 이상으로 되어 있어, 공정성과 전문성이 떨어진다는 문제점이 있었다. 또한 수시로 학교폭력위원회를 열어서 과도한 비용이 들어간다는 문제점이 있었고, 자치위원회의 학교폭력위원회에서는 학교장의 재량이 없어서 학교장이 아이들의 화해를 도모하거나, 자체적으로 해결할 수 없었다.
>
> 교육청 심의위원회는 학부모가 1/3로 제한되고 의사, 판사, 변호사, 검사, 교수, 교육전문가 등이 참여하여 구성된다. 심의위원회하에서 학교는 학교폭력에 대한 사실 조사만을 담당한다. 그러나 간단한 사안의 경우, 학교장의 재량으로 간단한 학교폭력사건의 경우 학생들의 화해를 개진하는 학교장 자율제도가 함께 운영된다. 그러나 학교장의 재량이 있기 때문에 학교폭력사건 자체를 은폐할 수 있다는 문제점 또한 제기되고 있다.
>
> 이처럼 학교폭력의 해결방식은 학교 내 자치위원회에서, 교육청 심의위원회와 학교장 자율제도로 이원화되었다.

Q1. 학교폭력을 예방하고 해결하기 위해, 자율적이고 민주적인 의사결정절차를 거치는 자치심리위원회와 전문가 등으로 구성된 전문위원회 중 어느 방안이 학교폭력문제를 해결하기 위한 타당한 방안이라고 생각하는가?

Q2. 자율성과 전문성을 모두 잃지 않고, 학교폭력문제를 해결할 수 있는 제3의 방안이 있다면 제시해보시오.

Q1. 모범답변

교육청의 심의위원회 방안이 타당합니다. 피해학생의 보호와 가해학생에 대한 적절한 징계, 일반 학생들의 수업권을 보장할 수 있기 때문입니다.

피해학생의 보호를 위해 전문심의위원회가 타당합니다. 심의위원회는 전문성을 바탕으로 학교폭력 문제를 해결할 수 있습니다. 학교폭력문제는 아동·청소년의 특성상 다양한 접근이 필요하고 장기적 관점에서 접근해야 합니다. 심의위원회는 의사, 판사, 변호사, 검사, 교수, 교육전문가가 참여해 발생한 학교폭력사건에 대한 다각도의 접근이 가능합니다. 이를 통해 학교폭력의 여부와 정도, 피해학생에게 미칠 영향력을 판단할 수 있습니다. 전문가들의 다양한 분석을 통해 해당 사건이 학생들의 다툼에 불과한 것인지 범죄로 보아야 할 사건인지, 피해학생에게 미칠 영향이 어떠한지 적절한 보호 조치는 무엇인지를 판단할 수 있습니다. 단순히 가해학생에 대한 징계로 끝나는 것이 아니라 피해학생의 보호와 악영향의 파악과 차단 방법 등을 고민할 수 있어 학생 보호에 실효적일 것입니다.

가해학생에 대한 적절한 징계가 가능하므로 전문심의위원회가 타당합니다. 가해학생에 대한 징계는 중립성과 객관성을 유지해야 합니다. 학교폭력에 대한 분노로 인해 가해학생의 책임보다 더 큰 징계가 이루어져서는 안 됩니다. 그러나 해당 학교의 학부모가 다수를 이루는 자치위원회의 경우, 이해관계가 있는 학생이 가해학생 혹은 피해학생일 경우 중립적인 판단이 어려울 뿐만 아니라 학교나 지역의 이미지가 실추된다는 명목으로 사건 자체를 은폐할 수도 있습니다. 이에 더해 자신이나 부모를 잘 알고 있는 자치위원회 위원들의 의사 결정에 대해, 피해학생이나 가해학생이 객관적이지 않은 처벌이라고 인식할 수 있습니다. 그러나 교육청 산하의 심의위원회의 전문위원들은 피해학생이나 가해학생과 연결점이 직접적으로 없기 때문에 중립적 입장에서 객관적인 징계를 할 수 있습니다. 따라서 가해학생에 대한 적절한 징계가 가능합니다.

일반학생들의 수업권을 보장할 수 있으므로 전문심의위원회가 타당합니다. 학교와 교사는 학생들을 교육하는 본래 목적을 실현해야 합니다. 그러나 학부모가 대다수인 자치위원회의 소집 요구로 인해 학교와 교사의 업무가 가중된다면 학생 교육에 집중할 수 없습니다. 그뿐만 아니라 학교와 교사가 학생들의 관계와 상황을 심도 있게 살펴 학교폭력을 예방하기 위한 여력을 빼앗을 수 있습니다. 전문심의위원회가 이미 발생한 학교폭력문제의 전문적 해결을 담당한다면, 학교와 교사는 일반학생들의 교육에 주력할 수 있고 학교폭력 예방 역할을 담당할 수 있게 됩니다. 따라서 교육청 전문심의위원회가 타당합니다.

Q2. 모범답변

　　자율성과 전문성을 모두 달성하면서 학교폭력문제를 해결할 방안으로, 2단계 심의방안을 제시할 수 있습니다. 1단계로 전문가 심의위원회가 담당하여 전문가의 다양한 의견을 수렴하고 징계 등의 해결방안에 대한 권고안을 도출합니다. 그리고 2단계로 전문가의 권고안에 대해 학부모와 교사, 학생이 참여하는 자치위원회에서 최종결정을 하는 것입니다. 특히 최종결정을 하는 자치위원회에 학생의 참여를 보장해야 한다고 생각합니다. 학교폭력의 가해자와 피해자 모두 학생들이며, 학교폭력으로 인한 문제를 겪고 있는 주체는 학생들입니다. 그럼에도 불구하고 현재 심의위원회는 학생을 제외한 인원들로 구성되어 학생을 학교폭력에서 객체로 다루고 있습니다. 때문에 학생이 학교폭력에 대해서 주체적으로 참여할 수 있도록 학생들을 위원회 구성원으로 참석시켜야 합니다. 전문위원과 학부모, 교사 모두 학교폭력문제의 실제 당사자인 학생들 사이에서 일어난 일을 전부 이해하고 파악하는 것은 불가능합니다. 학생들이 직접 참여함으로써 학교폭력문제에서 주체로 대우하고, 학생들이 자신의 문제에 직접 참여하고 의견을 개진하고, 이 과정이 공개적으로 투명하게 진행됨을 학생들에게 드러내어 공정한 절차를 통한 결과라는 신뢰를 확보해야 합니다. 다만, 피해학생의 보호를 위해 참여하는 학생들은 해당 학교의 학생들이 아니라 타지역의 학생들을 추첨하는 방식 등으로 할 교육적 필요가 있습니다.

1. 기본 개념

(1) 학생인권

학생인권은 학생이 한 사람으로서 누려야 하는 기본적인 인권과 사회적 지위권이 포함되는 개념이다. 학생인권은 인간이라는 국민으로서 가지게 되는 기본권인 자유권, 평등권, 사회권, 참정권, 청구권에 더해, 학생이라는 사회적 지위에 대한 교육권을 보장하기 위해 추가로 발생되는 권리를 포함한다. 따라서 학생은 인권의 주체로서 인권의 보유자가 되고, 학교를 포함한 제도로서의 교육을 제공하는 국가가 인권의 상대방이자 인권의 의무자가 된다.

(2) 교권

교권 역시 인간으로서의 권리와 교육을 할 권리를 포함하는 개념이다. 인간으로서의 권리는 교원 개인의 사생활의 자유, 신분을 보장받을 권리 등이고, 교육을 할 권리는 교육자로서의 권리, 전문직 종사자로서의 권리 등이 있다. 따라서 교권은 교원의 권리와 함께 교원의 권위를 포함한다.

권리로서의 교권은 법에 따라 인정되는 권리이다. 이 권리가 침해당할 경우 법적 다툼의 소지가 된다.

권위로서의 교권은 직무상 특성에서 비롯되는 것으로, 교육 전문가로서 받아야 할 사회적 신뢰와 인정에 해당한다. 법적인 구속력이 없어 침해시에 도덕적 비난 대상이 되는 정도에 그친다. 이 권위는 통제적 권위, 지적 권위, 기술적 권위로 나눌 수 있는데, 현대사회에서는 교원의 통제적 권위와 지적 권위가 약화되었다는 특징이 있다.

(3) 학생인권과 교권의 관계

학생인권과 교권은 긴장관계가 아니라 상호인격적 보완관계라고 보아야 한다. 교권은 학생에 대한 지도관계에서 안정화 요소로서, 고도의 도덕의식과 정신, 헌신과 같은 최상의 모범으로 발현된다. 이에 대하여 학생은 교사 헌신에 대한 신뢰, 민주적 권위에 대한 자발적 복종을 통해 안정감을 느낄 수 있고 인권의 실현도 가능하다는 것이다. 즉 교사의 권위는 제도와 권력이 아니라 양심과 능력에 기초해야 하고, 학생의 복종은 억압적 상황이 아니라 자발적으로 이루어질 때 상호 안정을 이룬다는 것이다.

2. 읽기 자료

2016추5018[169]

2001도5380[170]

교권과 학생인권의 쟁점[171]

학생인권조례 효용[172]

[169]

2016추5018

[170]

2001도5380

[171]

교권과 학생인권의 쟁점

[172]

학생인권조례 효용

※ 다음 QR코드를 촬영하면 연결되는 제시문을 읽고, 문제에 답하시오.

(가) 교원의 지위 향상 및 교육활동을 위한 교육기본법 개정안 등이 의결되었다. 이번 개정에는 무분별한 아동학대 신고, 악성 민원, 교육활동 침해 학생 조치 등으로 인한 교권 하락 문제를 해결하는 내용을 포함하고 있다.

교권 보호 4법

(나) 여자 중학교의 체육교사가 욕설을 하면서 싸우는 여학생을 발견하고 스스로의 감정을 자제하지 못한 나머지 많은 낯모르는 학생들이 있는 교실 밖에서 그 학생들을 자신의 손이나 주먹으로 머리 부분을 때렸고, 신고 있던 슬리퍼로 양손을 때렸으며, 모욕감을 느낄 지나친 욕설을 한 사건에서 사회통념상 객관적 타당성을 잃은 지도행위이어서 정당행위로 볼 수 없다고 판단하였다.

교사는 교육상 불가피한 경우에는 신체적 고통을 가하는 방법인, 이른바 체벌을 할 수 있고 그 외의 경우에는 훈육, 훈계의 방법만이 허용되어 있는바, 교사가 학생을 징계 아닌 방법으로 지도하는 경우에도 징계하는 경우와 마찬가지로 교육상의 필요가 있어야 될 뿐만 아니라 특히 학생에게 신체적, 정신적 고통을 가하는 체벌, 비하하는 말 등의 언행은 교육상 불가피한 때에만 허용되는 것이어서, 학생에 대한 폭행, 욕설에 해당되는 지도행위는 학생의 잘못된 언행을 교정하려는 목적에서 나온 것이었으며 다른 교육적 수단으로는 교정이 불가능하였던 경우로서 그 방법과 정도에서 사회통념상 용인될 수 있을 만한 객관적 타당성을 갖추었던 경우에만 법령에 의한 정당행위로 볼 수 있을 것이고, 교정의 목적에서 나온 지도행위가 아니어서 학생에게 체벌, 훈계 등의 교육적 의미를 알리지도 않은 채 지도교사의 성격 또는 감정에서 비롯된 지도행위라든가, 다른 사람이 없는 곳에서 개별적으로 훈계, 훈육의 방법으로 지도·교정될 수 있는 상황이었음에도 낯모르는 사람들이 있는 데서 공개적으로 학생에게 체벌·모욕을 가하는 지도행위라든가, 학생의 신체나 정신건강에 위험한 물건 또는 지도교사의 신체를 이용하여 학생의 신체 중 부상의 위험성이 있는 부위를 때리거나 학생의 성별, 연령, 개인적 사정에서 견디기 어려운 모욕감을 주어 방법·정도가 지나치게 된 지도행위 등은 특별한 사정이 없는 한 사회통념상 객관적 타당성을 갖추었다고 보기 어렵다.

2001도5380

Q1. 제시문 (가)와 같이 교권 추락 문제가 대두되면서, 학생인권조례 제정 등에 따른 학생인권 강화로 인해 교권이 추락하고 있다는 주장이 있다. 이 주장에 대한 자신의 견해를 논하시오. 그리고 학생 인권과 교권의 의미를 각각 제시하고 그 관계를 논하시오.

Q2. 제시문 (나)의 주장을 요약하시오.

Q3. 교권 회복을 위해 교사의 학생 체벌을 허용해야 한다는 주장이 있다. 교육적 목적으로 행해지는 교사의 학생 체벌을 인정해야 하는지 자신의 입장을 정하여 논거를 들어 논하시오. 그리고 자신이 선택한 입장에 대해 예상되는 반론을 제시하고 이를 재반론하시오.

Q4. 교권 추락은 학생인권조례로 인해 학생인권이 과도하게 보장되어 발생한 것이므로, 학생인권조례를 폐지해야 한다는 주장이 있다. 이 주장에 대한 자신의 견해를 논거를 명확히 제시하여 논하시오. 그리고 자신의 견해에 대해 예상되는 반론을 제시하고 이에 대해 재반론하시오.

Q1. 모범답변

학생인권이 강화되었다고 하여 교권이 추락하는 것은 아닙니다. 교권과 학생인권은 반비례 관계가 아니라 동시에 달성되어야 할 권리입니다.

학생은 국민으로서 교육받을 권리를 갖고 있습니다. 학생은 교육을 받음으로써 미래의 성인이 되고 국가의 주권자가 되어 자신의 자유와 권리를 실현하게 됩니다. 학생은 권리의 주체이기 때문에 인권을 보장받아야 합니다. 다만 미성년자인 학생은 자신의 자유와 권리를 주체적으로 행사하기 위해 반드시 필요한, 자신의 자유로운 선택이 가져올 책임을 예측하기 위한 이성적 판단능력이 부족합니다. 부모와 국가가 교육을 통해 이 능력을 신장시켜야 할 권리와 의무를 대신 행사하고 있는 것입니다. 그렇기 때문에 학생은 인권의 주체임이 명확하고 자기 자신의 주인으로서 행사할 수 있는 기본적 권리를 보장받아야만 합니다.

교권은 학생의 교육받을 권리의 실질적 실현을 위해 보장되어야 할 권리입니다. 교육은 전문적 영역이기 때문에 미성년자로서 아직 미성숙한 학생이 스스로 선택할 수 없으며, 학생을 대신해 권리를 행사하는 부모 역시 교육 전문성이 없습니다. 따라서 국가가 교육받을 권리를 위임받아 교육전문기관인 학교의 설립과 운영, 교육 환경 등을 규정하고 전문교육과정을 이수한 교사를 통해 이를 대신 실현하는 것입니다. 예를 들어, 교과과정의 결정과 운영에 있어 학생과 학부모가 의견을 개진할 수는 있으나 결정권을 행사할 수는 없습니다. 이성적 판단능력을 키우기 위해 수학과 과학에 대한 학습이 반드시 필요한데, 학생은 어려운 과목을 공부하기 싫어하고 학부모는 학생 전체의 상황이나 미래의 가능성보다는 현재 자기 자녀의 적성이나 수준에 적합한 교육을 원하게 될 것이기 때문입니다. 따라서 교권은 학생과 학부모가 현재 원하지 않는 것이라 하더라도 전체적이고 장기적인 관점에서 반드시 필요하다고 전문적으로 선별하고 판단된 교과과정을 교육하도록 하고, 학생의 개별적인 상황과 학업성취도, 다른 학생과의 관계 등을 지근거리에서 가장 구체적으로 파악하고 있는 교사가 학생을 위해 필요하다고 판단한 내용을 교육할 수 있도록 보장된 권리가 됩니다.

이러한 관점에서 학생인권과 교권은 서로 대립하거나 반비례 관계라 할 수 없고, 학생의 교육받을 권리를 위해 동시에 달성되어야 하는 관계를 갖고 있습니다.

Q2. 모범답변

제시문 (나)는 교사의 교육 목적상 적정한 범위 내 체벌은 허용되나, 사회통념상 타당성이 없는 체벌은 허용될 수 없다고 주장합니다. 제시문은 교육적 목적으로 학생에게 체벌의 교육적 의미를 전달한 후, 타인이 없는 곳에서 개별적으로 체벌을 가하는 등의 방법으로 학생의 잘못된 행동을 교정하기 위한 마지막 수단으로 교사가 체벌을 할 수 있다고 합니다.

Q3. 모범답변

학생인권의 보호를 위해 교사의 체벌은 전면 금지되어야 합니다. 제시문 (나)는 교사의 교육목적상 적정한 범위 내의 체벌을 허용할 수 있다고 주장하나 이는 타당하지 않습니다. 교육과 교사의 목적은 학생이 장래 자기 자신의 주체로서 자랄 수 있도록 돕는 것에 있습니다. 교사의 교육을 통해 학생은 자기 삶의 목적이 될 가치관을 학습하고 이를 선택하고 간접, 직접적으로 체험하며 자기 삶의 주권자로 자라납니다. 따라서 학생은 교육을 받는 객체가 아니라 교육의 주체 그 자체입니다. 학생은 교육을 받아 자신의 인생을 스스로 결정하는 주체이자 하나의 독립된 인간으로 성장합니다. 학생이 교육을 받아야 하는 이유는, 특정한 가치 실현을 위한 도구로 자라나기 위함이 아니라, 자신이 자기 삶의 주인이 되기 위해 필요한 다양한 가치를 학습하여 그 중 자신이 삶의 과정에서 어떤 가치를 추구할 것인지를 스스로 결정하고 책임질 수 있는 능력을 배양하기 위함입니다. 체벌을 통해서만 학생교육이 제대로 된다면, 교육의 목적은 하나의 주체로 자라나기 위한 것이 아니라 사회적 가치 실현이 체벌을 통해서만 체화되는 객체를 만들어내는 것이 됩니다. 특히 우리나라는 오랜 관행상 체벌이 습관화되어 있습니다. 따라서 체벌의 제한적 허용으로는 체벌을 중단시킬 수 없습니다. 사회에서 체벌을 용인하는 분위기가 있어 학생들의 인권은 심하게 훼손되고 있습니다. 체벌은 학생과 교사 간의 의사소통을 막아 학생 지도의 목적을 달성할 수 없습니다. 잘못된 관행을 바로 잡으려면 모호한 체벌 기준을 만들 것이 아니라 전면금지하는 편이 타당합니다.

평등원칙에 위반되므로 교사의 체벌은 전면금지되어야 합니다. 평등원칙이란 합리적 이유 없이 같은 것을 다르게 대해서는 안 된다는 원칙입니다. 국가는 법률에 근거하여 개인이 타인에 대해 폭력을 행사하는 것을 금지하고 처벌합니다. 성인 간의 폭력은 불법으로 규정되고 금지하고 있습니다. 그러나 교사가 학생을 체벌하여도 된다는 것은, 특정한 성인이 특정한 미성년자에게 폭력을 행사하는 것을 국가가 허용하는 것이나 다름없습니다. 이는 국가로부터 동일한 보호와 금지의 대상이 되어야 하는 개인 간의 폭력을, 교사와 학생이라는 직업에 따라 다르게 대하는 것으로서 평등원칙에 위배됩니다. 따라서 교사의 체벌은 전면금지되어야 합니다.

물론 이에 대해 체벌은 교육적 목적을 위해 적정한 범위 내에서 허용해야 한다는 반론이 제기됩니다. 그러나 교육적 목적이라는 것도 모호하고, 체벌하다 보면 적정한 범위를 벗어난 체벌이 이루어지기 쉽습니다. 이로 인해 학생의 반발만 살 뿐 교육적 목적을 달성할 수 없으므로 교육적 목적을 위한 체벌을 인정할 수 없습니다.

또한 체벌을 금지한다면 학생 지도가 불가능해 학생 교육에 문제가 발생한다는 반론이 있습니다. 그러나 교육과 교사, 학생지도의 목적은 학생이 자기 삶의 주체가 되는 학생인권의 실현을 돕기 위한 것입니다. 체벌이라는 학생인권의 침해 수단을 통해 학생을 지도하고 학생인권을 달성한다는 것은 어불성설입니다.

Q4. 모범답변

　　학생인권조례를 폐지해서는 안 됩니다. 학생 인권의 실현과 민주적 학습이라는 논거를 제시할 수 있습니다.

　　학생 인권의 실현을 위해 학생인권조례를 폐지해서는 안 됩니다. 학생은 독립된 인격체로서 교육받을 권리의 주체이며 학교 교육의 주체입니다. 다만, 미성숙한 존재로 자신의 권리를 판단하고 실현하는 기반을 닦는 과정에 있을 뿐입니다. 학생은 인권의 주체이자 주권자이자 미래의 성인이 될 존재임이 분명합니다. 그러나 교육을 받는 과정에서 불필요하고 과도한 인권 침해를 받을 가능성이 높습니다. 따라서 학생인권조례를 통해 학생인권을 보호해야 합니다.

　　민주적 학습을 위해 학생인권조례를 폐지해서는 안 됩니다. 민주사회의 구성원은 토론과 참여의 자세를 교육받고 경험해야 합니다. 학생은 교육과정이 끝나면 성인이 되어 대학 진학 혹은 취업 등의 진로를 정해 다른 사회 구성원들과 함께 살아가야 합니다. 이 과정에서 다양한 가치관과 생각을 가진 구성원들과 토론하고 사회의 규칙을 합의하고 이를 스스로 지켜나가야 합니다. 학생은 성인이 되기 전에 학교교육과정부터 나와 다른 생각을 가진 다른 구성원과 토론하며 자기와 직접적으로 관련 있는 학칙 등과 같은 주체적인 활동을 경험할 필요가 있습니다. 학생인권조례는 학생을 학교교육의 주체이자 구성원으로 인정하는 원칙이 됩니다. 학생이 학교교육의 주체로서 참여할 권리를 인정함으로써 민주적 학습을 통해 장래 성인으로서 민주주의 시민이 되기 위한 경험을 쌓기 위해 학생인권조례가 필요합니다. 따라서 학생인권조례를 폐지해서는 안 됩니다.

　　물론, 이에 대해 학생의 교육받을 권리 침해가 예상된다는 반론이 제기될 수 있습니다. 학생인권조례로 인해 학생의 권리가 강화되면 교권에 도전하는 학생이 나타나 대다수의 선량한 학생의 면학 분위기가 저해된다는 것입니다. 그러나 교권에 도전하여 정상적인 교육과정을 거부하는 등의 문제를 일으키는 학생을 규제하고 처벌하면 될 일이지, 소수의 문제학생이 있다고 하여 모든 학생의 인권을 제한하려는 것은 타당하지 않습니다. 이는 마치 인권을 보장하면 범죄자 혹은 수형자가 인권을 빌미로 하여 사회문제를 일으킬 것이니 우리 사회의 인권 보장 수준을 낮추자는 주장이나 다를 바 없습니다. 학생 인권과 교권은 반비례 관계가 아니므로 이 반론은 타당하지 않습니다.

154 개념 | 징병제와 모병제

2020 한국외대 기출

1. 기본 개념

(1) 징병제

국민개병(國民皆兵)제, 즉 온 국민이 병역의무자라는 관점에서 징집한 병원(兵員)을 교육과 전투 실기를 거쳐 정예 군인으로 양성한 다음, 일정기간 국방 업무에 임하도록 하면서 차례로 신·구로 교체하여 예비군으로 확보하고 있다가 전시·사변 등 유사시에 소집하여 충원하는 제도이다. 돈을 대신해서 노동으로 일종의 세금을 걷는 것이라 할 수 있다.

국방력이란 군사력에 의한 국토방위로 주권을 확립함으로써 국민의 생명과 재산을 보호하고 유지하는 힘을 말한다. 전투력으로 대체되기도 하는 국방력은 외세의 공격에 대항하여 이를 물리치는 것이 그 본래의 목적이지만, 무엇보다도 적이 감히 넘볼 수 없도록 평소 군비(軍備)를 충실히 다지는 것이 더더욱 중요하다. 국방력은 직접 전투행위에 투입되는 군인을 비롯하여 화력이나 장비 등으로 구성되는데, 그 가운데 잘 훈련된 군인이 없고서는 전쟁을 수행할 수가 없다. 이처럼 전쟁을 수행하기에 충분한 국민의 인적동원(人的動員)이 곧 병역(兵役)이다. 병역이란 병적(兵籍)에 편입되어 군무에 임하는 것을 말한다. 병역의무 이행이라는 국민적 약속에는 국민 개개인이 지닌 모든 정신적·육체적 능력을 발휘하여 국가에 헌신한다는 의미가 있다. 민주주의 국가에서는 국민이 곧 주권자이기 때문에 주권자 자신이 스스로를 지키기 위해 병역을 이행하는 것이다.

(2) 모병제

모병제란 자원하여 군 복무를 하고 싶다는 사람을 대상으로 군에서 필요한 사람을 선발하는 제도이다. 군의 효율화와 전문화에 기여할 수 있는 보다 민주적이고 합리적인 제도라 할 수 있다. 징병제로는 확보하기 어려운 특수부분의 군 소요 인원을 획득할 수 있다는 장점이 있다. 특정한 기술이나 사회적 경험을 가진 젊은이들을 국가적인 차원에서 활용함으로써, 인력자원의 손실과 국가의 경제적 손실을 줄일 수 있다. 특히 지원자에게는 자기 적성에 맞는 군 복무 분야를 선택할 기회를 스스로 선택하여 군 복무 기간 중 개인의 전문성을 발전시킬 수 있다는 기대효과가 있다. 병역제도는 국가의 재정상태, 인구, 병력규모, 인접국가와의 관계 및 군사 정책 등에 의하여 선택된다. 현실적으로 징병제는 인접국가의 군사적 위협이 높은 국가, 병력 규모가 큰 국가일수록 선호하는 경우가 많고, 모병제는 미국, 일본 등과 같이 경제 수준이 높거나 영국, 호주, 뉴질랜드 등 외부로부터 침략 위협이 적은 나라에서 주로 선택되는 제도이다.

우리나라는 6·25 전쟁 이후 국가는 국민 모두가 방어하여야 한다는 전제하에 국민개병주의에 입각한 징병제를 선택하여 시행하여 왔다. 그러나 과학기술의 발전으로 인한 무기체제의 발전은 군 구조를 전문화시키면서 각 구조에 맞는 전문인력을 필요로 하게 되어, 현재 우리나라는 의무병제도인 징병제 원칙하에 지원병제인 모병제를 병행하고 있으며, 병력수요가 많은 육군의 일반병은 징병제에 의하여 충원하고 각 군 장교, 준사관, 하사관 충원과 육군의 특기병 해군, 공군의 병은 지원에 의하여 인력을 확보하고 있다. 따라서 엄밀하게 본다면, 우리나라는 일반 장병은 징병제를 통해 충원하고 전문병과 인력은 모병지원제를 통해 충원하는 체제가 된다.

2. 읽기 자료

모병제 도입 및 징병제 재도입[173]

모병제 도입[174]

모병제 비교 연구[175]

[173]

모병제 도입 및 징병제 재도입

[174]

모병제 도입

[175]

모병제 비교 연구

 **154 문제** | **징병제와 모병제**

⏱ 답변 준비 시간 15분 | 답변 시간 10분

※ 다음 QR코드를 촬영하면 연결되는 제시문을 읽고, 문제에 답하시오.

> 국방부는 인구절벽 시대를 대비해 2040년대 군 병력 수급 규모를 예측하고 여성 병력 확대와 대체복무 폐지 등의 방안을 검토하는 연구용역을 발주했다. 그러나 군 관계자는 정책 방향이 결정된 것은 아니라고 밝혔다.
>
>
>
> 병역자원 확보 대책

Q1. 우리나라는 징병제를 실시하고 있다. 징병제는 전 국민이 국가안보에 동등한 역할을 해야 한다는 생각으로부터 비롯된 것이다. 그러나 한편에서는 모병제를 도입해야 한다는 주장이 있다. 국가안보를 위해 무기체계의 고도화가 필요하고 이는 국민의 활발한 경제활동과 세수를 통해 가능하다는 것이다. 징병제가 타당하다는 입장에서 2개 이상의 논거를 제시하시오.

Q2. 모병제가 타당하다는 입장에서 2개 이상의 논거를 제시하시오.

Q3. 징병제와 모병제 중 어떤 입장이 타당한지 자신의 입장을 선택하고 논거를 들어 논변하시오.

Part 1
Part 2
Part 3
Part 4
Part 5
Part 6
Part 7

해커스 김종수 로스쿨 면접 200주제

Q1. 모범답변

　국가안보를 위해 징병제를 존치해야 합니다. 국민은 자신의 생명과 신체를 보호하기 위해 국가를 수립하였습니다. 국가는 국민의 생명과 신체를 보호하기 위해 존재하며, 이는 국가의 구성원인 국민들이 합의한 바입니다. 따라서 국가의 국방은, 국민들이 스스로 자신의 생명과 신체를 지키기 위한 것이지 다른 누가 대신 해주는 것이 아닙니다. 더군다나 우리나라처럼 전쟁의 위협이 실존하는 경우, 국방에 대한 의식과 국가안보에 대한 국민의 참여의식이 대단히 중요합니다. 국가안보를 실현하기 위해서는 필수적인 병력이 일정정도 필요하며 북한과 대치 중인 상황에서는 그 수가 더 많이 필요한 것이 사실입니다. 이러한 필요성으로 인해 우리나라는 6·25 전쟁 이후 국민개병제 원칙하에 모든 국민에게 국방의 의무를 부과하여 병역을 이행하도록 하고 있습니다. 모병제를 실시할 경우, 실제로 국방에 종사하는 직업군인 일부를 제외한 대다수의 국민들은 스스로 자신의 생명과 신체를 지켜야 한다고 주도적으로 생각하기보다는 돈으로 국가안보를 대신할 수 있다고 생각할 것입니다. 특히 모병제는 지원제이기 때문에 병력의 변동이나 전문병과의 인력 변동을 예측하기 어렵다는 단점 또한 있습니다. 전쟁위험국가인 우리나라에서 병력의 예측 불가능성은 전쟁수행능력과 국가안보 실현에 치명적인 문제점이 될 수 있습니다. 그러나 징병제는 예측 가능한 병력의 운용이 가능하므로 국가안보를 실현하는 데 기여할 수 있습니다. 이러한 점에서 국민이 자신의 생명과 신체를 스스로 지키고, 국민의 생명과 신체를 보호하는 국가의 일원이라는 의식을 자발적으로 가지기 위해 징병제를 존치시켜야 합니다.

　병역의 평등을 실현하기 위해 징병제를 존치해야 합니다. 국가안보는 우리 공동체 구성원 모두가 함께 실현해야 할 사회적 가치임이 분명합니다. 그런데 모병제를 시행하는 국가를 볼 때, 고급군인을 제외한 대다수의 군인은 저소득층에서 충원되는 경우가 많습니다. 군인은 자신의 생명과 신체의 안전을 위협받을 것이 분명한 데다가 공무원이기 때문에 보수가 민간에 비해 적기 때문입니다. 모병제를 시행하고 있는 미국의 예를 보더라도 병력 충원에 어려움을 겪는 것이 사실입니다. 징병제는 국가안보라는 사회 가치의 실현을 위해 빈부와 관계없이 누구나 자신의 노동과 시간을 사용하는 것임에 반해, 모병제는 빈부의 격차에 따라 국가안보라는 가치의 실현 여부가 달라지는 것이라 할 수 있습니다. 따라서 병역의 평등을 위해 징병제를 존치해야 합니다.

Q2. 모범답변

국가안보를 위해 모병제 전환이 타당합니다. 국가안보는 국민의 생명과 신체를 안전하게 지키는 것이 그 목적입니다. 국가안보를 달성하는 역할은 국가에 맡겨져 있고 이러한 국가의 역할은 국가안보의 전문성이 국가에 있기 때문에 정당화됩니다. 현대의 전쟁은 다양한 전문장비와 이를 운용할 수 있는 숙련되고 전문적인 군인에 의해 실현됩니다. 즉 단순한 병력의 수보다 질적인 측면에서 전문성이 현대전의 핵심이 됩니다. 예를 들어 우크라이나전 등의 현대전을 볼 때 단순 병력 수가 가진 전투력보다 장비의 질과 고도의 군사전략, 숙련된 전문군인의 능력이 더 높은 전투력을 발휘함을 알 수 있습니다. 2024년 기준으로 미군은 133만 명의 병력과 1,200조 원의 국방예산을 사용하는 반면, 우리나라는 48만 명의 병력과 60조 원의 국방예산을 사용하고 있는 실정입니다. 물론 미국과 우리나라를 단순 비교할 수는 없으나, 장비의 현대화와 군인의 전문성에 있어서 현격한 차이가 난다는 점을 확인할 수 있습니다. 우리나라의 징병제는 48만 명에 달하는 병력을 유지하다 보니 예산을 군의 전문성에 집중할 수 없는 것입니다. 이에 더해 인구 감소로 인해서 병력자원이 지속적으로 감소하고 있으며, 복무기간이 단축되어 숙련병이 부족한 상황까지 발생하는 상황입니다. 필수적인 병력은 충족해야 할 것이지만, 단순한 병력보다는 전문성 있는 병력으로 충원하는 것이 현대전쟁의 변화에 걸맞은 국가안보의 실질적 실현이 될 것입니다. 따라서 모병제로 전환하여 국가안보를 실현해야 합니다.

공공복리 실현을 위해 모병제 전환이 타당합니다. 일자리를 창출하는 효과와 함께 사회적 비용의 감소를 도모할 수 있습니다. 현재 징병제로 48만 명의 군 병력을 유지하고 있는데 이를 30만 명의 지원병으로 감축하면 약 20만 개의 일자리가 창출됩니다. 물론 급여비 지출로 3조 원의 인건비가 추가 소요되지만 사회 전체적으로는 20만 명에 달하는 젊은이들에게 사회진출 시기가 2년 정도 빨라지는 효과가 있습니다. 이에 더해 학업과 경력의 단절이 사라지기 때문에 연속성이 확보되는 효과도 있습니다. 한 연구에서는 이를 계산하면 12조 원의 사회적 비용 감소가 예상된다고 하였습니다. 이처럼 공공복리의 증대가 가능하므로 모병제 전환이 타당합니다.

Q3. 모범답변

사회갈등의 완화를 위해 징병제를 유지함이 타당합니다. 국가안보는 누가 국가안보를 위해 희생했는가와 무관하게 모든 국민에게 국가안보의 효과가 실현됩니다. 이처럼 국가안보라는 공공재는 무임승차의 유인이 매우 큽니다. 모병제를 하고 있는 미국의 경우를 보더라도 직업군인은 고소득층에서 선택하는 경우가 거의 없습니다. 마이클 샌델은 국가안보라는 공유된 가치를 돈으로 사고팔 수 있는 것이 되어서는 안 된다고 주장합니다.[176] 결국 돈을 내면 국가안보를 달성할 수 있다는 생각은 국가안보라는 공공재에 공적으로 기여하는 것이 아니라 돈을 내면 충분하다는 사회적 인식을 확산시킵니다. 국가안보에 직접 기여할 것인가 여부가 소득과 자산의 정도에 따라 결정된다면 국가안보는 사회의 공유된 가치라 할 수 없을 것입니다. 이처럼 사회적 가치가 소득에 따라 달라지는 것은 사회갈등을 일으키고 심화시킵니다. 따라서 사회갈등의 완화를 위해 징병제를 유지해야 합니다.

---

[176]
마이클 샌델, <정의란 무엇인가>

1. 기본 개념

(1) 국방의 의무

> 헌법 제39조 【국방의 의무】 ① 모든 국민은 법률이 정하는 바에 의하여 국방의 의무를 진다.
> ② 누구든지 병역의무의 이행으로 인하여 불이익한 처우를 받지 아니한다.

국방의 의무는 납세의 의무와 함께 국민의 2대 의무로서 고전적 의무이다. 국방의 의무란 국가독립과 영토보전을 위해 국민이 부담하는 국가방위의 의무이다. 국방의 의무는 납세의 의무와는 달리 타인에 의한 대체적 이행이 불가능하다.

(2) 주체

국방의 의무의 주체는 자국민을 원칙으로 한다. 국방의 의무 중에서 직접적인 병력 형성 의무는 징집대상자인 대한민국 남성만이 부담하나, 간접적인 병력 형성 의무는 모든 국민이 부담한다. 또한 방공(防空) 의무는 외국인도 진다는 것이 다수설이다. 남자에 한하여 병역 의무를 부과한 것은 평등원칙에 위배되지 않는다.

이 사건 법률조항은 헌법이 특별히 양성평등을 요구하는 경우나 관련 기본권에 중대한 제한을 초래하는 경우의 차별취급을 그 내용으로 하고 있다고 보기 어려우며, 징집대상자의 범위 결정에 관하여는 입법자의 광범위한 입법형성권이 인정된다는 점에 비추어 이 사건 법률조항이 평등권을 침해하는지 여부는 완화된 심사기준에 따라 판단하여야 한다. 병력자원으로서 일정한 신체적 능력이 요구된다고 할 것이므로 보충역 등 복무 의무를 여자에게 부과하지 않은 것이 자의적이라 보기도 어렵다. 결국 이 사건 법률조항이 성별을 기준으로 병역 의무자의 범위를 정한 것은 자의 금지원칙에 위배하여 평등권을 침해하지 않는다.[177]

(3) 내용

헌법 제39조 제1항의 국방의무는 직접적인 병력 형성 의무만을 가리키는 것이 아니라, 민방위기본법 등에 의한 간접적인 병력 형성 의무도 포함하므로 전투경찰순경으로서 대간첩작전을 수행하는 것도 국방의 의무를 수행하는 것으로 볼 수 있다. 따라서 현역병으로 입영하여 복무 중인 군인을 전투경찰순경으로 전임시켜 충원한 것은 청구인의 행복추구권 및 양심의 자유침해가 아니다.[178]

국방의 의무 이행은 특별한 희생이 아니라 일반적 희생이다. 헌법재판소는 국방 의무 이행은 특별한 희생이 아니라 일반적 희생이므로 국방의무 조항은 제대군인 가산점제도의 근거로 볼 수 없다고 한 바 있다.

헌법 제39조 제2항의 '불이익'에 대하여, 병역의무 이행으로 인한 "불이익한 처우"는 법적인 불이익을 의미하는 것이며 사실상 경제상의 불이익을 모두 포함하는 것은 아니다.[179]

헌법 제39조 제2항의 '병역의무의 이행으로 인한 불이익한 처우 금지'에 대하여, 헌법 제39조 제1항의 국방 의무를 이행하느라 입는 불이익(예 소집 중인 예비역에 대한 군 형법 적용)은 헌법상 허용될 수 있으나, 병역 의무이행으로 인한 불이익(예 병역 의무이행으로 군 법무관으로 근무한 자의 개업지 제한)은 금지된다.

177)

2011헌마825

178)

91헌마80

179)

98헌마363

2. 읽기 자료

모병제와 여성징병제[180]

여성징병 사례 연구[181]

⏰ 답변 준비 시간 15분 | 답변 시간 10분

※ 다음 QR코드를 촬영하면 연결되는 제시문을 읽고, 문제에 답하시오.

> (가) 대한민국 인구는 2020년부터 감소하여 인구절벽 현상이 일어나고 있다. 이로 인해 군에 입대하는 20대 남성 인구는 2013년 37만 6,000여 명에서 2023년 25만 5,000명으로 감소했다.
>
>
>
> 여성징병제
>
> (나) 러시아의 우크라이나 침공과 이스라엘의 하마스 격퇴전으로 인해 각국이 징병제를 부활하거나 복무기간을 연장하는 등 병력 강화를 추진하고 있다. 특히 북유럽 국가들이 이 흐름을 주도하고 있으며, 덴마크는 징병 대상을 여성으로 확대하고 최소 복무기간을 늘릴 계획이다.
>
>
>
> 주요국 징병제

Q1. 우리나라는 징병제를 택하고 있다. 이에 따라 모든 국민은 국방의 의무가 있다. 그러나 여성은 징병의 대상이 아니다. 국민이 국방의 의무를 행해야 한다면, 여성도 국민이므로 강제징병을 해야 한다는 주장이 있다. 여성에 대한 강제징병을 찬성하는 입장의 논거를 2개 이상 제시하고 논증하시오.

Q2. 여성에 대한 강제징병을 반대하는 입장의 논거를 2개 이상 제시하고 논증하시오.

Q3. 여성에 대한 강제징병 찬반 중 자신의 입장을 선택하고 이를 논하시오.

Q4. 자신이 선택한 입장에 대해 예상되는 문제점을 제시하고, 그 해결방안을 논하시오.

Q1. 모범답변

여성에 대한 강제징병을 찬성하는 입장에서는 국가안보와 평등원칙을 논거로 제시할 것입니다.

국가안보를 위해 여성에 대한 강제징병은 타당합니다. 모든 국민은 국방의 의무가 있습니다. 그런데 우리나라의 병역법은 신체를 기준으로 남성에게만 병역의 의무를 부담시키고 있습니다. 과거의 전쟁과 달리 현대전은 전투력의 조건에 신체적 조건이 결정적이라 할 수 없습니다. 최근에는 전투의 양상이 달라져 첨단 장비의 활용과 정보력의 결합이 전쟁에서 중요한 요소가 되고 있습니다. 남성과 여성에 체력과 신체 조건의 차이는 분명히 있을 것이나, 첨단 장비의 활용이나 정보력의 활용에 있어 남성과 여성의 차이는 존재하지 않습니다. 특히 인구 감소와 고령화로 병력이 줄어들고 있는 우리나라의 현 상황에서 병력 부족문제를 해결하기 위해 여성 인력의 활용이 필요한 시점입니다. 국가안보는 국민의 의무이며, 국방의 의무를 실현할 수 있도록 여성이 군 복무할 수 있는 환경의 조성과 병과 조정, 필요 장비의 수급 등을 고민해야 합니다. 여성도 이미 직업군인으로 복무하고 있는 만큼 군 복무 환경을 조성하고 필요 장비를 지급하여 충분한 교육을 한다면 일반장병으로 국가안보에 충분히 기여할 수 있습니다. 따라서 여성에 대한 강제징병을 시행해야 합니다.

평등원칙에 부합하므로 여성에 대한 강제징병은 타당합니다. 평등원칙은 같은 것은 같게, 다른 것은 다르게 대하라는 원칙입니다. 모든 국민은 국방의 의무를 지고 있습니다. 남성과 여성은 모두 같은 국민으로 국방의 의무를 집니다. 그런데 남성은 강제징병을 통해 국방의 의무를 실현하는 반면, 여성은 강제징병 없이 국방의 의무를 실현하지 않습니다. 이는 같은 국민의 의무를, 강제징병 유무로 서로 다르게 대하는 것입니다. 따라서 평등원칙에 부합하도록 하기 위해 여성에 대한 강제징병은 타당합니다.

Q2. 모범답변

여성에 대한 강제징병을 반대하는 입장에서는 국가안보, 평등원칙을 논거로 제시할 것입니다.

국가안보를 위해 여성에 대한 강제징병은 타당하지 않습니다. 모든 국민은 국방의 의무가 있습니다. 그러나 병역은 국민이 정한 바에 따라 전투력의 기초가 되는 체력조건에 따라 징병 여부가 결정됩니다. 여성은 국민이 정한 전투력의 기준에 못 미치기 때문에 병역을 이행하지 않을 뿐입니다. 모든 국민은 국방의 의무가 있으나 여성으로 태어난 것은 우연이기 때문에 병역을 이행하지 않습니다. 체력 조건에 부합하는 남성이 병역을 이행하지 않으려는 의도로 신체를 훼손한 경우 처벌하는 것은 그에 대한 자유와 책임을 부여하는 것입니다. 만약 여성도 병역을 이행해야 한다고 생각한다면 병역법을 개정하고 그에 따른 막대한 세금 부담을 감수해야 합니다. 우리나라의 국가예산 중 많은 부분을 국방예산이 차지하고 있다는 점에서 현재보다 더 많은 국방비를 지출하기는 어렵습니다. 국가안보와 군 병력의 확충을 위해 국가의 모든 자원을 투입한다면, 국력 자체가 감소하여 국가안보를 위해 사용할 자원이 더욱 줄어들게 될 것이고 오히려 국가안보를 실현하기 어려울 것입니다. 따라서 국가안보를 위해 여성에 대한 강제징병은 타당하지 않습니다.

평등원칙에 위배되지 않으므로 여성에 대한 강제징병은 타당하지 않습니다. 평등이란 같은 것은 같게, 다른 것은 다르게 대하라는 원칙입니다. 국민에게 국방의 의무가 있다고 하여 모두 동일한 병역을 이행해야 하는 것은 아닙니다. 병역은 전투력의 기초가 되는 체력 조건에 따라 이행 여부를 결정하도

해커스 **김종수 모스쿨 면접** 200주제

록 병역법에 규정되어 있습니다. 이에 따라 남성과 여성의 신체적 조건의 차이를 인정하고 전투력의 정도에 따라 병역을 이행하도록 규정한 것입니다. 남성이라 하더라도 병무청의 신체검사를 통해 신체적 능력이 필요 전투력에 미치지 못할 경우 면제하거나 하는 등으로 병역 이행을 동일하게 강제하지 않는 것에서 이를 확인할 수 있습니다. 이처럼 명백하게 다른 전투력을 기준으로 병역 이행 여부를 결정한 것이므로 다른 것을 다르게 대한 것입니다. 이는 평등원칙에 위배되지 않으며 여성에 대한 강제징병은 타당하지 않습니다.

Q3. 모범답변

여성 강제징병은 타당하지 않습니다. 국가안보의 실질적 실현과 평등원칙에 위배되지 않는 점뿐만 아니라 공공복리를 저해하기 때문입니다.

공공복리를 저해하므로 여성 강제징병은 타당하지 않습니다. 우리나라의 인구가 감소하고 있고 저출산이 심각한 사회문제가 되고 있습니다. 이러한 현상의 원인 중 사회진출연령이 늦어지고 있어 결혼 시기가 늦어지는 점, 출산연령이 늦어지는 점이 있습니다. 이미 남성의 사회진출연령이 2년간 늦어지고 결혼연령도 늦어지는 상황에서 여성까지 군 복무를 해야 한다면 저출산의 문제는 더욱더 심각해질 것입니다. 이는 다시 군병력의 감소, 군 복무기간 연장, 사회진출시기가 늦어지는 문제로 악순환의 연쇄고리가 될 것입니다. 따라서 공공복리를 심대하게 저해할 우려가 있으므로 여성에 대한 강제징병은 타당하지 않습니다.

Q4. 모범답변

여성에 대한 강제징병을 인정하지 않을 경우, 국방의 의무의 이행에 있어 불평등하다는 반론이 제기될 수 있습니다. 그러나 평등이란 모든 것을 동일하게 해야 한다는 의미가 아니므로 불평등하다고 볼 수 없습니다. 평등이란 같은 것은 같게 다른 것은 다르게 대하라는 원칙입니다. 국방의 의무를 이행함에 있어서 반드시 징병을 동일하게 이행해야 하는 것은 아닙니다. 전투력과 신체적 조건에 따라 국방의 의무를 다르게 이행할 수 있습니다. 그렇기 때문에 헌법에서는 모든 국민에게 국방의 의무를 규정하고 있으나, 우리 국민 다수는 병역법을 통해 전투력을 기준으로 하여 병역을 이행하도록 규정하고 있는 것입니다.

그러나 현재의 병역 체제는 남성에게만 병역을 이행하도록 하여 국방의 의무를 편협하게 해석하는 것으로 사회갈등을 유발한다는 문제가 있습니다. 여성 역시 국민으로서 국방의 의무를 이행할 의무가 있습니다.

그렇다면 여성의 군 복무를 남성과 동일하게 강제할 수는 없더라도 국방의 의무를 이행할 수 있는 대안을 시행하면 충분할 것입니다. 여성의 국방의 의무 이행을 위해 4~6주간의 기초군사훈련을 실시하는 것도 방안이 될 수 있습니다. 병역법에서는 전투력의 효율성을 반영하여 여성은 병역을 이행하지 않도록 규정하고 있습니다. 실제로 여성을 강제징병할 경우 군사시설의 신축과 개조에 들어갈 우리 사회가 부담해야 할 비용은 상상을 초월합니다. 그러나 단지 여성을 위한 기초군사훈련기관을 새로이 만들거나 기존의 기초군사훈련기관을 여성의 기초군사훈련이 가능하도록 증설하는 데 들어갈 비용은 적습니다. 현재에도 신체적 조건이 필요 전투력에 미달되는 남성의 경우에도 기초군사훈련을 받고 있으며, 병역특례를 받는 스포츠 선수 등의 경우에도 기초군사훈련을 받도록 하여 유사시에 국가안보를 실현할 수 있는 기본적 군사능력을 갖추도록 하고 있습니다. 이러한 대안을 통해 모든 국민이 국방의 의무를 자신의 능력에 맞게 이행할 수 있을 것이므로 사회갈등을 완화할 수 있습니다.

156 개념 | 대북전단

1. 기본 개념[182)]

(1) 사건 개요

청구인들은 북한 접경지역에서 대형풍선 등을 이용하여 북한 지역으로 북한의 통치체제를 비판하는 내용을 담은 전단을 살포하는 등의 활동을 해 온 자연인 또는 북한 인권 개선 등을 목적으로 조직된 법인·단체이다.

국회는 2020. 12. 14. '전단등 살포', 즉 '선전, 증여 등을 목적으로 전단, 물품, 금전 또는 그 밖의 재산상 이익을 승인받지 아니하고 북한의 불특정 다수인에게 배부하거나 북한으로 이동시키는 행위'를 통하여 국민의 생명·신체에 위해를 끼치거나 심각한 위험을 발생시키는 것을 금지하고, 이를 위반한 경우 3년 이하의 징역 또는 3천만 원 이하의 벌금에 처하며, 그 미수범도 처벌하는 등의 내용을 담은 '남북관계 발전에 관한 법률 개정법률안'을 의결하였고, 이는 2020. 12. 29. 공포되어, 2021. 3. 30.부터 시행되었다.

청구인들은 위와 같은 내용으로 개정된 '남북관계 발전에 관한 법률' 제24조 제1항, 제25조 등이 청구인들의 표현의 자유 등 기본권을 침해한다고 주장하며 2020. 12. 29. 이 사건 헌법소원심판을 청구하였다.

(2) 위헌 의견

심판대상조항의 궁극적인 의도는 북한 주민을 상대로 하여 북한 정권이 용인하지 않는 일정한 내용의 표현을 금지하는 데 있으므로, 심판대상조항은 표현의 내용을 제한하는 결과를 가져온다.

국가가 이러한 표현 내용을 규제하는 것은 원칙적으로 중대한 공익의 실현을 위하여 불가피한 경우에 한하여 허용되고, 특히 정치적 표현의 내용 중에서도 특정한 견해, 이념, 관점에 기초한 제한은 과잉금지원칙 준수 여부를 심사할 때 더 엄격한 기준이 적용되어야 한다.

심판대상조항은 전단 등 살포를 금지하면서 미수범도 처벌하고, 징역형까지 두고 있는데, 이는 국가형벌권의 과도한 행사라 하지 않을 수 없는바, 심판대상조항은 침해의 최소성을 충족하지 못한다. 심판대상조항으로 접경지역 주민의 안전이 확보되고, 평화통일의 분위기가 조성될지는 단언하기 어려운 반면, 심판대상조항이 초래하는 정치적 표현의 자유에 대한 제한은 매우 중대하므로, 법익의 균형성도 인정되지 않는다.

국민의 생명·신체에 발생할 수 있는 위해나 심각한 위험은 전적으로 제3자인 북한의 도발로 초래된다는 점을 고려하면, 심판대상조항은 북한의 도발로 인한 책임을 전단 등 살포 행위자에게 전가하는 것이다. 법원이 구체적 사건에서 인과관계와 고의의 존부를 판단할 수 있다고 하더라도, 이러한 위해나 심각한 위험을 초래하는 북한에 대하여 행위자의 지배가능성이 인정되지 않는 이상, 비난가능성이 없는 자에게 형벌을 가하는 것과 다름이 없다. 따라서 심판대상조항은 책임주의원칙에도 위배되어 청구인들의 표현의 자유를 침해한다.

182)

남북관계 발전 법률

(3) 반대의견

심판대상조항은 북한 주민을 상대로 하여 '전단등 살포'라는 방법을 통하여 표현을 하는 것을 금지할 뿐, 표현의 내용에 대해서는 아무런 제한을 가하고 있지 않는바, 이는 '전단등 살포'라는 표현 방법에 대한 제한으로 보아야 한다.

국가형벌권 행사가 최후수단으로서 필요 최소한에 그쳐야 한다는 점에 동의하지만, '접경지역 주민의 생명과 신체의 안전'이라는 중요한 법익의 침해·위험을 동등한 정도로 방지하면서도 덜 침해적인 대안을 찾을 수 있는지 의문이다.

심판대상조항이 표현의 방법만을 제한하고 있는 이상, 청구인들의 견해는 '전단등 살포' 외의 다른 방법, 예컨대 내·외신을 상대로 한 기자회견이나 탈북자들과의 만남 등을 통하여 충분히 표명될 수 있고, 남북 간 긴장완화를 시도하는 국면에서 제한된 표현의 자유도 교류협력이 활성화되는 국면에서 확장될 수 있다는 동적인 관점에서 심판대상조항을 이해해야 한다.

2. 읽기 자료

민간 대북전단 목적[183]
전단등살포금지 조항[184]

183)

민간 대북전단 목적

184)

전단등살포금지 조항

156 문제　대북전단

답변 준비 시간 15분 | 답변 시간 15분

※ 다음 QR코드를 촬영하면 연결되는 제시문을 읽고, 문제에 답하시오.

> (가) 헌법재판소가 접경지에서 대북 전단을 살포할 경우 처벌하는 내용을 담은 남북관계발전법 개정안에 대해 위헌 결정을 내렸다.
>
>
>
> 대북전단 금지법
>
> (나) 파주시장은 대북전단 살포는 파주시민의 생명과 안전을 담보로 하는 무책임한 행위라고 하며, 이를 행정력을 총동원하여 막겠다고 천명했다.
>
>
>
> 대북전단 살포

Q1. 남북관계발전법은 대북전단 살포를 금지하고 이를 어길 경우 징역 혹은 벌금을 규정하고 있는데, 헌법재판소는 표현의 자유를 침해한다는 이유로 위헌 결정했다. 대북전단 살포 금지를 찬성하는 입장의 핵심논거를 제시하고 이를 논증하시오.

Q2. 대북전단 살포 금지를 반대하는 입장의 핵심논거를 제시하고 이를 논증하시오.

Q3. 대북전단 살포 금지에 대한 자신의 입장을 논거를 들어 논하시오.

Q4. 자신이 선택한 입장에 대해 예상되는 반론을 제시하고, 이에 대해 재반론하시오.

Q1. 모범답변

　대북전단 살포 금지가 타당하다는 입장의 논거는, 인접지역 주민의 생명과 신체의 안전 보호입니다. 대북전단 살포는 접경지역 국민의 생명과 신체의 안전을 위협하므로 금지해야 합니다. 대북전단은 북한체제에 대한 비난과 북한 지도부에 대한 부정적 견해를 주된 내용으로 하고 있습니다. 물론 그러한 생각을 가지는 것 자체를 막을 수는 없습니다. 그러나 대북전단으로 인하여 남북 간의 긴장상태가 고조되고 군사적 도발과 대응이 오고가는 것이 현실입니다. 2014년 10월에는 대북전단 살포로 인해 북한군이 대북전단 살포용 풍선을 향해 실제 총기 사격을 하였고 우리 군도 대응사격을 하였습니다. 그 과정에서 접경지역 주민들이 긴급 대피를 하였습니다. 2020년에는 대북전단을 이유로 하여 북한이 공동연락사무소를 폭파하였습니다. 표현의 자유라는 명목의 대북전단 살포로 인해 접경지역 주민들의 생명과 신체의 안전이 위협받고 있습니다. 이에 더해 이 위협은 단지 가능성에 불과한 것이 아니라 군사행동으로 이어지고 있어 접경지역 주민에게는 명백하고 현존하는 위협이 되고 있습니다. 타국 정권에 대한 의견 표명의 자유를 보호하기 위해서 자국 국민의 생명이 실제로 위협당하는 상황을 방치해서는 안 됩니다. 따라서 대북전단 살포를 금지해야 합니다.

Q2. 모범답변

　대북전단 살포 금지를 반대하는 입장의 논거는, 개인의 표현의 자유 보장입니다. 대북전단은 개인의 자유로운 의사 표현의 자유에 해당하므로 금지해서는 안 됩니다. 개인은 자기 자신의 가치관을 결정하고 그에 따라 자유롭게 자신의 의사를 표현할 자유가 있습니다. 만약 이 표현의 자유의 실현이 타인의 자유에 직접적 해악을 주지 않는다면 국가는 이 표현의 자유를 제한할 수 없습니다. 표현의 자유는 개인의 가치관을 타인에게 드러내는 것으로서 국가는 이를 합리적 이유 없이 제한해서는 안 됩니다. 만약 국가가 합리적 이유 없이 개인의 표현의 자유를 제한한다면 개인은 타인과 사회, 국가를 위한 수단으로 전락하게 됩니다. 대북전단은 개인이 스스로 결정한 자신의 가치관에 따른 표현을 한 것이며, 특히 북한 정권에 대한 자신의 정치적 의사를 드러내는 것입니다. 대북전단의 내용에 대해 도덕적 비난을 할 수는 있으나, 대북전단이 타인의 자유에 대한 직접적 해악을 가한 것은 아니므로 이를 금지할 수 없습니다. 물론, 대북전단으로 인해 북한 측의 공격이 있었던 것은 사실이나, 대북전단이 북한의 공격을 지시한 것은 아니며 오히려 이는 북한의 공격에 대해 우리나라가 대응하여 국경 인접주민을 보호할 문제입니다. 따라서 개인의 표현의 자유를 보장하기 위해 대북전단을 금지해서는 안 됩니다.

[대북전단 살포 금지 입장]

대북전단 살포를 금지해야 합니다. 대북전단 살포는 접경지역 국민의 생명과 신체의 안전을 위협하고, 국가안보를 위협하며, 대북전단 살포의 효과도 없기 때문입니다.

국가안보를 위협할 수 있으므로 대북전단 살포를 금지해야 합니다. 대북전단으로 인한 북한의 위협사격과 우리 군의 대응사격은 언제든지 국지적 도발 수준을 넘어서 전면전으로 확대될 수 있는 가능성을 내포하고 있습니다. 또한 공동연락사무소 폭파는 협력과 신뢰관계를 저해하여 국가안보의 위협과 평화 구축을 저해합니다. 이처럼 대북전단 살포로 인해 접경지역에 각종 군사적 도발이 발생하면 국지전 발생 가능성, 그리고 예기치 않은 전면전 확대 가능성이 있습니다. 그리고 대북전단으로 인한 북한의 외교적 대화 거부는 장기적 평화 구축을 저해합니다. 이처럼 대북전단으로 인해 국가 안보가 위협되고 국민 전체의 생명과 신체의 안전을 위협받는 결과로 이어질 수 있습니다. 따라서 대북전단 살포를 금지하여야 합니다.

대북전단 살포로 인한 효과를 기대할 수 없고 오히려 악영향이 예상되므로 대북전단 살포를 금지해야 합니다. 대북전단 살포 단체들은 대북전단을 살포하여 악마와 같은 북한체제의 붕괴를 조장, 촉진할 수 있다고 주장합니다. 그러나 대북전단을 살포하여 북한체제 붕괴에 얼마나 영향을 주는지는 인과관계의 측면에서 모호하고 추상적입니다. 2008년부터 10여 년간 대북전단을 지속적으로 살포했음에도 불구하고 북한체제 내부의 결속력을 얼마나 와해시켰는지 역시 알 수 없습니다. 그뿐만 아니라 전단을 살포하여 북한이 붕괴된다고 하더라도 이는 정책적으로 타당하지 않습니다. 전단 등의 방법으로 북한의 붕괴를 유도한다고 하여도 그 과정에서 북한의 무력을 동원한 저지사태가 자칫 군사적 충돌로 이어질 수 있습니다. 한반도에서의 군사적 충돌은 남북한 전체 국민을 전쟁으로 몰아넣고 민족 전체의 공멸로 이어질 수도 있으므로 반드시 막아야 합니다. 나아가 이 과정에서 대규모 난민 등이 발생하여 우리나라에 난민들이 유입될 경우 난민들에 대한 고용, 사회복지 등 대응에 있어 우리나라는 큰 혼란에 빠질 수 있습니다. 따라서 대북전단 살포를 금지하여야 합니다.

[대북전단 살포 허용 입장]

대북전단 살포를 금지해서는 안 됩니다. 책임주의 원칙에 위배되기 때문입니다. 책임주의란 개인의 자유로운 선택에 따른 결과에만 책임을 질 수 있다는 것입니다. 남북관계발전법은 대북전단 살포를 금지하고 이를 어길 경우 징역형까지 규정하고 있습니다. 그렇다면 대북전단 살포 자체가 타인의 자유에 대한 직접적 해악을 일으켜야 합니다. 그런데 접경지역 주민에 대한 총격 가능성과 국지전 발생 우려는 대북전단을 살포한 자로 인해 발생하는 것이 아니라 총격 등과 같은 군사적 행동을 일으키는 북한으로 인해 발생하는 것입니다. 북한 정권과 군부에 의한 군사적 선택이 접경지역 주민의 생명과 신체를 위협하는 것이지, 대북전단을 살포한 자들로 인해 접경지역 주민의 생명이 위협되는 것이 아닙니다. 그럼에도 불구하고 대북전단을 살포한 자에게 형사 책임을 묻는 것은 자신이 선택하지 않은 행위에 대한 책임까지 전가하는 것입니다. 따라서 대북전단 살포 금지는 책임주의 원칙에 위배되므로 타당하지 않습니다.

Q4. 모범답변

[대북전단 살포 금지 입장]

대북전단 살포를 금지하는 것은 개인의 표현의 자유에 대한 과도한 제한이라는 반론이 제기될 수 있습니다. 그러나 이는 표현의 자유에 대한 과도한 제한이라 할 수 없습니다. 대북전단은 북한정권에 대한 자신의 정치적 의사를 표현하는 방식 중의 하나에 불과하기 때문입니다. 북한 정권의 문제점에 대해 정치적 의사를 표현하는 방법은 북한으로 보내는 전단만 있는 것이 아닙니다. 해외 언론과의 기자회견이나 탈북민 인터뷰, 외교적인 항의 등을 포함한 다양한 표현의 방법이 있음에도 불구하고 접경지역 주민들의 안전과 국가안보를 위협하는 방법을 선택해야 할 이유는 없습니다. 따라서 대북전단 외의 다른 표현수단이 존재하기 때문에 대북전단 살포 금지는 개인의 표현의 자유에 대한 과도한 제한이라 할 수 없습니다.

[대북전단 살포 허용 입장]

대북전단 살포를 허용하면 북한의 군사적 도발로 인해 접경지역 주민들의 생명과 신체에 실질적 위협이 된다는 반론이 제기될 수 있습니다. 그러나 이는 국가의 노력으로 해결할 문제이지 이를 대북전단을 금지하여 해결할 문제는 아닙니다. 국민의 생명과 신체의 보호는 국가의 의무이며, 이를 위해 국민은 국가에게 폭력적 수단의 독점권을 허용하고 있습니다. 그런데 북한 정권이 자신들의 체제에 대한 비난을 이유로 우리 국민을 군사적으로 위협한다면 이는 국가가 국민 보호를 위해 외교적, 군사적 노력을 기울여 이 위협을 막아야 하는 것입니다. 그런데 대북전단 살포 금지는 국가가 타국의 군사적 위협으로부터 국민을 보호하려는 노력을 기울이지 않고 단지 손쉬운 수단을 선택한 것에 불과합니다. 이는 국가의 국민 보호 의무를 방기한 것입니다. 따라서 접경지역 주민들의 생명과 신체 보호를 위한 국가적 노력을 기울여야 하며, 대북전단 살포를 금지해서는 안 됩니다.

Chapter
11
사법정책

157 개념 법원의 독립

1. 기본 개념

(1) 민주주의와 3권 분립

국민은 국가의 주권자로 자신의 자유와 권리를 안정적으로 보장받고자 국가를 설립하였다. 국민은 자신이 스스로를 지배할 원리로 법의 지배를 선택하였다. 국민은 자신의 정치적 의사를 입법부를 통해 드러내어 자신을 스스로 규율할 법을 제정한다. 이 법을 현실에서 구현하기 위해 행정부를 만들었다. 그러나 정치적 의사와 현실의 실행 사이에는 괴리가 발생할 수 있다. 이 판단을 전문적으로 하기 위해 사법부를 만들었다. 결국 3권 분립은 민주주의의 안정적 실현을 위해 존재하는 것이다.

(2) 국민의 공정한 재판받을 권리

헌법과 법률에서 보장하고 있는 국민의 권리를 침해받았을 때, 국민은 그 침해를 구제받고자 하였다. 이를 위해 사법부가 존재한다. 사법부는 입법부와 행정부로부터 독립되어, 심지어 국민의 선출인 선거에서도 독립되어 오직 법률에 근거하여 재판을 한다. 이는 오직 국민의 공정한 재판받을 권리를 보장하기 위함이다. 법원과 법관은 헌법과 법률에 근거해 형성된 양심에 따라 재판하도록 규정되어 있고 법원의 독립과 법관의 신분은 강력하게 보호받는다.

(3) 관련법령

헌법 제106조 ① 법관은 탄핵 또는 금고 이상의 형의 선고에 의하지 아니하고는 파면되지 아니하며, 징계처분에 의하지 아니하고는 정직·감봉 기타 불리한 처분을 받지 아니한다.

② 법관이 중대한 심신상의 장해로 직무를 수행할 수 없을 때에는 법률이 정하는 바에 의하여 퇴직하게 할 수 있다.

법원조직법 제47조(심신상의 장해로 인한 퇴직) 법관이 중대한 신체상 또는 정신상의 장해로 직무를 수행할 수 없을 때에는, 대법관인 경우에는 대법원장의 제청으로 대통령이 퇴직을 명할 수 있고, 판사인 경우에는 인사위원회의 심의를 거쳐 대법원장이 퇴직을 명할 수 있다.

법원조직법 제48조(징계) ① 대법원에 법관징계위원회를 둔다.

② 법관징계에 관한 사항은 따로 법률로 정한다.

법관징계법 제3조(징계처분의 종류) ① 법관에 대한 징계처분은 정직·감봉·견책의 세 종류로 한다.

② 정직은 1개월 이상 1년 이하의 기간 동안 직무집행을 정지하고, 그 기간 동안 보수를 지급하지 아니한다.

③ 감봉은 1개월 이상 1년 이하의 기간 동안 보수의 3분의 1 이하를 줄인다.

④ 견책은 징계 사유에 관하여 서면으로 훈계한다.

법관징계법 제4조(법관징계위원회) ① 법관에 대한 징계사건을 심의·결정하기 위하여 대법원에 법관징계위원회를 둔다.

② 위원회는 위원장 1인과 위원 6인으로 구성하고, 예비위원 3인을 둔다.

법관징계법 제5조(위원장 및 위원) ① 위원회의 위원장은 대법관 중에서 대법원장이 임명하고, 위원은 법관 3명과 다음 각호에 해당하는 사람 중 각 1명을 대법원장이 각각 임명하거나 위촉한다.

1. 변호사

2. 법학교수

3. 그 밖에 학식과 경험이 풍부한 사람

② 예비위원은 법관 중에서 대법원장이 임명한다.

법관징계법 제8조(징계사유의 시효) 징계 사유가 있는 날부터 3년{금품 및 향응 수수(授受), 공금의 횡령(橫領)·유용(流用)의 경우에는 5년}이 지나면 그 사유에 관하여 징계를 청구하지 못한다.

법관징계법 제20조(징계절차의 정지) ① 징계 사유에 관하여 탄핵의 소추가 있는 경우에는 그 절차가 완결될 때까지 징계절차는 정지된다.

② 위원회는 징계 사유에 관하여 공소가 제기된 경우에는 그 절차가 완결될 때까지 징계절차를 정지할 수 있다.

2. 쟁점과 논거: 부정의한 법에 대한 법관의 재량 판단 찬반론

찬성론: 정의	반대론: 법적 안정성
[정의 실현] 인간 존엄성에 대한 일방적 침해, 법치주의의 자의적 무시 등 명백한 부정의는 일반적으로 합의가능하다. 만일 실정법이 정의에 명백히 반하고 평등이나 인권을 침해한다면 이러한 실정법의 적용을 법관의 재량 판단에 따라 거부할 수 있어야 부정의를 예방하고 정의를 실현할 수 있다.	**[법적 안정성 보호]** 국민은 제정된 법에 따라 사법적 판단을 받을 것이라 예상하며, 이러한 예상을 바탕으로 안정적인 삶을 영위한다. 하지만 법관의 재량 판단이 인정된다면 이러한 국민의 법 적용에 대한 신뢰가 깨지게 된다. 같은 법률이라도 적용하는 법관에 따라 그 결과가 달라지기 때문이다.
[실질적 법치주의 실현] 법은 형식뿐만 아니라 그 내용에 있어서도 국민의 자유와 권리 보장에 적합하게 구성되어 있어야 한다. 만일 이러한 조건을 만족하지 못하는 법률이 있다면, 그 적용을 거부, 실효성을 잃게 하여 국민의 자유와 권리 보장에 적합한 법률이 되도록 해야 한다.	**[법관의 권한 남용 방지]** 국민은 대표자를 통해 자신의 의사에 따라 자신을 규율할 법률을 만들었다. 그렇기 때문에 모든 국민은 민의를 반영해 만들어진 법률을 따라야만 한다. 하지만 법관의 재량 판단을 인정하게 되면, 국민의 의사에 따라 제정된 법률을 민의의 통제를 받지 않는 법관이 자의에 따라 무시할 수 있게 된다.
[권력분립 실현] 권력분립은 형식적 권한의 분배가 아닌 기관 상호 간의 실질적 견제와 통제의 원칙이다. 부정의한 법에 대해 법관이 재량에 따라 적용을 결정할 수 있다면 입법부와 행정부는 자의적으로 정의에 위배되는 법률을 제정하고 집행할 수 없게 된다. 법관의 견제를 통해 실질적 권력분립을 실현할 수 있다.	**[절차적 정당성 확립]** 부정의한 법률이 존재한다고 해도, 이에 대한 국민 스스로의 문제 제기와 문제 해결을 위한 대화와 토론을 거쳐 해결하는 것이 타당하다. 이를 위해서는 형식적인 절차를 마련하고 준수해야 한다. 사법 엘리트인 법관이 자신의 재량에 따라 판단하는 것은 이러한 형식적 절차를 무시하는 것과 같다.

3. 읽기 자료

사법정의의 실현방안[185]

185)

사법정의의 실현방안

☺ 답변 준비 시간 10분 | 답변 시간 10분

Q1. 법원이 대통령이나 정치권에 예속되지 않도록 하기 위해 우리 헌법은 법원의 독립을 보장하고 있다. 이처럼 법원의 독립이 중요한 이유는 무엇인지 논하시오.

Q2. 법원은 국민주권을 최후방에서 지키는 국가기관이다. 사법부는 국민주권을 실현하는 국가기관이라는 점에서 국민의 여론에 따라 재판해야 하는지 혹은 법에 따라 재판해야 하는지 자신의 견해를 논하시오.

Q3. 실정법을 악법이라 하여 실정법의 적용을 거부한다면, 법관의 자의적 판단에 따른 재판이 허용될 것이라는 비판이 존재한다. 이 비판에 대해 자신의 견해를 논하시오. 그리고 자신의 견해에 대해 예상되는 반론을 제시하고 이를 재반론하시오.

Q1. 모범답변

법원이 독립되어야 하는 이유는 국민의 공정한 재판받을 권리를 보호해야 하기 때문입니다. 만약 법원이 대통령의 지시에 따라 재판한다면 공정한 재판은 할 수 없습니다. 대통령은 국민의 권리를 침해하는 명령을 하고, 법원은 이에 반하는 행위를 한 자를 처벌하게 되어 국민의 자유와 권리가 심각하게 침해될 것입니다. 법원마저 정의를 버리고 권력의 앞잡이가 된다면 사회정의는 사라지고 말 것입니다. 사법부는 권력의 억압으로 신음하는 국민을 벼랑길에 떨어뜨리는 악역을 하게 됩니다. 대표적인 사례로 박정희 정권은 독재를 유지하고자 유신헌법을 제정하면서 법관의 독립을 훼손하였습니다. 이러한 문제를 막기 위해 사법부는 정부와 정치권으로부터 독립되어야 합니다.

Q2. 모범답변

사법부는 진정한 국민주권의 실현을 위해 법에 따라 재판을 해야 합니다. 입법과정에서 다양한 국민의 의사가 제시되고 조정되고 정제되어 법률이 입법됩니다. 이처럼 국민의 의사를 반영한 것이 법률이기 때문에 법원은 국민의 의사를 존중하여 법에 따라 재판을 해야 합니다. 그러나 매우 예외적으로 법률이 국민의 의사에 명백하게 반하는 악법인 경우가 있습니다. 악법은 국민이 진정으로 지켜지기를 원하는 정의와 헌법정신에 반하므로 악법에 따라 재판해서는 안 됩니다. 오히려 국민의 진정한 의사를 반영하여 정의나 헌법정신에 따라 재판해야 합니다.

Q3. 모범답변

법관이 실정법의 적용을 거부할 수 있다면, 법관의 자의적 재판이 될 것이라는 반론은 타당하지 않습니다. 실정법이 정의에 명백히 반하고 의도적으로 평등이나 인권을 침해한다면 이는 악법입니다. 따라서 법관은 주권자인 국민이 결코 원하지 않을 악법을 적용하여 국민의 자유와 권리를 해치는 법 적용을 단연코 거부해야 합니다. 우리 법은 법관이 법을 어겨야 하는 위법을 스스로 저지를 수 있는 위험을 막기 위해 이를 예방하고자 절차를 마련해두었습니다. 법관은 자신이 판단하기에 법을 적용하는 것이 오히려 국민의 자유와 권리에 명백한 해악을 줄 것이라 판단될 경우, 헌법재판소에 해당 법률에 대한 위헌제청을 할 수 있도록 규정하였습니다. 헌법재판소는 실정법이 주권자인 국민의 뜻에 명백하게 반한다고 판단할 경우 해당 법률을 실효시킬 수 있습니다. 그렇다면 법관은 법을 어기지 않고도 명백하게 부정의한 법을 적용하지 않을 수 있습니다. 그러므로 법관의 자의적 판단에 따라 재판한다고 볼 수 없습니다.

이에 대해 어떤 법률이 정의로운지 여부는 사람마다 다르기 때문에 법관마다 정의라는 이름으로 다르게 판단하면 법적 안정성을 해하고 법원의 신뢰가 손상될 것이라는 반론이 제기될 수 있습니다. 그러나 법률이 부정의한 것인지 여부는 사람마다 다른 모호한 정의에 따라 판단하지 않습니다. 이는 법률이 명백하게 부정의한 내용을 담고 있는 경우에 한정해서 인정되며, 이러한 판단을 할 수 있도록 법관의 자격은 법의 목적이 되는 헌법과 다른 법의 관계와 체계에 대한 학습을 통해 전문성을 인정받은 자에게만 부여되는 것입니다. 헌법은 개인의 자유와 평등, 인권 등에 대한 명백한 침해를 방지하고자 하는 목적으로 제정되었습니다. 법관이 개인의 직업적, 전문적 양심에 비추어 판단하기에 해당 법률이 평등이나 인권을 명백히 침해하는 법이라면 그 적용을 거부해야 합니다. 아무리 정의에 대한 판단이 개인마다 다를지라도 노예제나 고문 인정, 영장 없는 체포, 무기한의 피의자 구금과 같은 내용을 담은 실정법은 명백하게 정의에 반하며 인권을 침해합니다. 이런 것들이 인권을 침해하여 부정의한 것인지 여부는 사람마다 판단이 다를 수 없습니다. 따라서 법관은 자신에게 부여된 독립적 권한이 어떤 목적에서 부여된 것인지 명확하게 알고 있기 때문에 오히려 명백하게 부정의한 법을 단호하게 거부해야 합니다. 따라서 이 반론은 타당하지 않습니다.

1. 기본 개념

(1) 사법권의 독립

만약 정부에 사법권이 예속되어 있다면 정부가 행한 처분에 의해 권리를 침해당한 자가 소송을 제기하더라도 법원은 처분적법하다고 할 가능성이 크다. 따라서 법원이 정부로부터 독립하여 사법권을 행사할 수 없다면 공정한 재판도 국민의 권리 보장도 불가능하다.

(2) 법관의 신분상 독립

국민의 공정한 재판받을 권리를 보장하기 위해 법관은 신분상 독립을 보장받는다. 그리고 법관의 신분상 독립을 보장하기 위해 법원의 물적 독립 역시 보호받는다. 법관의 신분이 보장되지 않으면 법관의 재판 과정에서 상급자나 정치인의 압력을 받을 수밖에 없다. 따라서 헌법과 법률에 의한 재판이 아니다. 세력가의 이익을 위한 재판이 되고 만다. 따라서 법관의 신분 보장이 필요하다. 법관의 신분 보장을 위해 헌법에서 법관은 탄핵 또는 금고 이상의 형의 선고에 의해서만 파면될 수 있도록 규정하고 있다. 또한 법관의 정년을 법률로 보장하고 있는 것이다.

(3) 법관의 재판상 독립

국민의 공정한 재판받을 권리를 보장하기 위해 법관은 재판상 독립을 보장받는다. 헌법 제103조에서는 법관은 헌법과 법률에 의해서 형성된 양심에 따라 재판하고, 그 밖의 모든 국가기관, 소송당사자로부터 독립하여 재판을 하도록 규정하고 있다.

2. 쟁점과 논거: 법령을 따르지 않은 재판에 대한 국가배상책임 찬반론

예외적 찬성론: 사법정의 실현	반대론: 법관의 독립
[공정한 재판받을 권리] 국민의 공정한 재판받을 권리를 보장하고자 법관의 신분을 보장한 것이다. 법관의 신분보장이라는 미명하에 국민에게 명백하게 피해를 입히는 판결을 내린 법관에 책임을 묻지 않는 것은 목적에 반한다. 법관의 판결로 야기된 국민의 손해에 대해 적절한 배상을 시행하는 것이 정의에 부합한다.	**[공정한 재판받을 권리]** 법관이 독립되어 자신의 양심과 신념에 따라 판결할 수 있어야 국민의 자유와 권리를 보장할 수 있다. 우리나라 사법체계는 법관의 독립을 보장한다. 하지만 판결의 오류가능성에 대해 책임을 묻는 것은 법관의 양심에 대해 견제하는 것과 같고, 이로 인해 법관의 재판상 독립을 저해하게 된다. 결국 국민의 공정한 재판받을 권리를 침해한다.
[평등원칙] 평등원칙이란 같은 것은 같게 다른 것은 다르게 대하라는 원칙이다. 국민의 공정한 재판받을 권리가 실현된 판결과 훼손된 판결은 엄연히 다르다. 국민의 공정한 재판받을 권리에 훼손이 있었다면 그에 대한 정당한 보상을 해야 한다. 따라서 이는 다른 것을 다르게 대한 것으로 평등원칙에 부합한다.	**[법관의 재판상 독립 보장]** 법관의 재판상 독립을 유지하기 위해서는 법관의 신분이 보장되어 있어야 한다. 하지만 법관의 위법한 판결에 대한 국가배상을 인정하게 되면, 판결에 대한 책임을 판사에게 추궁하는 것이기 때문에 법관의 신분상 안정을 저해하며 법관의 재판상 독립을 훼손한다.
[국민의 권리 회복] 사법부는 부정의를 시정하여 국민의 기본권 침해를 막는 것이 본질적 기능이다. 현저하게 부당한 법관의 직무수행은 사법부의 본질적 기능에 어긋난 행위이다. 오류의 시정을 통해 국민의 기본권 침해 구제 기능을 회복해야 한다.	**[공공복리]** 잘못된 판결에 의해 손해가 발생했다면 심급제와 재심제도 등 원심의 오류를 가려내어 시정할 수 있는 절차를 마련하면 손해를 회복할 수 있다. 재판에 대한 국가배상을 인정한다면 국민의 권리 회복을 통한 긍정적 효과보다는 법관의 독립과 신분 보장 저해로 인한 부정적 효과가 더 크다.

3. 읽기 자료: 법관의 재판에 대한 국가배상 책임[186]

(1) 법관의 재판에 대한 국가배상 책임이 인정되기 위한 요건

법관의 재판에 법령의 규정을 따르지 아니한 잘못이 있다 하더라도 이로써 바로 그 재판상 직무행위가 국가배상법 제2조 제1항에서 말하는 위법한 행위로 되어 국가의 손해배상 책임이 발생하는 것은 아니고, 그 국가배상 책임이 인정되려면 당해 법관이 위법 또는 부당한 목적을 가지고 재판을 하였다거나 법이 법관의 직무수행상 준수할 것을 요구하고 있는 기준을 현저하게 위반하는 등 법관이 그에게 부여된 권한의 취지에 명백히 어긋나게 이를 행사하였다고 인정할 만한 특별한 사정이 있어야 한다.

186)

99다24218

(2) 재판에 대한 불복절차 내지 시정절차의 유무와 부당한 재판으로 인한 국가배상 책임 인정 여부

재판에 대하여 따로 불복절차 또는 시정절차가 마련되어 있는 경우에는 재판의 결과로 불이익 내지 손해를 입었다고 여기는 사람은 그 절차에 따라 자신의 권리 내지 이익을 회복하도록 함이 법이 예정하는 바이므로, 불복에 의한 시정을 구할 수 없었던 것 자체가 법관이나 다른 공무원의 귀책사유로 인한 것이라거나 그와 같은 시정을 구할 수 없었던 부득이한 사정이 있었다는 등의 특별한 사정이 없는 한, 스스로 그와 같은 시정을 구하지 아니한 결과 권리 내지 이익을 회복하지 못한 사람은 원칙적으로 국가배상에 의한 권리구제를 받을 수 없다고 봄이 상당하다고 하겠으나, 재판에 대하여 불복절차 내지 시정절차 자체가 없는 경우에는 부당한 재판으로 인하여 불이익 내지 손해를 입은 사람은 국가배상 이외의 방법으로는 자신의 권리 내지 이익을 회복할 방법이 없으므로, 이와 같은 경우에는 배상 책임의 요건이 충족되는 한 국가배상 책임을 인정하지 않을 수 없다.

Part 1
Part 2
Part 3
Part 4
Part 5
Part 6
Part 7

해커스 김중수 로스쿨 면접 200주제

⏱ 답변 준비 시간 15분 | 답변 시간 10분

Q1. 의사가 실수하면 처벌을 받는데, 판사가 실수하면 처벌을 받지 않는다. 법관의 실수에 대해 처벌하지 않는 이유를 논하시오.

Q2. 기존 대법원 판례에 의해 허용되는 영업 활동에 대하여 관할 행정청이 영업정지처분을 하자 乙은 이에 불복하여 영업정지처분 취소소송을 제기하였다. 이 소송에서 판사 甲은 법률 해석을 잘못하여 영업정지처분이 적법하다고 판단하였다. 乙은 상고하여 영업정지처분 취소판결을 받았다. 乙은 판사 甲의 판결로 인해 영업을 하지 못한 손해를 입은 것에 대해 손해배상 책임을 물을 수 있을까?

Q3. 판사 A가 살인사건의 사실확인에 오류를 범해 B에 대해 사형선고를 내렸다. B가 사형집행을 당한 후 C가 이 사건의 진범임이 밝혀져 B의 유가족이 재심을 청구해 B에 대한 무죄판결이 나왔다. B의 유가족은 판사 A에 대해 형사처벌 또는 손해배상 책임을 추궁할 수 있는가?

Q4. 국민의 권리의식이 높아지면서 재판이 늘어나고 있다. 재판이 늘어나는 것에 비해 재판 속도는 빠르지 않아 국민들의 불만이 커지고 있다. 판사의 재판 실적을 기준으로 성과급을 지급해야 한다는 주장이 있다. 이 주장에 대한 자신의 견해를 논하고, 자신의 견해가 가진 문제점과 해결방안을 제시하시오.

Q5. 변호사협회 차원에서 판사의 공정성과 친절도를 변호사들이 평가해 공개하는 것은 타당한가?

Q1. 모범답변

의사가 실수하여 처벌을 받는 것은 당대에 시행되는 의술의 법칙에 따른 수술을 하지 않아 업무상 과실이 인정되는 경우를 말합니다. 의사는 한 번의 수술로 인해 환자에게 돌이킬 수 없는 신체침해행위를 하게 되어 이는 상해나 사망의 결과에 이르게 됩니다. 또한 의사의 업무상 과실이 인정되는 경우에만 처벌되는 것입니다.

만약 법관이 실수를 한다고 하여 처벌한다면 법관의 신분상의 독립은 보장되지 않습니다. 법관이 대통령이나 대법원장, 국민의 여론을 무시한 재판을 한 경우 실수를 하였다 하여 처벌할 수 있다면 법관의 신분이 보장되지 않아 재판상 독립은 보장될 수 없습니다. 이렇게 되면 법관은 처벌당하지 않기 위해 대법원장이나 대통령의 지시에 따라 재판을 할 것입니다. 이로 인해 국민은 공정한 재판을 받을 수 없게 될 것입니다. 따라서 법관에게 과실이 있다고 하여 처벌한다면 과실을 교정할 수 있는 경우도 있겠지만 법관의 신분 보장, 재판상 독립을 해하여 국민의 공정한 재판을 받을 권리마저 침해하는 소탐대실의 우를 범할 것입니다.

Q2. 모범답변

만약 하급심의 판결이 대법원에 의해 파기된다고 하여 법원이 손해배상 책임을 져야 한다면 대법원의 지시를 받아 재판을 해야 하므로 법관의 재판상 독립을 해하게 됩니다. 따라서 대법원과 다른 재판을 했다고 하여 손해배상 책임을 져서는 안 됩니다. 다만 판사 甲이 위법하거나 또는 부당한 목적을 가지고 재판을 하였거나 법관으로서 직무수행상 준수하여야 할 기준을 현저하게 위반하여 판결을 내린 경우에만 손해배상 책임을 물을 수 있을 것입니다.[187]

Q3. 모범답변

판사 A가 위법하거나 부당한 목적으로 오판을 한 것이 아니라면 판사 A에게 직접 손해배상이나 형사처벌을 추궁할 수 없습니다. 법관은 신이 아니기 때문에 실수를 할 수밖에 없습니다. 법관은 실수가 전혀 없어야 한다는 당위는 타당하나 그런 법관은 현실에 존재할 수 없습니다. 법관이 오판을 했다고 하여 처벌한다면 오판을 전혀 하지 않는 신(神)만이 법관을 할 수 있습니다. 또한 배상 책임 부담의 위협으로부터 법관을 보호하고 그로 하여금 양심에 따라 소신껏 재판할 수 있도록 할 정책적 필요가 있습니다. 다만 법관이 오판으로 사형을 선고한 경우 이는 사법부의 행위가 되므로 재심 청구 등을 통한 형사보상[188]을 정책적으로 시행해야 합니다.

187)
법관의 재판에 법령의 규정을 따르지 아니한 잘못이 있다 하더라도 이로써 바로 그 재판상 직무행위가 국가배상법 제2조 제1항에서 말하는 위법한 행위로 되어 국가의 손해배상책임이 발생하는 것은 아니고, 그 국가배상책임이 인정되려면 당해 법관이 위법 또는 부당한 목적을 가지고 재판을 하였다거나 법이 법관의 직무수행상 준수할 것을 요구하고 있는 기준을 현저하게 위반하는 등 법관이 그에게 부여된 권한의 취지에 명백히 어긋나게 이를 행사하였다고 인정할 만한 특별한 사정이 있어야 한다. (대법원 2003.7.11. 선고 99다24218)

188)
헌법 제28조는 "형사피의자 또는 형사피고인으로서 구금되었던 자가 법률이 정하는 불기소처분을 받거나 무죄판결을 받은 때에는 법률이 정하는 바에 의하여 국가에 정당한 보상을 청구할 수 있다."고 규정하고, 이에 따른 형사보상법 제1조 제1항은 "형사소송법에 의한 일반절차 또는 재심이나 비상상고절차에서 무죄재판을 받은 자가 미결구금을 당하였을 때에는 이 법에 의하여 국가에 대하여 그 구금에 관한 보상을 청구할 수 있다."고 규정하고 있다. 이는 형사재판절차에서 억울하게 구금 또는 형의 집행을 받은 사람에 대하여 공무원의 고의·과실의 유무와 상관없이 국가가 그로 인하여 입은 손해에 대한 정당한 보상을 해 주어야 한다는 취지이다.

Q4. 모범답변

　재판의 효율성을 확보하기 위해 법관성과급제도를 시행해야 한다는 주장은 타당하지 않습니다. 이는 재판의 효율성을 위해 국민의 공정한 재판받을 권리를 침해하기 때문입니다. 국민은 공정한 재판받을 권리를 보장받기 위해 국가가 정한 절차와 기준에 부합하는 전문법관에게 자신의 상황과 사안에 적합한 심도 있는 판결을 원합니다. 그러나 법관마다 처리건수, 대법원에 의해 파기된 사건건수 등을 중심으로 평정을 하여 성과급을 준다면 법관의 재판상 독립을 해치게 될 것이며 재판의 공정성에도 반할 수 있습니다. 법관은 좋은 평정을 위해 사건당사자를 재촉하여 신속하게 재판을 하려 할 것입니다. 이로 인해 당사자들의 주장, 변론을 충분히 듣지 않고 재판함으로써, 당사자들의 불만을 야기하여 법원과 재판결과에 대한 불신만 초래할 수 있습니다. 또한 법관이 좋은 평정을 위해 대법원이나 정치권의 눈치를 보면서 재판을 한다면, 법관의 재판상 독립도 크게 해칠 것입니다.

　물론 이는 재판의 효율성을 저해할 수 있다는 문제점이 있습니다. 국민의 공정한 재판받을 권리는 국민 개개인의 상황에 적합한 심도 있는 판결에 더해 신속하게 권리 침해 상황이 해소되기를 원하는 의미도 포함되는 것입니다. 그러나 신속하고 효율적인 재판은 성과급제도를 통해 실현할 것이 아니라 법관의 수를 늘려 해결할 문제입니다. 우리나라의 법관 수는 경제상황이 좋지 않고 권리의식이 약한 과거 상황에 맞춰져 있어 경제규모가 커지고 권리의식이 강해져 소송 건수가 많아지고 있는 현재 상황에서 법관이 부족한 실정입니다. 법관이 부족하기 때문에 법관 1인이 담당해야 하는 재판 수가 증가하여 신속한 해결이 불가능한 것입니다. 따라서 법관 수를 늘려 국민의 공정한 재판받을 권리를 형식적, 내용적으로 모두 달성해야 합니다.

Q5. 모범답변

　공정한 재판을 유도하기 위한 방법으로 타당합니다. 국민의 공정한 재판받을 권리를 보호할 수 있기 때문입니다. 우리 법이 법관의 독립을 강하게 보호하는 목적은 국민의 공정한 재판받을 권리를 보호하기 위함입니다. 판사가 사건을 대함에 있어서 예단을 하거나 일방에게 불리하게 재판을 진행해서는 안 됩니다. 그러나 법관의 독립을 보호한다는 명목으로 그렇지 않은 재판이 있어온 것도 사실입니다. 따라서 변호사협회에서 판사의 공정성과 친절도를 평가한다면 법관이 공정한 재판을 하기 위해 노력하는 효과를 유도할 수 있습니다. 단, 판사의 공정성과 친절도의 판단에 있어서 변호사에 한정할 것이 아니라 다면평가를 하는 방법도 좋을 것이라 생각합니다. 많은 관련주체가 평가했을 때 객관성과 공정성이 확보될 수 있기 때문입니다.

159 개념 | 법관의 신분 보장과 탄핵

1. 기본 개념

(1) 법관

법관은 재판을 하는 판사를 말하는데, 법관의 종류에는 대법원에 대법원장과 대법관이 있고, 고등법원·지방법원·가정법원 등에 판사가 있다. 법관 즉, 판사는 사람들 사이의 다툼이 있을 경우 법률에 따라 공정한 판단을 내리고 조정하는 역할을 한다. 어떠한 사람이 재판을 청구하여 재판이 진행되면 법관은 법과 법관의 양심에 비추어 누구의 주장이 옳은 것인지 판단하는 일을 한다. 현재 약 2,800명의 법관들이 법원의 주요업무인 재판을 담당한다.

(2) 법관의 자격

법학전문대학원을 마치고 변호사 시험에 합격해야 한다. 변호사 자격을 갖춘 다음 10년 이상 법률사무에 종사하면서 경력을 쌓아야만 판사에 임용될 수 있다. 대법원은 이와 같은 자격과 경력을 갖춘 사람이 판사 임용 신청을 하면 여러 요소를 두루 심사하여 판사로 임용한다.

(3) 법관의 임명

대법원장은 국회의 동의를 얻어 대통령이 임명하고, 대법관은 대법원장의 추천으로 국회의 동의를 얻어 대통령이 임명한다. 판사는 대법관회의의 동의를 얻어 대법원장이 임명한다. 대법원장과 대법관의 임기는 6년이고, 판사의 임기는 10년이다. 대법원장은 임기가 끝난 후에 다시 임용될 수 없으나, 대법관과 판사는 임기가 끝난 후에 다시 임용될 수 있다.

(4) 법관의 신분 보장

법관은 임기 중이라도 정년에 달하면 퇴직을 하여야 한다. 대법원장의 정년은 70세, 대법관의 정년은 70세, 판사의 정년은 65세이다. 법관은 공정하고 올바른 재판을 할 수 있도록 헌법과 법률에 의해 그 신분이 엄격하게 보장되어 있다. 법관은 특별한 경우를 제외하고는 파면 등의 불리한 처분을 받지 않는다.

현실적으로, 국가권력 중 사법부의 권력이 가장 취약하다. 입법부와 행정부는 국민의 직접선거로 선출되지만, 사법부는 법관들의 소신과 양심에만 의지하는 면이 크다. 이렇게 취약한 사법부를 입법부와 행정부와 대등한 권력으로 만들어주는 게 바로 사법권의 독립이고, 그 핵심은 법관의 신분 보장이다. 철저한 신분보장이 이루어질 때만 법관들이 소신과 양심에 따라서 입법부와 행정부의 권력남용을 견제할 수 있게 되는 것이다. 따라서 법관의 신분보장이 취약하다는 것은 곧 권력분립이 제대로 되어 있지 않다는 의미가 된다.

2. 읽기 자료

[189]

2021헌나1

[190]

2023헌나2

[191]

사법개혁 헌법개정

[192]

사법권의 독립

⏱ 답변 준비 시간 20분 | 답변 시간 15분

※ 다음 제시문을 읽고, 문제에 답하시오.

(가) A지방법원에 근무하고 있는 甲판사는 법원 내부의 확립된 인사원칙의 하나인 경향(京鄕)교류원칙에 따라 서울지역 법원으로의 인사발령을 기대하고 있었다. 그러나 이를 6개월 앞둔 시점에서 아무런 예고 없이 B지방법원 판사로 전보발령을 받았고, 그 뒤에 시행된 법관정기인사에서도 경향교류대상인 다른 법관들은 예외 없이 소정의 임기를 마치고 서울지역의 각 법원으로 복귀발령을 받았으나 유독 甲만 인사에서 제외되었다. 甲은 이전에 법관의 승급기준에 대한 대법원 규칙의 위헌성을 지적하고 A지역 경찰서 경찰관의 피의자 불법감금사건에 대해 고발한 적이 있었다.[193]

(나) 우리 법원은 다단계 승진제도를 오랫동안 유지해왔다. 다음은 다단계 승진제도에 대한 내부 비판이다.

판사의 신분을 불안정하게 하는 가장 큰 요인은 다단계 승진제도. 법률적으로는 판사는 대법원장, 대법관, 판사 정도로 간단하게 분류되어 있지만, 실제로는 그 분류가 매우 복잡하다. 예비판사를 최하부로 하여 지방법원 배석판사, 지방법원 단독판사, 고등법원 배석판사, 지방법원 부장판사, 재판연구관, 고등법원 부장판사, 지방법원장, 고등법원장, 대법관 등으로 단계가 세분화되어 있는 것이 사실이다. 사람에 따라서는 이 단계를 훨씬 더 세분하는 경우도 있다. 각 단계는 사법연수원 기수와 성적에 따라서 분류된 동질적 판사들로 구성된다. 판사들은 거의 예외 없이 이러한 다단계 구조를 한 단계씩 밟아가면서 승진하고, 정해진 시점에 승진하지 못하는 판사는 퇴직하게 된다.

특히 고등법원 부장판사로의 승진은 판사 승진제도의 꽃이다. 대개 20~30년 정도 판사로서 근무한 사람들이 고등법원 부장판사로 승진한다. 일단 고등부장이 되면 차관급의 대우를 받으면서 고급 관용차와 운전사를 제공받는다. 고등부장에 발탁되지 못한 판사는 판사로서의 자존심을 심각하게 상하게 되고 대부분 불명예스럽게 자진 퇴직한다. 이런 제도 때문에 고등부장이 아니면서 평판사로 남아 있는 유능한 판사는 거의 없게 된다. 전 세계적으로 유례가 없는 이러한 다단계 승진제도로 인한 부조리는 지극히 심각하다.

(다) 2021년 고등법원 부장판사 승진제도가 폐지되고, 대신 지방법원이나 지원, 가정법원, 행정법원 등에 부장판사를 두도록 법원조직법이 개정되었다.

(라) 양승태 前 대법원장은 법원행정처를 동원해 대법원 입장과 다른 판결을 하거나 튀는 판결을 하는 판사 등을 판사회의에서 배제하고자 이른바 '블랙리스트'를 작성해 관리했다는 의심을 받고 있다. 그런데 양승태 前 대법원장이 상고법원을 도입하고자 청와대와 거래를 시도한 흔적이 발견되었다. 양승태 前 대법원장 재임 당시의 대법원은 대법원장의 숙원사업인 상고법원 도입을 위해 상고법원 도입에 반대하는 판사들을 조직적으로 사찰하고, 판사들의 자유로운 모임이나 인터넷 커뮤니티 활동을 감시했으며, 특정사건에서 대통령의 국정 운영을 뒷받침하는 판결을 하여 상고법원 도입의 최종결정권자와 거래를 시도했다는 의심을 받고 있다.

193)
헌재 1993.12.23. 92헌마247

Q1. (가)에서 문제되는 것은 무엇인지 제시하시오.

Q2. 판사의 보직은 대법원장이 행하도록 하여 법관 인사는 사법부의 자율에 맡기고 있다. (가)에서 대법원장의 전보발령처분이 법관의 독립에 위배되는 것인지 자신의 견해를 논하시오.

Q3. 위 사건에서 대법원장의 전보발령처분이 甲의 평등권을 침해한다고 볼 수 있는지 자신의 견해를 논하시오.

Q4. (나)의 법관에 대한 다단계 승진제도를 폐지해야 하는지 여부에 대한 자신의 견해를 논하시오.

Q5. (다)는 어떤 효과가 있을 것인지 설명하시오.

Q6. (라)가 시사하는 바는 사법부가 스스로 법관의 독립을 해치면서 자기 이익을 추구하였다는 점이다. 이 문제에 대한 자신의 견해를 논하고, 해결방안을 제시하시오.

Q7. (라)와 관련하여 법관 탄핵이 논의되었다. 법관 탄핵은 법관의 신분 보장에 반한다는 주장이 있다. 이 주장에 대한 자신의 입장을 논하시오.

Q1. 모범답변

(가)에서 대법원장의 전보발령처분이 법관에게 인사상 불이익을 줌으로써 법관의 재판상 독립을 해한 것인지 여부가 문제됩니다. 또한 다른 법관과는 달리 甲만 서울지역으로의 전보발령에서 제외된 것이 甲의 평등권을 침해한 것인지 여부가 문제됩니다.

Q2. 모범답변

(가)에서 대법원장의 甲에 대한 전보발령처분은 법관의 독립을 해치는 것으로 타당하지 않습니다. 법관의 신분상 독립을 확보하기 위해서는 법관의 임용·임기·보직 등 법관인사가 객관적이고 공정해야 합니다. 이를 위해 판사의 보직을 대법원장이 정한다고 하여 법관의 독립성이 확보되는 것은 아니고, 대법원장의 인사권이 공정하고 객관적으로 행사되며 법관에 대한 통제수단으로 사용되어서는 안 될 것입니다. 만일 대법원장의 인사권이 합리적 이유 없이 법관에게 불리한 처분을 하도록 행사되는 경우 이는 법관 독립에 위배됩니다. 甲은 확립된 경향교류원칙에 의해 서울지역으로 전보받아야 함에도 질의서사건이나 경찰관 고발사건으로 인해 자신의 의사에 반해 B지방법원으로 전보발령되었습니다. 이는 법관의 신분상 독립에 반하는 것으로서 헌법에 위배되어 타당하지 않습니다.

甲 이외의 다른 법관들은 모두 서울지역으로 전보되었다는 점에 비추어 보더라도 甲에 대한 전보발령은 합리적 이유 없이 법관에 대한 통제수단으로 사용된 것임이 분명하다고 할 것입니다.[194]

Q3. 모범답변

甲의 평등권을 침해하는 처분입니다. 우리 사회의 현실에 비추어 볼 때 서울지역에서 근무하는 것이 그 외의 지역에서 근무하는 것에 비해 유리하다고 할 수 있고, 경향교류의 원칙에 의해 다른 법관들은 모두 서울지역으로 전보받았는데도 甲만이 제외되었으므로, 甲과 다른 법관들 사이에 차별이 인정된다고 볼 수 있습니다. 그리고 법관의 신분은 헌법에 의해 특별히 보장되고 있고 법관 인사의 평등은 헌법상 보장되는 법관신분의 한 내용이라 할 수 있습니다. 대법원장의 전보발령처분은 사법부에 대한 건전한 비판을 억제하고 인적 구성원을 통제하기 위한 것으로서 이로 인한 법관 독립성에 대한 위험은 법원 내 질서유지 같은 이유보다 훨씬 중대하다고 할 수 있습니다. 따라서 甲의 평등권을 침해합니다.

Q4. 모범답변

법관에 대한 다단계 승진제도를 폐지함이 타당합니다. 다단계 승진제도는 재판의 공정성을 훼손할 수 있기 때문입니다. 판사가 승진하기 위해 인사권자의 의중에 맞추어 재판을 하게 되어 법관의 재판상 독립이 훼손됩니다. 이로 인해 양심에 따른 재판보다 대법원의 코드에 맞는 재판을 하면 공정한 재판을 기대하는 국민의 권리를 침해하게 될 것입니다. 따라서 공정한 재판을 위해서 법관의 계급제를 폐지해야 합니다.

[194] 객관적·합리적 이유에서가 아니라 피청구인에게 보낸 질의서사건이나 경찰관 고발사건으로 인하여 잘못 보여 청구인의 의사에 반하여 전보발령되었다면 이는 분명히 불리한 인사처분으로서 법관인사권의 남용이며 헌법에 의하여 보장된 법관의 신분보장권 침해이며, 인사권을 법관에 대한 통제수단으로 남용하여 법관의 정당한 주장이나 권리행사를 억압하려는 권위주의적인 처사로서 우리 헌법의 기본원리인 사법권의 독립을 해치는 일이다. (헌재 1993. 12.23. 92헌마247)

Q5. 모범답변

재판을 담당하는 법관의 수평적 구조가 실현됨으로써 법관의 관료화와 권력에 의한 통제 문제가 완화될 것입니다. 이에 더해 승진 여부로 인해 승진 누락자들이 법복을 벗게 되어 법관의 전문성이 약화되는 문제점 또한 완화될 수 있습니다. 이에 따라 법관의 독립과 신분 보장이 강화되어 국민의 공정한 재판받을 권리가 강화되는 효과가 있을 것입니다.

Q6. 모범답변

국민의 자유와 권리를 최종적으로 지키는 사법부가 스스로 그 목적을 훼손했다는 점에서 일벌백계해야 합니다. 국민은 자유와 권리를 지키기 위해 국가를 형성하였고, 특히 사법부는 입법부나 행정부와 달리 국민의 선출이라는 민주적 정당성을 배제하면서까지 공정한 재판을 할 수 있도록 크게 보호하고 있습니다. 그럼에도 불구하고 사법부가 스스로 법관의 독립을 해칠 수 있었던 것은 지방법원-고등법원-대법원으로 이어지는 승진코스와 이 과정에서 대법원장이 행사할 수 있는 인사권이 강력하기 때문입니다. 절대권력은 절대 부패한다는 격언이 다시 한번 증명된 셈입니다.

따라서 이런 일이 재발되지 않도록 대법원장의 인사권을 제한할 필요가 있습니다. 대법원장의 인사권을 절차적으로 혹은 법관 다수의 평가에 의하도록 제한함이 타당합니다.

Q7. 모범답변

법관 탄핵이 법관의 신분 보장에 반한다고 볼 수 없습니다. 법관의 신분을 강력하게 보장하는 것은 국민의 공정한 재판받을 권리를 지키기 위함입니다. 우리 헌법은 행정부와 사법부의 고위공직자에 의한 헌법·법률위반에 대하여 탄핵소추의 가능성을 규정함으로써 그들에 의한 헌법 위반을 경고하고 방지하는 기능을 하며, 국민으로부터 국가권력을 위임받은 국가기관이 권한을 남용하여 헌법을 위반하는 경우 그 권한을 박탈하는 기능을 하고 있습니다. 법관이 국민이 부여한 권한을 오남용하여 오히려 국민의 자유와 권리를 침해한 경우 탄핵을 통해 공직을 박탈하여 제재하는 것이 본래 목적에 부합합니다. 따라서 법관 탄핵이 법관의 신분보장에 반하는 것이 아니라 법관의 신분 보장을 통해 달성하려는 본래 목적에 부합하는 것이라 보는 것이 타당합니다.

160 개념 | 법 왜곡죄

1. 기본 개념

(1) 사법방해죄와 법 왜곡죄

국가의 사법작용을 방해한 자를 처벌해야 한다는 의식에서 비롯된 것이다. 특히 이 중에서도 사법작용의 주체이자 국민의 공정한 재판받을 권리를 실현해야 할 사법기관의 문제에 대해 다루고 있는 것이 법 왜곡죄이다. 법 왜곡행위란, 사법기관이 적용하여야 할 법규정을 적용하지 않거나 그릇되게 적용하는 것을 말한다. 이는 국가 형사사법작용의 공정성 확보를 방해하는 행위라는 점에서 처벌하려는 것이다.

(2) 독일의 법 왜곡죄

독일 형법은 법 왜곡죄(Rechtsbeugung)를 두고 있는데, 내용은 다음과 같다. 법관, 법관 이외의 공무원 또는 중재재판관이 법률사건을 지휘하거나 재판함에 있어 당사자 일방에게 유리하게 또는 불리하게 법률을 왜곡한 경우에는 1년 이상 5년 이하의 자유형에 처한다. 독일의 다수 견해는 법 왜곡죄 해석 시 법 왜곡 현상을 사실관계 조작, 부당한 법규 적용, 재량권 남용으로 유형화하고 있다.

2. 읽기 자료

사법방해죄 입법화방안[195]
독일의 검사에 의한 법 왜곡죄[196]

[195]

사법방해죄 입법화방안

[196]

독일의 검사에 의한
법 왜곡죄

🕐 답변 준비 시간 10분 | 답변 시간 10분

※ 다음 제시문을 읽고, 문제에 답하시오.

> 판·검사가 재판과 수사 과정에서 법을 왜곡했을 때 처벌하는 법 왜곡죄 도입이 논의되고 있다. 대표적으로 독일은 법 왜곡죄를 이미 도입해 적용하고 있는데, 독일 형법 제339조는 판사, 판사 이외의 공무원 또는 중재 재판관이 사법사안을 주재하거나 결정을 내림에 있어 법을 왜곡하여 일 방당사자를 유리하거나 불리하게 만든 때에는 1년 이상 5년 이하의 자유형에 처하도록 한다. 이와 유사한 제도를 두고 있는 국가는 독일 외에도 중국, 러시아, 스페인 등이 있다.
>
> 법 왜곡죄 도입에 대해 의견이 대립한다. 판·검사들이 법을 자의적으로 해석·적용하는 것을 막 기 위해 도입이 필요하다는 의견과 '왜곡'의 기준이 불분명해 위헌 소지가 있다는 의견이 맞서 고 있다.
>
> 법 왜곡죄를 도입해야 한다는 입장에서는 무리한 수사와 재판 과정에서 억울한 피해자들이 많 이 나왔지만 판·검사들 중 어느 누구도 법적 책임을 지지 않았기 때문에 법 왜곡죄가 도입돼야 한다고 주장한다. 그러나 반대 입장에서는 법 왜곡의 의미가 불분명해 위헌 소지가 있다는 의견 도 있다.

Q1. 법 왜곡죄를 도입해야 한다는 입장에서 가장 중요한 논거를 제시하고 이를 논변하시오.

Q2. 법 왜곡죄를 도입해서는 안 된다는 입장에서 가장 중요한 논거를 제시하고 이를 논변하시오.

Q3. 법 왜곡죄 도입 여부에 대한 지원자의 견해를 제시하고 이를 논변하시오.

Q1. 모범답변

법 왜곡죄를 도입해야 한다는 입장에서는 사법정의 실현을 논거로 제시할 것입니다. 국민은 주권자로서 자신이 스스로 정한 법률에 따라 공정하게 재판이 이루어질 것이라 신뢰합니다. 이처럼 국민은 사법부가 공정한 기준과 절차를 적용하여 국민의 자유와 권리를 판단하고 사회질서를 유지하는 역할을 할 것을 신뢰하고, 이를 통해 사법정의가 실현되는 것입니다. 이를 위해 국민은 법조인의 자격을 법률을 통해 부여하고 관리하며 법관의 신분을 강력하게 보장하며 검사의 공적 권한을 부여하고 있습니다. 그러나 사법농단, 검사의 범죄에 대한 불기소 등 법원과 검찰의 사법일탈행위가 발생하고 있습니다. 특히 전관예우 등으로 인해 사법정의가 왜곡되고 있다는 국민의 사법불신이 심각한 상황입니다. 법 앞에서 누구나 평등하게 재판받아야 함에도 불구하고 이를 실현해야 할 사법부가 사건에 불공정하게 개입하고 있다는 국민적 불신이 심각합니다. 예를 들어, KTX 승무원 해고사건의 경우 최초 소 제기로부터 대법원판결이 날 때까지 7년이 걸렸고, 일제 시대 강제노역에 관한 신일본제철 관련사건은 13년이 걸렸습니다. 상고심 평균처리기간이 80일 내외라는 점을 고려할 때 사법부가 특정사건을 선별적으로 처리하거나 처리하지 않는 방식으로 당사자 일방에게 유리 혹은 불리하도록 개입하고 있는 것입니다. 법 왜곡죄를 도입하면, 사법부가 국민의 자유와 권리에 대한 판단을 사법부 자신들의 이익을 위해 왜곡할 수 없도록 강제됨으로써 사법정의가 실현될 수 있습니다.

Q2. 모범답변

법 왜곡죄를 도입해서는 안 된다는 입장에서는 법치주의 훼손 우려를 논거로 제시할 것입니다. 국민은 자유와 권리를 안정적으로 보장받고자 국가를 형성했고, 법에 의한 통치를 실현하고자 사법부에 자유와 권리에 대한 최종판단 권한을 위임했습니다. 특히 사법부는 일반·추상적인 국민의사인 법률을 구체적인 현실사건에 적용하여 최종판단을 하기 때문에 전문성이 무엇보다도 중요합니다. 사법부는 국민이 법률로 정한 전문성 기준을 충족하였고, 직업적 양심에 따라 국민을 위해 판단하도록 권한을 위임받았습니다. 법 왜곡죄를 도입한다면, 법의 목적을 왜곡했다는 기준이 없거나 모호함에도 불구하고 법관 혹은 검사를 처벌하는 것입니다. 모호한 기준으로 법관이나 검사를 처벌하게 되면, 법관이나 검사는 직업적 양심에 따라 심도 있는 판결 혹은 수사와 기소를 하기보다 겉보기에 국민이 만족할 만한 판단을 하려 할 것입니다. 이는 국민 다수에게 감정적 불편함의 해소라는 효과는 있을 것이나 진정으로 국민이 원하는 결과, 즉 법치주의의 실현이라는 목적을 달성할 수 없습니다. 따라서 법 왜곡죄를 도입해서는 안 됩니다.

사법불신의 해소를 위해 법 왜곡죄를 도입해야 합니다. 우리나라 사법부는 권력과 힘, 부가 있는 자들에게 한없이 약하고 일반 국민에게는 한없이 강하다는 사법불신을 받고 있습니다. 법 앞의 평등을 실현해야 할 사법부가 유전무죄 무전유죄로 대표되는 국민의 불신을 받고 있다면, 사법부의 정당성은 없는 것이나 마찬가지입니다. 법 왜곡죄를 도입한다면, 불공정한 재판을 한 법관 혹은 검사를 처벌할 수 있게 된다는 점에서 사법절차에 대한 국민의 신뢰가 회복될 수 있습니다. 법관과 검사 역시 인간이기 때문에 실체적 진실 그 자체를 알 수는 없고 언제나 옳은 결정을 할 것이라 기대할 수는 없습니다. 그러나 법관과 검사가 특정 주체에게 유리하게 혹은 불리하게 사법절차를 수행하려 한다는 것은 사법절차의 절차적 정당성 자체를 무너뜨리는 것입니다. 법 왜곡죄는 이러한 절차적 정당성을 무너뜨리려는 시도를 통제하는 것이고, 이런 시도를 하려는 자에 대해 국민이 통제할 수 있는 최후적 절차이자 통제수단이 있다는 것을 뜻하는 것입니다. 따라서 법 왜곡죄를 도입해야 합니다.

Part 1
Part 2
Part 3
Part 4
Part 5
Part 6
Part 7

161 개념 상급심의 하급심 구속력

1. 기본 개념

(1) 심급제도

국민의 공정한 재판받을 권리를 보장하기 위해서 법관의 오판을 방지해야 한다. 이를 위해 여러 법원에서 단계적으로 재판하는 것을 심급제도라고 한다.

(2) 3심제

헌법상 3심제도가 필수적인 것은 아니다. 법률상 3심제가 가장 일반적인 심급제이다.

① **법원의 판결에 불복할 때**: 1심법원의 판결 → 항소 → 상고

② **법원의 결정**: 1심법원의 결정에 불복할 때 → 항고 → 재항고

3심제의 예외로, 특허재판, 시·군·구의장 선거소송, 시·군·구의원 선거소송, 지역구 시·군·구의원 선거소송은 2심제로 한다. 비상계엄하의 군사재판, 비례대표 시·도의원 선거소송, 시·도지사, 국회의원, 대통령 선거소송은 단심제이다.

(3) 상급심 판결의 하급심 구속력 불인정

어떤 사건의 판례가 그 후 동종의 사건에 대하여 어떠한 효력을 갖는가는 학문상 이른바 "선례의 구속력(拘束力)"이라든가 "판례의 법원성(法源性)"이라는 문제로서 논의되어 왔다. 주지하는 바와 같이 선례구속성의 원리(doctrine of stare decisis)가 지배하여 온 영미법계국가에서는 판례법이 법의 근간을 이루고 있는 반면, 대륙법계국가에서는 상급법원의 판례가 하급법원을 구속한다는 원칙은 인정되지 않으며 법관은 헌법과 법률에만 구속된다고 하기 때문에 판례는 사실상의 구속력밖에 없고 따라서 판례의 법원성은 부정되는 것이 보통이다. 우리나라에 있어서도 다른 대륙법계국가와 사정은 비슷하다. 법원조직법 제8조는 "상급법원의 재판에 있어서의 판단은 당해사건에 관하여 하급심을 기속한다"고 규정하지만 이는 심급제도의 합리적 유지를 위하여 당해사건에 한하여 구속력을 인정한 것이고 그 후의 동종의 사건에 대한 선례로서의 구속력에 관한 것은 아니다. 앞서 본 바와 같이 이 사건 법률조항은 헌법이 요구하는 대법원의 최고법원성을 존중하면서 민사, 가사, 행정, 특허 등 소송사건에 있어서 상고심 재판을 받을 수 있는 객관적인 기준을 정함에 있어 개별적 사건에서의 권리구제보다 법령해석의 통일을 더 우위에 둔 입법자의 판단에 따른 것인바, 입법자는 법령해석의 통일을 기하기 위한 범위 내에서 최고법원인 대법원판례에 큰 의미를 부여하고, 대법원판례에 위반되는 경우를 심리불속행의 예외사유로 규정하였음을 알 수 있다.[197]

대법원의 판례가 법률해석의 일반적인 기준을 제시한 경우에 유사한 사건을 재판하는 하급심법원의 법관은 판례의 견해를 존중하여 재판하여야 하는 것이나, 판례가 사안이 서로 다른 사건을 재판하는 하급심법원을 직접 기속하는 효력이 있는 것은 아니다.[198]

---

197)
헌재 2002.5.30. 2001헌마781

198)

96다31307

2. 쟁점과 논거: 대법원 판례의 사실상 구속력 찬반론

찬성론: 국민의 공정한 재판받을 권리	반대론: 국민의 공정한 재판받을 권리
[국민의 공정한 재판받을 권리] 재판에 있어서 자신이 어떤 법률에 의해 판결을 받고 어떤 처벌을 받을지 예상할 수 있어야, 이에 맞춰 소송을 준비할 수 있게 된다. 대법원 판례의 구속력을 인정하지 않는다면, 단순히 법률 문구만으로 판결에 대해 예측해야 하는데 대법원 판례를 기준으로 예측하고 준비하는 것에 비해 그 정확도나 실효성이 떨어진다.	**[국민의 공정한 재판받을 권리]** 공정한 재판을 위하여 법관의 직업적 양심에 의한 독립적 판단은 보장되어야 한다. 대법원 판례의 구속력을 사실상 인정하게 되면 하급심의 법관은 자신의 양심에 따라 독립적으로 판단할 수 없고, 대법원의 판례에 따라 기계적으로 사건의 결론을 내릴 수밖에 없게 된다. 이로 인해 억울한 피해자 구제는 어려워지게 된다.
[평등원칙] 평등원칙은 같은 것을 다르게 대하지 말라는 것이다. 유사한 사건에 동일한 법이 적용되었는데 완전히 다른 판결이 나온다면 이는 같은 것을 다르게 대하는 것이다. 유사 사례에 대한 판단 기준으로 대법원의 판례를 정하고, 사실상의 구속력을 인정하게 되면 유사한 사건에 대해서는 동일한 판결을 내릴 수 있어 형평성이 확보된다.	**[평등원칙]** 평등원칙은 다른 것을 다르게 대하라는 원칙이다. 동일한 사건은 존재하지 않는다. 유사한 사건에서의 대법원 판례는 참고사항은 될 수 있으나 당해 사건의 실질적 정의에 대한 판단이 될 수는 없다. 재판은 당해 사실관계를 기반으로 한 실질적 정의를 추구하는 것이 타당하며, 이를 위해서는 대법원 판례의 구속력을 인정해서는 안 된다.
[공공복리] 대법원 판례의 구속력을 인정하지 않는다면 하급심에서 각기 다른 판결을 내리게 된다. 이와 같은 판결의 차이로 인해 소송 당사자는 판결에 승복하기보다는 다시금 항소를 제시함으로써 불필요한 소송비용과 시간이 낭비된다.	**[공공복리]** 사회의 변화에 맞춰 법원의 판단도 변화해야 사법부의 갈등 해결 기능을 다할 수 있다. 하지만 대법원 판례에 하급심의 판결이 구속된다면, 대법원의 판례가 변화되기 전까지 과거의 기준으로 판결을 내려야 하고, 이로 인해 사법부의 기능을 다하지 못해 국민으로부터 불신을 받게 된다.

3. 읽기 자료

2001헌마781[199]

199)

2001헌마781

⏱ 답변 준비 시간 10분 | 답변 시간 10분

※ 다음 제시문을 읽고, 문제에 답하시오.

2006 도쿄대 기출 변형

- 타로: 작년부터 올해에 걸쳐, 세간에 화제가 되고 있는 큰 재판이 연이어 열리는군.

- 지로: 재판이 어땠는데?

- 타로: 청색 발광 LED 개발에 관해, 원 종업원이 이전에 자신이 근무했던 회사에 직무상 발명 대가를 요구한 재판을 기억해? 2005년 1월에 도쿄지방법원이 회사에 약 200억 엔(약 2,000억 원) 지불을 명한 판결을 내렸지만, 2006년 1월에 열린 항소심 도쿄고등법원에서는 법원의 화해 권고로 회사가 원 종업원에게 8억 엔(약 80억 원)을 지불하는 것으로 화해가 성립한 사건인데.

- 지로: 기억하고 있어. 도쿄지방법원의 판결이 났을 때는 200억 엔이란 금액에 놀랐지만, 도쿄고등법원에서 화해했을 때 금액이 도쿄지방법원의 판결과 현격히 차이가 나는 점에서도 놀랐어. 뭐, 어느 쪽이든 나에게는 상상도 할 수 없는 금액이지만.

- 타로: 그건 그렇지. 작년 여름에는 대수금융기관 UFJ그룹의 경영통합에 관해 스미토모 신탁은 행이 가처분 명령을 제기한 사건이 있었어. 이 사건에서는 스미토모 신탁은행의 가처분 명령 신청이 도쿄지방법원에서 허가되었는데, 이후 도쿄고등법원과 대법원에서는 도쿄지방법원과 반대 판결이 나와서, 이것도 당시 신문에서 꽤 크게 보도했었지.

- 지로: 기억해. 당시 신문에 변호사, 대학 교수, 경제평론가 등 다양한 사람들의 코멘트가 실렸었지. 읽어도 어려워서 잘 이해하지는 못했지만.

- 타로: 여기서 내가 무엇을 말하고 싶은가 하면, 청색 발광 LED 건에서도, 금융기관 경영통합 건에서도 사실관계는 동일하면서, 지방법원과 고등법원, 대법원에서 전혀 다른 판결이 나왔다는 점이야. 이런 결과는 내가 지금까지 생각해온 법조계의 이미지와 큰 차이가 있어. 법률이란 다양한 사항들이 보다 이치 정연하게 결정되니, 법률을 논리적으로 적용해나간다면 확실한 답이 도출되는 것이라고 생각했는데 말이야.

- 지로: 네 말도 이해하지만, 본래 지방법원, 고등법원, 대법원이라는 3심이 있는 것 자체가 재판의 결론이 다를 가능성이 있다는 것을 전제하기 때문이잖아. 그것은 그것대로 방법이 있지 않을까?

- 타로: 그러고 보니 분명 그렇네. 그렇지만 여전히 납득이 되지 않아. 요컨대, 재판이란 문제가 일어난 후에 「그 사건에서는 A씨의 승소, B씨의 패소」라고 법원이 결정하는 것이지. 그렇게 되기 전에, 미리 「이런 때는 A씨가 승소합니다.」라는 것처럼, 세세한 부분까지 확실하게 A씨와 B씨 간에 계약을 맺어 두거나, 법률에서 미리 결정해 두어야 한다고 생각해.

- 지로: 그럴 수도 있겠지. 그런데 타로 너의 생각은, '문제가 발생하면 그때마다 법원에서 판결로 결정하면 된다'는 생각과는 정반대 입장이 되겠지.

- 타로: 게다가 법원에서 문제를 해결하고자 해도 재판을 담당하는 법관에 따라 판결이 제각각이라면, 극단적으로 말해 경우에 따라 자신과 생각과 비슷한 법관을 만난다면 행운이 되고, 그 반대는 불운한 경우가 될 수밖에 없어. 이렇게 되면 법원에 대한 신뢰가 손상될 수 있다고 봐.

• 지로: 법원에 대한 신뢰라. 어쨌든 법원의 판결 차이가 커지면, 그런 문제가 발생할 수도 있겠지. 그래도 나는 불완전한 인간인 법관이 판결을 내리는 이상, 판단의 차이는 어쩔 수 없다고 생각해. 법관마다 판단의 차이가 존재하는 것 자체는 그렇게 나쁜 것만은 아니라고 생각해.

Q1. 타로의 주장을 제시하고, 논거를 들어 이를 논증하시오.

Q2. 지로의 주장을 제시하고, 논거를 들어 이를 논증하시오.

Part 1
Part 2
Part 3
Part 4
Part 5
Part 6
Part 7

Q1. 모범답변

타로는 법원 심급 간 판결의 일관성이 유지되어야 한다고 주장합니다. 그 이유는 국민의 공정한 재판받을 권리의 보장과 평등원칙, 공공복리의 실현을 위함입니다.

국민의 공정한 재판받을 권리를 보장하기 위해 심급 간 판결의 일관성이 유지되어야 합니다. 개인은 자신의 자유로운 선택의 결과를 예측하고 이 예측에 따라 자유롭게 선택한 결과에 대해 책임을 집니다. 개인은 자신의 자유와 권리를 안정적으로 보장받고자 국가를 형성하였고 특히 법원은 최종심으로서 3심인 대법원을 두어 자유와 권리의 침해를 최종적으로 판단 받아 공정한 재판받을 권리를 보장받고자 하였습니다.

개인은 법률 전문가가 아니므로 일반적이고 추상적인 법률이 실제 사건에 어떻게 적용되어 자신의 자유와 권리를 제한하게 될 것인지 알기 어렵습니다. 그러나 자신의 법위반과 유사한 사례에 대해 최종심인 대법원의 판결이 이미 존재한다면 개인의 자유와 권리의 제한 정도에 대해 예측할 수 있습니다. 그런데 1심과 2심, 3심의 판결이 너무 다른 결과를 가져올 경우 국민은 자신이 스스로 정한 법률이 동일한 사건에 대해 적용됨에 있어서 크게 달라질 수 있으므로 소송에 대비하기 어렵고 개인의 자유와 권리의 제한 정도를 예측할 수 없습니다. 법원 심급 간 판결의 일관성이 없다면 개인의 자유와 그에 대한 책임에 있어서 국민의 예측가능성을 저해합니다. 따라서 국민의 공정한 재판받을 권리 보장을 위해 법원 심급 간 판결의 일관성이 유지되어야 합니다.

평등원칙에 부합하므로 법원 심급 간 판결의 일관성이 유지되어야 합니다. 평등원칙이란 같은 것은 같게, 다른 것은 다르게 대해야 한다는 원칙입니다. 같은 것을 다르게 대할 경우 평등원칙에 위배됩니다. 동일한 법 위반이 있었다면 동일한 판결이 이루어져야 하는데, 심급 간에 다른 판결이 이루어질 수 있다면, 같은 법 위반을 다른 판결로 대한 것으로써 판결이 다른 것으로 같은 것을 다르게 대한 것입니다. 따라서 평등원칙에 부합하기 위해 심급 간 판결의 일관성이 유지되어야 합니다.

공공복리 실현을 위해 심급 간 판결의 일관성이 유지되어야 합니다. 심급 간 판결의 일관성이 유지된다면, 재판의 당사자인 개인은 대법원의 판결에 따라 예측가능성을 갖고 자신의 자유와 권리에 대해 판단할 수 있습니다. 통상 오랜 시간이 소요되는 대법원의 판결까지 기다릴 필요 없이 1심의 결과만으로도 충분히 이를 승복할 수 있습니다. 또한 소송의 상대방 역시도 소송이 신속하게 해결되는 효과가 있습니다. 더불어 불필요한 소송비용이 줄어들어 국가적으로 사법자원의 낭비가 줄어들고 심도 있는 심사가 필요한 소송에 사법자원이 집중되어 국민의 자유와 권리 실현에 실질적으로 기여할 수 있습니다.

Q2. 모범답변

지로는 법원 심급 간 판결이 다를 수 있다고 주장합니다. 그 이유는 국민의 공정한 재판받을 권리의 보장과 평등원칙의 실현, 그리고 공공복리를 위함입니다.

국민의 공정한 재판받을 권리를 보장하기 위해 심급 간 판결의 비일관성을 허용해야 합니다. 국민은 국가의 주인으로서 자신의 자유와 권리에 문제가 발생했을 때 이에 대한 공정한 판단을 받고자 사법부를 구성하였습니다. 국민은 법관의 재판상 독립을 보장하여 법관이 직업적 양심에 따라 독립적으로 판단하여 국민을 향해 공정한 재판을 하도록 하였습니다. 공정한 재판이라 함은 인간이 신(神)이 아니므로 절대적이고 보편적인 결과를 의미하지 않습니다. 공정한 재판은, 절차적으로 보장된 3심의 재판이 여러 관점을 가진 법관의 직업적 양심에 의해 논리적으로 표현되는 절차에 따른 것을 말합니다. 만약 하급심이 상급심의 판례에 따라야 한다면, 상급심의 판결은 절대적이고 보편적으로 옳은 결과여야 합니다. 그러나 모든 사건은 서로 다른 사건으로 동일한 법 위반 사건이라 하더라도 구체적인 모습은 다를 수밖에 없습니다. 그럼에도 불구하고 상급심과 하급심이 동일해야 한다면, 사회의 변화에 따른 판결이나 상급심과 다른 논리·관점에 따른 판결은 존재할 수 없게 될 것이고, 국민이 재판을 통해 확인하고자 하는 여러 관점에 따른 독립적 판단을 받을 기회 자체가 차단되는 것입니다. 따라서 국민의 공정한 재판받을 권리가 침해됩니다.

평등의 원칙을 위해 상급심과 하급심의 판결이 다른 것을 허용해야 합니다. 국민의 공정한 재판받을 권리는 모든 국민의 모든 사건에 동등하게 적용되어야 합니다. 그런데 상급심의 판례에서 결론내린 사건과 하급심의 사건은 논리적으로 유사할 수는 있으나 구체적 사안이 다른 사건입니다. 따라서 상급심의 판결과 다른 사건임에도 불구하고 동일하게 판결을 내려야 한다면 같은 권리를 다르게 취급받은 셈이 됩니다.

공공복리를 위해 심급 간 판결의 비일관성을 허용해야 합니다. 현대사회는 빠르게 변화하고 있어 국민의 자유와 권리의 침해도 다양한 분야에서 다양한 형태로 나타나고 있습니다. 그런데 상급심과 하급심의 판결이 동일해야 한다면 대법원의 판례가 바뀌기 전까지 발생하는 다양하고 새롭게 발생하는 사건들에 대한 국민의 자유와 권리 침해가 분명히 존재하고 있음에도 불구하고 이를 실질적으로 구제할 수 없습니다. 대법원의 판례가 바뀔 때까지 모든 하급심은 과거의 기준으로 판결을 내려야 하고 국민의 불신이 누적되어 사법불신이 커질 것입니다. 그리고 복잡하고 다양하게 발생하는 모든 사건에 대한 대법원의 판결이 요구되기 때문에 대법원이 기능이 과부하에 빠질 가능성이 커지게 되고 사법자원이 대법원에 집중될 수밖에 없어 사법자원 배분의 효율성이 저하될 것입니다.

1. 기본 개념

(1) 재판의 종류

구분	개념	원고	피고	심급제
민사재판	개인 간의 법률관계에서 생긴 분쟁에 대한 재판	피해자	가해자	• 3심제
형사재판	반사회적인 범죄 행위를 대상으로 하는 재판	검사	범죄자	• 3심제
행정재판	행정법규의 적용이나 공법상의 법률관계에 대한 재판	피해자	행정청	• 3심제: 행정법원 고등법원, 대법원
특허재판	특허권에 관한 분쟁을 해결하기 위한 행정절차	피해자	권리자	• 2심제: 특허법원 → 대법원
군사재판	군인이나 군무원의 범죄를 다루는 재판	군검찰	범죄자	• 3심제 원칙 • 비상계엄하에서는 단심제도 가능
선거재판	선거의 효력이나 당선의 유·무효에 관한 재판	정당 후보자	선거관리 위원장 등	• 2심제 • 단심제

(2) 형사재판과 민사재판의 비교

① 원고와 피고

형사재판에서 원고는 형사피해자가 아니라 검사이다. 민사재판에서 원고는 피해자, 가해자가 피고가 된다.

② 국민배심제

배심제는 형사재판에만 도입되어 있다.

③ 책임

형사책임과 민사책임은 별개이다. 민사적으로 합의했다고 하더라도 형사책임이 면책되지 않는다. 형사재판에서 처벌되더라도 민사책임은 별도로 진다.

④ 소의 취하

형사재판에서 검사가 소를 취하할 수 있다. 민사재판에서도 원고가 소를 취하할 수 있다. 민사재판에서 소송 당사자가 자율적으로 화해, 조정, 중재가 이루어지면 소송은 종료된다.

대안적 분쟁해결방법(ADR, Alternative Dispute Resolution)
- 협상: 분쟁당사자들이 문제해결방안을 제시한다.
- 조정: 제3자가 문제해결방안을 제시한다. 분쟁당사자들은 이를 반드시 수용해야 하는 것은 아니다.
- 중재: 중재자가 문제해결방안을 제시한다. 분쟁당사자들은 이에 따라야 한다.

---

(3) 재판청구권, 헌법과 법률이 정한 법관에 의한 재판을 받을 권리

재판청구권이란 독립된 법원에서 신분이 보장된 법관에 의하여 적법한 절차에 따라 공정한 재판을 받을 것을 국가에 요구할 수 있는 권리이다. 국민, 외국인, 법인 모두 주체가 된다.

헌법과 법률이 정한 법관이란 법원조직법이 규정한 자격과 절차에 따라 적법하게 임명되고 헌법 제105·106조에 규정한 임기·정년·신분이 보장되고 헌법 제103조에 의하여 직무상 독립이 보장되고 제척·기피·회피의 사유로 법률상 그 재판에 관여하는 것이 금지되지 아니한 법관을 말한다. 제척이란, 불공평한 재판을 할 우려가 큰 경우를 법률에 유형적으로 정해 놓고 그 사유에 해당하는 법관을 직무집행에서 자동적으로 배제시키는 제도로 법관이 피해자이거나 피고인과 피해자의 가족인 경우 등이다. 기피란, 법관이 제척사유가 있는데 재판에 관여한 경우 당사자의 신청에 의하여 그 법관을 직무집행에서 탈퇴하게 하는 제도를 말한다. 회피란 법관이 스스로 기피원인이 있다고 판단될 때 자발적으로 직무집행에서 탈퇴하는 제도를 말한다.

(4) 재판을 받을 권리

재판을 받을 권리란 민사재판, 형사재판, 행정재판, 헌법재판을 받을 권리이다. 대법원의 재판을 받을 권리에 대해, 학계의 다수설은 대법원의 재판을 받을 권리가 헌법상 보장된다고 하나, 헌법재판소와 대법원은 보장되지 않는다고 한다. 재심재판을 받을 권리는 헌법 제27조 제1항으로부터 당연히 도출되는 권리는 아니다. 재심청구권은 입법형성권의 행사에 의하여 비로소 창설되는 법률상의 권리일 뿐, 청구인의 주장과 같이 헌법 제27조 제1항에 의하여 직접 발생되는 기본적 인권은 아니다.[200]

(5) 군사재판을 받지 않을 권리

> **헌법 제27조** ② 군인 또는 군무원이 아닌 국민은 대한민국의 영역 안에서는 중대한 군사상 기밀·초병·초소·유독음식물공급·포로·군용물에 관한 죄중 법률이 정한 경우와 비상계엄이 선포된 경우를 제외하고는 군사법원의 재판을 받지 아니한다.
>
> **헌법 제110조** ④ 비상계엄하의 군사재판은 군인·군무원의 범죄나 군사에 관한 간첩죄의 경우와 초병·초소·유독음식물공급·포로에 관한 죄 중 법률이 정한 경우에 한하여 단심으로 할 수 있다. 다만, 사형을 선고한 경우에는 그러하지 아니하다.

① 중대한 군사상 기밀, 군용물에 관한 죄에 대해 단심재판제도는 인정되지 않는다.
② 군사시설에 관한 죄에 대한 단심재판제도는 허용되지 않는다.
③ 경비계엄하 군사재판의 단심제는 인정되지 않는다.
④ 사형의 경우에 단심재판제도는 허용되지 않는다.

200)
헌재 2000.6.29. 99헌바66

(6) 신속한 공개재판을 받을 권리

> 헌법 제27조【재판을 받을 권리, 형사피고인의 무죄추정 등】③ 모든 국민은 신속한 재판을 받을 권리를 가진다. 형사피고인은 상당한 이유가 없는 한 지체 없이 공개재판을 받을 권리를 가진다.
> 헌법 제109조【재판공개원칙】재판의 심리와 판결은 공개한다. 다만, 심리는 국가의 안전보장 또는 안녕질서를 방해하거나 선량한 풍속을 해할 염려가 있을 때에는 법원의 결정으로 공개하지 아니할 수 있다.

(7) 공정한 재판을 받을 권리

우리 법률에서 말하는 공정한 재판의 원칙이란, 독립된 법관에 의하여 정의와 공평을 이념으로 인간의 존엄과 기본적 인권이 존중되는 재판이 행해져야 한다는 것을 말한다.

2. 읽기 자료

(1) 음주측정과 진술거부권[201]

헌법 제12조 제2항은 진술거부권을 보장하고 있으나, 여기서 "진술"이라 함은 생각이나 지식, 경험사실을 정신작용의 일환인 언어를 통하여 표출하는 것을 의미하는 데 반해, 도로교통법 제41조 제2항에 규정된 음주측정은 호흡측정기에 입을 대고 호흡을 불어 넣음으로써 신체의 물리적, 사실적 상태를 그대로 드러내는 행위에 불과하므로 이를 두고 "진술"이라 할 수 없고, 따라서 주취운전의 혐의자에게 호흡측정기에 의한 주취 여부의 측정에 응할 것을 요구하고 이에 불응할 경우 처벌한다고 하여도 이는 형사상 불리한 "진술"을 강요하는 것에 해당한다고 할 수 없으므로 헌법 제12조 제2항의 진술거부권조항에 위배되지 아니한다.

(2) 피의자신문을 받을 때 변호인의 참여를 요구할 권리[202]

변호인이 피의자신문에 자유롭게 참여할 수 있는 권리는 피의자가 가지는 변호인의 조력을 받을 권리를 실현하는 수단이므로 헌법상 기본권인 변호인의 변호권으로서 보호되어야 한다. 피의자신문에 참여한 변호인이 피의자 옆에 앉는다고 하여 피의자 뒤에 앉는 경우보다 수사를 방해할 가능성이 높아진다거나 수사기밀을 유출할 가능성이 높아진다고 볼 수 없으므로, 이 사건 후방착석요구행위의 목적의 정당성과 수단의 적절성을 인정할 수 없다.

이 사건 후방착석요구행위로 인하여 위축된 피의자가 변호인에게 적극적으로 조언과 상담을 요청할 것을 기대하기 어렵고, 변호인이 피의자의 뒤에 앉게 되면 피의자의 상태를 즉각적으로 파악하거나 수사기관이 피의자에게 제시한 서류 등의 내용을 정확하게 파악하기 어려우므로, 이 사건 후방착석요구행위는 변호인인 청구인의 피의자신문참여권을 과도하게 제한한다. 그런데 이 사건에서 변호인의 수사방해나 수사기밀의 유출에 대한 우려가 없고, 조사실의 장소적 제약 등과 같이 이 사건 후방착석요구행위를 정당화할 그 외의 특별한 사정도 없으므로, 이 사건 후방착석요구행위는 침해의 최소성 요건을 충족하지 못한다.

201)

96헌가11

202)

2016헌마503

(3) 접견실 내 CCTV 감시·녹화행위 등 위헌확인²⁰³⁾

이 사건 CCTV 관찰행위는 금지물품의 수수나 교정사고를 방지하거나 이에 적절하게 대처하기 위한 것으로 교도관의 육안에 의한 시선계호를 CCTV 장비에 의한 시선계호로 대체한 것에 불과하므로 그 목적의 정당성과 수단의 적합성이 인정된다. 형집행법 및 형집행법 시행규칙은 수용자가 입게 되는 피해를 최소화하기 위하여 CCTV의 설치·운용에 관한 여러 가지 규정을 두고 있고, 이에 따라 변호인접견실에 설치된 CCTV는 교도관이 CCTV를 통해 미결수용자와 변호인 간의 접견을 관찰하더라도 접견내용의 비밀이 침해되거나 접견교통에 방해가 되지 않도록 조치를 취하고 있는 점, 금지물품의 수수를 적발하거나 교정사고를 효과적으로 방지하고 교정사고가 발생하였을 때 신속하게 대응하기 위하여는 CCTV를 통해 관찰하는 방법 외에 더 효과적인 다른 방법을 찾기 어려운 점 등에 비추어 보면, 이 사건 CCTV 관찰행위는 그 목적을 달성하기 위하여 필요한 범위 내의 제한으로 침해의 최소성을 갖추었다. CCTV 관찰행위로 침해되는 법익은 변호인접견 내용의 비밀이 폭로될 수 있다는 막연한 추측과 감시받고 있다는 심리적인 불안 내지 위축으로 법익의 침해가 현실적이고 구체화되어 있다고 보기 어려운 반면, 이를 통하여 구치소 내의 수용질서 및 규율을 유지하고 교정사고를 방지하고자 하는 것은 교정시설의 운영에 꼭 필요하고 중요한 공익이므로, 법익의 균형성도 갖추었다. 따라서 이 사건 CCTV 관찰행위가 청구인의 변호인의 조력을 받을 권리를 침해한다고 할 수 없다.

203)

2015헌마243

162 문제 | 피의자와 피고인의 권리

⏰ 답변 준비 시간 15분 | 답변 시간 15분

Q1. 甲은 맥주를 마셨지만 운전을 하여도 전혀 문제될 것이 없다고 생각하고 운전을 하였다. 경찰이 음주단속을 하자, 甲은 자신에게 불리한 결과가 발생할지도 모른다는 생각에 호흡측정에 불응하였다. 甲은 음주측정이 주취운전죄라는 범죄의 직접적 증거로 활용될 수 있기 때문에 '형사상 불리한' 것이며, 음주측정이 헌법에서 보장하는 진술거부권에 위배되는 것이라고 주장하고 있다. 진술거부권이란 피의자[204]·피고인[205]이 형사상 자기에게 불리한 진술을 강요당하지 아니할 권리이다. 그러나 경찰청은 진술이란 의사표현인데 음주측정은 운전자의 의사표현이 아니라 운전자의 의사와 독립된 몸의 상태 측정이므로 음주측정 의무부과는 진술거부권 침해라고 할 수 없다고 주장한다.
甲과 경찰청의 주장 중 누구의 주장이 타당한지 자신의 견해를 논하시오.

Q2. 운전자 음주측정은 영장 없이 이루어지고 있기 때문에 영장주의에 위반된다는 주장이 있다. 이 주장에 대한 자신의 견해를 논하시오.

Q3. 甲이 국가보안법상 범죄를 범했다는 것을 乙이 알고도 경찰관서 등에 고지하지 아니하면 乙을 불고지죄로 처벌할 수 있다고 하자. 불고지죄가 乙의 불리한 진술거부권 침해라고 볼 수 있는가?

Q4. 변호인의 조력받을 권리가 인정되어야 하는 이유를 논하시오.

Q5. 甲은 신문 도중 변호인과의 접견을 요구했으나 경찰서장 乙은 신속한 수사 진행을 위해 접견을 불허했다. 乙의 접견불허처분은 타당한지 논하시오.

Q6. 피의자 A는 변호인 B와 접견을 하고 있었다. 그런데 피의자 A와 변호인 B의 대화 내용을 옆에 있던 경찰관 C가 듣고 있었다. 피의자 A는 경찰관 C의 행위가 변호인의 조력을 받을 권리 침해라고 주장했다. A의 주장은 타당한가?

Q7. 甲은 71세의 노인으로 절도죄로 기소되었는데 변호인을 선임하지 못한 채로 재판이 진행되었다. 법원에서는 간단한 사건이므로 그대로 심리하여 판결을 내렸다. 법원의 판결은 정당한지 논하시오.

Q8. D는 검찰의 수사를 받기 위해 변호사 E와 대동하였다. 검찰수사관인 F는 피의자인 D를 신문하면서 변호사 E에게 D의 옆자리에 앉지 말고 D의 뒤에 앉을 것을 요구했다. 이에 변호사인 E는 F의 요구가 변호인의 조력받을 권리를 침해한다고 주장하였다. 변호사 E의 주장은 타당한가?

Q9. 乙은 사기죄로 구속된 甲의 변호인으로서 甲으로부터 구속적부심사청구의 의뢰를 받았다. 변호사 乙은 인천서부경찰서장에게 甲에 대한 수사기록 중 고소장과 피의자신문조서의 열람 및 등사를 신청하였다. 인천서부경찰서장은 이 서류들이 비공개 정보에 해당한다는 이유로 이를 공개하지 않는다고 결정하였다. 이에 변호사 乙은 인천서부경찰서장의 정보비공개결정이 위헌이라고 주장하고 있다. 경찰서장의 결정은 타당한지 자신의 견해를 논하시오.

---

204)
수사기관이 주관적으로 어떤 특정인을 피의자로 삼아 범죄혐의의 정도와 상관없이 수사 활동을 전개할 때 피의자가 된다고 한다. 이때 수사기관의 의사결정은 자유재량이 아닌 기속재량 사항이다. 실무에서는 사건접수부에 등재하여 사건번호를 부여함으로써 피의자가 되는 동시에 수사의 대상으로 하고 있다.

205)
범죄를 범하였다는 혐의를 받고 검사에 의하여 공소가 제기된 자로서, 기소 전 수사대상인 피의자와 유죄판결이 확정된 수형자와 구별된다. 즉, 피의자는 공소제기에 의하여 피고인이 되고, 피고인은 유죄형의 확정에 의하여 수형자가 된다.

Q10. 피의자와 변호인이 수사기록을 열람하거나 등사할 경우, 국가안보에 위해가 발생할 가능성이 있거나 증거를 인멸할 가능성[206]도 있다. 이러한 가능성이 있음에도 불구하고 수사기록 열람·등사를 인정해야 하는가?

Q11. 실제로 수사기록 열람, 등사로 인해 국가안보 위해나 증거인멸 가능성이 없음에도 불구하고 검사가 이를 핑계로 수사기록 열람이나 등사를 거부한다면 어떻게 해야 하는가?

Q12. 법원이 수사서류에 대한 열람과 등사 허용결정을 하였는데, 검찰수사관이 수사기록에 대한 열람은 허용하되 등사는 허용하지 않았다. 이에 변호인은 열람만 허용하고 등사는 허용하지 않는 행위가 의뢰인의 변호인의 조력받을 권리에 대한 침해라 주장한다. 변호인의 주장은 타당한가?

---

206) 수사개시의 최초 단서가 되는 고소장에는 사실관계 외에도 주요한 증거방법까지 기재되는 경우가 허다한데 수사의 초기단계부터 이에 대한 열람 및 등사를 피의자나 그 변호인에게 허용하게 되는 때에는 수사기관이 아직 조사하지 아니한 증거방법까지 피의자 측에 미리 알려주게 되는 결과가 되고, 그로 인하여 주요 참고인이 소재불명이 된다거나 기타 자기에게 불리한 증거를 인멸할 경우 실체적 진실발견이 어려워지고 국가형벌권의 행사가 현저히 방해받게 될 것이므로 이러한 위험을 피하기 위하여 수사 초기단계에서 고소장을 공개하지 않는 것은 정당한 이유가 있다. (헌재 2003.3.27. 2000헌마474)

Q1. 모범답변

경찰청의 주장이 타당합니다. 음주측정 의무부과는 운전자에게 음주운전을 하였는지 의사를 표현하게 하는 것이 아니라 음주를 했는지 신체의 상태를 측정하는 것이므로 진술의 강요가 아닙니다. 헌법에서 보장하는 진술거부권이란 어떤 의사를 표명하는 것이 자신에게 유리할지 불리할지 모르는 상태에서 자신의 의사를 표명하지 않을 권리입니다. 그런데 음주측정은 그 자체로 의사를 표명하는 것이 아니라 단지 자신의 몸 상태가 어떤 것인지를 드러내는 것에 불과합니다. 따라서 음주측정은 진술에 해당하지 않으므로 진술거부권의 대상이 되지 않습니다.

Q2. 모범답변

운전자 음주측정은 영장주의에 위반되지 않습니다. 만약 음주측정을 위해 영장이 필요하다고 한다면 음주운전자의 이름 등이 영장에 기재되어야 합니다. 검사와 판사가 神이 아닌 한 앞으로 음주운전할 운전자를 알 수 없습니다.

따라서 음주측정에 영장을 요구하는 것은 불가능한 것을 요구하는 것이고, 음주운전 예방을 포기하는 것과 다름없습니다. 또한 영장은 체포·구금과 같이 당사자의 의사와 무관하게 이루어지는 강제처분에만 적용됩니다. 음주측정은 운전자가 호흡을 불어넣는 자발적 협조가 필요하므로 강제처분이 아닙니다. 따라서 영장이 필요하지 않습니다.

Q3. 모범답변

진술거부권은 형사상 자기에게 불리한 진술인 경우에 한해 주장할 수 있는 권리입니다. 국가보안법상 불고지죄는 甲이 국가보안법상 범죄를 범했다는 것을 고지하는 것이지 자신에게 불리한 진술이 아니기 때문에 진술거부권 침해라 볼 수 없습니다.

Q4. 모범답변

변호인의 조력받을 권리를 통해 국민의 공정한 재판받을 권리가 보장될 수 있기 때문입니다. 국민은 자신의 자유와 권리를 지키기를 원하나 법에 대해 잘 몰라 어떤 선택을 하는 것이 권리 보호에 유리할 것인지 판단할 수 없습니다. 그러나 수사기관과 소추기관인 검사는 법적인 전문가입니다. 따라서 변호인의 조력이 없다면 법에 대해 잘 모르는 피의자·피고인은 대등한 관계에서 수사나 재판을 받을 수 없습니다. 그렇다면 피의자·피고인은 수사나 재판 중 마땅히 누려야 할 자신의 권리를 지킬 수 없을 것입니다. 법 전문가인 변호인은 피의자·피고인에게 그들이 누려야 할 권리를 설명해주고, 법적인 조언을 함으로써 부당한 수사나 재판을 방지해야 합니다. 따라서 피의자·피고인이 수사기관이나 소추기관과 대등한 관계에서 수사나 재판을 받으려면 법적인 전문가인 변호인의 조력이 꼭 필요합니다.

Q5. 모범답변

경찰서장 乙의 접견불허처분은 타당하지 않습니다. 甲의 변호인의 조력받을 권리를 침해하기 때문입니다. 변호인과 접견을 통해 甲은 상담을 하고 조언을 구할 수 있어야 수사기관과 대등한 관계에서 수사를 받을 수 있습니다. 신속한 수사는 피의자인 甲의 변호인의 조력받을 권리보다 앞서는 가치가 아닙니다. 따라서 乙의 접견 불허는 甲의 변호인과 조력받을 권리를 침해하는 것이므로 乙의 접견불허처분은 타당하지 않습니다.

Q6. 모범답변

A의 주장은 타당합니다. 경찰관 C의 행위는 A의 변호인의 조력받을 권리에 대한 침해입니다. A는 자신의 비밀을 다 드러내어 변호인의 조언을 구하고 어떤 선택이 자신의 권리를 지킬 수 있는 것인지 판단할 수 있어야 합니다. 경찰관 C가 A와 B의 대화를 듣고 있다면 A는 B에게 마음 속에 담아두고 있는 말을 할 수 없게 됩니다. 이로 인해 변호인의 조력을 충분히 받을 수 없게 되어 변호인 조력을 받을 권리를 침해당하게 됩니다. 다만 CCTV를 통해 변호사 접견실을 녹화하는 것은 금지물품의 수수나 사고 방지를 위해 인정될 수 있습니다.

Q7. 모범답변

법원의 판결은 정당하지 않습니다. 피고인은 재판정에서 검사와 대등하게 자신의 입장을 변호할 수 있어야 합니다. 그런데 일반적으로 71세의 노인인 경우 스스로 자신을 변호하는 것은 쉽지 않을 것이 분명합니다. 이런 경우 사선 변호인이 없다면, 법원은 국선 변호인을 선임하여 재판을 진행하여야 공정한 재판이 될 수 있습니다. 71세의 甲에 대해 변호인 없이 내린 판결은 무효라고 보아야 합니다.

Q8. 모범답변

변호사의 E의 주장은 타당합니다. 변호인이 피의자의 뒤에 앉아야만 수사가 방해될 가능성이 적다거나 수사기밀의 유출이 적어진다는 이유가 없습니다. 그럼에도 변호인이 피의자의 뒤에 앉게 되면, 피의자가 변호인의 조력을 받기 어려워지고 변호인은 피의자의 상태를 즉각적으로 파악하거나 말로는 전달하기 어려운 표정이나 분위기 등을 읽어내기 어렵습니다. 따라서 F의 후방착석요구는 피의자 D의 변호인의 조력받을 권리를 침해하므로 타당하지 않습니다.

Q9. 모범답변

경찰서장의 결정은 변호인의 조력받을 권리에 대한 침해이므로 타당하지 않습니다. 의뢰인의 수사기록을 변호사 乙이 모른다면, 의뢰인인 피의자가 수사과정에 자백을 했는지 여부 등의 어떤 말을 했는지 모른다면, 변호인이 피의자를 적절하게 방어할 수 없습니다. 따라서 변호인으로서는 피의자를 조력할 권리를 침해당하게 되고, 피의자로서는 변호인의 조력을 받을 권리를 침해당하게 됩니다.

Q10. 모범답변

그러한 가능성이 있다는 이유만으로 국민의 권리를 원천적으로 제한하는 것은 타당하지 않습니다. 오히려 수사기록의 열람과 등사를 원칙적으로 허용하되, 국가안보의 위해 가능성이나 증거인멸 가능성이 있는 예외적인 경우에 한하여 금지함이 타당합니다.[207] 국민의 자유와 권리를 보호하기 위해서는 정확한 수사상황과 정보를 알아야 합니다. 만약 이를 전혀 모르는 채 재판을 진행한다면 이는 국가의 수사는 바로 그 자체로 실체적 진실이니 피의자와 변호인은 이 진실을 받아들이기만 하면 된다는 셈입니다.

207)
수사개시의 최초 단서가 되는 고소장에는 사실관계 외에도 주요한 증거방법까지 기재되는 경우가 허다한데 수사의 초기단계부터 이에 대한 열람 및 등사를 피의자나 그 변호인에게 허용하게 되는 때에는 수사기관이 아직 조사하지 아니한 증거방법까지 피의자 측에 미리 알려주게 되는 결과가 되고, 그로 인하여 주요 참고인이 소재불명이 된다거나 기타 자기에게 불리한 증거를 인멸할 경우 실체적 진실발견이 어려워지고 국가형벌권의 행사가 현저히 방해받게 될 것이므로 이러한 위험을 피하기 위하여 수사 초기단계에서 고소장을 공개하지 않는 것은 정당한 이유가 있다. (헌재 2003.3.27. 2000헌마474)

Part 1
Part 2
Part 3
Part 4
Part 5
Part 6
Part 7

해커스 김종수 모스클 법정 200주제

Q11. 모범답변

변호인은 지체 없이 법원에 요청하여 피의자의 자유와 권리에 피해가 발생하지 않도록 해야 합니다. 그리고 법원은 피의자와 변호인이 확인할 수 없었던 수사기록에 대한 증인 신청이나 증거 요청은 받아들여서는 안 됩니다.

Q12. 모범답변

변호인의 주장이 타당합니다. 변호인이 피의자의 수사서류를 열람하여 변호인이 의뢰인에게 유리한 사실을 발견하였다고 하더라도 수사서류에 대한 등사가 허용되지 않으면 이를 법원에 제출할 수 없습니다.[208] 재판에서 유리한 사실을 증거로서 제출할 수 없다면 법원은 이를 인정하지 않을 것이어서 피의자는 불리한 상황에 놓이게 됩니다. 따라서 이는 변호인의 조력받을 권리를 침해하였다고 보아야 합니다.[209]

[208) 피청구인은 법원의 수사서류 열람·등사 허용 결정 이후 해당 수사서류에 대한 열람은 허용하고 등사만을 거부하였는데, 변호인이 수사서류를 열람은 하였지만 등사가 허용되지 않는다면, 변호인은 형사소송절차에서 청구인들에게 유리한 수사서류의 내용을 법원에 현출할 수 있는 방법이 없어 불리한 지위에 놓이게 되고, 그 결과 청구인들을 충분히 조력할 수 없음이 명백하므로, 피청구인이 수사서류에 대한 등사만을 거부하였다 하더라도 청구인들의 신속·공정한 재판을 받을 권리 및 변호인의 조력을 받을 권리가 침해되었다고 보아야 한다. (헌재 2017.12.28. 2015헌마632)

[209) 형사소송법 제47조의 입법목적은, 형사소송에 있어서 유죄의 판결이 확정될 때까지는 무죄로 추정을 받아야 할 피의자가 수사단계에서의 수사서류 공개로 말미암아 그의 기본권이 침해되는 것을 방지하고자 함에 목적이 있는 것이지 구속적부심사를 포함하는 형사소송절차에서 피의자의 방어권행사를 제한하려는데 그 목적이 있는 것은 원래가 아니라는 점, 그리고 형사소송법이 구속적부심사를 기소 전에만 인정하고 있기 때문에 만일 기소 전에 변호인이 미리 고소장과 피의자신문조서를 열람하지 못한다면 구속적부심제도를 헌법에서 직접 보장함으로써 이 제도가 피구속자의 인권옹호를 위하여 충실히 기능할 것을 요청하는 헌법정신은 훼손을 면할 수 없다는 점 등에서, 이 규정은 구속적부심사단계에서 변호인이 고소장과 피의자신문조서를 열람하여 피구속자의 방어권을 조력하는 것까지를 일체 금지하는 것은 아니다. (헌재 2003.3.27. 2000헌마474)

1. 기본 개념

(1) 변호인의 비밀 유지 의무

의뢰인이 변호사의 도움을 받으려면 의뢰인의 비밀을 다 털어놓을 수밖에 없다. 변호사가 의뢰인으로부터 들은 비밀을 유지해 주지 않는다면 변호사로부터 조력을 받을 수 없다. 변호사와 의뢰인 사이의 비닉특권은 의사소통이 신뢰관계에서 이루어지도록 보장하기 위하여 보통법이 인정하고 있는 가장 오래된 특권이다. 이러한 특권을 인정하는 목적은 변호사와 의뢰인 사이의 완전하고도 솔직한 의사소통을 보장하기 위한 것이며, 그로써 궁극적으로는 법을 준수하고 정의를 실현한다는 좀 더 넓은 의미의 공공의 이익을 도모하고자 하는 것이다. 그리고 이러한 특권을 인정한다는 것은 어느 특정한 개인에 대하여 충실한 법적 조언과 변호를 제공하는 것이 결과적으로는 전체 공공의 이익에도 부합하는 것이며, 그와 같은 충실한 법적 조언과 변호는 결국 변호사가 자기의 의뢰인으로부터 충분한 정보를 제공받을 수 있을 때 비로소 가능하다는 것을 우리가 인식하고 있음을 의미한다. 이와 같은 비닉특권이 보호하려는 가치는 다음과 같다.

① 의뢰인으로 하여금 변호사를 신뢰하게 독려한다.

② 정부의 침해로부터 사생활의 영역을 보호한다.

③ 의뢰인이 법을 준수할 수 있도록 법적 조언을 받는 것을 용이하게 해준다.

(2) 보호되는 내용

① **상담을 했으나 수임에 이르지 못한 경우**: 변호사가 고백과 사건수임을 상담했으나 수임에 이르지 못한 경우 그 과정에서 얻은 정보도 비밀 유지 의무가 적용된다.

② **의뢰인의 위법사실을 알게 된 경우(Garrow 사건)**: Garrow는 연쇄 살인범이다. 변호사 A는 Garrow로부터 B를 살해한 바가 있다는 정보를 듣고 현장에서 B의 사체를 확인했다. B의 부모가 B에 대해 물어보았으나 A는 정보제공을 거부했다. 후에 A는 사체발견 신고 의무 위반 및 시신의 존엄성 침해를 했다는 이유로 기소당했다. 이 사건을 심리한 1심 법원은 변호사 A에게 무죄를 선고했다. 비밀 유지라는 변호사의 신성한 의무를 수행했다고 하였다. 뉴욕주 윤리위원회는 의뢰인의 변호를 위해 숨김없는 대화가 꼭 필요함을 역설하면서 의뢰인이 모든 사실을 숨김없이 변호사에게 털어놓도록 하기 위해서 비밀 유지 의무는 불가피하다고 하였다.

③ **상대측의 생명위험을 알게 된 경우(Spaulding vs. Zimmerman 사건)**: 미성년자인 A는 B가 운전하던 차량에 동승 중 B의 과실로 사고가 발생해 B를 상대로 손해배상 소송을 제기했다. 가해자 B의 변호사는 A의 대동맥에 혈액이 고여 있어 대동맥이 파열되어 목숨을 잃을 수도 있다는 의사의 진단 의견을 들었다. 그러나 B의 변호사는 이를 숨겼고 A와 B는 합의를 하였다. 그 후 A는 입대 신체검사 중 이 증상을 알고, 합의를 무효라고 주장하였고 법원은 무효라는 판결을 선고하였다. 그 무효 사유는 미성년자인 원고 A의 보호를 위해 합의 내용을 법원의 확인을 받도록 한 미네소타주 법규정에 비추어볼 때 B의 변호사는 의사의 진단서의 새로운 사실에 대하여 법원에 알렸어야 했다는 점에 두었다. 소송 당사자 중 일방이 미성년자가 아니거나, 합의를 보지 않는 경우, 변호사는 자신들에게 불리한 내용을 상대방에게 자진해서 알려줘야 할 의무가 없다는 것이 법원의 견해였다.

④ 변호사의 허위진술: 변호사는 피고인에게 허위증언을 교사해서는 안 된다. 또한 변호사는 증인의 허위증언을 유도해서는 안 된다.

⑤ 의뢰인의 장래범죄계획: 의뢰인이 변호사에게 범죄계획을 말한 경우 변호사의 비밀 유지 의무는 깨진다.

(3) 변호인의 비밀 유지 의무의 예외

일반적으로 미국의 변호사들은 비밀 보호 유지 의무가 강하게 인정되어 왔으나, 엔론과 월드컴 등 거대 기업들의 대규모 회계부정이 발생했고 변호사들도 이에 가담했음이 드러나면서 변호사의 의뢰인 비밀 보호도 중대한 변화를 맞게 되었다. 변호인의 비밀 유지 의무의 예외는 다음과 같다.

① 부정행위 방지를 위한 비밀공개

② 변호사 자신을 방어하기 위한 비밀공개

③ 급박하지 않은 신체적 피해 예방을 위한 공개

2. 쟁점과 논거

찬성론: 의뢰인 보호	반대론: 공익 달성
[변호인의 조력을 받을 권리] 재판과정에서 자신의 권리를 보호받기 위해서는 법률적 지식을 갖춘 변호사의 조력을 받을 수 있어야 한다. 이를 위해서는 변호사가 사건의 실체적 진실을 알고, 이러한 사실을 지킬 수 있어야 한다. 만일 변호사가 지득한 의뢰인의 비밀을 밝혀야만 한다면, 의뢰인은 사건의 진실을 이야기하지 않을 것이고 변호인의 조력을 받을 수 없게 될 것이다.	**[긴박한 범죄 예방]** 변호인이 긴박하고 현존하는 범죄의 가능성에 대해 의뢰인과의 대화 중에 지득하게 되었다면, 범죄 예방을 위해서 변호인의 비밀 유지 의무를 저버릴 수 있어야 한다. 더욱이 해당 내용은 의뢰인의 사생활이나 범죄 사실과 연관되어 일반적인 경우에는 쉽게 알 수 없는 내용이기 때문에 다른 방법으로 해당 범죄가 예방될 가능성은 극히 희박하다.
[사생활의 자유 침해 예방] 국가가 우월한 권력을 이용해 변호사를 압박하여 의뢰인의 사생활에 대한 사항을 알 수 있게 된다면, 외부의 시선에서 보호되어야 하는 개인의 사생활이 타의에 의해 공개되는 것과 같다.	**[사법신뢰 회복]** 변호인의 비밀 유지 의무라는 미명 아래 법조인이 부정행위에 가담하는 행위를 예방해야 한다. 변호인이 법을 통한 정의 실현에 기여하기보다는 부정의에 조력하는 모순을 막아야 국가 전반의 사법신뢰를 회복할 수 있다.
[사법질서 혼란 예방] 변호사가 의뢰인의 비밀을 지키지 않는다면 변호인에 대한 불신으로 의뢰인은 변호인의 조력을 받을 권리를 포기하고 사적 구제를 시도할 가능성이 크다. 이로 인해 재판을 통한 사회갈등 해소 기능이 저하되고 재판이 장기화될 것이다.	**[실체적 진실 규명]** 변호인이 의뢰인으로부터 알게 된 비밀 내용은 범죄 당사자가 실토한 내용으로, 범죄와 연관된 실체적 진실일 가능성이 크다. 더욱이 이러한 내용을 근간으로 사회적으로 더 큰 악영향을 미치는 범죄를 규명하고 처벌할 수 있게 된다.

3. 읽기 자료

비밀유지의무와 진실의무[210]

변호사의 비밀유지의무[211]

변호사 비밀유지의무[212]

210)

비밀유지의무와 진실의무

211)

변호사의 비밀유지의무

212)

변호사 비밀유지의무

답변 준비 시간 20분 | 답변 시간 10분

Q1. 살인혐의를 받고 있는 A가 변호사에게 사건을 의뢰하였다. A는 변호사에게 칼로 사람을 찔러 살인을 하였는데 그 칼과 사체는 어느 장소에 묻어 버렸다는 등등 모든 사실을 고백했다. 그러나 A는 수사기관에서 묵비권을 행사하거나 범행을 부인하고 있어 수사기관에서는 A를 처벌할 증거를 전혀 찾지 못하고 있다고 하자. A로부터 변호를 의뢰받은 변호사는 '죄를 저지른 자는 처벌을 받아야 한다'는 개인의 신념으로 의뢰인 A를 살인죄로 고발해야만 하는가?

Q2. 채무자 B는 막대한 액수의 재산을 숨겨놓고 있었다. 채권자 C는 여러 채권자와 함께 공동으로 사해행위[213] 취소소송을 제기하였다. 변호사 D는, B가 숨겨놓은 재산이 많다는 것을 C로부터 들어 알게 되었다. 변호사 D는 다른 채권자에게 이러한 사실을 알려야 하는가?

Q3. 변호사가 실수로 인해 상소기일을 도과하여 상소를 했다고 하자. 이때 의뢰인이 손해배상청구를 하였다면 변호사는 의뢰인의 손해에 대해 배상해야 하는가?

Q4. 변호사 乙은 피고인 甲이 위증하려는 것을 알게 되었다. 변호사 乙은 다음 방안 중 하나를 선택하려 한다. 변호사 乙은 어떤 안을 선택해야 하는지 아래의 모든 안을 활용하여 논하시오.
[A안] 피고인이 위증하지 않도록 설득한다.
[B안] 변호사 乙은 사임해야 한다.
[C안] 재판부에 고지하여야 한다.
[D안] 피고인이 위증할 수 있도록 변호인은 신문하여야 한다.

Q5. 변호인이 피고인에게 불리한 사실을 안 경우 그 사실을 법관이나 검사에게 알려야 하는가?

Q6. 검사가 피고인에게 유리한 사실을 알았다고 하자. 이 경우 검사는 법관이나 변호사에게 이 자료를 제출해야 하는가?

Q7. 실제 범인이 아닌 피의자나 피고인이, 자신이 유죄임을 스스로 구하는 경우를 대신자처범인(代身者 處犯人)이라 한다. 일반적으로 자녀의 범죄를 부모가 대신 하려는 경우가 많다. 이처럼 대신자처범인 사건, 즉 피고인 등이 진실에 반하여 죄를 인정하는 경우에 변호인은 진실을 밝혀도 좋은지 자신의 견해를 논하시오.

---

213)

사해행위: 채무자가 고의로 재산을 줄여서 채권자가 충분한 변제를 받지 못하게 하는 행위

Q1. 모범답변

변호사는 의뢰인인 A의 비밀을 유지해야 할 의무가 있습니다. 오히려 A의 비밀을 누설한다면 담당 변호사를 처벌함이 타당합니다. 의뢰인인 A는 자신의 변호사가 고발할 것을 알았다면 자신의 범행을 사실대로 알리지 않았을 것입니다. 변호사가 비밀 의무를 준수할 것으로 생각하고 범행을 알렸으므로 비밀 의무를 준수해야 합니다. 상담한 A의 범행을 고지한다면 모든 국민은 변호사들에게 상담을 하면 자신의 비밀이 누설될 것이므로 모든 내용을 털어놓을 수 없고 그렇다면 자신의 권리를 지킬 수 없습니다.

변호인은 의뢰인을 대신하여 해당 사건에 관한 법률적 업무를 담당합니다. 변호인은 해당 사건에 대해서는 의뢰인 자신과 동일한 입장이어야 합니다. 이를 위해서는 변호인은 의뢰인의 모든 정보를 알아야 하고 이를 누설하지 않아야 합니다. 만약 변호인이 의뢰인의 불리한 정보를 누설한다면 누구도 변호인에게 사건을 맡기려 하지 않을 것이고 국민이 실질적으로 보호받을 수 없게 되는 결과로 귀결될 것입니다.

Q2. 모범답변

의뢰인으로부터 얻은 정보는 비밀 유지 의무가 적용되므로 변호사 D는 다른 채권자에게 이를 알려서는 안 됩니다.

Q3. 모범답변

이는 명백하게 변호사의 책임이기 때문에 손해를 배상해야 합니다. 만약 상소를 기간 내에 제기하여 의뢰인이 승소할 가능성이 높았다면 손해배상해야 합니다. 또한 승소에 대한 입증이 안 되더라도 의뢰인 측의 정신적 손해를 이유로 위자료를 지급할 필요성이 있습니다.[214]

Q4. 모범답변

A안과 같이 의뢰인에게 허위증언을 한다면 판사가 더 가혹한 형벌을 부과할 수 있으므로 위증을 해서는 안 된다고 설득해야 합니다.

그래도 의뢰인이 허위증언을 하려고 하는 경우, 마지막 방법으로 B안과 같이 변호인으로서는 사임할 수밖에 없음을 알려야 합니다.

그러나 C안과 같이 재판부에 고지하는 것은 변호인의 비밀 유지 의무에 반하므로 허용될 수 없습니다.

그리고 D안은 변호사가 불법을 조장하는 것이므로 허용될 수 없습니다.

214)

99다24218

"재판관의 위법한 직무집행의 결과 잘못된 각하결정을 함으로써 원고로 하여금 본안판단을 받을 기회를 상실케 한 이상 설령 본안판단을 했어도 어차피 청구가 기각되었을 것이라는 사정이 있다고 하더라도 잘못된 판단으로 인해 헌법소원심판청구인의 합리적인 기대를 침해한 것"이고 "이러한 기대는 인격적 이익으로서 보호할 가치가 있다." (대법원 2003.7.11. 99다24218)

Q5. 모범답변

변호인이 피고인의 불리한 사실을 법관이나 검사에게 알려서는 안 됩니다. 이는 변호인의 비밀 유지 의무와 피고인의 권리를 성실하게 옹호할 의무에 위반되기 때문입니다. 변호인도 실체적 진실 발견에 노력해야 하나, 변호인은 피의자·피고인에 대한 보호자로서의 지위도 함께 있으므로 실체적 진실을 적극적으로 왜곡시키지 않으면 의무를 다한 것으로 보아야 합니다. 따라서 피고인에게 불리한 내용까지 밝힐 의무는 없습니다. 변호인이 피고인에게 불리한 사실을 적극적으로 왜곡하지 않고 이에 대한 침묵을 지키는 정도라 한다면 적절합니다.

Q6. 모범답변

검사는 피고인에게 유리한 사실을 발견했다면 이 자료를 제출해야 합니다. 검사는 공익의 대변자이므로 진실을 발견할 의무가 있습니다. 따라서 피고인에게 유리한 경우 원칙적으로 이를 알려주어야 합니다.

Q7. 모범답변

이 경우 근본적으로는 변호인은 피고인 등을 설득하여 진실을 밝히도록 하는 것이 원칙입니다. 문제는 그럼에도 불구하고 피고인 등이 이를 거부할 경우 변호인은 진실을 밝힐 수 없고 사임할 수 있을 뿐입니다. 이 문제에 대하여는 유죄판결을 받고자 하는 자처범인의 희망은 '정당한 이익'이 아니므로, 변호인으로서 그 의사에 따르는 것은 허용되지 않는다고 할 수 있습니다. 당해 피고인 등의 면책을 위하여 적극적으로 그 사실을 밝혀야 한다고 할 수도 있지만, 피고인 등의 반대에 불구하고 이를 밝히는 것은 변호인의 비밀유지의무에 반하는 것입니다. 따라서 이 경우 변호인으로서는 피고인 등에게 그러한 변호인의 입장을 설명하여, 피고인 등이 변호인의 사임을 선택할 기회를 먼저 제공함이 바람직할 것입니다.

Part 1
Part 2
Part 3
Part 4
Part 5
Part 6
Part 7

2021 동아대 기출

1. 기본 개념

(1) 전관예우

통상적으로 사법절차에서 판사·검사·헌법재판관·경찰관 등의 관련 공직에서 퇴직하여 개업한 지 얼마 되지 않은 전관변호사가 선임된 경우, 그렇지 않은 변호사가 선임된 경우보다 수사나 재판의 결과에 있어서 부당한 특혜를 받거나, 절차상의 혜택을 받는 현상을 말한다. 연구 결과, 비슷한 형사사건에서 부장급 이상 판·검사 출신의 이른바 '전관 변호사'를 선임한 경우 집행유예를 받을 확률이 비(非)전관변호사에게 맡긴 경우에 비해 약 11%p 높았다고 한다. 또 2017년 대법원이 선고한 사건 중 대법관 출신 변호사들이 맡은 사건은 총 440건이며, 대법관 출신 변호사들은 1·2심에서는 사건을 수임하지 않다가 대법원 단계에서 변호인으로 참여하는 경향을 보였다고 한다.[215]

(2) 해결방안

첫째, 개업지 제한과 수임 제한이 있다. 전관예우는 자신이 법관이나 검사로 일했던 지역 내의 연고로 인해 발생하는 것이다. 따라서 일정기간 개업지와 수임 제한을 하여 연고로 인해 발생하는 효과를 감소시킨다.

둘째, 사법부에 대한 시민 통제의 강화가 있다. 시민단체 등이 전관 변호사의 재판 결과 등을 수집하고 공개함으로써 시민적 통제를 할 수 있다. 판결문 공개 확대를 통해 법관이나 검찰이 자의적인 판단을 할 수 없도록 간접통제할 수 있다.

셋째, 국민주권주의의 강화가 있다. 배심제를 전면 도입하여 사법의 최종결정권을 주권자인 국민이 가지는 방법이 있다.

넷째, 판사와 검사의 자정작용이 있다. 대법관이나 검찰총장의 인사청문회 전에 변호사 개업을 하지 않겠다는 서약을 하거나, 변호사 개업 대신 지방의 시니어 법관으로 재임용되는 방법이 있다.

2. 읽기 자료

전관예우 근절책[216]
전관예우 실태 연구[217]

215)
김제완 외, <전관예우 실태 및 근절 방안에 대한 법조인과 국민의 인식 연구>

216)

전관예우 근절책

217)

전관예우 실태 연구

164 문제 법조비리 해결방안

⏱ 답변 준비 시간 20분 | 답변 시간 15분

※ 다음 QR코드를 촬영하면 연결되는 제시문을 읽고, 문제에 답하시오.

전문가들은 종종 자기객관화에 실패하며, 일반인들과 상반된 주장을 하기도 한다. 2018년 조사에 따르면, 일반 국민의 40%는 전관예우가 실재한다고 보았지만 판사 중에는 20%만 이를 인정했다.

전관변호사

Q1. 법조인의 사회적 기능은 무엇인가?

Q2. 법조인의 비리는 어떤 문제를 초래하는지 설명하시오.

Q3. 법조인의 비리가 발생하는 원인은 무엇인지 설명하시오.

Q4. 법조인의 비리 중에 가장 문제가 되는 것은 전관예우일 것이다. 전관예우는 어떤 문제를 야기하는지 설명하시오.

Q5. 전관예우를 막을 방안 중 하나로 전관에 대한 수임 제한과 개업지 제한이 있다. 그러나 이러한 조치로 인해 우수한 법조인력이 법원과 검찰로 가지 않고 처음부터 법무법인으로 가서 공공영역에 공백이 발생할 것이라는 우려가 있다. 이 우려는 타당한가?

Q6. 전관예우를 막을 방안 중 하나로 판결문 공개 확대가 논의되고 있다. 판결문은 개인정보를 담고 있기 때문에 현재 모든 판결이 공개되지는 않는다. 판결문 공개 확대에 대한 자신의 견해를 논하시오.

Q7. 판결문은 개인정보를 담고 있기 때문에 공개가 확대되면 개인정보 유출과 그로 인한 피해가 발생할 수 있다. 이에 대해 어떻게 생각하는가?

Q8. 법조비리의 핵심이 되는 전관예우를 막기 위해 어떻게 해야 할 것인지 본인의 생각을 논변하시오.

Q1. 모범답변

법조인은 사회적 분쟁을 평화적으로 해결하는 기능을 해야 합니다. 자연상태에서는 분쟁의 해결 기준과 절차가 마련되어 있지 않아 보복의 악순환이 발생할 수 있습니다. 때문에 공동체를 구성하면서 분쟁 해결 기준과 절차를 법으로 정하고 있고, 법조인으로 하여금 분쟁을 해결하는 역할을 부여하고 있습니다. 법조인은 분쟁을 공동체 구성원이 합의한 분쟁 기준과 절차에 따라 평화적으로 해결하도록 하고 있습니다. 분쟁의 평화적 해결을 통해 법조인은 사회질서를 유지할 의무를 집니다. 법조인은 분쟁 당사자들의 권리를 보호하는 기능을 합니다. 법조인은 당사자들이 누릴 수 있는 실체적·절차적 권리를 알려주고, 행사할 수 있도록 해야 합니다.

Q2. 모범답변

법조인의 비리가 있으면 정당한 분쟁 해결이 왜곡되어 권리를 부당하게 침해당하는 자가 생기게 됩니다. 그렇다면 당사자들은 분쟁 해결의 결과에 승복하지 않으려 할 것입니다. 이러한 일이 자주 일어나게 되면 국민의 법신뢰가 무너지게 됩니다. 무전유죄, 유전무죄라는 인식은 확산되고 법조인에 대한 불신은 높아질 것입니다. 이로 인해 분쟁의 평화적 해결과 사회질서 유지라는 법조인의 사명을 다할 수 없습니다.

Q3. 모범답변

법조계의 연고주의와 폐쇄성이 비리 원인이라고 할 수 있습니다. 법조계는 몇몇 대학에 한정된 사법시험 합격자 배출, 사법연수원을 매개로 한 폐쇄적인 구조를 가지고 있습니다. 그렇기 때문에 법조계 내 집단은 결속력과 동료의식이 강해 비리가 발생하기 쉽습니다. 이를 증명하는 사례가 검찰 조직의 비리입니다. 검사동일체 원칙에 따라 상명하복이 중심이 되는 경우 상부의 압력이 잘못된 것이라 하더라도 그대로 실현되는 경우가 대부분이었습니다. 또한 수사와 재판과정의 투명성과 공개성 확보가 안 되어 있습니다. 법조인 네트워크에 따라 수사와 재판이 영향을 받았기 때문에 비리가 발생했습니다.

Q4. 모범답변

전관예우는 국민의 공정한 재판받을 권리를 침해하고, 사법신뢰를 저해하며, 국민의 법준수의지를 저해한다는 문제점을 야기합니다.

인간이 공동체를 형성한 이유는 개인 간 분쟁 시 분쟁 해결 기준과 절차를 마련하여 공정하게 분쟁을 해결함으로써 생명과 재산을 지키기 위해서입니다. 분쟁의 해결을 위해 법조인이라는 직업이 생긴 것입니다. 법조인들이 공정한 기준과 절차가 아니라 전관예우에 따라 이루어진다면, 국민들은 분쟁 해결의 정당성을 인정하지 않게 되고, 이는 공동체를 형성한 목적에도 위배됩니다. 그렇다면 공동체를 유지할 이유를 구성원들이 인정할 수 없어 공동체는 장기적으로 유지될 수 없습니다. 전관예우는 전임법관과 검사에게 유리하도록 재판을 함으로써 공정한 재판을 해합니다. 국민의 법원에 대한 신뢰를 손상시켜 국민들이 판결에 대해 복종하지 않으려 할 것입니다. 이로 인해 재판도 분쟁의 평화적 해결기능을 다할 수 없게 됩니다.

Q5. 모범답변

전관에 대한 수임 제한과 개업지를 제한한다는 이유로 법무법인으로 갈 사람이라면 공공영역에 대한 관심이 없는 것이므로 큰 문제는 없을 것입니다. 공공영역은 사회와 국가에 봉사하겠다는 명예나 사명감이 있어야 합니다. 전관 수임 제한과 개업지 제한이 예상되므로 법무법인으로 가겠다는 것은 처음부터 전관예우를 받겠다는 예상하에 공공영역에 진출하려는 것입니다. 돈을 벌겠다는 생각이 잘못된 것은 아닙니다. 따라서 돈을 벌고자 하는 자는 처음부터 보수를 목적으로 법무법인에 가면 됩니다. 공공영역에서 법조인으로 일하고자 하는 자는 명예 혹은 사명감을 목적으로 일하는 것입니다. 공공영역에서 우수한 인력을 유치할 필요는 있습니다. 앞으로 변호사 중 자질 있는 자를 판사와 검사로 임용하면 좋은 인력을 확보할 수 있습니다. 변호사 중에 엄청난 연봉을 마다하고 명예나 사명감을 갖고 법학전문대학 교수가 되신 분도 있듯이 판사나 검사로서 사회와 국가에 봉사하는 분들도 있다고 생각합니다. 이런 분들을 검사와 판사로 채용하면 인력문제도 해결할 수 있다고 생각합니다.

Q6. 모범답변

판결문 공개를 확대해야 합니다. 법치주의 실현, 국민의 법신뢰 향상을 달성할 수 있기 때문입니다.

법치주의 실현을 위해 판결문 공개를 확대해야 합니다. 법치주의는 국민이 스스로 정한 법률에 근거하여 자신의 자유와 권리가 지켜지고 제한되며, 모든 국민에게 평등하게 적용됨을 의미합니다. 국민은 국가의 주권자로서 자신이 스스로 정한 법에 의해 지배받을 것을 스스로 동의하였습니다. 주권자인 국민은 자신이 정한 법에 따라 선발된 전문법관이 법률에 근거해 판결한 결과에 따를 것 또한 동의하였습니다. 그렇기 때문에 주권자인 국민은 사법부와 법관의 판결이 국민의 의사인 법에 진정으로 부합하는 것인지 자신의 자유와 권리에 대한 부당한 침해가 발생한 것은 아닌지 알 권리가 있습니다. 판결문은 주권자인 국민의 위임을 받은 사법부가 국민의 권리에 대해 어떤 과정을 거쳐 판단한 것인지 이것이 정당한 것인지 국민에게 공개하는 것입니다. 공개된 판결문을 통해 국민은 자신이 동의하여 만들어진 법이 어떻게 실제 사건에 적용되고 모든 국민에게 평등하게 적용되는지 확인하게 됩니다. 따라서 판결문 공개는 법치주의 실현에 기여할 수 있으므로 확대되어야 합니다.

사법신뢰의 향상을 위해 판결문 공개를 확대해야 합니다. 우리나라 사법부는 유전무죄 무전유죄로 대표되는 국민들의 불신을 받고 있습니다. 권력과 돈에 의해 재판이 좌우되고 국민의 자유와 권리가 불평등하게 실현되고 있다는 불신이 있습니다. 판결문 공개를 확대하면 국민 모두가 법률이 개별 사건에 어떻게 적용되는지 직접 확인할 수 있습니다. 또한 그 판결문의 내용에 의심이 있다면 여론을 형성하는 등 공론화할 수 있어 국민의 권리가 침해되는 것을 막을 수 있습니다. 이처럼 국민은 공적으로 공개된 판결문을 직접 확인함으로써 사법과정이 공정하게 실현되고 있음을 신뢰할 수 있습니다. 따라서 판결문 공개를 확대해야 합니다.

Q7. 모범답변

개인정보의 보호를 위해 판결문 공개를 확대해서는 안 된다는 반론이 제기될 수 있습니다. 그러나 이는 판결문을 공개하지 않음으로써 해결할 일이 아니라, 판결문에 개인의 정보를 특정할 수 있는 부분을 삭제하거나 공란으로 처리하는 등의 방법을 통해 해결할 일입니다. 헌법재판소 판례의 경우 개인이 특정될 수 있는 부분을 공란 처리하는 등으로 전 국민에게 공개하고 있음에도 개인정보 보호가 미흡하다는 평가를 받고 있지 않습니다. 이처럼 기술적 해결방안이 있으므로 개인정보 유출 등의 문제는 최소화될 수 있습니다. 따라서 해결가능한 대안이 있으므로 개인정보를 이유로 한 반론은 타당하지 않습니다.

Part 1
Part 2
Part 3
Part 4
Part 5
Part 6
Part 7

해커스 김종수 로스쿨 면접 200주제

Q8. 모범답변

전관예우를 막으려면 개업지 제한과 수임 제한, 사법부에 대한 시민 통제의 강화, 국민주권주의의 강화가 필요합니다. 그리고 판사와 검사들 스스로 자정작용을 할 필요가 있습니다.

판사, 검사로서 근무했던 변호사는 최종근무지 법원과 검찰청에서 3년 정도 개업할 수 없도록 해야 합니다. 최종근무지에서 개업한다면 같이 근무했던 동료와 부하직원에게 영향력을 행사할 수 있으므로 공정한 재판을 해할 수 있습니다. 따라서 개업지 제한을 할 필요가 있습니다. 특히 대법관의 경우 대통령과 같이 퇴직자에 대한 예우 차원에서 국가가 일정 정도의 급여를 지급하고, 변호사로 개업하여 사건을 수임할 수 없도록 할 필요가 있습니다. 그리고 검찰총장, 고등검사장급 검사도 개업 후 3년 정도 형사사건을 수임할 수 없도록 할 필요가 있습니다. 적정한 시간이 지난 후에는 영향력이 줄어들 것이기 때문에 허용하더라도 최소한 영향력이 직접적인 시기만큼은 수임 자체를 금지해야 합니다. 형사사건은 특히 궁박한 사정에 있는 피의자와 피고인이 전관의 힘이라도 빌리기를 원하기 때문에 전관예우를 시도할 가능성이 매우 높습니다. 이 가능성을 원천적으로 차단해야 합니다.

시민단체는 전관이 어떤 사건을 수임했는지 검토하고 이에 대해 적정성 평가를 하도록 하여 사회적 통제를 해야 합니다. 그리고 이 자료를 국민에게 공개하여 전관이 재판과정에 부당한 영향력을 행사하는 것에 부담감을 가지도록 강제할 필요가 있습니다.

판사와 검사가 스스로 자정작용을 통해 국민의 신뢰를 얻으려 노력해야 합니다. 이러한 방법 중 하나로 변호사협회에서 대법관 퇴임 후 변호사 개업을 하지 않겠다는 서약서를 받는 것을 방법으로 제시할 수 있습니다. 대법관이나 헌법재판소 재판관 등 인사청문회 대상자들에게 변호사협회가 서약서를 받고 이를 근거로 변호사 등록을 제한할 수 있습니다.

또한 시니어 법관제도의 도입을 통해 법관의 전문성을 살려나가는 것도 좋은 방법일 것입니다. 시니어 법관제도는 미국식 제도인데 법관의 70% 급여를 받으며 파트타임으로 재판 업무를 보조하는 제도입니다. 국민들에게 법 전문성을 통해 봉사할 수 있고 전관예우 문제도 사법부 스스로 해결할 수 있는 제도라 생각합니다.

그러나 무엇보다도 중요한 대책은 민주적 통제를 강화하는 것입니다. 주권자인 국민이 사법과정을 직접 확인하고 최종결정할 수 있도록 하는 민주적 해결방안이 적절할 것입니다. 사법전문가 집단이 국민이 알 수 없도록 밀실에서 결정하고 그것이 국가의 결정으로 의제되어 주권자인 국민의 의사결정인 것으로 둔갑하는 것이 문제이기 때문입니다.

최종결정권을 주권자인 국민이 가지도록 배심제를 도입하여 국민 스스로가 사법의 최종판단권한을 가져야 합니다. 또한 재판은 공개가 원칙이므로 재판과정에 대한 녹화와 녹음 등이 허용되어야 할 것입니다. 재판정 밖에서도 재판과정과 논리, 진행과정을 국민이 확인할 수 있도록 공개함이 타당합니다. 이에 더해 검찰 사건 배당을 투명하게 공개하고, 판결문을 공개하는 등의 방법으로 수사와 재판과정에 대한 국민의 불신을 불식시켜야 할 것입니다.

165 개념 | AI 판사

1. 기본 개념

(1) 인공지능 (Artificial Intelligence)

인공지능은 주로 인간 지능과 연결된 인지 문제, 즉 학습, 추리, 창조, 적응, 논증, 이미지 인식 등의 기능을 갖춘 컴퓨터 시스템을 말한다. 학습능력, 추론능력, 지각능력 등의 인간의 지능을 범용 컴퓨터에 인공적으로 구현한 것이다. 인공지능은 빅데이터, 머신러닝, 인지심리학 등과 관련되기 때문에 컴퓨터 공학, 데이터 분석 및 통계, 하드웨어 및 소프트웨어 엔지니어링, 언어학, 신경 과학, 철학, 심리학 등 여러 학문을 포괄한다.

(2) 약한 인공지능과 강한 인공지능

약한 인공지능은, 특정문제를 해결하기 위해 인간의 의도에 따라 수행하는 인공지능을 말한다. 빅데이터를 학습시켜 인간의 프로그래밍 없이 스스로 인간이 부여한 특정문제를 해결하는 것을 목적으로 하는 것이다. 대표적인 사례로, 바둑이라는 특정목적이 부여된 알파고, 언어모델, 자율주행자동차가 약한 인공지능에 해당한다. 약한 인공지능은 인간의 개입 없이 스스로 생각하고 행동할 수 없다.

강한 인공지능은, 인간과 동일한 수준의 지성을 컴퓨터에서 구현하는 것을 의미한다. 인간과 유사하게 자기 의식을 가진 것으로 보이는 SF영화 <Her>의 인공지능이 그 사례가 된다.

(3) 사법 분야의 인공지능 도입

미국의 재범위험성 예측 AI인 COMPAS(Correctional Offender Management Profiling for Alternative Sanctions)가 가장 유명하다. COMPAS는 Northpointe(현재의 Equivant)가 개발, 소유한 사례 관리 및 재범위험 결정지원 도구로써, 미국 법원이 피고가 재범자가 될 가능성을 평가하기 위해 사용한다. COMPAS는 설문조사지 및 범죄경력조회 자료를 바탕으로 피고인에 대한 데이터를 수집하고, 이를 바탕으로 피고인의 재범 위험성 점수를 수치화한다. 이에 따라 상, 중, 하로 재범 위험성을 분류한다. COMPAS의 제작사는 약 2년간 미국의 범죄자 자료 3만여 건을 수집하여 규준집단을 만들어 피고인의 재범 위험성을 판단한다. 시카고 경찰은 특정기간 동안 총격을 가하거나 총을 맞을 가능성이 큰 사람들을 COMPAS를 이용해 분류했는데, 그 기간에 총에 맞은 사람 64명 중 50명이 이 분류 리스트에 있었다.

인공지능 변호사로 알려진 ROSS 역시 유명하다. ROSS는 IBM의 AI 시스템인 WATSON의 법률 버전인데, WATSON은 미국의 퀴즈쇼인 제퍼디에 참가해 인간의 자연어를 이해하고 우승했다. ROSS는 자연어로 질의 응답이 가능하고 검색 수행 속도가 빠르다는 장점이 있다. 그러나 파산 분야에 특화된 법률검색시스템에 불과하다는 평가도 있다.

해커스 김중수 로스쿨 면접 200주제

(4) AI 판사를 도입할 경우의 전제조건[218]

사회에서 논의되는 AI 판사는 인공지능이 판사를 대신해 재판을 진행하고 판결문을 작성하는 AI를 의미한다. 그러나 현재 이용되는 사법 분야의 인공지능은 약한 인공지능이며, 인간 판사의 업무 처리를 도와주는 법률 전문가 시스템이다. 인공지능 판사가 도입되려면, 재판 형태 자체가 지금과 크게 달라져야 한다. 인공지능이 판단의 기반 데이터로 사용하기 위해 소송 서류의 대부분이 전자문서화되어야 한다. 형사재판의 큰 원칙인 공개재판이나 변론주의는 인간 법조인을 전제로 한 것이기 때문에 이 역시 달라져야 한다. 재판은 법률과 가치에 근거해 서로의 의견과 해석을 제시하고 납득하는 과정이 아니라 인공지능이 중심이 된 거대한 정보처리시스템이 되어야 한다.

AI 판사를 도입하기 위해서는 국민적 합의가 전제되어야 한다. 국민은 주권자로서 헌법과 법률에 의해 임용되고 임명된 법관에 의한 판결을 받을 것을 선택하고 동의했다. 그리고 법관은 법률과 직업적 양심에 따라 판결을 하게 되는데, 여기에서 가장 중요한 것은 공개된 결정과정의 투명성이다. 법관은 공개를 원칙으로 하는 재판에서 판결문을 통해 자신이 그러한 결론에 도달하게 된 이유를 공개적으로 투명하게 밝히도록 되어 있다. 그러나 인공지능은 정확하게 이와 반대되는 블랙박스 결정구조를 갖고 있다. 즉, 왜 그러한 결론이 나왔는지 인간이 알 수 없다는 것이다. 물론 최근에는 AI의 결정과정을 밝힐 수 있는, 설명 가능한 AI가 나오고 있다. 그럼에도 불구하고 인공지능 알고리즘은 기업의 영업의 비밀에 해당하기 때문에 공개된 투명성이라는 사법의 대원칙이 실현될 가능성은 낮다.

2. 쟁점과 논거

찬성론: 공정한 재판 받을 권리	반대론: 공정한 재판 받을 권리
[공정한 재판 받을 권리] 공정한 재판 받을 권리를 위해 법원의 판결은 일관성이 있고 예측 가능해야 한다. 법관은 인간이고 단 한 명의 법관이 모든 재판을 진행할 수 없어 판결의 일관성이 유지되기 어렵다. 그 결과 유사한 사건에서 광범위한 판결의 불균형이 나타나는데, 이는 개별 법관의 암묵적 편견이나 가치, 신념이 재판에 반영되기 때문이다. AI는 이러한 불균형 요인이 없어 공정한 재판이 가능하다.	**[공정한 재판 받을 권리]** 공정한 재판 받을 권리는 재판과정이 투명하게 공개되어 국민이 납득할 수 있는 재판을 의미한다. 국민은 인간 판사의 공개된 재판과 투명한 재판과정의 결과인 판결문을 신뢰한다. 그러나 AI 판사는 수학적 확률에 따라 판단을 내리는데, 판단과정은 블랙박스로 불투명해 알 수 없다. AI 판사는 가치나 신념이 배제되어, 재판을 단순한 기계적 계산 결과로 여기는 것이어서 국민이 납득할 수 없다.
[신속한 권리 구제] 공정한 재판 받을 권리는 신속한 문제 해결을 통한 권리 구제를 포함한다. 최근 판결 지연으로 인한 적시에 사법 정의가 실현되지 않는 문제가 심각해지고 있다. AI 판사는 인간 판사에 비해 신속한 문제 해결이 가능하기 때문에 국민의 권리 구제를 적시에 신속하게 해결하여 사법 정의를 실현할 수 있다.	**[AI의 오판 가능성]** 판사는 기존의 판례 등 학습한 빅데이터를 통해 유무죄, 형량 등의 결괏값을 도출한다. 기존의 데이터가 각종 편견을 반영한 것이라면 그 결괏값도 편견을 반영한 것이 되고 이것이 데이터화되는 되먹임 과정을 통해 더욱 강화된다. 미국의 재범 예측인 COMPAS는 흑인의 재범 가능성을 더 높게 예측한 사례가 있다.
[사법 효율성] 법률분쟁의 증가와 이로 인한 재판 지연이 심각하다. 민사소송법과 소송촉진법에서 5~6개월 이내에 종국판결을 규정하고 있으나 현실적으로 지켜지지 않고 있으며, 헌법재판소 역시 이를 훈시규정으로 결정했다. 이로 인해 민사소송에서 이자가 원금보다 더 커지는 경우도 많다. AI 판사는 신속하게 사건을 해결할 수 있으므로 국민의 권리 구제를 더 낮은 비용으로 더 빠르게 해결할 수 있다.	**[사법불신 심화]** 국민은 사회 변화, 상황에 조응하는 판결을 원하기 때문에 법관에게 직업적 양심에 따라 판결하도록 재량을 부여했다. 그러나 AI 판사는 기존 판례를 데이터로 누적해 기존의 가치관을 충실하게 반영한 사실적 결과를 제시할 뿐이다. 인간 판사는 사회와 가치관의 변화를 반영해 기존 데이터와 일치하지 않는 새로운 판결이 가능하나, AI 판사는 불가능해 국민이 사법부에 기대하는 효과를 발휘할 수 없다.

218)

AI 판사의 대체 가능성

3. 읽기 자료

AI에 따른 법관의 미래[219]

AI 판사 7가지 숙제[220]

인공지능 법제[221]

형사사법에서 인공지능[222]

Part 1
Part 2
Part 3
Part 4
Part 5
Part 6
Part 7

해커스 김중수 모스를 맵핑 200주제

219)

AI에 따른 법관의 미래

220)

AI 판사 7가지 숙제

221)

인공지능 법제

222)

형사사법에서 인공지능

⏱ 답변 준비 시간 15분 | 답변 시간 10분

※ 다음 QR코드를 촬영하면 연결되는 제시문을 읽고, 문제에 답하시오.

> 생성 AI는 리걸테크의 새로운 시대를 열어 법률시장에 변화를 가져오고 있으며, 데이터 기반 분석과 문서 자동화 등의 서비스가 등장하고 있다. 미국의 리걸줌(LegalZoom)은 2021년 나스닥에 상장되었고, 국내 로펌들도 AI 기술 도입에 나서고 있다.
>
>
>
> 초고속 AI 판사

Q1. AI 판사 도입 찬성 입장의 핵심논거를 제시하고 이를 논변하시오.

Q2. AI 판사 도입 반대 입장의 핵심논거를 제시하고 이를 논변하시오.

Q3. AI 판사 도입 찬반에 대한 자신의 입장을 정하고, 위 문제에서 제시하지 않은 논거를 2개 이상 제시하여 논하시오.

💬 추가질문

Q4. AI 판사 도입에 찬성한다면, 도입을 위한 선결조건을 논하시오. AI 판사 도입에 반대한다면 사법과정에서 AI의 역할을 논하시오.

Q1. 모범답변

　AI 판사 도입 찬성 입장은, 국민의 공정한 재판 받을 권리를 핵심논거로 제시할 것입니다.

　이에 따르면, 국민의 공정한 재판 받을 권리를 실현하기 위해 AI 판사를 도입해야 합니다. 국민은 주권자로서 공정한 재판 받을 권리를 실현하고자 사법부에 권한을 위임했습니다. 사법부는 국민이 직접 정한 법률에 근거해 법률의 수범자인 국민에게 예측 가능하고 일관된 판결을 내려야 합니다. 그러나 법관은 인간이고 단 한 명의 법관이 모든 재판을 담당할 수 없기 때문에 현실적으로 판결의 일관성이 유지되기 어렵습니다. 이뿐만 아니라 유사한 사건에서도 광범위한 판결의 불균형이 나타나고 있어 국민들은 재판 결과를 예측하기 어렵습니다. 예를 들어, 미국의 재판 결과를 조사한 결과 유사한 양형인자를 가진 유사한 사건에서 판사에 따라 2.5~3배에 달하는 양형 차이가 발생했습니다. 이는 인간 판사가 개별적으로 가진 암묵적인 편견, 가치, 신념 등이 재판과 판결에 반영되기 때문입니다. 이에 반해 AI 판사는 암묵적인 편견이나 가치, 신념 등 예측 불가능하고 일관성을 떨어뜨리는 요인을 배제할 수 있습니다. 재판에 AI를 도입하면, 판결의 불균형 요인이 없어져 국민이 원하는 공정한 재판이 가능합니다. 따라서 AI 판사를 도입해야 한다고 주장합니다.

Q2. 모범답변

　AI 판사 도입 반대 입장은, 국민의 공정한 재판 받을 권리를 핵심논거로 제시할 것입니다.

　이에 따르면, 국민의 공정한 재판 받을 권리를 침해하기 때문에 AI 판사를 도입해서는 안 됩니다. 국민은 주권자로서 개인과 사회가 추구하고자 하는 가치를 법으로 제정하여 실현하고 그 실현과정에서 가치의 훼손이 발생했다면 재판을 통해 이를 바로잡고자 합니다. 이를 위해 법관은 국민이 제정한 가치의 체계인 법체계를 전문적으로 학습하고 일정수준에 이른 자만을 선발하도록 기준이 설정되어 있습니다. 판사는 가치를 실현하고자 하는 목적으로 제정된 법을 실제 사건에 적용하여 가치를 판단하는 업무를 수행합니다. 그런데 AI는 이미 발생한 결과를 양적으로 누적시켜 이를 바탕으로 의사를 결정하므로 사실에 기초한 데이터베이스를 역으로 원칙화하여 의사를 결정합니다. 이는 가치에 대한 판단이라기보다 사실에 대한 판단이라 보아야 합니다. 이는 마치 오래된 경력을 지닌 판사들이 모여 대단히 세세하고 구체적으로 규정된 양형표준을 그대로 적용하는 것이나 다름없습니다. 따라서 판사는 인간의 가치관과 양심에 의해 사실을 바라보고 판단하는 반면, AI는 사실 자체에 주목하여 사실에 따른 판단을 내리는 것입니다. AI에 의한 판단이 사회적으로 이익을 줄 수는 있을 것이나 가치에 대한 적절한 판단이라 신뢰할 수는 없습니다. 이는 기존의 판결이 사회적 편견을 반영한 것이라 한다면 AI가 이 편견을 학습하고 더 강하게 드러낼 가능성이 높다는 의미에서 더욱 문제가 클 수 있습니다.

Q3. 모범답변

　AI 판사를 도입해서는 안 됩니다. 위에서 제시한 공정한 재판 받을 권리의 침해가 문제 될 뿐만 아니라, 절차적 정의에 반하고, 사법불신을 심화시킬 수 있기 때문입니다.

　절차적 정의에 반하므로 AI 판사 도입은 타당하지 않습니다. 우리는 재판의 결과 자체가 정의롭기 때문에 이를 신뢰하는 것이 아니라 재판 절차의 공개성과 투명성으로 인해 그 결과를 신뢰하는 것입니다. 국민이 스스로 정한 법률에 따라, 국민이 정한 법률에 의해 선발된 법관이, 국민이 정한 법률 절차에 따라, 공개된 재판에서 법관이 법률과 직업적 양심에 따라 판결한 내용을 판결문을 통해 재판 당사자인 국민을 설득하고 국민이 이를 납득하는 과정의 신뢰인 것입니다. 그러나 AI 판사의 재판 결과는 왜 그러한 판결이 나왔는지 그 이유를 누구도 알 수 없습니다. AI는 심층 신경망 구조를 사용해 확률적 의사결정 시스템을 사용합니다. 이는 AI가 특정상황에 대해 확률적으로 판단한 의사결정을 여러 번 심층적으로 반복하고 중첩시켜 최적의 확률을 찾은 결과물을 내놓는다는 의미가 됩니다. AI가 판단 수식을 설명하더라도 인간은 이를 이해할 수 없으므로, 블랙박스 시스템이라 할 수 있습니다. 결국 AI의 의사결정과정을 인간의 언어로 설명할 수 없습니다. 판결은 단순히 결과만을 원하는 것이 아니라 재판 과정의 정당한 절차와 왜 그런 결과가 나왔는지 재판의 당사자들이 이해할 수 있어야 하는 것입니다. 그러나 AI는 재판 결과만을 내놓을 수 있을 뿐 왜 그런 결과가 나왔는지 인간이 이해할 수 없는 반면, 판사는 이를 인간의 언어로 재판의 당사자들에게 설명하고 설득할 수 있습니다. 따라서 AI가 판사를 대체할 수 없습니다.

　사법불신을 심화시킬 수 있으므로 AI 판사의 도입은 타당하지 않습니다. 국민은 사회의 변화에 조응하는 판결을 원하였기 때문에 법관에게 직업적 양심에 따라 판결하도록 재량을 부여했습니다. 이에 따라 판사는 자신의 직업적 양심에 따라 사건에 대한 심도 있는 분석과 사회의 다양한 가치를 반영하여 종합적으로 판결을 하게 됩니다. 그러나 AI 판사는 기존 판례를 데이터로 누적하여 기존의 가치관을 충실하게 반영한 사실적 결과를 제시할 뿐입니다. 구체적으로 특정사건에서 기존 판례와 일치하는 인자가 80% 일치하기 때문에 이에 따라 유죄가 선고되는 것입니다. 예를 들어 미란다 원칙이 처음으로 적용될 때를 생각한다면, 인간은 기존 데이터와는 일치하지 않는 새로운 선택과 결정을 할 수 있으나 AI는 그것이 어려울 것입니다. 인간 판사는 사회와 가치관의 변화를 반영하여 기존의 데이터와 일치하지 않는 새로운 판결을 함으로써 국민이 사법부에 기대하는 효과를 발휘할 수 있습니다. 반면, AI 판사는 기존 판례와 사법 데이터에 근거한 사실적 판단을 할 뿐이어서 국민이 사법부에 기대하는 효과를 발휘할 수 없습니다. 따라서 사법불신을 오히려 심화시킬 수 있으므로 AI 판사의 도입은 타당하지 않습니다.

Q4. 모범답변

[AI 판사 도입 찬성 입장에서 도입 선결조건]

AI 판사 도입을 위한 선결조건은 AI 판사 도입에 대한 국민적 합의가 선행되어야 한다는 점입니다. 현재 우리의 법률 체계는, 사법부와 법관에 의한 판결을 전제로 하고 있습니다. 국민은 주권자로서 헌법과 법률에 의해 임용되고 임명된 법관에 의한 판결을 받을 것을 선택하고 동의했습니다. 그리고 법관은 법률과 직업적 양심에 따라 판결을 하게 되는데, 여기에서 가장 중요한 것은 공개된 결정과정의 투명성이 됩니다. 이에 따라 법관은 공개를 원칙으로 하는 재판에서 판결문을 통해 자신이 그러한 결론에 도달하게 된 이유를 공개적으로 투명하게 밝히도록 되어 있습니다. 그러나 인공지능은 정확하게 이와 반대되는 블랙박스 결정구조를 갖고 있습니다. 즉, 왜 그러한 결론이 나왔는지 인간이 알 수 없다는 것입니다. 따라서 AI 판사의 판결이 어떤 결정과정에 따라 그렇게 된 것인지 알 수 없더라도 그 결과를 받아들이겠다는 국민적 합의가 전제되어야 합니다.

[AI 판사 도입 반대 입장에서 AI의 사법적 역할]

AI 판사를 도입하는 것은 타당하지 않으나, AI는 판사의 업무를 보조하는 법률비서로서의 역할을 할 수 있습니다. AI 의사의 경우에서 알 수 있듯이, 사실 판단에 있어서 AI와 빅데이터의 유용성은 대단히 큰 것이 사실입니다. AI 의사의 경우, 영상 판독 등에서 인간 의사가 발견하기 어려운 미세한 병변을 발견하는 등의 사실 판단에서 큰 역할을 하고 있습니다. AI 법률비서는 현재의 재판연구원과 같이 판사의 업무를 보조하는 역할을 담당할 수 있습니다. 예를 들어, 에스토니아는 950만 원 미만의 민사소액재판에서 법률 AI가 양측의 자료를 받아 분석한 뒤에 판결 내용을 작성하면 인간 판사가 이를 참고해 최종 판결을 내리고 있습니다. 따라서 인간 법관의 선택과 결정을 돕는 AI 법률비서를 도입하거나, 일반 국민이 수행해야 하는 각종 법률 절차를 안내하고 돕는 법률 보조 AI의 도입은 타당합니다. AI 판사는 의사결정의 기반이 되는 빅데이터, 즉 법률과 지금까지 누적된 판례를 데이터로 삼아 귀납적 판단을 하게 될 것입니다. 이 누적된 사실에 기반하여 내린 판단은 기존의 판례에 부합하는 판결일 수 있습니다. 그러나 이것이 가치에 기반한 정당한 판결이라 보기 어렵습니다. 그렇지만 법관이 가치 판단을 위해서는 여러 복잡한 사실에 대한 이해가 선행되어야 합니다. AI가 사실 판단 업무를 보조하는 것은 AI의 강점을 살리는 것입니다. AI가 사실 판단 업무를 효율적으로 수행함으로써 법관의 의사결정을 보조하도록 하는 것은 국민의 공정한 재판받을 권리의 효율적 실현을 위해 타당합니다.

1. 기본 개념

(1) 사건 개요[223]

청구인은 변호사로서 형사사건 피고인들에 대한 형사재판의 변호를 수행하였는데, 위 형사재판에서 형사사건 피고인들에게 무죄판결이 선고되었다.

청구인은 형사사건 피고인들에게 무죄가 선고되었으므로, 위임계약상 보수지급약정에 따라 피고들은 연대하여 청구인에게 미지급된 보수를 지급할 의무가 있다고 주장하며 위 보수의 지급을 구하는 소송을 제기하였다. 제1심법원은 2019. 11. 6. 청구인이 주장하는 보수지급 약정은 형사사건에서의 성공보수 약정에 해당하여 민법 제103조에 따라 무효라고 판단하고, 청구인의 청구를 기각하였다.

청구인은 위 판결에 불복하여 항소하는 한편, 항소심 계속 중 민법 제103조에 대하여 위헌법률심판제청을 신청하였다. 항소심법원은 청구인의 항소를 기각하면서 같은 날 위 제청신청을 기각하였고, 이에 청구인은 2020. 11. 12. 민법 제103조가 헌법에 위반된다고 주장하며 이 사건 헌법소원심판을 청구하였다.

(2) 형사사건 성공보수 금지[224]

형사사건의 경우 성공보수 약정에서 말하는 '성공'의 기준은 개별사건에서 변호사와 의뢰인 간의 합의에 따라 정해질 것이지만, 일반적으로 수사 단계에서는 불기소, 약식명령청구, 불구속 기소, 재판 단계에서는 구속영장청구의 기각 또는 구속된 피의자·피고인의 석방이나 무죄·벌금·집행유예 등과 같은 유리한 본안 판결인 경우가 거의 대부분이다. 그렇기 때문에 성공보수 약정에서 정한 조건의 성취 여부는 형사절차의 요체이자 본질에 해당하는 인신구속이나 형벌의 문제와 밀접하게 관련된다. 만약 형사사건에서 특정한 수사방향이나 재판의 결과를 '성공'으로 정하여 그 대가로 금전을 주고받기로 한 변호사와 의뢰인 간의 합의가, 형사사법의 생명이라 할 수 있는 공정성·염결성이나 변호사에게 요구되는 공적 역할과 고도의 직업윤리를 기준으로 볼 때 우리 사회의 일반적인 도덕관념에 어긋나는 것이라면 국민들이 보편타당하다고 여기는 선량한 풍속 내지 건전한 사회질서에 위반되는 것으로 보아야 한다.

2. 읽기 자료

형사사건 성공보수 약정[225]
성공보수 약정 무효화[226]

223)

2020헌바552

224)

2015다200111

225)

형사사건 성공보수 약정

226)

성공보수 약정 무효화

 **166 문제** | **변호사의 성공보수**

⏱ 답변 준비 시간 15분 | 답변 시간 15분

※ 다음 QR코드를 촬영하면 연결되는 제시문을 읽고, 문제에 답하시오.

> 형사사건에서 변호사들이 착수금 외에 '성공보수'를 받는 관행이 여전히 존재하지만, 6년 전 대법원은 이를 무효라고 판결했다. 그러나 여전히 전직 판·검사 등은 높은 성공보수를 받기도 한다.

성공보수 관행

Q1. 우리나라에서는 변호사에게 변호를 의뢰하면 사건수임료 외에 이른바 성공사례금까지 주어야 한다. 형사사건에서 무죄선고나 피고인의 석방을 전제로 변호사가 받는, 소위 성공보수 약정이라고 한다. 일반 국민들은 착수금과 수임료는 변호사의 노력의 대가로 알지만, 성공보수 사례금은 법원이나 검찰 로비에 쓰는 돈으로 보는 경우가 많다.
형사사건에서 성공보수 약정을 금지해야 하는 이유를 논하시오.

Q2. 민사사건이나 가사사건에 대한 성공보수 금지에 대한 자신의 견해를 논하시오.

Q3. 미국법은 가사사건에 성공보수를 금지하고 있다. 그 이유는 무엇이라고 생각하는가?

Q4. 우리 민법 제103조는 선량한 풍속 기타 사회질서에 위반한 사항을 내용으로 하는 법률행위는 무효로 한다고 규정한다. 그리고 우리 판례는, 권리의무의 내용 자체는 반사회질서적인 것이 아니라고 하여도 법률적으로 이를 강제하거나 법률행위에 반사회질서적인 조건 또는 금전적인 대가가 결부됨으로써 반사회질서적 성질을 띠게 되는 경우 및 표시되거나 상대방에게 알려진 법률행위의 동기가 반사회질서적인 경우 등을 포함한다고 하였다.
대법원은 형사사건의 성공보수 약정을, 민법 제103조의 선량한 풍속 혹은 기타 사회질서에 위반한 사항을 내용으로 하는 법률행위로 보기 때문에 형사사건의 성공보수 약정은 무효가 된다. 이에 대해 제시문의 A 변호사는 민법 제103조가 명확성의 원칙에 반하기 때문에 이 법률 조항은 위헌이며, 이에 따라 형사사건의 성공보수 약정은 유효로 보아야 한다고 주장한다. 명확성의 원칙이란 법률은 그 의미가 명확하여야만 법을 지켜야 하는 국민이 무엇을 금지하고 있는지 무엇을 선택하면 처벌 받을 것인지 여부와 정도를 예측할 수 있어야 한다는 원칙이다. A 변호사의 주장은 타당한가?

Q1. 모범답변

형사사건에서 성공보수 약정을 금지해야 하는 이유는 궁박한 사정에 의한 불공정 계약이 되기 때문입니다. 피의자나 피고인의 구속 여부, 실형인지 집행유예인지 여부는 신체의 자유와 직접적으로 관련이 있습니다. 이런 피의자, 피고인은 궁박한 처지에 놓여 있어 변호사가 요구하는 대로 성공보수를 약속할 수밖에 없는 경우가 많습니다. 성공보수를 노리는 변호사들은 전관예우를 이용하여 전관들이 불구속이나 집행유예를 보장받는 불공정한 재판이 야기되기도 합니다. 특히 형사사건의 수사나 재판 결과를 성공이라 연결할 수 없습니다. 형사 수사 혹은 재판의 결과는 국가형벌권의 공적 실현이고, 이 결과가 단지 의뢰인에게 유리한 결과가 나왔다고 하여 성공이라 할 수 없습니다. 첫째, 변호인이 부적절한 방법을 사용해 의뢰인이 마땅히 받아야 할 처벌을 모면한 것이라면 수사 혹은 재판 결과가 사법정의를 심각하게 훼손한 것이 됩니다. 둘째, 수사 혹은 재판 결과가 당연히 나와야 할 결과가 나온 것에 불과하다면 의뢰인은 형사절차로 인해 성공보수를 지급할 수밖에 없다는 억울함과 원망의 마음을 가지게 됩니다. 셋째, 피해자나 고소인을 대리하여 피의자나 피고인의 구속을 성공 조건으로 내세운다면 이는 국가형벌권의 힘을 빌려 타인을 구속시켜주는 대가의 금전을 받는 것이므로 더욱 불합리한 결과가 됩니다. 따라서 형사사건의 경우, 성공보수 약정을 인정해서는 안 됩니다.

Q2. 모범답변

민사사건이나 가사사건에 대한 성공보수는 인정해야 합니다. 형사사건은 국가형벌권의 행사이기 때문에 피의자와 수사기관이 대등한 관계일 수 없으나, 민사사건이나 가사사건은 기본적으로 대등한 당사자 간의 권리의 대립으로 승소와 패소라는 결과가 존재할 수 있습니다.

민사사건으로 당사자가 승소한 경우의 이익을 고려해 성공보수를 정해 자신의 이익을 극대화할 수 있도록 할 필요가 있습니다. 특히 민사사건의 경우 착수금이 없는 당사자가 성공보수를 높여 변호사에게 사건을 의뢰할 수 있으므로 성공보수가 필요합니다. 만약 성공보수를 허용하지 않으면 착수금이 없는 경우 자신의 정당한 이익을 기대할 수 있으면서도 소송조차 다투어볼 수 없는 불합리한 경우가 발생할 수 있습니다.[227]

가사사건에 대한 성공보수 역시 인정할 필요가 있습니다. 물론 이에 대해 가사사건의 성공보수는 이혼이 성립했을 때 보수를 받을 수 있어 부부간의 화해를 방해할 것이어서 금지해야 한다는 반론이 있을 수 있습니다. 그러나 변호사가 보수를 위해 부부간의 화해를 방해한다고 하더라도 부부간 혼인을 유지할 것인지는 당사자들의 문제이지 변호사가 결정할 문제는 아니므로 굳이 금지해야 할 이유는 없습니다.[228] 이 역시 착수금이 없는 당사자가 성공보수를 통해 자신의 정당한 이익을 다투어볼 수 있으므로 타당합니다.

227)
민사사건은 대립하는 당사자 사이의 사법상 권리 또는 법률관계에 관한 쟁송으로서 형사사건과 달리 그 결과가 승소와 패소 등으로 나누어지므로 사적 자치의 원칙이나 계약자유의 원칙에 비추어 보더라도 성공보수 약정이 허용됨에 아무런 문제가 없고, 의뢰인이 승소하면 변호사보수를 지급할 수 있는 경제적 이익을 얻을 수 있으므로, 당장 가진 돈이 없어 변호사보수를 지급할 형편이 되지 않는 사람도 성공보수를 지급하는 조건으로 변호사의 조력을 받을 수 있게 된다는 점에서 제도의 존재 이유를 찾을 수 있다. (대판 2015.7.23. 선고 2015다200111)

228)
미국법이 가사사건에 성공보수를 금하는 이유는 이혼과정에서 주고받는 재산이 있어야 변호사가 보수를 받는다면, 변호사는 혼인을 깨는 쪽으로 일하기 마련이라는 것이다. (서울대학교 법과대학 편, <법률가의 윤리와 책임>, 박영사, 236p)

Q3. 모범답변

미국법이 가사사건에 성공보수를 금지하는 이유는, 변호사가 혼인을 깨는 방향으로 일하지 않도록 하기 위함입니다. 가사사건에 성공보수가 허용되면, 변호사는 의뢰인의 혼인이 유지되면 성공보수를 받을 수 없고, 이혼과정에서 주고받는 재산이 있어야 성공보수를 받을 수 있습니다. 그렇다면 변호사는 의뢰인의 혼인을 깨는 방향으로 일할 수밖에 없습니다. 따라서 가사사건에 성공보수를 금지하면 불필요한 이혼을 막을 수 있다는 장점이 있습니다.

Q4. 모범답변

A 변호사의 주장은 타당하지 않습니다. 민법 제103조에서 말하는 '선량한 풍속'은 사회의 일반적 도덕관념 또는 건전한 도덕관념으로, 모든 국민에게 지킬 것이 요구되는 최소한의 도덕률로 해석할 수 있습니다. 또한 '사회질서'란 사회를 구성하는 여러 요소와 집단이 조화롭게 균형을 이룬 상태로 해석할 수 있습니다. 선량한 풍속과 사회질서가 무엇인지 규정하는 것은 추상적이고 광범위해 명확하지 않다고 할 수 있습니다. 그러나 어떤 계약이 선량한 풍속과 사회질서에 명백하게 반하는 것인지는 사회 구성원 대다수가 명확하게 인지하고 있습니다. 예를 들어, 살인청부 계약이나 도박을 위한 금전대차계약 등은 선량한 풍속과 사회질서에 명백하게 반한다고 누구나 알 수 있습니다.

물론 민법 제103조의 법률 규정이 다른 법률의 명확성의 정도에 비해 추상적이어서 불명확한 점이 있는 것도 사실입니다. 그러나 모든 민사상의 계약을 명확하게 규정할 수는 없습니다. 그럼에도 불구하고 민사 계약의 모든 것을 명확하게 규정해야만 민법 제103조가 적용될 수 있다고 한다면, 민사 계약의 목적인 개인의 자유가 안정적으로 지켜지는 상태가 파괴되어 오히려 법률의 목적을 저해하게 될 것입니다.

A 변호사는 의뢰인의 사건을 수임할 때, 착수금 2억 원에 성공보수 18억 원을 내용으로 수임 약정을 했습니다. 이 계약에서 착수금 2억 원은 의뢰인의 권리 보호를 위한 정당한 보수라 할 수 있습니다. 그러나 성공보수 18억 원은 사회질서에 반하므로 무효입니다. 형사사건의 성공보수는 궁박한 상황에 처한 의뢰인에 대한 불공정한 계약 내용이며, 변호인이 전관예우나 사법비리 등을 시도해 사법정의를 해칠 수 있고, 무전유죄 유전무죄라는 국민의 사법불신을 강화할 수 있습니다. 그리고 A 변호사의 성공보수는 사회질서에 반하는 계약 내용임에 분명합니다. 따라서 A 변호사의 주장은 타당하지 않으며, 의뢰인은 성공보수를 줄 필요가 없고 A 변호사는 이미 받은 일부의 성공보수를 반환해야 합니다.

 **167 개념** | **변호사 강제주의**

1. 기본 개념

(1) 필수적 변호사 변론주의

형사사건에서 법정형이 일정 기준 이상인 경우 변호인 없이 재판을 하지 못하도록 규정하여 피고인의 인권을 보호하는 것과 같이, 민사사건에서도 일정한 사건의 경우 변호사에 의한 변론을 의무화하는 제도이다.

(2) 민사소송법 개정안: 변호사 강제주의 입법취지

현행 민사소송법상 민법상의 행위능력을 갖는 사람은 소송능력을 갖기 때문에 민사재판절차상 원칙적으로 변호사를 소송대리인으로 선임할 것을 강제하고 있지 않다. 그러나 현실적인 소송능력과 변론능력은 민법상 행위능력과는 다를 뿐만 아니라 소송기술이나 경제력에 따라 소송 결과가 달라질 가능성이 높다. 따라서 공정하고 정당한 민사재판제도의 정착을 위해서는 우선 법률심인 상고심 절차에서 필수적으로 변호사 대리인 선임을 강제해야 한다. 이를 위해 변호사를 선임할 자력이 없는 당사자를 위해서는 국선대리인 제도를 도입해야 한다.

이에 대해, 재판청구권 침해와 자기결정권 침해 우려가 크다는 반론이 있다.[229] 첫째, 재판청구권은 '독립된 법원에 의해 적정, 공평, 신속, 경제의 재판을 받을 권리'로 정의되는데, 이 권리는 입법자에게는 입법지침으로서, 법원에게는 모든 당사자에게 공정한 절차가 보장될 수 있도록 절차법을 해석하고 적용하라는 해석지침으로 기능한다. 민사 상고심에서 변호사 변론주의를 강제하는 것은 변호사 선임비용에 부담을 느끼는 국민들에게 사실상 상고를 포기하게 하는 결과를 가져올 수 있어서 재판청구권의 핵심내용인 '효율적인 권리보호의 요청'에 배치되고 '공정한 재판을 받을 권리'를 침해할 소지를 안고 있다. 둘째, 우리 헌법과 헌법재판소는 헌법이 보장하는 행복추구권과 인격권으로부터 자기(운명)결정권이 나온다고 본다. 이때 자기결정권이란 어린 아이를 가질 것인가의 여부를 결정할 권리, 흡연·복장 등 라이프 스타일에 관한 권리 등과 같이 개인의 사적영역과 관련된 부분에서 누구의 간섭도 없이 스스로가 선택의 자유를 가질 수 있는 권리를 말한다. 민사소송은 당사자소송을 원칙으로 하고 있다. 그리고 민사사건이란 사적인 법률관계에 분쟁이 생긴 경우를 말한다. '사적 자치'가 존중되어야 하고, 헌법적으로는 개인의 '자기결정권'이 특히 보장되어야 하는 영역인 것이다. 즉 '사적 자치'가 존중되는 민사소송의 분야에서는 소송대리인을 선임할 것인지 아닌지, 선임한다면 누구를 소송대리인으로 선임할 것인지가 개인에게 주어진 권리이다. 따라서 국민 개개인은 민사사건의 상고심에서 변호사에게 소송대리를 맡길지 아니면 본인소송을 수행할지를 선택할 수 있는 자기결정권을 가진다. 이러한 측면에서 봤을 때 이 법안은 지금 현재 상황에서는 민사사건 상고심에서 변호사에게 소송대리를 맡길지 여부와 관련한 국민의 자기결정권을 침해할 소지가 크다. 당사자의 권익 보호만을 고려한다면 변호사의 선임이 필요하고 바람직한 일일 수 있지만, 당사자가 원하지 않는데 이를 강제할 수는 없는 것이다.

229)
임지봉, <필수적 변호사 선임제도의 도입 논쟁 등에 관한 공청회>

변호사 강제주의

※ 다음 QR코드를 촬영하면 연결되는 제시문을 읽고, 문제에 답하시오.

<제시문 1>

　민사재판에서 원고와 피고 양측 모두 변호사 없이 소송에 나서는 '나홀로 소송'이 70%에 달하고 있다. 전문적인 법률 지식을 갖춘 대리인 없이 소송이 진행되다 보니 동문서답이 이어지는 등 재판 과정도 혼란스러워지고, 소송 당사자의 권리도 제대로 보호받기 힘들다는 지적이 일고 있다. 이에 변호사 선임을 의무화해야 한다는 주장이 있다.

나 홀로 소송

<제시문 2>

　남소 문제가 심각하다. 전자소송이 도입된 후로 한 사람이 1년간 2만 3,000여 건의 소송을 남발한 사례가 있고, 소장의 청구 취지 및 원인 항목에 욕설만을 기재하거나 소송비용을 납부하지 않는 등 내용이나 형식도 갖추지 못한 소송을 제기하는 경우도 많다.

남소

Q1-1. 변호사 선임을 강제했을 때 기대효과는 무엇인지 제시하시오.

Q1-2. 변호사 선임을 의무화하였을 때 예상되는 문제점을 제시하시오.

Q1-3. 변호사 선임 의무화에 대한 자신의 견해를 논하시오.

Q2-1. 남소의 문제점은 무엇인가?

Q2-2. 남소를 제기하는 소권 남용 소 제기자, 소위 프로소송러를 구별할 기준이 있는지 여부를 답하시오. 그리고 기준이 있다면 그 기준을 구체적으로 제시하고, 없다면 남소 문제를 해결할 방안을 제시하시오.

해커스 김종수 로스쿨 면접 200주제

Q1-1. 모범답변

국민의 권리를 효율적으로 보호할 수 있다는 기대효과가 있습니다. 국민은 공정한 재판 받을 권리가 있습니다. 그러나 현실적으로 일반 국민이 재판에서 필요한 증거를 제시하거나 자신의 권리 침해를 증명하기는 쉽지 않습니다. 변호사는 법조 전문가로 일반 국민을 대신하여 개인의 권리 침해를 효율적으로 대변할 수 있습니다. 예를 들어, 일반 국민으로서는 대수롭지 않게 생각했던 통증과 증상임에도 의료 전문가인 의사가 미리 질병을 발견하여 치료할 수 있는 것과 마찬가지입니다.

또한 소송경제를 실현할 수 있습니다. 최근 국민의 권리의식이 높아지고 경제규모가 확대되면서 소송이 폭증하고 있습니다. 일반 국민의 나 홀로 소송이 증가하면서 법원의 업무량이 폭증하고 있는 상황입니다. 변호사 선임이 의무화된다면 재판이 효율적으로 진행되어 소송경제가 실현될 수 있습니다. 특히 나 홀로 소송은 소송 전문가인 변호사가 아닌 일반 국민이 진행하다 보니 증거가 정리되어 있지 않은 등의 문제가 많아 소송이 길어지는 경우가 많습니다. 변호사 선임이 강제되면 신속한 재판이 가능해지고 사법자원 활용의 효율성이 높아져 소송경제가 실현될 것입니다.

Q1-2. 모범답변

국민의 소송비용 부담이 커진다는 문제점이 있습니다. 일반 국민이 변호사를 선임하는 것이 자신에게 유리할 것을 분명히 알고 있음에도 불구하고 선임하지 않는 것은 비용 부담이 크기 때문입니다. 전체 민사사건 중에 민사소액사건이 70%를 넘을 정도로 많은 데 반해 변호사 선임 비용이 소송 이익보다 현저히 커 소송의 효용이 없습니다. 이런 상황에서 변호사 선임을 강제한다면 소송경제를 달성하기 위해 국민의 부담을 지나치게 키운다는 문제점이 있습니다.

Q1-3. 모범답변

변호사 선임 의무화는 타당하지 않습니다. 국민의 공정한 재판 받을 권리를 침해하기 때문입니다. 국민은 자신의 자유와 권리가 침해되었다고 생각하여 이를 구제받고자 하면 어떤 상황에서도 재판을 통해 권리를 보호받을 수 있어야 합니다. 그런데 변호사 선임을 강제하게 되면 변호사 선임비용에 부담을 느끼는 국민은 재판을 포기하게 되어 자신의 권리를 다투어볼 기회 자체를 제한당하게 됩니다. 따라서 국민의 공정한 재판 받을 권리를 침해하므로 타당하지 않습니다.

국민의 자유를 과도하게 제한하므로 타당하지 않습니다. 국민은 자신의 자유와 권리를 보장받기 위해 법조 전문가인 변호사가 필요한 것이지, 소송경제를 실현하기 위해 변호사를 선임해야만 하는 것은 아닙니다. 국민 개인이 심사숙고하여 나 홀로 소송을 진행하겠다고 판단하였다면 이 의사를 존중할 필요가 있습니다. 그러나 문제가 되는 것은 개인이 변호사를 선임하고자 하는데도 불구하고 변호사 선임 비용이 너무 비싸 이를 선택조차 할 수 없는 것입니다. 변호사 선임을 의무화할 것이 아니라 변호사 공급을 확대하여 변호사 비용을 낮추거나 국민의 법조 접근성을 높이는 것이 타당합니다.

변호사 선임을 강제할 수는 없으나, 변호사의 도움을 받을 수 있도록 하는 것을 해결방안으로 제시할 수 있습니다. 형사재판의 국선대리인 제도와 마찬가지로, 민사재판에서도 국선대리인 제도를 도입하는 것이 하나의 해결방안이 될 수 있습니다. 다만, 민사재판은 자신의 이익을 다투는 것인 만큼 모든 사건에서 국선대리인을 지정하는 것은 어려울 것입니다. 특정 소득 이하인 경우, 나 홀로 소송으로 1, 2심을 진행한 이후의 3심에 돌입한 경우 등을 제한 조건으로 하여 국선대리인 제도를 도입하는 것이 적절합니다.

Q2-1. 모범답변

남소로 인해 국민의 공정한 재판 받을 권리가 침해된다는 점입니다. 국민은 공정한 재판 받을 권리가 있고, 사법부를 통해 국민의 권리 침해를 신속하게 구제받고자 하는 것입니다. 그렇기 때문에 사법부는 국민의 권리 침해 상황을 신속한 재판을 통해 해소해야 합니다. 재판부에게 있어서 모든 소송은 사법자원을 사용할 수밖에 없는 것인데, 남소가 발생할 경우 불필요한 사법자원을 사용해야 합니다. 이로 인해 사법부의 신속한 판단이 필요한 사건의 진행이 늦어지게 되어 국민의 공정한 재판 받을 권리가 침해됩니다.

Q2-2. 모범답변

소권 남용 소 제기자를 구별할 기준이 불분명합니다. 정상적인 소 제기를 했으나, 단지 관련사건이 많아 소 제기가 많을 수도 있기 때문입니다. 소송 제기 건수가 많기 때문에 단순히 소권 남용 소 제기자라고 볼 수는 없습니다.

남소 문제를 해결하기 위한 방안으로, 민사소송의 특성을 이용할 수 있습니다.

먼저, 민사소송은 개인의 이익과 관련되어 있다는 점에 기인하여 소송비용을 납부하도록 함으로써 해결할 수 있습니다. 소권 남용 소 제기자들이 남소를 제기할 경우, 소 제기 시마다 최소한의 인지 비용을 납부하도록 하고 이를 납부하지 않으면 소 접수를 보류하거나 거부하는 방안이 있습니다. 만약 한 사람이 2만여 건의 소를 반복적으로 제기한다면 한 건당 1만 원의 인지 비용을 요구한다면 이것만으로도 2억 원의 인지대를 내야 합니다.

둘째로, 소송의 청구 취지 및 원인의 내용이 명백하게 부당할 경우에 한하여 소를 각하시키는 것도 방안이 될 수 있습니다. 소송의 청구 취지 및 원인의 내용이 욕설만 가득하다거나 무엇에 관한 내용인지조차 알 수 없는 경우 등에 해당한다면 명백하게 부당한 경우라 할 수 있을 것입니다. 이러한 소 제기에 대해서는 법원이 판단하여 명백하게 부당한 경우의 소 제기라 보고 각하시킬 수 있어야 합니다. 다만, 이 경우 법원의 자의적 판단으로 소송 자체를 진행할 수 없는 경우가 될 수 있으므로, 남소로 인한 각하의 경우 각하의 이유를 구체적으로 공개하는 것도 좋은 방안이 될 것입니다.

 **168 개념** 개 식용 금지와 동물원 폐지

2024 강원대/전북대/제주대 기출

1. 기본 개념

(1) 개 식용 금지 논란

1988년 서울올림픽 전의 사회적 갈등과 2002년 월드컵 전의 국제 여론전이 있었다. 프랑스의 여배우 브리지트 바르도가 "한국인은 개고기를 먹으니 야만인이다."라며 우리나라의 개고기 식문화를 비난하면서 논쟁이 촉발되었고, 이 발언을 한 바르도에 대해 이탈리아 출신의 문학가인 움베르토 에코는 "파시스트"라고 비난했다.

1991년 법원이 개고기가 식품위생법 시행규칙 입법취지에 반하지 않는다는 판결을 내린 후 2001년 개고기 식용을 합법화하는 법안이 국회에 제출되었다. 그러나 2000년 이후 사회적으로 반려동물의 개념이 확산되면서 개고기 식용을 금지하는 목소리가 높아졌다.

(2) 개의 법적 성격

동물은 가축과 식품이라는 두 가지 성격이 있다. 가축법은 가축에 대해 사육하는 소, 말, 면양, 염소, 돼지, 사슴, 닭, 오리, 거위, 칠면조, 메추리, 타조, 꿩, 그밖에 농림축산식품부령으로 정하는 동물이라 규정한다. 축산물 위생관리법 시행령은 가축의 범위를 위 동물에 더해 토끼, 당나귀를 포함하고, 가축전염병 예방법에서는 이에 더해 노새, 개, 꿀벌을 포함한다.

개는 사육하거나 질병 예방 및 관리, 분뇨와 관련해서는 가축에 포함되나, 식용 전환과정인 도축, 포장, 가공과 관련한 법적 근거가 없었다. 개를 가축으로 사육할 수는 있으나, 도축·가공·유통할 수 없다는 뜻이다.

(3) 개의 식용 목적의 사육·도살 및 유통 등 종식에 관한 특별법(개식용종식법)

개식용종식법 제1조(목적) 이 법은 개의 식용을 종식하는 데 필요한 사항을 규정함으로써 생명 존중과 사람 및 동물의 조화로운 공존을 지향하는 동물복지의 가치 실현에 이바지함을 목적으로 한다.

이 법은 2027년부터 시행되며 이때부터 개고기의 제조와 유통이 완전히 금지된다. 이 법에 의하면, 축산법상 가축에서 개가 제외되며, 개는 가축이 아니라 반려동물로써만 존재하게 된다.

개식용종식법은 개고기 판매를 업으로 하는 사람들에 대한 지원을 명시했는데, 폐업에 필요한 지원과 전업에 필요한 시설 및 운영자금 등의 지원을 해야 한다고 명시했다. 사육, 개고기 판매, 개고기를 다루는 식당 등에 대한 세금 지원이 있어야 하므로 이에 대한 논란이 예상된다.

농림축산식품부는 3년의 유예기간 동안 개 농장주들이 식용견을 모두 출하, 판매, 입양해야 한다고 밝혔다. 업주가 폐업, 전업 신고 후에도 개 농장에 개가 남아 있을 경우 농장주가 관리해야 할 의무가 있고, 개를 버려둔 채 폐업하거나 남은 개를 살처분하면 동물보호법에 따라 형사처벌 가능하다.

2. 쟁점과 논거

찬성론: 국민건강	반대론: 개인의 자유
[국민안전과 국민건강] 개를 식용 목적으로 키울 경우 덩치 큰 개가 공격성이 높아져 식용 개 농장 주변 거주 국민의 안전을 위협한다. 또 개를 식용으로 키울 때 비용 절감을 위해 대규모 밀집사육하고 음식물 쓰레기를 먹이게 된다. 개의 도축과 유통 과정은 법률적 근거 없이 이루어져 위생관리가 미흡하다. 개 식용 과정에서 식품위생상 문제, 인수 공통의 전염병 유발 가능성이 있다.	**[개인의 자기결정권]** 개인은 취식 선택의 자유가 있고, 타인의 자유에 직접적 해악을 주거나 국가안보, 사회질서, 공공복리 저해가 명확한 경우에 한해 그 자유를 제한 가능하다. 그러나 개를 먹는 것은 타인에게 불쾌감을 줄 수는 있으나 자유 제한의 사유는 아니다. 개고기를 먹을 것인지 여부는 개인의 자유 영역에 해당하며, 금지할 것이 아니다.
[동물복지] 반려동물은 인간과 정서적 유대관계를 지니면서 가족처럼 공동생활을 하는 동물인데, 반려동물과의 유대와 공동생활을 하면서 행복을 느끼기 때문에 국민의 행복추구권에서 보호될 수 있다. 개는 반려동물로 부여된 법적 대우와 보호를 받는 것이 국민들의 동물복지에 대한 사회적 인식에 부합한다.	**[전통 식문화 계승]** 개 식용은 우리 문화의 하나이고, 외국은 달팽이, 상어 지느러미, 원숭이 뇌 등을 먹는다. 식문화는 각 문화권의 환경에 따라 발전한 것이고 옳고 그름의 문제라 할 수 없어 각국의 문화를 존중해야 한다. 개 식용 금지는 전통 식문화의 하나를 단절시키는 것이다.
[개인의 자유] 개인의 자유에 대한 과도한 제한이 아니다. 개 식용 금지로 인해 국민의 단백질 섭취 자체가 제한되어 국민건강에 악영향을 준다거나, 인간의 복지 혹은 다른 동물의 복지를 심대하게 저해하지 않는다. 개고기를 전문으로 파는 식당이 감소하고 있고, 국민적 인식 역시 개 식용을 반대한다는 점이 이를 증명한다.	**[국민안전과 국민건강]** 자신의 취향과 문화적인 이유로 여전히 개를 먹는 국민들이 있다. 사회 다수의 반대로, 개 식용은 모호한 상태에 있어, 식품관리법에 따른 공적 감시에서 벗어나 있었다. 개 식용 관련업체들의 비위생성이나 문제점은 개 식용을 공적으로 허용해 식품관리법상 공적 관리 체계에 포함시켜서 국민 식품안전을 실현할 수 있다.

3. 읽기 자료

개 식용 법적 지위[230]

개 식용 법적 고찰[231]

동물원 동물 보호[232]

동물원 옹호 논의[233]

동물원의 현대적 과제[234]

개 식용 법적 지위

개 식용 법적 고찰

동물원 동물 보호

동물원 옹호 논의

동물원의 현대적 과제

⏰ 답변 준비 시간 15분 | 답변 시간 10분

※ 다음 제시문과 QR코드를 촬영하면 연결되는 제시문을 읽고, 문제에 답하시오.

> (가) 국회는 '개 식용 금지법'을 통과시켰으며, 이 법은 2027년부터 시행된다. 개를 식용 목적으로 사육·도살하거나 개를 원료로 한 식품의 유통 등을 금지하며, 이를 위반할 경우 징역형이나 벌금에 처해진다.
>
>
>
> 개 식용 금지법
>
> (나) 1. 동물원은 각 동물들에게 적합한 환경을 제공하고 있지 않다.
> 2. 동물원에서 스트레스를 받아 죽어가는 동물들이 많다.
> 3. 동물원의 동물들은 이미 자연적인 습성을 잃어버린 동물들이 많아 자연 방생이 어렵다.
> 4. 동물원은 멸종위기 동물들의 유일한 터전이며 개체 수를 보전하는 역할을 한다.

Q1. 개 식용 금지법에 찬성하는 입장에서 3개 이상의 논거를 들어 논변하시오.

Q2. 개 식용 금지법에 반대하는 입장에서 3개 이상의 논거를 들어 논변하시오.

Q3. 동물을 가두어놓는 현재의 동물원에 대해 논란이 커지면서 동물원 폐지에 대한 찬반 견해가 대립하고 있다. 동물원 폐지에 대한 자신의 입장을 논하시오.

Q1. 모범답변

국민안전과 국민건강을 위해 개 식용 금지법은 타당합니다. 개 식용은 국민안전과 건강에 심대한 악영향을 줄 우려가 있습니다. 개를 식용 목적으로 키울 경우 묶어서 키우게 될 수밖에 없는데 이는 개의 사회성에 반하기 때문에 공격성 증대로 이어지게 됩니다. 특히 식용 목적의 개는 식품 효율성을 위해 덩치가 큰 개를 키우게 되는데, 덩치도 크고 공격성도 높은 개는 사람의 생명을 빼앗을 정도로 강력한 힘을 발휘할 수 있습니다. 결국 식용 개 농장 주변에 사는 국민의 안전을 위협하게 됩니다. 또한 개를 식용으로 키울 경우 비용 절감을 위해 음식물 쓰레기를 먹이는 경우가 많습니다. 그리고 대규모 밀집 사육을 하게 될 수밖에 없습니다. 개의 도축과 유통과정은 법률적 근거 없이 이루어지고 있어 위생관리 등이 미흡합니다. 개 식용을 위한 전과정에서 식품위생상의 문제가 있고, 식용 개와 접촉하는 사람, 동물 모두에서 이전에 없었던 인수 공통의 전염병을 유발할 가능성이 있습니다. 코로나19의 예처럼 이전에 없었던 전염병은 국민 다수의 생명과 신체를 직접적으로 위협하는 것입니다. 이처럼 국민안전과 국민건강을 위협할 수 있으므로 개 식용 금지법은 타당합니다.

동물복지의 실현을 위해 개 식용 금지법은 타당합니다. 동물복지는 현실적으로 인간이 어떤 동물을 특별하게 여기는지에 따라 동물복지의 범위와 정도가 달라집니다. 동물 중에서도 개는 인간과 밀접한 관계를 맺고 있어 반려동물로 보는 경우가 많습니다. 반려동물은 인간과 정서적 유대관계를 지니면서 가족처럼 공동생활을 하는 동물을 말합니다. 개인은 반려동물과의 유대와 공동생활을 하면서 행복을 느끼기 때문에 국민의 행복추구권에서 보호될 수 있고 다른 동물에 비해 개 등 반려동물을 더 강하게 보호합니다. 이와 궤를 같이하여, 견주가 키우는 반려동물인 개가 다른 사람을 물어 사고가 발생한 경우 동물점유자의 책임을 일반적인 동물에 비해 더 강하게 인정합니다. 마찬가지로 견주는 반려동물에 대한 돌봄 의무, 지속적인 양육과 보호 의무가 부여됩니다. 반려동물인 개 역시 그에 상응하는 법적 대우와 보호를 받는 것이 국민들의 동물복지에 대한 사회적 인식에 부합할 것입니다. 따라서 동물복지를 실현하기 위해 개 식용 금지법은 타당합니다.

개인의 자유를 과도하게 제한하는 것이라 볼 수 없으므로 개 식용 금지법은 타당합니다. 앞서 언급했듯이 개 식용은 국민안전과 국민건강, 동물복지를 저해합니다. 개 식용을 허용하면서 이 가치를 지킬 방법이 있다면 개인의 자유에 대한 과도한 제한이라 할 수 있을 것입니다. 만약 개를 식용으로 하지 않는다면, 국민의 단백질 섭취 자체가 제한되어 국민건강에 악영향을 준다거나, 인간의 복지 혹은 다른 동물의 복지를 심대하게 저해한다면 개 식용을 허용할 수 있을 것입니다. 그러나 개 식용 허용하지 않음으로 인해 그러한 문제가 발생한다고 볼 수 없습니다. 이를 보여주는 사례로, 2023년 설문조사 결과 응답자 중 86% 이상이 개 식용을 할 생각이 없다고 답변했고, 57%는 개 식용을 법으로 금지하는 것에 찬성한다고 답변했습니다. 또 개고기를 전문으로 파는 식당 역시 지속적으로 감소하고 있습니다. 따라서 개인의 취식 선택의 자유를 과도하게 제한한다고 할 수 없으므로 개 식용 금지법은 타당합니다.

Q2. 모범답변

　개인의 취식 선택에 대한 자기결정권을 침해하므로 개 식용 금지법은 타당하지 않습니다. 개인은 일반적 행동의 자유를 권리로써 보장받으며, 먹을 것을 선택하는 것 역시 일반적 행동의 자유의 측면에서 자유가 인정됩니다. 단, 타인의 자유에 대한 직접적 해악을 주는 경우이거나 국가안보, 사회질서, 공공복리를 저해할 것이 명확한 경우에 한해 개인의 자유를 제한할 수는 있습니다. 그러나 개를 먹는 것은 타인에게 불쾌감을 줄 수는 있으나 폭행 등과 같이 타인의 자유에 직접적 해악을 주지 않습니다. 또한 국가안보, 사회질서, 공공복리를 저해한다고 볼 수도 없습니다. 우리 민족은 오래전부터 개고기를 먹어왔고, 전통적인 식문화의 하나로 개 식용 요리법이 있는 것입니다. 이를 따를 것인지, 혹은 거부할 것인지는 개인이 자유롭게 선택할 수 있는 자유의 영역이며, 사회적으로 그것이 더 좋다거나 현명한 것이라 하여 개 식용을 금지하는 등으로 강제할 수 없습니다. 다만, 개를 먹지 말 것을 권유하거나 권장하여 개인이 자유롭게 이를 선택할 것을 기대할 수 있을 뿐입니다. 따라서 개 식용 금지법은 타당하지 않습니다.

　전통 식문화의 계승을 저해하므로 개 식용 금지법은 타당하지 않습니다. 개 식용은 우리 문화의 하나이며 이를 금지해야 할 이유는 없습니다. 외국의 경우, 달팽이를 먹거나 상어 지느러미, 원숭이의 뇌 등을 먹습니다. 식문화는 각 문화권의 환경에 따라 발전한 것이고 옳고 그름의 문제라 할 수 없으므로 각국의 문화를 존중해야 합니다. 물론 해당국가의 문화라 하더라도 그것이 명백하게 부정의한 것, 예를 들어 순장이나 명예살인, 영아 살해와 같은 것이라면 금지를 요구할 수 있을 것입니다. 그러나 개 식용은 명백하게 부정의한 문화라 할 수 없습니다. 그럼에도 불구하고 개 식용을 금지한다면 전통 식문화의 하나가 단절되는 것입니다. 따라서 개 식용 금지법은 타당하지 않습니다.

　국민안전과 국민건강을 위해 개 식용 금지법은 타당하지 않습니다. 자신의 취향과 문화적인 이유로 여전히 개를 먹는 국민들이 있는 것이 사실입니다. 개 식용 관련업체들은 개를 먹는 국민들의 수요를 충족시키고 있습니다. 단지 다수 국민이 개 식용에 반대한다는 이유가 이를 법적으로 금지할 이유는 아닙니다. 이에 더해 사회 다수의 반대로 인해 우리나라에서 개 식용은 허용도 금지도 아닌 모호한 상태에 놓여있었고, 그러다 보니 소, 돼지 등의 식용이 허용된 가축과 달리 식품관리법에 따른 공적 감시에서 벗어나 있습니다. 여전히 개를 먹는 국민들이 있음에도 이들은 국민안전과 국민건강의 위험에 노출되어 있는 것입니다. 개 식용 관련업체들의 비위생성이나 문제점은 개 식용을 공적으로 허용함으로써 식품관리법상 공적 관리 체계에 포함시켜 국민의 식품안전을 실현해야 할 문제에 불과합니다. 오히려 위생적인 환경에서 축산, 도축, 유통하는 업체는 비용 부담으로 어려움을 겪고, 비위생적인 환경에서 진행하는 업체는 비용이 절감되어 가격 경쟁에서 우위를 차지해, 개 식용을 기피하는 원인이 될 뿐만 아니라 국민안전과 국민건강까지 위협하고 있습니다. 따라서 개 식용 금지법은 타당하지 않습니다.

Q3. 모범답변

[동물원 폐지 찬성 입장]

동물복지에 반하므로 동물원을 폐지해야 합니다. 동물복지는 동물이 자연적 본능과 습성을 유지할 수 있도록 적절한 보금자리를 제공하고, 갈증과 굶주림을 겪거나 영양이 결핍되지 않도록 영양분을 제공하며, 질병 예방 및 치료, 학대 금지 등 인도적인 배려와 취급을 하는 등 동물의 복리와 관련된 모든 것이 적절하게 이루어지는 것[235]을 의미합니다. 우리나라의 동물보호법 역시 동물복지를 목적으로 제정되었습니다. 그런데 동물원은 동물을 전시하려는 목적으로 만들어졌고, 필연적으로 동물을 일정한 공간에 가둔 상태에서 전시할 수밖에 없습니다. 동물들은 자신의 습성에 어긋나는 좁은 우리에 갇혀 평생을 보내게 됩니다. 이는 동물들에게 지속적인 고통과 스트레스를 주게 됩니다. 예를 들어, 동물원의 동물들은 반복되는 동일한 행동, 즉 틀에 박힌 행위를 하는 경우가 많은데 이것이 스트레스를 받고 있다는 전형적인 신호입니다. 이런 점을 보았을 때, 동물원의 동물들은 동물복지에 반하는 처우를 받고 있음이 명백합니다. 따라서 동물원을 폐지해야 합니다.

[동물원 폐지 반대 입장]

교육적인 효과가 있으므로 동물원을 폐지해서는 안 됩니다. 인간과 동물이 함께 살아가기 위해서는 미래 세대들에게 동물에 대해 교육시킬 필요가 있습니다. 동물의 실제 모습과 행동을 가까운 곳에서 자세하고 구체적으로 확인하기 위해서는 많은 사람들이 직접 방문 가능한 동물원이 가장 적절한 수단입니다. 동물원에 있는 실제 동물을 보면서 동물의 이름을 알게 되거나 외형상의 특징을 구분하거나 동물원 관계자의 설명 등을 통해 동물에 대한 이해의 폭을 넓힐 수 있을 것입니다. 특히 어린이들은 동물원에서 실제 동물을 보게 됨으로써 동물에 대한 관심을 가질 수 있고, 이 관심을 바탕으로 생명 보호와 다양성, 동물과의 공존에 대한 살아있는 교육이 가능할 것입니다. 따라서 동물원을 폐지해서는 안 됩니다.

235)

동물원의 현대적 과제

2024 충남대 기출

1. 기본 개념

(1) GMO(유전자재조합식품)

GMO(Genetically Modiied Organism)는 우리말로 '유전자변형생물체' 또는 '유전자변형농산물'이라고 한다. 유전자변형생물체는 생물체의 유전자 중 유용한 유전자를 취하여 그 유전자를 갖지 않은 생물체에 삽입하여 유용한 성질을 나타나게 한 것이다. 이와 같은 유전자재조합기술을 활용하여 재배·육성된 농산물·축산물·수산물·미생물 및 이를 원료로 하여 제조·가공한 식품(건강기능식품을 포함) 중 정부가 안전성을 평가하여 입증이 된 경우에만 식품으로 사용할 수 있으며 이를 유전자재조합식품이라 한다.

(2) 바이오안정성에 대한 카르타헤나 의정서

제1조 (목적) 이 의정서의 목적은 현대 생명공학기술로부터 탄생된 유전자변형생물체의 안전한 이동, 취급 및 사용분야에 있어 생물다양성의 보전 및 지속가능한 이용에 부정적 영향을 미칠 가능성과 인간건강에 대한 위해를 고려하고, 특히 국가 간 이동에 초점을 두어 적절한 보호수준을 보장하는데 기여하는 것이다.

LMO, 즉 살아있는 GMO가 이동할 때 지켜야 할 절차에 관한 의정서이다. 유전자가 오염되어 인간의 건강이나 생물다양성에 미칠 악영향을 우려해 만들어졌다. 2019년 기준으로 168개국이 서명했다. 이 의정서는 LMO가 가진 잠재적인 악영향에 대해 과학적 확신이 없다는 것을 근거로 국가가 LMO의 수입을 거부할 권리를 명시했다. 위험성에 대한 사전예방원칙을 적용한 것이다.

2. 읽기 자료

마이클 샌델, <완벽에 대한 반론>, 와이즈베리
GMO의 윤리적 문제[236]
GMO 법적 규제현황[237]

236)

GMO의 윤리적 문제

237)

GMO 법적 규제현황

⏱ 답변 준비 시간 10분 | 답변 시간 10분

※ 다음 QR코드를 촬영하면 연결되는 제시문을 읽고, 문제에 답하시오.

> 1999년 스위스 취리히 연방공대의 잉고 포트리쿠스 교수는 황금쌀을 개발했다. 이 쌀은 베타카로틴을 흡수해 비타민 A를 만든다. 이 때문에 개발도상국에서 비타민 A 결핍으로 고통받는 어린이들을 구할 것으로 기대됐다.
>
>
>
> 황금쌀 개발

Q1. GMO(유전자변형식품) 찬성 입장에 대해 논거를 들어 논하시오.

Q2. GMO(유전자변형식품) 반대 입장에 대해 논거를 들어 논하시오.

Q1. 모범답변

GMO 찬성 입장은 식량 안보를 실현할 수 있고, 국민건강과 생태계 교란의 우려가 적다는 논거를 제시할 것입니다.

식량 안보의 실현을 위해 유전자변형식품의 개발, 생산, 소비 허용은 타당합니다. 식량 안보는 국가 안보의 측면에서 대단히 중요합니다. 특히 우리나라는 쌀을 제외하고 식량 자급률이 매우 낮은 상황입니다. 최근 기후위기가 현실화되어 예측할 수 없는 환경 변화가 일어나고 있어 기존의 식량 자원 수급에 예측 불가능한 문제가 발생하는 상황입니다. 이처럼 국민의 생존에 직결되는 식량 문제를 해결하기 위해 국가는 총력을 기울여야 합니다. 유전자변형식품은 기후위기 상황에서 예측할 수 없는 변화에 대응할 수 있는 방법입니다. 강수량이 많아지거나 평균기온이 바뀌어 기존의 작물 재배가 어려워졌을 때, 유전자변형을 통해 이러한 문제를 신속하고 정확하게 해결 가능해 식량 안보를 달성할 수 있습니다. 따라서 유전자변형식품을 허용해야 합니다.

국민건강과 생태계 교란의 우려가 적기 때문에 유전자변형식품의 개발, 생산, 소비 허용은 타당합니다. 유전자변형은 자연에서 흔하게 일어나는 사실적인 것입니다. 예를 들어, 우리가 먹고 있는 쌀은 약 1만 3천 년 전 동아시아 지역의 야생벼를 재배하기 시작하면서 여러 변형을 거쳤습니다. 최초의 쌀은 야생에서 다른 종들과 경쟁하면서 자랐기 때문에 병충해, 한파 등에 강했으나 수확량은 적었습니다. 인류가 곡물로 재배하면서 여러 조건들을 인위적으로 제거하고 인간이 원하는 형질을 남기고자 선별한 결과, 맛이 좋고 수확량이 많은 현재의 쌀이 되었습니다. 현재의 수많은 종들은 인간에 의한 인위적인 선별과 교잡 과정을 통해 유전자 변형을 달성한 결과입니다. 서구의 제국주의 시대에는 육종학이 크게 발달했고 여러 식민지에서 다양한 품종을 들여와 교잡을 통해 인간이 원하는 품종을 만들어내었습니다. 유전자변형식품은 이와 동일한 과정을 실험실에서 더 빠르게 진행하는 것에 불과하며, 자연선택과 이전 시대의 육종과 동일한 것입니다. 유전자변형식품은 자연의 그것과 동일합니다. 따라서 유전자변형식품의 개발, 생산, 소비를 허용해야 합니다.

Q2. 모범답변

GMO 반대 입장은 국민보건에 대한 위해 우려가 있고, 환경과 생태계 교란의 위험성이 크다는 논거를 제시할 것입니다.

국민보건은 국민의 자유의 기반이 되는 생명과 신체에 직결된 가치로 국가가 지켜야 할 의무입니다. 그러나 국민보건은 보건과 의료에 관한 전문성이 필요하기 때문에 정보의 비대칭성을 해결하기 위해 국민은 국가에 그 권한을 위임하였습니다. 국민보건은 신체적 위해와 같이 비가역적 특성, 전염병과 같이 국민 전체에 확산될 수 있는 특성에 연결되기 때문에 국가는 국민보건의 위해 가능성이 있다면 사전적 예방에 주력해야 합니다. 국가가 주도하는 예방접종 등이 그 대표적 사례입니다. 유전자변형식품의 경우 예측불가능한 건강상의 문제를 일으킬 수 있습니다. 자연선택과 육종으로 인한 유전자변형은 장기간에 걸쳐 조금씩 변화가 일어나고, 실험실의 유전자 조작과 같이 신속하고 많은 변화가 수반되지 않습니다. 국민건강에 문제가 발생하더라도 기존의 종과 거의 유사하나 일부의 변형이 발생하는 것이므로 예측가능한 수준이라 할 수 있습니다. 그러나 유전자변형식품은 급속도로 많은 변형이 일어나기 때문에 예측불가능한 수준의 변화가 일어나며, 국민건강에 예측불가능한 위해를 일으킬 수 있습니다. 국가는 이를 사전예방하여 국민보건을 실현할 의무가 있으므로 유전자변형식품의 개발, 생산, 소비에 대한 강력한 규제가 필요합니다.

생태계 교란의 위험성이 크므로 유전자변형식품의 개발, 생산, 소비에 대한 강력한 규제가 필요합니다. 생물은 생태계 내에서 다른 종과 끊임없이 상호작용하면서 변화하고 그 변화는 예측할 수 없습니다. 예를 들어, 선박의 평형수로 인해 특정 지역종이 외국 자연환경에 갑작스럽게 유입되어 해당 해역의 생태계가 무너지는 경우도 있습니다. 이미 균형을 이루고 있는 특정 생태계에 유입종이 들어왔을 경우에도 그 변화를 예측할 수 없습니다. 유전자변형식품은 자연선택이나 전통적 육종보다 더 빠르고 복잡한 변화를 유전자 조작으로 만들어낸 것이므로 생태계에 유입되었을 때 다른 종과의 경쟁, 다른 종과의 교잡에서 예측불가능한 변화가 더 크게 일어날 수 있습니다. 예를 들어 유전자변형식품은 대부분 내환경성이 강하고 수확량이 많도록 조작하기 때문에 생태계에 미칠 영향력은 더 크고 비가역적일 수 있습니다. 따라서 생태계의 교란을 막기 위해 유전자변형식품의 개발, 생산, 소비에 대한 강력한 규제가 필요합니다.

2024 원광대 기출

1. 기본 개념

(1) 보호입원제

보호입원제는 정신질환자를 보호의무자의 동의에 의해 강제로 정신의료기관이나 정신요양시설에 입원시킬 수 있는 제도이다. 보호의무자의 동의와 정신건강의학과 전문의의 입원 필요성 인정에 의해 강제 입원이 결정된다.

(2) 사법입원제

사법입원제는 본인 의사와 상관없이 자해, 타해 위험이 큰 정신질환자의 치료 목적으로 강제 입원시킬 때 법원 등 준사법기관이 입원 여부를 결정하는 제도이다. 미국 대부분 주(州)와 독일, 프랑스 등에서 이를 운영하고 있고, 영국과 호주에서는 의사와 법조인으로 구성된 정신건강심판원을 별도로 두고 강제입원 여부를 결정한다.

(3) 헌법재판소 판례: 정신보건법상 보호입원제도[238]

① 우선 보호의무자 2인의 동의 요건에 관하여 본다. 심판대상조항이 보호의무자 2인의 동의를 요건으로 설정한 것은 보호의무자가 정신질환자의 입원 여부를 결정함에 있어 정신질환자 본인을 위하여 최대한 이익이 되는 쪽으로 판단하리라는 선의에 기초하고 있다. 그런데 보호의무자 중에는 정신질환자의 보호를 위하여 보호입원제도를 이용하려는 사람도 있지만, 정신질환자를 직접 돌보아야 하는 상황을 피하거나 부양의무를 면하려는 목적으로 또는 정신질환자의 재산을 탈취하거나 경제적 이익을 얻으려는 목적으로 보호입원제도를 악용하는 사람도 있을 수 있으므로, 이러한 경우에는 그 보호의무자의 동의권은 제한되거나 부정되어야 한다.

그러나 현행 정신보건법은 보호의무자와 정신질환자 사이에 이해관계가 충돌하거나 보호의무자가 정신질환자에 대한 부양의무를 회피하려는 경우 등과 같이 정신질환자의 이익을 저해하는 보호입원을 방지할 수 있는 제도를 충분히 마련하고 있지 않다. 정신질환자의 보호입원에 동의권을 가지는 보호의무자는 부양의무자, 후견인의 순서로 정해지지만(제21조 제2항), 대부분 부양의무자가 보호의무자가 되고 그나마 보호입원에 객관성을 담보할 수 있는 후견인제도는 거의 활용되지 않는다. 또한, 정신보건법 제21조 제1항 제3호가 당해 정신질환자를 상대로 한 소송이 계속 중인 자 또는 소송한 사실이 있었던 자는 보호의무자가 될 수 없도록 하고 있으나, 소송이 제기되지 않은 상태에서 이해충돌이나 갈등이 발생할 수 있고 이해충돌이나 갈등이 모두 소송으로 발전하는 것도 아니므로, 위와 같은 결격사유만으로는 보호의무자와 정신질환자 사이의 이해충돌을 적절히 예방하고 있다고 보기 어렵다. 심지어 보호의무자가 자격이 없는 자, 즉 동의한 자가 민법상 부양의무자나 후견인에 해당하는 자인지 여부에 대한 확인절차 없이 이루어지는 사례도 상당수 있는 것으로 보고되고 있다.

238)

2014헌가9

② 정신과 전문의 1인의 진단이라는 요건도 여러 가지 문제를 낳고 있다. 정신장애나 질환의 원인은 매우 다양하거나 잘 알 수 없는 데다, 유전적·환경적 요인이 복합되어 있기도 하며, 신체질환과 달리 증상이 명확히 드러나지 않아 이를 판단하는 것이 용이하지 않다는 점에서, 보호입원이 필요한지 여부에 관하여 전문가의 의견이 필요하다는 점은 부인할 수 없다. 다만 이러한 필요성을 인정하더라도 그 진단에 있어서 남용가능성은 언제나 존재하기 때문에, 이를 차단할 수 있는 제도적 장치가 마련되어야 한다. 그러나 심판대상조항은 입원치료·요양을 받을 만한 정신질환을 앓고 있는지 또는 환자 자신의 건강·안전이나 타인의 안전을 위하여 입원이 필요한지 여부에 대한 판단 권한을 정신과 전문의 1인에게 전적으로 부여함으로써, 그의 자의적 판단 또는 권한의 남용 가능성을 배제하지 못하고 있다.

현재 정신과 전문의가 입원의 필요성 등에 관한 진단을 하면, 정신질환자는 그 정신과 전문의가 소속된 정신의료기관에 보호입원되고 있는 실정인데, 정신과 전문의가 자신의 경제적 이익을 위하여 진단 권한을 남용하는 경우 현행 정신보건법상 이를 막을 방법이 없으며, 이와 관련하여 정신과 전문의와 보호입원된 정신질환자(이하 '피보호입원자'라고만 한다) 사이에 이해관계가 충돌할 수 있다는 비판이 꾸준히 제기되고 있다.

③ 나아가 위와 같은 보호의무자 동의 요건의 문제점과 정신과 전문의 진단 요건에 관한 문제점들이 서로 결합하는 경우 보호입원제도가 남용될 위험성은 더욱 커진다. 보호의무자가 정신질환자의 이익이 아닌 자신의 이익을 위하여 보호입원에 동의하고, 경제적 이익을 위해 이를 방조·용인한 정신과 전문의가 입원의 필요성 등이 있다고 진단하게 되면, 사실은 보호입원의 필요성이 없는 정신질환자, 심지어는 정신질환자가 아닌 사람도 정신의료기관에 입원될 수 있다. 이러한 현상은 실제로도 종종 발생하여 사회문제가 되기도 하였다. 더욱이 현행 보호입원제도는 보호의무자 2인의 동의 아래 정신과 전문의의 진단을 받는다는 명목으로 정신질환자를 정신의료기관까지 강제로 이송하는 것을 사실상 용인하고 있어, 정신질환자가 사설 응급이송단에 의하여 불법적으로 이송되거나 그 과정에서 감금이나 폭행을 당하는 일도 빈번하게 발생하고 있다.

2. 읽기 자료

정신질환자 강제입원제도[239]

정신장애범죄인 사법적 처우[240]

[239]

정신질환자 강제입원제도

[240]

정신장애범죄인 사법적 처우

답변 준비 시간 20분 | 답변 시간 15분

※ 다음 QR코드를 촬영하면 연결되는 제시문을 읽고, 문제에 답하시오.

(가) 서울 강남에 50억 원대 땅을 가진 독거노인이 정신질환으로 컨테이너에서 가난하게 살던 중 강도 일당에게 납치·감금당해 전 재산을 빼앗기고 정신병원에 갇혔다.

정신질환자 감금

(나) 정신질환 관련 흉악범죄가 발생할 때마다 도입 필요성이 제기된 '사법입원제'가 최근 다시 주목받고 있다. 이 제도는 자·타해 위험이 큰 정신질환자를 강제 입원시키는 제도이다.

사법입원제

Q1. (가)의 과거 정신보건법상 보호입원제도는 자살·폭력 등의 위험이 있는 정신질환자를 치료하기 위해 정신질환자의 보호자 2명과 의사 1명의 결정에 따라 강제입원을 허용하였다. 그러나 보호입원제도는 치료가 아닌, 불법 감금 수단으로 악용되는 경우가 많았다. 이러한 보호입원제도의 장점과 단점을 제시하시오.

Q2. 위 장단점의 논리적 연장선상에서 (가)의 보호입원제도 보완방안을 제시하시오.

Q3. 조현병 등 정신질환자에 의한 범죄가 늘어나면서 (나)와 같이 사법입원제를 도입해야 한다는 주장이 커지고 있다. 사법입원제 도입 찬성 입장의 논거를 제시하고 이를 논변하시오.

Q4. 사법입원제 도입 반대 입장의 논거를 제시하고 이를 논변하시오.

Q5. 사법입원제 도입에 대한 자신의 견해를 논하시오.

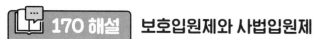

Q1. 모범답변

　보호입원제도는 정신질환자 자신과 사회 다수의 안전을 보호할 수 있다는 장점이 있습니다. 반면, 환자 개인의 자기결정권을 과도하게 제한할 수 있다는 단점 역시 존재합니다.

　보호입원제도는 정신질환자 자신과 사회의 안전을 위해 필요합니다. 최근 정신질환자의 자살이나 정신질환자에 의한 살인·폭력 등이 늘어나고 있는 실정입니다. 정신의학의 발전으로 이러한 위험성을 가진 정신질환자를 판별할 가능성이 커지고 있습니다. 정신질환으로 인해 환자 자신이 자신을 해하는 문제로부터 보호하고, 정신질환으로 인한 범죄를 예방할 수 있다면, 국가는 이를 적극적으로 행해야 할 의무가 있습니다.

　그러나 보호입원제도는 개인의 자기결정권을 침해하는 측면이 있습니다. 본래 보호입원제도의 목적은 자살·폭력 등의 위험이 있는 정신질환자를 치료하여 생명을 지키고 범죄를 예방하기 위한 것입니다. 그러나 보호자 2명과 의사 1명의 결정만 있으면 환자 본인의 의사와 관계없이 강제구금되어 환자 본인의 신체의 자유를 제한합니다. 강제구금을 통해 환자의 신체의 자유를 제한하기 위해서는 정신질환자 본인의 자살과 같은 위험 혹은 타인에 대한 폭력의 위험이 직접적으로 예상되어야 합니다. 보호자가 재산상의 다툼 등을 이유로 환자의 강제구금을 요청할 경우, 정신질환자의 자살이나 폭력의 위험이 직접적으로 예상되지 않음에도 불구하고 환자의 신체의 자유를 과도하게 제한할 수 있다는 우려가 있습니다.

Q2. 모범답변

　보호입원제도를 폐지해서는 안 됩니다. 보호입원제도를 통해 사회 안전을 달성할 수 있고, 환자의 진정한 자기결정권을 보장할 수 있기 때문입니다.

　사회 안전을 위해 보호입원제도가 유지되어야 합니다. 사회구성원은 안전한 사회에서 살기를 원하고 있으며 국가는 안전한 사회를 달성할 의무가 있습니다. 정신질환자에 의한 범죄는 일반적인 국민이 예측할 수 없어 예측불가능한 범죄 피해에 노출됩니다. 그러나 국가는 국민이 부여한 권력과 자원 동원능력이 있기 때문에 전문가와 시설, 장비를 이용하여 범죄가능성이 있는 정신질환의 유무와 정도를 판단할 수 있습니다. 국가는 예측할 수 있는 범죄로부터 국민을 보호하기 위해 보호입원제도를 유지해야 합니다.

　환자의 진정한 자기결정권을 보장할 수 있으므로 보호입원제도가 유지되어야 합니다. 정신질환자도 자신이 자신을 해하거나 타인을 상대로 범죄를 일으키기를 원하지 않습니다. 그러나 정신질환으로 인해 범죄를 저지른 자들도 자기 자신이 범죄를 왜 저지르는지 언제 저지르게 될지 예측할 수 없습니다. 이런 상황에서 범죄를 피하는 방법은 전문기관에 의한 보호와 적절한 격리일 것입니다. 보호입원제도는 정신질환자 스스로도 원하지 않는 결과를 회피할 수 있도록 해줍니다. 따라서 진정한 자기결정권의 보장을 위해 보호입원제도가 유지되어야 합니다.

Part 1
Part 2
Part 3
Part 4
Part 5
Part 6
Part 7

해커스 김종수 토스블 면접 200주제

그러나 악용 가능성이 있기 때문에 보호입원제도를 보완해야 합니다. 보호입원제도는 강제입원이기 때문에 신체의 자유를 제한하거나 박탈하는 것입니다. 따라서 환자의 권리를 보호할 수 있는 절차가 마련되어야 합니다. 신체의 자유를 제한당하는 당사자에 대한 사전고지, 진술기회 보장 등과 같은 절차가 마련되어야 합니다. 또한 보호자 2명과 의사 1명의 동의로 강제입원이 결정되는 현행 동의 절차를 강화할 필요가 있습니다. 보호자와 의사의 경우 환자와 다른 이해관계를 가질 수 있습니다. 보호자의 경우, 환자와 보호자 간의 이혼 등의 문제로 재산 분쟁이 있을 수 있습니다. 의사의 경우, 병원 유지를 위해 환자를 오랫동안 입원시키는 것이 경제적 유인으로 작용할 수 있습니다. 보호자와 의사의 공모가 이루어질 경우, 보호입원제도는 환자를 강제구속하는 것이나 다름없습니다.

그러나 한편으로는 보호입원제도가 환자의 자기결정권에 치우칠 경우 사회의 안전을 위협할 가능성이 있습니다. 환자 자신이 입원을 거부한다고 하더라도, 정신질환 등으로 인한 무차별적 범죄가 발생할 수 있는 가능성이 높다면 사회 안전을 실현할 수 있도록 강제입원을 시킬 수 있어야 합니다.

따라서 환자와 환자 가족, 의료진, 국가가 보호입원을 종합적으로 결정하도록 제도를 개선해야 합니다. 먼저, 환자 본인의 의사를 확인하고 이에 대해 환자 가족의 상황을 파악하도록 하며 이에 대해 다수 의료진의 의료적 판단을 종합해야 합니다. 그리고 환자 본인이 강제입원을 거부하는 경우, 환자와 보호자, 보호입원을 하는 병원과 의료진 등과 이해관계가 없는 보호입원 심사위원회가 이 내용을 심사하여 강제적 보호입원을 결정함이 타당합니다. 이러한 제도 보완을 통해 정신질환에 의한 범죄를 예방하고, 환자의 자기결정권 또한 보호할 수 있습니다.

Q3. 모범답변

사법입원제 도입 찬성 입장은 사회 안전을 논거로 제시할 것입니다.

사회 안전을 위해 사법입원제가 도입되어야 합니다. 사회구성원은 안전한 사회에서 살기를 원하고 있으며 국가는 예측불가능한 범죄로부터 국민의 자유와 권리를 침해당하지 않도록 안전한 사회를 달성할 의무가 있습니다. 정신질환자에 의한 범죄는 일반적인 국민이 예측할 수 없어 다수의 국민이 예측불가능한 범죄 피해에 노출됩니다. 그러나 국가는 국민이 부여한 권력과 자원동원능력이 있기 때문에 전문가와 시설, 장비를 이용하여 범죄가능성이 있는 정신질환의 유무와 정도를 판단할 수 있습니다. 특히 사법부는 재판의 최종결정권을 행사할 수 있는 권한을 국민으로부터 위임받았고, 영장 심사 등 국민의 인신의 자유를 최종적으로 판단할 권한을 갖고 있습니다. 사법부는 정신질환자가 자신과 타인을 해칠 수 있는 상황에서 치료와 입원의 결정권이 있는 가족과 의사, 정신질환자 그 자신이 이를 제대로 행사할 수 없을 때, 최종결정권을 대신 행사할 수 있으며 그 역할을 함으로써 범죄 피해를 받을 수 있는 국민을 보호해야 합니다. 따라서 사법입원제는 도입해야 합니다.

Q4. 모범답변

사법입원제 도입 반대 입장은 정신질환자의 자기결정권 침해를 논거로 제시할 것입니다.

개인의 자기결정권을 과도하게 제한하므로 사법입원제를 도입해서는 안 됩니다. 사법입원제는 환자 자신의 의사에 반해 법원이 치료를 위해 입원을 강제하는 제도입니다. 강제입원은 기본적으로 신체의 자유를 제한 내지 박탈하는 인신구속의 성질이 있기 때문에 환자의 권리 침해 우려가 매우 큽니다. 그런데 사법부는 정신과 전문의의 도움을 받기는 하나 정신질환에 대한 전문가가 아니며, 특히 법관 개인이 정신질환자의 행동의 원인을 잘 알지도 못한 채 눈에 보이는 행동이나 결과만으로 강제입원을 명령할 수 있습니다. 그렇다면 법원은 범죄의 우려가 있으면 사법입원을 남발할 가능성이 높습니다. 법관으로서는 정신질환자에 대한 사법입원을 명령하지 않았다가 훗날 이 정신질환자가 범죄를 저지를 경우 발생할 사회적 비난이 두렵기 때문에 일말의 가능성이라도 있다면 사법입원을 명령할 유인이 크기 때문입니다. 정신질환자는 자신이나 타인에 대한 범죄를 저지를 가능성이 현재로서는 매우 낮음에도 불구하고 미래의 가능성으로 인해 원하지 않는 강제입원을 당할 가능성이 높습니다. 따라서 사법입원제를 도입해서는 안 됩니다.

Q5. 모범답변

사법입원제를 도입하여야 합니다. 다만, 보완방안이 마련되어야 합니다

사법입원제는 예측할 수 없는 범죄로부터 사회 다수를 보호하기 위해 도입되어야 합니다. 환자 자신과 그 가족은 정신질환의 전문가가 아니라는 문제가 있고, 정신과 전문의는 정신질환의 전문가이지만 강제입원의 인신 구속의 정당성을 판단할 수 없다는 문제가 있습니다. 그러나 법원은 환자와 가족, 국민을 대신해 강제입원의 인신 구속의 정당성을 판단할 수 있고, 정신질환 전문가의 의견을 다각도로 청취할 수 있기 때문에 객관적인 판단이 가능합니다.

다만, 사법입원제는 환자의 인신을 구속하는 것이므로 환자의 자기결정권에 대한 과도한 제한이 될 수 있는 문제점이 있습니다. 이를 예방하기 위한 보완방안이 마련되어야 합니다. 자신의 건강 또는 안전이나 타인의 안전 등과 같은 추상적이고 모호한 기준을 명확하게 마련해야 합니다. 또한 의사 출신의 법관을 기용하는 등으로 법관의 전문성을 확보하여 정신질환자의 행동의 원인을 파악하여 사법입원 여부와 정도를 결정할 수 있도록 해야 합니다.

171 개념 | 사법적 개혁과 입법적 개혁

1. 기본 개념

(1) 사법소극주의

사법부는 의회가 입법을 함에 있어서 단순히 기능적인 실수를 했을 뿐만 아니라 명백하게 합리성을 결여한 경우에 한하여 그 법률을 무효화할 수 있다. 바로 이것이 사법부가 위헌법률심사를 할 때 지켜야 할 기본적인 원칙이다. 이 원칙은 사법부가 법률의 위헌여부를 판단하기 전에 헌법상 입법권자에게 허용될 수 있는 다른 판단은 없는가를 우선적으로 고려해야 함을 의미한다.

(2) 사법적극주의

사법부는 의회의 위헌적인 권한 행사로부터 국민의 권리 침해를 방지하기 위하여 국민과 의회 간의 중재 기관으로 고안된 것이다. 따라서 사법부는 의회의 위헌적인 권한 행사로부터 국민을 보호하는 일종의 안전장치이며, 사법적극주의는 단순한 양적 다수결원칙이 아닌 질적 다수결원칙을 제고함으로써 정당성이 있다. 또한 법관이 국민에 대해 책임을 지지 않는다고는 하지만 의회나 행정부가 항상 진정한 민의를 대변하는 것은 아니다. 따라서 사법과정도 민주적 가치의 보전과 증진에 기여하는 것이다.

2. 읽기 자료

사법적극주의 사법소극주의[241]

사법적극주의[242]

[241]

사법적극주의 사법소극주의

[242]

사법적극주의

🕐 답변 준비 시간 15분 | 답변 시간 15분

※ 다음 제시문을 읽고, 문제에 답하시오.

법이 사회변화·개혁을 이룰 수 있는가의 문제에서 먼저 생각되어야 할 것은, 이 경우 사회변화·개혁을 추진하는 것은 법 자체가 아니라 법을 제정·운용하는 주체, 즉 국가라고 하는 것이다. 따라서 법에 의한 변화·개혁을 논의하기 위해서는 이를 추진하고자 하는 정부의 의지가 선행요건으로 갖추어져야 한다. 법에 의한 변화·개혁이 실패하는 중요한 이유는 정부가 단지 법만을 형식적으로 제정하였을 뿐, 이를 적극적으로 추진할 의지를 갖지 못한 데에 기인한다. 이런 경우 법에 의한 변화·개혁은 처음부터 기대할 수 없다.

법에 의한 사회변화·개혁은 정부가 이를 추진할 의지를 강하게 갖고 있는 경우에도 반드시 성공할 수 있는 것은 아니다. 이를 위해서는 먼저 그 변화·개혁이 법으로 추구할 수 있는 것, 또는 법으로 추구하기에 적합한 것이어야 한다.

법은 기본적으로 명령규범적 성격을 갖는다. 법은 이를 따르지 않는 행위에 대해 제재의 위협과 집행을 통해 이를 준수시키는 강제규범이다. 하지만 이는 한편 법을 준수하지 않는 자가 사회적으로 소수라는 것을 전제로 한다. 위반자가 적정한 수준을 넘어 대량으로 나올 경우, 법은 아무리 강제적일지라도 규범으로서의 효력을 발휘하지 못하며, 목적하는 바를 달성할 수 없다.

사회구성원 다수가 동의하지 않거나 쉽게 따르기 어려운 내용의 사회변화·개혁을 법이 일반적·전통적 방식으로 추진할 경우, 이의 성공은 기대하기 어렵다. 사회구성원의 기존 가치관을 바꾸게 하는 것이거나, 그러한 변화를 전제·수반하는 사회변화·개혁인 경우가 특히 그러하다.

이러한 경우는 제재의 방식보다 보상의 방식, 즉 강제적 방법보다는 권유적·유도적·설득적 방법이 더 효과적이다. 물론 법이 이러한 방법을 취할 수 없는 것은 아니다. 하지만 보상적 방법은 징벌적 방법의 경우와는 달리 법이 실제로 보상할 수 있는 내용을 확보하여야 하며, 그 보상이 사회구성원의 행동에 영향·변화를 줄 수 있는 정도의 것이 되어야 한다.

정부가 사회변화나 개혁을 추진하기 위해서는 이를 추진할 수 있는 법적 근거가 당연히 필요하다. 또한 국민으로 하여금 따르도록 요구하기 위해서는 그 내용을 법적으로 명확히 공포해야 한다. 즉 사회개혁은 법적 형식을 취해야 하며, 법률 형태로 잘 다듬어져야 한다. 그것이 법제도를 개혁하는 것인 경우에는 법개정과 같은 방법을 취하지 않을 수 없다.

사회개혁을 법적 방법으로 추진하는 것이 가장 적절한 것은 아니다. 사회개혁법이 제정되는 것은 그와는 다른 문제이다. 개혁을 위한 부수적·절차적 필요에 따라 법은 얼마든지 제정될 수도 있다.

법을 통한 사회개혁은 전략적·방법적 차원에서도 중요한 의미를 갖는다. 예를 들면 여성고용차별 금지법은 여성의 사회적·가정적 지위 향상(사회 변화)에 크게 기여할 수 있다. 또한 강제적으로라도 추진해야 하는 사회개혁(예 부패방지 등)의 경우는 법적 방법에 의할 수밖에 없다. 또는 법적 방법을 동원하는 것이 보다 효과적인 경우도 얼마든지 있다. 문제는 법이 사회변화·개혁의 내용 또는 본질·핵심을 얼마나 정확하게 파악하고 도구적 기능을 제대로 할 수 있는가에 있다.

법을 통한 사회개혁이나 변화는 반드시 입법에만 의하지 않는다. 법원에 의한 새로운 판례(법해석)를 통해서도 중요한 사회적 변화가 야기될 수 있다. 미국에서의 흑인차별금지(예 학교에서의 흑백분리불허), 종교적 자유의 보장(예 학교에서의 특정종교예배금지) 등은 새로운 판결을 통해 이루어졌으며, 입법과 동일한 효과를 갖는 것이었다.

새로운 판례를 통한 사회변화·개혁은 새로운 입법의 경우보다 사회적 저항을 덜 받는다는 장점이 있으며, 특히 그 과정(판결과정)에서도 정치적·사회적 압력·영향이 적게 작용한다는 면에서도 특징이 있다. 그러나 판례(법원, 판사)는 전혀 새로운 사회변화·개혁을 적극적·주도적으로 추진할 수는 없으며, 사회적으로 상당한 지지와 공감이 이미 형성된 부분에 대해서만 가능하다. 따라서 그 점에서는 수동적·소극적·보수적이다.

Q1. 1894년 갑오개혁에서 노비제와 남녀차별이 법률상 금지되었다. 그럼에도 불구하고 상당기간 노비제와 남녀차별이 유지되었다. 그 이유를 논하시오.

Q2. 호주제, 부성주의, 동성동본 혼인금지 문제는 국회가 해결하지 못하고 헌법재판소가 해결하였다. 그 이유는 무엇이고, 그 문제점은 무엇인가?

Q3. 미국에서 공립학교에서의 흑백 분리 문제는 국회의 입법을 통해 해결된 것이 아니라 판례를 통해 폐지되었다. 그 이유는 무엇인가?

Q4. 판례를 통한 사회변화·개혁과 입법에 의한 사회변화·개혁은 어떤 차이가 있는가?

Q5. 우리나라의 호주제, 부성주의, 동성동본 혼인금지, 그리고 미국의 흑백분리 폐지라는, 사법부의 판결에 의한 개혁은 어떤 의미가 있는가?

 **171 해설** 사법적 개혁과 입법적 개혁

Q1. 모범답변

갑오개혁에서 노비제와 남녀차별이 폐지되었음에도 사회적으로 폐습이 유지된 이유는, 국민으로부터 개혁이 시작된 것이 아니라 위로부터 개혁이 명령되었기 때문이라고 생각합니다. 사회 엘리트에 의해 시작된 갑오개혁으로 인해 노비제와 남녀차별이 폐지되었습니다. 그렇다면 그 명령을 따르는 일반 국민들은 단지 처벌이 두렵고 국가로부터의 명령이기 때문에 이를 지키는 것에 불과합니다. 갑오개혁으로 인해 노비제와 남녀차별이 금지되었다고 하더라도 법의 수범자인 국민들의 의식은 변하지 않고 여전히 신분차별과 남녀차별 의식이 남아있었기 때문에 사회적으로는 노비제와 남녀차별이 남아있었을 것입니다. 시간이 흘러 교육과 사회적 인식의 변화로 인해 결국 노비제와 남녀차별이 사라지고 약화된 것입니다.

Q2. 모범답변

국회가 이러한 문제들을 해결하지 못하고 헌법재판소가 해결한 이유는, 일반 국민 다수에게 차별적 의식이 여전히 남아있었기 때문입니다. 그리고 이로 인한 문제점은 이 판결로 인해 사회갈등이 일어났다는 점입니다.

호주제와 부성주의, 동성동본 혼인금지 문제는 남녀 차별과 개인의 성적 자기결정권의 침해와 같은 소수자에 대한 명백한 부정이라 할 수 있습니다. 먼저, 호주제와 부성주의는 양성 평등에 명백하게 반하고 개인의 자유에 대한 명백한 침해입니다. 또한 동성동본 혼인금지는 개인의 성적 자기결정권을 명백하게 침해하는 것이었습니다. 그러나 사회 대다수의 사람들이 사회적으로 용인하고 있어 그러한 차별이 유지되었습니다. 본래 이러한 개인의 자유와 평등에 대한 보호는 입법부의 입법을 통해 실현해야 하는데, 사회 다수의 사람들이 소수자의 자유 침해를 용인하는 관습을 인정하고 있다면 이는 법률을 통해 실현되기 어렵습니다. 입법부는 선거에 의해 선출되기 때문에 선거에 민감한 국회의원은 다수 국민들이 도덕적으로 용인할 수 없다고 여기는 일을 입법하겠다고 선언하기 어렵습니다. 그렇기 때문에 선거에 의해 선출되는 입법부와 행정부는 다수 국민이 용인하는 일을 거부할 수 없습니다. 그러나 헌법재판소는 선거에 의해 선출되지 않기 때문에 선거에 민감하지 않고 다수 국민이 용인하지 않는 도덕적 판단이라 하더라도 이것이 개인의 자유를 명백하게 침해하고 있다면 이를 제거할 수 있습니다. 따라서 다수의 국민이 부도덕하다고 여기는 문제를 국회가 해결하지 못하고 헌법재판소가 해결하였습니다.

그러나 여전히 사회 다수의 인식은 이러한 문제를 사회적으로 용인되는 것으로 받아들이고 있었기 때문에 헌법재판소의 판결로 인해 오히려 사회갈등이 일어나게 되었다는 문제점이 있습니다. 헌법재판소의 판결은 다수 국민의 의식과는 관계없이 소수의 전문가인 헌법재판소 재판관 9명의 결정이기 때문입니다.

Q3. 모범답변

　미국의 공립학교에서의 흑백 분리는 미국의 일반 국민 다수가 이를 사회적으로 용인하고 있었기 때문입니다. 미국 일반 국민 다수가 인종차별을 사회적으로 용인하고 있었기 때문에 입법적으로는 인종차별이라는 명백한 부정의를 시정할 수 없었습니다. 선거로 선출되지 않는 연방대법원 대법관들이 인종차별이라는 명백한 부정의를 시정할 목적으로 판결하였고, 빠른 시간 안에 인종차별이 시정될 수 있었습니다.

Q4. 모범답변

　판례를 통한 사회개혁과 입법에 의한 사회개혁의 차이점은 민주적 정당성의 여부입니다. 판례를 통한 사회개혁은 주권자인 국민에 의한 개혁이 아니라 법 전문가인 사법부에 의한 사회개혁이기 때문에 민주적 정당성이 부족합니다. 그러나 입법에 의한 개혁은 국가의 주인인 국민이 스스로 결정한 것이므로 민주적 정당성이 있습니다.

　입법에 의한 개혁은 국가의 주인인 국민 자신이 원하는 개혁이므로 개혁의 방향과 내용에 있어서 자유롭습니다. 주권자인 국민이 스스로 개혁을 원하여 법률을 제정한 것이고 자기 자신이 스스로 자신을 구속하는 법률을 제정하는 것이므로 개혁의 방향이나 내용을 자유롭게 결정할 수 있습니다. 그러나 입법적 개혁이라 하더라도 한계는 존재합니다.

　입법적 개혁의 한계로 인해 사법적 개혁이 필요합니다. 입법적 개혁의 한계는, 국민이 스스로 입법한 개혁의 내용이 명백하게 부정의한 내용을 담고 있어서는 안 된다는 것입니다. 국민의 입법은 다수 국민의 결정이기만 하면 되기 때문에 소수자의 자유에 대한 명백한 침해를 법률의 내용으로 할 수 있습니다. 예를 들어, 나치의 법률은 독일 국민 다수의 지지를 받아 제정되었으나 유대인에 대한 명백한 차별과 배제, 학살을 내용으로 삼고 있으므로 명백하게 부정의한 내용을 담고 있습니다. 이처럼 입법적 개혁으로 인한 법률이 명백하게 부정의한 내용을 담고 있다면, 헌법재판소와 같은 사법부가 해당 법률의 효력을 부정함으로써 인권 침해, 소수자의 자유 침해와 같은 명백한 부정의를 시정해야 합니다.

Q5. 모범답변

　사법부에 의한 개혁은 소수의 엘리트에 의한 개혁입니다. 이는 일반 다수 국민이 의식 개선을 통해 달성하려면 오랜 시간이 소요되는 가치 실현을 빠른 시간 안에 현실에서 구현할 수 있습니다. 특히 사법부에 의한 개혁은 법적 강제력이 있기 때문에 사회의 가치 변화를 신속하게 구현할 수 있다는 효과가 있습니다. 다만, 사법부의 판결에 의한 개혁은 주권자인 다수 국민의 결정을 무력화시키는 것이므로 신중해야 합니다. 그렇기 때문에 명백하게 부정의한 법, 소수자의 권리를 침해하는 법을 시정하려는 소극적인 목적으로만 인정될 수 있습니다.

1. 기본 개념

(1) 소득불평등

소득불평등이란 한 사회의 소득분포에서 계층별 격차 정도를 나타내는 개념으로 로렌츠곡선, 지니계수, 10분위배율 또는 5분위배율 등으로 측정한다.

국회예산정책처의 연구용역보고서[243]에 따르면, 1990년부터 2012년의 소득불평등을 조사할 때 다음의 특징을 보였다.

첫째, 1990년 이후 소득불평등은 추세적으로 악화되었으나 최근에는 약간 개선되는 모습을 보이고 있다. 1990년 이후 우리나라의 지니계수는 1990년에 0.266에서 2012년에는 0.310으로 증가하였고, 5분위배율 역시 1990년에 3.93배였으나 2012년에는 5.76배로 증가하여 양 지표의 변화가 비슷한 추이를 보였다.

둘째, 시장소득이나 가처분소득이나 어떤 소득을 기준으로 하든지 두 차례의 위기 기간 중에는 소득불평등이 악화되었으나, 위기 직후에는 소득불평등이 항상 개선되었다. 이는 1998~1999년의 외환위기와 2008~2009년의 글로벌 금융위기 중에 대부분의 소득불평등 지표가 악화되었다는 사실에서 확인된다. 두 차례 위기가 종료된 2000년과 2010년에는 소득불평등 지표가 모두 개선되었다.

셋째, 가처분소득 기준의 소득불평등 지표들은 시장소득 기준 지표들과 동일한 추세를 보였지만 소득불평등도는 항상 낮았다. 이는 조세·재정정책이 유효했다는 증거가 될 수 있다. 만일 소득재분배 효과가 전혀 없다면 어떤 소득을 기준으로 하든지 소득불평등 지표 간의 차이는 거의 나타나지 않을 것이기 때문이다.

넷째, 소득불평등 지표별로 다소 차이가 있지만 글로벌 금융위기 때의 조세·재정정책에 따른 소득재분배 효과는 외환위기 때보다 약 2~3배 정도 큰 것으로 나타났다. 이는 2000년 이후에 조세·재정정책의 소득재분배 효과가 서서히 커지기 시작한 데다가 글로벌 금융위기 중에는 위기 극복 차원에서 정부가 저소득층의 소득 보전에 재정정책의 초점을 맞추었기 때문이다.

(2) 자산불평등

프랑스 경제학자인 토마 피케티가 자산불평등 지수를 피케티지수로 제시했다. <21세기 자본>에서 민간 순자산을 국민소득으로 나눈 값을 '피케티지수'로 표현하는데, 이 값이 커지면 불평등해진다고 볼 수 있다. 피케티지수가 높아질수록 국민 경제의 소득분배에서 자본이 가져가는 비율이 커지기 때문이다. 한 사회에서 평균적인 소득을 올리는 사람이 평균적인 부를 쌓는 데 그만큼 오랜 시간이 걸린다는 뜻으로, 자산분포가 불평등하다는 것을 뜻한다.

한국은행은 2014년에 처음으로 한국의 피케티지수를 보고했는데, 2012년 한국의 피케티지수는 7.7이었고, 2019년에는 8.6, 2020년에는 9.3, 2021년에는 9.6으로 계속 상승했다.

2. 읽기 자료

자본주의와 불평등[244]

[243]

소득불평등

[244]

자본주의와 불평등

해커스 김종수 토스를 면접 200주제

※ 다음 제시문을 읽고, 문제에 답하시오.

아래 표들은 과거 어느 시점의 통계자료이다.

<표 1: 가구주의 교육정도별 연평균 가구소득>

교육정도	초졸 이하	중졸	고졸	전문대졸	대졸 이상
소득(만 원)	1,631	2,278	2,784	3,092	4,158

<표 2: 가구의 소득별 평균 가구부채>

소득구간	20% 미만	20% 이상 40% 미만	40% 이상 60% 미만	60% 이상 80% 미만	80% 이상
부채(만 원)	1,523	1,756	1,998	3,067	4,222

<표 3: 부채보유가구의 소득별 평균 가구부채>

소득구간	20% 미만	20% 이상 40% 미만	40% 이상 60% 미만	60% 이상 80% 미만	80% 이상
부채(만 원)	4,119	3,478	4,067	4,894	8,933

Q1. <표 1>을 불평등의 관점에서 해석하시오.

Q2. <표 2>를 해석하시오.

Q3. <표 3>을 해석하시오.

Q4. 위 해석 결과를 모두 반영하여, 예상되는 사회 문제를 제시하시오.

💬 **추가질문**

Q5. 위 Q4의 예상되는 사회문제에 대한 해결방안을 제시하시오.

Q1. 모범답변

<표 1>에 따르면 교육정도가 높을수록, 즉 학력이 높을수록 소득이 높습니다. 최하위 계층의 소득이 최소생활비에 미치지 못하여 부채가 쌓이고 있다면 자녀 교육에 투자를 할 수 없을 것입니다. 최하위 계층이 교육을 받지 못하면 <표 1>이 나타내듯이 소득이 낮아질 것이고, 이로 인해 가난이 대물림될 수 있습니다.

교육과 소득은 모두 모든 사람들이 소유하고 싶어 하는 자원입니다. 하지만 이런 자원들은 모든 사회 성원들에게 공평하게 분배되지 않고 이에 따라 수직적 위계질서를 형성하게 됩니다. 그런데 <표 1>을 볼 때, 교육과 소득 간의 비례가 성립함을 알 수 있습니다. 교육을 잘 받으면 고소득 직업을 갖게 되고, 고소득 부모를 둔 자녀는 교육을 잘 받아 고소득 직업을 갖게 되는 확대 재생산의 순환 고리를 갖게 될 가능성이 높음을 보여주고 있습니다. 그렇다면 하위 계층이 상위 계층으로 이동할 수 없어 계층 간 갈등이 심화될 수 있고, 불평등이 심화될 수 있습니다.

Q2. 모범답변

<표 2>에 따르면 소득과 부채가 비례합니다. 즉, 소득이 높을수록 부채도 많고, 소득이 적을수록 부채도 적습니다.

고소득층의 높은 부채는 담보 능력과 상환 능력이 있기 때문에 가능하며, 더 높은 소득을 얻기 위한 투자에 해당합니다. 따라서 고소득층의 많은 부채는 미래의 소득으로 연결된다고 할 수 있습니다. 이를 투자형 부채라 명명할 수 있습니다.

그러나 저소득층은 담보 능력과 상환 능력이 부족하기 때문에 금융기관 등이 빚을 내주지 않아 부채가 적을 수밖에 없습니다.

Q3. 모범답변

<표 3>에 따르면 부채보유가구 중 소득 최하위 계층의 부채가 차상위층이나 중위층보다 많은 것이 특징적입니다. 앞에서 본 바와 같이 소득 최상위 계층의 부채는 투자형 부채입니다. 그러나 소득 최하위 계층의 부채는 생계형 부채라 할 수 있습니다.

부채를 보유하고 있는 가구 중 평균부채금액은 하위 20% 미만 계층이 차상위 계층과 차차상위 계층보다 많습니다. 소득 최하위 계층의 생계형 부채는 소득보다 지출이 많기 때문에 발생한 것으로 해석할 수 있습니다. 즉 소득이 최소생활비에 미치지 못하여 부채가 누적된 것으로 보아야 합니다. 특히 소득 최하위 계층의 경우 상환 능력이나 담보 능력이 좋지 않기 때문에 1금융권이나 2금융권의 이용이 불가능할 가능성이 크고, 결국 3금융권이나 사금융을 이용할 수밖에 없어 고금리 이자를 부담해야 할 것입니다. 이는 결국 빚이 빚을 부르는 악순환으로 접어들어 빈곤이 재창출됨으로써 소득 하위 계층이 빠져나올 수 없는 덫이 될 가능성이 매우 높다는 문제점이 있습니다.

해커스 김종수 모스클 떨칩 200주제

Q4. 모범답변

위의 해석 결과에 따른 예상되는 사회 문제는, 불평등의 심화입니다. 교육과 부의 관계가 비례적이고, 소득 최하위 계층과 소득 최상위 계층의 부의 격차는 더욱 커질 것으로 예상되기 때문입니다.

<표 2>와 <표 3>의 결과를 종합해석할 때, 소득 최하위 계층과 소득 최상위 계층의 격차는 더욱 커질 것으로 예상 가능합니다. 소득 최상위 계층은 부채가 가장 많지만, 이들의 부채는 투자형 부채이기 때문에 미래의 자산이 더욱 커질 가능성이 높습니다. 소득 최상위 계층은 지출보다 소득이 많아 부채를 상환할 능력이 충분히 크기 때문에 현 상황에서 부채를 지더라도 미래의 자산 상승을 기대할 수 있는 투자형 부채를 적극적으로 사용하는 것입니다. 예를 들어, 고소득자 A씨가 3억 원의 주택을 매수한다고 하겠습니다. 자신의 예금 2억 6천만 원에 은행으로부터 4천만 원의 담보대출을 받고자 할 것입니다. A씨의 현재 소득이 4,158만 원이라고 할 때 은행은 4천만 원의 대출을 기꺼이 내줄 것이고 A씨는 해당 부동산을 매수할 수 있습니다. 4천만 원의 부채는 A씨의 1년 소득 정도에 불과하기 때문에 금융기관은 A씨의 상환능력이 충분하고 만약 A씨가 상환을 하지 못한다고 하더라도 A씨가 매수한 부동산을 담보로 할 수 있기 때문에 낮은 이자로 대출을 해줄 것입니다. 이 부동산이 훗날 자산가격 상승으로 이어진다면 A씨는 4천만 원의 5~10% 수준의 대출이자 부담만으로도 자산가격 상승이라는 투자 이익을 얻게 됩니다.

그러나 소득 최하위 계층은 지출이 소득보다 많아 생계형 부채를 질 수밖에 없습니다. 앞에서 설명한 바와 같이 소득 최하위 계층은 고금리 사금융을 이용할 수밖에 없어 부채는 늘어나게 됩니다. 소득 최하위 계층에게는 현재의 부채가 곧 미래의 극심한 빈곤으로 이어지게 됩니다.

이처럼 소득 최상위 계층과 소득 최하위 계층의 소득불평등이 자산불평등으로 이어지게 되고, 이는 교육이라는 고리를 통해 자녀 세대의 불평등이 될 것입니다. 그렇다면 사회 이동성은 단절되어 노력할 유인이 줄어들고 사회 활력이 줄어들게 될 것입니다.

Q5. 모범답변

먼저, 소득 최하위 계층에 대한 복지정책을 강화해야 합니다. 소득 최하위 계층의 불평등이 악순환으로 접어드는 것을 막기 위해서는 지출이 소득보다 많기 때문에 발생하는 생계형 부채를 줄여야 합니다. 이를 위해 소득 최하위 계층에 대한 복지정책을 강화해야 합니다.

둘째, 소득 최하위 계층 자녀에 대한 교육정책을 강화해야 합니다. 부모의 소득이 커질수록 자녀의 교육정도가 높아지고 이는 다시 직업이라는 고리를 통해 후세대의 고소득으로 이어지게 됩니다. 반대로, 부모의 소득이 낮을수록 자녀의 교육정도가 낮아지고 후세대의 저소득으로 이어질 것입니다. 부모가 고소득자인지 저소득자인지는 우연에 불과하며, 이러한 우연적 요소가 개인의 노력을 잠식하게 된다면 노력할 유인이 약해지게 될 것입니다. 따라서 소득 최하위 계층 자녀에 대한 교육정책을 강화함으로써 부모의 소득과 관계없이 자신의 노력 여부와 정도에 따라 교육을 받아 좋은 직업을 갖고 고소득자가 될 수 있음을 신뢰할 수 있도록 해야 합니다.

173 개념 이기심과 이타심

2024 서강대 기출

1. 기본 개념

(1) 이기심과 금전적 인센티브

경제학은 인간이 합리적 경제인이라 가정한다. 이는 인간이 자신의 이익을 극대화할 목적으로 행동한다는 것을 의미한다. 이에 따르면 금전적 인센티브를 설계하는 것이 적절하다. 금전적 인센티브는 금전이 목적인 집단과 소속된 개인의 능력 향상에 효율적이다. 예를 들어, 기업은 이윤 추구를 목적으로 하는 집단이며 그 구성원들은 이윤에 기여한 정도에 따라 평가받는다. 기업 구성원의 능력을 효율적으로 끌어올리기 위해서는 기업 매출 상승액의 일정비율을 그에 기여한 구성원이 인센티브로 받을 수 있도록 설계해야 한다. 그렇다면 개인은 자신의 능력을 높이기 위해 노력할 수밖에 없다.

(2) 이타심과 사회적 인센티브

행동경제학은 인간이 이타적인 이유로 행동할 수 있다는 문제의식에서 시작되었다. 인간은 자신의 이익에도 신경을 쓰지만, 공평성 등과 같은 사회적인 가치에도 배려를 한다. 이에 따르면 사회적 인센티브가 적절하다. 사회적 인센티브는 사회적 가치 실현이 목적인 집단에 소속된 개인의 능력 향상에 효율적이다. 예를 들어, 군 장교나 법관에게 효과적인 업무 처리의 보상으로 금전적 인센티브를 제공한다면 오히려 능력을 끌어올리기 어려울 것인데, 군의 목적은 국가안보이며 사법부의 목적은 국민의 공정한 재판받을 권리라는 사회적 가치이기 때문이다. 군 장교에 대한 보상은 금전적 인센티브보다 군인의 명예를 북돋울 수 있는 사회적 인센티브여야 하고, 법관에 대한 보상 역시 금전적 인센티브보다 국민의 공정한 재판받을 권리 실현에 대한 사회적 인센티브여야 한다.

2. 읽기 자료

마이클 샌델, <돈으로 살 수 없는 것들>, 와이즈베리

브라이언 헤어, <다정한 것이 살아남는다>, 디플롯

⏱ 답변 준비 시간 20분 | 답변 시간 20분

※ 다음 제시문을 읽고, 문제에 답하시오.

태평양의 고도(孤島) 마쿠(Maku) 섬에는 칼루아메족이라는 폴리네시아 야만인들이 살고 있다. 이들은 과학사에서 빅 키쿠(Big Kiku)라는 거인 추장에 대한 2개의 연구 덕분에 독특한 명성을 누리고 있다. 하나는 상호 거래를 주제로 한 경제학자의 연구이고, 다른 하나는 인간의 타고난 이타성을 기술하려는 인류학자의 연구이다.

빅 키쿠에게는 괴상한 취미가 있었는데, 그는 추종자들에게 얼굴에 문신을 새겨 충성심을 보이라고 요구하고는 했다. 두 학자가 빅 키쿠의 캠프에서 저녁식사를 하고 있었다. 이때 4명의 남자가 캠프에 뛰어들었다. 그들은 매우 허기져 보였고 빅 키쿠에게 카사바를 먹게 해달라고 부탁했다. 추장은 대답했다. "얼굴에 문신을 새겨라. 그러면 아침에는 카사바 뿌리를 먹게 해주겠다."

경제학자는 이 남자들이 빅 키쿠의 약속을 믿어도 될 것인지 궁금해하며, 빅 키쿠는 남자들이 얼굴에 문신을 새기고 나서 아무것도 주지 않을 수 있다고 말했다. 그러나 인류학자는 빅 키쿠가 으름장을 놓으면서 농담하는 것이므로 그는 문신을 새기지 않은 사람에게도 카사바를 줄 것이라고 했다.

두 학자는 밤늦게까지 논쟁을 벌이느라 위스키 한 병을 다 비웠고 이튿날 아침 그들이 잠에서 깼을 때는 해가 이미 중천에 떠 있었다. 학자들은 빅 키쿠에게 4명의 남자가 어떻게 되었느냐고 물었다. 빅 키쿠는 아래의 내용과 같이 대답한 뒤, 한참을 껄껄거리며 웃었다.

"4명의 남자는 해가 뜨자마자 길을 떠났다. 당신들이 그토록 머리가 좋다니 내가 당신들에게 문제를 하나 내겠다. 만약 맞히지 못하면 내 손으로 직접 당신들 얼굴에 문신을 새기겠다. A는 문신을 새겼고, B는 아무것도 먹지 못했으며, C는 문신을 새기지 않았고, D에게 나는 큼직한 카사바 뿌리를 줬다. 자 이제, 당신들이 궁금해하는 문제의 답을 알기 위해서는 이 네 사람 중 누구에 관한 정보가 더 필요한지를 말해봐라. 문제를 푸는 데 꼭 필요하지 않은 사람에 대해 묻거나 꼭 필요한 사람에 대해 묻지 않으면 당신들이 진 것이며, 그때는 내가 당신들 얼굴에 문신을 새기겠다."

Q1. 경제학자의 입장에서, 얼굴에 문신을 새기지 않으려면 A~D 중 누구의 정보가 더 필요한지 말하고, 필요한 정보가 무엇인지 논리적으로 답하시오.

Q2. 경제학자의 입장에서, 추가적인 정보가 필요하지 않은 사람은 누구이며, 왜 그렇게 생각하는지 그 이유를 논하시오.

Q3. 인류학자의 입장에서, 얼굴에 문신을 새기지 않으려면 A~D 중 누구의 정보가 더 필요한지 말하고, 필요한 정보가 무엇인지 논리적으로 답하시오.

Q4. 인류학자의 입장에서, 추가적인 정보가 필요하지 않은 사람은 누구이며, 왜 그렇게 생각하는지 그 이유를 논하시오.

추가질문

Q5. 만약 빅 키쿠가 A는 카사바를 먹었고, B는 문신을 새기지 않았다고 대답했다고 하자. 이 대답이 지지하는 입장에 따르면, 아래 <상황>의 결론이 무엇일지 답하시오.

<상황>
甲과 乙, 두 사람이 사는 마을이 있다고 하자. 甲과 乙은 자신들의 마을에 도로를 놓고자 한다. 甲과 乙이 도로를 만들 때 부담해야 하는 비용은 각각 100만 원이고 이로써 누리는 순편익(편익 - 비용)은 각각 50만 원이다. 甲만 비용을 부담한다면 순편익은 -25만 원이고, 乙의 순편익은 75만 원이다. 乙만 비용을 부담한다면 순편익은 -25만 원이고, 甲의 순편익은 75만 원이다.

Q6. 빅 키쿠가 C는 카사바를 먹었고, D는 문신을 새기지 않았다고 답했다면, 이 대답이 지지하는 입장에 따른 위 상황의 결론은 무엇인가?

Part 1
Part 2
Part 3
Part 4
Part 5
Part 6
Part 7

Q1. 모범답변

경제학자의 입장에서 얼굴에 문신을 새기지 않으려면, 2개의 질문을 해야 합니다. 경제학자는 상호 거래를 주제로 연구하고 있기 때문에 빅 키쿠가 약속을 지킬 것인가에 관심이 있습니다. 따라서 경제학자는 A와 B에 대해 질문을 해야 합니다.

A에 대한 질문 내용은, "A에게 카사바를 주었는가?"입니다. A는 얼굴에 문신을 새겼기 때문에 빅 키쿠가 약속대로 카사바를 주어야만 상호 거래가 실현되는 것이기 때문입니다.

B에 대한 질문 내용은, "B가 문신을 새겼는가?"입니다. B는 아무것도 먹지 못했다고 했으므로, 빅 키쿠와의 약속대로 문신을 새겼는데도 카사바를 받지 못했다면 빅 키쿠는 약속을 어긴 것이며 상호 거래가 실현되지 않은 것이기 때문입니다.

Q2. 모범답변

경제학자의 입장에서 추가적인 정보가 필요 없는 사람은 C와 D입니다. 경제학자는 상호 거래에 관심을 갖고 있으며, 상호 거래를 위해서는 상호 간에 동의한 약속이 지켜졌는지를 살펴야 합니다. 빅 키쿠는 단지 문신을 새기면 카사바를 주겠다고 약속했습니다.

빅 키쿠가 C와 같이 문신을 새기지 않은 사람에게 카사바를 주지 않은 것은 약속을 어긴 것이 아닙니다. 마찬가지로 빅 키쿠가 D와 같이 문신을 새겼는지 여부와 무관하게 카사바를 준 것은 약속을 어긴 것이 아닙니다. 따라서 빅 키쿠가 약속을 어긴 것이라 볼 수 없는 C와 D에 대해 묻는 것은 경제학자의 입장에서는 필요 없는 질문을 한 것이 됩니다.

Q3. 모범답변

인류학자의 입장에서 얼굴에 문신을 새기지 않으려면, 2개의 질문을 해야 합니다. 인류학자는 이타성을 주제로 연구하고 있기 때문에 빅 키쿠가 네 남자의 행동과 관계없이 무조건 관대하게 행동했다는 증거를 찾을 것입니다. 따라서 인류학자는 C와 D에 대해 질문을 해야 합니다.

C에 대한 질문 내용은, "C가 카사바를 먹었는가?"입니다. C는 문신을 새기지 않았으나 빅 키쿠가 이타성을 발휘하여 그에게 카사바를 주었을 수 있습니다.

D에 대한 질문 내용은, "D가 문신을 새겼는가?"입니다. D는 음식을 먹었으나 문신을 새기지 않았을 수도 있습니다. 문신을 새기지 않았으나 카사바를 먹었다면 이는 빅 키쿠가 관대하게 행동하여 이타성을 발휘한 결과가 될 것이기 때문입니다.

Q4. 모범답변

인류학자의 입장에서 추가적인 정보가 필요 없는 사람은 A와 B입니다. 인류학자는 인간의 이타성에 관심을 갖고 있기 때문에 빅 키쿠가 무조건적인 관대함을 행사했는지를 확인해야 합니다.

빅 키쿠는 A와 B에게 관용을 베풀지 않았기 때문에 인류학자는 이들에 대한 정보가 필요하지 않습니다.

A는 빅 키쿠와의 약속에 따라 문신을 새겼기 때문에 카사바를 받았는지와 관련 없이 빅 키쿠가 무조건적인 관용과 이타성을 발휘한 것이라 할 수 없습니다.

B는 아무것도 먹지 못했으므로 빅 키쿠는 B에게 관용을 베풀지 않았고 이타성을 발휘한 것이라 할 수 없습니다.

Q5. 모범답변

빅 키쿠의 대답이 지지하는 입장은 상호 거래에 관심을 가진 경제학자의 입장입니다. <상황>은 죄수의 딜레마 상황으로, 개인적 합리성의 발현 결과가 사회적 합리성으로 연결되지 않는 무임승차의 유인이 작동하는 상황입니다. 경제학자는 개인이 자신의 이익을 극대화하고자 상대방과 거래를 한다고 보고 있습니다. 자신의 이익을 극대화하고자 한다면 甲과 乙은 각각 상대방의 비용 부담 여부와 관계없이 비용을 부담하지 않는 것이 합리적 선택이 됩니다. 甲의 선택을 먼저 살펴보겠습니다. 첫째 乙이 비용을 부담한 경우, 甲은 비용을 부담하지 않으면 75의 순편익을 얻고 비용을 부담하면 50의 순편익을 얻습니다. 따라서 비용을 부담하지 않는 것이 甲에게 이익이 됩니다. 둘째 乙이 비용을 부담하지 않을 경우, 甲은 비용을 부담하지 않으면 0의 순편익을 얻고 비용을 부담하면 -25의 순편익을 얻습니다. 따라서 甲은 乙의 비용 부담 여부와 관계없이 비용을 부담하지 않을 때 더 큰 순편익을 얻으므로 도로 건설비용을 부담하지 않으려 합니다. 또한 乙의 입장도 마찬가지이기 때문에 乙 역시 도로 건설비용을 부담하지 않을 것입니다. 경제학자의 입장에 따르면, 甲과 乙 모두 자신의 이익을 극대화하기 위해 도로 건설비용을 부담하지 않으려 할 것입니다. 따라서 자신의 이익을 극대화하려는 개인의 합리적인 의사결정으로 인해 사회적 이익은 감소하고 공공재는 과소공급될 수밖에 없습니다.

Q6. 모범답변

빅 키쿠의 대답은 인간의 이타성을 연구하는 인류학자의 입장을 지지합니다. 이에 따르면, 인간은 이타성을 발휘할 것이기 때문에 甲과 乙은 서로를 위해 도로 건설비용을 지불할 것입니다. 따라서 도로가 건설되어 甲과 乙 모두 도로라는 공공재를 이용할 수 있게 됩니다.

2024 성균관대 기출

1. 기본 개념

(1) 고령운전자

2019년 기준 우리나라 운전면허 소지자 수는 약 3,265만 명이며, 이 중 고령운전자는 약 333만 7천 명으로 약 10%를 차지하며 매년 꾸준하게 고령운전자가 증가하고 있다.

(2) 고령운전자에 의한 교통사고

전체 교통사고 사망자는 지속적으로 감소하고 있으나 고령자 교통사고 사망자는 증가하고 있다. 경찰청에 따르면, 2019년 65세 이상 고령운전자의 교통사고 건수는 5년 전보다 약 44% 증가하였고, 교통사고 100건당 사망자 수는 65세 미만 비고령운전자가 약 1.7명인데 반해, 65세 이상 고령운전자는 약 2.9명으로 약 80% 더 높다.

(3) 고령자 운전면허 반납 제도

고령자 운전면허 반납 제도는 고령운전자에게 운전면허의 반납을 유도하고 면허 취소 후 수익적 급부를 제공한다는 점에서 기존의 처분과는 차별성 있는 제도이고, 정책 대상자의 참여와 호응을 유도하기 좋은 정책이다. 이 제도는 2018년 부산에서 처음 도입되어 현재는 많은 지자체에서 실시하고 있다. 고령자가 운전면허증을 반납한 경우는 반납 이후 해당 지자체에서 각자의 실정에 맞게 10만 원에서 30만 원 상당의 교통 사랑 카드, 지역 문화상품권 등을 교부한다.

그러나 2018년 부산에서 시행 당시 면허증 반납 건수가 높았음에도 불구하고, 현재는 지역별로 면허증 반납 건수의 편차가 심할 뿐만 아니라, 면허증 반납 건수가 줄고 있는 지자체도 있다. 그리고 농촌지역의 경우 고령운전자의 대부분은 운전면허 반납을 하지 않겠다고 하고 있다.

(4) 조건부 운전면허 제도

미국, 독일, 스위스, 호주, 일본을 비롯한 여러 나라에서는 이미 신체적 장애가 있는 사람이 아니더라도 특정한 도로환경 조건에서는 운전을 제한적으로 허용하는 조건부 운전면허 제도를 운영하고 있다. 주로 고령 운전자가 운전할 수 있는 기회를 주기 위함인데, 일상생활이 가능한 고령자는 최대한 운전할 수 있도록 허용하는 편이 개인의 삶의 질을 높이고 사회적 비용을 줄이는 데 도움이 되기 때문이다. 특히 대중교통 서비스가 발달하지 않은 농촌 지역에 거주하는 고령자들은 차를 직접 운전하지 못할 경우 일상생활에 더 큰 어려움을 겪을 수 있다. 이들은 신체적, 인지적 능력이 다소 떨어지더라도 집에서 상점, 병원, 종교시설 등까지 운전하기를 희망할 수 있다.

2. 읽기 자료

조건부 운전면허 제도[245]
고령자 운전면허 반납 제도[246]

[245]

조건부 운전면허 제도

[246]

고령자 운전면허 반납 제도

 **174 문제** | 고령운전자 면허 반납

⏱ 답변 준비 시간 15분 | 답변 시간 15분

※ 다음 QR코드를 촬영하면 연결되는 제시문을 읽고, 문제에 답하시오.

서울 시청역에서 발생한 역주행 교통사고로 15명의 사상자가 발생한 가운데, 고령운전자의 교통사고에 대한 대책이 필요하다는 목소리가 커지고 있다. 이에 '고령운전자 조건부 면허제' 등의 재검토 의견이 나오고 있다.

고령운전자 조건부 면허

Q1. 고령운전자의 운전면허 반납 강제에 대한 찬성 입장의 논거를 제시하고 이를 논증하시오.

Q2. 고령운전자의 운전면허 반납 강제에 대한 반대 입장의 논거를 제시하고 이를 논증하시오.

Q3. 고령운전자의 운전면허 반납 강제에 대한 찬반 입장 중 자신의 입장을 정하고 논증하시오.

Q4. 본인이 선택한 입장에 대한 현실적인 정책적 실행 방안과 대안을 제시하시오.

Q1. 모범답변

고령운전자의 운전면허 반납 강제를 찬성하는 입장에서는, 국민안전의 실현과 평등원칙에 부합함을 논거로 제시할 것입니다.

국민안전을 위해 고령운전자의 운전면허를 반납하도록 규제해야 합니다. 국민은 자신의 권리를 안정적으로 실현하고자 국가를 형성했으므로, 국가는 국민의 권리를 실현하기 위한 근본이 되는 국민안전이라는 가치를 지켜야 할 의무가 있습니다. 특히 자동차는 운전자의 간단한 조작만으로도 200마력 이상의 힘을 낼 수 있어 국민안전을 위협할 수 있는 위험성을 갖고 있습니다. 고령운전자의 운전으로 인한 사망 사고의 비율이 약 40% 이상인데, 이는 고령운전자의 수에 비해서 매우 높은 사망 사고율이라 할 수 있습니다. 이처럼 사고 가능성이 매우 직접적인데도 고령운전자가 운전면허를 유지하고 운전을 지속한다면 높은 사망 사고율과 고령인구의 증가로 인해 더 많은 사망 사고가 발생하여 국민의 생명과 안전을 위협하게 됩니다. 따라서 국가는 국민안전을 위해 고령운전자의 운전면허를 반납하도록 규제해야 합니다.

평등원칙에 부합하므로 고령운전자의 운전면허를 반납하도록 규제해야 합니다. 평등원칙은 같은 것은 같게, 다른 것은 다르게 대하라는 원칙입니다. 국가는 운전면허 취득 시 신청자가 운전에 적합한 신체적, 정신적 능력을 갖추었는지를 확인하는 검사를 시행하고, 이를 통과한 사람만이 운전면허를 딸 수 있는 자격을 부여합니다. 그러나 고령운전자는 과거 운전면허 취득 시에는 그 능력이 충족되었으나, 현재에 이르러 그 능력이 미충족된 상태입니다. 그렇다면 운전면허 취득 시 운전에 필요한 능력을 갖추지 못한 자에게 운전면허를 부여하지 않는 것처럼, 고령운전자는 현재 운전에 부적합한 능력 상태이므로 운전면허를 반납하도록 하는 것이, 같은 것을 같게 대하는 것이 됩니다. 따라서 평등원칙에 따라 고령운전자의 운전면허를 반납하도록 규제해야 합니다.

Q2. 모범답변

고령운전자의 운전면허를 반납하도록 규제해서는 안 된다는 입장에서는, 개인의 자유에 대한 과도한 제한과 평등원칙에 위배된다는 점을 논거로 제시할 것입니다.

개인의 자유에 대한 과도한 제한이므로 고령운전자의 운전면허를 반납하도록 규제해서는 안 됩니다. 개인은 자기 자신의 주체로 스스로 선택한 결과에 대해 책임을 지게 됩니다. 단, 타인의 자유에 직접적 해악을 가할 경우에 한해 개인의 자유를 제한할 수 있습니다. 운전 역시 개인의 자유로운 선택의 결과로 운전면허는 일정한 능력을 갖춘 사람에 대해 국가가 운전이 가능함을 보증하는 것입니다. 운전자의 나이와 관계없이 운전 능력이 미흡한 자는 운전을 할 수 없거나 차량 운행의 결과에 대해 처벌을 받는 등으로 책임을 지게 됩니다. 그러나 고령운전자의 경우 고령이라 하여 반드시 운전이 미흡하다고 할 수 없고, 개인의 상태에 따라 그 능력이 결정됩니다. 만약 특정 개인이 스스로 판단하기에 차량을 운행할 능력이 미흡하고 교통사고 확률이 높아 자신이 책임질 가능성이 높다고 판단한다면 운전을 선택하지 않을 것입니다. 고령임에도 운전을 할 것을 선택했다면 운행 능력이 있고 교통사고의 책임을 지겠다고 스스로 선택한 것입니다. 따라서 고령운전자의 운전면허를 반납하도록 강제해서는 안 됩니다.

평등원칙에 위배되므로 고령운전자의 운전면허를 반납하도록 규제해서는 안 됩니다. 평등원칙이란 같은 것은 같게, 다른 것은 다르게 대하라는 원칙입니다. 같은 것을 다르게 대하거나, 다른 것을 같게 대하면 평등원칙에 위배됩니다. 고령운전자는 다른 운전자와 마찬가지로 동일하게 운전이 가능함을 증명하는 운전면허를 보유하고 있습니다. 그런데 운행 능력이 있음에도 불구하고 단지 특정 연령대가 되었다는 이유만으로 운전면허를 반납하도록 강제하는 것은 합리적 이유 없는 차별입니다. 동일한 자유에 대해 나이를 이유로 하여 운전 허용과 불허로 다르게 대하는 것입니다. 이는 같은 것을 다르게 대한 것으로서 평등원칙에 위배됩니다.

Q3. 모범답변

고령운전자의 운전면허 반납을 강제해야 합니다. 개인의 실질적 자유를 보장할 수 있기 때문입니다. 고령자의 경우 보통 자신의 편리를 위해 운전을 선택합니다. 사람은 누구나 나이를 먹으면 사물인식능력과 신체적 반응속도가 떨어지게 됩니다. 그러나 개인은 오랜 시간 자신의 정신과 육체에 서서히 적응하기 때문에 이러한 능력 저하를 인식하기 어렵습니다. 아무리 자동차가 주는 편리함이 크다고 하더라도, 고령자도 운전을 하다가 사고가 나서 생명과 신체에 위해가 발생하는 것을 진정으로 원하지는 않을 것입니다. 고령운전자 역시 교통사고를 유발하고자 선택함으로써 책임을 지기를 원하는 것은 아닙니다. 국가는 능력에 따라 운전면허를 발급하는 것과 마찬가지로 고령운전자에 대한 능력 검사를 통해 능력 유무와 정도를 대신 판단하는 것입니다. 이에 따라 국가는 고령운전자가 진정으로 원하는 바, 즉 능력이 떨어졌을 경우 운전을 하지 않음으로써 사고를 유발하지 않는 것을 실현할 수 있도록 해야 합니다. 따라서 운전면허를 반납하게 하는 것이 적절합니다. 다만, 특정 연령대가 되면 일률적으로 운전면허를 반납하도록 강제하는 것보다 특정한 신체검사를 통해 운행 능력을 측정하고 기준 미달인 경우 운전면허를 반납하도록 함이 타당합니다.

이에 대해 고령운전자의 운전면허 반납 강제로 인해 고령자의 이동권이 제한될 우려가 있다는 반론이 제기될 수 있습니다. 그러나 고령자의 이동권은 국가적 노력을 통해 극복해야 할 문제이지 고령자에게 운전을 권장함으로써 해결할 문제는 아닙니다. 국가가 고령자의 이동을 위한 교통수단을 완비하고 비용 등의 보조를 통해 이를 해결해야 합니다. 그리고 이에 더해 고령자가 운전면허증을 반납하는 경우 신분증을 대체할 증명을 무상발급하는 형태로 유인을 제공해야 합니다.

Q4. 모범답변

먼저 고령운전자로 지정될 수 있는 특정 연령대를 정해 운전면허 갱신기간을 단축해야 합니다. 예를 들어, 사물인식능력과 신체적 반응속도가 급격히 저하되는 연령대가 65세라 한다면 65세부터 운전면허 갱신기간을 1~2년으로 단축하고 운전 능력을 검사하여 기준을 충족할 경우에 한해 운전면허를 갱신, 발급해야 합니다. 그러나 이 경우 고령운전자의 자유로운 이동권이 제한될 수 있습니다. 이를 보장하기 위해 교통 바우처 지급 등의 방법을 사용함이 적절합니다.

둘째로, 운전면허증이 신분증으로 사용되는 경우가 많기 때문에 고령운전자가 운전면허를 반납할 경우 신분증 추가 발급을 무상으로 해야 합니다.

마지막으로 고령운전자의 심리상 운전을 할 수 없다는 것이 자신의 능력 저하를 증명하는 것이라거나 사회적 무능력자로 인식된다거나 하는 심리적 거부감이 존재할 수 있습니다. 운전면허 반납을 한 고령운전자에 대한 사회적 인식 개선 노력을 기울일 필요가 있습니다.

2024 중앙대 기출

1. 기본 개념

(1) 민족

학문적으로 민족(民族)을 정의하면, 남들과 구별되는 문화적 공통사항을 지표로 하여 상호 간에 전통적으로 연결되어 있다고 생각하는 사람들, 혹은 다른 사람들에 의해 그렇다고 인정되는 사람들을 말한다. 이때 문화적 공통사항이란 언어, 종교, 사회, 경제생활 등의 생활양식을 포괄한다. 따라서 민족이라는 개념 자체는 문화에서 비롯된다고 할 수 있다.

(2) 민족의 객관성

민족에 대한 객관적 정의는 대개 일반인들의 상식처럼 혈통, 언어, 관습, 종교, 영토 등의 기준에 근거하고 있다. 객관적 민족주의에 따르면, 민족이란 동일한 혈통, 언어, 관습, 종교, 영토 등의 기준을 공유하고 있는 집단이다. 민족을 누가 보더라도 인정할 수 있고 명확한 기준에 따라 나눌 수 있다고 본다는 점에서 객관적 민족주의라 한다.

민족을 객관적 조건에 따라 나눌 수 있다고 주장하는 입장, 즉 객관주의적 입장에 따르면 민족은 과거로부터 혈통이나 관습 등을 물려받아 이어지는 영원불변의 존재가 된다. 이러한 관점에서 영속주의적 견해라고도 한다. 따라서 이러한 입장에서 민족은 종족, 조상, 언어, 종교, 전통문화, 영토, 관습 등 공동의 역사와 사회적 가치를 공유하는 집단이다. 즉 원초적 유대관계를 맺고 있는 종족 개념에 가깝게 된다.

(3) 민족의 주관성

한국인이지만 미국에서 태어나 미국에서 자란 교포 2세를 생각해보자. 비록 혈통은 한국인이지만 미국에서 태어났고 미국의 교육을 받았다면 사고방식이나 집단의식은 미국인에 가까울 것이다. 한편 미국인이지만 한국에서 태어나 한국에서 자란 사람이 있다고 하자. 파란 눈의 백인이라 하더라도 이 사람은 한국인의 정서를 가지고 있는 사람일 가능성이 크다.

위의 예를 볼 때, 민족은 생김새나 언어 등의 조건에 근거하기보다는 주관적 요인에 근거하는 바가 크다고 할 수 있다. 민족을 주관적으로 정의하는 입장에 따르면 민족의 기준은 민족 구성원들의 집단적이거나 개인적인 소속감과 소속 의지를 가장 중요한 기준으로 제시한다. 에르네스트 르낭[247]은 민족을 가리켜 "매일의 인민 투표(an everyday plebiscite)"라고 말한다. 르낭은 민족이란 우리가 함께 살아가고자 하는 의지가 있는 것인지를 매일매일 확인하는 것과 같다고 본다. 르낭은 민족에 대해 두 가지 본질적 조건을 언급한다. 하나는 풍요로운 추억을 가진 유산을 공동으로 소유하는 것이며, 나머지 하나는 현재의 묵시적 동의, 함께 살려는 욕구, 각자가 받은 유산을 계속해서 발전시키고자 하는 의지라고 하였다. 이에 따르면 우리가 흔히 생각하듯이 누가 보더라도 인정할 수 있는 객관적 조건, 즉 지리적 조건이나 언어, 종교, 인종 등에 기준을 둔 것이 아니라 스스로가 어느 민족이라고 생각하는지 주관적인 소속감, 정체감이 민족을 가른다고 보았다는 점에 그 특징이 있다.

[247)
에르네스트 르낭(Joseph-Ernest Renan, 1823~1892) : 프랑스의 사상가·종교사가·언어학자로 프랑스 실증주의 대표자의 한 사람

(4) 민족주의

민족을 구별하는 기준은 크게 둘로 나뉜다. 민족을 바라보는 관점에는 크게 객관적인 조건에 의해 구별된다는 입장과 주관적 조건을 강조하는 입장이 있다. 객관주의적 입장은 영속주의적 견해와 결합되며, 주관주의적 입장은 현대적 견해와 유사하다.

먼저 영속주의적 견해는 민족을 과거로부터 이어진 영원불변의 존재라고 본다. 민족을 종족이나 조상, 언어, 종교, 전통문화, 영토, 관습 등 공동의 역사·사회적 가치를 공유하고 있는 원초적 유대관계에 의한 종족적 형태로 파악한다. 이러한 견해는 민족을 인종이나 언어, 종교 등의 객관적인 기준으로 구별하기 때문에 객관주의적 입장과 궤를 함께한다.

반면 현대주의적 관점은, 민족은 법적·정치적 의무와 권리를 가지는 시민으로 구성되었다고 한다. 이러한 견해는 프랑스 대혁명 후 프랑스의 민족국가 성립을 설명하는 이론이다. 민족은 언어, 혈통에 의해 구성되기보다는 정치적으로 형성된 것으로 본다. 이 관점에 따르면 민족 구성원들이 민족 공동체에 자신을 귀속시키고자 하는 주관적 의지가 민족을 만든다.

2. 읽기 자료

베네딕트 앤더슨, <상상된 공동체-민족주의의 기원과 보급에 대한 고찰>, 길출판사

Part 1
Part 2
Part 3
Part 4
Part 5
Part 6
Part 7

⏱ 답변 준비 시간 15분 | 답변 시간 15분

※ 다음 제시문을 읽고, 문제에 답하시오.

(가) 국민이라는 개념이 지녔던 역사적 역할은 충분히 인정할 수 있습니다. 프랑스 혁명 당시 최초로 국민의 개념이 현실화되었을 때, 신분제의 벽을 무너뜨리고 법 앞의 평등을 주장했다는 점에서 봉건적 신분질서로부터 개인을 해방시킨 것은 분명합니다. 그러나 문제점은 내셔널리즘이 해방이라는 명목하에 비국민을 배제시키고 '형제애'라는 이름으로 여성을 배제시키는 차별과 폭력의 모습을 보였다는 점입니다. 신분제로부터 개인을 해방시킨다는 이름으로 새로운 차별과 억압이 정당화되었던 것입니다.

(나) 근대의 주체인 민족과 국민은 자연적이고 초역사적으로 존재하는 영원히 존속하는 것이라는 오해가 큽니다. 사실 근대의 국민국가를 이루는 주체인 민족과 국민은 위로부터 호명해서 인위적으로 만들어진 구성물에 가깝습니다.

민족과 국민에 대한 오해와 착각은 민족 자체를 신성불가침하며 초역사적이고 절대적인 상수(常數)로 본다는 문제점으로 이어집니다. 결국 이로 인해 민족은 신성불가침한 존재가 되고 결코 해체될 수 없는 운명공동체라는 인식으로 이어집니다. 그래서 국가와 민족은 영원한 생명을 지니고 있기 때문에 국가와 민족의 무궁한 발전을 위해 개인은 자신의 소아적 이해를 희생해야 한다는 논리로 연결됩니다. 이에 따르면 인권과 민주주의는 개인적인 것, 즉 '소아(小我)'의 이해와 동일한 것이 되고, 국가 발전이나 국력 증대는 공적인 것, 즉 '대아(大我)'의 이해와 동일한 것으로 간주됩니다. 따라서 운명공동체인 민족과 국가를 위해서 소아(小我)인 자신의 희생을 기꺼이 받아들이지 않는 자는 비국민이자 민족의 배반자로 매도됩니다. 인권, 민주주의, 노동자의 권리 등을 요구하는 사람은 국가와 민족의 배반자가 되는 셈입니다. 이러한 민족의 개념은 극우 민족주의자뿐만 아니라 북한의 주체사상이나 남한의 민족 해방을 주장하는 극좌 민족주의자의 논리이기도 합니다. 마르크스주의의 창조적인 해석, 우리 식의 주체적인 수용, 우리 식의 사회주의 등의 슬로건이 그것을 보여주는 대표적인 사례입니다. 그 의도는 결국 노동 해방의 논리를 국가와 민족의 발전을 위한 노동 동원의 논리로 전환시키는 것입니다.

(다) 이번에는 쓰기 시간이었습니다. 아멜 선생님은 특별히 아름다운 글씨체로 된 인쇄물을 나누어 주셨습니다. 그 인쇄물에는 '프랑스 알자스'라고 쓰여 있었습니다. 그 글씨는 책상 위에 매달려서 나부끼는 작은 깃발처럼 보였습니다.

다음은 역사 시간이었습니다. 꼬마들은 역사책을 다 함께 소리 내어 읽었습니다. 교실 뒤에서 있던 오제 할아버지는 안경을 쓰고서 교과서를 들고 우리들과 한 자 한 자 더듬거리며 읽었습니다. 열심히 읽느라 목소리가 감동으로 떨리고 있었습니다. 오제 할아버지의 읽는 모습이 너무 우스꽝스러워서 우리는 웃어야 할지 울어야 할지 알 수 없었습니다. 이 마지막 수업을 나는 결코 잊을 수 없을 것입니다.

(라) 국어 교과서에 실린 알퐁스 도데(Alphonse Daudet)의 <마지막 수업>은 그 강렬한 민족주의적 메시지로 청소년기의 많은 한국인들에게 깊은 인상을 남겼다. 그러나 이 소설의 무대인 알자스-로렌의 주민들이 혈통적으로는 독일인이며 또 18세기 말까지는 독일어를 사용했다는 사실을 아는 한국인들은 별로 없는 듯하다.

역사적 실상은 이러하다. 알자스-로렌의 주민들은 중세 이래 독일어를 사용하고 독일 문화권에 속해 있었다. 혈통적으로도 라틴보다는 게르만에 가까웠다. 그러나 이들은 1789년 프랑스 대혁명이 발발하자 주민 투표를 통해 기꺼이 프랑스 민족에 통합되는 길을 택했다. '자유, 평등, 박애'라는 슬로건 아래 혁명 프랑스 정부가 약속한 인간 및 시민의 권리에 표를 던진 것이다. 이들에게 혈통과 언어를 좇는다는 것은 곧 독일의 봉건적 지배 아래 들어간다는 것을 의미하였다. 알퐁스 도데가 감동적으로 그린 알자스-로렌 주민들의 감동적 프랑스 민족주의는, 그러므로 혈통이나 언어 등 원초적 유대감에 기초한 것이 아니라 프랑스 공화정이라는 시민적 공동체에 대한 시민적 헌신에서 비롯된 것이다.

Q1. 제시문 (가)에서 프랑스 혁명의 긍정적 의미와 그 한계를, 자유의 측면에서 논하시오.

Q2. 제시문 (나)에서 공산주의 혁명의 긍정적 의미와 그 한계를, 사회의 측면에서 논하시오.

Q3. 민족을 자연적·초역사적으로 존재하는 것으로 보는 견해에 대해 설명하시오.

Q4. 민족을 자연적·초역사적으로 존재하는 것으로 보는 견해의 문제점은 무엇인가?

Q5. 제시문 (다)와 (라)를 참고하여, 민족을 어떻게 규정해야 하는지 구체적인 예를 들어 논하시오.

Q1. 모범답변

프랑스 혁명의 긍정적 의미는, 국민의 자유와 권리를 실질적으로 보호할 수 있게 되었다는 점입니다. 프랑스 혁명은 국가의 존재 목적을 국민의 자유 보장으로 규정하였습니다. 이를 통해 국민은 절대왕정국가의 신민(臣民)으로부터 해방되어 자기 자신의 주인이 되어 자신의 자유와 권리를 국가로부터 실질적으로 보장받을 수 있게 되었습니다. 그리고 국가가 개인의 자유와 권리를 부당하게 침해할 경우 국가에 저항할 권리 또한 보장받아 국가가 그 자신의 목적을 실현하는 역할만을 하도록 강제할 수 있었습니다.

프랑스 혁명의 한계는, 국가가 규정한 국민 외의 자들에 대한 자유 보호에 실패하였다는 점입니다. 본래 프랑스 혁명의 가치에 따르면, 개인의 자유를 보장하고자 하는 목적으로 국가라는 수단을 형성한 것입니다. 그러나 현실적으로는 국가가 개인의 자유를 보장하는 역할을 하기 때문에 국가가 보호할 것을 규정한 국민 외의 개인들은 그 자유를 보장받을 수 없는 상황에 놓인다는 한계가 있습니다. 이는 국민국가를 형성하여야만 개인의 자유를 보장받을 수 있게 되었다는 점에서 목적과 수단이 전도된 것이라는 한계가 있습니다.

Q2. 모범답변

공산주의 혁명의 긍정적 의미는, 극심한 사회불평등을 완화할 수 있었다는 점입니다. 공산주의 혁명 당시 자본주의의 문제점으로 인해 노동자와 자본가의 계급투쟁이 발생하여 사회갈등이 극심해졌습니다. 심대한 불평등은 노동자와 자본가의 갈등으로 이어져 국가가 붕괴하고 결과적으로 개인의 자유가 실질적으로 침해될 위험에 처해 있었습니다. 공산주의 혁명은 국가가 자본주의 체제상 약자에 해당하는 노동자의 권리를 보호하는 역할을 해야 함을 확인시켜주었습니다. 국가가 노동자의 권리를 보호하는 역할을 담당함으로써 불평등을 완화하고 극심한 사회갈등을 해소할 수 있었습니다.

공산주의 혁명의 한계는, 국가를 위한 노동자 권리 보호라는 모순에 빠졌다는 점입니다. 사회주의 국가의 형성 목적은 사회갈등을 해소하고 노동자의 권리를 보호하는 것입니다. 그러나 현실의 사회주의 국가는 오히려 사회주의 국가 자체의 성립과 유지가 그 목적이 되었습니다. 노동자의 보호가 목적이 아니라 수단이 되었다는 점에서 공산주의 혁명의 한계가 있습니다.

Q3. 모범답변

민족을 자연적이고 초역사적으로 보는 견해는 민족국가를 중시하고 민족을 위해 그 구성원인 개인이 희생할 수 있다고 주장합니다. 이 견해에 의하면, 민족은 객관적이고 영속적인 존재입니다. 부모와 같은 가족이 있어야만 내가 있을 수 있듯이 민족이 있어야만 그 구성원이 비로소 존재할 수 있습니다. 민족국가는 이러한 민족이 곧 국가를 이룬 것이고 그 국가의 국민은 영원히 존재할 민족국가의 존속과 발전을 위해 개인의 생명까지도 바칠 각오가 되어 있어야 합니다. 개인은 민족이 있어야만 의미 있는 존재이며 유한한 존재이나, 민족과 국가는 그 자체로 의미 있는 존재이며 영원히 존재하는 것으로 보기 때문입니다.

Q4. 모범답변

민족을 자연적이고 초역사적 존재로 보는 견해의 문제점은 보편적 인권 침해의 우려가 있다는 점입니다. 민족을 자연적이고 초역사적 존재로 보는 견해는 민족을 객관적이고 영속적인 존재로 파악합니다. 이에 의하면 민족은 객관적으로 확인되는 혈통이나 인종, 종교, 언어, 공통의 조상과 같은 외부로 확인되는 지표에 의해 확인됩니다. 그렇다면 이러한 요소를 갖지 못한 외부인을 민족으로 인정하지 않을 것입니다. 객관적 지표에 의해 인정될 수 없는 존재는 영원히 민족이 될 수 없다는 배타성을 지니게 됩니다. 이러한 배타성이 극단적으로 발현될 경우 보편적 인권의 침해도 발생할 수 있습니다. 대표적인 사례로, 2차 세계대전 당시의 독일 국민들이 인종과 종교의 차이가 있는 독일 내에 거주하는 유대인을 민족국가의 일원으로 받아들이지 못하고 학살한 역사적 경험에서 이를 확인할 수 있습니다.

Q5. 모범답변

민족은 자연적이고 초역사적인 존재로 볼 수 없으며, 현재의 우리가 미래에 누구와 함께 할 것인지 마음속으로부터 스스로 선택하여 민족이라는 정체성과 연대감을 형성해가는 것이라 보아야 합니다. 예를 들어, 한국인의 핏줄을 타고 태어나 우리와 비슷한 외모를 가지고 있는 자가 미국으로 이민을 가기로 결정했다고 하겠습니다. 민족을 자연적·초역사적 존재로 본다면 이 자는 우리 민족이 맞습니다. 그러나 우리와 미래를 함께하지 않기로 결정한 자이므로 민족의 정체성과 연대감이라는 측면에서는 우리 민족이 아닙니다. 혈통이 다르고 생김새도 다른 이가 우리나라로 이민을 와서 함께 살기로 결정했다면 오히려 이 자가 우리의 민족이라 보아야 합니다. 제시문 (다)의 알자스-로렌 지역 주민들은 오제 영감처럼 독일어가 익숙하고 프랑스어가 익숙하지 않음에도 프랑스와 미래를 함께하겠다고 결정했습니다. 제시문 (라)에서 논한 것처럼 민족은 혈통 등과 같은 원초적 유대가 아니라 시민적 공동체에 대한 시민적 헌신으로 연결되는 것입니다. 따라서 민족은 우리와 과거를 함께 한 자가 아니라 미래를 함께하기로 현재 스스로 선택한 자라고 보아야 하며, 이들과 우리의 정체성과 연대감을 형성하는 것이 민족적 정체성이 될 것입니다. 따라서 민족은 외모나 혈통 등과 같이 객관적으로 성립하는 개념이 아니라 정체성이나 연대성과 같은 주관적인 개념이라 보아야 합니다.

Part 4
면접 모의문제

모의문제 사용설명서

1. QR코드를 통해 제시문과 보충자료를 확인해야 합니다.

제시문이나 각종 보충자료의 저작권 문제로 인해 QR코드를 통해 접근할 수 있도록 했습니다. QR코드를 스마트폰으로 촬영해 해당 텍스트를 읽기 바랍니다.

2. 모든 문제를 다 풀어야 합니다.

자신이 지원할 로스쿨 모의문제만 풀어보는 것은 합격을 위한 좋은 방법이라 할 수 없습니다. 모의문제는 형식과 내용이라는 두 가지 요소로 이루어집니다. 모의문제는 해당 로스쿨이 전년도에 출제한 문제 형식에 맞춘 문제입니다.

"자신이 지원한 로스쿨이 올해 시험문제를 작년도의 기출문제 형식으로 출제한다는 보장은 없습니다."

따라서 다양한 로스쿨의 출제 형식을 경험해야 예측하지 못한 문제가 나왔을 때 대응할 수 있습니다. 내용상으로 볼 때에도 모든 모의문제를 풀어보는 것이 좋습니다. 모의문제에서 모든 출제 가능 주제를 예측할 수는 없습니다. 그러나 25개 로스쿨의 모의문제를 모두 풀어보면 출제 가능한 중요 주제, 중요 주제의 변형 출제 가능성 등을 직접 경험할 수 있습니다. 따라서 모든 모의문제를 모두 풀어보는 것으로 중요 주제를 미리 공부하고 시험장에 들어가는 것을 강력하게 추천합니다.

3. 모의문제의 지시사항을 지켜야 합니다.

모의문제는 최종적으로 자신의 실력을 확인하고 검토한 후에 보완하기 위한 목적을 갖고 있습니다. 그런데 해설을 미리 본다거나, 준비시간을 자의적으로 더 사용한다거나 하는 등으로 지시사항을 어기면, 자신의 객관적 실력을 파악할 수 없게 됩니다. 모의문제는 그 자체로 잘 해야 하는 것이 아니라, 자신의 문제점을 깨닫고 시험장에 들어가기 전에 미리 고치기 위한 것입니다. 자신의 문제점을 미리 확인하겠다는 생각으로 실전처럼 준비하고 연습해서 시험장의 상황을 미리 경험하기 바랍니다.

4. 스마트폰을 이용해 직접 촬영해야 합니다.

모의문제는 자신의 답변을 촬영해서 확인하는 것이 좋습니다. 답변을 위한 메모지에 써 있는 것이 말로 나온다는 보장은 없습니다. 머릿속에 있는 생각이 오류 없이 말로 나오는 사람은 우리 주변에서도 대단히 드물게 보이는 달변가입니다. 그리고 채점교수님은 응시자보다 훨씬 공부를 많이 한 전문가입니다. 거의 실시간으로 자신의 답변이 논리적으로 파헤쳐진다고 생각해야 합니다. 논리적 결함을 발견하고 지적하고 채점하는 전문능력은 응시자에게 있는 것이 아니라 채점교수님께 있습니다. 따라서 응시자는 준비단계부터 전문가의 채점을 전제하고 준비해야 합니다.

25개 로스쿨의 모의문제를 제한시간과 조건에 맞춰 직접 답변하고, 촬영해서 자신의 답변 태도를 확인하고, 답변 내용을 해설과 비교해서 문제점을 교정해야 합니다. 그리고 답변을 준비할 때 써놓은 메모지에 있는 논리들이 말할 때에는 나오지 않거나 왜곡되어 표현되는 경우도 있습니다. 이러한 문제점을 객관적으로 파악해야 합니다.

40분간 서면 답안을 작성한 후에 이를 바탕으로 대면 면접 질문에 응답할 것

※ 다음 제시문을 읽고, 별도의 답안지에 아래 [서면 면접] 문제의 답변을 작성하시오. 서면 면접 답안 작성 후에, 답안의 논리적 연장선상에서 [대면 면접] 문제에 답변하시오.

(가) 병원 침대에서 깨어 보니 자신이 어떤 유명한 바이올리니스트와 혈액 순환이 연결된 상태에 놓여있다. 옆 침대에서 당신과 혈액 순환이 가능하도록 연결된 바이올리니스트는 혼수상태이며, 신장이 망가져 곧 사망할 것이라는 진단을 받은 상태이다. 그런데 음악애호가협회가 의료 기록을 모두 찾아 당신이 바이올리니스트의 질병 치료가 가능한 사람임을 확인한 후, 당신을 유괴해서 병원으로 옮겨 바이올리니스트와 혈액 순환이 가능하도록 연결시켜 놓았던 것이다. 음악애호가협회의 범죄 관련자들은 이미 수사기관에 자수하였다. 병원은 음악애호가협회와 관련이 없고, 병원장은 이 파렴치한 사건에 대해 정중한 사과를 할 것이며, 당신이 병원 침대를 떠나는 것은 당신의 마음대로라고 말한다.

그러나 당신이 병원을 떠난다면 바이올리니스트는 신장 문제로 인해 사망할 것이고, 유감스럽게도 다른 방법으로는 그의 혈액을 정화할 수 없다고 한다. 한편 당신과 바이올리니스트를 9개월 동안 혈액 순환이 가능한 상태로 연결해 놓으면 바이올리니스트의 신장은 재활할 시간을 갖게 되어 회복될 것이다. 그렇다면 당신과 바이올리니스트와 분리될 수 있고, 바이올리니스트는 자신의 생활을 할 수 있을 것이라 한다. 그리고 바이올리니스트는 신장이 재활되는 9개월 동안 혼수상태에 빠져있을 것이다. 당신은 이제 침대를 떠나거나 머무르는 것 중 한 가지를 선택해야 한다.

(나) 일반적으로 임신 주수가 증가할수록 임신한 여성이 낙태로 사망할 위험이 높아진다. 임신 9주 이내에는 약물을 통한 낙태도 가능하고, 임신 12~13주에는 수술방법이 비교적 간단하여, 낙태로 인한 합병증이나 모성사망률이 현저히 낮게 나타난다. 국제산부인과학회(FIGO)의 '재생산 및 여성 건강의 윤리적 측면의 연구를 위한 위원회(Committee for the Study of Ethical Aspects of Human Reproduction and Women's Health)'에 따르면, 임신 제1삼분기에 적절하게 수행된 비의료적 이유에 의한 낙태는 만삭분만보다도 안전하다. 그러나 의학계에 따르면 낙태로 인한 모성 사망의 상대적 위험도는 임신 8주 이후 각각 2주마다 두 배로 증가한다고 한다.

태아는 일정 시기 이후가 되면 모체를 떠난 상태에서도 독자적으로 생존할 수 있는데, 의학기술의 발전에 따라 이 시기는 가변적일 수 있으나, 세계보건기구(WHO)는 이를 임신 22주라고 하고 있고, 산부인과 학계도 현시점에서 최선의 의료기술과 의료인력이 뒷받침될 경우 임신 22주 내외부터 독자적인 생존이 가능하다고 보고 있다. 특히 이 시기 즉, 임신 제2삼분기(second trimester, 전체 임신기간 중 제1삼분기 이후부터 약 28주 무렵까지)의 일정한 시점에 이르면 태아의 성별이나 기형아 여부를 알 수 있다.

헌법재판소는 낙태죄를 헌법불합치 판결하고, 국회가 개선입법을 하기 전까지 기존의 낙태죄를 계속 적용할 것을 명령했다. 그러나 국회가 개선입법을 하지 않자, 정부는 낙태죄를 존치하되 14주 이내의 낙태를 처벌하지 않는 법안을 제출했다.

Q1. [서면 면접] 제시문 (가)는 철학자인 주디스 자비스 톰슨이 제시한 가상의 사례이다. 지원자가 위 상황에 처했다고 가정하자. 음악애호가협회의 범죄가 정당화될 수 없는 이유는 무엇인지 제시하고, 이 상황에서 지원자는 어떤 선택을 할 것인지 논하시오.

Q2. [서면 면접] 제시문 (가)의 내용에 하나의 가정을 더해보자. 9개월간 바이올리니스트와 연결하면 바이올리니스트는 살 수 있다. 그러나 신장이 연결되어 있어야 하기 때문에 하나의 신장으로 두 사람의 혈액을 정화해야 해서 지원자에게도 건강상의 문제가 발생할 것이다. 일생 동안 신장 기능이 저하되어 힘든 일을 할 수 없는 상태가 된다고 하자. 그렇다면 지원자는 어떤 선택을 할 것인지 논하시오.

Q3. [서면 면접] 위 두 상황에서 결정이 달라졌다면 그 이유는 무엇인지 논하시오. 두 상황에서 결정이 동일하다면, 위 상황에서 9개월이 아니라 바이올리니스트와 9년간 연결되어 있어야 한다면 결정을 바꿀 것인지 답하고 왜 그러한 결정을 했는지 논하시오.

Q4. [서면 면접] 제시문 (나)를 참고하여, 낙태죄 존치 입장과 폐지 입장 각각의 핵심논거를 제시하고 이를 논하시오.

Q5. [대면 면접] 낙태죄 존폐에 대한 자신의 견해를 논하시오.

Q6. [대면 면접] 자신이 선택한 입장에 대해 예상되는 반론을 제시하고 이에 대해 재반론하시오.

※ 다음 제시문을 읽고, 아래 총 3문제에 답하시오.

(가) 최근의 과학적 견해에 따르면, 우리의 감정은 인간만이 갖고 있는 영적 특성이 아니며 어떤 유(類)의 '자유의지'도 반영하지 않는다. 이 견해는 우리의 감정은 모든 포유류와 조류가 생존과 재생산의 확률을 재빨리 계산하기 위해 사용하는 생화학적 기제라고 말한다. 달리 말하자면, 감정은 직관이나 영감 혹은 자유가 아니라 계산에 기반을 둔 것이다.

원숭이나 쥐, 인간은 뱀을 보면 두려움이라는 감정이 발생한다. 곧바로 뇌 속의 수백만 개 뉴런이 관련 데이터를 계산해서 뱀에 의해 죽을 확률이 높다고 결론 내리기 때문이다. 우리가 성적 매력을 느끼는 것은, 다른 생화학적 알고리즘이 눈앞의 개체와 짝짓기, 사회적 결속, 재생산의 가능성 등의 확률이 높다는 계산이 끝났기 때문이다. 분노나 죄책감, 용서 같은 도덕적 감정은 집단 협력이 가능하도록 진화한 신경 메커니즘에서 나온다. 이 모든 생화학적 알고리즘은 수백만 년에 이르는 진화를 거치면서 연마된 것이다. 만약 어떤 고대의 선조가 실수를 했다면 이런 감정을 구성하는 유전자들은 다음 세대에 전달되지 않았을 것이다. 따라서 감정은 합리성의 반대가 아니다. 감정이 체화한 것이 진화적 합리성이다.

우리는 대체로 감정이 사실은 계산이라는 것을 깨닫지 못한다. 왜냐하면 계산의 과정이 자각의 문턱 훨씬 아래에서 순식간에 일어나기 때문이다. 우리는 생존과 재생산의 확률을 계산하고 있는 뇌 속의 수백만 개의 뉴런을 느끼지 못한다. 그래서 뱀에 대한 공포나 성관계 상대의 선택 혹은 유럽연합에 관한 의견이 어떤 신비한 '자유의지'의 결과라고 착각한다.[1]

(나) 인간이 개인마다 서로 다르다는 것을 설명하는 이론에는 두 가지가 있다.

먼저, 한 이론은 '우리의 정신이 다른 이유는 게놈이 다르기 때문이다'라고 말한다. 결과적으로 우리가 지금의 우리인 이유는 바로 우리의 유전자 때문이라는 것이다. 개인적 게놈의 새로운 시대가 열리고 있다. 머지않아 우리는 자신의 DNA 염기 서열을 값싸고 빠르게 알 수 있을 것이다. 우리는 유전자가 정신질환에서 모종의 역할을 담당하며, 성격이나 IQ의 정상 범위 안에서 차이에 영향을 미친다는 점을 알고 있다. 이처럼 이미 유전체학이 그렇게 강력하다면, 커넥톰을 연구해야 하는 이유는 무엇일까?

또 다른 이론인 커넥토믹스는 그 이유에 대해 이렇게 대답한다. 유전자만으로는 당신의 뇌가 어떻게 현재에 이르게 되었는지를 설명할 수가 없다. 어머니의 자궁 속에 편하게 안겨 있는 동안 당신은 이미 당신의 게놈을 가지고 있었지만, 첫 키스의 기억을 가지고 있지는 않다. 당신의 기억은 당신이 살아가는 과정에서 얻어진 것이며, 태어나기 전부터 가지고 있었던 것이 아니다. 어떤 사람은 피아노를 칠 줄 알고, 또 어떤 사람은 자전거를 탈 수 있다. 이것들은 유전자로 프로그램된 본능이 아니라 학습된 능력이다. 임신이 되는 순간 결정되어버리는 당신의 게놈과는 달리, 당신의 커넥톰은 평생에 걸쳐 변화한다.

유전자와 경험, 이 두 가지가 모두 당신의 커넥톰에 영향을 미친다. 커넥톰 이론은 우리가 하는 행위, 심지어 우리가 무엇을 생각하는지에 따라 우리 스스로가 자신의 커넥톰을 만들어나간다고 믿을 만한 근거를 제공한다. 뇌의 신경 배선이 우리가 누구인지를 만들지만, 그 배선 과정에서 중요한 역할을 담당하는 것은 바로 우리 자신이다.

(다) 연쇄 살인범인 '갑'의 아들인 '을'이 있다. 만 21세인 '을'은 자신을 쳐다보며 기분 나쁜 표정을 지었다는 이유로 지나가던 행인을 살해하였다. 재판을 받게 된 '을'은 면책을 주장하고 있다.

1)
유발 하라리, <21세기를 위한 21가지 제언>

Part 1
Part 2
Part 3
Part 4
Part 5
Part 6
Part 7

해커스 김종수 로스쿨 면접 200주제

Q1. 제시문 (가)와 (나)의 핵심 주장을 각각 한 문장으로 제시하고, 핵심 주장을 뒷받침하는 내용을 간략하게 요약하시오.

Q2. 제시문 (가)와 제시문 (나)의 입장 중 어느 입장이 제시문 (다)의 '을'의 주장을 지지하는지 밝히고 그이유를 논증하시오.

Q3. 위 문제의 답변에 근거해, 이에 따르면 사회가 '을'을 어떻게 처우해야 할 것인지 해결방안을 제시하시오.

※ 다음 제시문을 읽고, 문제에 답하시오.

(가) 이 논문의 목적은 하나의 아주 단순한 원칙을 주장하는 것인데, 이 원칙은 사회가 강제와 통제의 방법—그 수단이 법적 처벌의 형태로 가해지는 물리적 힘이건, 아니면 공론의 도덕적 강제이건—으로 개인을 다루는 방식을 절대적으로 억제할 자격이 있다. 이 원칙이란, 인간이 개인적으로나 집단적으로 어느 한 사람의 자유에 정당하게 개입할 수 있는 유일한 경우는 자기 보호를 위한 경우밖에 없다는 것이다. 또 문명화된 공동체의 어느 한 구성원에게 그의 의지에 반해서 권력이 정당하게 행사될 수 있는 유일한 경우는 타인들에게 해를 가하는 것을 막기 위한 경우밖에 없다는 것이다. 물리적 이익이든 도덕적 이익이든 그 자신의 이익은 충분한 근거가 되지 못한다. 어떤 행동을 하는 것이 그에게 더 좋다는 이유로, 그것이 그를 더 행복하게 만들 것이라는 이유로, 타인들이 보기에 그렇게 하는 것이 더 현명하다거나 혹은 심지어 올바르다는 이유로 그가 어떤 행동을 하거나 하지 않도록 강제되는 것은 정당화될 수 없다. 이것들은 그에게 충고거나, 그와 함께 따져보거나, 그를 설득하거나, 나아가 그에게 간청하기에는 좋은 이유들이지만, 그를 강제하거나 혹은 그가 달리 행동할 경우 그에게 해를 가하기에는 좋은 이유들이 아니다. 이를 정당화하기 위해서는, 그의 행동이 저지되지 않으면 다른 누군가에게 해를 낳을 것임이 직접적으로 예측되어야 한다. 한 사람의 행동 가운데 그가 사회에 책임을 지는 유일한 부분은 타인들과 관련된 부분이다. 단지 그 자신과 관련되는 부분에 대해서는, 그의 독립성은 당연히 절대적이다. 그 자신에 대해서는, 그 자신의 신체와 정신에 대해서는 그 개인이 주권자이다.

(나) 인간은 고통과 쾌락에 지배받는다. 고통과 쾌락은 옳고 그름의 기준이다. 행복을 증가시키느냐 또는 감소시키느냐에 따라 어떤 행동이 칭찬할 행동인지 비난할 행동인지가 결정된다. 효용성은 개인의 행위뿐 아니라 국가의 모든 정책의 판단기준이다. 효용성은 이익, 쾌락, 행복을 가져오고 불이익, 고통, 불행을 예방하는 속성이다. 공동체 이익은 도덕의 가장 일반적인 표현 중 하나이다. 공동체는 개인으로 구성된 허구체일 뿐이다. 공동체의 이익이란 그 공동체를 구성하는 구성원들의 이익을 합한 것이다. 따라서 개인의 이익을 별개로 하여 공동체의 이익을 논한다는 것은 무익하다.

(다) 우리는 누구나 특정한 사회의 정체성을 지닌 자로서 우리를 둘러싼 환경을 이해한다. 나는 누군가의 아들이거나 딸, 또는 사촌이거나 삼촌이다. 나는 이런저런 도시의 시민이며, 이런저런 조합 또는 전문가 집단의 일원이다. 나는 이런저런 친족, 부족, 나라에 속한다. 그러므로 내게 좋은 것은 소속 집단 사람들에게도 좋아야 한다. 이처럼 나는 내 가족, 내 도시, 내 친족, 내 나라의 과거로부터 다양한 빚, 유산, 정당한 기대와 의무를 물려받는다. 이런 것들이 내 삶의 기정사실을 구성하며 내 도덕의 출발점이다. 또한 이는 내 삶에 도덕적 특수성을 부여하는 것이다. …(중략)…

이는 자아를 서사적으로 보는 관점과 명확히 대비된다. 내 삶의 이야기는 언제나 내 정체성의 기원이 된 공동체의 이야기에 둘러싸여 있기 때문이다. 나는 과거를 안고 태어났는데, 개인주의자 방식으로 나 자신을 과거와 분리하려는 시도는 현재의 관계를 변형시키는 시도다.

<사례>

　A국은 인구증가율이 너무 높아 폭발적인 인구 증가가 사회적인 문제가 되고 있다. 이로 인해 A국은 법률을 제정하여 부부 1쌍당 1명의 자녀만 출산할 수 있도록 강제하고 있으며, 이상의 출산을 할 경우 해당 부부는 벌금 등의 처벌을 받고 2번째 자녀부터는 질병예방주사 등 국가의 의료혜택을 제공하지 않는 등으로 강력하게 규제하고 있다. 그러나 그럼에도 불구하고 다자녀를 선호하는 A국의 문화적 특성상 여전히 1명 이상의 자녀를 출산하는 경우가 많고, 특히 고소득자의 경우 다자녀 출산에 대한 벌금을 부담할 수 있고 국가의 의료혜택 등이 큰 문제가 되지 않아 다자녀인 경우가 많다.

　이에 따라 A국에서는 새로운 대안이 제시되고 있다. A국 정부는, 사회적으로 문제가 되지 않는 수준의 추가출산가능인구를 산출한 후에, 매년 이 인구수만큼 추가출산허가증을 발급하고, 추가출산허가증을 구매하게 하는 제도를 시행하고자 한다. 그리고 국가가 국민을 대상으로 판매한 추가출산허가증을 통해 형성된 재원은 저소득층 자녀의 의료와 교육을 위해 사용하도록 한다.

Q1. (가)의 입장을 요약하여 제시하고, 이 입장에 따라 <사례>의 추가출산허가증 구매제도를 평가하시오.

Q2. (나)의 입장을 요약하여 제시하고, 이 입장에 따라 <사례>의 추가출산허가증 구매제도를 평가하시오.

Q3. (다)의 입장을 요약하여 제시하고, 이 입장에 따라 <사례>의 추가출산허가증 구매제도를 평가하시오.

Q4. A국가의 학자 甲은 출산허가증 매매시장이라는 새로운 방법을 제안했다. 甲의 새로운 방법에 따르면, 모든 여성에게 자녀를 한 명씩 출산할 수 있는 허가증을 발급한다. 그리고 여성은 허가증을 사용하거나 매매시장에서 시세대로 사고팔 수 있다.

甲이 제안한 이 방법에 대해 두 가지 비판이 가능하다. 하나는 공정성에 대한 비판이고, 다른 하나는 뇌물에 대한 비판이다. 두 입장에서 비판의 내용을 논리적으로 각각 제시하시오.

※ 다음 제시문을 읽고, 문제에 답하시오.

(가) 심리학인 키스 스타노비치는 인지능력을 지능지수인 IQ와 합리성 지수인 RQ로 구분한다. 스타노비치는 RQ에 '적응능력, 신중한 판단, 효율적 행동조절, 합리적 우선순위 설정, 철저한 근거 확인 등'이 포함되어야 한다고 말한다. 그에 따르면, IQ는 높지만 RQ는 낮은 사람이 많다. 이는 대개 정보처리능력이 부족하거나 지식이 부족해서 나타나는 현상이다.

사람들은 문제를 손쉽게 해결하려는 경향이 있다. 번거롭게 오랜 시간 인지능력을 사용해서 문제를 해결하는 대신 신속하고 편하게 문제를 해결하고 싶어 한다. 그래서 스타노비치는 인간이 인지적 구두쇠(cognitive miser)라고 한다. 개별 사건이나 사람을 일일이 알아보고 판단하기 너무 힘드니까 과거의 경험이나 편견에 기반해서 빨리 결정을 해버리는 것이 대표적인 현상이다. 예를 들어 "저 사람은 혈액형이 A형이니까 꼼꼼할 것이다"라고 판단을 해버리는 것이 있다. 이처럼 인간은 인지능력 사용에 인색한 탓에 추론할 때도 대개 이기적 관점을 유지한다. 이런 편향 탓에 사람들은 뻔히 알면서도 비합리적인 판단에서 좀처럼 벗어나지 못한다.

(나) 인지부조화 이론이란 인간은 자신의 태도(인지, 신념 등에 대한 마음)와 행동이 일치하지 않을 때 심리적 불편함을 느끼게 되고, 이 불편함을 해소하기 위해 마음 또는 행동을 변화시키게 된다는 것이다. 예를 들어, 흡연가들은 담배가 유해함을 알고 있다. 그러나 담배를 끊기 힘들고 계속 피우다 보니 심리적인 불편함을 느끼게 된다. 이 심리적 불편함을 줄이기 위해 다양한 이유를 찾게 된다. 담배를 피움으로써 스트레스가 해소되는 효과가 있고, 담배를 못 피움으로써 발생하는 스트레스가 커지고, 담배를 피우면서 흡연가 간에 발생하는 정보교환이나 사교활동의 효과가 크다는 것 등이 대표적이다. 인지부조화를 해결하기 위해서는 태도 혹은 행동을 변화시켜야 하는데, 대체로 행동이나 이미 벌어진 사건은 변화시키기 어렵기 때문에 자신의 태도, 즉 인지나 신념 등 마음을 변화시키는 방식으로 심리적 불편함을 해소하는 경우가 많다.

(다) 확증편향이란 기존 신념과 부합하는 정보만 선택적으로 받아들이면서 그 신념을 확증하는 경향을 말한다. 인터넷상에서 퍼지는 가짜뉴스를 정정하기 어려운 이유 중 하나가 바로 확증편향이다. 인터넷상에는 정보가 너무 많다 보니 본인의 신념에 부합하고 받아들이기 편하고 인지부조화를 일으키지 않을 정보만 취사선택하면 되기 때문이다. 또한 유튜브 등과 같이 빅데이터를 이용해 개인이 선택한 정보들을 선별해 취향을 분석하고 이에 맞는 콘텐츠를 추천하여 제공하는 개인화된 미디어 서비스가 발달하면서 더욱더 개인의 취향에 맞는 것들만 보게 되므로 확증편향이 더 강화될 수 있다.

[A] 사이비 종교 집단이 있다. 이 종교는 예언된 특정일자가 되면 세상에 종말이 온다고 믿고 있다. 그런데 예언된 날짜에 종말이 오지 않았다. 그러나 이 종교를 믿는 신자들은 이 종교를 떠나지 않고 오히려 더 열정적으로 이 종교를 믿게 되었다.

[B] 다음 문제를 보고, 아래 세 가지 보기 중 답을 고르시오.

잭은 앤을 보고 있다. 앤은 조지를 보고 있다. 잭은 기혼자이고, 조지는 미혼자이다. 기혼자는 미혼자를 바라보고 있는가?

① 그렇다. ② 아니다. ③ 알 수 없다.

정답은 ①이다. 그러나 오답인 ③을 선택하는 사람의 비율이 80%를 넘는다.

[C] 대학생을 대상으로 하여 실험을 했다. 사형제도에 찬성하는 학생들과 반대하는 학생들이 있다. 이들 두 그룹에 두 가지 상반된 연구결과를 보여주었다. 하나는 사형제도가 범죄를 줄이는 데 효과가 없다는 연구결과였고, 나머지 하나는 사형제도가 범죄를 줄이는 데 효과가 있다는 연구결과였다. 그런데 이 두 연구결과는 모두 완벽하게 조작된 연구결과였다. 그러나 두 그룹 모두 본인의 본래 의견에 부합하는 연구는 정말 훌륭한 연구라고 평가했고, 상반된 연구 자료에 대해서는 무엇인가 데이터가 잘못된 연구라고 평가 절하했다.

Q1. 제시문 (가), (나), (다)의 공통주장을 추론하고, 각각의 제시문에서 이 공통주장이 어떻게 도출되는지 간략하게 설명하시오.

Q2. 제시문 (가), (나), (다)와 각각 잘 어울리는 사례 [A], [B], [C]를 연결하고 왜 그 연결이 적절한지 설명하시오.

Q3. 사회적으로 혐오가 확산되고 있고, 그 과정에서 가짜뉴스가 영향력을 미치고 있다. 제시문 (가), (나), (다)를 모두 활용하여 혐오의 확산과 가짜뉴스의 역할을 설명하시오.

추가질문

Q4. 혐오와 가짜뉴스를 막을 방안을 다각도에서 제시하시오.

Q5. 가짜뉴스 규제에 대해 징벌적 손해배상이 논의되고 있다. 그러나 언론사에 대한 징벌적 손해배상과 같이 언론사를 규제할 경우 표현의 자유가 침해될 우려가 있다. 그럼에도 불구하고 언론사의 가짜뉴스를 규제해야 하는가?

※ 다음 제시문을 읽고, 문제에 답하시오.

A대학교의 총장은 장학금제도를 두고 고심하고 있다. A대학교의 건학 이념은 '사회에 기여하는 인재 양성'이며, 100년 전 창립 이래로 A대학교는 성적 우수자에게 장학금을 지급하는 성적 장학금제도를 운영해왔다.

그러나 20여 년 전부터 소득불평등이 심화되어, A대학교의 많은 학생들이 학자금 대출을 받거나 아르바이트 등 생계유지를 위해 일하는 경우가 늘어났다. 그뿐만 아니라 A대학교의 자체 조사 결과 학부모의 소득과 학생의 성적 간의 상관계수가 20년 전에 비해 2배 이상 높아졌으며 최근 10년간 지속적으로 상관계수가 높아지는 추세인 것으로 밝혀졌다.

A대학교 총장은 이러한 상황 변화에 따라 장학금제도 개편을 위한 토론회를 열었다. 이 토론회에서 X, Y, Z 3명의 교수는 자신의 이론을 아래와 같이 밝혔다. 그리고 이론들과 관련한 세 가지 개선안들이 제시되었다.

A대학교의 장학금 재원은 정해져 있어 그 액수 내에서 장학금을 지급한다. A대학교의 성적우수 장학금은 전체 석차 10% 이내인 성적우수자에게 지급되며 전액장학금이 지급된다. 성적우수자에게 장학금을 지급하는 경우 A대학교 전체 정원의 40%의 인원에게 경쟁이 유발되는 효과가 있으나, 이는 장학금을 지급하지 않고 성적우수자 명단을 공개하는 것과 동일한 효과가 발생한다. 그리고 성적우수장학금 대상자 중 소득하위계층 학생은 1% 미만이다. A대학교의 소득하위계층 학생은 전체 인원 중 10% 수준이며, 소득하위계층 학생에게 장학금을 지급할 경우 학업성취도가 크게 향상되나 성적우수자의 수준에는 미치지 못한다.

<이론>
• X: 각 개인의 자유로운 노력의 결과를 포상해야 경쟁이 유발된다.
• Y: 사회적 목적에 부합하는 행위에 적절한 영예를 주고 포상을 해야 한다.
• Z: 개인의 자유를 실질적으로 보장하기 위해 우연으로 인한 불평등을 보상해야 한다.

<개선안>
[1안] 이전과 동일하게 장학금 재원 전부를 성적우수자에게 석차순으로 성적우수장학금을 지급한다.
[2안] 장학금 재원 전부를 소득하위계층 학생에게 성적과 무관하게 필요기반장학금으로 지급한다. 대상자는 등록금이 전액 면제되고 월 생활비 일정금액이 지급된다. 단, 성적우수자는 성적우수자 명단을 공개하고 대학 명의의 표창을 한다.
[3안] 장학금 재원 중 80%는 성적우수자에게 석차순으로 성적우수장학금을 지급하고, 20%는 소득하위계층 학생들 중 성적이 우수한 자에게 석차순으로 장학금을 지급한다. 장학금 지급대상자는 대학 전체인원의 10%로 한다.

Q1. X의 입장과 가장 잘 어울리는 A대학의 장학금제도 개선안을 선택하고, 입장과 선택한 개선안의 관계를 논하시오.

Q2. Y의 입장과 가장 잘 어울리는 A대학의 장학금제도 개선안을 선택하고, 입장과 선택한 개선안의 관계를 논하시오.

Q3. Z의 입장과 가장 잘 어울리는 A대학의 장학금제도 개선안을 선택하고, 입장과 선택한 개선안의 관계를 논하시오.

Q4. A대학의 문제를 가장 잘 해결할 수 있을 것이라 생각하는 개선안을 선택하고 왜 그렇게 생각하는지 논리적으로 답변하시오.

Q5. 지원자가 선택한 개선안 외의 다른 개선안에 대해 반론하시오.

181 문제 | 동아대 로스쿨

답변 준비 시간 10분 | 답변 시간 3, 2, 2, 1분

집단면접, 전북대와 영남대도 유사한 형식이므로 참고할 것

※ 다음 QR코드를 촬영하면 연결되는 제시문을 읽고, 문제에 답하시오.

(가) 여성징병제 논란이 국회에서 열린 토론회를 계기로 재점화되었다. 인구 절벽 시대의 병역 자원 부족 문제를 해결하기 위해 여성 징집을 검토해야 한다는 의견이 제시되었다.

여성징병제

(나) 중국의 무력 통일 위협에 직면한 대만은 현역병 복무기간을 4개월에서 1년으로 늘렸다. 냉전 종식 후 징병제를 폐지했던 일부 국가들에서도 징병제 재도입 논의가 활발해지고 있다.

주요국 징병제

Q1. 우리나라는 징병제를 택하고 있다. 이에 따라 모든 국민은 국방의 의무가 있다. 그러나 여성은 징병의 대상이 아니다. 국민이 국방의 의무를 행해야 한다면, 여성도 국민이므로 강제징병을 해야 한다는 주장이 있다. 여성 강제징병에 대한 찬반 입장을 나누어 토론하시오.

※ 다음 제시문을 읽고, 문제에 답하시오.

(가)[2] 사형은, 이를 형벌의 한 종류로 규정함으로써, 국민일반에 대한 심리적 위하를 통하여 범죄의 발생을 예방하고, 이를 집행함으로써 특수한 사회악의 근원을 영구히 제거하여 사회를 방어한다는 공익상의 목적을 가진 형벌이다.

청구인은 사형이라고 하여 무기징역형(또는 무기금고형)보다 반드시 위하력이 강하여 범죄발생에 대한 억제효과가 높다고 보아야 할 아무런 합리적 근거를 발견할 수 없고, 사회로부터 범죄인을 영구히 격리한다는 기능에 있어서는 사형과 무기징역형 사이에 별다른 차이도 없으므로, 국가가 사형제도를 통하여 달성하려는 위 두 가지 목적은 사형이 아닌 무기징역의 형을 통하여도 충분히 달성될 수 있을 것이고, 따라서 형벌로서의 사형은 언제나 그 목적 달성에 필요한 정도를 넘는 생명권의 제한수단이라고 주장한다.

그러나 사형은 인간의 죽음에 대한 공포본능을 이용한 가장 냉엄한 궁극의 형벌로서 그 위하력이 강한 만큼 이를 통한 일반적 범죄 예방효과도 더 클 것이라고 추정되고 또 그렇게 기대하는 것이 논리적으로나, 소박한 국민일반의 법감정에 비추어 볼 때 결코 부당하다고 할 수 없다. 사형의 범죄억제효과가 무기징역형의 그것보다 명백히 그리고 현저히 높다고 하는데 대한 합리적·실증적 근거가 박약하다고는 하나 반대로 무기징역형이 사형과 대등한 혹은 오히려 더 높은 범죄억제의 효과를 가지므로 무기징역형만으로도 사형의 일반예방적 효과를 대체할 수 있다는 주장 역시 마찬가지로 현재로서는 가설의 수준을 넘지 못한다고 할 것이어서 위 주장을 받아들일 수 없다.

결국 모든 인간의 생명은 자연적 존재로서 동등한 가치를 갖는다고 할 것이나 그 동등한 가치가 서로 충돌하게 되거나 생명의 침해에 못지않은 중대한 공익을 침해하는 등의 경우에는 국민의 생명·재산 등을 보호할 책임이 있는 국가가 어떠한 생명 또는 법익이 보호되어야 할 것인지 그 규준을 제시할 수 있는 것이다. 인간의 생명을 부정하는 등의 범죄행위에 대한 불법적 효과로서 지극히 한정적인 경우에만 부과되는 사형은 죽음에 대한 인간의 본능적인 공포심과 범죄에 대한 응보욕구가 서로 맞물려 고안된 "필요악"으로서 불가피하게 선택된 것이며 지금도 여전히 제 기능을 하고 있다는 점에서 정당화될 수 있다.

(나)[3] 재판은 인간이 하는 심판이므로 오판을 절대적으로 배제할 수는 없고 오판이 시정되기 이전에 사형이 집행되었을 경우에는 비록 후일에 오판임이 판명되더라도 인간의 생명을 원상으로 복원시킬 수는 없는 것이므로 사형제도는 어떠한 이유로도 그 정당성을 설명할 수는 없다고 할 것이다.

사형이 인간의 죽음에 대한 공포본능을 이용한 가장 냉엄한 형벌로서 그 위하력을 통한 일반적 범죄예방효과를 거둘 수 있느냐는 문제는 오랫동안 많은 학자들이 실증적인 연구조사를 하여 오고 있다. 그러나 그 결과에 따르면 예방효과를 인정하는 견해는 소수에 불과하고 다수 견해는 그 효과를 인정하지 아니하고 있는 실정이다. 이와 같이 사형제도로서도 형벌의 목적의 하나인 범죄의 일반적 예방의 실효를 거두고 있다고는 할 수 없으며 그 효과 면에서 보더라도 무기징역형을 최고의 형벌로 정하는 경우와 비교하여 크나큰 차이가 있다고 할 수는 없다. 그렇다면 사형제도가 형벌의 한 수단으로서 적정하다거나 필요한 방법이라고는 할 수 없다.

2)
헌재 1996.11.28. 95헌바1, 판례집 8-2, 537 [전원재판부]

3)
헌재 1996.11.28. 95헌바1, 판례집 8-2, 537 [전원재판부]

사형이라 하여 무기징역형보다 반드시 위하력이 강하고 범죄발생의 예방효과가 높다고 보아야 할 합리적 근거를 발견할 수 없음은 앞서 본 실증적 연구조사결과로 보아 분명하고, 영구히 사회로부터 범죄를 격리한다는 기능에 있어서는 사형과 무기징역 간에 별다른 차이를 인정할 수 없으므로 반드시 사형제도를 통하지 아니하더라도 이를 대체하여 무기징역형 제도를 통하여 형벌의 목적을 충분히 달성할 수 있다고 할 것이다. 따라서 인간의 생명 박탈이라는 가장 큰 피해를 입혀 생명권을 제한함은 피해의 최소성의 원칙에 반한다고 할 것이다.

(다) A국의 사례

구분	2020	2021	2022
사형선고 건수	40	50	60
살인사건 발생 건수	80	60	40

단, 사형선고 건수와 사형집행 건수는 동일하고, 알려지지 않은 살인사건은 없다고 가정한다.

(라) B국의 사례

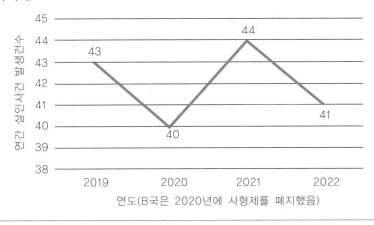

연도(B국은 2020년에 사형제를 폐지했음)

Q1. 제시문 (가), (나)를 각각 요약하시오.

Q2. 제시문 (다), (라)의 사례의 의미를 요약하시오.

Q3. 제시문 (다)와 (라), 제시문 (가), (나)를 논리적으로 잘 어울리는 것끼리 연결하고 연결의 타당성을 논증하시오.

Q4. 사형제 폐지에 대한 찬반 입장 중 자신의 입장을 정해 논거를 들어 논증하시오.

※ 다음 제시문과 QR코드를 촬영하면 연결되는 제시문을 읽고, 문제에 답하시오.

(가) 주식회사는 다수의 주주들로부터 투자를 받기 때문에 주주가 기업의 주인이라 할 수 있다. 그러나 주주총회에서는 중요 경영사항만 정하고, 구체적인 경영활동은 이사회에서 결정된다. 이러한 이사회의 기업경영의사 결정이 주주의 이익에 부합하는지 감시·감독하는 감사제도를 두는데, 이러한 기업의 의사결정시스템을 통칭하여 기업지배구조라 한다. 기업지배구조 개선을 위한 상법 개정안이 논의되고 있다.

이 중 대표적으로 상법 개정안에서는 노동이사제를 추진 중이고, 공공기관 노동이사제는 시행 중이다. 노동이사제는 근로자 대표가 이사회에 들어가 발언권과 의결권을 행사하는 제도인데, 독일 등 유럽 국가에서 기업 투명성 확보를 위해 시행하고 있다. 노동이사제가 도입되면, 근로자 대표가 노동이사로 이사회에 들어가 근로자의 이익을 대변해 경영상의 발언권과 의결권을 행사한다.

(나) '노동이사제'는 근로자가 기업 이사회에 참여해 중요한 의사결정에 관여하는 제도로, 근로자의 경영 참여를 보장한다. 2022년 8월 4일부터 공기업과 준정부기관에 적용됐으나 명확한 가이드가 없어 실무 운영에 혼란이 발생할 수 있다.

노동이사제 관리방안

Q1. 민간기업에 노동이사제를 도입하면 기업의 경영에 있어 노동자의 요구, 예를 들어 임금 인상 등이 반영되어 기업이 파산할 수 있다는 주장이 있다. 이 주장에 대한 자신의 견해를 논하시오.

Q2. 민간기업에 대한 노동이사제 도입 여부에 대한 자신의 입장을 논하시오.

답변 준비 시간 동안 제시문만 읽어야 하고, 문제를 미리 보면 안 됨, 메모 가능

※ 다음 제시문을 읽고, 시험장에 입실한 후 면접관의 질문에 답하시오.

<제시문 1>

　다음의 두 가지 사실에 대해서는 논란의 여지가 없을 것이다. 즉, 변화하는 다양한 생존 조건 아래서 유기체들의 구조는 거의 모든 부분에 걸쳐 개체적 차이를 나타낸다. 또한 유기체들의 수가 기하급수적으로 증가함에 따라 일정한 나이나 계절 또는 해에 극심한 생존 경쟁이 일어난다. 이 두 가지가 사실이라면, 모든 유기체들이 서로에 대해서나 생존 조건에 대해서 맺고 있는 관계가 무한히 복잡하다는 점을 고려해 볼 때, 인간에게 많은 유용한 변이가 일어나는 것과 같은 방식으로 각 생물에게도 그 자신의 번영에 유용한 변이가 일어나리라고 가정하는 것은 매우 당연한 일일 것이다. 그런데 만일 어떤 유기체에게 유용한 변이가 실제로 일어난다면, 그러한 특징을 가진 개체는 생존 경쟁에서 살아남을 가장 좋은 조건에 놓이게 될 것이 틀림없다. 그리고 확고한 유전의 원리에 따라 그 개체들은 비슷한 특징을 지닌 자손을 낳는 경향을 보일 것이다. 이러한 보존의 원리 또는 최적자의 생존을 일컬어 나는 '자연선택'이라고 부른다. 자연선택은 각각의 생물을 그 유기적·비유기적 생존 조건과의 관계에서 개량함으로써 그것들을 진보로 이끈다. 그럼에도 불구하고 만일 단순하고 하등한 형태들이 그들의 단순한 생존 조건에 잘 적응되어 있다면 이 형태들은 오랫동안 지속될 것이다.

<제시문 2>

　자연선택의 구체적인 예를 들어보자. 시베리아 지역의 경우, 빙하기가 도래하면서 기온이 떨어지자 털이 거의 없는 코끼리와 상대적으로 털이 더 많은 코끼리 가운데 후자가 생존에 유리했고, 일반적으로 이 무리의 코끼리가 더 많은 자손을 남겼다. 수많은 세대를 거치면서 시베리아에는 진화를 통해 코끼리에서 유래된 자손, 즉 털이 난 매머드들이 살게 되었다. 하지만 털이 난 매머드가 털 없는 코끼리보다 전체적으로 더 낮거나 전반적으로 더 우월한 것은 아니다. 매머드의 '향상'은 전적으로 기후가 추워진 지역에 국한된 이야기이다. 털이 거의 없는 코끼리 조상은 따뜻한 지역에서 여전히 더 유리하다.

…(중략)…

　이러한 국지적인 적응의 어떤 면도 일반적 진보(이 모호한 단어를 어떻게 정의하든지)를 보증하지 않는다. 국지적인 적응이 더 복잡하게 되는 정도에 비례해서 생물은 해부학적으로 단순하게 될 수도 있다. 대표적인 기생생물인 사쿨리나 성체는 따개비의 계통인데 숙주인 게의 배 밑에 붙은 무정형의 생식 기관 주머니처럼 보인다. 이것은 분명히 (적어도 우리의 가치 기준으로는) 추악한 기관이지만 배 밑바닥에 붙어 물속에서 다리를 휘저으며 먹이를 찾는 따개비 종류보다 해부학적으로 훨씬 단순한 형태이다.

　환경이 생물에 진보적인 변화를 일으키는 방향으로 계속 변해가는 일은 가능하지 않다. 어느 지역에서건 지역적인 환경 변화는 지질학적 연대에 따라 무작위적으로 일어난다. 바다에 잠겼던 곳이 육지가 되기도 하고 육지가 물에 잠기기도 하며 날씨가 추워지기도 하고 더워지기도 한다. 생물이 자연선택에 의해 그 지역의 환경 변화를 따라가는 것이라면 그 지역 생물의 진화적 변화도 당연히 무작위적일 수밖에 없다.

<도표>

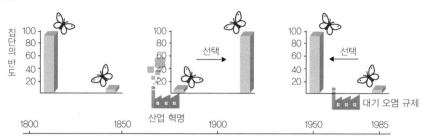

후추나방의 자연선택(왼쪽은 흰색 나방, 오른쪽은 검은색 나방을 의미한다.)

<제시문 3>

　인류 문화의 서광은 사람이라는 자각에서 비롯하며, 인격적 노력으로써 내적 연마와 외적 제복(制服)을 누적하는 데 그 발달과 생장이 있었다. 흩어져 있던 개별 인간이 점차로 집단을 이루어 집단이라는 자각을 가지고 공통한 감정과 공통한 욕구로써 공통한 목적을 위하여 공통한 정성과 힘을 기울이는 동안에 씨족 관계가 생기고, 민족 관계가 생기고, 사회가 되고, 국가가 되었다. 씨족에서고 민족에서고, 국가로고 사회로고 그것을 조성한 각 분자가 그 집단의 일원이라는 자각이 명확한가에 따라 그 운명이 성쇠영고를 드러내게 되었다. 즉 집단적 통일의 공고함의 정도 여하에 따라 흥폐존망이 양극으로 나뉘었다. 이렇게 집단생활의 여러 단계를 골고루 밟는 동안에 감정의 순화(醇化)와 지능의 속달(速達)을 이룬 자가 문화의 강자로 세계에서 큰 체를 하게 되었다. 이것이 곧 우주의 생명력이 점차로 개현(開顯)되어 가는 정당한 순서에 부합하는 까닭이다.

　일체의 문화적 현상은 인성자연(人性自然)이 열려 펼쳐진 것이다. 당연히 필 꽃이 인연과 시기가 맞아 피게 되는 것이다. 그 인연을 가깝게 하고 그 시기를 빠르게 하는 것이 민족의 성능이다. 민족의 성능은 지리적 조건이나 경제적 정형(情形) 같이 물리적이고 기계적인 것에 크게 구속을 받지만, 또 동시에 인성의 일부인 창조력, 탄발력(彈撥力), 응화력(應和力)의 발동 정도 여하에 의해 환경과 사세(事勢)에 대하여 어느 정도 합당한 개화를 베풀 수 있다. 이 능력의 발휘는 일 민족, 일 국가의 역사에 영광과 명예를 얹는 것이다. 가장 험악한 국면을 헤치고 가장 어려운 업적을 이루는 곳에 가장 큰 영예가 있다. 그것은 마치 가장 어두운 구름 속에서 가장 빛나는 번개가 치는 것과 같다.

　그 대신 이러한 제약 하에 있으면서 줄곧 끌려 다니기만 하는 자에게 응당한 보답으로 주어지는 것은 수치와 굴욕과 고민과 신음이다. 역사의 교훈적 방면에서 가장 중요한 점이 이것이다.

<제시문 4>

　옛날에 공자가 노(魯)나라 사제(蜡祭)[4]의 빈(賓)이 되었다. 공자는 일을 마치고 밖으로 나와 성문의 관 위에서 쉬고 있다가 "아아!"하고 탄식하였다. 공자는 아마 노나라의 일을 탄식했을 것이다. 언언(言偃)이 곁에 있다가 말하였다. "군자께서는 무엇을 탄식하십니까?" 공자가 말씀하였다. "옛날 큰 도가 행해진 일과 3대(하, 은, 주)의 영현(英賢)한 인물들이 때를 만나 도를 행한 일을 내가 비록 눈으로 볼 수는 없으나 3대의 영현들이 한 일에 대해서는 기록이 있다. 기록에 따르면, 큰 도가 행해진 세상에서는 천하가 모두 만인의 것이었다. 사람들은 현자(賢者)와 능자(能者)를 선출하여 관직에 임하게 하고, 온갖 수단을 다하여 상호간의 신뢰친목(信賴親睦)을 두텁게 하였다. 그러므로 사람들은 각자의 부모만을 부모로 하지 않았고 각자의 자식만을 자식으로 하지 않았으며, 노인에게는 생애를 편안히 마치게 하였으며 장정에게는 충분한 일을 시켰고, 어린이는 마음껏 성장할 수 있게 하였으며 과부, 고아, 불구자 등은 고생 없는 생활을 하게 하였고, 성년 남자에게

[4]
사제(蜡祭): 12월에 만신(萬神)을 합하여 행하는 제사

는 직분을 주었으며, 여자에게는 그에 합당한 남편을 갖게 하였다. 재화(財貨)라는 것이 헛되이 낭비되는 것을 미워하였지만 단지 자기만 사사로이 독점하지 않았으며, 힘이란 것은 사람의 몸에서 나오지 않으면 안 되는 것이지만 그 노력을 단지 자기 자신의 사리(私利)를 위해서만 쓰지는 않았다. 모두가 이러한 마음가짐이었기 때문에 (사리사욕에 따르는) 모략이 있을 수 없었고, 절도나 폭력도 없었으며 아무도 문을 잠그는 일이 없었다. 이것을 대동(大同)의 세상이라고 말하는 것이다."

"지금 세상은 대도(大道)는 이미 없어지고 사람들은 천하를 한 집으로 생각하였다. 그래서 각기 내 부모만을 부모로 생각하고 내 아들만을 아들로 생각하였으며, 재화를 사유(私有)하고 노력은 사리(私利)를 위해서만 사용된다. 천자와 제후들은 세습하는 것을 예의로 알며, 성곽과 구지(溝池)를 외적으로부터 스스로 지켜야 한다고 알고 있다. 예의를 기강으로 내세워 그것으로 임금과 신하의 분수를 바로 잡으며, 부자(父子)를 돈독하게 하고, 형제를 화목하게 하며, 부부를 화합하게 한다. 제도를 설정하고 전리(田里)를 세우며 지혜와 용맹을 존중하고, 공(功)은 자기를 위한 일에 이용한다. 간사한 꾀가 이 때문에 일어나고 전쟁도 이로 인해 일어난다. 우왕, 탕왕, 문왕, 무왕, 성왕, 주공은 이 예도(禮道)를 써서 뛰어난 업적을 이루었다. 이 여섯 사람의 군자들 가운데 예를 삼가지 않은 사람은 없다. 즉, 이들 여섯 왕은 모두 예의를 지킨 사람들이고, 예의로써 각자의 도를 헤아렸으며, 백성의 신망을 모았고, 적의 죄과를 밝혔으며, 인애와 겸양의 도를 강설(講說)하여 백성들에게 보여주었다. 만일 이 법에 따르지 않는 자가 있으면 권세의 지위에 있는 자가 할지라도 백성들로부터 배척당하여 끝내는 멸망할 것이다. 이러한 세상을 소강(小康)[5]의 세상이라고 한다."

Q1. <제시문 1>과 <제시문 2>를 논점의 차이를 중심으로 각각 요약하시오.

Q2. <도표>의 변화를 설명하시오. 그리고 <제시문 1>과 <제시문 2> 각각의 입장에서 <도표>에서 나타난 변화를 설명하시오.

Q3. <제시문 3>의 인류 역사 발전에 대한 주장과 <제시문 1>의 생물의 진화에 대한 주장과 어떤 공통점과 차이점을 보이는지 비교 분석하시오.

Q4. <제시문 3>과 <제시문 4>의 주장을 비교하여 요약하시오.

Q5. <제시문 3>과 <제시문 4>의 주장을 각각 제시하고, 이를 대비하면서 사회와 문화는 진보했는지 자신의 생각을 논하시오.

Q6. <제시문 1>과 <제시문 2> 중 어떤 입장이 도표에서 나타난 변화를 더 잘 설명하는가?

Q7. <제시문 3>은 서구 제국주의와 일제 강점기 시대에 쓰인 것이다. 이 입장이 일제 강점기 하의 조선에 주는 상반된 관점을 추론하여 제시하시오.

Q8. <제시문 4>는 상고시대의 대동(大同)의 세상에서 소강(小康)의 시대로 타락했다고 한다. 상고시대의 대동의 세상이 가능한 이유는 무엇인지 추론하여 답하고, 이를 소강의 시대로 타락한 이유와 논리적 일관성을 유지하며 논하시오.

해커스 김종수 로스쿨 면접 200주제

5)
소강(小康): '조금 편안하다' 또는 '겨우 편안하다'는 뜻이다.

※ 면접관의 질문을 듣고, 아래 2문제에 모두 답하시오.

Q1. AI 판사 도입에 대한 자신의 견해를 논하시오.

Q2. 현재 법률상으로 혼전동거는 법적으로 보호를 받지 못하고, 혼전동거 관계에서 태어난 아이 역시 법률상 부부관계의 자녀에 비해 보호가 약하다. 프랑스는 1999년 팍스(PACS: Pacte civil de solidarité, 시민연대계약)를 도입했는데, 두 사람이 살다가 서로 뜻이 안 맞아 헤어지고 싶으면 둘 중 한 명이 팍스 해지를 원하는 서류를 행정관청에 제출하면 된다. 세액공제 등 결혼한 부부와 동일한 수준의 혜택을 보장받으며, 계약을 체결하고 해지할 때 법적으로 기록이 남지 않는다.

프랑스의 팍스와 같이 혼전동거를 제도화하는 것에 대한 찬반 입장을 나누어 토론하시오.

※ 다음 제시문을 읽고, 문제에 답하시오.

<사례 1>

A는 11세의 여아이며, 교통사고를 당해 병원에 이송되었는데 생명을 구하기 위해서는 수혈이 꼭 필요한 상황이다. A의 부모는 인간이 타인의 피를 받을 수 없다는 종교적 신념을 갖고 있는 종교단체의 간부였다. 혼수상태에 빠진 A의 수술을 위해서는 수혈을 결정해야 하는데, A의 부모는 종교 교리에 어긋나기 때문에 절대 불가하다고 주장한다. 그러나 지금 A의 상황에서는 수혈을 하여 수술을 하는 것만이 유일한 치료 방법이고 다른 방법은 없는 상황이다. 그 사이 A의 상태는 더욱 악화되었다. 이에 의사 B는 A의 부모 몰래 A의 다른 친족의 동의를 얻어 A에게 수혈이 동반되는 수술을 하여 A의 목숨을 구했다. A의 부모는 B가 A의 종교의 자유를 침해했다고 주장한다.

<사례 2>

C는 18세의 청소년이며, 생명을 구하기 위해서는 수혈이 동반되는 수술이 꼭 필요하다. C의 부모는 인간이 타인의 피를 받을 수 없다는 종교적 신념을 갖고 있는 종교를 굳게 믿고 있는 독실한 신자이고, C 역시 10여 년 이상 해당 종교를 믿어온 독실한 신자이다. C의 수술과 수혈을 위해서는 부모의 동의가 필요한데, C와 부모는 수혈이 동반된 수술을 받을 수 없다고 주장한다. 이에 의사 D는 수혈 없는 수술을 하겠다고 말하면서 C와 그 부모의 동의를 받은 후, 수술실에서 수혈이 동반된 수술을 함으로써 C의 생명을 구했다. 수술이 종료된 후, C와 그 부모는 의사인 D가 종교의 자유를 침해했다고 주장한다.

<사례 3>

E는 60세 남성이며, 위암 말기의 환자로 수술 등의 치료를 거부하고 있다. E는 독실한 신자이며 기도를 통해 목숨을 구할 것이라며, 의료적 치료가 필요한 상황인데도 불구하고 퇴원을 원하고 있다. 마찬가지로 E의 부인 역시 독실한 신자로 E의 의사를 존중해달라며 퇴원을 요구하고 있다. 담당 의사인 F는 E의 퇴원을 허락하지 않고 치료를 계속했다. 이에 E와 그 부인은 의사인 F가 종교의 자유를 침해했다고 주장한다.

<사례 4>

기도원장인 G는, 정신병 치료를 부탁해 온 성인 여성 H에게, 그의 정신병의 원인은 마귀가 들렸기 때문이라면서 안수기도를 하면 고칠 수 있다고 하였다. H는 기도원장의 안수기도를 받기로 결정했다. 기도원장 G는 H를 눕힌 후 머리 위에 손을 올리고 기도를 올렸다. 이후 목과 가슴 사이에 손을 올리고 기도를 했다. H는 기도 이후에도 정신병에 차도가 없었고, 목과 가슴 사이에 손을 올리고 기도를 한 것이 성추행이라며 G를 고발했다. G는 자신을 처벌하는 것은 종교의 자유 침해라고 주장한다.

<사례 5>

    50세의 기도원장인 I는 남성으로, 70세의 여성인 J의 질병이 마귀 때문으로 자신이 안수기도를 하면 질병을 치료할 수 있다고 했다. 독실한 신자인 J는 기도원장인 I에게 질병 치료를 위한 안수기도를 받기로 동의했다. 기도원장인 I는 J를 눕힌 후, 가슴과 배를 수차례 누르고 몸속에 있는 사탄을 몰아내야 한다면서 J의 배 위에서 수차례 뛰었다. J는 기절했고 병원에 실려가 장 파열 등으로 치료를 받아 간신히 목숨을 구했다. J는 I를 고발했고, I는 자신의 행위가 종교 행위로서 마귀를 퇴치하기 위한 것이라 주장했다. I는 자신을 처벌하는 것은 종교의 자유 침해라고 주장한다.

Q1. <사례 1>~<사례 5> 중에서 종교의 자유를 침해했다고 볼 수 없는 사례를 제시하고, 그 이유를 각각 논하시오.

Q2. <사례 1>~<사례 5> 중에서 종교의 자유를 침해한 사례를 제시하고, 그 이유를 각각 논하시오.

※ 다음 제시문을 읽고, 문제에 답하시오.

(가) 갑과 을이 지역구 국회의원 선거에 출마했다. 해당 지역구 주민들은 A시와의 광역 철도 유치에 대한 민원을 제기하고 있는 상황이다.

갑: A시로 향하는 광역철도 노선을 우리 지역구에 유치하겠다. 나는 관련분야 소관 상임위원회 경력과 연구경력이 있다. 내가 우리 지역구에 광역철도를 유치할 수 있는 적임자이다.

을: 갑의 주장은 옳지 않다. 광역철도 유치 이전에 전문가 검토가 필요하다. 갑은 지역주민의 인기를 끌기 위해 인기영합적인 주장을 하고 있다. 갑은 지역구의원과 지역로비스트를 혼동하고 있다.

갑의 재반박: 지역구 의원이 지역의 이익을 위해 노력하는 당연한 것이다. 모든 지역구 의원이 자신의 지역구 주민의 뜻에 따르고, 이러한 경쟁이 결과적으로 국가 발전으로 이어진다.

(나) 대의제 민주주의는 국민이 국가기관을 선거 등을 통해 구성하고 대표기관인 국가기관은 국가이익을 위해 독자적으로 국가정책을 결정할 수 있다. 자유위임이란 대표기관(국회의원, 대통령)은 국민으로부터 자유롭게 정책을 결정할 수 있는 권한을 위임했다는 개념이다. 우리나라 헌법 제46조 제2항이 근거이다. 자유위임논리에 따르면 국회의원은 국민의 경험적 의사에 구속되지 않고, 자신의 양심에 따라 국가이익을 위해 의사결정한다. 따라서 국민은 국민 뜻에 반한다고 하여 국회의원을 소환할 수 없다. 국회의원은 자유위임이므로 직무상 행한 발언과 표결에 관해 형사·민사책임을 지지 않는다(면책특권, 헌법 제45조).

정당은 유사·동일한 정치적 의견을 가진 자들의 자발적 결사체이다. 따라서 정당은 결속력을 강화시키기 위해서 사실상 강제를 할 수 있다. 정당정책에 반하는 행위, 정당정책을 비난하는 행위를 해당행위로 보아 제명하거나 다음 공천에서 배제할 수 있다. 자유위임이 국회의원의 정당에 구속되지 않고 자유롭게 정책을 결정하는 근거라면 정당기속은 정당정책에 국회의원을 구속시킬 수 있는 근거이다. 법적으로는 자유위임이 원칙이다. 그러나 정당이 사실상 국회의원을 기속할 수 있다.

Q1. 제시문 (가)의 갑과 을 중 어느 의견이 합리적인지 판단하고 근거를 제시하시오.

Q2. 갑과 을의 공약 모두 소속정당의 정당정책에 반한다고 하자. 갑이나 을이 국회의원에 당선된 이후 정당정책에 반하는 결정을 할 수 있는지 답하고, 이 경우 정당이 해당 국회의원에 대한 제명이나 공천배제를 했다면 타당한 것인지 답하시오.

💬 추가질문

Q3. 국회의원이 정당정책에 반발하여 소속정당을 탈당했다고 하자. 이 경우 의원직을 상실시켜야 하는가?

※ 다음 제시문과 QR코드를 촬영하면 연결되는 제시문을 읽고, 문제에 답하시오.

(가)

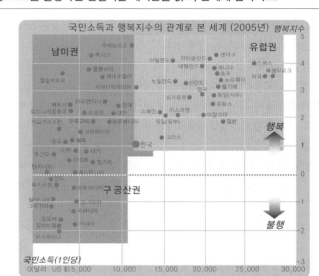

(나) 매슬로우(Abraham H. Maslow)는 실험을 통해 인간이 보편적으로 가지고 있는 공통적인 욕구를 규명하여 이를 다섯 가지로 계층화하였다. 인간의 욕구가 하위단계의 욕구로부터 상위단계의 욕구로 발달하며 어느 한 단계의 욕구가 충족되면 그것은 더 이상 개인을 동기부여시키는 힘을 가지지 못하고 그 상위 단계의 욕구가 동기유발의 힘이 된다는 것이다.

인간은 계층에 따라 순차적으로 발로되는 다섯 가지의 욕구를 가지고 있다. 즉, 생리적 욕구, 안전에 대한 욕구, 애정욕구 혹은 사회적 욕구, 존경의 욕구, 자아실현 욕구로 구성된다. 이 중 생리적 욕구와 안전에 대한 욕구는 하위욕구로, 나머지 세 욕구는 상위욕구로 분류된다.

하위욕구는 생리적 욕구와 안전에 대한 욕구이다. 첫째, 생리적 욕구는 욕구계층의 출발이 되는 것으로 인간의 모든 욕구 가운데 가장 기초적인 욕구에 해당한다. 의식주에 대한 욕구, 수면에 대한 욕구, 성적 욕구, 활동에 대한 욕구 등이 생리적 욕구의 예이다. 둘째, 안전에 대한 욕구는 위험, 위협에 대한 보호, 혼란과 불안으로부터의 해방, 질서에 대한 욕구 등 자기보전 욕구를 의미한다.

상위욕구는 생존 이상의 욕구를 의미한다. 셋째, 애정 욕구 혹은 사회적 욕구는 애정이나 사랑, 타인과의 친밀한 인간관계, 집단에의 소속감 등과 같이 상호관계를 유지하고자 하는 욕구에 해당한다. 넷째, 존경의 욕구는 사람들이 타인으로부터 자신이 높게 평가받고 스스로를 존중하며 자존심을 유지하고자 하는 욕구를 의미한다. 마지막으로 자아실현 욕구는 자신의 잠재적 역량을 최대한으로 실현하고 싶어 하는 욕구이다. 이것은 인간 욕구 체계의 최상의 단계에 속하는 것으로 자기의 가치 완성 및 창조성과 관련된 욕구이다.

(다) 한국은 인구 10만 명당 자살률이 39.9명으로 OECD 평균의 두 배를 넘는다. 특히 80세 이상 자살률은 60.6명에 달해, 노인들이 살아가기 힘든 사회임을 보여주고 있다.

노인 자살률

Q1. 제시문 (나)를 간략하게 요약하고, 이를 이용해 제시문 (가)의 행복과 부의 관계를 하위욕구와 상위욕구의 두 수준에서 분석하시오.

Q2. (가)의 상황에서 한국은 소득이 1만 달러 수준으로 부와 행복의 관계에서 과도기에 있다. 지원자가 국가정책을 담당하는 자라면, 국민의 행복도를 증가시키기 위해 어떤 정책을 펼치는 것이 적절할지 구체적으로 제시하시오.

Q3. 위 2번 문제 답변의 논리적 연장선상에서 (다)의 노인 자살률을 낮출 방안을 크게 두 가지로 제시하고, 두 가지 방안이 노인 자살률을 낮출 수 있음을 논증하시오.

⏱ 답변 준비 시간 10분 | 답변 시간 3, 3, 3분

집단 면접, 동아대와 전북대도 유사한 형식이므로 참고할 것

※ 다음 QR코드를 촬영하면 연결되는 제시문을 읽고, 문제에 답하시오.

> 법인세가 미국 대선의 주요 쟁점으로 떠올랐다. 바이든은 '부자 증세'를, 트럼프는 '감세 낙수효
> 과'를 주장하며 상반된 조세 정책을 내세웠으며, 당선자에 따라 미 정부의 법인세수가 1조 달러 가
> 량 증감할 수 있다는 분석이 있다.
>
>
>
> 미국 대선 법인세

Q1. 홀수를 뽑은 지원자는 법인세를 인하해야 한다는 입장에서, 짝수를 뽑은 지원자는 법인세를 인하해서
는 안 된다는 입장에서 토론하시오.

메모 가능

※ 다음 제시문을 읽고, 문제에 답하시오.

> 역대 정부를 거치면서 지방자치가 발전하고 지방분권이 추진되고 비록 한계가 있다고는 하나 상당한 성과를 보여주고 있는 것이 사실이다. 지방자치단체장 및 지방의회 의원이 선거로 선출되고 중앙의 상당한 권한이 이양되어 지방자치단체가 상당한 자율성을 획득하고 있는 것으로 보임에도 현재의 상황은 매우 회의적이다. 이른바 '지방소멸' 현상이 심화되고 있다는 자료들이 나오고 있기 때문이다.
>
> 2021년 통계청이 발표한 2020년 출생 사망통계에 따르면, 2020년 출생아 수가 272,400명, 사망자 수는 305,100명이다, 1970년 인구통계가 작성된 이래 최초로 인구 자연감소(-32,700명) 현상이 발생되었다고 한다. 저출산, 고령화로 인구 자연감소가 처음 발생하였고, 여기에 코로나19로 인해 혼인이 많이 감소한 것도 출생아 수 감소에 영향을 미칠 수 있을 것으로 보인다. 2019년 한국고용정보원은 우리나라의 지속적인 인구감소 추세 등으로 인하여 2021년 이후 전국 226개 기초자치단체 가운데 100개 이상의 기초자치단체들이 지방소멸 위기에 봉착할 것으로 예측한 바 있다. 만 65세 이상의 노인인구 비율이 전체의 14% 이상을 차지하는 '고령사회'에 진입하였고, 전체의 20% 이상을 차지하는 '초고령사회' 진입이 불과 5년 후인 2026년으로 예측되고 있다. 참여정부 시절인 2005년 제정된 저출산·고령사회기본법에 근거하여 대통령 소속으로 '저출산 고령사회위원회'가 설치, 운영되면서 5년 단위의 저출산 고령사회 기본계획을 수립 및 시행하고 있으나 2006년부터 2020년까지 15년간 약 225조 원의 정부예산이 투입되었음에도 저출산 고령화 현상은 더욱 심화되고 있다. 지방자치단체들의 지방소멸 위기에 대한 우려의 목소리는 날로 높아지고 있다.
>
> 한국고용정보원의 '지방소멸지수' 현황을 보면, 2020년 5월 기준 전국 228개 시·군·구 가운데 46%가 넘는 105곳이 '인구소멸 위험지역'으로 분류됐다. 이 가운데 92%에 이르는 97곳이 비수도권이다. '인구소멸 위험지역'이란, 65세 이상 인구가 20~39세 여성의 수보다 2배 이상 많은 지역을 말한다. 가임 여성 인구가 고령자의 절반이 안 돼, 특단의 대책이 없을 경우 향후 인구 감소로 해당 지자체가 아예 사라질 가능성이 높다.

Q1. 지방의 산업이 쇠퇴하고 인구가 감소하는 등 지방소멸이 현실화될 것이라는 우려가 크다. 지방소멸의 원인이 무엇이라 생각하는가?

Q2. 지방소멸을 막기 위해 지방자치를 확대해야 한다는 입장에 대해 구체적인 사례를 들어 강화하시오.

💬 **추가질문**

Q3. 의과 대학 정원 확대와 공공의대 설립 방안을 지방 활성화와 연결하여 논하시오.

※ [지성 면접] 다음 QR코드를 촬영하면 연결되는 제시문을 읽고, 문제에 답하시오.

(가) 몇 년 전 방탄소년단에 병역특례를 부여해야 한다는 논란이 있었지만 대중예술은 특례 대상에 포함되지 않았다. 예술·체육요원의 병역특례제도는 1973년 도입되었으며, 예술 분야의 특례 인정 대회는 지속적으로 축소되고 있다.

병역특례제도 재고

(나) 국가는 국위선양에 기여한 운동선수들에게 혜택을 주는 것이다. 국위선양을 했기 때문에 병역을 면제해 달라고 하는 것이 아니다. 이는 정치권과 일부 지지층의 요구일 뿐이다.

운동선수 병역면제

Q1. 예술·체육요원의 병역 면제를 인정해야 한다는 입장의 논거를 제시하고 이를 논증하시오.

Q2. 예술·체육요원의 병역 면제를 폐지해야 한다는 입장의 논거를 제시하고 이를 논증하시오.

Q3. 이에 대한 자신의 입장을 정하여 논하시오.

Q1. 피리를 만드는 장인(匠人)에게 세 명의 아들이 있다. 이 아버지는 세 아들 A, B, C 중 누구에게 피리를 주어야 할지 고민하고 있다. 각자의 주장에 대해 '분배적 정의' 측면에서 근거를 논하시오. 그리고 이를 바탕으로 아래의 A, B, C 중 누구에게 피리를 주는 것이 옳다고 생각하는지 자신의 입장을 정하고 자신의 입장을 논리적으로 강화하시오.

- A: 나는 몇 달에 걸쳐 아버지와 함께 피리를 만들었으므로 내가 가져야 한다.
- B: 피리는 연주해서 여럿이 함께 즐기기 위한 것이므로, 열심히 피리 연주 연습을 해 온 내가 가져야 한다.
- C: 아버지에게 장난감을 하나도 받아본 적이 없는 내가 피리를 가져야 한다.

Q2. 위 사례의 피리처럼 현실에서는 클래식 연주를 위한 악기들이 있다. 그런데 흔히 알고 있는 바이올린의 명기(名器)인 스트라디바리우스는 경매에서 100억 원을 넘어서는 등 엄청난 가격을 자랑한다. 그런데 바이올린 연주자들은 이 정도의 구매자금이 없어 이 바이올린을 소유할 수 없고, 현재 남아있는 스트라디바리우스 대부분은 이 가격을 지불할 수 있는 자산가나 재단, 기업들이 소유하고 있는 실정이다. 위에서 선택한 자신의 입장의 연장선상에서 이 문제점을 해결할 방안을 제시하시오.

💬 추가질문

Q3-1. [① 국가 개입 방안을 제시한 경우] 국가가 바이올린 연주자에게 세금으로 구입을 해주어야 할 이유가 있는가? 그렇다면 다른 악기 연주자 혹은 국악 연주자들도 악기를 구매해 주어야 하는가?

Q3-2. [② 연주자 구매 방안을 제시한 경우] 바이올린 연주자가 무슨 돈으로 비싼 악기를 살 수 있는가?

Q3-3. [③ 대여 방안을 제시한 경우] 바이올린 소유자가 이익이 없는데도 그 비싼 악기를 흔쾌히 빌려줄 것인가? 바이올린 소유자가 바이올린의 목적이 최고의 연주라면서 이 비싼 악기를 흔쾌히 빌려줄 것이라 할 수 있는가?

※ 다음 QR코드를 촬영하면 연결되는 제시문을 읽고, 문제에 답하시오.

> 한국을 포함한 대부분의 자유민주주의 국가는 대의민주주의에 기초하며, '대표'는 신탁과 대리
> 의 의미를 가진다. 대의민주주의에서 시민의 활동은 정치에 '참여'하는 것이 아니라 선거를 통해
> '동의'하는 것으로 제한된다.
>
>
>
> 대의민주주의 보완법

Q1. 현재 우리나라는 국회와 정부가 법안발의권을 갖고 있다. 대의제의 원칙에 따라, 국민은 원하는 법안
이 있을 경우 여론을 형성하고 국민의 대표인 국회의원이나 대통령이 이 여론을 국민의 진정한 의사
라고 판단할 경우 법안으로 발의하게 된다.
국민발안제는 국회와 정부가 발의하지 않더라도 일정 수 이상의 국민이 직접 법안을 발의할 수 있는
제도이다. 국민발안제 도입은 타당한지 자신의 입장을 논하고, 자신의 입장에 대해 예상되는 반론에
대해 재반론하시오.

Q2. 우리나라는 지방자치제를 시행하면서 주민소환제를 도입·시행하고 있다. 그런데 현행 주민소환에 관
한 법률에 의하면 주민소환 대상자가 되는 지방자치단체장 등은 주민소환투표안이 공고되면 약 한 달
간 권한 행사가 정지된다. 지방자치단체장 등의 권한 행사를 정지시켜야 하는 이유를 논하시오.

💬 **추가질문**

Q3. 甲은 대통령에 당선된 후 독도를 일본 영토로 인정하는 조약을 체결하였다. 이에 국민들은 국민소환
제 도입을 주장하고 있다. 대통령은 대의제 민주주의에서 인정하는 대표기관의 자유위임원칙을 주장
하면서 국민소환제는 타당하지 않다고 비판한다. 국민소환제를 도입해야 하는가?

Q4. 국민소환제 도입에 대한 자신의 견해에 대해 예상되는 반론을 제시하고, 이에 대해 재반론하거나 해
결방안을 제시하시오.

집단 면접, 동아대와 영남대도 유사한 형식이므로 참고할 것

※ 다음 QR코드를 촬영하면 연결되는 제시문을 읽고, 문제에 답하시오.

(가) 테슬라 CEO가 미국 자동차 노조의 과도한 요구를 비판하며 포드, GM, 크라이슬러가 파산할 것이라고 경고했다. 그는 SNS를 통해 노조가 40% 임금 인상과 주 32시간 노동을 요구하고 있다고 비판했다.

주 32시간 노동

(나) 한국은 2018년부터 2020년까지 평균 국가 행복지수에서 5.85점으로 OECD 37개국 중 35위, 전 세계 149개국 중 62위를 기록했다. 또한, 2019년 기준 한국의 연간 근로시간은 1,967시간으로 멕시코에 이어 두 번째로 많았다.

근로시간과 행복지수

Q1. 제시문 (가)와 (나)의 상황에서 해결방안의 하나로 주 4일제 도입이 논의되고 있다. 주 4일제 도입 여부에 대해 A 입장은 찬성하는 측, B 입장은 반대하는 측에서 논하시오.

※ 다음 제시문과 QR코드를 촬영하면 연결되는 제시문을 읽고, 아래 3문제에 모두 답하시오.

<제시문 1>

우리나라는 오토바이 운전자에게 헬멧 착용을 강제하고 있다. 이에 대해 오토바이 동호회 회원인 A는 국가가 오토바이 헬멧 착용을 강제해서는 안 된다고 주장하며 헌법소원을 했다.

<제시문 2>

B는 좌석안전벨트를 착용하지 않고 승용차를 운전하던 중 경찰관에게 적발되어 관할경찰서장으로부터 도로교통법에 의거하여 범칙금 통고서를 발부받았다. 하지만 B는 좌석안전벨트 착용을 강제하는 것은 자기결정권을 침해하는 것이라 판단하여 헌법소원을 제기하였다.

Q1-1. <제시문 1>과 <제시문 2>에서 A와 B의 주장을 각각 논거를 들어 정당화하시오.

Q1-2. A의 주장과 B의 주장에 대한 자신의 입장을 논하시오.

<제시문 3>

해마다 고령운전자 교통사고가 늘어나면서 이들의 사고 예방 및 안전 대책을 둘러싼 사회적 고민도 커지고 있다. 2021년 기준 65세 이상 고령운전자는 334만 명을 기록했으며, 이미 버스·택시·화물차 등 운수종사자 중 65세 이상 비중은 17.4%에 달한다.

문제는 고령운전자가 돌발 상황에 대처할 수 있는 능력이 상대적으로 떨어진다는 데 있다. 도로교통공단이 발표한 보고서에 따르면 65세 이상 운전자의 경우 차선 유지를 위한 핸들 움직임이 상대적으로 많고 신호등 색상 판별에 더 많은 인지 시간이 필요한 것으로 나타났다.

이에 따라 지자체와 정부에서는 65세 이상 고령운전자들이 운전면허증을 자진 반납하면 10만 원 상당의 교통카드를 지원하는 등 자진 운전면허 반납을 유도하고 있다. 그러나 면허 반납은 여전히 미미한 상태다. 고령운전자 사이에서는 평생 사용했던 이동 수단을 대체하는 것치고 혜택이 적다는 불만이 존재한다. 이에 따라 지자체들은 교통카드 지원 금액을 올리고 반납 절차를 간소화하는 등 대책 마련에 나섰다.

그러나 고령운전자의 운전면허 자진납부제도로는 교통 안전을 실현하기 어렵다는 비판이 크다. 이에 따라 고령운전자의 운전면허를 반납하도록 강제해야 한다는 주장이 제기되고 있다.

Q2. 고령운전자의 운전면허 반납 강제가 타당한지 찬반 입장을 정해 논하시오.

<제시문 4>

   법과 제도가 가부장제에서 벗어나려는 국민 인식을 따라가지 못하고 있다. 다양한 가족 형태에 대한 제도적 논의는 시작되었지만, 미혼 여성이 출산하기 위해서는 보조생식술 등이 필요하지만 법과 제도에 가로막혀 있다.

비혼 출산

Q3. 비혼 여성의 보조생식술을 통한 출산 허용 찬반에 대한 자신의 입장을 정해 논하시오.

※ 다음 제시문을 읽고, 문제에 답하시오.

(가) 말은 그 발굽으로 서리와 눈을 밟을 수 있고, 그 털로 바람과 추위를 막을 수 있으며, 풀을 뜯고 물을 마시며 껑충껑충 뛰어다니는데, 이것이 말의 천부적인 성질이다. 비록 높은 누각과 궁전이 있어도 말에게는 아무 소용이 없는 것이다.

그런데 백락(伯樂)이란 사람이 나타나서 "나는 말을 잘 다룬다."고 하면서 털을 태우거나 깎으며, 발굽을 깎고 낙인을 찍으며, 굴레와 고삐로 묶어 마구간에 매어 놓으니, 말 열 마리 가운데 두세 마리는 죽고 마는 형편이었다. 게다가 말을 훈련시킨다면서 배를 주리게 하고 목마르게도 하며, 달리게 하고 뛰게도 하며, 정돈시키고 늘어세우기도 하며, 앞에서는 재갈과 가슴걸이 장식으로 못 견디게 하고, 뒤에서는 채찍으로 위협을 했기 때문에 마침내 말들 가운데 반수 이상이나 죽고 말았다.

또 옹기장이는 "나는 찰흙을 잘 다루니 둥근 그릇이라면 원형을 그리는 그림쇠를 댄 것처럼, 모난 그릇이라면 네모를 그리는 곱자를 댄 것처럼 만들 수 있다."고 하고, 목수는 "나는 나무를 잘 다루니 굽게 깎으면 갈고리 같고, 곧게 깎으면 먹줄에 맞게 할 수 있다."고 한다.

그러나 찰흙과 나무의 본성이 어찌 그림쇠나 곱자나 갈고리나 먹줄에 맞추어지기를 바라겠는가? 그런데 세상 사람들은 "백락이야말로 말을 잘 다루는 명수고, 옹기장이나 목수는 찰흙과 나무를 잘 다룬다."고 칭찬을 하니, 이것 또한 인의(仁義)와 예악(禮樂)으로 천하를 다스리는 자들이 현인(賢人)이나 성인(聖人)으로 칭찬받고 있는 것과 같이 잘못된 것이다. 내가 뜻하는 바 천하를 잘 다스린다 함은 그런 것이 아니다. 저 백성들에게는 변하지 않는 것이 있어, 옷감을 짜서 옷을 만들어 입고 밭을 갈아 밥을 지어 먹으니, 이를 만민들이 자연의 도에 맞게 살아가는 공통된 덕이라 하고, 한결같아 치우치지 않으므로 자연 그대로의 자유라고 한다. …(중략)…

그런데 성인이 나타나서 예악으로 몸을 굽히게 하여 천하 사람들의 몸을 바로 잡는다 하고, 인의로 천하 사람들의 마음을 위로한다 했으므로 백성들은 헛되게 지식을 좋아하게 되고 이익을 좇아 다툼을 그칠 수 없게 되었으니 이것 역시 성인의 허물이다.

(나) 그런데 제가 말씀드리고 있는 '멋대로 할 수 있는 자유'는 가령 옛날에 리디아인 기게스의 조상이 얻었다는 힘이 이들 두 사람에게 생길 경우에 가장 제격일 것입니다. 사실 그는 당시 리디아의 통치자에게 고용된 양치기였다고 하지요. 어느 날 심한 뇌우와 지진이 있고 나서 땅이 갈라지더니, 그가 양들에게 풀을 먹이고 있던 곳에도 갈라진 틈이 생겼다지요. 이를 보고 놀라면서 그는 아래로 내려갔지요. 이윽고 그는 다른 여러 가지의 놀라운 것도 보았지만, 또한 속이 비고 자그마한 문들이 달린 청동 말 한 필을 보았고요. 그가 몸을 구부리고 문 안을 들여다보니까 보통 사람보다 더 큰 송장이 있었는데, 그 송장은 다른 것은 아무것도 걸친 게 없이 다만 손가락에 금반지를 끼고 있었고, 그는 그걸 빼 가지고 밖으로 나왔다지요.

그런데 왕에게 양들에 관한 일을 달마다 보고하기 위해서 양치기들이 늘 갖는 모임이 마침 있게 되었을 때, 그는 그 반지를 끼고서 참석했다지요. 다른 사람들과 함께 자리에 앉아 있던 그는 우연히도 반지를 손 안쪽으로 돌렸는데, 갑자기 그는 동석한 사람들에게 보이지 않게 되어, 그들은 그가 마치 자리에 없는 듯이 대화를 하였다지요. 이에 놀란 그가 반지를 만지작거리면서 밖으로 돌렸더니, 다시 그가 보이게 되었고요. 이를 알아차린 그는 과연 그 반지가 그런 힘이 있는지를 시험해 보았는데, 똑같은 일이 일어났다고 하지요. 이를 확인하게 된 그는 곧바로 왕한테로 가는 사자들 일행에 자신도 끼도록 일을 꾸며 왕궁으로 가서 왕비와 간통을 한 후에, 왕비와 모의하여 왕을 살해하고 왕국을 장악했다고 하지요.

그러니 만약에 이런 반지가 두 개 생겨서 하나는 올바른 사람이, 그리고 다른 하나는 올바르지 못한 사람이 끼게 된다면, 그런 경우에 올바름 속에 머무르면서 남의 것을 멀리하고 그것에 손을 대지 않을 정도로 철석같은 마음을 유지할 사람은 아무도 없을 것 같이 생각됩니다. 말하자면 시장에서 자기가 갖고 싶은 것은 무엇이든지 두려움 없이 가질 수 있고, 또 어느 집에든지 들어가서 자기가 원하는 사람이면 누구와도 동침할 수 있다면, 그리고 또 자기가 그러고 싶은 사람이면 누구든 죽이거나 속박에서 풀어 줄 수 있으며, 또한 그 밖의 여러 가지에 있어서 인간들 사이에 신과도 같은 존재로 행세할 수 있다면 말입니다. 이처럼 행동할진대, 그는 다른 한쪽 사람과 조금도 다를 것이 없을 것입니다. 이것이야말로 올바름이 개인적으로 좋은 것이 못되기에, 아무도 자발적으로는 올바르게 되려고 하지 않고 부득이해서 그렇게 하는 것이라는 강력한 증거로 삼을 만합니다. 누구든 뒤탈 없이 올바르지 못한 짓을 저지를 수 있다고 생각할 경우에는, 올바르지 못한 짓을 저지를 테니까요. 그건 모든 사람이 올바름보다는 올바르지 못함이 개인적으로는 훨씬 더 이득이 된다고 믿기 때문입니다. 만일에 어떤 사람이 그와 같은 자유로운 힘을 얻고서도, 올바르지 못한 짓은 아예 하려 하지도 않으며, 남의 것은 손도 대려 하지 않는다면, 이를 아는 사람들이 보기에는 이 사람이야말로 가장 딱하고 어리석은 자로 생각될 것입니다. 하지만 사람들은, 자기가 올바르지 못한 짓을 당하지 않을까 하는 두려움 때문에 면전에서는 서로를 속이면서 그를 칭찬할 것입니다.

(다) 곽탁타라는 사람은 나무 심는 것을 직업으로 삼았는데 장안의 고관들과 부자들은 관상목이나 과실나무를 심을 때 모두 다투어 그를 불러다 나무를 심고 관리하게 했다. 그가 심은 나무는 옮겨 심어도 죽는 일이 없고 무성하며, 일찍 열매가 주렁주렁 열렸다. 나무를 심는 다른 사람들이 그의 솜씨를 엿보고 흉내내어보았지만 도무지 따라갈 수가 없었다. 어떤 사람이 비법을 물었더니 이렇게 대답하였다.

"내가 나무를 오래 살게 하거나 무성하게 할 재주가 있는 것이 아니고, 나무의 천성(天性)을 따라 그 본성(本性)을 잘 펼 수 있도록 할 뿐입니다. 나무의 본성을 본다면, 심을 때는 그 뿌리를 펴주기를 바라고, 북돋기를 할 때는 고르게 하기를 바라며, 흙을 채울 때는 본래 것을 좋아하고, 다지기를 할 때는 단단하게 하기를 좋아합니다. 그렇게 해 놓은 다음에는 흔들어 보지도 말고 염려하지도 말며 내버려두고 돌아보지 말아야 합니다. 묘목을 심을 때는 자식을 돌보듯 하고 버려둘 때는 내버린 듯 하면 그 천성이 온전해지고 본성은 다 이루어지는 법입니다. 그러므로 나는 나무가 자라는 것을 방해하지 않을 뿐이고 그것을 잘 자라고 무성하게 할 방법이 따로 있는 것은 아닙니다. 또한 그 열매맺기를 억제하고 억누르지만 않을 뿐이지 그것을 일찍 익게 하거나 번성하게 할 수는 없습니다.

나무를 심는 다른 사람들은 그렇게 하지를 않습니다. 뿌리는 겹쳐 심고 흙은 바꾸어주며, 북돋기를 할 때는 너무 많이 하지 않으면 모자라게 합니다. 뿐만 아니라 나무를 사랑하고 염려하기를 지나치게 한 나머지 아침에 와서 살피고 저녁에 어루만지며 돌아갔다가는 다시 와서 살피곤 합니다. 심한 자는 그 껍질을 손톱으로 벗겨서 나무가 말라 죽지 않았는지 시험해 보고, 그 뿌리를 흔들어 나무가 엉성하게 심어지지 않았나 시험해 보니 나무의 본성이 날로 어긋나게 됩니다. 사랑한다고 하면서 실상은 그것을 해롭게 하고, 염려한다고 하면서 실상은 원수노릇을 하는 것입니다. 이런 까닭에 저들이 나에게 미치지 못하는 것입니다. 내가 무슨 특별한 능력이 있겠습니까?"

질문을 한 사람이 말하기를, "그대의 방법을 관리(官吏)의 다스림에 적용해 보아도 되겠습니까?" 하니 곽탁타가 대답했다.

"나야 나무 심을 줄이나 알지 관리의 다스림은 내 일이 아닙니다. 그러나 내 고향에서 보면 관리들이 명령을 번거롭게 하여 백성들을 염려해 주는 듯하지만 끝내는 화를 끼치고 맙니다. 아침저녁으로 관리들이 와서는 소리치기를, '관청에서 여러분에게 명합니다. 밭 갈기를 서둘러서 빨리 곡식을 심고 부지런히 추수를 하시오, 빨리 실을 자아서 옷감을 짜시오. 어린아이들을 돌보고 개와 닭을 잘 기르시오.' 하면서 북을 쳐서 사람을 모으고 나무막대를 두드려 사람을 부르니, 우리 같은 백성은 음식을 차려서 관리들을 대접하기에도 정신이 없는데 어느 겨를에 우리의 삶을 번창하게 하며 우리의 본성을 평안하게 하겠습니까? 이렇게 본다면 벼슬아치의 다스림이 나의 직업과 서로 통하는 면이 있다 하겠지요."

질문을 한 사람이 말하기를, "참 좋은 말입니다. 나는 나무 심는 법을 물었다가 사람을 기르는 법을 배우게 되었습니다." 하고는 그 일을 전하여 관리들을 위한 경계로 삼았다.

(라) 인간의 본성(本性)은 악하다, 착하다는 것은 인위(人爲)의 결과다. 인간의 본성은 태어나면서부터 이익을 좋아하여 그 본성을 따르면 남과 쟁탈을 하고 사양함이 없게 된다. 인간의 본성은 태어나면서부터 남을 질투하고 미워하여 그 본성을 따르면 남을 해치고 성실함과 신의가 없게 된다. 인간의 본성은 태어나면서부터 아름다운 소리와 색(色)을 좋아하는 욕망이 있어 그 본성을 따르면 음란(淫亂)함이 생기고 예의가 없게 된다.

인간의 본성을 따르고 인간의 본정(本情)을 따르면 반드시 쟁탈하는 데서 출발하여 예의와 도리를 범하고 드디어 혼란에 귀착하게 된다. 그러므로 스승과 법률의 교화를 받아 예의로 인도한 다음에야 사양하는 마음이 생기고 예의에 맞게 되고 마침내 평화롭게 된다. 이로 본다면 사람의 본성은 악하며 그 착함은 위선임이 분명하다.

굽은 나무는 기준에 맞추어 바로잡은 뒤에야 반듯하게 되고, 잘 들지 않는 칼은 숫돌에 갈아야 예리하게 된다. 인간의 본성도 이처럼 악한 까닭에 스승의 가르침을 받은 뒤에야 올바르게 되고 예의를 배운 뒤에야 잘 다스려지게 된다. 사람에게 스승의 가르침이 없으면 치우쳐서 바르지 못하고, 예의를 배우지 못하면 도리에 어긋나고 난폭해져서 잘 다스려지지 않는다.

맹자는 사람의 본성이 착하다고 하지만 나는 그렇지 않다고 생각한다. 예로부터 지금까지 세상에서 선(善)이라고 하는 것은 바른 이치와 평화로운 다스림을 가리키고, 악(惡)이라고 하는 것은 편벽되고 도리에 어긋나는 것을 가리킨다. 이것이 바로 선과 악의 구분이다. 사람의 본성이 본래부터 바른 이치와 평화로운 다스림을 가졌다고 할 수 있는가? 그렇다면 무엇 때문에 거룩한 임금이 필요하며 무엇 때문에 예의가 필요하겠는가?

인간의 본성은 악한 것이다. 옛날 성인은 인간의 본성이 악하고 편벽되며 도리에 어긋나고 다스려지지 않는다고 믿었기 때문에 임금을 세워 군림하게 하고, 예의를 밝혀 교화하며 법을 정하여 다스렸으며 형벌을 무겁게 하여 금함으로써 온 세상으로 하여금 다스림에서 출발하여 선(善)으로 나아가게 한 것이다. 이것이 바로 거룩한 임금의 다스림이고 예의의 교화이다. 이제 임금의 권위를 없애고 예의의 교화를 없애며 법률의 다스림을 없애고 형벌의 금함을 없애고 가만히 기대서서 세상 사람들이 하는 짓거리들을 본다면 어떻게 되겠는가? 강한 자는 약한 자를 해쳐서 빼앗을 것이고, 무리가 많은 자는 적은 자를 억압하여 온 세상이 패륜으로 어지러워지고, 서로 죽여서 오래지 않아 세상은 망하고 말 것이다. 이로 볼 때 인간의 본성은 악하고 그 착함은 위선임이 분명하다.

Q1. 제시문 (가)~(라)를 각각 요약하시오.

Q2. 제시문 (가)~(라)를 두 개의 입장으로 분류하고, 분류 기준을 제시하시오.

추가질문

Q3. 위의 분류한 각각에 따라, 교육에 관한 입장을 추론하시오.

Part 1
Part 2
Part 3
Part 4
Part 5
Part 6
Part 7

<진행 방법>
- 1번 지원자부터 제비뽑기로 답변할 문제의 번호를 뽑고, 5명 모두 번호를 뽑은 다음 각자 선택한 문제에 대해 2분간 답변함
- 5번 지원자까지 모두 답변한 후에, 다시 1번 지원자부터 답변할 문제의 번호를 다시 뽑고, 해당 번호 문제에 대해 앞 지원자가 말한 내용을 요약하고 자신의 의견을 답변함

※ 아래 Q1~Q6 중 지원자가 추첨한 번호에 대해 지원자의 견해를 논하시오.

Q1. 대학생이 한강공원에서 술을 마시다 사망한 사건과 코로나19 등을 계기로 하여 공원에서 음주를 금지하는 방안이 논의되고 있다. 현재는 음주 후 소음이나 악취를 유발하는 경우에 대해 과태료를 부과할 수 있을 뿐, 음주 자체를 금지하는 것은 아니다. 공원을 음주금지구역으로 지정해야 하는가?

Q2. 대통령은 5년 단임제이다. 이에 대해 우리나라도 미국처럼 대통령 4년 중임제를 도입해야 한다는 주장이 있는데, 이에 대한 입장은 무엇인가?

Q3. 아동을 상대로 성범죄를 저지르거나 재범 위험이 있는 고위험 성범죄자들의 출소 이후 주거지를 제한하는 이른바 '한국형 제시카법'이 추진된다. 고위험 성범죄자의 거주지 제한 명령인 한국형 제시카법을 제정해야 하는가?

Q4. 미국 대선에서 딥페이크를 이용한 대선 후보 동영상이 가짜뉴스로 생성되고 배포되어 논란이 되었다. 가짜뉴스를 규제해야 하는가?

Q5. 미국 정부는 1932년부터 40년간 터스키지 지역에서 매독 환자들을 무료로 치료해 준다는 광고를 내어 흑인 매독환자들을 실험 대상으로 삼았고, 그 결과 '흑인은 매독에 잘 걸린다'는 인종차별적 인식이 확산되었다. 1997년 미국 대통령 빌 클린턴은 대통령으로서 처음으로 미국 국민을 대표하여 피해자들에게 공식 사과했다. 이에 대해 미국 국민 A는 "나는 인종차별적 행위에 가담한 적도, 동조한 적도 없는데 왜 미국 대통령이 나를 대표해서 사과하느냐"며 항의했다. 이 항의는 정당한가?

Q6. 의료법은 비의료인, 즉 의사 면허가 없는 자의 문신시술을 금지하고 있다. 이에 따르면 소위 타투이스트의 문신 시술은 무면허 의료행위로 불법이다. 비의료인의 문신시술 금지는 타당한가?

메모 가능

※ 아래 3문제 중 한 문제를 택하여 답하시오.

Q1. 우크라이나와 러시아의 전쟁으로 인해 유럽 국가에서는 여성징병이 논의되고 있다. 우리나라 역시 인구 감소로 인한 병력 감소가 현실화되면서 여성징병이 필요하다는 주장이 있다. 여성징병에 대한 찬반 입장을 정하여 논하시오.

Q2. 우리나라 대통령은 5년 단임제이다. 이에 대해 우리나라도 미국처럼 대통령 4년 중임제를 도입해야 한다는 주장이 제기되고 있다. 대통령 4년 중임제에 대한 찬반 입장을 정하여 논하시오.

Q3. 양심적 병역거부자에 대한 대체복무제가 시행 중이다. 대체복무기간이 육군 병사 복무기간의 2배인 36개월로 하는 것은 징벌적 성격이며, 대체복무 시에 교도소 등의 교정시설에서 합숙하도록 한정하는 것은 부당하다는 주장이 제기된다. 이 주장들에 대한 자신의 입장을 각각 논하시오.

※ 다음 QR코드를 촬영하면 연결되는 제시문을 읽고, 문제에 답하시오.

(가) 2022년 8월, 비가 오는 가운데 강남 일대에서 상의를 탈의한 남성이 오토바이를 운전하고 비키니 수영복 차림의 여성이 뒤에 타고 있는 모습이 목격되었다. 이에 대해 "몸매가 좋으니 멋있다."는 반응과 "때와 장소를 가려야 한다."는 반응이 있었다.

오토바이 비키니

(나) 공공장소에서 노출 행위를 규제하는 법에는 과다노출죄와 공연음란죄가 있다. 과다노출죄는 최대 10만 원의 벌금, 공연음란죄는 최대 1년의 징역형이 부과될 수 있다. 그러나 사회적 인식 변화로 노출의 정도와 맥락을 고려할 때 처벌 여부 판단은 쉽지 않다. 특히 '과도한 노출'의 정의가 쟁점이 된다.

과다노출 vs 공연음란죄

Q1. 공공장소 과다노출을 처벌하는 과다노출죄에 대한 논란이 있다. 과다노출죄를 폐지해야 한다는 입장을 논거를 들어 옹호하시오.

Q2. 과다노출죄를 폐지해서는 안 된다는 입장을 논거를 들어 옹호하시오. 그리고 이에 대해 예상되는 반론을 제시하고 이에 대한 재반론을 추가적으로 논하시오.

Q3. 과다노출죄 폐지에 대한 자신의 견해를 논하시오.

※ 다음 제시문을 읽고, 문제에 답하시오.

(가) 30년이 넘게 미국의 일류 대학들은 흑인, 히스패닉, 치카노, 아메리카 원주민, 그리고 다른 소수민족 학생들의 수를 증가시키기 위해서 인종에 민감한 입학 정책을 사용했다. 보수주의 학자들과 정치가들이 이 '적극적 우대 조치(affirmative action)'를 도입할 때부터 비판해왔지만, 그 법은 지금 이제까지 직면해왔던 위험 가운데 가장 큰 위험에 빠져 있다. 그 위험은 두 전선에서인데 하나는 정치의 전선이고 다른 하나는 법의 전선이다. 1995년 캘리포니아 대학의 평의회는 인종은 더 이상 그 대학의 어느 과의 입학에서도 고려의 대상이 될 수 없다고 14대 10으로 결정했다. 1996년 캘리포니아의 유권자들은 주의 어떤 제도도 "공공 고용, 공공 교육, 공공 계약에서 인종, 성, 피부색, 종족이나 원국적을 기초로 어떤 개인이나 집단을 차별하거나 또는 우대할 수 없다."고 규정함으로써 그 금지조항을 인준하고 또 넓힌 제안 209호를 승인했다.

그 평의회의 결정의 결과는 직접적이고 대학의 많은 교수들의 관점에서 볼 때 재앙적인 면이 있었다. 캘리포니아 주 최고의 공립 법학전문대학원인 버클리의 볼트 홀(Boalt Hall) 법학전문대학원에는 지난 20년 동안 한 해에 24명의 흑인 학생이 다녔다. 그러나 1997년에는 단 한 명만 등록했는데, 그는 전년도에 입학 허가를 받았지만 입학을 연기한 학생이었다. 적극적 우대조치에 반대하는 정치 운동은 그 운동을 선도한 캘리포니아 주가 성공한 것에 힘을 얻어 다른 주에서도 이어졌다. 1998년에는 워싱턴에서 그와 비슷한 금지가 제정되었고 다른 주들도 따라갈 가능성이 있다.

(나) 중요한 결과는 <표>에 나와 있다. 당연한 결과이지만 테스트 결과가 좋고 부모님의 지위가 높은 학생들은 대학을 졸업할 확률이 높았다. 그러나 부모님의 지위가 더 중요했다. 우리가 어렸을 때, RDK, 즉 '멍청한 부잣집 아이들(rich dumb kids)'이라고 부르던, 성적이 하위 25%이면서 부모님의 지위가 상위 25%에 속하는 학생들은, 성적은 상위 25% 안에 들지만 부모님의 지위가 하위 25%에 속하는 학생들에 비해 대학을 졸업할 확률이 높았던 것이다. 연구결과를 종합해 보면 우리가 평등한 기회 비슷한 걸 가지고 있다는 생각은 완전히 환상이었음을 깨닫게 된다. 현대 미국 사회는 계급, 그것도 부모님으로부터 물려받은 계급이 능력에 우선하는 것이, 절대적인 사실은 아니지만 현실에 좀더 가깝다고 할 수 있다.

어느 나라나 그렇지 않으냐고? 이 정도는 아닐 것이다. 사람들이 자신의 부모보다 신분상승을 할 가능성을 의미하는 '세대 간 이동성(inter-generational mobility)'을 나라별로 비교하기는 쉽지 않다. 이를 비교하기 위한 자료를 완벽하게 수집하는 나라가 없기 때문이다.

그렇지만 호레이쇼 엘저의 소설 같은 경우가 유럽의 다른 국가들 사이에서 더 많이 발생한다는 것은 확실하다. 이러한 이동성은 스칸디나비아 국가에서 가장 높고 미국은 프랑스, 캐나다, 어쩌면 영국보다도 낮다는 결과가 대부분이다. 미국이 평등한 기회가 없을 뿐 아니라 다른 서방국가에 비해 기회 자체도 평등하지 않았다.

<표> 1988년 8학년이었던 학생들이 대학을 졸업한 비율

구분	성적이 하위 25%	성적이 상위 25%
부모님의 지위가 하위 25%	2	29
부모님의 지위가 상위 25%	30	74

(다) 순자(荀子)는 말했다. "대체로 양편이 모두 귀한 사람이면 서로 섬길 수가 없고, 양편이 모두 천하면 서로 부릴 수가 없는데, 이것은 하늘의 섭리이다. 세력과 지위가 같으면서 바라는 것과 싫어하는 것도 같으면, 물건이 충분할 수가 없을 것이므로 반드시 다투게 된다. 다투면 반드시 어지러워지고, 어지러워지면 반드시 궁해질 것이다. 옛 임금들은 그러한 혼란을 싫어했기 때문에 예(禮)의 제도로써 이들을 구별해 주어, 가난하고 부하며, 귀하고 천한 등급이 있게 하여 서로 아울러 다스리기 편하게 하였다. 이것이 천하의 백성들을 기르는 근본이 되는 것이다."

그는 또 말했다. "덕이 있고 없음을 검토하여 서열을 결정하고, 능력을 헤아려 벼슬을 주어 모든 사람들로 하여금 그의 할 일을 수행하며 각각 모두가 그의 합당한 자리를 차지하게 하는 것, 이것이 사람들을 잘 등용하는 것이다."

불평등의 긍정적 측면에 대한 순자의 이런 통찰은 오늘날의 민주주의 사회에서도 유효하다. 우리는 어떤 불평등은 도덕적으로 정당할 뿐만 아니라 또한 좋은 사회를 위해 중요한 역할을 수행한다는 점을 인식해야만 한다. 어떤 사회 체제에서든 '성층화(成層化)'는 불가피하다. 불평등(성층화)은 꼭 필요하지만 꺼리는 직업을 사람들이 수행하도록 하며 선호하는 직업에서도 더 열심히 일하도록 자극한다. 더 나아가 부의 불평등은 사람들이 경제적으로 더 나은 상태에 도달하기 위해 노력하도록 자극을 준다. 다시 말해 다른 사람들보다 더 잘살고 싶도록, 또는 자신이 느끼는 결핍 상태를 극복하도록 동기를 부여한다. 이런 불평등을 인위적으로 완화하려 하면, 사회는 활력을 잃고 혼란에 빠지고 말 것이다. 정의에 대한 상식적 관념에 비추어 보더라도 사람들이 누려야 할 응분의 몫은 다를 수밖에 없다. 특히 능력은 그 응분의 몫을 결정할 수 있는 가장 중요한 잣대다. 평등이 추구할 만한 좋은 가치이기는 하지만, 어떤 불평등은 불가피하고 정당하며 사회 전체에 대해 이롭다.

(라) 사회적 약자를 배려하기 위하여 실시되는 적극적 우대조치는 다른 사회구성원들에게 일종의 불이익을 초래할 수 있다. 왜냐하면 차별의 희생자인 사회적 약자를 보호하기 위하여 사회적으로 한정된 기회나 재화들 가운데 그들만을 위한 특별히 부분을 할애하며 보장하면 이것은 다른 사회구성원들에게는 그만큼 불이익으로 돌아오기 때문이다. 이러한 불이익을 '역차별(reverse discrimination)'이라고 부른다. 다시 말해 역차별이란 차별을 시정하기 위하여 실시한 일정한 조치가 또 다른 차별을 발생시키는 경우를 뜻한다. 예를 들어 사회적 약자인 여성이나 장애인에 대한 차별을 시정하기 위하여 실시한 쿼터제나 가산제도가 남성이나 비장애인의 기회를 박탈하는 또 다른 차별을 발생시키는 경우이다.

우리는 이미 법적 평등과 함께 사실적 평등이 반드시 함께 고려됨으로써 어떠한 결과를 초래하는지에 대해서 확인한 바 있다. 그것은 사실적 평등이 고려되는 경우에 논증게임의 결과가 달라질 수 있다는 점이다. 물론 사실적 평등권은 그것을 주장하는 자에게 논증부담이 돌아가지만 그렇다고 해서 사실적 평등권을 주장하는 자가 평등을 둘러싼 논증게임에서 반드시 실패한다는 것을 의미하는 것은 아니다. 사실적 평등권을 주장하는 자의 논거가 그에 반대하는 자의 논거보다 설득력이 있는 경우에는 사실적 평등권이 우월하고, 따라서 그에 상응하는 적극적 우대조치가 시행될 수 있으며 이러한 범위에서의 역차별은 허용될 수 있다. 이러한 의미에서 역차별의 발생 자체가 중요한 문제일 수는 없다. 중요한 것은 그러한 역차별에 합리적인 이유가 있는지 여부이다.

결론적으로 차별이든 역차별이든 앞에서 우리가 확인한 바와 같이 합리적인 근거가 없는 차별적 대우만이 법적으로 의미 있는 차별이다. 따라서 사회적 약자 또는 사회적 소수자를 보호하기 위한 일련의 적극적 우대조치로 발생할 수 있는 역차별적 대우도 합리적인 근거가 없는 경우에만 차별이라고 부를 수 있다. 이것은 사회적 약자나 소수자에 대한 보호정책이 반드시 정당화된다는 뜻은 아니지만, 반대로 역차별이란 이유로 언제나 거부할 수 없다는 뜻이기도 하다.

Q1. 제시문 (가)~(라)를 각각 요약하시오.

Q2. 법학전문대학원 입학시험에서는 장애인 등 사회 소수자를 대상으로 특별전형을 시행하고 있다. 특별전형을 긍정하는 견해 측면에서는 공정한 기회를 부여한다는 차원에서 특별전형이 타당하다고 주장한다. 반면 역차별이 발생하므로 특별전형을 폐지해야 한다는 주장 또한 존재한다. 법학전문대학원 입학시험에서 장애인 등 사회 소수자를 대상으로 한 특별전형에 대한 자신의 입장을 정하고 논거를 들어 논증하시오.

Part 5
면접 모의문제 해설

Q1. 모범답변

먼저, 음악애호가협회의 범죄는 개인의 자기결정권을 제한하였기 때문에 타당하지 않습니다. 개인은 자기 자신의 주인으로서 자신의 선택이 가져올 책임을 심사숙고하여 자신이 추구하고자 하는 가치관에 부합하는 선택을 합니다. 개인은 자신의 자유로운 선택의 결과에 대한 결과를 책임지기 때문에 자기 삶의 주체가 됩니다. 그런데 음악애호가협회는 바이올리니스트를 살리겠다는 목적으로 개인의 자유를 제한하는 선택을 하였습니다. 만약 바이올리니스트를 살릴 수 있는 방법이 이것 하나밖에 없었다면 당사자인 저를 설득하는 선택을 했어야 합니다. 그러나 음악애호가협회는 그러한 선택을 하지 않고 제 자유를 침해하는 방법을 선택하였습니다. 이는 개인의 자유를 침해할 뿐만 아니라 개인을 질병치료의 수단으로 대한 것이므로 인간을 주체가 아닌 객체화한 것입니다. 따라서 음악애호가협회의 범죄는 정당화될 수 없습니다.

둘째로, 저는 이 상황에서 바이올리니스트를 살리는 선택을 할 것입니다. 그 이유는 저 스스로 바이올리니스트의 생명을 살리는 선택을 하는 것이 옳은 결정이라고 믿기 때문입니다. 한 사람의 생명을 살리는 데 저의 9개월의 시간이 필요하다면 충분히 이를 감수할 수 있습니다.

Q2. 모범답변

일생 동안 신장 기능이 저하되어 어려움이 발생할 것이라면, 저는 바이올리니스트의 생명을 구하는 선택을 하지 않겠습니다. 저는 제가 살아가면서 이루고자 하는 가치관이 있으며 이러한 가치관을 이루고자 하는 계획에 건강한 육체가 반드시 필요합니다. 따라서 제 부담을 예측할 때 이 책임을 감수할 수 없기 때문에 바이올리니스트의 생명을 구하는 선택을 하지 않겠습니다.

Q3. 모범답변

위 두 상황에서 결정이 달라졌는데, 이 선택으로 발생하게 될 저의 책임이 달라질 것을 스스로 예측할 수 있기 때문입니다. 단지 9개월간의 일반적 행동의 자유에 대한 제한과 일생 동안의 신체의 자유 제한은 저의 자유에 미치는 영향이 현저하게 다릅니다. 따라서 결정이 달라질 수밖에 없습니다.

Q4. 모범답변

낙태죄를 존치해야 한다는 입장에서는, 태아의 생명을 보호해야 한다는 논거를 제시할 것입니다. 생명은 그 자체로 가치 있는 것이며 마땅히 보호받아야 합니다. 생명은 연속적인 과정으로 인간은 누구나 수정란, 배아, 태아, 신생아를 거쳐 성장해 성인이 됩니다. 이 연속적인 과정에서 어느 순간부터 사람인지는 불분명할 수 있으나 모든 순간이 생명임은 명백하기 때문에 태아는 명백하게 생명이라 할 수 있습니다. 그러므로 특정 시점을 기준으로 낙태를 허용한다는 것은 명백하게 생명을 해하는 것이므로 처벌하는 것이 타당합니다. 특히 태아는 독립적으로 자신의 의사를 밝힐 수 있는 산모와는 달리 자신의 의사를 밝힐 수 없는 상태이므로 국가와 사회가 태아의 생명을 보호하여야 합니다.[1] 따라서 태아의 생명을 보호하기 위해 낙태죄를 존치해야 합니다.

낙태죄를 폐지해야 한다는 입장에서는, 산모의 자기결정권을 보호해야 한다는 논거를 제시할 것입니다. 개인은 자기 자신의 주인으로서 스스로 심사숙고하여 결정한 가치관을 실현하고자 인생의 계획을 세우고 이를 추구하는 존재입니다. 이러한 개인의 자유 실현의 과정에서 타인의 자유에 직접적 해악을 주는 경우에만 그 자유를 제한할 수 있습니다. 그런데 산모는 자기 인생의 계획을 실현하는 과정에서 예기치 않게 임신을 한 경우, 선택을 할 수 있습니다. 만약 임신과 출산이 자신의 가치관에 부합하거나 스스로 이를 감수하겠다고 결심한 경우에는 임신중절을 하지 않을 것입니다. 그러나 임신과 출산이 자신의 가치관에 반하거나 산모가 이를 책임질 수 없다고 판단한 경우 임신중절을 할 수 있어야 합니다. 임신과 출산은 산모에게 전적으로 책임이 부여될 뿐만 아니라 출산 이후로도 양육의 많은 부분이 산모에게 책임지워집니다. 이처럼 20여 년 이상의 책임이 부여되는 결정이며, 출산과 양육으로 이어지는 전 과정에서 대부분의 책임이 산모에게 있음은 분명합니다. 그에 반하여 태아의 경우 온전한 책임의 주체인 산모와는 달리 생명임은 인정할 수 있으나 온전한 인간이라 볼 수 없습니다. 특히 특정시점 이전의 태아는 인간이 될 가능성이 있는 것이지 인간이라 볼 수 없습니다. 그렇기 때문에 독립적 주체로서 책임을 전적으로 지고 있는 산모가 특정 시점 이전에 자신의 자유의사로써 낙태를 선택할 수 있습니다.

Q5. 모범답변

낙태죄는 폐지되어야 합니다. 여성의 자기결정권을 보호하고, 국가의 책임을 실현해야 하기 때문입니다. 우리나라에서 출산과 양육의 책임은 거의 전적으로 산모에게 있습니다. 앞으로 자신의 인생을 어떻게 살 것인지에 대해 결정권은 출산과 양육의 책임을 전적으로 지는 산모에게 있어야 합니다. 무조건적인 출산 강요는 여성의 자기 인생에 대한 결정권을 박탈하는 것이나 다름없습니다. 이러한 상황에서 임신중절을 죄로 규정하여 강하게 처벌한다고 하더라도 100% 확실한 피임법이란 없기 때문에 모든 성관계를 금지하는 것이나 다름없는 비현실적인 규정이 될 뿐입니다. 국가가 태아의 생명 보호라는 목적을 달성하고자 한다면 성교육과 피임교육, 낙태상담 활성화, 미혼모에 대한 지원, 입양 문화의 활성화, 산모에 대한 사회적 지원의 강화 등과 같은 사회적 가치 실현을 위한 노력이 더 실효적입니다. 국가가 이러한 책임을 다하지도 않으면서 산모에게 모든 책임을 다 지우며 산모가 태아의 생명을 보호한다는 사회적 가치를 훼손하므로 처벌한다는 것은 논리 모순입니다. 따라서 낙태죄는 폐지되어야 합니다.

[1] 국가의 가장 중요한 의무는 그 공동체 구성원 모두의 생명과 안전, 이익을 보호하는 것이고 자신을 보호할 수 없는 자들의 그것에 대해서는 특별히 그러하다. 태아는 스스로를 지킬 수 있는 방법이 없으며, 생성 중인 생명으로서 외부 공격에 취약하다. 생명의 침해는 회복 불가능하고, 생명에 대한 부분적 제약을 상정할 수 없기 때문에 태아의 생명을 박탈하는 것을 금지하지 않고 태아의 생명을 보호하는 것은 불가능하다. 따라서 인간의 존엄을 실현하기 위한 국가의 과제를 이행하기 위하여 국가는 태아의 생명을 박탈하는 낙태를 금지할 수 있는 것이다. (헌재 2019. 4.11. 2017헌바127)

Q6. 모범답변

이에 대해 낙태는 태아의 생명권을 침해하고, 낙태 허용이 생명경시풍조로 이어질 것이라는 반론이 제기될 수 있습니다. 그러나 이 반론은 타당하지 않습니다.

먼저, 낙태가 태아의 생명권을 침해한다고 볼 수 없습니다. 태아가 생명임을 부정할 수는 없으나 생명권의 주체인지는 불분명합니다. 태아는 인간이 될 가능성이 있는 존재이지 인간 그 자체라 할 수 없습니다. 태아의 권리를 보호하고자 한다면 태아를 인간으로 규정할 수 있는 기준이 필요합니다. 만약 그렇지 않다면 수정란 상태부터 태아의 생명권이 보호되어야만 하고, 수정란의 자궁 착상 이후 의도치 않은 유산 등도 처벌의 대상이 되어야 합니다. 따라서 이러한 기준에 대한 사회적·과학적 논의가 먼저 전제되어야 합니다. 그뿐만 아니라 태아가 인간으로 살아가기 위해서는 단순히 생명을 유지하는 것에서 그칠 것이 아니라 부모의 보호와 사회적 도움이 필요합니다. 그러나 낙태를 고려하는 여성은 정상적으로 자녀를 양육하기 힘든 환경에 처해있는 경우가 많습니다. 우리나라는 출산과 양육 책임이 거의 전적으로 모(母)에게 있으며, 국가와 사회는 출산과 양육 책임을 외면하고 있습니다. 이런 상황에서 원하지 않은 출산을 한 경우 모(母)뿐 아니라 태아까지 모두 불행해질 뿐입니다. 따라서 낙태가 태아의 생명권을 침해한다고 단언할 수 없습니다.

둘째로, 낙태 허용이 곧 생명경시풍조로 이어진다고 볼 수 없습니다. 낙태를 허용한다고 하여 생명을 경시하는 것은 아닙니다. 낙태로 인해 가장 큰 고통을 느끼는 사람은 임산부인 여성입니다. 사회가 아이를 낳고, 키울 수 있는 여건을 마련해준다면 자연스럽게 아이를 낳아 키울 것입니다. 낙태로 인한 생명경시풍조가 문제가 아니라 우리 사회가 아이를 잘 키울 수 있는 여건을 마련해주지 않기 때문에 여성이 낙태를 선택할 수밖에 없는 환경이 문제입니다. 오히려 낙태를 금지하고 처벌하기 때문에 여성은 원치 않는 임신을 한 경우 낙태에 대한 상담이나 교육 등을 받을 수 없고, 낙태에 대한 정확한 정보를 얻을 수도 없습니다. 낙태수술과정에서 발생한 의료사고나 후유증의 경우에도 적절한 법적 구제가 불가능합니다. 또한 낙태수술은 불법이므로 그 위험부담으로 인해 수술비가 비싸 미성년자나 저소득층 여성들이 수술을 받지 못하고 수술 시기를 놓쳐 결국 영아유기나 영아살해를 하는 경우도 많습니다. 결국 낙태를 허용하면 생명경시풍조가 일어난다기보다 낙태를 처벌하는 것이 생명경시풍조로 이어지고 있다고 볼 수도 있습니다. 따라서 낙태 허용이 생명경시풍조로 이어질 것이라 할 수 없습니다. 따라서 낙태죄를 폐지해야 합니다.

Q1. 모범답변

　제시문 (가)는 인간의 자유의지가 존재하지 않는다고 주장합니다. 반면, 제시문 (나)는 인간은 자유의지를 갖고 자유로운 선택을 할 수 있다고 주장합니다.

　제시문 (가)는 자유의지가 존재하지 않는다고 합니다. 개인은 마치 스스로 자유롭게 선택하고 결정한 것이라 여기지만, 사실 생화학적 알고리즘이 계산한 결과 생존에 가장 유리한 결정을 한 것이라고 합니다. 따라서 우리는 뇌라는 생화학적 컴퓨터의 생존 가능성 계산 결과를 마치 자신이 스스로 자유롭게 내린 결정인 것처럼 착각하는 것입니다. 그렇기 때문에 자유의지가 존재할 수 없다고 합니다.

　제시문 (나)는 유전자는 수정란의 수정 단계부터 이미 결정되어 있지만, 뉴런은 새롭게 형성되고 자신의 경험과 생각에 의해 변화하는 것이라고 합니다. 인간에게 복잡한 신경망 구조가 형성되는 것은 유전자 수준에서 결정되는 것이지만, 유전적으로 결정된 신경망에서 어떤 작용을 하고 어떤 기억을 통해 어떻게 신경망이 형성되고 변화할 것인지는 개개인의 선택과 경험에 따라 결정되는 것입니다. 그렇기 때문에 개인은 변화하는 존재로 자유로운 결정이 가능합니다.

Q2. 모범답변

　제시문 (가)의 입장이 '을'의 주장을 지지합니다. 제시문 (가)는 생화학적 알고리즘에 의해 개체에 가장 유리한 결과를 뉴런이 계산하고 개체는 그 계산에 따라 행동한다고 합니다. 만약 이 계산이 잘못되었다면 개체는 생존할 수 없고 유전자를 후대에 남길 수 없어 자연적으로 도태되기 때문에 가장 적합한 계산을 한 알고리즘이 후대에 전승됩니다. 이에 의하면 '을'은 아버지인 '갑'으로부터 유전자를 전승받았고 그 유전자는 폭력적인 행위를 하도록 합니다. '을'이 지나가던 행인을 살해한 것은, 아버지로부터 물려받은 폭력적인 유전자와 생화학적 알고리즘에 의해, 행인의 행위에 분노를 느끼고 살해 행위를 하는 것이 '을'에게 가장 이익이 되는 행위라고 계산한 결과에 불과합니다. 따라서 이는 '을'이 자유롭게 선택한 행위가 아니라 부모로부터 물려받은 유전자와 생화학적 알고리즘에 의한 행위이며 자신이 통제할 수 없는 행위이므로 '을'의 책임이라 할 수 없습니다.

Q3. 모범답변

　이러한 입장에 따르면 우리 사회는 '을'과 같은 유전자를 가진 사람들을 선별하고 격리해야 합니다. '을'과 같이 폭력적인 유전자를 물려받은 사람들은 폭력적 행위를 자신이 스스로 자유롭게 선택하는 것이 아니라 특정상황에서 특정한 요인이 작용하면 결과적으로 폭력적 행위를 하게 됩니다. 따라서 우리 사회는 폭력적 유전자를 갖고 있는 사람들을 선별하고, 이들로부터 폭력적 유전자를 갖고 있지 않은 사람들을 보호해야 합니다. 따라서 폭력적 유전자를 지닌 사람들을 격리해야 합니다.

1. 인간에 대한 새로운 접근법

인간의 지성에 대한 이해도가 높아지면서 AI 기술이 발전하고 있다. 인간의 지성이 인간 특유의 것이기 때문에 동물과 인간을 구별 짓는 특이점이 아니라 정도의 차이에 불과하다는 주장이 커지고 있다.

예를 들어, 예쁜꼬마선충의 신경망 구조에 대한 연구가 이를 대표적으로 보여준다. 예쁜꼬마선충의 신경망은 과학자들이 직접 절편을 잘라가며 모든 신경 연결을 파악하여 알고 있다. 예쁜꼬마선충의 신경세포는 총 302개이며, 이 신경세포들의 연결인 신경망이 이 선충의 행동을 결정한다. 좋아하는 온도를 찾아가거나, 수컷이 배고플 때는 먹을 것을 찾아가고 배가 부르면 짝짓기 상대를 찾아가며, 특정한 먹이를 먹은 후에 아프게 되면 다시는 그 먹이를 먹지 않는다거나 하는 등의 행동이 바로 그것이다. 파악한 이 신경망을 컴퓨터 프로그램으로 구현했더니 실제 예쁜꼬마선충과 동일한 움직임을 보이는 것을 확인했다. 로봇축구 머신에 이 프로그램을 구동시켰더니 네모난 모양의 로봇축구 머신이 유선형의 예쁜꼬마선충과 동일한 움직임을 보이는 것이 증명되었다.[2]

이 논리의 연장선상에서 생각하면 신경망이 단순한 예쁜꼬마선충의 행동이 신경망의 연결구조에서 나타나는 것이라면, 인간만큼 신경망이 더 복잡하다면 그리고 이를 복제할 수 있다면 인간의 감정이나 이성을 가진 존재를 구현할 수 있다는 의미가 된다.

이를 환원주의라 하는데, 근원적인 상태를 파악한 후에 이 기본단위를 모으면 된다는 생각이다. 인간의 기본단위이자 근원적 상태인 세포를 연구한 다음에 세포들을 모으면 각종 장기가 되고 장기들을 모으면 인간이 된다는 생각이다. 인간의 생각을 알기 위해서는 생각의 근원이 되는 신경세포와 신경의 연결 상태를 파악하면 된다는 것이다.

2. 쉬운 문제와 어려운 문제

인간의 의식을 연구할 때 쉬운 문제와 어려운 문제라는 것이 있다.

쉬운 문제란 다음과 같은 물음들이다. 인간이 어떻게 감각 자극들을 구별해 내고 그에 대해 적절하게 반응하는가? 두뇌가 어떻게 서로 다른 많은 자극들로부터 정보를 통합해 내고 그 정보를 행동을 통제하는 데 사용하는가? 인간이 어떻게 자신의 내적 상태를 말로 표현할 수 있는가? 이 물음들은 의식과 관련되어 있지만 모두 인지 체계의 객관적 메커니즘에 관한 것이다. 따라서 인지 심리학과 신경 과학의 지속적인 연구가 이에 대한 해답을 제공해 줄 것이라고 충분히 기대할 수 있다.

어려운 문제는 뇌의 물리적 과정이 어떻게 주관적 경험을 갖게 하는가에 대한 물음이다. 이것은 사고와 지각의 내적 측면, 즉 어떤 것들이 주체에게 느껴지는 방식과 관련된 문제이다.

쉬운 문제는 인지 기능 혹은 행동 기능이 어떻게 수행되는가와 관계된다. 예를 들어 '하늘의 색깔이 파랗다'를 지각하는 것과 같은 쉬운 문제는 뇌신경작용으로 설명할 수 있다. 그러나 쾌청한 하늘을 보고 '기분이 상쾌하다'라고 느끼는 것은 어려운 문제에 해당하며 뇌신경작용만으로 설명하기 힘들다.

신경 생물학이 신경 메커니즘을 적절하게 구체화하면서 어떻게 기능들이 수행되는지를 보여주면, 쉬운 문제는 풀린다. 반면 어려운 문제는 기능 수행 메커니즘을 넘어서는 문제이다. 설사 의식과 관계된 모든 행동 기능과 인지 기능이 설명된다고 해도 그 이상의 어려운 문제는 여전히 해결되지 않은 채로 남을 것이다. 그 미해결의 문제는 이러한 기능의 수행이 왜 주관적 의식 경험을 수반하느냐는 것이다.

3. 인간의 행동과 법적 접근

인간의 행동이 마치 투우를 하는 사나운 소처럼 빨간색을 보면 폭력적인 행동을 한다는 것이라면 인간의 행동을 예측하기 쉬울 것이다. 이처럼 인간의 범죄와 같은 선택이 쉬운 문제라면 뇌영상학이나 뇌인지과학의 발달이 법의 변화를 이끌 것이다. 법은 인간을 예측하고 통제하고 격리하는 형태가 되어야 한다. 예를 들어, 인간이 a, b, c라는 조건을 만족하면 범죄를 저지른다고 하자. a와 b는 통제할 수 있는 반면, c는 통제할 수 없는 것이라면, c를 만족할 수 없도록 격리시켜야 하는 것이다.

그러나 인간의 행동이 어려운 문제라면 인간 안에 잠재적 원인이 있기는 하나 이를 결정하는 것은 개인 그 자신이 될 것이다. 이러한 결정적 요인은 여전히 그 개인에게 있는 것이므로 개인의 자유의지를 인정할 수밖에 없고 행동은 개인의 자유로운 선택의 결과가 되므로 그 개인의 책임을 인정하게 된다.

2)

로봇의 움직임 구현

4. 쟁점과 논거

쉬운 문제	어려운 문제
• 사실적 문제가 결정적인 요인이 되는 것 • 신경세포의 작동이나 연결 등에 따라 인간의 행동이 결정된다고 보는 관점이다. 현재는 그 복잡함으로 인해 이를 인간이 예측할 수 없으나, 과학이 발전하여 이 복잡한 것을 이해할 수 있게 될 것이라 본다. 이 입장에 의하면 인간의 행동은 예측 가능한 것이 되고, 현재는 연산 불가능한 인간의 자유의지는 계산 가능한 것이 된다.	• 사실이 영향을 미치지만 결정적이지는 않은 것 • 신경세포의 작동이나 연결 등은 인간의 행동에 영향을 미치는 요소인 것은 분명하나, 이것이 결정적인 요인은 아니라는 관점이다. 과학이 발전하여 복잡한 신경 요인 등을 모두 예측할 수 있게 된다고 하더라도, 여전히 개인의 선택과 행동은 개인의 자유의지로부터 비롯되는 것이다.

5. 읽기 자료

이인아, <기억하는 뇌, 망각하는 뇌>, 21세기북스, 2022
권준수, <뇌를 읽다, 마음을 읽다>, 21세기북스, 2021

Q1. 모범답변

　　(가)는 개인의 자유는 최대한 보장되어야 한다고 주장합니다. 단, 타인의 자유에 직접적 해악을 가할 때에는 그 자유를 제한할 수 있습니다. 어떤 선택이 더 좋다거나 현명하다거나 사회적으로 이익이 된다거나 하는 이유는 개인의 자유를 제한할 이유가 될 수 없습니다.

　　(가)의 입장에 따르면, <사례>의 추가출산허가증 구매제도는 타당하다고 평가할 수 있습니다. 1명 이상의 자녀를 출산하기를 원하는 부부는, 자신들이 추구하는 가치관에 따라 추가적인 자녀 출산 혹은 1명의 자녀만을 출산했을 때 발생할 책임을 예측하여, 추가적인 출산을 할 것인지 혹은 하지 않을 것인지를 스스로 결정합니다. 이 과정에서 이 부부의 출산 결정으로 인해 타인에 대한 살해, 폭력 등의 직접적 해악은 발생하지 않습니다. 물론, 이 부부의 결정으로 인해 장래 국가에 불이익이 발생할 수 있다는 우려가 있으나 이는 직접적 해악이 아니며 심지어 추가출산허가증 구매로 인해 형성된 재원을 통해 이 문제는 완화될 수 있습니다. 따라서 추가출산허가증 구매는 부부의 자유로운 선택에 의한 것으로 보장되어야 하며, 타인의 자유에 대한 직접적 해악이 없으므로 이를 제한할 수 없습니다.

Q2. 모범답변

　　(나)는 개인의 쾌락을 증진하고 고통을 감소시키는 선택이 옳은 것이라 주장합니다. 개인의 합으로 이루어진 것이 공동체이며 국가이기 때문에, 국가는 개인의 쾌락의 합을 증진시키는 정책을 펼쳐야 합니다.

　　(나)의 입장에 따르면, <사례>의 추가출산허가증 구매제도는 타당하다고 평가할 수 있습니다. 출산허가증 구매제도를 시행한다면, 추가적인 출산을 원하는 부부는 출산허가증 구매비용을 감안하여 선택하게 되므로 쾌락이 증가합니다. 그리고 저소득층 부부의 경우 출산허가증 판매를 통해 형성된 재원으로 의료와 교육에서 추가적인 혜택을 얻게 되어 쾌락이 증가합니다. 국가적으로는 추가출산을 억제하고 규제하기 위해 발생하는 행정비용을 줄일 수 있습니다. 따라서 공동체 전체의 쾌락이 증가합니다. 그러나 출산허가증 구매제도가 시행되지 않는다면, 추가적인 출산을 원하는 부부는 자신들이 원하는 출산을 선택할 방법이 전혀 없어 쾌락이 감소하고, 저소득층 부부는 의료와 교육에서 추가적 혜택을 기대할 수 없고, 국가적으로는 추가출산의 억제와 규제를 위한 행정비용이 증가하게 됩니다. 이에 따라 공동체 전체의 쾌락이 감소하게 됩니다. 따라서 공동체 전체의 쾌락을 증진시키기 위해 추가출산허가증 구매제도는 타당하다고 평가할 것입니다.

Q3. 모범답변

(다)는 우리는 공동체의 일원으로 시민들의 행복을 위해 연대할 의무를 지닌다고 주장합니다. 우리는 공동체 구성원으로서 정체성을 지니고 있기 때문에 과거, 현재, 미래를 위해 연대해야 한다고 합니다.

(다)의 입장에 따르면, <사례>의 추가출산허가증 구매제도는 타당하지 않다고 평가할 수 있습니다. 현재 A국은 인구증가율의 폭발적 증가로 장래의 국가적 위기가 올 것을 우려하는 상황입니다. 이 상황에서 A국의 국민들은 장래의 국가적 위기를 막기 위해 법률을 제정하여 2명 이상의 자녀 출산을 억제하려 하고 있습니다. 2명 이상의 자녀를 출산할 경우 벌금을 부과하는 등의 억제책은 이 행위가 공동체를 위협하는 행위임을 선언하는 것이며, 공동체 구성원으로서 연대해야 할 의무를 어긴 것으로 공동체의 가치를 훼손한 것이라는 의미입니다. 그러나 출산허가증 구매제도는 이러한 공동체의 가치를 지키기 위한 노력을 돈으로 살 수 있는 것으로 변질시켜 공동체의 가치를 훼손합니다. 그에 더해 미래의 공동체 구성원을 위한 현재 구성원의 노력을 평가 절하하는 행위입니다. 따라서 공동체의 위기를 막기 위해 서로 연대해야 한다는 공동체의 가치를 훼손하는 추가출산허가증 구매제도는 타당하지 않다고 평가할 것입니다.

Q4. 모범답변

공정성에 대한 비판은, 출산허가증 매매시장으로 인하여 부자와 빈자 간의 불평등한 출산 기회의 문제가 발생한다는 점입니다. 출산허가증 매매를 허용할 경우 부자들이 가난한 사람들로부터 출산허가증을 구입할 가능성이 높습니다. 자녀 출산이 인류 번성의 핵심이라 한다면, 돈을 지불할 능력에 따라 이러한 재화에 접근할 기회를 부여하거나 차단하는 것은 공정하지 않습니다.

뇌물에 대한 비판은, 출산허가증 매매시장은 출산허가증을 돈으로 사고팔게 되면 부모와 아이의 관계가 변질된다는 것입니다. 아이를 더 낳고자 하는 부모는 다른 잠재적인 부모들에게 출산허가증을 팔라고 꼬드겨야 합니다. 도덕적으로 볼 때 이는 부유한 부모가, 아이가 한 명밖에 없는 부모에게 돈을 줄 테니 그 아이를 자신들에게 팔라고 꼬드겨 구매하는 것과 동일합니다. 그렇게 된다면 부모와 자녀의 관계는 돈으로 양도할 수 있는 관계가 되고 자녀는 거래의 대상이 될 수 있는 것이 됩니다. 부모가 다른 부모에게 아이 없이 살라고 매수하여 자녀를 얻을 수 있다면, 부모가 자녀를 사랑하는 경험이 변질될 것이고 부모는 이 사실을 자녀에게 숨기고 싶을 것입니다. 따라서 부모애가 훼손되고 부모와 자녀의 관계가 파괴될 것이기 때문에 출산허가증 매매시장은 타당하지 않습니다.

Part 1
Part 2
Part 3
Part 4
Part 5
Part 6
Part 7

Q1. 모범답변

(가), (나), (다)의 공통주장은 인간은 합리적 존재가 아니라는 것입니다.

먼저 (가)는 인간이 비합리적인 판단에서 벗어나기 힘들다고 말합니다. 인간은 인지능력을 충분히 사용하지 않는 인지적 구두쇠이기 때문에, 합리적 판단을 할 수 있는 지적 능력이 있음에도 비합리적 판단을 하게 됩니다.

(나)는 인간의 비합리적인 측면으로 인지부조화 현상을 제시합니다. 인지부조화는 태도와 행동의 차이가 발생했을 때 이를 합리적으로 교정하는 것이 아니라, 심리적인 불편함을 해소하기만 하는 정도로 대응한다는 것입니다.

(다)는 인간의 비합리적 측면으로 확증편향을 제시합니다. 확증편향은 자신이 믿고 싶은 바대로 사실이나 데이터를 해석하는 것을 말합니다. 사실이나 데이터를 기반으로 결정하는 것이 아니라, 자신이 이미 가지고 있는 의견이나 생각을 강화할 수 있는 사실이나 데이터만을 선별적으로 강화하는 것입니다.

(가), (나), (다)에서 말하는 인간의 심리적인 특성은 결국, 인간이 합리적 존재라기보다 합리화하려는 심리적 특성을 가진 존재라고 할 수 있습니다. 따라서 공통주장은 인간은 합리적 존재가 아니라는 것입니다.

Q2. 모범답변

(가)는 사례 [B]와 잘 어울립니다. (가)는 인간이 인지적 구두쇠로 번거롭게 논리적 추론을 하기보다 손쉬운 방법을 사용한다고 합니다. 사례 [B]는 앤이 기혼자인 경우와 미혼자인 경우를 나누어 생각해야 합니다. 앤인 기혼자라면, 기혼자인 앤이 미혼자인 조지를 보고 있습니다. 앤이 미혼자라면, 기혼자인 잭이 미혼자인 앤을 보고 있습니다. 따라서 어떤 경우에도 기혼자가 미혼자를 보고 있는 것입니다. 그러나 80%의 사람들은 앤이 기혼자인지 미혼자인지 알 수 없으므로, 답을 알 수 없다고 생각하는 것입니다. 이는 인지적 구두쇠의 개념에 부합합니다.

(나)는 사례 [A]와 잘 어울립니다. (나)는 인지부조화를 말하는데 자신의 태도와 행동이 일치하지 않을 때 대부분 태도를 변화시킴으로써 자신의 심리적 불편함을 해소하는 것입니다. 사례 [A]의 사이비 종교 신자들은 예언된 날짜에 종말이 오지 않은 결과가 분명하기 때문에 자신의 태도를 교정해서 해당 종교를 불신하는 것이 합리적입니다. 그러나 종교 신자들은 예언된 종말이 찾아오지 않은 것은 자신들의 믿음이 부족해서 그런 것이라며 태도를 바꾸어 심리적 불편함을 해소한 것입니다.

(다)는 사례 [C]와 잘 어울립니다. (다)는 확증편향을 말하고 있는데 자신의 입장에 맞는 사실만을 취사선택하는 것을 의미합니다. 사례 [C]의 대학생들은 연구 자료를 객관적으로 분석해 논리적이고 합리적인 입장을 결정하는 것이 아니라 자신이 본래 가지고 있는 입장에 맞춰 연구 자료를 취사선택하고 있습니다. 이는 자신의 본래 입장에 맞는 사실이나 데이터를 선별적으로 선택함으로써 본래 입장을 강화하는 것이므로 확증편향에 부합합니다.

Q3. 모범답변

혐오의 확산은 인간의 비합리성으로부터 시작되어 가짜뉴스에 의해 강화된다고 할 수 있습니다.

(가)의 인지적 구두쇠 현상에 따르면, 인간은 기존의 편견이나 경험 등에 근거해서 비합리적인 결정을 내리게 됩니다. 현대사회는 경쟁이 극심하고 수많은 정보들이 난립해 있기 때문에 모든 사안에 대해 개별적으로 알아보고 판단하기 어려운 것이 현실입니다. 이러한 상황에서 우리는 인지적 구두쇠 경향이 더욱 강화되는 것입니다. 예를 들어, 이슬람교를 믿는 사람은 잠재적 범죄자 혹은 테러리스트라는 일반화되고 성급한 결론을 내리게 됩니다. 중동 문제 등이 발생했을 때 서구사회와 중동국가의 역사적 관계나 종교 문제, 경제적 관계 등으로 복잡한 원인 분석을 하기보다 단순하게 이슬람교를 믿는 자는 테러리스트이기 때문에 문제가 발생했다는 일반화되고 비합리적인 결론을 내리는 것입니다.

(나)의 인지부조화 현상은 혐오와 관련한 가짜뉴스 선택과 관련됩니다. 자신이 기존에 갖고 있는 입장을 반박하는 사실이나 정보가 명확하게 존재한다면 자신의 입장을 교정하는 것이 합리적인 선택입니다. 그러나 자신의 기존 입장을 바꾸기보다는 기존 입장에 부합하는 가짜뉴스를 찾아 심리적 불편함을 줄이는 것입니다. 심지어 자신의 기존 입장이 맞다는 것을 타인에게 널리 알릴 목적으로 가짜뉴스를 배포하는 경우까지 발생합니다.

(다)의 확증편향 현상은 혐오와 관련한 가짜뉴스가 정정되지 않고 널리 퍼지는 데 역할을 합니다. 우리는 현재 집단이 갖고 있는 필요에 따라 과거를 재해석하는 경향이 있습니다. 역사적 사실 그 자체보다 맥락 혹은 어떤 서사를 만들어 사람들에게 전달함으로써 의미를 찾으려 합니다. 예를 들어, 미국의 러스트 벨트 지역의 노동자나 중부지역의 농민들은 일자리의 감소나 소득 감소로 고통받았습니다. 사실 이들이 고통을 겪은 원인은 세계적인 경제구조의 재편이라는 복잡하고 장기간 일어난 변화 때문입니다. 그러나 이들은 "자신들의 고통은 이민자들이 자신들의 일자리를 빼앗아 벌어진 일이기 때문에 이민자들을 제거하면 우리의 삶은 원래의 삶으로 복원된다"고 믿고 있습니다. 그 결과 이민자들로 인한 문제에 대한 가짜뉴스를 찾아서 믿고 이를 실현하고자 하여 이민자를 추방하겠다는 트럼프를 지지하게 된 것입니다. 또 하나의 예로, 식민지 치하에서 고통받았던 국가에서 종족 학살이 일어난 경우를 보면, 지배국가가 떠나면 고통이 사라질 것이라 생각했으나 독립 후에도 여전히 고통이 지속되는 경우가 많습니다. 이 경우 이들은 "우리가 이런 고통을 받은 이유는 저 소수 종족 때문이고 저들을 제거하면 우리의 삶은 복원된다"는 단순하고 극단적인 서사를 만들고, 이를 확증편향에 따라 가짜뉴스를 찾아 믿고 이를 실현하는 것입니다. 또 다른 예로, 나치의 경우 전쟁에 패배한 독일 국민의 고통은 모두 유대인 때문에 벌어진 것이고, 유대인을 제거하면 고통은 사라진다고 믿었습니다. 이에 따라 우생학에 기반한 가짜뉴스가 퍼졌고 이러한 입장이 점차 강화되어 600만 명의 유대인을 학살한 것입니다.

Part 1
Part 2
Part 3
Part 4
Part 5
Part 6
Part 7

해커스 김종수 모스클 면접 200주제

Q4. 모범답변

혐오와 가짜뉴스를 막기 위해서는 교육·문화적 해결방안과 법·제도적 해결방안을 제시할 수 있습니다.

먼저 교육이 강화되어야 합니다. 교육을 통해 합리성을 강화하는 것이 문제 해결의 방안이 될 수 있습니다. 존 밀턴이 아레오파지티카에서 말했듯이 무오류성에 대한 부정이 전제되어야 합니다. 나는 옳고 타인은 그르다는 생각에서 벗어나야 합니다. 과학자들이 결론에 도달하기 전에 사용하는 과학적 연구방법과 같은 접근이 필요하며 이를 교육해야 합니다. 과학자들은 가설을 설정하고 증거를 수집하는데 가설에 반대되는 정보가 수집되면 가설을 수정하거나 변경해서 결론을 도출합니다. 이처럼 절차적인 객관성을 확보하는 합리적 의사결정을 교육함으로써 가짜뉴스가 작동하여 혐오가 확산되는 것을 막을 수 있습니다.

문화적으로 합리적인 이기주의를 강화하는 것도 좋은 방안이 될 수 있습니다. 전쟁이나 식민 상황, 코로나19와 같은 감염병 유행상황에서 특정 집단에 책임을 전가하고 혐오하는 것은 문제 해결에 도움이 되지 않습니다. 예를 들어, 나치는 유대인 때문에 1차 세계대전에서 패배했기 때문에 유대인을 제거하면 게르만 민족이 세계를 지배하여 천년왕국이 찾아올 것이라 했으나 그렇지 않았다는 점이 이를 증명합니다. 우리가 소수자를 혐오하는 마음을 갖는 것이 개인이나 집단, 국가 전체의 이익에 반한다는 합리적 이기주의를 고양하는 것 역시 혐오와 가짜뉴스를 막을 방안이 될 수 있습니다.

혐오와 가짜뉴스에 대한 법적 규제가 필요합니다. 교육이나 문화적 접근은 강제력이 없기 때문에 장기적 효과가 발생하는 것입니다. 현재의 혐오를 제거하기 위한 노력 역시 필요합니다. 혐오표현이나 혐오발언 등에 대한 처벌을 규정하고, 가짜뉴스에 대한 징벌적 손해배상 등의 법·제도적 노력을 통해 명백하게 부정의한 소수자 인권침해를 막아야 합니다.

Q5. 모범답변

물론 언론사의 언론의 자유와 표현의 자유 위축으로 인한 국민주권의 저해가 우려된다는 반론이 제기될 수 있습니다. 그러나 언론의 자유와 표현의 자유를 통해 지키고자 하는 궁극적 목적은 국민주권과 민주주의입니다. 언론과 표현의 자유를 보장함으로써 그 목적이 되는 민주주의를 저해하는 결과로 이어진다면 이는 목적과 수단이 전도되는 문제가 될 것입니다. 국민의 알권리를 의도적으로 훼손하는 가짜뉴스에 한하여 징벌적 손해배상을 하게 함으로써 표현의 자유와 언론의 자유는 보장하되 국민주권과 민주주의 저해를 야기하는 가짜뉴스를 규제해야 합니다.

Q1. 모범답변

　X는 [1안]을 가장 선호할 것입니다. X는 학생 개개인이 자신이 노력을 할 것인지 여부를 스스로 결정하고 성적이라는 결과로 그 책임을 져야 한다고 주장합니다. 이에 의하면, A대학교의 성적 우수자는 자신의 자유 시간을 공부에 투자하여 좋은 성적을 낸 것입니다. 소득하위계층 학생들은 자신이 힘든 사정에 처한 것을 이미 알고 있으므로 좀 더 효율적으로 공부하거나 여가시간을 줄여 공부에 투자할 수 있습니다. A대학의 학생 개개인은 자신의 자유 시간을 공부시간, 여가시간, 아르바이트 시간 등으로 자유롭게 선택할 수 있습니다. 공부시간을 선택한 학생들이 경쟁하여 성적의 우열관계가 결과로 나타나게 됩니다. [1안]은 노력의 결과인 성적이 10% 이내인 자에게 포상하여 전액장학금을 지급합니다. 그리고 이로 인해 A대학의 40% 인원에게 공부할 유인으로 경쟁이 유발됩니다. 따라서 X의 입장과 [1안]이 가장 잘 어울립니다.

Q2. 모범답변

　Y는 [2안]을 가장 선호할 것입니다. Y는 대학의 목적인 학업능력 향상에 적절한 영예를 주어야 한다고 주장합니다. A대학의 성적우수자는 대학의 목적인 진리탐구, 이를 위해 필요한 능력인 학업능력 향상에 부합하는 행동을 하였으므로 대학 공동체에 이를 알리는 영예를 주어야 합니다. [2안]과 같이 성적우수자 명단을 공개하면 성적우수자가 A대학의 목적을 실현했음을 알리고 이를 강화할 수 있습니다. 또한 소득하위계층 학생은 생계 문제로 공부시간이 부족해 공부를 하기 어렵기 때문에 필요기반 장학금과 생활비를 지급해서 대학의 목적인 학업능력을 향상할 수 있도록 합니다. 이처럼 성적우수자에게는 칭찬이라는 영예를, 소득하위계층 학생에게는 부족한 생활비와 학비를 지급해, 각자에게 올바른 몫을 줌으로써 A대학 전체의 학업능력이 향상될 수 있습니다. 이렇듯 [2안]은 A대학의 모든 학생에게 학업능력 향상이라는 대학 공동체의 목적을 실현할 수 있도록 합니다. 따라서 Y의 입장과 [2안]이 가장 잘 어울립니다.

Q3. 모범답변

　Z는 [3안]을 가장 선호할 것입니다. Z는 부모의 소득과 같은 우연으로 인한 불평등을 보상해야 학생 개인의 노력 자체를 보장할 수 있다고 합니다. 이에 의하면, <사례>의 소득하위계층 학생에 대해 우연히 저소득계층의 자녀로 태어난 불운에 대해 보상해야 개인의 자유를 보장할 수 있습니다. [3안]과 같이 20%의 소득하위계층 학생들만을 대상으로 하여 석차순으로 장학금을 지급하면 동일한 우연적 조건하에서 개인의 자유로운 노력의 결과에 대해 포상하는 것이 됩니다. 따라서 Z는 [3안]을 가장 선호합니다.

Q4. 모범답변

[1안]은 A대학의 문제를 해결할 수 없으므로 선택해서는 안 됩니다.

[2안을 선택한 경우]

A대학교의 문제를 해결하기 위해서는 Y의 이론에 따라 [2안]을 선택해야 합니다. A대학의 문제는, 대학의 목적인 진리탐구를 실현하면서 부모의 소득불평등으로 인한 학생들의 학업능력 하락을 해결해야 한다는 점입니다. 대학의 목적은 진리탐구이며 이를 위해 학업능력이 요구됩니다. 더군다나 A대학교의 건학 이념은 '사회에 기여하는 인재 양성'으로 사회공동체에 대해 연대성을 가질 것을 대학의 미덕으로 삼고 있습니다. [2안]을 시행하면 필요기반장학금을 통해 저소득층 학생들의 학업능력이 향상되고, 성적우수자 명단을 공개함으로써 영예를 주어 성적우수자들의 학업능력이 향상될 수 있으므로, A대학 구성원 전체의 학업능력을 향상시킬 수 있습니다. 따라서 A대학의 모든 구성원에게 대학의 목적에 부합하는 학업능력 향상을 기대할 수 있습니다.

[3안을 선택한 경우]

A대학교의 문제를 해결하기 위해서는 Z의 이론에 따라 [3안]을 선택해야 합니다. A대학은 사회에 기여하는 인재 양성을 위해 학업능력의 향상과 소득불평등의 해소라는 두 가지 문제점을 동시에 해결해야 합니다. [3안]을 시행하면 80%의 학생들에게 성적우수장학금을 석차순으로 지급하여 자유로운 노력의 결과를 포상합니다. 이를 통해 경쟁을 유발하고 학업능력의 향상이 가능합니다. 또한 20%의 소득하위계층 학생들을 대상으로 성적이 우수한 자에게 석차순으로 장학금을 지급함으로써 소득하위계층 부모를 둔 우연을 보상하여 불평등을 완화합니다. 다만, 동일한 우연을 가진 자들 중에서 더 노력한 자에게 포상함으로써 자유로운 노력을 권장하는 것입니다. [3안]은 이러한 두 가지 방향으로 A대학의 문제를 해결할 수 있습니다.

Q5. 모범답변

[2안을 선택한 경우]

[1안]의 경우, 공부시간이 절대적으로 부족한 소득하위계층의 학생이나 성적하위자는 공부할 의욕 자체를 갖지 못하게 될 것이므로 40%의 학생에게만 경쟁이 일어나게 됩니다. 이는 A대학의 학업능력을 전체적으로 향상시키지 못합니다.

또한 [3안]의 경우, 소득하위계층의 학생에게도 성적순으로 장학금을 지급하기 때문에, 장기간에 걸쳐 점점 악화되고 있는 소득불평등이라는 사회적 불운을 충분히 보상하지 못합니다. 결국 대부분의 학생들이 노력할 유인을 잃을 수밖에 없습니다.

따라서 A대학은 [2안]을 선택하는 것이 가장 적절한 해결책이라 할 것입니다.

[3안을 선택한 경우]

[1안]의 경우, 소득하위계층 학생들이 우연으로 인해 공부할 기회 자체가 제한되어 발생한 낮은 성적을 개인의 자유로운 노력의 결과인 것으로 치부하는 셈이 됩니다. 이 경우 불합리한 소득불평등 문제가 심각해지는 문제점이 있습니다.

[2안]의 경우, 소득하위계층 학생이기만 하면 필요기반장학금을 지급하기 때문에 공부할 의욕과 동기를 유발하기 어렵습니다. 이 경우 학업능력의 향상을 도모하기 어렵다는 문제점이 있습니다.

따라서 A대학은 [3안]을 선택하는 것이 가장 적절한 해결책이라 할 것입니다.

Q1. 모범답변

[여성징병제 찬성 입장, 첫 번째 발언]

국가안보를 위해 여성에 대한 강제징병은 타당합니다. 모든 국민은 국방의 의무가 있습니다. 그런데 우리나라의 병역법은 신체를 기준으로 하여 남성에게만 병역의 의무를 부담시키고 있습니다. 과거의 전쟁과 달리 현대전은 전투력의 조건에 신체적 조건이 결정적이라 할 수 없습니다. 최근에는 전투의 양상이 달라져 첨단 장비의 활용과 정보력의 결합이 전쟁에서 중요한 요소가 되고 있습니다. 남성과 여성이 체력과 신체 조건의 차이는 분명히 있을 것이나, 첨단 장비의 활용이나 정보력의 활용에 있어서 남성과 여성의 차이는 존재하지 않습니다. 특히 인구 감소와 고령화로 인해 병력이 줄어들고 있는 우리나라의 현 상황에서 병력 부족 문제를 해결하기 위해 여성 인력의 활용이 필요한 시점입니다. 국가안보는 국민의 의무이며, 국방의 의무를 실현할 수 있도록 여성이 군 복무할 수 있는 환경의 조성과 병과 조정, 필요 장비의 수급 등을 고민해야 합니다. 여성 또한 군 복무 환경을 조성하고 필요 장비를 지급하여 충분한 교육을 한다면 국가안보에 충분히 기여할 수 있습니다. 따라서 여성에 대한 강제징병을 시행해야 합니다.

[여성징병제 찬성 입장, 두 번째 발언]

평등원칙에 부합하므로 여성에 대한 강제징병은 타당합니다. 평등원칙은 같은 것은 같게, 다른 것은 다르게 대하라는 원칙입니다. 모든 국민은 국방의 의무를 지고 있습니다. 남성과 여성은 모두 같은 국민으로 국방의 의무를 집니다. 그런데 남성은 강제징병을 통해 국방의 의무를 실현하는 반면, 여성은 강제징병 없이 국방의 의무를 실현하지 않습니다. 이는 같은 국민의 의무를, 강제징병 유무로 서로 다르게 대하는 것입니다. 따라서 평등원칙에 부합하도록 하기 위해 여성에 대한 강제징병은 타당합니다.

[여성징병제 찬성 입장, 세 번째 발언]

여성 강제징병을 인정할 경우, 막대한 국방예산이 추가 소요될 것이라는 문제점이 제기될 수 있습니다. 그러나 이는 충분히 해결 가능한 것입니다. 현재 군사시설은 출산율이 높고 인구가 많은 시기에 맞춰져 있습니다. 저출산이 심각해지고 인구가 줄어들고 있기 때문에 군병력도 줄어들어 사단을 통폐합하는 등으로 대응하고 있는 실정입니다. 군사시설 중 일부를 여성 시설로 개조한다면 신설하는 것이 아니므로 예산을 절약할 수 있습니다. 또한 사회갈등을 줄일 수 있어 발생하는 사회적 효과 역시 있기 때문에 국방예산의 일부 증가를 상쇄할 수 있습니다.

[여성징병제 반대 입장, 첫 번째 발언]

국가안보를 위해 여성에 대한 강제징병은 타당하지 않습니다. 모든 국민은 국방의 의무가 있습니다. 그러나 병역은 국민이 정한 바에 따라 전투력의 기초가 되는 체력조건에 따라 징병 여부가 결정됩니다. 여성은 국민이 정한 전투력의 기준에 못 미치기 때문에 병역을 이행하지 않을 뿐입니다. 모든 국민은 국방의 의무가 있으나 여성으로 태어난 것은 우연이기 때문에 병역을 이행하지 않습니다. 체력 조건에 부합하는 남성이 병역을 이행하지 않으려는 의도로 신체를 훼손한 경우 처벌하는 것은 그에 대한 자유와 책임을 부여하는 것입니다. 만약 여성도 병역을 이행해야 한다고 생각한다면 병역법을 개정하고 그에 따른 막대한 세금 부담을 감수해야 합니다. 우리나라의 국가예산 중 많은 부분을 국방예산이 차지하고 있다는 점에서 현재보다 더 많은 국방비를 지출하기는 어렵습니다. 국가안보와 군 병력의 확충을 위해 국가의 모든 자원을 투입한다면, 국력 자체가 감소하여 국가안보를 위해 사용할 자원이 더욱 줄어들게 될 것이고 오히려 국가안보를 실현하기 어려울 것입니다. 따라서 국가안보를 위해 여성에 대한 강제징병은 타당하지 않습니다.

[여성징병제 반대 입장, 두 번째 발언]

평등원칙에 위배되지 않으므로 여성에 대한 강제징병은 타당하지 않습니다. 평등이란 같은 것은 같게, 다른 것은 다르게 대하라는 원칙입니다. 국민에게 국방의 의무가 있다고 하여 모두 동일한 병역을 이행해야 하는 것은 아닙니다. 병역은 전투력의 기초가 되는 체력 조건에 따라 이행 여부를 결정하도록 병역법에 규정되어 있습니다. 이에 따라 남성과 여성의 신체적 조건의 차이를 인정하고 전투력의 정도에 따라 병역을 이행하도록 규정한 것입니다. 남성이라 하더라도 병무청의 신체검사를 통해 신체적 능력이 필요 전투력에 미치지 못할 경우 면제하거나 하는 등으로 병역 이행을 동일하게 강제하지 않는 것에서 이를 확인할 수 있습니다. 이처럼 명백하게 다른 전투력을 기준으로 병역 이행 여부를 결정한 것이므로 다른 것을 다르게 대한 것입니다. 이는 평등원칙에 위배되지 않으며 여성에 대한 강제징병은 타당하지 않습니다.

[여성징병제 반대 입장, 세 번째 발언]

여성에 대한 강제징병을 인정하지 않을 경우, 국방의 의무 이행에 있어 불평등하다는 반론이 제기될 수 있습니다. 그러나 평등이란 모든 것을 동일하게 해야 한다는 의미가 아니므로 불평등하다고 볼 수 없습니다. 평등이란 같은 것은 같게, 다른 것은 다르게 대하라는 원칙입니다. 국방의 의무를 이행함에 있어서 반드시 징병을 동일하게 이행해야 하는 것은 아닙니다. 전투력과 신체적 조건에 따라 국방의 의무를 다르게 이행할 수 있습니다. 그렇기 때문에 헌법에서는 모든 국민에게 국방의 의무를 규정하고 있으나, 우리 국민 다수는 병역법을 통해 전투력을 기준으로 하여 병역을 이행하도록 규정하고 있는 것입니다.

그러나 현재의 병역 체제는 남성에게만 병역을 이행하도록 하고 있어 국방의 의무를 편협하게 해석하는 것으로써 사회갈등을 유발한다는 문제점이 있습니다. 여성 역시 국민으로서 국방의 의무를 이행할 의무가 있습니다. 그렇다면 여성의 군 복무를 남성과 동일하게 강제할 수는 없더라도 국방의 의무를 이행할 수 있는 대안을 시행하면 충분할 것입니다. 여성의 국방의 의무 이행을 위해 4~6주간의 기초군사훈련을 실시하는 것도 방안이 될 수 있습니다. 병역법에서는 전투력의 효율성을 반영하여 여성은 병역을 이행하지 않도록 규정하고 있습니다. 실제로 여성을 강제징병할 경우 군사시설의 신축과 개조에 들어갈 우리 사회가 부담해야 할 비용은 상상을 초월합니다. 그러나 단지 여성을 위한 기초군사훈련기관을 새로이 만들거나 기존의 기초군사훈련기관을 여성의 기초군사훈련이 가능하도록 증설하는 데 들어갈 비용은 적습니다. 현재도 신체적 조건이 필요 전투력에 미달되는 남성의 경우 기초군사훈련을 받고 있으며, 병역특례를 받는 스포츠 선수 등의 경우에도 기초군사훈련을 받도록 하여 유사시에 국가안보를 실현할 수 있는 기본적 군사능력을 갖추도록 하고 있습니다. 이러한 대안을 통해 모든 국민이 국방의 의무를 자신의 능력에 맞게 이행할 수 있을 것이므로 사회갈등을 완화할 수 있습니다.

Part 1
Part 2
Part 3
Part 4
Part 5
Part 6
Part 7

해커스 김종수 로스쿨 면접 200주제

🔨 **관련판례** 병역법 제3조 제1항 위헌확인[3]

이 사건 법률조항이 병역의무자의 범위를 정하는 기준으로서 '성별'을 선택한 것이 합리적 이유 없는 차별취급인지 살펴본다.

(가) 일반적으로 집단으로서 남성과 여성은 서로 다른 신체적 능력을 보유하고 있다고 평가되는데, 전투를 수행함에 있어 요청되는 신체적 능력과 관련하여 본다면, 무기의 소지·작동 및 전장의 이동에 요청되는 근력 등이 우수한 남성이 전투에 더욱 적합한 신체적 능력을 갖추고 있다고 할 수 있다.

물론 집단으로서의 남성과 여성이 아니라 개개인을 대상으로 판단하는 경우, 여성이 남성에 비하여 전투에 보다 적합한 신체적 능력을 갖추고 있을 수 있으나, 구체적으로 개개인의 신체적 능력을 수치화, 객관화하여 비교하는 검사체계를 마련하는 것은 현실적으로 매우 어렵다.

또한 신체적 능력이 매우 뛰어난 여성의 경우에도 그 생래적 특성상 월경이 있는 매월 1주일 정도의 기간 동안 훈련 및 전투 관련 업무수행에 장애가 있을 수 있고, 임신 중이거나 출산 후 일정한 기간은 위생 및 자녀양육의 필요성에 비추어 영내생활이나 군사훈련 자체가 거의 불가능하다.

이러한 신체적 특징의 차이에 기초하여, 입법자가 최적의 전투력 확보를 위하여 남성만을 징병검사의 대상이 되는 병역의무자로 정한 것이 현저히 자의적인 것이라 보기 어렵다.

(나) 한편 현역 외의 보충역이나 제2국민역은 혹시라도 발생할 수 있는 국가비상사태에 즉시 전력으로 편입될 수 있는 예비적 전력으로서 전시 등 국가비상사태에 병력동원 내지 근로소집의 대상이 되는바, 보충역이나 제2국민역이 평시에 군인으로서 복무하지 아니한다고 하여 병력자원으로서의 일정한 신체적 능력 또는 조건이 요구되지 않는다고 볼 수 없으므로 대한민국 국민인 여성에게 보충역 등 복무 의무를 부과하지 아니한 것이 자의적인 입법권의 행사라고 보기 어렵다.

(다) 또한 비교법적으로 보아도, 이 사건 법률조항과 같은 입법이 현저히 자의적인 기준에 의한 것이라 볼 수 없다. 징병제가 존재하는 70여 개 나라 가운데 여성에게 병역 의무를 부과하는 국가는 이스라엘 등 극히 일부 국가에 한정되어 있으며, 여성에게 병역의무를 부과하는 대표적 국가인 이스라엘의 경우도 남녀의 복무기간 및 병역거부 사유를 다르게 규정하는 한편, 여성의 전투단위 근무는 이례적인 것이 현실이다.

(라) 그 밖에 남녀의 동등한 군복무를 전제로 한 시설과 관리체제를 갖추는 것은 역사적으로나 비교법적으로 전례가 없어 추산하기 어려운 경제적 비용이 소요될 수 있고, 현재 남성을 중심으로 짜여져 있는 군조직과 병영의 시설체계 하에서 여성에 대해 전면적인 병역 의무를 부과할 경우, 군대 내부에서의 상명하복의 권력관계를 이용한 성희롱 등의 범죄나 남녀간의 성적 긴장관계에서 발생하는 기강 해이가 발생할 우려가 없다고 단언하기 어렵다.

(마) 결국 이 사건 법률조항이 성별을 기준으로 병역의무자의 범위를 정한 것이 합리적 이유 없는 차별취급으로서 자의금지원칙에 위배하여 평등권을 침해한 것이라고 볼 수 없다. (헌재 2010.11.25. 2006헌마328; 헌재 2011.6.30. 2010헌마460 참조)

3)

2011헌마825

Q1. 모범답변

제시문 (가)는 사형제가 존치되어야 한다고 주장합니다. 사형은 잠재적 범죄자에 대해 죽음에 대한 공포심을 야기해 강력범죄 억제 효과가 충분하고 헌법에도 위반되지 않습니다.

제시문 (나)는 사형제를 폐지해야 한다고 주장합니다. 사형제도는 판사에 의한 오판 가능성이 있고, 사형제도를 폐지하더라도 살인사건 등의 범죄가 훨씬 더 많이 발생한다는 실증적 연구결과는 없으므로 강력범죄 억제 효과도 미미합니다.

Q2. 모범답변

(다)는 사형 집행으로 인한 강력범죄 억제효과를 증명하는 사례입니다. 이에 따르면 2020~2022년에 A국 법원의 사형선고 건수가 증가하자, 살인사건 발생 건수가 감소하고 있습니다. 사형을 선고하고 집행하면 범죄자는 이를 두려워 해 강력범죄를 스스로 억제하는 효과가 있습니다. 사형의 위하력이 강력범죄 억제효과가 있음을 증명합니다.

(라)는 사형으로 인한 강력범죄 억제효과가 미미함을 증명하는 사례입니다. B국은 2020년에 사형제를 폐지했습니다. 사형 집행으로 인한 강력범죄 억제효과가 존재한다면, 2020년 이후로 강력범죄가 증가해야 합니다. 그러나 2021년에 강력범죄가 늘어난 것으로 보이다가 2022년에는 강력범죄가 줄어들었습니다. 이는 결국 사형제와 강력범죄 억제효과의 유의미한 연관관계가 없다는 것을 의미합니다.

Q3. 모범답변

(다)에 따르면, 사형존치론을 주장하는 제시문 (가)는 타당하고, 사형폐지론을 주장하는 제시문 (나)는 타당하지 않습니다. 사형존치론을 주장하는 제시문 (가)에 따르면, 사형은 강력한 위하력을 발휘해 강력범죄를 억제합니다. (다)에서 사형선고 건수는 2020년, 2021년, 2022년 각각 40건, 50건, 60건이고, 살인사건 발생 건수는 각각 80건, 60건, 40건입니다. 사형선고 건수가 2020년 40건에서 2022년 60건으로 늘어 50% 증가한 경우, 살인사건 발생 건수는 동일한 기간에 80건에서 40건으로 줄어들어 50%가 줄어들었습니다. 즉 사형선고 건수와 살인사건 발생 건수는 반비례 관계에 있습니다. 따라서 사형은 살인사건 발생을 억제하는 효과를 가지므로, 사형존치론을 지지하는 사례가 됩니다.

(라)에 따르면, 사형폐지론을 주장하는 제시문 (나)는 타당하고, 사형존치론을 주장하는 제시문 (가)는 타당하지 않습니다. (라)에서 2020년 사형제도가 폐지된 이후 2021년에 살인사건 발생 건수는 44건이고, 2022년은 41건입니다. 2021년 살인사건 발생 건수가 4건 늘었으나 2022년에는 다시 41건으로 낮아졌고 이는 사형제도를 폐지하기 전인 2019년의 43건에 비교하면 오히려 더 낮은 수준입니다. 따라서 (라)에 따르면 사형제를 폐지하더라도 살인사건 발생 건수의 변화는 미미하므로 사형폐지론을 지지합니다.

Q4. 모범답변

[사형제 존치 입장]

사회 정의 실현과 사회질서 유지를 위해 사형제도를 존치해야 합니다.

사회 정의 실현을 위해 사형제도를 존치해야 합니다. 정의는 각자에게 올바른 몫을 주는 것입니다. 형벌의 측면에서 정의는 자신이 저지른 범죄에 대한 응분의 책임을 지게 하는 것입니다. 우리나라에서 사형을 선고하는 범죄는 계획적으로 다수의 피해자의 생명을 잔혹하게 빼앗은 경우에 해당합니다. 우발적인 범죄로 인한 살인이나 상해를 입히려다가 사망에 이른 경우가 아니라, 범죄자가 철저한 자기 계획하에 여러 명의 피해자의 생명을 빼앗은 것입니다. 범죄자의 잔혹한 범죄로 인해 피해자는 자신의 자유의 기초가 되는 생명을 침해당해 자유를 누릴 수 없게 됩니다. 범죄자가 다수의 생명을 계획적으로 빼앗은 것에 대한 응분의 책임은 범죄자의 생명에 해당합니다. 따라서 사회 정의 실현을 위해 사형제도를 존치해야 합니다.

사회질서를 유지하기 위해 사형제도를 존치해야 합니다. 사회질서를 유지하기 위해서는 범죄자에 대한 처벌이 이루어져 범죄 예방효과가 달성되어야 합니다. 이를 위해서는 형벌이 사람들에게 주는 위하력이 있어야 합니다. 예를 들어 타인을 폭행하거나 살해하더라도 약간의 벌금 정도의 처벌만 받는다면 범죄가 예방될 수 없고 사회질서는 무너질 것입니다. 범죄자가 강력범죄를 저지를 경우 자신의 생명을 잃을 수 있다고 생각한다면 이것이 두려워 범죄의지가 억제될 것입니다. 또한 일반인 역시 사형을 당할 수 있다고 생각한다면 범죄의지가 줄어들 것입니다. 이처럼 사형은 생명에 대한 인간의 근원적 공포를 통해 형벌의 위하력을 줄 수 있습니다. 따라서 강력범죄 예방을 통해 사회질서를 유지할 수 있으므로 사형제도를 존치해야 합니다.

[사형제 폐지 입장]

개인의 인권 침해와 비가역적 권리 침해의 예방을 위해 사형제를 폐지해야 합니다.

개인의 인권을 침해하므로 사형제도를 폐지해야 합니다. 인간은 인권의 주체이자 존엄한 존재입니다. 개인의 생명은 인권의 핵심이 되는 것으로서 생명 그 자체로 목적이 되어야 하며 다른 가치의 실현을 위한 수단이 되어서는 안 됩니다. 그러나 사형은 인간의 생명을 범죄 예방이라는 사회적 가치와 목적 실현을 위한 수단으로 대하는 것입니다. 그뿐만 아니라 법에 따라 사형을 선고하는 법관, 그리고 법원의 결정에 따라 사형을 집행해야 하는 교도행정공무원의 경우, 자신의 양심에 반하는 결정을 선고하고, 집행해야 할 수 있습니다. 이는 개인의 양심의 자유를 침해하며 자신이 추구하는 가치관에 반하는 행동을 하도록 강제하므로 인간의 존엄에 위배됩니다. 따라서 개인의 인권을 침해하므로 사형제도를 폐지해야 합니다.

비가역적인 권리 침해를 예방하기 위해 사형제도를 폐지해야 합니다. 사법 정의를 실현하기 위해 실체적 진실을 추구한다고 하더라도 재판을 신이 아닌 인간이 하기 때문에 오판의 가능성은 언제나 존재합니다. 오판으로 인하여 권리의 침해가 발생할 경우 이 권리 침해를 회복해야 하는데, 사형을 집행한 경우 생명을 회복할 수 없기 때문에 권리 침해가 비가역적입니다. 인혁당 사건의 경우 1975년 사형이 집행된 이후, 2005년이 되어서야 법원의 무죄 선고가 이루어져 오판임이 드러났습니다. 따라서 비가역적인 권리 침해를 막기 위해 사형제도를 폐지해야 합니다.

2008헌가23[4)]
사형제도 논증과 법감정[5)]

Part 1
Part 2
Part 3
Part 4
Part 5
Part 6
Part 7

해커스 김종수 로스쿨 면접 200주제

4)

2008헌가23

5)

사형제도 논증과 법감정

Q1. 모범답변

노동이사제의 도입으로 기업이 파산할 것이라는 주장은 과도한 주장입니다. 노동이사제를 도입하면 노동자가 추천하는 이사가 이사회에 참여하는 것이지 노동자가 추천하는 이사가 이사회를 무시하고 독재를 펼치는 것이 아닙니다. 그리고 노동자가 추천하는 이사가 이사회에 참여할 경우 기업의 경영정보를 공식적으로 획득할 수 있습니다. 노동자를 대변하는 이사가 기업의 이윤이나 경영전략, 향후 시장상황 등에 대한 정보를 알게 되는 경우 기업이 파산할 위험에 있는데 노동자가 무리하게 임금 인상을 요구할 수는 없습니다. 또한 노동조합으로서도 경영진에 자신의 의사를 전달할 통로가 공식적으로 존재하기 때문에 임금 문제 등의 노동 조건에 대해 기업 측과 협의하고 타협할 가능성이 크다고 볼 수 있습니다. 따라서 노동자의 과도한 임금 인상 요구로 파산할 것이라는 주장은 타당하지 않습니다.

Q2. 모범답변

노동이사제를 도입함이 타당합니다. 노동자의 권리를 보호하고, 기업의 장기적 이익에 기여할 수 있기 때문입니다.

노동자의 권리 보호를 위해 노동이사제를 도입해야 합니다. 노동자는 기업 운영의 주체 중 하나입니다. 기업의 운영 주체는 자본을 제공하는 주주와 기업경영을 담당하는 경영진, 그리고 재화와 서비스를 생산하는 노동자입니다. 주주와 경영진은 자신의 의사를 기업의 의사결정과정에 공식적으로 반영할 수 있으나, 노동자는 기업 운영의 이해관계자이나 노동조합활동이나 파업 외에는 자신의 의사를 공식적으로 반영할 방법이 없습니다. 근로자가 추천하는 이사를 통해 노동자의 의사를 이사회 의사결정과정에 반영할 수 있다면 기업의 운영 주체 중 하나인 노동자의 의사가 공식적이고 실질적으로 반영될 수 있습니다. 이를 통해 노동자의 권리가 기업 운영에서 보장될 수 있습니다.

기업의 장기적 이익을 추구할 수 있으므로 노동이사제를 도입해야 합니다. 기업은 이윤 추구를 목적으로 하는 조직인데, 주주나 기업의 경영진은 단기적 이익을 추구할 가능성이 높습니다. 특히 우리나라의 경우, 주주의 대부분이 단기 투자 목적인 경우가 많고 전문경영인은 임기가 있어 임기 내의 이익 극대화에 주력할 가능성이 높습니다. 그러나 노동자는 소속 기업이 자신의 고용을 안정적으로 유지하고 조직이 확장되는 것이 유리하기 때문에 장기적 이익을 추구할 가능성이 높습니다. 노동이사는 단기적 이익에 집중하는 주주와 경영진의 의사결정을 보완하고 견제와 균형의 원리를 실현함으로써 기업의 장기적 이익에 기여할 수 있습니다. 따라서 노동이사제를 도입해야 합니다.

📁 **PLUS+** 노동이사제

노동이사제 법제화[6]
노동이사제 쟁점[7]
현행 노동이사제도[8]
노동이사제도 발전방향[9]

[6]

노동이사제 법제화

[7]

노동이사제 쟁점

[8]

현행 노동이사제도

[9]

노동이사제도 발전방향

Q1. 모범답변

 <제시문 1>은 자연선택의 결과로 생물은 개량되고 진보한다고 주장합니다. 생물 개체는 예측할 수 없는 환경 변화의 압력에 직면하여 적응한 개체가 살아남아 그 자손을 남기게 됩니다. 이러한 자연선택의 결과로 생물은 개량되고 진보합니다.

 <제시문 2>는 자연선택의 결과는 진보가 아니라 국지적 적응일 뿐이라고 주장합니다. 자연선택은 예측할 수 없는 환경 변화의 압력에 적응하는 것인데, 환경 변화는 예측할 수 없으므로 이에 대응하는 생물의 진화 역시 일정한 방향성을 가질 수 없습니다. 예를 들어, 매머드가 빙하기에 잘 적응했다고 하더라도 여전히 따뜻한 지역에서는 코끼리가 더 유리하므로 털이 난 매머드가 털 없는 코끼리보다 우월하다고 할 수 없습니다. 따라서 생물의 진화적 변화가 진보라고 할 수 없습니다.

Q2. 모범답변

 <도표>의 후추나방의 집단 빈도 변화는 환경 변화에 따른 자연선택을 설명하고 있습니다. 산업혁명 전에는 주변 환경이 밝아 흰색나방이 천적의 눈에 띄지 않기 때문에 환경에 잘 적응했습니다. 그렇기 때문에 흰색 나방의 집단 빈도가 더 큽니다. 그러나 19세기 중반 산업혁명 이후 석탄 매연으로 인해 건물이나 나무 등의 주변 환경이 어둡게 변했습니다. 그 결과 검은 나방이 천적의 눈에 띄지 않게 되어 검은 나방의 집단 빈도가 흰색 나방보다 커졌습니다.

 <제시문 1>의 입장은 환경 변화에 잘 적응한 개체가 살아남는다는 자연선택에 따라 <도표>의 변화를 설명할 것입니다. 그러나 흰색 나방과 검은색 나방의 집단 빈도가 변한다는 점에서 개량과 진보라는 점을 설명할 수 없습니다.

 <제시문 2>의 입장은 자연선택의 결과가 환경에 대한 국지적 적응이라는 점에서 도표의 변화를 설명할 것입니다. 특히 <도표>에서 볼 때, 산업혁명 후 검은색 나방이 환경에 잘 적응했다고 하더라도 검은색 나방이 흰색 나방보다 더 진보한 개체라고 할 수 없다는 점에서 국지적 적응이라는 점을 잘 설명하고 있습니다.

Q3. 모범답변

<제시문 3>과 <제시문 1>의 공통점은, 환경에 잘 적응한 개체나 민족은 발전하고, 그렇지 못한 개체나 민족은 퇴화한다는 점입니다. <제시문 1>은 생존 환경에 잘 적응한 개체가 살아남아 자손을 남겨 번창하고 그렇지 못한 개체는 도태된다고 합니다. <제시문 3>은 감정의 순화(醇化)와 지능의 속달(速達)을 이룬 문화의 강자가 발전하여 세계를 주도하고 그렇지 못한 민족은 지배당한다고 합니다. 민족의 성능에 따라 그 민족의 발전 시기는 다른데, 특정 민족이 창조력, 탄발력 등을 살려 환경에 잘 적응하면 그 민족은 발전할 것이지만, 세계 환경의 변화에 잘 적응하지 못하면 그 민족은 수치와 굴욕을 경험할 것입니다.

<제시문 1>과 <제시문 3>의 차이점은 주체성과 생존·발전의 원인입니다. <제시문 1>은 환경의 변화에 잘 적응한 개체가 살아남는다고 할 뿐 개체의 주체적 노력을 고려하지 않습니다. 그러나 <제시문 3>은 주체가 창의력, 탄발력, 응화력 등의 적극적인 노력을 하면 민족이 발전할 수 있다고 본다는 차이점이 있습니다. 또한 <제시문 1>은 개체의 환경 적응 능력만을 그 개체의 생존과 발전의 요소로 봅니다. 그러나 <제시문 3>은 구성원들이 얼마나 집단에 잘 통합되었는지, 즉 집단적 통일성을 흥폐존망의 기준으로 본다는 차이점이 있습니다.

Q4. 모범답변

<제시문 3>은 사회와 문화가 진보했다고 주장하는 반면, <제시문 4>는 퇴보했다고 주장합니다.

<제시문 3>에 따르면 문화적 현상은 인성자연이 열려 펼쳐지듯이 발전합니다. 다만 그 발전 시기는 주체의 노력에 따라 다를 수 있습니다. 따라서 <제시문 3>은 사회와 문화가 진보해 왔다고 주장합니다.

그러나 <제시문 4>에 따르면, 사회는 상고시대의 대동(大同)의 세상에서 소강(小康)의 시대로 타락했습니다. 대동의 세상이란, 구성원들이 서로를 배려하며 자연스럽게 협력하는 세상입니다. 그러나 소강의 시대에는 일정한 법이나 예도와 같은 규칙이 필요하며 이 규칙을 통해서 질서가 유지됩니다. 자연스러운 협력의 시대에서 법과 규칙이 필요한 시대로 변했다는 점에서 사회와 문화가 퇴보했다고 합니다.

Q5. 모범답변

<제시문 3>은 사회와 문화가 인간의 노력에 따라 진보했다고 주장합니다. 그러나 <제시문 4>는 인류 역사가 퇴보했다고 주장합니다.

사회와 문화는 진보해왔습니다. 이는 자유와 평등이 역사적으로 확대되어왔기 때문입니다. 인류사에서 자유와 평등은 대체적으로 확산되어 왔습니다. 예를 들어 조선시대 우리 조상들은 종교의 자유, 출판의 자유를 누리지 못했습니다. 가톨릭 신앙도, 성리학을 부정하는 책의 출간도 금지되었습니다. 그뿐만 아니라 의도적인 차별이 만연했습니다. 조선시대에는 남녀차별, 신분차별, 적서차별 등의 다양한 차별이 존재했습니다. 그러나 현대의 우리는 폭넓게 자유를 누리고 있고, 많은 차별이 철폐되었습니다. 따라서 인류의 사회와 문화는 자유와 평등이 확대되는 방향으로 발전해왔으므로 진보했다고 평가할 수 있습니다.

Q6. 모범답변

도표에서 산업혁명 이후 검은색 나방이 환경에 잘 적응하여 집단 빈도가 늘었습니다. 그러나 1950년의 대기오염 규제 이후 다시 흰색 나방이 환경에 잘 적응하여 그 빈도수가 늘었습니다. 도표의 변화가 흰색 나방 혹은 검은색 나방의 한 방향 진보를 보여주지 않고 있기 때문에 <제시문 1>의 입장과 어울리지 않습니다. 반면, 국지적 적응에 해당하는 무작위적 변화라는 <제시문 2>는 이를 잘 설명합니다.

Q7. 모범답변

<제시문 3>은 사회진화론의 입장입니다. 사회진화론은 진화론이 자연과학의 영역을 넘어서서 인간과 사회를 설명하는 것에 원용된 것입니다. 경쟁을 통한 진보 혹은 적응이라는 논리가 생물을 넘어서서 인간과 인간 사회에도 적용된다는 것입니다. 이에 따르면, 인간과 사회의 진보는 이성이 그 핵심이며, 이성을 발전시키기 위해 경쟁한다고 합니다. 사회진화론은, 서구 국가는 이성의 경쟁에서 승리했기 때문에 동양을 식민지로 지배해도 된다는 정당성 부여의 논리로 사용되었습니다. 반면, 식민화된 약소국이라 하더라도 사회가 결집하여 강력한 힘을 발휘하면 이성이 신속하게 발달하여 발전의 속도를 빠르게 하여 선진국이 될 수 있다는 희망이 되기도 했습니다. 영국, 프랑스, 미국이 경쟁을 통해 이성을 발전시켜 선진국이 된 것처럼, 독일, 일본은 국가 목표를 세우고 전국민이 강력하게 결집하면 선진국을 따라잡을 수 있다고 믿었습니다.

Q8. 모범답변

<제시문 4>는 상고시대의 대동의 세상이 소강의 시대로 타락했다고 주장합니다. 그러나 이는 사회적, 문화적으로 퇴보했다거나 타락했다고 볼 수 없으며, 공동체의 규모가 커진 것에 기인한다고 보는 것이 타당합니다.

대동의 세상이란 공동체 구성원이 서로를 배려하며 자연스럽게 협력이 생활화되어 있는 세상입니다. 이는 공동체의 규모가 작아 혈연에 근거해 서로가 서로를 잘 알고 있는 상태에서 가능합니다. 예를 들어 과거 농촌사회의 집성촌 등에서는 마을의 모든 구성원이 혈연관계이며 장기간 서로를 알아왔기 때문에 자연스러운 협력이 가능했습니다.

소강의 시대란, 일정한 법이나 예도와 같은 규칙이 필요한 세상이며, 규칙을 통해서 사회 질서가 유지되는 세상입니다. 공동체의 규모가 일정정도 커지면 서로가 서로를 알지 못하기 때문에 자연스러운 협력이 불가능합니다. 따라서 공동체의 규모가 커지고 국가가 확대되면 필연적으로 모든 구성원이 지켜야 하는 규칙으로 법이 출현하게 됩니다. 예를 들어, 메소포타미아 문명에서 씨족이나 부족사회를 넘어선 도시국가가 성립하면서 함무라비 법전이 나타난 것을 통해 이를 증명할 수 있습니다. 따라서 대동의 세상에서 소강의 시대로 변한 것은 도덕적 퇴보가 아니라 공동체의 규모가 커져서 모든 구성원을 규율할 필요성이 생겼기 때문입니다.

Q1. 모범답변

　인공지능 판사 도입은 타당하지 않습니다. 국민의 공정한 재판받을 권리를 침해하기 때문입니다. 국민은 주권자로서 개인과 사회가 추구하고자 하는 가치를 법으로 제정하여 실현하고 그 실현 과정에서 가치의 훼손이 발생했다면 재판을 통해 이를 바로잡고자 합니다. 이를 위해 법관은 국민이 제정한 가치의 체계인 법체계를 전문적으로 학습하고 일정 수준에 이른 자만을 선발하도록 기준이 설정되어 있습니다. 판사는 가치를 실현하고자 하는 목적으로 제정된 법을 실제 사건에 적용하여 가치를 판단하는 업무를 수행합니다. 그런데 AI는 이미 발생한 결과를 양적으로 누적시켜 이를 바탕으로 의사를 결정하므로 사실에 기초한 데이터베이스를 역으로 원칙화하여 의사를 결정합니다. 이는 가치에 대한 판단이라기보다 사실에 대한 판단이라 보아야 합니다. 이는 마치 오래된 경력을 지닌 판사들이 모여 대단히 세세하고 구체적으로 규정된 양형 표준을 그대로 적용하는 것이나 다름없습니다. 따라서 판사는 인간의 가치관과 양심에 의해 사실을 바라보고 판단하는 반면, AI는 사실 자체에 주목하여 사실에 따른 판단을 내리는 것입니다. AI에 의한 판단이 사회적으로 이익을 줄 수는 있을 것이나 가치에 대한 적절한 판단이라 신뢰할 수는 없습니다. 이는 기존의 판결이 사회적 편견을 반영한 것이라 한다면 AI가 이 편견을 학습하고 더 강하게 드러낼 가능성이 높다는 의미에서 더욱 문제가 클 수 있습니다.

　절차적 정의에 반하므로 인공지능 판사 도입은 타당하지 않습니다. 더욱 문제가 되는 것은 AI가 판결을 냈을 때, 왜 그러한 판결이 나왔는지 그 이유를 누구도 알 수 없다는 것입니다. AI는 심층 신경망 구조를 사용해 확률적 의사결정 시스템을 사용합니다. 이는 AI가 특정상황에 대해 확률적으로 판단한 의사결정을 여러 번 심층적으로 반복하고 중첩시켜 최적의 확률을 찾은 결과물을 내놓는다는 의미가 됩니다. AI가 판단수식을 설명하더라도 인간은 이를 이해할 수 없으므로, 블랙박스 시스템이라 할 수 있습니다. 결국 AI의 의사결정과정을 인간의 언어로 설명할 수 없습니다. 판결은 단순히 결과만을 원하는 것이 아니라 재판 과정의 정당한 절차와 왜 그런 결과가 나왔는지 당사자들이 이해할 수 있어야 하는 것입니다. 그러나 AI는 재판 결과만을 내놓을 수 있을 뿐 왜 그런 결과가 나왔는지 인간이 이해할 수 없는 반면, 판사는 이를 인간의 언어로 재판의 당사자들에게 설명하고 설득할 수 있습니다. 따라서 AI가 판사를 대체할 수 없습니다.

Q2. 모범답변

PACS 제도를 도입해야 합니다. 개인의 성적 자기결정권을 보호할 수 있고, 공공 복리를 실현할 수 있기 때문입니다.

개인의 성적 자기결정권을 보장하기 위해 PACS 제도를 도입해야 합니다. 개인은 자유의 주체로 성적인 상대를 누구로 할 것인지 누구와 미래를 함께 할 것인지 심사숙고하여 스스로 결정하고 그에 대해 책임을 지는 존재입니다. 개인이 누구와 미래를 함께 할 것인지 자유롭게 결정하였고 그러한 개인과 개인의 자유가 합치하였다면 국가는 이를 존중해야 합니다. 그러나 현재의 혼인제도는 이러한 개인의 자유가 혼인이라는 선택에 이를 때에만 보호하고 있습니다. PACS 제도는 개인의 성적 자기결정권의 실현과 합치가 혼인이라는 선택에 도달하지 않은 상태에서도 개인의 자유를 보장할 수 있습니다.

공공 복리의 실현을 위해 PACS 제도를 도입해야 합니다. 개인 간의 성적 자기결정권의 합치를 통해 자녀를 출산하였더라도 현행 혼인제도 하에서는 혼인 외 자녀에 대한 보호가 미흡합니다. 그러나 PACS 제도를 도입할 경우 혼인 외 자녀에 대한 보호와 복지 제공이 가능합니다. 이처럼 혼인에 이르지 못한 두 성인의 자기결정권을 보장할 수 있을 뿐만 아니라 현재 국가의 보호에서 벗어나 있는 아동을 보호할 수 있습니다. 이에 더해 출산율의 상승을 기대할 수 있어 국가인구 감소 문제에 대응할 수 있습니다. 이처럼 공공 복리를 실현할 수 있으므로 PACS 제도를 도입해야 합니다.

물론 이에 대해 혼인이라는 사회적 가치를 훼손하는 것이라는 반론이 제기될 수 있습니다. 그러나 PACS 제도는 혼인의 가치를 훼손하지 않고 오히려 혼인의 사회적 가치를 보호할 수 있습니다. PACS를 통해 결합한 두 개인은 공인된 동거를 통해 서로의 가치관과 혼인에 대한 생각이 결혼에 이를 것인지를 판단해 볼 수 있습니다. 이러한 판단의 결과, 결혼에 이를 경우 심사숙고한 결정이며 실제로 생활을 통해 판단한 결과이므로 이혼에 이르기 어려워 안정적 결혼생활이 이루어질 가능성이 높습니다. 따라서 PACS는 안정적 혼인 관계의 유지에 기여할 수 있습니다.

Part 1
Part 2
Part 3
Part 4
Part 5
Part 6
Part 7

Q1. 모범답변

종교의 자유를 침해했다고 볼 수 없는 사례는 <사례 1>과 <사례 5>입니다.

<사례 1>은 의사인 B가 A의 종교의 자유를 침해했다고 볼 수 없습니다. 미성년자인 A는 자신의 진정한 자유의사에 따라 종교의 자유를 실현했다고 볼 수 없기 때문입니다. A의 부모는 자녀인 A의 생명과 신체의 자유를 보호할 의무가 있음에도 불구하고, 자신의 종교적 신념을 지키고자 A의 생명을 잃을 수도 있는 수혈을 거부하고 있습니다. A의 생명이 보호되어야만 A의 종교의 자유도 존재할 수 있으며, A의 부모는 친권자로서 A의 생명을 보호할 의무가 있는 자이기 때문에, A의 생명과 A의 부모의 종교의 자유는 결코 동등할 수 없습니다. 이에 B는 자녀를 보호해야 할 부모가 자녀의 생명을 해하는 선택을 할 때, A의 친족의 동의를 얻어 보호자의 동의를 받은 후 수술을 함으로써 A의 생명을 구한 것입니다. 의사인 B는, A의 생명을 구하는 선택을 하였고 A가 성인이 되어 자신의 가치관과 신념, 자신의 의사로 온전히 종교의 자유를 실현할 수 있도록 하였습니다.[10] 따라서 A의 종교의 자유를 침해했다고 볼 수 없습니다.

<사례 5>에서 I에 대한 처벌이 I의 종교의 자유를 침해했다고 볼 수 없습니다. I의 안수기도를 통해 피해자인 J가 느낀 고통은 단순한 심리적·정신적 고통이 아닌 신체적 고통으로 볼 수 있습니다. 또한 피해자가 입은 상해가 안수기도의 불법적인 폭력행사의 측면 때문에 초래된 것이라고 할 수 있습니다. 안수기도의 명목으로 기도원장 I가 사용한 일련의 행위는 치료 목적으로 인정하기 어렵고, 또한 상해의 결과가 발생하도록 한 안수기도의 수단과 방법 측면에서도 사회에서 용인될 수 있는 종교 행위로서 정당한 행위라고 볼 수 없습니다. 기도원장 I가 종교적 행위로서 정당성이 인정되어 처벌을 받지 않기 위해서는 기도자의 기도에 의한 염원 내지 의사가 상대방에게 심리적 또는 영적으로 전달되는 데 도움이 된다고 인정할 수 있는 한도 내에서 상대방의 신체의 일부에 가볍게 손을 얹거나 약간 누르면서 병의 치유를 간절히 기도하는 행위로서 그 목적과 수단 측면에서 정당성이 인정되는 경우여야 합니다. 그러나 I의 행위는 목적과 수단, 방법 측면에서 종교적 치료 기도로 인정될 수 없고, 폭력을 행사하여 상해에 이르게 한 것으로서 처벌해야 합니다.[11] 따라서 I의 종교의 자유를 침해했다고 볼 수 없습니다.

[10] 생모가 사망의 위험이 예견되는 그 딸에 대하여는 수혈이 최선의 치료방법이라는 의사의 권유를 자신의 종교적 신념이나 후유증 발생의 염려만을 이유로 완강하게 거부하고 방해하였다면 이는 결과적으로 요부조자를 위험한 장소에 두고 떠난 경우나 다름이 없다고 할 것이고 그 때 사리를 변식할 지능이 없다고 보아야 마땅한 11세 남짓의 환자 본인 역시 수혈을 거부하였다고 하더라도 생모의 수혈거부 행위가 위법한 점에 영향을 미치는 것이 아니다. (대판 1980.9.24. 선고 79도1387)

[11] 종교적 기도행위의 일환으로서 기도자의 기도에 의한 염원 내지 의사가 상대방에게 심리적 또는 영적으로 전달되는 데 도움이 된다고 인정할 수 있는 한도 내에서 상대방의 신체의 일부에 가볍게 손을 얹거나 약간 누르면서 병의 치유를 간절히 기도하는 행위는 그 목적과 수단 면에서 정당성이 인정된다고 볼 수 있지만, 그러한 종교적 기도행위를 마치 의료적으로 효과가 있는 치료행위인 양 내세워 환자를 끌어들인 다음, 통상의 일반적인 안수기도의 방식과 정도를 벗어나 환자의 신체에 비정상적이거나 과도한 유형력을 행사하고 신체의 자유를 과도하게 제압하여 환자의 신체에 상해까지 입힌 경우라면, 그러한 유형력의 행사가 비록 안수기도의 명목과 방법으로 이루어졌다 해도 사회상규상 용인되는 정당행위라고 볼 수 없다. (대판 2008.8.21. 2008도2695)

종교의 자유를 침해한 사례는 <사례 2>와 <사례 3>과 <사례 4>입니다.

<사례 2>는 의사인 D가 환자인 C와 그 부모의 종교의 자유를 침해한 사례입니다. 물론 의사인 D가 C의 생명을 구하기 위해서는 반드시 수혈이 수반되는 수술을 해야만 하고, D는 C의 생명을 구하기 위해 C와 그 부모의 의사에 반하는 수술을 해야 할 상황입니다. 그러나 그렇다고 하여 C와 그 부모에게 거짓으로 수혈이 동반되지 않는 수술을 하겠다고 말하여 동의를 받은 이후에 수혈이 동반되는 수술이 이루어진 것은 종교의 자유를 명백하게 훼손하는 행위입니다. 이 경우 D는 법원의 허가를 받거나 다른 친족과 같은 보호자의 동의를 받은 후에 수혈이 동반되는 수술을 해야 합니다.

<사례 3>은 의사인 F가 환자 E의 종교의 자유를 침해한 사례입니다. E는 성인으로서 자신의 가치관과 신념에 따라 자유롭게 치료 여부를 결정할 수 있습니다. E가 충분한 의사능력을 갖추고 있다면 그 자유로운 선택을 존중해야 합니다. 충분한 의사능력이란, 자신의 자유로운 선택이 가져올 결과를 예측할 수 있고 그에 대한 책임을 감수할 것을 스스로 선택하고 결정한 것을 의미합니다. 이처럼 E가 누군가에게 강요당한 것이 아니라 자유로운 선택을 했다면 E의 의사를 존중함이 타당합니다. 또한 E의 배우자 역시 남편의 의사를 잘 이해하고 존중하였으므로 그 배우자 역시 비난하거나 처벌할 수 없습니다. 이러한 E의 자유로운 의사에 반하여 의사인 F가 강제로 치료를 할 수는 없습니다. 따라서 E의 의사에 반하는 치료는 E의 종교의 자유를 침해한 것입니다.

<사례 4>의 G를 처벌하는 것은 G의 종교의 자유를 침해한 것입니다. H는 자신의 자유로운 의사에 따라 안수기도를 받기로 결정했으며, 일반인의 상식상 안수기도의 결과가 반드시 정신병의 완치로 이어질 것이라 기대할 수 없습니다. 더군다나 기도원장 G의 기도행위는 기도자의 기도에 의한 염원 내지 의사가 상대방에게 심리적 또는 영적으로 전달되는 데 도움이 된다고 인정할 수 있는 한도 내에서 상대방의 신체의 일부에 가볍게 손을 얹거나 약간 누르면서 병의 치유를 간절히 기도하는 행위라 할 수 있습니다. 물론 H의 주장대로 목과 가슴 사이에 손을 올린 것이 꼭 필요한 행위인지를 따져볼 수 있으나, 가슴 등의 민감한 부위를 직접적으로 접촉한 것도 아니고 기도자의 염원을 전달하는 방법이라 볼 여지가 있습니다. 따라서 G의 안수기도는 종교의 자유라는 측면에서 정당성이 있으며, 이에 대해 처벌하는 것은 G의 종교의 자유를 침해하는 것입니다.

Part 1
Part 2
Part 3
Part 4
Part 5
Part 6
Part 7

해커스 김중수 로스쿨 면접 200주제

🔨 관련판례 79도1387, 97도538, 2008도2695

1. 종교적인 이유로 딸의 수혈을 거부한 사건[12]

생모가 사망의 위험이 예견되는 그 딸에 대하여는 수혈이 최선의 치료방법이라는 의사의 권유를 자신의 종교적 신념이나 후유증 발생의 염려만을 이유로 완강하게 거부하고 방해하였다면 이는 결과적으로 요부조자를 위험한 장소에 두고 떠난 경우나 다름이 없다고 할 것이고 그때 사리를 변식할 지능이 없다고 보아야 마땅한 11세 남짓의 환자 본인 역시 수혈을 거부하였다고 하더라도 생모의 수혈거부 행위가 위법한 점에 영향을 미치는 것이 아니다.

2. 안수기도 사건 ①[13]

피고인이 84세 여자 노인과 11세의 여자아이를 상대로 안수기도를 함에 있어서 그들을 바닥에 반드시 눕혀 놓고 기도를 한 후 "마귀야 물러가라", "왜 안 나가느냐"는 등 큰소리를 치면서 한 손 또는 두 손으로 그들의 배와 가슴 부분을 세게 때리고 누르는 등의 행위를 여자 노인에게는 약 20분간, 여자아이에게는 약 30분간 반복하여 그들을 사망케 한 사안에서, 고령의 여자 노인이나 나이 어린 연약한 여자아이들은 약간의 물리력을 가하더라도 골절이나 타박상을 당하기 쉽고, 더욱이 배나 가슴 등에 그와 같은 상처가 생기면 치명적 결과가 올 수 있다는 것은 피고인 정도의 연령이나 경험 지식을 가진 사람으로서는 약간의 주의만 하더라도 쉽게 예견할 수 있음에도 그러한 결과에 대하여 주의를 다하지 않아 사람을 죽음으로까지 이르게 한 행위는 중대한 과실이라고 보아, 피고인에 대하여 중과실치사죄로 처단한 원심판결을 수긍한 사례이다.

3. 안수기도 사건 ②[14]

종교적 기도행위의 일환으로서 기도자의 기도에 의한 염원 내지 의사가 상대방에게 심리적 또는 영적으로 전달되는 데 도움이 된다고 인정할 수 있는 한도 내에서 상대방의 신체의 일부에 가볍게 손을 얹거나 약간 누르면서 병의 치유를 간절히 기도하는 행위는 그 목적과 수단 면에서 정당성이 인정된다고 볼 수 있지만, 그러한 종교적 기도행위를 마치 의료적으로 효과가 있는 치료행위인 양 내세워 환자를 끌어들인 다음, 통상의 일반적인 안수기도의 방식과 정도를 벗어나 환자의 신체에 비정상적이거나 과도한 유형력[15]을 행사하고 신체의 자유를 과도하게 제압하여 환자의 신체에 상해까지 입힌 경우라면, 그러한 유형력의 행사가 비록 안수기도의 명목과 방법으로 이루어졌다 해도 사회상규상 용인되는 정당행위라고 볼 수 없다.

12)

79도1387

13)

97도538

14)

2008도2695

15)
유형력: 직접적이고 간접적인 모든 유형의 행사가 포함되는 강학상 개념인 광의의 폭행.

Q1. 모범답변

[갑의 입장을 선택한 경우]

갑의 입장이 합리적입니다. 주민의 정치적 의사가 반영되는 민주주의 실현에 기여하기 때문입니다.

민주주의는 국민의 정치적 의사를 국정 운영에 반영함으로써 국민주권을 실현하는 체제입니다. 국민은 입법부를 구성할 때 지역구 국회의원 제도를 두어 지역주민의 의사를 국정 운영에 반영할 수 있도록 하였습니다. 현재 제시문의 지역구 주민들은 이동권이 제한되고 있는 문제를 겪고 있습니다. 대중교통은 국민의 이동권에 핵심적인 역할을 할 뿐만 아니라, 모든 주민이 자동차를 이용할 수는 없기 때문에 보편적 이동권에 있어서 매우 중요합니다. 광역철도는 지역주민의 이동권과 삶의 질, 지역의 발전과 관련하여 중대한 의사 결정임이 분명합니다. 특히 지역구 주민 다수가 민원을 제기하는 등으로 주민들의 정치적 의사를 표출하고 있는 만큼 지역구 국회의원은 이를 적극적으로 국정에 반영하고자 노력해야 합니다.

이에 대해 을은 갑이 지역의 이익을 반영하는 로비스트 역할을 한다고 반론하고 있습니다. 그러나 지역구 국회의원은 지역주민의 정치적 의사를 반영하는 국가기관입니다. 물론 국회의원은 입법부의 일원으로써 국가 전체의 이익도 고려해야 합니다. 그러나 입법부는 300여 명으로 구성되어 있기 때문에 갑이 자기 지역구의 이익만을 주장한다면 법률 통과를 위한 정족수를 충족할 수 없을 것입니다. 갑은 이를 능히 예측할 수 있기 때문에 자기 지역구의 이익을 관철하기 위해 광역철도가 지나는 여러 지역과 연결망 등을 고려하여 여러 지역구 국회의원들과 타협하고 여러 지역의 이익을 동시에 달성하려 할 것입니다. 이 과정에서 갑은 자기 지역주민의 이익과 여타 지역구의 이익까지도 달성할 수 있습니다.

[을의 입장을 선택한 경우]

을의 입장이 합리적입니다. 국민의 진정한 의사를 반영하는 민주주의 실현에 기여하기 때문입니다. 국회의원은 국민의 직접 선출로 선출되는 입법기관이자 국가기관입니다. 국회의원은 국민 전체의 정치적 의사를 법률로 정제하는 역할을 수행합니다. 갑과 을은 모두 지역구 국회의원이므로 국민 전체의 지지율에 비례하여 선출되는 비례대표와는 다른 측면이 있는 것은 사실입니다. 그러나 지역의 이익을 중시하는 정치적 역할은 지방자치단체장과 지방의회가 담당해야 합니다. 국회의원은 국민 전체의 이익과 지역의 이익을 균형적으로 달성하는 국가기관의 역할을 수행함이 타당합니다. 갑은 지역주민의 이익을 위해 광역철도를 유치하겠다고 주장합니다. 광역철도는 국가 인프라이며, 건설비용이 조 단위로 소요되기 때문에 국가재정에 큰 영향을 미칠 뿐만 아니라, 향후 장기간 국민의 이동권에 지대한 영향을 미치는 것입니다. 예를 들어 일본의 경우 근대화 시기에 철도 건설 시 건설비용을 줄이고자 광궤가 아닌 협궤를 놓은 결과 현재까지도 일본은 철도 수송량 문제를 겪고 있습니다. 또한 전 세계적으로 환경규제가 강화되고 있기 때문에 광역철도의 건설은 단순히 국민 이동 편의성에 그치지 않고 환경규제 대응책으로 중요도를 갖고 있습니다. 이러한 점에서 단순히 지역주민의 이익만을 고려해서는 안 되고, 전문가의 다양한 의견을 신중하게 검토하고 국가적 차원에서 검증해야 합니다. 따라서 을의 입장이 합리적입니다.

이에 대해 갑은 을이 지역의 이익을 반영하지 않는다고 반론할 수 있습니다. 그러나 을이 지역의 이익을 반영하지 않는 것은 아닙니다. 국가의 이익이 되는 정책이 지역의 이익에 부합하도록 여러 전문가의 의견과 국가 이익을 신중하게 검토하는 것입니다. 이 검토 과정에서 지역의 이익이 국가 이익에 부합할 수 있도록 하는 광역철도 건설안, 수정안을 제안할 수 있습니다. 다만, 지역 이익을 앞세워 국익을 저해하는 것은 타당하지 않다는 것입니다.

Q2. 모범답변

국회의원은 국민의 대표이기 때문에 정당 정책에 구속되지 않으며 1명의 국회의원은 그 자체로 하나의 헌법기관입니다. 국회의원은 국민으로부터 주권의 위임을 받아 민주적 정당성을 갖기 때문에 정당 정책에 반하는 의사 결정을 할 수 있습니다.

그러나 정당 역시 정치결사체로서 국회의원에 대한 제명이나 공천 배제를 할 수 있습니다. 정당은 동일한 정치적·경제적 주장을 하는 정치결사체이기 때문에 정당 정책을 반대하는 국회의원이 있다면 정당의 존립이 위험합니다. 정당의 기능을 위해서라도 정당에서 정책에 반하는 국회의원을 제명하거나 공천을 배제할 수 있습니다. 다만, 정당의 국회의원 제명이나 공천 배제 결정은 정당의 정강과 정당 내규에 따라 정당한 절차를 통해 행해져야 합니다.

Q3. 모범답변

지역구 선거에서 선출된 국회의원이라면 의원직을 상실시킬 수 없으나, 비례대표로 선출된 국회의원이라면 의원직을 상실시켜야 합니다.

지역구의 국민들이 국회의원을 직접 선출하여 민주적 정당성을 부여했기 때문에 정당을 탈당한 것과 의원직 상실은 관계가 없습니다. 정당 탈당에 대한 정치적 책임은 해당 지역구의 국민들이 다음 선거에서 직접 묻게 될 것입니다.

반면, 비례대표로 선출된 국회의원은 국민이 직접 민주적 정당성을 부여하지 않았습니다. 비례대표 국회의원은 국민이 본래 소속 정당의 정강과 정책을 지지하여 나타나게 된 정당 득표율에 비례하여 정당이 정한 순번에 따라 국회의원의 지위를 얻게 된 것입니다. 비례대표 국회의원이 정당을 탈당한다면 국민이 비례대표 득표율로 민주적 정당성을 부여한 정당의 소속이 아니기 때문에 의원직을 상실시켜야 합니다.

Q1. 모범답변

　제시문 (나)는 매슬로우의 욕구단계이론을 설명하고 있습니다. 이에 따르면, 인간은 단계화된 욕구체계를 가지고 있으며, 생존에 직결된 하위욕구로부터 자아실현 등의 상위욕구로 나아갑니다.

　이에 따르면, 1인당 국민소득 1만 달러 이하에서는 부가 증가할수록 행복도 크게 증가하지만, 그 이상의 국민소득에서는 부와 행복의 비례관계가 약합니다.

　먼저 하위욕구와 관련해서 부와 행복의 비례관계가 크다는 점을 알 수 있습니다. 의식주 해결과 같은 생리적 욕구 충족은 행복과 상관관계가 높습니다. (가)를 보면 1인당 국민소득 1만 달러를 넘는 국가는 행복지수가 모두 0을 넘고 있어 불행하지 않다고 볼 수 있습니다. 그러나 국민소득 5천 달러 이하의 국가는 행복지수가 0 이하인 국가가 50%에 달하고 있으며, 국민소득 2천 달러 수준의 국가에서는 행복지수가 1 이상인 경우가 없습니다. 이는 결국 (나)에서 말하는 생리적 욕구와 행복이 상당히 비례관계에 있음을 증명합니다.

　그러나 상위욕구의 단계가 되면, 부와 행복의 비례관계가 약해집니다. 생리적 욕구 등의 하위욕구가 충족된 이후에는 부와 행복간의 상관관계가 거의 없어집니다. (가)에 따르면 국민소득이 1만 달러가 넘는 국가에서는 부와 행복간의 비례관계가 거의 성립하지 않습니다. 예를 들어 푸에르토리코는 소득은 1만 달러이지만 행복지수는 가장 높은 4.7인 반면, 미국은 국민소득이 2만 5천 달러가 넘으나 행복지수는 3.3 정도에 불과합니다. 국민소득 1만 달러를 넘으면 의식주 문제는 해결되므로 생존 등에 직결된 하위욕구는 만족되어 최소한 불행하지 않습니다. 그 이후로는 더 많은 소득이 행복에 큰 영향을 주지 않고, 상위욕구인 애정 욕구, 존경 욕구, 자아실현 욕구 충족이 행복에 더 큰 영향을 미칩니다. 또한 높은 소득을 올리기 위해서는 더 많은 노동을 해야 하는데, 이는 여가시간을 줄이고 자아실현할 기회를 낮출 수 있으므로 높은 소득이 행복 증가로 이어지지 않습니다.

Q2. 모범답변

　국민의 행복도를 증가시키기 위해서, 우선적으로 하위계층의 생리적 욕구와 안전욕구를 해결하고, 이에 더해 상위계층의 사회적 욕구와 존경 욕구, 자아실현 욕구를 충족시키는 정책이 필요합니다.

　먼저, 하위계층의 행복도를 증가시키기 위해 부의 재분배 정책이 필요합니다. 의식주의 기본욕구가 충족되지 않으면 행복지수에 큰 악영향을 줍니다. 그러나 의식주의 기본욕구가 충족되면 부의 증가와 행복은 큰 상관관계가 없으므로 상위계층의 부의 증가는 국민의 행복지수에 큰 영향을 미치지 않습니다. 1만 원의 소득 증가로 인한 최상위계층의 행복 증가보다는 최하위계층의 행복 증가가 훨씬 크기 때문에 국가가 조세정책 등을 이용하여 고소득층으로부터 저소득층으로 소득을 재분배해야 합니다. 소득재분배 정책을 통해 생리적 욕구를 충족시킴으로써 국민의 행복지수를 높일 수 있습니다. 그리고 하위계층의 주거 안정화 정책을 추진하고 하위계층 주거지역의 치안 강화 등을 통해 안전욕구를 충족시켜야 합니다.

둘째, 상위계층의 행복도를 증가시키기 위해 사회적 관계의 형성과 존경 욕구의 충족 기회, 자아실현의 기회를 줄 수 있는 정책을 실현해야 합니다. 먼저 사회적 관계의 형성과 존경 욕구의 충족 기회를 부여하기 위해 근로시간 단축정책을 시행하고 취미 단체활동을 지원해야 합니다. 근로시간 단축을 통해 가족 간의 관계가 회복될 수 있는 시간적 여유를 주어야 합니다. 그리고 주민센터 등에서 다양한 취미활동을 할 수 있는 기회를 제공해 주거지역 내의 사회적 모임을 활성화해야 합니다. 수변공간을 이용한 체육시설, 자전거 도로나 야구장, 축구장 등을 건립함으로써 국민체육활동을 지원해 다양한 커뮤니티 활동을 할 수 있도록 함으로써 사회적 욕구와 존경 욕구 충족 기회를 제공해야 합니다. 마지막으로 자아 실현의 기회를 제공하기 위해 평생교육을 강화하는 정책을 시행할 수 있습니다. 특히 인구 증가 시기에 마련된 대학 인프라가 충분하기 때문에 이를 전환하여 성인을 대상으로 한 평생교육의 장으로 삼는 것도 좋은 방안이 될 수 있습니다.

Q3. 모범답변

노인 자살률을 낮출 방안으로 노인 일자리 정책과 노인 돌봄 정책을 제시할 수 있습니다.

먼저, 노인 빈곤을 해결하기 위해 노인 일자리 정책이 필요합니다. 현재 노인 고용은 저소득 일자리에 집중되어 있기 때문에 노인 빈곤과 노인의 생계 문제를 충분히 해결하기 어렵습니다. 예전과 달리 65세 이상의 노인도 건강 상태가 좋고 장비 등의 도움을 받을 수 있기 때문에 노인도 능력과 성과를 충분히 발휘할 수 있습니다. 따라서 노인의 능력과 성과에 맞는 일자리가 제공될 수 있도록 함으로써 노인 빈곤을 해결해야 합니다.

둘째로, 거동이 힘든 노인을 위한 공적 돌봄 정책이 필요합니다. 간병인을 비롯한 돌봄 노동자가 충분히 공급되어야 합니다. 또한 단순한 돌봄에서 더 나아가 사회적 관계를 맺을 수 있는 형태의 노인 돌봄이 필요합니다. 예를 들어, 어린이집과 초등학교, 행정복지센터, 보건소, 양로원 등을 하나의 건물 안에 집중시킴으로써 사회 구성원 전체의 접촉을 늘리는 방법을 고려할 수 있습니다.

Q1. 모범답변

[법인세 인하 찬성 입장]

영업의 자유 보장과 국가 경제 발전을 위해 법인세를 인하해야 합니다.

법인세를 인상하면 기업의 영업의 자유를 침해하는 것입니다. 기업은 영업의 자유의 주체로 이윤을 추구할 수 있으며, 법에 저촉되지 않는 한 기업이 스스로 결정한 투자와 영업방법에 따라 이윤을 내기도 손해를 보기도 합니다. 이 과정에서 기업은 장기적 투자나 고용인원 등을 결정하기 위해 법률에 근거해 미래 상황을 예측하여 이에 근거해 기업전략을 결정합니다. 그런데 경제상황이 안 좋다거나 하는 등의 사정 변경이 있다고 하여 국가가 정책적으로 법인세를 인상하게 된다면, 기업의 장기적 투자, 고용전략의 예측이 불안정해지는 것입니다. 따라서 기업의 영업의 자유에 대한 과도한 제한이 됩니다. 그러나 법인세를 인하하는 것은 기업의 장기적 투자, 고용전략 결정에서 새로운 투자 증액과 같은 선택이 가능하기 때문에 기업의 선택의 폭이 커지게 되는 것입니다. 따라서 법인세 인하는 기업의 영업의 자유를 오히려 확대하는 것입니다.

국가경제 발전이 가능하므로 법인세를 인하해야 합니다. 기업의 법인세를 인상하면 기업의 가용자금이 줄어들고 투자가 줄어들게 됩니다. 특히 가계나 정부의 경우에는 가용자금을 단순 소비하는 등 비효율적인 소비를 하지만, 기업은 미래에 고부가가치를 가져올 분야에 선도적으로 투자[16]하기 때문에 이 투자가 줄어들면 미래의 국가발전잠재력이 줄어들게 됩니다. 이처럼 법인세를 인상하면 기업의 투자가 줄어들고 고용이 줄어들어 가계소득이 감소하며 소비가 줄어들어 다시 기업의 투자가 감소하는 악순환이 일어날 것입니다. 그러나 반대로 법인세를 인하하면, 기업의 투자가 확대되고 고용이 늘어나고 미래산업에 대한 연구개발비용이 증가하여 장기적 성장동력원이 확보됩니다. 따라서 법인세 인하는 투자 증가, 고용 확대, 국가경제 확대로 이어지게 됩니다.

국가의 장기적 성장을 위해 법인세를 인하해야 합니다. 기업은 영업의 자유의 주체로서 자유롭게 영업을 영위할 수 있고, 글로벌 시장이 열려있는 현대시장경제체제의 특성상 기업의 본거지를 옮길 수 있습니다. 실제로 쿠팡이나 네이버 웹툰 등은 우리나라 주식시장이 아닌 미국 주식시장에 상장을 했고, 네이버 라인은 일본 시장과 동남아시아 시장을 주력으로 하고 있습니다. 기업은 법인세 부담이 큰 국가에서 법인세 부담이 적은 나라로 기업의 본거지를 이전할 수 있고, 이 경우 우리나라의 고용이 적어지고 세원(稅源)이 사라지게 되는 것입니다. 예를 들어, 아랍에미리트는 아부다비에 국제금융자유구역을 조성하고 이 구역에 진출한 외국기업에 대한 법인세를 최대 50년간 면제해 주고 외국인 소유권을 100% 인정함으로써 기업들이 본거지를 옮긴 바 있습니다. 우리나라 역시 국제적인 경쟁체제 속에서 법인세를 인하함으로써 기업의 고용이 안정적으로 유지되도록 하여 국가의 장기적 성장을 도모해야 합니다. 따라서 법인세를 인하하는 것이 타당합니다.

[법인세 인하 반대 입장]

법인세를 인하하는 것은 타당하지 않습니다. 국가경제 위축과 공정한 경쟁의 저해, 저소득층의 생활 불안정이 발생할 수 있기 때문입니다.

16)
미국의 경우, 우리나라의 재벌처럼 지배적 위치를 이용해 다른 기존사업분야에 진출하는 것이 엄격히 규제되고 있다. 그러나 신사업에 진출하는 것은 허용된다. 구글이나 애플이 막대한 사내유보금을 이용해 신기술을 보유한 벤처기업을 인수하거나 자율주행자동차 등의 신사업분야에 투자하는 것이 대표적 사례이다.

국가경제를 위축시킬 것이므로 법인세 인하는 타당하지 않습니다. 기업은 영업 전망에 따라 투자를 결정하며 법인세율 등은 부수적인 것입니다. 예를 들어, 유럽 시장의 경우 법인세율이 높지만 시장의 규모가 크고 소비가 많기 때문에 우리나라 기업들이 유럽 시장에 적극적으로 진출합니다. 법인세를 인하하면 세원이 줄어들게 됩니다. 이로 인해 공공투자가 줄어들게 되고 저소득층의 소득이 감소합니다. 한계소비성향이 높은 저소득층의 특성상 저소득층의 소득 감소는 가계 소비 감소로 이어집니다. 소비 승수 효과를 통해 경기 위축으로 이어질 수 있습니다. 가계 소비 감소는 기업의 영업 전망에서 오히려 투자 감소를 선택하게 되는 유인으로 작동할 것이고, 경기 위축의 악순환으로 이어질 수 있습니다. 따라서 국가경제의 위축이 우려되므로 법인세 인하는 타당하지 않습니다.

공정한 경쟁을 저해하므로 법인세 인하는 타당하지 않습니다. 법인세 인하의 효과는 매출이 크고 이익 규모가 큰 기업에 더 많이 집중됩니다. 결국 대기업에 더 유리한 세제가 될 수밖에 없습니다. 대기업의 이익이 크기 때문에 자본 투자와 R&D 등에서 격차가 벌어지고 있는데, 법인세를 인하하면 그 격차는 더욱더 커지게 될 것입니다. 이로 인해 대기업과 중소기업의 공정한 경쟁이 저해되고 기업 간 불평등 문제가 심화될 수 있습니다.

저소득층의 생활 불안정을 야기할 수 있으므로, 법인세 인하는 타당하지 않습니다. 법인세를 인하하게 될 경우 세수가 부족해질 우려가 높습니다. 개인사업자에 비해 법인 기업은 많은 자본을 가지고 있으며, 정부가 제공하는 세제 혜택, 투자 촉진 정책 등의 수혜를 받고 있습니다. 이러한 상황에서 법인세를 인하하면 기업으로부터 거둬들이는 세원이 잠식당하게 됩니다. 예를 들어, 법인세가 2%p 인하되면 삼성전자 하나의 기업에서만 1조 원 이상의 세금이 줄어들어 국가 세원 감소 문제가 심각합니다. 이러한 세원 부족은 국가예산에서 복지비용의 감소로 이어질 것입니다. 국방이나 치안과 관련한 핵심 국가기능은 줄이기가 쉽지 않으나 복지비용은 비핵심적 기능에 해당하므로 감소하게 될 것입니다. 복지예산의 감소는 지원대상인 저소득층의 생활 불안정으로 연결됩니다. 따라서 법인세 인하는 타당하지 않습니다.

법인세를 인하할 경우 기업의 이익과 투자가 증가해 고용 증가로 이어질 것이라는 반론이 제기될 수 있습니다. 그러나 이는 타당하지 않습니다. 우리나라는 이미 2008년 법인세 최고세율을 25%에서 22%로 인하했습니다. 예를 들어, 삼성전자는 2011년 이후 3년간 당기 순이익이 14조 원에서 23조 원으로 1.5배가 넘게 늘어났으나, 정규직 직원은 3년간 4천 명을 오히려 줄였습니다. 이를 보았을 때, 법인세 감세가 기업의 이익 증대로 이어지는 것은 사실이나 고용 증가 효과가 있다고 볼 수는 없습니다.

법인세를 인하하지 않는다면 대기업이 법인세가 낮은 나라에서 영업을 하기 위해 우리나라를 떠날 것이라는 반론 또한 제기될 수 있습니다. 그러나 기업의 영업활동은 법인세율이라는 하나의 조건으로 결정되지 않습니다. 기업은 이윤 추구를 목적으로 하여 이에 가장 도움이 되는 국가에서 영업을 영위하고자 합니다. 그렇기 때문에 기업은 이윤 추구를 위해 필요한 여러 가지 요소를 종합적으로 판단합니다. 안정적인 법질서의 확립, 잘 구축된 사회간접자본, 인력 고용에 필요한 비용, 부품이나 소재를 공급받을 수 있는 협력업체 분포 등이 고려하는 요소들입니다. 따라서 이처럼 여러 가지 요소를 종합적으로 판단하기 때문에 단지 법인세를 인상하였다고 해서 기업이 우리나라를 떠날 것이라는 것은 과도한 예상입니다. 마치 개인들이 소득세율이 낮다는 이유만으로 치안이 확립되지 않은 국가로 이민을 갈 것이라고 예상하는 것이나 마찬가지입니다. 따라서 이 주장은 타당하지 않습니다.

Q1. 모범답변

　지방소멸의 원인은 인구의 수도권 집중 때문입니다. 수도권에는 일자리, 교육, 문화, 인프라가 집중되어 있습니다. 수도권은 전 국토의 12%에 불과하지만 인구는 52%가 몰려 있습니다. 인구가 많기 때문에 인프라의 집중과 투자, 자원의 집중이 이루어지게 되고, 상대적으로 인구가 부족한 지방은 그렇지 못해, 수도권과 지방의 격차는 더욱더 커지게 됩니다. 이것이 몇십 년간 수도권에서는 양의 방향으로, 지방에서는 음의 방향으로 가속화된 결과입니다.

Q2. 모범답변

　지방자치를 확대해야 합니다. 국가균형 발전을 도모하기 위함입니다. 현재 우리나라는 수도권 과밀현상이 심각한 사회문제가 되고 있습니다. 이로 인해 지방 소멸이 가시화되고 있는 상황입니다. 이처럼 수도권 과밀과 지방소멸이 문제되고 있는 상황에서 이를 해결하기 위해서는 지방분권이 필수적입니다. 지방이 중앙정부의 정책이나 예산에 좌우되지 않고 지방 자립화가 가능해지고 각 지방의 현실에 맞는 정책을 추진하여 지방 소멸을 막을 수 있습니다. 물론 이를 위해 특별자치도 제도가 시행되었고, 2024년부터 전라북도는 특별자치도로서 일반적인 도에 부여된 권한과 달리 고도의 자치권을 보장받아 지역 여건과 특성에 부합하는 특례를 인정받고 있습니다. 그러나 그럼에도 불구하고 여전히 지방자치와 지방분권, 지방의 경제 활성화는 어려운 과제임이 분명합니다. 이를 해결하기 위해서는 현실적인 역량이 필요합니다. 예를 들어 부산, 경남의 메가시티계획, 즉 도시광역화가 좋은 대책이 될 수 있습니다. 지방은 수도권에 비해 인프라가 열악하고 인재와 자본이 부족합니다. 도시광역화는 이 부족한 자원을 효율적으로 사용하여 지방의 자립을 가능하게 할 것입니다. 예를 들어 부산의 항구와 경남의 기업, 신공항이 결합되어 부산의 항구로 들어온 원자재를 경남의 기업에서 가공하고 신공항을 통해 수출하는 등으로 도시광역화를 통해 고부가가치 산업을 발전시킬 수 있습니다. 이러한 고부가가치 산업의 발전은 해당 지역의 일자리 창출, 인구 증가, 자본 확충, 인프라 구축, 지방 자립화의 강화라는 선순환으로 이어져 지방 소멸을 막고 국가균형 발전을 가능하게 할 것입니다. 이러한 지방의 새로운 시도가 실현되기 위해서는 법적인 지원과 함께 예산의 지원, 궁극적으로 지방 자체가 이를 주도할 수 있는 역량이 강화되어야 합니다. 따라서 지방자치를 확대해야 합니다.

Q3. 모범답변

　국민보건의 안정적 실현을 위해 의과대학 정원 확대와 공공의대 설립은 타당합니다. 국민보건은 국민의 생명과 신체의 자유를 보장하기 위해 기본적으로 실현되어야 할 국가의 의무입니다. 국민보건은 국민 모두에게 안정적으로 실현되어야 할 가치인데, 현재 지방이나 격오지 주민들의 경우 국민보건을 안정적으로 보장받지 못하고 있습니다. 수도권과 지방의 인구 격차가 심해지고 경제 격차가 커질수록 이 현상은 더욱 문제될 것입니다. 국민보건의 안정적 실현을 위해 공공의대를 설립해 지역 보건을 담당할 의료 인력을 확보해야 합니다. 따라서 의과대학 정원 확대와 공공의대 설립은 타당합니다.

　국토개발 불균형의 해소를 위해 의과대학 정원 확대와 공공의대 설립은 타당합니다. 수도권과 지방의 격차가 커지고 있어 국토개발의 불균형 문제가 심각합니다. 수도권은 인구가 많아 인프라가 잘 갖춰져 있고 이로 인해 유입인구가 더 늘어나는 현상이 지속되고 있습니다. 반면 지방은 반대 현상이 일어나고 있으며 이러한 불균형은 더 가속화되는 실정입니다. 국민보건과 의료는 생명과 신체의 자유와 직결될 뿐만 아니라 고령화로 인해 중요도가 더 커지고 있습니다. 의료시설 등은 자본을 투입하면 확충할 수 있으나 의료인력은 그렇지 않으므로 공적 차원에서 의료인력 수급에 대한 대책을 세워야만 합니다. 의과대학의 정원을 확충하고 공공의대를 설립하여 지방의 의료인력 부족 문제를 대응해야만 수도권과 지방 간의 격차가 더 커지는 것을 막을 수 있습니다. 따라서 의과대학 정원 확대와 공공의대 설립은 타당합니다.

　지방경제 활성화를 위해 의과대학 정원 확대와 공공의대 설립은 타당합니다. 지방경제는 수도권과 달리 고급인력이 부족하고 양질의 일자리가 부족해 고부가가치 산업 활성화가 어렵습니다. 의과대학 정원을 확대하고 공공의대를 설립함으로써 지방에서 일하는 의료인력과 의료설비가 늘어나면 관련산업의 일자리가 확대됩니다. 이에 더해 바이오 산업 등의 활성화를 위한 산학 협력이 활성화될 것이고, 바이오 산업 관련 일자리도 증가할 것입니다. 지방경제에 고부가가치 산업이 새롭게 진출하여 양질의 일자리를 공급한다면 지방의 자립에도 도움이 됩니다. 따라서 지방경제 활성화에 기여할 수 있으므로 의과대학 정원 확대와 공공의대 설립은 타당합니다.

Q1. 모범답변

예술·체육요원의 병역 면제를 인정해야 한다는 입장에서는 국가 발전, 평등원칙 실현을 논거로 제시할 것입니다.

먼저, 국가 발전을 실현할 수 있으므로 예술·체육요원의 병역 면제를 인정해야 합니다. 스포츠 등 문화의 영향력이 커지고 있고 우리나라의 국가 발전을 위해 국가 브랜드와 이미지 개선이 필요합니다. 정보통신기술의 발달로 인해 스포츠의 영향력이 전세계적으로 뻗어나가고 있습니다. 한국은 몰라도 손흥민은 알고 있는 전 세계 축구팬의 수만 하더라도 막대합니다. 우리나라의 문화역량이 커지고 소프트파워에 대한 인식 또한 변하면서 스포츠 선수와 스포츠의 국제적 위상이 우리나라를 알리고 있는 상황입니다. 우리나라는 경제적 발전에 비해 문화역량을 알리는 것이 미흡해 고부가가치 문화산업에서 두각을 드러내지 못했습니다. 최근 K-pop으로 인해 관광자원이 개발되고 외국인들에게 한국이라는 국가 이미지가 개선되어 소프트파워로 작동하기 시작했습니다. 축구·야구 등의 각종 스포츠가 가진 선진적 이미지를 국가 브랜드로 연결해야 합니다. 올림픽 등 전 세계인의 이목을 끌 수 있는 경기에서 국위를 선양한 스포츠 선수들의 병역 면제를 통해 이들의 의욕을 이끌어낼 수 있고 이는 곧 우리나라의 브랜드 파워와 국익으로 이어지게 될 것입니다. 따라서 예술·체육요원의 병역 면제를 인정해야 합니다.

평등원칙의 실현을 위해 예술·체육요원의 병역 면제를 인정해야 합니다. 평등원칙이란 같은 것은 같게, 다른 것은 다르게 대하라는 원칙입니다. 현재 병역법에 따라 전통문화 계승자, 고등교육을 이수하고 있는 자 등에 대해 입영 면제나 입영 연기 등의 병역특례를 인정하는 것은 전 국민이 중요하다고 여기는 가치, 즉 전통문화의 계승이나 국가 발전에 기여하는 과학기술 기여에 대해 해당 분야의 노력을 이어나가도록 권장하기 위함입니다. 예술·체육 분야 역시 국민이 문화 발전과 국위 선양이라는 사회적 가치를 인정하고 있습니다. 그런데 학업을 이어가고자 하는 자, 전통문화 계승자 등에 대해서는 병역 면제, 입영 연기 등의 특례를 인정해주면서, 예술·체육요원은 병역 특례를 인정하지 않는다면 같은 가치를 다르게 대우하는 것입니다. 따라서 예술·체육요원의 병역 면제를 인정해야 합니다.

Part 1
Part 2
Part 3
Part 4
Part 5
Part 6
Part 7

Q2. 모범답변

　예술·체육요원의 병역 면제를 인정해서는 안 된다는 입장에서는 국가안보의 위협, 평등원칙 위배를 논거로 제시할 것입니다.

　국가안보를 위협할 수 있으므로 예술·체육요원의 병역 면제를 인정해서는 안 됩니다. 국가안보는 공동체의 유지와 존속에 기초가 되며 우리 공동체 모두가 연대하여 달성해야 할 중요한 가치입니다. 특히 우리나라는 북한과 적대상황에 놓여있으며 실질적 위협이 있는 상태이므로 국가안보의 중요도가 매우 높고 실질적일 수밖에 없습니다. 국가안보의 실현을 위해 전력을 갖춘 병력의 수가 일정 정도 반드시 확보되어야 합니다. 이러한 예외 없는 징병제를 통해 국가안보를 실현할 수 있습니다. 그러나 국위 선양이나 국익 증진이라는 모호한 이유로 병역특례를 늘려나간다면 국민의 징병제에 대한 법적 신뢰가 약해질 것이고 병역의무의 이행이라는 연대감이 약해질 것입니다. 특히 군 복무 중이거나 예정인 젊은 이들, 이들의 부모와 형제들은 국가안보라는 가치가 국위선양이나 국익 증진보다 중요하지 않다고 여기게 될 것입니다. 이처럼 국가안보의 가치가 사회적으로 중요하지 않은 것으로 받아들여진다면 공동체의 유지와 존속은 달성될 수 없습니다. 따라서 국위 선양이나 국익 증진이라는 모호한 이유로 국가안보를 해치는 병역 특례, 특히 예술·체육요원의 병역 면제는 타당하지 않습니다.

　평등원칙에 위배되므로 예술·체육요원의 병역 면제는 타당하지 않습니다. 평등원칙이란 같은 것은 같게, 다른 것은 다르게 대하라는 원칙입니다. 국가안보를 실현할 국방의 의무는 모든 국민에게 동등하게 지워진 의무입니다. 그런데 국위 선양이라는 모호한 이유로 특정한 국민은 국방의 의무를 이행하는 데 편의를 주고, 그렇지 않은 국민은 편의를 주지 않는다면, 이는 같은 것을 다르게 대하는 것입니다. 따라서 평등원칙에 위배되므로 예술·체육요원의 병역 면제는 타당하지 않습니다.

Q3.

💬 Comment 위 논리를 참고해 스스로 입장을 정해 답변을 구성한다.

Q1. 모범답변

A는 자유지상주의의 입장으로 자유로운 노력의 결과물을 분배하는 것이 정의롭다는 입장입니다. 이에 따르면, 세 아들은 피리를 만드는 데 노력을 기울일 것인지 여부를 자유롭게 결정하였고, 그 결과 A만이 아버지와 함께 피리를 만드는 것에 동의하여 이에 노력을 기울였습니다. 따라서 개인이 스스로 결정하여 자신의 노력을 기울였으므로 A가 그 자유의 대가로 결과물인 피리를 소유하는 것이 타당합니다.

B는 공동체주의의 입장 중에서 목적에 부합하는 가치에 따라 분배하는 것이 정의롭다는 입장입니다. 이에 따르면, 피리의 목적은 연주를 하여 많은 사람들이 이를 즐기기 위한 것이므로, 피리 연주를 가장 잘 하는 자가 이 피리를 가져야 합니다. 따라서 피리 연주를 가장 잘 하는 자가 피리 연주를 하여야 피리의 본래 목적을 달성할 수 있으므로 B가 피리를 갖는 것이 타당합니다.

C는 전통적 공동체주의의 입장에 부합하며 친소관계 등의 유대관계에 따라 분배하는 것이 정의롭다는 입장입니다. 이에 따르면, A, B, C는 모두 피리 장인의 아들이기는 하나, 특히 C는 아버지와의 유대감을 쌓을 수 없었습니다. 그러므로 아버지와의 유대감을 드러내는 피리를 아버지로부터 받아 부자관계를 강화할 수 있기 때문에 C가 피리를 가지는 것이 타당합니다.

B의 입장이 타당합니다. 피리는 그 자체로 아무 의미가 없습니다. 피리는 연주를 하고 그 연주를 듣는 사람들이 즐거워 할 것을 전제로 하기 때문에 중요합니다. 만약 그 사회 구성원들이 피리 자체를 모르거나 피리 연주를 의미 있는 것으로 여기지 않는다면 피리 장인이 존재할 수 없을 것입니다. 따라서 피리 연주를 연습해온 B가 피리를 가져 피리 본연의 목적을 실현할 수 있도록 해야 합니다.

Q2. 모범답변

악기는 그 목적인 연주를 가장 잘할 수 있는 연주자가 가져야 합니다. 그러나 현실적으로 볼 때 이런 명기(名器)는 그 희소성으로 인해 가격이 높아 연주자가 이를 소유하는 것이 불가능합니다. 이는 악기 소유자가 콩쿠르 등을 통해 선발된 연주자에게 악기를 일정기간 대여하는 방법으로 해결할 수 있습니다. 악기는 실력이 좋은 연주자가 악기의 최고 성능을 발휘해 연주하여 많은 사람들에게 기쁨을 줄 때 그 목적이 실현됩니다. 그러므로 좋은 악기는 최고의 연주자가 가졌을 때 그 목적에 가장 부합하는 것입니다. 콩쿠르를 통해 선발된 최고의 연주자가 최고의 악기를 일정기간 연주하여 많은 사람들에게 감동을 준다면 소유 여부와 관계없이 그 목적을 실현할 수 있습니다. 그리고 이 악기를 선발된 연주자에게 일정기간만 대여해주고, 다음 콩쿠르를 통해 다시금 최고의 연주자를 가려낸다면 언제나 이 악기의 목적을 실현할 수 있습니다.

해커스 김종수 로스쿨 면접 200주제

Q3-3. 모범답변

　바이올린이 목적에 부합하도록 최고의 연주자에게 대여하는 것이 바이올린 소유자에게도 이익이 될 수 있습니다. 그렇기 때문에 바이올린 소유자가 이 악기를 연주자에게 대여해줄 것이라 생각합니다. 바이올린 소유자는 자산가이거나 재단, 기업인 경우가 많아 대부분 바이올린 연주자가 아닙니다. 바이올린 소유자가 이 명기(名器)를 구매한 이유는 이것이 자신에게 이익이 될 것이라 판단했기 때문입니다. 그러나 바이올린 그 자체로는 이익이 되지 않으며, 그 사회구성원들이 이 바이올린에 가치를 부여할 때 소유자에게 이익이 됩니다. 예를 들어, 한 자산가가 이익을 노리고 세상에 있는 모든 바이올린을 다 구매한 후 이를 창고에 보관하고 있다고 하겠습니다. 시간이 흘러 이 사회에서 바이올린 연주를 들어본 사람이 점점 줄어든다면 바이올린의 가격이 상승하기는커녕 하락하게 될 것입니다. 이런 점을 감안한다면 사회구성원들이 바이올린 연주를 많이 듣고, 감동하고, 바이올린 연주자의 실력과 악기에 대해 높은 가치를 부여할 때, 바이올린 소유자들의 이익 또한 증대될 수 있습니다. 특히 자신이 소유한 바이올린의 연주자가 누구인지 어떤 연주를 할 때 그 악기를 사용했는지 등에 따라 해당 바이올린의 소유자도 명예를 갖게 될 수 있고 이에 더해 해당 바이올린의 역사적 가치가 더해져 재산적 가치 또한 커질 것입니다. 따라서 바이올린 소유자들도 자신의 이익을 증대할 목적으로 최고의 연주자에게 자신의 소유 악기를 대여하는 것에 기꺼이 응할 것입니다.

Q1. 모범답변

　국민주권의 실현을 위해 국민발안제를 도입해야 합니다. 국민은 국가의 주권자로서 자유와 책임의 주체가 됩니다. 국민이 자유를 행사하지 못하면서 책임만 진다면 국가의 주체가 아니라 객체로 전락하게 됩니다. 현 대의제에서는 국민이 국정 운영에 있어서 객체화되고 있습니다. 국민의 대표인 국회와 정부는 법안발의권이 있으나 주권자인 국민에게는 법안발의권이 없기 때문입니다. 국민 대다수가 특정 법안을 발의하기를 원하더라도 정부와 국회의원이 이를 원하지 않는다면 법안 발의조차 될 수 없습니다. 이처럼 정부와 국회의원이 게이트키퍼로 국민의 정치적 의사를 반영할 통로가 아니라 결정권자가 될 수 있습니다. 그러나 국민은 국가의 주권자로서 자신의 의사를 국가에 반영할 권리가 있습니다. 주권자인 국민이 스스로 원하는 바를 법안으로 발안하고 법률로 제정하여 그 수범자가 된다면 자유와 책임의 주체가 될 수 있습니다. 국민의 의사를 법으로 제정하는 데 있어서 반드시 대표기관을 매개로 할 필요는 없습니다. 따라서 국민발안제를 도입하는 것이 타당합니다.

　이에 대해 포퓰리즘적 법안이 발의될 수 있다는 반론이 제기될 수 있습니다. 국민발안을 허용할 경우, 다수가 원하기만 하면 법이 될 수 있기 때문에, 현명하지 못한 대중이 세금을 없애거나 복지를 과도하게 늘리는 등의 포퓰리즘적 법안을 발의할 수 있다는 것입니다. 그러나 이러한 위험성이 있다는 사실이 국민발안제를 시행해서는 안 된다는 논거가 될 수는 없습니다. 국민주권이란 국민이 주권자로서 자유와 책임의 주체가 된다는 의미입니다. 국민이 일시적 이익만을 생각하고 장기적 비용을 고려하지 못하는 등으로 포퓰리즘적 법안이 논의될 수도 있습니다. 그러나 국민 다수의 의견이 소수 대표에 의해 의제로 설정되는 것조차 어려운 현재 상황을 보면 포퓰리즘적 법안의 문제점보다 국민의 의사가 무시되는 문제점이 더 크다고 할 수 있습니다. 예를 들어 세월호 참사 후 세월호 특별법 제정 청원에 국민 600만 명의 찬성이 있었음에도 국회에서 논의되지 못한 경우 등이 대표적 사례입니다. 따라서 국민발안제를 시행하되, 문제점을 보완할 수 있는 대책이 필요합니다. 국민발안의 요건을 선거권자 50만 명의 찬성으로 발의하게 하거나, 입법부의 법안 심사를 강화하는 등으로 국민의 의사 발의에 대해 전문성을 더하는 형태의 국민발안제를 설계하면 될 것입니다.

Q2. 모범답변

　국민주권의 실질적 실현을 위해 권한 행사를 정지시켜야 합니다. 주민투표가 이미 발의된 경우, 지역주민이 스스로 선출한 지방자치단체장 등이 주민들의 신뢰를 얻지 못하였음이 명백하게 드러난 상황입니다. 주민들이 지방자치단체장에 대한 민주적 정당성을 일정 정도 거둬들인 상태에서, 주민소환 대상이 된 지방자치단체장이 권한을 행사한다면 지역주민이 원하지 않는 정책이 계속되어 주민의 진정한 의사가 왜곡될 것입니다.[17] 그뿐만 아니라 지방자치단체장 등의 영향력이 지역주민의 주민소환 투표에 영향력을 발휘하여 공정성을 잃을 가능성 또한 무시할 수 없습니다. 따라서 주민소환 대상자의 권한 행사를 정지함이 타당합니다.

[17]
그러나 이 조항의 입법목적은, 주민소환투표가 발의된 경우 공직자로서 신뢰성을 의심받고 있는 상황에서 업무의 원활한 수행이 어렵다는 점을 고려하고, 소환대상 공직자가 공직의 행사를 통하여 주민소환투표에 영향을 미치는 것을 방지함으로써, 행정의 정상적인 운영과 공정한 선거관리라는 공익을 달성하려는 데 있고, …(중략)… 권한행사의 정지 기간은 통상 20일 내지 30일의 비교적 단기간에 지나지 아니하므로, 앞서 본 바와 같이 이 조항이 달성하려는 공익과 이로 인하여 제한되는 주민소환투표 대상자의 공무담임권을 비교하여 볼 때, 양 법익이 현저한 불균형 관계에 있다고 보기 어렵다. (헌법재판소, 2009.3.26., 2007헌마843)

Q3. 모범답변

국민소환은 국민주권 차원에서 허용되어야 합니다. 국민의 기본적 의사를 무시하는 국가기관에 대해 소환할 수 있어야 국민주권이 실현될 수 있습니다. 대통령이 독도를 일본 영토로 인정하는 조약을 체결한 행위는 국민의 기본적 의사에 반하므로 국민소환을 통해 국민의 뜻을 관철시켜야 합니다.

또한 대통령은 대의제에서 인정하는 대표기관의 자유위임원칙을 주장하는데, 이는 타당하지 않습니다. 대의제는 국민주권을 실현하기 위한 수단입니다. 대의제가 민주주의 이념을 잘 실현하지 못하면 민주주의 실현을 위해서 직접 민주주의 요소를 도입할 수 있습니다. 독도를 일본 영토로 인정하는 조약을 체결했다면, 우리 영토에 대한 국민의 기본적인 정치 의사에 반한다고 보는 것이 적절하고, 자유위임원칙에서 보장하는 대통령의 통치권의 범위를 넘어서는 의사 결정인 것입니다. 국민소환제가 대의제와는 일부 충돌하더라도 대의제를 보완하여 국민주권을 실현할 수 있는 제도이므로 도입해도 대의제에 반하지 않습니다. 따라서 국민소환제를 도입하여 대통령에 대한 국민의 민주적 정당성 부여 여부를 따져야 할 것입니다.

Q4. 모범답변

국민소환제를 도입하면 대통령이나 국회의원 등 국민의 대표가 소환될 것을 두려워하여 무사안일하게 사무를 처리할 것이라는 반론이 제기될 수 있습니다. 특히 특정한 정책으로 피해를 보는 반대세력이 국민소환으로 국민의 대표를 정치적으로 위협할 수 있고, 이로 인해 정책 추진에 어려움이 발생할 수 있을 것입니다. 그러나 이는 국민들의 경험과 민주적 학습을 통해 극복할 수 있는 문제입니다. 국민소환제에 문제가 있다는 이유로 대표자들은 국민들에게 나서지 말라고 합니다. 그러나 국민들은 주권자로서의 역할을 아직 경험해보지 못했을 뿐입니다. 이는 국민들의 경험과 지혜를 통해 해결될 수 있을 것입니다. 이미 우리나라는 주민소환을 시행하여 지방자치단체에서 국민소환제의 시행착오와 민주적 학습을 했다고 볼 수 있습니다. 국민소환의 남용을 막고 실수를 줄이기 위해 소환의 요건을 엄격히 하는 것이 제도적으로 뒷받침된다면 국민소환제는 민주주의 발달에 긍정적인 역할을 할 수 있을 것입니다.

Q1. 모범답변

[도입해야 한다는 입장]

주 4일제를 도입해야 합니다. 인간다운 삶을 보장할 수 있고, 국민경제의 활성화를 도모할 수 있기 때문입니다. 단, 이를 위한 전제조건으로 필요한 사회제도를 완비하고 경제적 충격을 줄일 수 있는 완만한 도입이 필요합니다.

인간다운 삶을 보장하기 위해 주 4일제를 도입해야 합니다. 개인은 자기 삶의 목적이 되는 가치관을 스스로 설정하고 이를 실현하기 위해 노력합니다. 이 과정에서 생계를 유지하기 위해 노동을 합니다. 인간다운 삶은 단지 생계유지에서 그치는 것이 아니라, 자기 삶의 가치관을 탐색하고 추구하고 실현하는 과정에서 실현되는 것입니다. 그러나 (나)에서 보듯이 우리나라의 노동환경은 연간 근로시간이 1,967시간에 달해 OECD 국가 중 근로시간이 가장 긴 편에 속해 자기 삶을 위한 여유시간을 확보하기 어렵고 그 결과 행복지수가 매우 낮습니다. 현재 우리나라의 1인당 국민소득은 이미 3만 달러 수준으로 생계유지를 위한 하위욕구는 이미 달성되었고 상위욕구, 즉 사회적 욕구나 자아실현 욕구를 추구해 행복지수를 높여야 하는데 이를 위해서는 시간적 여유가 필요합니다. 따라서 국민의 인간다운 삶의 실현을 위해 주 4일제를 도입해야 합니다.

국민경제의 활성화를 위해 주 4일제를 도입해야 합니다. 주 4일제를 도입하면 개별 노동자의 노동시간이 줄어들기 때문에 고용이 늘어나게 됩니다. 고용이 늘어나면 소비여력을 가진 소비자가 증가하게 되고 레저 등의 취미활동이 증가해 시장의 확대가 가능합니다. 다수의 노동자가 장시간의 노동에서 벗어나게 되면 육아와 가족 생활에 노력을 기울일 수 있게 되어 저출산의 해결에 도움이 될 수 있습니다. 기업의 측면에서도 장기적으로 볼 때, 소비여력을 갖춘 소비자의 증가와 새로운 산업 출현, 생산성의 향상을 기대할 수 있습니다. 이는 결국 장기적으로 국가 전체적인 경제의 선순환으로 이어질 수 있습니다. 따라서 국민경제의 활성화를 위해 주 4일제를 도입해야 합니다.

재계는 인건비 비중이 높은 중소기업이 연쇄도산하거나 해외이전할 것이어서 시기상조라고 주장하나, 이는 타당하지 않습니다. 주 4일제 도입으로 인해 생산성이 약화되거나 경제성장률이 저해되지 않습니다. 우리나라는 이미 20여 년 전에 주 6일제에서 주 5일제를 도입했고, 이때에도 재계의 시기상조 주장은 동일했습니다. 주 5일제가 도입된 2004년의 경제성장률은 4.9%, 2005년은 3.9%로, 주 6일제를 시행하던 2003년의 2.9%보다 높았습니다. 경제성장률은 일한 시간과 비례하지 않고 글로벌 경제환경과 기업의 미래 전략, 생산성의 향상과 비례합니다. 또한 산업구조상 인건비 비중이 높은 기업은 미래 환경에 대응하기 위해 기업구조를 전환시킬 필요도 있습니다. 대표적인 예로 산업혁명이 시작된 영국의 경우 산업혁명 당시 인건비가 비싸 인력을 대체하려다보니 기술 개발이 촉진되었고 그 결과 증기기관이 도입되어 산업혁명이 촉발되었고 영국의 경제성장률이 높아졌으며 그 결과 선진국이 되었습니다. 오히려 인건비가 비싸기 때문에 기계설비를 도입할 여력이 있었고 생산성이 높아질 수 있었습니다. 최근의 예를 들어보면, 임금이 비싼 북유럽 국가에서 인건비 감소를 목적으로 무인주차시스템이 개발되었고 이것이 전 세계로 수출되었습니다. 이처럼 일한 시간과 생산성이 비례하지 않고, 산업구조의 변화가 일어날 수 있으므로 주 4일제로 인해 연쇄도산이나 해외이전이 일어난다고 할 수 없습니다.

해커스 **김종수 로스쿨 면접** 200주제

그러나 주 4일제 도입을 위해서는 사회제도가 완비되어야 하고 완만한 도입이 필요합니다. 먼저, 기업의 근로자 평가기준을 기존의 근무태도에서 성과와 실적 중심으로 바꾸어야 합니다. 승진이나 업무 평가에서 근무태도로 판단하는 것은 결국 장시간의 노동시간으로 이어지게 되기 때문에, 성과와 실적을 위주로 평가하여야 합니다. 짧은 업무시간 안에서 성과와 실적을 달성했는지를 중심으로 평가함으로써 주어진 시간 안에서 최대한의 업무 효율을 달성할 수 있도록 유도하여야 합니다. 또한, 주 4일제를 도입할 때 노동 생산성이 유지되어야 하기 때문에 이에 대한 실증적 연구를 통한 단계별 도입이 필요합니다. 주 4일제의 도입은 기업의 인건비 비중이 높아지는 결과를 초래하기 때문에 노동 생산성이 주 5일제의 수준으로 유지되어야 합니다. 따라서 노동 생산성이 유지되는 업종과 회사의 규모 등을 고려하여 주 4일제의 도입을 추진해나가야 합니다.

[도입해서는 안 된다는 입장]

　　주 4일제를 도입해서는 안 됩니다. 국민생활의 불안정을 초래하고, 기업의 영업의 자유를 훼손하기 때문입니다.

　　국민생활의 불안정을 초래하므로, 주 4일제를 도입해서는 안 됩니다. 현대국가의 국민은 경제생활을 통해 생계를 유지하고 이를 통해 자아실현을 하기 때문에, 안정적 경제생활은 중요한 가치입니다. 주 4일제는 기업의 인건비 비중을 높여 수출국가인 우리나라의 국가 경쟁력을 낮추게 됩니다. 기업의 경쟁력 약화는 국민의 고용 감소로 이어지고 소비여력이 감소해 국민경제의 악화를 불러오게 됩니다. 특히 주 4일제의 타격은 고용여력이 부족한 중소기업과 자영업자에게 집중될 수밖에 없습니다. 이는 결국 국민생활의 불안정으로 이어져 본래 목적인 인간다운 삶의 기초가 되는 생계유지의 안정성을 저해하게 됩니다. 따라서 국민생활의 불안정을 불러오는 주 4일제를 도입해서는 안 됩니다.

　　기업의 영업의 자유를 저해하는 주 4일제를 도입해서는 안 됩니다. 기업은 영업의 자유의 주체로, 스스로 영업 전략을 선택하고 이 결과에 대해 책임지는 경제주체입니다. 이 과정에서 국민이나 소비자의 자유에 대한 직접적 해악을 미치지 않았다면, 사회적 가치의 실현을 달성할 목적으로 기업의 영업의 자유를 제한해서는 안 됩니다. 그러나 주 4일제의 도입은 기업이 마찬가지로 자유로운 주체인 근로자와 근로계약을 함에 있어서 특정한 사회적 목적을 위해 기업의 영업의 자유를 제한하는 것입니다. 이미 주 52시간 근무제 등과 같이 노동시간에 대한 규제가 충분히 이뤄지고 있음에도 불구하고, 주 4일제를 강제하는 것은 기업과 노동자의 자유를 과도하게 제한하는 것입니다. 현재 상황에서도 기업이 노동 생산성의 측면에서 유리하다고 판단하거나 짧은 노동시간을 원하는 자를 유인할 목적으로 자유롭게 노동계약을 할 수 있습니다. 그리고 마찬가지로 자유로운 주체인 노동자 역시 이러한 짧은 노동시간을 스스로 원하여 기업과 자유로운 의사의 합치로 근로계약을 할 수 있습니다. 국가가 이러한 짧은 시간의 근로계약을 권장하거나 인센티브를 부여하는 형태로 기업의 영업의 자유를 제한하지 않는 방법도 존재합니다. 그러나 주 4일제를 강제하는 것은 인간다운 삶이라는 모호한 사회적 가치의 실현을 목적으로 기업의 영업의 자유를 제한하는 것이며, 마찬가지로 근로자의 노동시간 계약의 자유마저도 제한하는 것입니다. 따라서 주 4일제의 일률적 강제 도입은 타당하지 않습니다.

Q1-1. 모범답변

　오토바이 헬멧 착용을 강제해서는 안 된다는 A의 입장에서는, 개인의 자유 침해를 논거로 제시할 것입니다. 개인은 자기자신의 주인으로서 자신이 행복해질 수 있는 행위를 스스로 선택할 수 있습니다. 그리고 이 선택에 대해 스스로 책임을 집니다. 만약 이러한 개인의 자유로운 선택이 타인의 자유에 직접적 해악을 주지 않는 한 이를 규제할 수 없습니다. 오토바이 헬멧 착용을 하거나 하지 않는 것은 개인의 일반적 행동의 자유에서 보호됩니다. 오토바이 운전자가 헬멧을 쓰지 않겠다는 결정을 한 것은 자신에게 사고가 났을 때 자신의 신체적 부상이 커질 수는 있을지언정 교통사고를 직접 일으키거나 하는 등으로 타인의 자유에 대한 해악을 주지는 않습니다. 타인의 자유에 직접적 해악을 주지도 않고, 개인이 스스로 결정하고 책임질 수 있는 문제를 국가가 강제하는 것은 개인의 자기결정권에 대한 과도한 제한입니다.

　좌석안전벨트를 강제해서는 안 된다는 B의 입장에서는, 개인의 자유 침해를 논거로 제시할 것입니다. 개인의 자기결정권이란 사적인 사안을 스스로 결정할 자유이며, 개인은 스스로 결정한 자유 실현의 결과물에 대해 심사숙고하여 예측한 후 선택한 것이므로 이에 대한 책임을 져야 합니다. 좌석안전벨트 착용은 사적인 문제이므로 좌석안전벨트를 착용하지 않을 자유 역시 자기결정권에 의해 보호됩니다. 개인은 좌석안전벨트를 착용하여 발생할 이익과 그로 인해 발생할 불이익을 자신의 이성을 바탕으로 예측하여 이를 자유롭게 선택할 자유를 갖고 있습니다. 그리고 이 자유로운 선택의 결과로 나타나는 책임 또한 개인이 지게 됩니다. 따라서 좌석안전벨트를 착용하지 않을 자유는 개인의 자기결정권의 영역에 해당하며, 국가는 이를 제한할 수 없습니다.

Q1-2. 모범답변

　A의 주장은 타당하나, B의 주장은 타당하지 않습니다. 이에 따라 국가는 오토바이 헬멧 착용을 강제할 수 없고, 좌석안전벨트 착용은 강제할 수 있습니다. 이는 타인의 자유에 대한 직접적 해악의 여부가 다르기 때문입니다. 오토바이 헬멧 미착용은 타인에게 직접적인 해를 입히지 않고 오직 자신에게 해악이 될 뿐입니다. 따라서 국가와 사회가 개인의 자유를 제한할 수 없습니다.

　그러나 좌석안전벨트 미착용은 타인의 생명과 신체에 직접적 해악을 줄 수 있으므로, 이를 예방하기 위해 좌석안전벨트 착용을 강제할 수 있습니다. 좌석안전벨트를 착용하지 않으면, 운전자가 사고 시 차량조정기능을 잃어 2차 사고를 야기할 수 있고, 다른 동승자와 충돌할 수 있습니다. 개인이 자신의 자유의사로 좌석안전벨트를 착용하지 않을 경우 타인의 자유, 특히 타인의 생명과 신체에 직접적 해악을 줄 수 있으므로 국가는 좌석안전벨트 착용을 강제할 수 있습니다.

Q2. 모범답변

　고령운전자의 운전면허를 반납하도록 규제해서는 안 됩니다. 개인의 자유를 과도하게 제한하고, 평등원칙에 위배되기 때문입니다.

　개인의 자유에 대한 과도한 제한이므로 고령운전자의 운전면허를 반납하도록 규제해서는 안 됩니다. 개인은 자기 자신의 주체로 스스로 선택한 결과에 대해 책임을 지게 됩니다. 단, 타인의 자유에 직접적 해악을 가할 경우에 한해 개인의 자유를 제한할 수 있습니다. 운전 역시 개인의 자유로운 선택의 결과로 운전면허는 일정한 능력을 갖춘 사람에 대해 국가가 운전이 가능함을 보증하는 것입니다. 운전자의 나이와 관계없이 운전 능력이 미흡한 자는 운전을 할 수 없거나 차량 운행의 결과에 대해 처벌을 받는 등으로 책임을 지게 됩니다. 그러나 고령운전자의 경우 고령이라 하여 반드시 운전이 미흡하다고 할 수 없고, 개인의 상태에 따라 그 능력이 결정됩니다. 만약 특정 개인이 스스로 판단하기에 차량을 운행할 능력이 미흡하고 교통사고 확률이 높아 자신이 책임질 가능성이 높다고 판단한다면 운전을 선택하지 않을 것입니다. 고령임에도 운전을 할 것을 선택했다면 운행능력이 있고 교통사고의 책임을 지겠다고 스스로 선택한 것입니다. 따라서 고령운전자의 운전면허를 반납하도록 강제해서는 안 됩니다.

평등원칙에 위배되므로 고령운전자의 운전면허를 반납하도록 규제해서는 안 됩니다. 평등원칙이란 같은 것은 같게, 다른 것은 다르게 대하라는 원칙입니다. 같은 것을 다르게 대하거나, 다른 것을 같게 대하면 평등원칙에 위배됩니다. 고령운전자는 다른 운전자와 마찬가지로 동일하게 운전이 가능함을 증명하는 운전면허를 보유하고 있습니다. 그런데 운행능력이 있음에도 불구하고 단지 특정 연령대가 되었다는 이유만으로 운전면허를 반납하도록 강제하는 것은 합리적 이유없는 차별입니다. 동일한 자유에 대해 나이를 이유로 하여 운전 허용과 불허로 다르게 대하는 것입니다. 이는 같은 것을 다르게 대한 것으로서 평등원칙에 위배됩니다.

Q3. 모범답변

[비혼단독출산 허용 찬성 입장]

비혼 여성의 보조생식술을 통한 출산을 허용해야 합니다. 개인의 성적 자기결정권의 보장, 공공복리의 증진을 실현할 수 있기 때문입니다.

개인의 성적 자기결정권의 보장을 위해 비혼 여성의 보조생식술을 통한 출산을 허용해야 합니다. 개인은 자기 삶의 주인으로서 스스로 선택한 결과에 대한 책임을 지는 존재입니다. 개인은 이처럼 자기 결정과 책임의 온전한 주체가 됨으로써 자기 삶의 목적을 스스로 실현하는 존엄한 존재가 되는 것입니다. 만약 이러한 자기결정권의 실현이 타인의 자유에 직접적 해악을 주지 않는다면 이를 강제해서는 안됩니다. 비혼 여성이 정자 기증을 통해 임신과 출산을 원할 경우, 그 선택과 결정으로 인한 책임은 해당 여성에게 전적으로 귀속됩니다. 그리고 이 선택과 결정은 타인의 불쾌감이나 우려 등을 줄 수는 있으나 강간 등과 같이 타인의 자유에 직접적 해악을 주지 않습니다. 따라서 비혼 여성의 성적 자기결정권의 보장을 위해 허용되어야 합니다.

공공복리의 증진을 위해 비혼 여성의 보조생식술을 통한 출산을 허용해야 합니다. 현재 우리나라를 비롯한 선진국의 출산율이 급격하게 떨어지고 있습니다. 출산율의 하락은 다양한 사회문제를 일으킬 수 있다는 점에서 문제 해결이 요구됩니다. 그리고 출산율의 해결은 단순한 보조금 지원 등으로 해결되기 어렵고, 근본적으로 사회적인 인식 전환이 필요합니다. 비혼 여성의 보조생식술을 통한 출산을 허용한다면, 다양한 형태의 가족을 인정하는 시작점이 될 수 있습니다. 비혼 여성과 그 자녀라는 가족 형태뿐만 아니라 프랑스의 PACS와 같은 사회적 연대 형태의 가족 등등이 가능할 것입니다. 예를 들어, 프랑스는 전통적인 결혼 외에 사회적 연대 형태의 가족을 허용하였고, 다양한 형태의 가족을 인정하는 사회적 인식과 제도 개선을 시도하여 출산율이 반등한 바 있습니다.

[비혼단독출산 허용 반대 입장]

　가족 보호와 생명의 가치 훼손 우려가 심대하므로 비혼 여성의 보조생식술을 통한 출산을 허용해서는 안 됩니다. 비혼단독출산을 허용할 경우, 가족 보호와 생명의 가치 훼손이 우려됩니다. 먼저, 우리 사회의 기본 단위는 가족이므로 가족의 보호는 사회의 유지와 존속을 위한 필수적인 가치가 됩니다. 사회가 가족을 보호하는 이유는, 단지 남성과 여성이 결합하여 자녀를 임신하고 출산하기 때문만이 아니라 부부가 자녀를 양육하며 사회적인 가치의 학습을 내재화하는 사회화 과정이 함께 있기 때문입니다. 그러나 비혼 여성이 정자 기증을 통해 자녀를 출산할 경우, 출산 자체는 가능할 것이나 양육에서 사회화 과정에 문제를 일으킬 것입니다. 또한 부부의 자녀 출산은 부부와는 전혀 다른 독립적인 존재인 자녀를 자신이 선택할 수 없는 것으로 받아들이는 '선물 받음'이라 할 수 있습니다. 그러나 비혼 여성의 정자 기증을 통한 임신과 출산은 정자 기증을 선택하는 과정에서 우월하다고 여겨지는 유전적 요인을 선택하는 것으로 이어질 우려가 매우 큽니다. 그렇다면 자녀를 개인이 선택할 수 없는 '선물 받은' 독립적인 생명으로 보지 않고, 자신의 필요에 따라 선택한 생명으로 보게 될 것이므로 생명의 가치가 하락하는 생명경시풍조로 이어질 수 있습니다. 특히 비혼 여성은 정자은행 등을 이용하게 되는데 이때 특정한 선호를 반영하려 할 가능성이 높습니다. 예를 들어, 정자를 기증하는 남성의 키, IQ, 인종 등을 선택하여 자신이 원하는 자녀를 낳으려 할 수 있습니다. 이는 생명을 목적으로 하지 않고 자신의 선호를 위한 수단으로 대하는 것이라 할 수 있습니다. 따라서 사회적 가치의 훼손 우려가 매우 큽니다.

📁 **PLUS+** 　**철학적 딜레마**

2005헌마1111[18]
2002헌마518[19]

[18]

2005헌마1111

[19]

2002헌마518

Q1. 모범답변

제시문 (가)는 인간의 본성을 긍정적으로 이해하는 입장입니다. (가)는 백락이 인위적으로 말을 훈련시킴으로써 절반 이상의 말이 죽었다고 하면서, 인위적 방법으로 인해 본성을 해친 결과 해악이 초래했다고 합니다. 인간교육도 마찬가지로 인의를 억지로 가르치면 자기 이익에 민감해져 사회구성원 간에 다툼이 끊이지 않고 자유로운 마음만 해치게 됩니다. 따라서 교육은 피교육자의 본성을 자유롭게 드러내는 데 그쳐야지 인위적으로 마음을 만들려고 해서는 안 됩니다.

제시문 (나)는 인간의 본성을 부정적으로 이해하는 입장입니다. (나)에 따르면 인간의 본성은 악에 치우칠 가능성이 높으므로 멋대로 할 수 있는 자유를 인정하면 인간은 악행을 저지를 수밖에 없습니다. 인간이 기게스의 반지와 같이 다른 사람의 눈에 보이지 않을 수 있는 힘을 갖게 되면 부도덕하고 악한 행동을 하게 될 것이라 합니다. 결국 일반인이 자신의 행동에 대해 책임지지 않아도 된다면 악행을 저지를 것이라 말하고 있습니다.

제시문 (다)는 인간의 본성을 긍정적으로 이해하는 입장입니다. 나무의 천성을 잘 펼 수 있도록 도와줌으로써 나무가 잘 자랄 수 있다고 합니다. 나무를 키우는 방법은 인간교육에도 적용된다. 잘 하려는 의지에 따라 피교육자의 행위를 간섭하다 보면, 사람의 본성을 해하고, 자연스러운 성장마저 해칠 수 있습니다. 따라서 교육의 목적은 피교육자의 통제보다는 자율성을 보장하고 피교육자가 자아를 실현할 수 있는 여건을 갖추어 주는 것에 그쳐야 합니다.

제시문 (라)는 인간의 본성을 부정적으로 이해하는 입장입니다. 인간의 본성은 악하기 때문에 예의를 가르쳐야 하고 무거운 형벌을 통해 위하력을 주어야 합니다. 인간은 태어날 때부터 자신의 이익을 추구하기 때문에 스승의 가르침과 어린 시절부터 예절과 같은 습관을 들여야 합니다. 그렇지 않다면 인간은 자신의 악한 본성대로 악한 행동을 할 수밖에 없습니다.

Q2. 모범답변

인간의 본성을 긍정적으로 보는 관점에서 제시문 (가)와 (다)를, 인간 본성을 부정적으로 보는 관점에서 제시문 (나)와 (라)를 분류할 수 있습니다.

　　인간의 본성을 선한 것으로 보는 (가)와 (다)의 입장에서는, 인간의 선한 본성과 자율성을 존중하는 교육방법을 도출할 수 있습니다. (가)는 선한 본성을 존중해야 하는데, 인위적으로 이를 억제하는 등의 교육을 하게 되면 오히려 자기 이익에 민감해져 사회의 다툼이 커지게 됩니다. 따라서 인간의 자율성을 존중하는 교육을 통해 선한 본성이 드러나게 함으로써 사회에 도움이 되도록 해야 합니다. (다)는 나무를 키울 때에도 그 나무의 본성에 따라 자라나도록 도울 뿐이라고 합니다. 인간의 교육 역시 어떠한 의도를 실현하기 위해 피교육자의 본성에 자꾸 간섭하게 되면 자연스럽게 성장할 수 없습니다. 따라서 교육은 피교육자를 통제하려 해서는 안 되고, 자율성을 보장해서 스스로 자아를 실현할 수 있도록 돕는 것에 그쳐야 합니다.

　　인간의 본성을 악한 것으로 보는 (나)와 (라)의 입장에서는, 인간의 악한 본성을 억누르는 교육방법을 도출할 수 있습니다. (나)는 인간의 본성은 악에 치우칠 수밖에 없기 때문에 본성을 억제하는 교육이 필요합니다. 인간은 누구나 자신의 이익을 추구하고 자신의 행동에 대한 책임을 지기 싫어하는 악한 본성이 있습니다. 따라서 도덕과 선함에 대한 교육을 꾸준히 함으로써 악한 본성을 억누르는 교육을 해야 합니다. (라)는 인간의 본성은 악하기 때문에 자기 이익을 추구하여 사회가 어지러워질 것이라 합니다. 나무를 분재로 키우듯이 어린 시절부터 예절을 습관화시켜 몸에 체화시켜야 하고, 이렇게 해도 말을 듣지 않는 경우에는 회초리를 들어 처벌해야만 사회가 유지되고 존속할 수 있습니다. 따라서 예의를 몸에 익힐 수 있도록 강력하게 통제하는 교육을 해야만 합니다.

Q1. 모범답변

[공원 음주금지구역 지정 찬성 입장]

공원을 음주 금지구역으로 지정해야 한다는 입장에서는 안전사고 예방을 논거로 제시할 것입니다. 공동체는 서로 다른 생각을 가진 구성원들이 모여 이루어져 있고, 서로 공유된 가치를 중심으로 하여 이 공동체는 연결되어 있습니다. 만약 이 공유된 가치가 훼손된다면 공동체는 필연적으로 해체되고 붕괴하고 말 것입니다. 이러한 공유된 가치 중 하나가 사회 안전입니다. 공동체가 구성원들에게 안전한 사회라는 가치를 제공할 수 없다면 공동체를 이루어 살 필요가 없을 것입니다. 공원은 모든 공동체 구성원이 함께 사용하는 공적 공간이고 어린이, 청소년, 가족 등이 사용하는 공용 공간입니다. 그런데 특정 구성원이 자신들의 즐거움을 위해 음주를 하는 경우, 사회 다수의 안전이 위협될 뿐만 아니라 해당 구성원의 안전 역시 위협됩니다. 공원에 음주를 한 사람들이 많을 경우, 시비가 붙어 폭행이 일어나거나 공원을 이용하는 미성년자에 대한 위협이 됩니다. 얼마 전 한강공원에서 일어난 음주 사망사고처럼 과도한 음주로 몸을 가누지 못해 사망하거나 다치는 등의 사고가 발생할 수도 있습니다. 이처럼 공원에서의 음주는 다양한 안전사고를 일으킬 우려가 매우 크기 때문에 사회 다수의 안전을 지키기 위해 음주 금지구역으로 설정하는 것이 타당합니다.

[공원 음주금지구역 지정 반대 입장]

공원에서의 음주를 금지해서는 안 된다는 입장에서는 개인의 자유를 과도하게 제한하기 때문이라는 논거를 제시할 것입니다. 개인은 스스로 심사숙고하여 자신의 선택이 가져올 결과를 예측하고 결정하여 행동하며, 그 결과에 대해 책임을 지는 존재입니다. 개인의 자유 실현의 결과가 타인의 자유에 직접적 해악을 주는 것이 아니라면 강제해서는 안 됩니다. 물론 그렇게 하는 것이 더 현명한 선택이고 개인에게도 더 좋으며 사회적으로 좋은 결과를 가져온다고 하더라도 이를 권유할 수는 있으나 결코 강제해서는 안 됩니다. 공원에서 음주를 하는 행위는 타인에게 직접적 해악을 주는 행위가 아닙니다. 물론 만취자의 경우 공원을 찾은 다른 이용자를 폭행하는 등의 직접적 해악을 줄 수는 있으나, 이는 가능성에 불과한 것이므로 그 당사자에 대한 처벌이라는 책임을 물리면 충분합니다. 단지 가능성이 있다는 이유만으로 개인의 자유를 전적으로 제한해서는 안 됩니다. 부모가 미성년자의 행위를 규제하듯이 국가가 특정행위가 더 좋다거나 옳은 행위라 하여 강제하는 것은 국가가 개인의 자유에 과도하게 개입하는 것입니다. 만취해 사회적 물의를 일으키는 자가 발생할 것이라는 우려와 가능성만으로 공원에서 경치를 즐기며 음주를 하는 문화를 향유하는 대부분의 시민의 자유를 제한하는 것은 국가의 과도한 개입이며 개인의 자유에 대한 과도한 제한이 되므로 타당하지 않습니다.

Q2. 모범답변

[대통령 4년 중임제 찬성 입장]

대통령의 국민에 대한 책임성 강화를 위해 4년 중임제 도입은 타당합니다. 우리나라의 단임 대통령제는 군사독재 등의 역사적 문제로 인한 결과물이고, 결국 민주주의의 공고화로 이어지는 효과가 있었습니다. 그러나 단임 대통령제는 국정 운영에 있어서 국민의 요구사항을 반영한 책임 있는 정치와 행정을 실현하기보다 5년이라는 단기간의 행정정책에 집중하는 국정 운영으로 이어지고 있습니다. 국민의 정치적 의사에 의해 선출된 대통령이 국민의 의사에 반하는 국가정책을 수행한다고 하더라도 다음 선거에 의해 심판할 수 없기 때문에 국민 의사가 대통령의 국정 운영에 반영될 수 없기 때문입니다. 대통령은 한번 선출되면 국정 운영을 어떻게 한다고 하더라도 탄핵 사유가 아닌 한 국민과 의회에 책임을 지지 않기에 책임성이 약화될 수밖에 없습니다. 그러나 4년 중임제를 도입하면 대통령은 다음 선거에서 국민의 심판을 다시 받을 것이기 때문에 국민의 정치적 의사를 끊임없이 반영하는 국정 운영을 하게 될 것입니다. 따라서 국민에 대한 책임성 강화를 위해 4년 중임제를 도입해야 합니다.

[대통령 4년 중임제 반대 입장]

대통령 독재의 방지를 위해 4년 중임제 도입은 타당하지 않습니다. 대통령의 재선을 허용할 경우 현직 대통령이 자신의 지위를 이용해 차기 대통령 선거에서 승리할 가능성이 높고 이 과정이 반복되어 독재가 공고화될 것입니다. 우리나라는 이미 부정선거, 개헌을 통한 영구집권 시도 등 대통령의 독재 시도를 역사적으로 경험한 바 있습니다. 현행 우리 헌법의 대통령 5년 단임제는 그 역사의 결과물입니다. 물론 이전에 비해 대통령에 대한 견제와 통제 수단이 늘어났고, 우리 국민들의 민주주의에 대한 시민의식 또한 성장한 것은 사실입니다. 그러나 그럼에도 불구하고 여전히 대통령의 권력이 타국에 비해 훨씬 강력한 제왕적 대통령의 성격이 강한 것도 사실입니다. 이러한 점에서 대통령 독재의 위험성이 명확하게 해소되었다고 할 수는 없습니다. 따라서 대통령 4년 중임제는 시기상조라 보아야 하며, 도입해서는 안 됩니다.

Q3. 모범답변

[한국형 제시카법 제정 찬성 입장]

국민안전을 실현하기 위해 고위험 성범죄자의 거주지 제한 명령은 타당합니다. 국민은 자신의 자유와 권리를 안정적으로 보장받고자 국가를 설립했고, 이에 국가는 국민의 안전을 실현할 의무가 있습니다. 고위험 성범죄자들에 대한 위치추적장치 부착과 거주지 정보 공개 등의 조치를 취하고 있음에도 불구하고 성범죄 전과자들의 재범이 늘어나고 있습니다. 국민들은 재범의 가능성이 높은 고위험 성범죄자들의 예측할 수 없는 범죄 가능성에 두려움을 느끼고 있습니다. 현재 시행되고 있는 범죄자에 대한 위치추적장치는 범죄자들의 손괴 시도가 지속적으로 일어나고 있고, 범죄자의 위치만으로는 범죄를 예방할 수 없어 범죄를 저지른 이후에 경찰이 도착하는 사태가 벌어지고 있습니다. 또한 성범죄자 거주지 정보 공개는 위치추적장치와 마찬가지로 범죄 예방의 실효성이 없으며 실제로 범죄자가 등록된 장소와 다른 곳에 거주하는 경우도 확인되었습니다. 이처럼 현행 제도로는 국민안전을 충분히 실현할 수 없는 상황에서 고위험 성범죄자의 거주지를 국가가 관리 가능한 곳으로 한정한다면 국민이 자신의 거주지 부근에서 범죄로부터 안전할 것이라고 신뢰할 수 있을 것입니다. 따라서 성범죄자의 거주지 제한 명령은 타당합니다.

이중처벌 금지원칙에 반하므로 고위험 성범죄자의 거주지 제한 명령은 타당하지 않습니다. 개인은 자신이 스스로 선택한 자유로운 결정에 대해 책임을 지게 됩니다. 범죄자 역시 자신의 범죄 의지와 그에 따른 범죄를 스스로 선택한 것에 대한 책임으로써 형벌을 받고 수형 생활을 통해 그 책임을 이행하는 것입니다. 그러나 자신의 자유에 대한 책임을 이미 졌음에도 불구하고 또 다른 책임을 지게 해서는 안 됩니다. 이는 사회적인 우려가 있으므로 자신의 자유로운 선택에 대한 책임 그 이상을 지게 하는 것이기 때문에 자기책임원칙에 위배됩니다. 거주지 제한은 개인에게 보장된 기본권인 거주이전의 자유를 국가가 제한하는 것입니다. 그러나 고위험 성범죄자라 할지라도 자신의 범죄에 대한 책임을 이미 졌기 때문에 단지 위험성이 있다는 사회적 우려만으로 거주지를 제한하는 것은 같은 행위를 거듭 처벌하는 것이 됩니다. 이는 개인의 자유를 과도하게 제한하는 것이므로 인정될 수 없습니다. 따라서 고위험 성범죄자의 거주지 제한 명령은 타당하지 않습니다.

평등원칙에 위배되므로 고위험 성범죄자의 거주지 제한 명령은 타당하지 않습니다. 평등원칙은 같은 것은 같게 다른 것은 다르게 대하라는 원칙이며, 이에 의하면 합리적 이유 없이 같은 것을 다르게 대하거나 다른 것을 같게 대해서는 안 됩니다. 강력범죄를 저지른 범죄자는 같은 범죄 의지 실현에 대해 같은 책임을 지는 것이 합리적입니다. 그러나 폭력을 저지른 범죄자는 자신의 책임에 상응하는 형벌을 이행한 이후에는 거주지 제한 명령을 받지 않으나, 성범죄를 저지른 범죄자는 형벌 이행 이후에도 거주지 제한 명령이라는 자유 제한을 추가로 받게 됩니다. 이처럼 범죄 의지 실현에 있어서 같은 범죄자에 대해 폭력 범죄자는 수형 생활로 책임이 끝나지만 성범죄자는 수형 생활 이후의 자유 제한이라는 책임이 추가되어 다르게 취급되는 것입니다. 이처럼 성범죄자의 거주지 제한 명령은 같은 것을 다르게 대하는 것이므로 평등원칙에 위배되므로 타당하지 않습니다.

Q4. 모범답변

[가짜뉴스 규제 찬성 입장]

민주주의를 지키기 위해 가짜뉴스를 규제해야 합니다. 민주주의는 서로 다른 생각을 가진 구성원들이 함께 살아가기 위한 정치체제입니다. 민주주의에서 공동체 구성원들의 연대는 필수적인데, 구성원들이 서로 혹은 일부를 혐오하고 배제하고 제거하려 한다면 공동체는 유지·존속할 수 없습니다. 가짜뉴스는 잘못된 사실을 보도하거나 사실의 일부만을 강조·왜곡하는 등으로 공동체 구성원 중 일부를 혐오하고 배제하려는 악의적인 목적으로 행해지는 것입니다. 이로 인해 특정 구성원 혹은 특정집단에 대한 차별의식과 혐오가 발생할 수 있고 이것이 사회적으로 확산되어 공동체 다수가 특정 구성원과 집단을 배제하려 하게 됩니다. 그 대표적 사례가 나치의 유대인 혐오입니다. 나치는 유대인이 1차 세계대전 패배의 원인이고 독일인들을 없애려 하였다는 가짜뉴스를 퍼뜨렸습니다. 나치 독일의 국가대중계몽선전장관이었던 요제프 괴벨스가 라디오와 TV를 이용해 가짜뉴스를 선동했고 그 결과 혐오대상이 된 유대인을 가스실에서 대량 학살하는 결과로 이어졌습니다. 이처럼 공동체의 연대를 저해하고 민주주의를 위협하는 가짜뉴스를 규제해야 합니다.

[가짜뉴스 규제 반대 입장]

개인의 표현의 자유를 보장하기 위해 가짜뉴스를 규제해서는 안 됩니다. 민주주의는 주권자인 국민이 다양한 정보를 접하고 이에 따라 자유롭게 자신의 가치관을 설정하여 정치적 의사를 결정하고 표현할 수 있어야 합니다. 우리 헌법은 이를 위해 언론사의 언론의 자유와 표현의 자유를 강력하게 보장하고 있습니다. 그런데 가짜뉴스 규제를 강화하면 무엇이 가짜뉴스인지 구별 기준이 모호한 상황에서 자가검열이 이루어질 수밖에 없고 다양한 의견이 표출될 수 없습니다. 특히 언론사의 책임 등이 강화됨으로써 언론사의 언론의 자유가 제한되고 주권자인 국민의 의견 설정에 기반이 되는 정보가 제한되는 결과가 초래됩니다. 이는 국민의 알권리를 제한하여 국민주권의 실현을 저해하고 민주주의의 가치를 훼손합니다. 따라서 가짜뉴스를 규제해서는 안 됩니다.

Q5. 모범답변

[A의 항의가 정당하다는 입장]

미국 국민 A의 항의는 정당합니다. 개인은 자기 삶의 주체로 심사숙고하여 자신의 행동이 가져올 결과를 예측하고 이에 따라 결정하여 자신이 자유로운 결정과 그에 따른 결과에 대해서만 책임을 지는 존재입니다. 개인의 자유로운 행동은 타인의 자유에 직접적 해악을 끼치지 않는 한 제한될 수 없습니다. 이 상황에서 미국 국민인 A는 터스키지 지역에서의 부정의하고 반인권적인 행위에 가담하는 선택을 하지 않았습니다. 자신이 행하지도 않은 행위에 대한 결과로 인한 해당 부정의에 대한 책임은 없습니다. 그러나 이러한 개인에게 동의를 구하지 않고 미국 국민의 대표인 대통령이 이에 사과하는 것은 해당 개인에게 과도한 책임을 지우는 것입니다. 이는 책임주의 원칙에도 위배되며 사회적 가치를 지키기 위해 부정의를 행하지 않은 개인에게 도덕적 양심의 짐을 지우는 것입니다. 따라서 미국 국민 A의 항의는 정당합니다.

[A의 항의가 정당하지 않다는 입장]

미국 국민 A의 항의는 정당하지 않습니다. 공동체는 서로 다른 구성원들로 이루어져 있으며 공유된 가치를 기반으로 유지되고 존속됩니다. 사회구성원들을 연결해주는 필수적인 연결끈인 공유된 가치가 지켜지지 않는다면 해당 공동체는 붕괴하고 말 것입니다. 이러한 공유된 가치로 국가 정체성이 있습니다. 만약 미국 정부가 과거 터스키지 지역에서 행한 부정의에 대해 공식적으로 사과하지 않는다면, 이는 현재의 우리가 미래세대들에게 국가적 부정의를 용인할 것이고 역사적 악행이 재발할 수 있음을 선언하는 것입니다. 결국 국가의 정체성은 국가적 부정의와 악행의 재발을 용인하는 것으로 규정될 것입니다. 그뿐만 아니라 국가의 정체성을 공유하고 있는 미국 국민은 서사적 존재로서 미국의 발전에 대해 자긍심을 느끼는 것과 마찬가지로 미국의 악행에 대해 책임감을 가져야 합니다. 과거에 있었던 미국의 발전에 현재의 미국 국민인 A는 기여한 바가 없으나 자신의 정체성의 일부로 자긍심을 느끼고 있습니다. 그렇다면 자신이 행하지 않은 악행에 대해서도 책임감을 느끼고, 반성하고 사과함으로써 재발을 막아 국가 정체성을 미래 세대에 이어나가는 데 기여하겠다는 연대성을 발휘해야 합니다. 따라서 미국 국민 A의 항의는 정당하지 않습니다.

해커스 **김종수 로스쿨 면접** 200주제

Q6. 모범답변

[비의료인의 문신 시술 금지 찬성 입장]

국민보건을 위해 비의료인의 문신 시술을 금지해야 합니다. 국민보건은 국민의 생명과 직결되어 있어 모든 자유의 근간이 되므로 중요한 가치이며 국가의 의무입니다. 국민은 생명과 신체의 자유를 안정적으로 실현하고자 하나, 의료는 전문적 영역이기 때문에 정보의 비대칭성이 있어 일반 국민은 의료인의 능력이나 전문적 의료기술 등에 대한 판단이 불가합니다. 국가는 국민의 생명과 신체에 직결된 의료행위에 대한 전문적 판단을 통해 의료인의 면허와 의료 행위의 안전성 등을 판단해 의료법을 제정하고 이를 감독, 통제합니다. 문신은 시술과정에서 피부의 외부감염 방어기능을 일부 파괴하는 것입니다. 피부에 직접적으로 바늘을 찌르는 것이기 때문에 소독 등의 감염 관리가 미흡하면 국소감염과 전신감염 부작용이 있습니다. 의료인은 문신 시술의 부작용에 즉각 대처할 수 있는 전문적 능력이 있을 뿐만 아니라, 10년간의 의무기록이 보관되기 때문에 문제가 발생하더라도 이에 대한 대처가 가능합니다. 그러나 비의료인은 이러한 대처가 불가능합니다. 따라서 비의료인의 문신 시술을 금지해야 합니다.

[비의료인의 문신 시술 금지 반대 입장]

직업의 자유를 보장하기 위해 비의료인의 문신 시술을 금지하는 것은 타당하지 않습니다. 의료행위라 하더라도 의료의 수준이 생명에 직결되는 것이 아닌 경우 해당 직역에 해당하는 수준의 의료적 관리를 할 수 있습니다. 의료 행위는 질병 치료나 건강 유지, 증진을 위한 목적으로 하는 것인데, 문신 시술은 피부에 침습적인 행위를 하는 것은 사실이나 개성이나 아름다움을 표현하기 위한 목적의 시술입니다. 외국의 사례를 보더라도 문신 시술은 의학이나 의술과는 달리 독자적인 직역으로 발전해왔습니다. 물론 감염의 우려 등이 있는 것은 사실이나, 현대의학기술의 발전을 볼 때 단순한 감염 관리는 의료 물품이나 장비 등을 통해 충분히 구현 가능하고, 이에 대한 직역 교육 수료나 독자 직역 면허 등을 통해 관리, 통제 가능합니다. 따라서 직업의 자유를 보장하기 위해 비의료인의 문신 시술을 금지하는 것보다 독자 직역으로 인정하는 것이 타당합니다.

Q1. 모범답변

[여성징병제 찬성 입장]

국가안보를 위해 여성에 대한 강제징병은 타당합니다. 모든 국민은 국방의 의무가 있습니다. 그런데 우리나라의 병역법은 신체를 기준으로 하여 남성에게만 병역의 의무를 부담시키고 있습니다. 과거의 전쟁과 달리 현대전은 전투력의 조건에 신체적 조건이 결정적이라 할 수 없습니다. 최근에는 전투의 양상이 달라져 첨단 장비의 활용과 정보력의 결합이 전쟁에서 중요한 요소가 되고 있습니다. 남성과 여성에 체력과 신체 조건의 차이는 분명히 있을 것이나, 첨단 장비의 활용이나 정보력의 활용에 있어서 남성과 여성의 차이는 존재하지 않습니다. 특히 인구 감소와 고령화로 인해 병력이 줄어들고 있는 우리나라의 현 상황에서 병력 부족 문제를 해결하기 위해 여성 인력의 활용이 필요한 시점입니다. 국가안보는 국민의 의무이며, 국방의 의무를 실현할 수 있도록 여성이 군 복무할 수 있는 환경의 조성과 병과 조정, 필요 장비의 수급 등을 고민해야 합니다. 여성 또한 군 복무 환경을 조성하고 필요 장비를 지급하여 충분한 교육을 한다면 국가안보에 충분히 기여할 수 있습니다. 따라서 여성에 대한 강제징병을 시행해야 합니다.

평등원칙에 부합하므로 여성에 대한 강제징병은 타당합니다. 평등원칙은 같은 것은 같게, 다른 것은 다르게 대하라는 원칙입니다. 모든 국민은 국방의 의무를 지고 있습니다. 남성과 여성은 모두 같은 국민으로 국방의 의무를 집니다. 그런데 남성은 강제징병을 통해 국방의 의무를 실현하는 반면, 여성은 강제징병 없이 국방의 의무를 실현하지 않습니다. 이는 같은 국민의 의무를, 강제징병 유무로 서로 다르게 대하는 것입니다. 따라서 평등원칙에 부합하도록 하기 위해 여성에 대한 강제징병은 타당합니다.

[여성징병제 반대 입장]

국가안보를 위해 여성에 대한 강제징병은 타당하지 않습니다. 모든 국민은 국방의 의무가 있습니다. 그러나 병역은 국민이 정한 바에 따라 전투력의 기초가 되는 체력 조건에 따라 징병 여부가 결정됩니다. 여성은 국민이 정한 전투력의 기준에 못 미치기 때문에 병역을 이행하지 않을 뿐입니다. 모든 국민은 국방의 의무가 있으나 여성으로 태어난 것은 우연이기 때문에 병역을 이행하지 않습니다. 체력 조건에 부합하는 남성이 병역을 이행하지 않으려는 의도로 신체를 훼손한 경우 처벌하는 것은 그에 대한 자유와 책임을 부여하는 것입니다. 만약 여성도 병역을 이행해야 한다고 생각한다면 병역법을 개정하고 그에 따른 막대한 세금 부담을 감수해야 합니다. 우리나라의 국가예산 중 많은 부분을 국방예산이 차지하고 있다는 점에서 현재보다 더 많은 국방비를 지출하기는 어렵습니다. 국가안보와 군 병력의 확충을 위해 국가의 모든 자원을 투입한다면, 국력 자체가 감소하여 국가안보를 위해 사용할 자원이 더욱 줄어들게 될 것이고 오히려 국가안보를 실현하기 어려울 것입니다. 따라서 국가안보를 위해 여성에 대한 강제징병은 타당하지 않습니다.

해커스 김종수 로스쿨 면접 200주제

평등원칙에 위배되지 않으므로 여성에 대한 강제징병은 타당하지 않습니다. 평등이란 같은 것은 같게, 다른 것은 다르게 대하라는 원칙입니다. 국민에게 국방의 의무가 있다고 하여 모두 동일한 병역을 이행해야 하는 것은 아닙니다. 병역은 전투력의 기초가 되는 체력 조건에 따라 이행 여부를 결정하도록 병역법에 규정되어 있습니다. 이에 따라 남성과 여성의 신체적 조건의 차이를 인정하고 전투력의 정도에 따라 병역을 이행하도록 규정한 것입니다. 남성이라 하더라도 병무청의 신체검사를 통해 신체적 능력이 필요 전투력에 미치지 못할 경우 면제하거나 하는 등으로 병역 이행을 동일하게 강제하지 않는 것에서 이를 확인할 수 있습니다. 이처럼 명백하게 다른 전투력을 기준으로 병역 이행 여부를 결정한 것이므로 다른 것을 다르게 대한 것입니다. 이는 평등원칙에 위배되지 않으며 여성에 대한 강제징병은 타당하지 않습니다.

Q2. 모범답변

[대통령 4년 중임제 찬성 입장]

대통령의 국민에 대한 책임성 강화를 위해 4년 중임제 도입은 타당합니다. 우리나라의 단임 대통령제는 군사독재 등의 역사적 문제로 인한 결과물이고, 결국 민주주의의 공고화로 이어지는 효과가 있었습니다. 그러나 단임 대통령제는 국정 운영에 있어서 국민의 요구사항을 반영한 책임 있는 정치와 행정을 실현하기보다 5년이라는 단기간의 행정정책에 집중하는 국정 운영으로 이어지고 있습니다. 국민의 정치적 의사에 의해 선출된 대통령이 국민의 의사에 반하는 국가정책을 수행한다고 하더라도 다음 선거에 의해 심판할 수 없기 때문에 국민의 의사가 대통령의 국정 운영에 반영될 수 없기 때문입니다. 대통령은 한번 선출되면 국정 운영을 어떻게 한다고 하더라도 탄핵 사유가 아닌 한 국민과 의회에 책임을 지지 않기에 책임성이 약화될 수밖에 없습니다. 그러나 4년 중임제를 도입하면 대통령은 다음 선거에서 국민의 심판을 다시 받을 것이기 때문에 국민의 정치적 의사를 끊임없이 반영하는 국정 운영을 하게 될 것입니다. 따라서 국민에 대한 책임성 강화를 위해 4년 중임제를 도입해야 합니다.

[대통령 4년 중임제 반대 입장]

대통령 독재의 방지를 위해 4년 중임제 도입은 타당하지 않습니다. 대통령의 재선을 허용할 경우 현직 대통령이 자신의 지위를 이용해 차기 대통령 선거에서 승리할 가능성이 높고 이 과정이 반복되어 독재가 공고화될 것입니다. 우리나라는 이미 부정선거, 개헌을 통한 영구집권 시도 등 대통령의 독재 시도를 역사적으로 경험한 바 있습니다. 현행 우리 헌법의 대통령 5년 단임제는 그 역사의 결과물입니다. 물론 이전에 비해 대통령에 대한 견제와 통제 수단이 늘어났고, 우리 국민들의 민주주의에 대한 시민의식 또한 성장한 것은 사실입니다. 그러나 그럼에도 불구하고 여전히 대통령의 권력이 타국에 비해 훨씬 강력한 제왕적 대통령의 성격이 강한 것도 사실입니다. 이러한 점에서 대통령 독재의 위험성이 명확하게 해소되었다고 할 수는 없습니다. 따라서 대통령 4년 중임제는 시기상조라 보아야 하며, 도입해서는 안 됩니다.

Q3. 모범답변

　대체복무기간이 육군 병사 복무기간의 2배인 36개월로 하는 것은 징벌적 성격이라는 주장은 타당하지 않습니다. 병역이행자와 대체복무자 간의 불평등이 발생하기 때문입니다. 병역이행자는 국가안보를 실현하기 위해 특별한 희생을 하였습니다. 징병되어 병역을 이행하는 국민은 전시에는 생명을 잃을 가능성을 감수하였고, 평시에는 육군의 경우 18개월간 자신의 자유를 전면적으로 박탈당하는 것을 감수하고 있습니다. 이러한 병역이행자의 희생으로 국가안보가 달성되고 이로써 모든 국민의 자유가 안정적으로 보장되고 있습니다. 대체복무자의 대체복무기간을 너무 짧게 설정할 경우, 국민은 병역이행자가 국가안보를 위해 특별한 희생을 하고 있음에도 불구하고 대체복무자는 이러한 특별한 희생 없이 군 복무기간마저 짧다고 여길 것입니다. 따라서 육군 복무기간의 2배인 36개월은 특별한 희생을 감수하지 않는 대체복무자에게 징벌적이라 할 수 없습니다.[20]

　대체복무 시에 교정시설 합숙을 강제하는 것은 정당합니다. 병역기피풍조를 야기할 수 있기 때문입니다. 국가안보를 실현하기 위해서는 전투력을 갖춘 병력의 일정 수를 반드시 유지해야 합니다. 병역이행자의 군 복무로 인한 비용이 대체복무자의 그것보다 커서는 안 됩니다. 대체복무자가 교정시설과 같은 공익기관에서 합숙하지 않고 사회복무요원과 같은 방식으로 합숙 없이 복무가 대체되는 것은 허용할 수 없습니다. 국민은 국방의 의무를 통해 실현되는 국가안보를 위해 전투력, 즉 신체적 조건에 따라 군 복무방법이 결정됩니다. 병역이행자 중 전투력 판단에 따라 사회복무요원이 되어 공익기관에서 복무하는 것은 동일한 조건에 따라 결정된 것입니다. 그러나 대체복무자는 전투력, 즉 신체적 조건과 관계없이 대체복무를 하는 것이므로 교정시설에서 합숙을 하는 것이 적절합니다. 대체복무자가 교정시설에서 복무함으로써 생명을 해칠 수 없다는 양심을 훼손당하지 않고 범죄자의 교정에 기여하는 역할을 하도록 하고, 합숙을 하도록 하여 병역이행자와 평등한 희생을 하도록 하여 대체복무의 인정이 병역기피풍조로 이어지는 것을 막을 수 있습니다.

20)

2021헌마117

Q1. 모범답변

개인의 자유에 대한 과도한 제한이므로, 과다노출죄를 폐지해야 합니다. 개인은 자유롭게 자신의 가치관을 설정하고 이러한 가치관에 따라 자유롭게 행위하며 이에 대한 책임을 지게 됩니다. 이러한 개인의 자유는 최대한 보장되어야 하며, 어떤 행위가 더 옳다거나 더 현명하다거나 그것이 사회적으로 더 좋은 행위라는 이유로 권유할 수는 있으나 이를 개인에게 강제할 수 없습니다. 물론, 개인의 자유로운 결정에 따른 행위라 하더라도 타인의 자유에 직접적 해악을 가한 경우에는 그 자유를 제한할 수 있습니다. 과다노출 행위는 타인의 자유에 직접적인 해악을 가한 것이라 할 수 없습니다. 물론 과다노출로 인해 부끄러운 느낌이나 불쾌감을 줄 수는 있습니다. 그러나 이는 단지 감정적인 문제일 뿐 이것이 성추행이나 성폭행과 같이 타인의 자유에 해악을 주는 행위라 할 수는 없습니다. 그럼에도 불구하고 사회 일반의 도덕관념에 반한다는 이유만으로 개인의 노출행위를 처벌한다면 이는 사회적 도덕관념을 실현할 목적으로 개인을 도구화하는 것입니다. 따라서 개인의 자유에 대한 과도한 제한이므로 과다노출죄를 폐지해야 합니다.

법치주의에 반하므로, 과다노출죄를 폐지해야 합니다. 법치주의는 모든 개인에게 법이 명확하게 적용되어 일관된 법 실현이 된다는 것을 의미합니다. 개인은 누구나 자신이 자유롭게 선택한 결과에 대해 명확하게 법 위반 여부를 알 수 있어야 하고, 동일한 행위에 대해 동일한 처벌을 받아야 합니다. 그러나 경범죄 처벌법상의 과다노출죄는 공공장소에서 타인에게 부끄러운 느낌이나 불쾌감을 주는 행위를 한 자를 처벌합니다. 그러나 주요 부위를 노출해 타인에게 부끄러운 느낌을 주거나 불쾌감을 주었다는 것은 개인마다 판단기준이 모두 다를 수밖에 없습니다. 예를 들어, 비키니를 입은 여성이 해수욕장을 걷는 것은 과다노출죄의 적용 대상이 되지 않고 길거리를 걷는 것은 과다노출죄의 적용 대상이 될 수 있게 됩니다. 만약 해수욕장 인근에 거주하는 여성이 비키니를 입고 해수욕장까지 걸어갔다면 과다노출죄의 적용이 될 것인지 누구도 예측할 수 없습니다. 또한 걸어가는 과정에서 어떤 사람을 얼마나 많이 마주쳤는지에 따라 과다노출죄의 적용 여부가 달라질 수 있습니다. 이처럼 명확하지 않은 처벌 조항으로 인해 법에 대한 개인의 예측 가능성과 일관된 법 적용이 저해됩니다. 따라서 법치주의에 반하므로 과다노출죄를 폐지해야 합니다.

물론 이에 대해 과다노출죄를 폐지한다면, 공공장소에서의 과다노출이 늘어나 사회적 문제가 될 수 있다는 반론이 제기될 수 있습니다. 예를 들어, 소위 바바리맨 등이 늘어날 수 있다는 것입니다. 그러나 이에 대해서는 이미 형법에 공연음란죄가 존재하고 있으므로 문제가 되지 않을 것입니다. 공연음란죄는 성적 도의관념에 반하는 행위를 의도적으로 행한 것을 의미합니다. 경범죄 처벌법의 과다노출죄는 단지 타인에게 불쾌감을 줄 수 있는 노출행위인 것에 반해, 공연음란죄는 일반인의 성적 도의관념에 반하는 행위로 의도적인 것이라는 차이가 있습니다. 바바리맨 등의 사회적 문제가 될 수 있는 과다노출은 공연음란죄로 충분히 처벌 가능하므로 과다노출이 늘어나 사회적 문제가 될 것이라는 반론은 타당하지 않습니다.

Q2. 모범답변

건전한 성도덕의 보호를 위해 과다노출죄를 존치해야 합니다. 서로 다른 생각을 가진 구성원들이 공동체를 이루어 살아가기 위해서는 공유된 가치가 꼭 필요하고, 법은 이러한 공유된 가치를 지켜야 합니다. 이러한 공유된 가치 중 하나로 건전한 성도덕이 있습니다. 건전한 성도덕이 무엇인가에 대해 일률적으로 정의할 수는 없으나, 건전한 성도덕에 반하는 행위가 무엇인지는 사회의 일반인이라면 누구나 알 수 있습니다. 과다노출죄는 공개된 장소에서 공공연하게 성기·엉덩이 등 신체의 주요한 부위를 노출하여 다른 사람에게 부끄러운 느낌이나 불쾌감을 준 사람을 처벌한다고 규정하고 있습니다. 공개된 장소와 공공연한 신체 주요 부위 노출이라는 것은 사회 일반인이라면 누구나 그 정도를 파악할 수 있을 뿐만 아니라, 이러한 행위가 건전한 성도덕에 반한다는 것 또한 충분히 파악할 수 있습니다. 예컨대 여러 사람이 모일 수 있는 공원 등에서 알몸으로 배회하거나 자신의 성기를 노출하는 행위, 외투 등으로 몸을 감싸고 있다가 도로변에 사람들이 지나갈 때 갑자기 외투 등을 벗고 알몸을 드러내는 행위 등은 건전한 성도덕에 반하는 행위로 과다노출죄에 해당할 것이고, 그 반면에 젖은 옷을 갈아입기 위하여 잠깐 부득이한 알몸노출을 하는 경우, 지하철 내에서 어린아이에게 모유를 수유하기 위하여 유방을 노출한 경우 등은 해당하지 않을 것입니다. 따라서 건전한 성도덕의 보호를 위해 과다노출죄를 존치해야 합니다.

물론 이에 대해 과다노출죄가 존치됨으로써 개인의 자유를 과도하게 제한한다는 반론이 제기될 수 있습니다. 그러나 과다노출죄는 이미 제시한 바처럼 불명확한 기준이라 하기 어렵고, 지나친 신체노출 행위로 '부끄러운 느낌이나 불쾌감'을 주는 행위인지 여부는 보통사람을 기준으로 판단할 수 있으므로 사람마다 달리 평가된다고 할 수 없습니다. 남녀의 성기노출행위와 같이 용인할 수 없는 수준의 신체노출행위는 다른 사람에게 부끄러운 느낌이나 불쾌감을 주는 행위가 될 가능성이 크고, 부끄러운 느낌이나 불쾌감을 주는 행위가 무엇인지도 구체적이고 종합적으로 판단할 수 있습니다. 결국 성도덕이나 성풍속상 용인할 수 없는 정도로 부끄러운 느낌이나 불쾌감을 유발하는 신체노출행위가 무엇인지도 충분히 알 수 있습니다. 따라서 과다노출죄의 적용 대상이 무엇인지에 대해 개인의 예측이 불가능해 금지된 행위 여부를 알 수 없으므로 개인의 자유가 침해된다는 반론은 타당하지 않습니다.

Q3.

> 💬 Comment 위의 논거를 참고해 자신의 견해를 제시한다.

Part 1
Part 2
Part 3
Part 4
Part 5
Part 6
Part 7

🔨 관련판례 **2016헌가3**[21]

1. 과다노출의 기준이 불명확해 개인의 자유를 침해한다는 견해

심판대상조항은 알몸을 '지나치게 내놓는' 것이 무엇인지 그 판단 기준을 제시하지 않아 무엇이 지나친 알몸노출행위인지 판단하기 쉽지 않고, '가려야 할 곳'의 의미도 알기 어렵다. 심판대상조항 중 '부끄러운 느낌이나 불쾌감'은 사람마다 달리 평가될 수밖에 없고, 노출되었을 때 부끄러운 느낌이나 불쾌감을 주는 신체부위도 사람마다 달라 '부끄러운 느낌이나 불쾌감'을 통하여 '지나치게'와 '가려야 할 곳' 의미를 확정하기도 곤란하다.

심판대상조항은 '선량한 성도덕과 성풍속'을 보호하기 위한 규정인데, 이러한 성도덕과 성풍속이 무엇인지 대단히 불분명하므로, 심판대상조항의 의미를 그 입법목적을 고려하여 밝히는 것에도 한계가 있다. 대법원은 '신체노출행위가 단순히 다른 사람에게 부끄러운 느낌이나 불쾌감을 주는 정도에 불과한 경우 심판대상조항에 해당한다.'라고 판시하나, 이를 통해서도 '가려야 할 곳', '지나치게'의 의미를 구체화할 수 없다.

2. 과다노출의 기준이 명확하다는 견해

심판대상조항의 '지나치게 내놓는'은 '사회통념상 보통사람이 용인할 수 없는 수준으로 성도덕이나 성풍속을 해하는 신체노출행위'로 해석할 수 있다. 여러 사람이 모일 수 있는 공원에서 성기를 노출하는 행위, 외투로 몸을 감싸고 기다리다가 사람들이 지나갈 때 외투를 벗고 알몸을 드러내는 행위 등이 여기에 해당할 것이고, 모유수유를 위한 유방 노출과 같이 용인 가능한 잠깐 동안의 부득이한 노출은 이에 해당하지 않을 것이다.

지나친 신체노출행위로 '부끄러운 느낌이나 불쾌감'을 주는 행위인지 여부는 보통사람을 기준으로 판단하여야 하므로 사람마다 달리 평가될 수 없다. 남녀의 성기노출행위와 같이 용인할 수 없는 수준의 신체노출행위는 다른 사람에게 부끄러운 느낌이나 불쾌감을 주는 행위가 될 가능성이 크고, 부끄러운 느낌이나 불쾌감을 주는 행위가 무엇인지도 구체적이고 종합적으로 판단할 수 있으므로, 성도덕이나 성풍속상 용인할 수 없는 정도로 부끄러운 느낌이나 불쾌감을 유발하는 신체노출행위가 무엇인지도 충분히 알 수 있다.

심판대상조항의 문언, 입법목적, 입법연혁 등을 종합해 볼 때 심판대상조항이 금지하는 지나친 노출행위를 '불특정 또는 다수인이 쉽게 볼 수 있는 장소에서 알몸 또는 남녀의 성기, 엉덩이, 여성의 유방 등과 같이 그 시대의 사회통념상 성도덕 또는 성풍속을 해할 수 있는 신체부위를 보통사람이 용인할 수 없는 수준으로 드러내어 다른 사람에게 부끄러운 느낌이나 불쾌감을 불러일으키는 행위'로 충분히 이해할 수 있다.

21)

2016헌가3

Q1. 모범답변

    제시문 (가)는 적극적 우대조치가 필요하다고 주장합니다. 적극적 우대조치를 폐지할 경우, 사회 소수자의 기회 자체가 박탈될 수 있기 때문입니다. 버클리 로스쿨의 경우 인종에 대한 적극적 우대조치가 폐지된 이후로 흑인의 입학 자체가 불가능해졌다는 점에서 이를 확인할 수 있습니다.

    제시문 (나)는 적극적 우대조치가 필요하다고 주장합니다. 형식적 기회가 아닌 실질적 기회를 부여하여 실질적 평등이 실현될 수 있기 때문입니다. 장애인, 저소득층 자녀는 가정환경, 경제·신체적 어려움으로 인해 기회균등만으로는 실질적으로 평등한 기회를 부여받았다고 할 수 없습니다. (나)의 <표>에서 성적이 상위 25%인 자 중 부모의 지위가 상위 25%인 자의 대학졸업비율은 74%이나, 부모의 지위가 하위 25%인 자의 비율은 29%에 불과합니다. 이는 동일한 능력을 가졌다고 하더라도 가정환경에 따라 학업의 결과가 달라질 수 있음을 보여주는 것입니다. 가정환경이 불우한 자나 장애인에 대한 적극적 우대조치는 현존하는 차별을 해소하여 실질적 기회균등을 보장하기 위한 조치라 할 수 있습니다.

    제시문 (다)는 적극적 우대조치가 불필요하다고 주장합니다. 능력주의를 저해하기 때문입니다. 이에 의하면 결과의 불평등 혹은 부의 불평등은 개인의 노력할 의욕을 고취시키기 때문에 오히려 권장해야 합니다. 적극적 우대조치는 불평등을 인위적으로 완화하려는 시도이기 때문에 남보다 더 열심히 일하려는 개인의 노력할 의욕과 유인을 저해합니다. 그 결과 개인의 능력 개발이 저해되어 사회적 발전도 문제가 될 것입니다.

    제시문 (라)는 적극적 우대조치가 필요하다고 주장합니다. 합리적 이유가 있는 차별이기 때문입니다. 적극적 우대조치가 시행되면 이로 인해 역차별이 발생하는 것은 사실입니다. 예를 들어, 장애인과 저소득층 자녀에 대한 특별전형을 시행하게 되면, 일반인에 대한 역차별이 발생할 수 있습니다. 그러나 적극적 우대조치는 현존하는 명백한 차별을 시정함으로써 소수자의 권리를 보장하려는 합리적 목적이 있습니다. 합리적인 이유가 있는 차별이라면 일정수준의 역차별도 허용될 수 있습니다.

Q2. 모범답변

법학전문대학원 특별전형은 기회의 평등을 달성한다는 측면에서 타당합니다. 모든 국민은 교육받을 권리가 있고 이를 위한 공정한 기회를 부여받아야 하며, 자유로운 노력의 결과라는 대가를 받아야 합니다. 롤스에 따르면, 출생과 같은 우연에 따른 불평등은 부당하며, 진정한 기회 균등을 위해서 더 불리한 사회적 지위에서 태어난 자를 위해 보상할 필요가 있다고 합니다. 법학전문대학원 입학시험에서 일반 학생과 사회 소수자는 교육 기회 균등이 확보되지 못하고 있습니다. 예를 들어 장애인의 경우 장애를 가지게 된 것은 선천적 우연 혹은 후천적으로 발생한 우연적 사고에 의한 것입니다. 법학전문대학원 입학시험은 법학 적성과 지적 능력에 따라 결정될 것이지 우연에 따라 결정되어서는 안 됩니다. 따라서 이러한 우연으로 피해를 받은 학생들에게 보상을 하여 기회의 평등을 달성하기 위해 법학전문대학원 입학시험에서 특별전형을 시행하는 것은 타당합니다.

사회갈등 완화를 위해서 타당합니다. 특별전형이 없다면 장애인이나 저소득층 자녀가 법학전문대학원에 입학할 기회를 가지기 힘든 것이 사실입니다. 예를 들어 (가)와 같이 미국 캘리포니아 주에서 1996년 소수인종에 대한 특별전형을 폐지하자 버클리 법학전문대학원에서 단 한 명의 흑인도 입학 허가를 받지 못한 것을 통해 이를 확인할 수 있습니다. 이와 마찬가지로 장애인이나 저소득층 자녀가 법학전문대학원에 입학할 기회가 사라지고 상위계층이 거의 대부분의 입학생을 차지한다면 계층 간 갈등이 심화될 수 있습니다. 특별전형으로 장애인이나 저소득층 자녀도 법학전문대학원에 입학한다면 장기적으로 사회적 소외계층의 문제를 더 잘 해결할 수 있어 계층 간 갈등을 완화할 수 있을 것입니다.

특별전형으로 다양한 국가인재를 발굴하여 국민의 법률서비스 충족에 기여할 수 있습니다. 현대사회는 빠르게 변화하여 예측이 어려우므로 다양성을 확보하여 대응해야 합니다. 다양한 인재를 발굴하기 위해서는 획일적 기준보다는 다양한 기준을 이용해야 합니다. 국민의 법률 수요는 날로 다양해지고 있으며, 지금까지 법률 서비스를 이용할 수 있었던 상위계층보다는 이용이 제한적이었던 하위계층의 법률 수요가 더 다양해지고 커질 것입니다. 따라서 다양한 경험을 가진 국가인재를 확보하여 국민의 증대된 법률 서비스 수요를 충족시키기 위해서 특별전형이 시행되어야 합니다.

PLUS+ **적극적 우대조치**

소수인종 우대조치[22]
적극적 평등실현조치[23]
사회적 차별의 해결방안[24]

---

22)

소수인종 우대조치

23)

적극적 평등실현조치

24)

사회적 차별의 해결방안

2025학년도 법학전문대학원 입학 대비 최신개정판

해커스

김종수
로스쿨 면접

200주제

2권 | 심화&실전모의편

개정 3판 1쇄 발행 2024년 7월 26일

지은이	김종수
펴낸곳	해커스패스
펴낸이	해커스로스쿨 출판팀

주소	서울특별시 강남구 강남대로 428 해커스로스쿨
고객센터	1588-4055
교재 관련 문의	publishing@hackers.com
학원 강의 및 동영상강의	lawschool.Hackers.com

ISBN	2권: 979-11-7244-222-4 (14360)
	세트: 979-11-7244-220-0 (14360)
Serial Number	03-01-01

로스쿨교육 1위,
해커스로스쿨 lawschool.Hackers.com

📖 해커스로스쿨

- 해커스로스쿨 스타강사 김종수 선생님의 **본 교재 인강**(교재 내 할인쿠폰 수록)
- 기출문제에 대한 상세한 설명을 담은 **2024~2016 면접 기출문제 해설&보충자료**

주간동아 선정 2023 한국브랜드만족지수 교육(온·오프라인 로스쿨) 부문 1위